LA MONTAGNE MAGIQUE

Paru dans Le Livre de Poche :

LES BUDDENBROOK

LE DOCTEUR FAUSTUS

L'ÉLU

LA MORT À VENISE *suivi de* TRISTAN

ROMANS ET NOUVELLES
(La Pochothèque)
1. 1896-1903
2. 1904-1924
3. 1918-1951

SANG RÉSERVÉ *suivi de* DÉSORDRE

TONIO KRÖGER

THOMAS MANN

La Montagne magique

ROMAN TRADUIT DE L'ALLEMAND PAR MAURICE BETZ

ARTHÈME FAYARD

Titre original :

DER ZAUBERBERG

ISBN : 978-2-253-05752-9 – 1re publication LGF

Note du traducteur

La Montagne magique *dont l'idée première remonte à un séjour de Thomas Mann à Davos, en mai 1911, durant une cure qu'y faisait sa femme, a été écrite entre 1912 et 1923. L'intention primitive de l'auteur était de composer « une sorte de contrepartie satirique de* La Mort à Venise *dont le thème serait la séduction de la mort et de la maladie ». Par la suite cette conception devait s'élargir, « tous les problèmes que la guerre avait rendus plus aigus et plus actuels se cristallisèrent autour de ce noyau », et « l'humour qui exige de l'espace » finit par déterminer l'allure du récit et les proportions de l'œuvre.*

La première édition allemande de La Montagne magique *(« Der Zauberberg ») a paru chez S. Fischer, à Berlin, en 1924. La présente traduction intégrale a été faite d'après la nouvelle édition S. Fischer* (Duenndruck-Ausgabe) *parue en 1926.*

On a composé en italique les passages qui, dans le texte original, figurent dans une langue autre que l'allemand et qui ont été reproduits sans modifications.

M.B.

Dessein

L'histoire de Hans Castorp que nous voulons conter, non pas pour lui (car le lecteur apprendra à le connaître comme un jeune homme simple encore que sympathique), mais pour l'amour de l'histoire qui nous paraît au plus haut degré digne d'être contée (à propos de quoi il conviendrait quand même de rappeler que c'est là son histoire à lui et que n'importe quelle histoire n'arrive pas à n'importe qui) : cette histoire donc remonte à un temps très lointain, elle est en quelque sorte déjà toute recouverte d'une précieuse rouille historique, et il faut absolument la raconter sous la forme du passé le plus reculé.

Cela pourrait ne pas être un inconvénient pour une histoire, mais plutôt un avantage ; car il faut que les histoires soient passées, et plus elles sont passées, pourrait-on dire, mieux elles répondent aux exigences de l'histoire, et c'est tant mieux pour le conteur, évocateur murmurant du prétérit. Mais il en est d'elle comme il en est aujourd'hui des hommes, et pas en dernier lieu des conteurs d'histoires : elle est beaucoup plus âgée que son âge, son ancienneté ne peut se mesurer en jours, ni en révolutions autour du soleil le temps qui pèse sur elle ; en un mot, ce n'est pas en réalité au Temps qu'elle doit son degré d'ancienneté, et par cette remarque nous entendons du même coup faire allusion à la double nature, problématique et singulière, de cet élément mystérieux.

Mais, pour ne pas obscurcir artificiellement un état de choses clair, voici : l'extrême ancienneté de notre histoire provient de ce qu'elle se déroule avant *certain tournant et certaine limite qui a profondément bouleversé la Vie et la Conscience... Elle se déroule, ou, pour éviter consciencieusement tout présent, elle se déroula, elle s'est déroulée jadis, autrefois, en ces jours révolus du monde d'avant la Grande Guerre, avec le commencement de laquelle tant de choses ont commencé qui, depuis, ont sans doute à peine cessé de commencer. C'est donc auparavant qu'elle se déroule, sinon très longtemps auparavant. Mais le caractère ancien d'une histoire n'est-il pas d'autant plus profond, plus accompli et plus légendaire qu'elle se déroule plus immédiatement « auparavant » ? En outre il se pourrait que la nôtre, à d'autres égards encore, et de par sa nature intime, tînt plus ou moins de la légende.*

Nous la raconterons en détail, exactement et minutieusement. En effet, l'intérêt d'une histoire ou l'ennui qu'elle nous cause ont-ils jamais dépendu de l'espace et du temps qu'elle a exigé ? Sans craindre de nous exposer au reproche d'avoir été méticuleux à l'excès, nous inclinons au contraire à penser que seul est vraiment divertissant ce qui est minutieusement élaboré.

Ce n'est donc pas en un tournemain que le conteur en finira de l'histoire de Hans. Les sept jours d'une semaine n'y suffiront, non plus que sept mois. Le mieux sera qu'il ne se demande pas d'avance combien de temps s'écoulera sur la terre, tandis qu'elle le tiendra dans ses filets. Après tout, mon Dieu ! ce ne seront peut-être pas tout à fait sept années !

Et sur ce, nous commençons.

CHAPITRE PREMIER

Arrivée

Un simple jeune homme se rendait au plein de l'été, de Hambourg, sa ville natale, à Davos-Platz, dans les Grisons. Il allait en visite pour trois semaines.

Mais de Hambourg jusque là-haut, c'est un long voyage ; trop long en somme par rapport à la brièveté du séjour projeté. On passe par différentes contrées, en amont et en aval, du haut plateau de l'Allemagne méridionale jusqu'au bord de la mer souabe, et, en bateau, sur ses vagues bondissantes, par-delà des abîmes que l'on tenait autrefois pour insondables.

À partir de là, le voyage, qui s'était si longtemps poursuivi en ligne droite, d'un grand jet, commence à s'éparpiller. Il y a des arrêts et des complications. Au lieu-dit Rorschach, sur territoire suisse, on se confie de nouveau au chemin de fer, mais on ne parvient de prime abord que jusqu'à Landquart, une petite station alpestre, où l'on est obligé de changer de train. C'est un chemin de fer à voie étroite où l'on s'embarque après une attente prolongée en plein vent, dans une contrée assez dépourvue de charme ; et, dès l'instant où la machine, de petite taille, mais d'une puissance de traction apparemment exceptionnelle, se met en mouvement, commence la partie proprement aventureuse du voyage, une montée brusque et ardue qui ne semble pas vouloir finir. Car Landquart est encore situé à une altitude relativement modérée ; mais à présent, c'est par une route rocheuse, sauvage et âpre que, tout de bon, on s'engage dans les hautes montagnes.

Hans Castorp — tel est le nom du jeune homme — se trouvait seul, avec sa sacoche en peau de crocodile, un cadeau de son oncle et tuteur, le consul Tienappel — pour le désigner lui aussi dès à présent par son nom — avec son manteau d'hiver qui se balançait à une patère et avec son plaid roulé, dans un petit compartiment capitonné de gris ; il était assis près de la portière baissée, et comme l'après-midi se faisait de plus en plus frais, il avait, en enfant gâté et douillet qu'il était, relevé le col de son pardessus d'été doublé de soie, de coupe ample et moderne. Près de lui, sur la banquette, il y avait un livre broché, intitulé *Ocean Steamships*, qu'il avait ouvert de temps à autre, au début de son voyage ; mais à présent ce livre gisait là, abandonné, et le souffle haletant de la locomotive saupoudrait sa couverture de parcelles de suie.

Deux journées de voyage éloignent l'homme — et à plus forte raison le jeune homme qui n'a encore plongé que peu de racines dans l'existence — de son univers quotidien, de tout ce qu'il regardait comme ses devoirs, ses intérêts, ses soucis, ses espérances ; elles l'en éloignent infiniment plus qu'il n'a pu l'imaginer dans le fiacre qui le conduisait à la gare. L'espace qui, tournant et fuyant, s'interpose entre lui et son lieu d'origine, développe des forces que l'on croit d'ordinaire réservées à la durée. D'heure en heure, l'espace détermine des transformations intérieures, très semblables à celles que provoque la durée, mais qui, en quelque manière, les surpassent.

À l'instar du temps, il amène l'oubli ; mais il le fait en dégageant la personne de l'homme de ses contingences, pour la transporter dans un état de liberté initiale ; il n'est pas jusqu'au pédant et au philistin dont il ne fasse en un tournemain quelque chose comme un vagabond. Le temps, dit-on, c'est le Léthé. Mais l'air du lointain est un breuvage tout pareil, et si son effet est moins radical, il n'en est que plus rapide.

Cela, Hans Castorp allait, lui aussi, l'éprouver. Il n'avait pas l'intention de prendre ce voyage particulièrement au sérieux, d'y engager sa vie intérieure. Sa pensée avait été plutôt de s'en acquitter rapidement, parce qu'il fallait s'en acquitter, de rentrer chez lui tel qu'il était parti, et de reprendre sa vie exactement là où il avait dû, pour un instant, l'abandonner. Hier encore, il avait été absorbé entièrement par le cours ordinaire de ses pensées ; il s'était occupé du passé le plus récent, son examen, et de l'avenir immédiat, le début de son stage pratique chez Tunder et Wilms (Chantier de constructions, machines et chaudronnerie), et il avait jeté par-delà les trois prochaines semaines un regard aussi impatient que l'admettait son caractère. Mais à présent, il lui semblait pourtant que les circonstances exigeaient sa pleine attention et qu'il n'était pas admissible de les prendre à la légère. Ce sentiment d'être enlevé vers des régions où il n'avait encore jamais respiré et où, comme il le savait, régnaient des conditions de vie absolument inaccoutumées, singulièrement amenuisées, réduites, commençait à l'agiter, à l'animer d'une certaine inquiétude. Pays natal et ordre étaient non seulement restés très loin en arrière, mais surtout combien de toises au-dessous de lui, et son ascension se poursuivait toujours et encore. Planant entre eux et l'inconnu, il se demandait ce qui, là-haut, adviendrait de lui. Peut-être était-ce imprudent et malsain de se laisser ainsi transporter dans ces régions extrêmes, pour lui qui était né et habitué à respirer quelques mètres à peine au-dessus du niveau de la mer, sans qu'il eût passé quelques jours dans un lieu intermédiaire ? Il souhaitait d'être arrivé, car une fois parvenu en haut, pensait-il, on vivrait comme partout, et tout ne vous rappellerait pas, comme à présent, pendant la montée, dans quelles sphères impropres l'on se trouvait. Il regarda par la portière : le train serpentait, sinueux, dans l'étroit défilé ; on voyait les premiers wagons, on voyait la machine cracher, en peinant, des masses de fumée brunes, vertes et noires qui se dissipaient. Des eaux murmuraient dans la profondeur, à droite ; à gauche, des pins foncés, entre des blocs de rocher, se dressaient vers un ciel gris pierre. Des tunnels noirs comme fours survenaient, et lorsque le jour reparaissait, de vastes abîmes s'ouvraient, avec des bourgs dans leur profondeur. Ils se refermaient, de nouveaux défilés suivaient, avec des restes de neige dans leurs crevasses et leurs fentes. Il y avait des arrêts devant de minables petites gares, des têtes de lignes que le train quittait en sens inverse, ce qui était d'un effet déroutant, car on ne savait plus dans quelle direction on allait, et on ne se souvenait plus des points cardinaux. De grandioses perspectives sur la fantasmagorie sacrée et l'amoncellement de l'univers alpestre où l'on pénétrait en s'élevant, s'ouvraient, puis échappaient de nouveau, par un détour de la voie, au regard admiratif. Hans Castorp se dit qu'il devait avoir laissé derrière lui la zone des arbres à feuilles, sans doute aussi, sauf erreur, celle des oiseaux chanteurs, et cette pensée de la cessation, de l'appauvrissement fit en sorte que saisi d'un vertige et d'une légère nausée, durant deux secondes il couvrit ses yeux de sa main. Déjà c'était passé. Il vit que l'ascension avait pris fin. Le point culminant du défilé était franchi. Au milieu de la vallée plane, le train à présent roulait plus agréablement.

Il était huit heures environ, le jour durait encore. Un lac parut dans le lointain du paysage ; son eau était grise, et les forêts de pins montaient, noires, au-dessus des rives et le long des pentes, se clairsemaient, se perdaient, ne laissant qu'une masse pierreuse d'une nudité embrumée. On s'arrêta près d'une petite gare, c'était Davos-Dorf, ainsi que Hans Castorp l'entendit crier ; tout à l'heure il serait arrivé au terme de son voyage. Et tout à coup il entendit à côté de lui la voix de Joachim Ziemssen, la voix compassée et hambourgeoise de son cousin, qui disait :

« Bonjour, vieux ! Allons-y, descendons ! »

Et, comme il regardait par la portière, il vit Joachim en personne sur le quai, en raglan brun, sans chapeau, avec un air de santé qu'il ne lui avait jamais connu de sa vie.

Joachim rit encore et dit :

« Eh bien, descends donc, ne te gêne pas !

— Mais je n'y suis pas encore ! dit Hans Castorp, abasourdi et toujours encore assis.

— Si, tu y es. Voici le village. Pour aller au sanatorium, c'est plus près par ici. J'ai pris une voiture, passe-moi donc tes bagages. »

Et, riant, confus, dans l'agitation de l'arrivée et des retrouvailles, Hans Castorp lui tendit sa sacoche et son manteau d'hiver, le plaid roulé avec canne, parapluie, et enfin les *Ocean Steamships*. Puis il franchit en courant l'étroit couloir et sauta sur le quai pour saluer son cousin d'une manière plus directe enfin et en quelque sorte personnelle, ce qui eut lieu sans exubérance, comme il sied entre gens de mœurs froides et rigides. C'est une chose bien étrange à rapporter, mais depuis toujours ils avaient évité de s'appeler par leurs prénoms, uniquement par crainte d'une cordialité trop grande. Comme ils ne pouvaient quand même pas se donner leurs noms de famille, ils s'en tenaient au Toi. C'était l'usage établi entre cousins.

Un homme en livrée et à casquette galonnée les regarda se serrer la main — le jeune Ziemssen avec une raideur militaire — rapidement et avec un peu de gêne, puis il s'approcha pour demander le bulletin de bagages de Hans Castorp ; c'était le concierge du sanatorium international Berghof, et il manifesta l'intention de chercher la grande malle du visiteur à la gare de Davosplatz, tandis que ces messieurs partiraient tout de suite en voiture pour aller directement dîner. L'homme boitait visiblement, de sorte que la première question que Hans Castorp posa à Joachim Ziemssen fut celle-ci :

« Est-ce un invalide de guerre ? Pourquoi boite-t-il ainsi ?

— Merci, répondit Joachim avec une certaine amertume. Précisément, un invalide de guerre ! Celui-là, ça l'a pincé au genou, ou ça l'avait pincé tout au moins, car depuis il s'est fait enlever la rotule. »

Hans Castorp réfléchit aussi vite que possible.

« Ah ! c'est cela ! » dit-il.

Il leva la tête tout en marchant et se retourna légèrement.

« Mais tu ne vas tout de même pas vouloir me faire accroire que toi, tu as encore quelque chose ? Vrai, on dirait que tu as encore ton baudrier et que tu viens tout droit du champ de manœuvres. »

Et il regarda son cousin de côté.

Joachim était plus grand et plus large que lui, un modèle de force juvénile, et comme taillé pour l'uniforme. Il était de ce type très brun que sa blonde patrie ne laisse pas de produire quelquefois, et sa peau, naturellement foncée, avait, par le hâle, pris une couleur presque bronzée.

Avec ses grands yeux noirs et la petite moustache brune au-dessus d'une bouche pleine et bien découpée, il eût été véritablement beau s'il n'avait eu des oreilles trop décollées. Elles avaient été son unique chagrin, la grande douleur de sa vie, jusqu'à un certain moment. À présent il avait d'autres soucis. Hans Castorp poursuivit :

« Tu redescends tout de suite avec moi. Je ne vois vraiment pas d'objection.

— Tout de suite, avec toi ? » demanda le cousin, et il tourna vers Castorp ses grands yeux qui avaient toujours été doux, mais qui, durant ces cinq mois, avaient pris une expression un peu lasse, presque triste. « Tout de suite, quand ?

— Mais dans trois semaines.

— Ah bon ! tu étais déjà en train de repartir en pensée ? répondit Joachim. Attends au moins un peu, tu viens à peine d'arriver. Sans doute, trois semaines ne sont presque rien pour nous, ici, mais pour toi qui es en visite ici et qui ne dois rester en tout que trois semaines, pour toi c'est tout de même un bon bout de temps. Commence donc par t'acclimater, ce n'est pas si facile, tu verras. Et puis le climat n'est pas la seule chose étrange chez nous. Tu verras ici du nouveau de toute sorte, sais-tu ? Quant à ce que tu dis de moi, ça ne va tout de même pas comme sur des roulettes. Tu sais, “rentré dans trois semaines”, ce sont des idées d'en bas. C'est vrai que je suis brun, mais c'est surtout le hâle qui provient de la réverbération de la neige, et ça ne prouve pas grand-chose, comme Behrens dit toujours, et à la dernière consultation générale, il m'a dit que j'en avais bien encore pour six bons petits mois.

— Six mois ? tu es fou ! » s'écria Hans Castorp.

Devant la gare qui n'était pas beaucoup plus qu'une sorte de remise, ils venaient de prendre place dans le cabriolet jaune qui les attendait sur une place pavée, et tandis que les deux bais commençaient à tirer, Hans Castorp, indigné, s'agitait sur le dur capitonnage du siège.

« Six mois ? Voici presque six mois déjà que tu es ici ! On n'a pourtant pas tellement de temps…

— Oui, le temps, dit Joachim, et il hocha plusieurs fois la tête, droit devant soi, sans se préoccuper de l'honnête indignation de son cousin. On en prend des libertés avec le temps des gens, tu ne peux pas t'en faire une idée. Trois mois sont pour eux comme un jour. Tu le verras bien. Tu apprendras tout cela », dit-il, et il ajouta : « On change de conceptions, ici. »

Hans Castorp ne cessait de le regarder de côté.

« Mais tu t'es magnifiquement rétabli, dit-il en hochant la tête.

— Oui, crois-tu ? répondit Joachim. N'est-ce pas, je le pense aussi », dit-il, et il s'assit plus haut sur le coussin ; mais aussitôt il reprit une position plus oblique.

« Cela va mieux, expliqua-t-il, mais je ne suis quand même pas encore bien portant. À gauche, en haut, où l'on entendait autrefois comme un râle, le son est encore un peu rauque, ce n'est pas bien terrible, mais en bas, c'est encore très rauque, et puis dans le deuxième creux intercostal, il y a aussi des bruits.

— Comme tu es devenu savant ! dit Hans Castorp.

— Oui, Dieu sait que c'est une drôle de science. Celle-là, j'aurais aimé la perdre bien vite à trimer au service militaire, répondit Joachim. Mais j'ai encore de l'expectoration », dit-il avec un haussement d'épaules à la fois négligent et irrité qui ne lui seyait pas précisément, et il montra à son cousin un objet qu'il tira à moitié de la poche intérieure de son raglan, et s'empressa de nouveau de dissimuler : un flacon plat et évidé en verre bleu, avec un bouchon de métal.

« La plupart d'entre nous, ici en haut, ont cela, dit-il. Il y a même un nom pour cela, un surnom, assez rigolo. Tu regardes le paysage ? »

C'était ce que faisait Hans Castorp, et il assura :

« Grandiose !

— Tu trouves ? » demanda Joachim.

Ils avaient suivi sur une certaine distance la route irrégulièrement bordée de maisons et parallèle au chemin de fer, dans l'axe de la vallée. Puis ils avaient obliqué vers la gauche par-dessus l'étroite voie, avaient traversé un cours d'eau, et sur un chemin à la pente légère, ils montaient au trot vers le versant boisé, là où, sur un plateau qui s'avance légèrement, sa façade orientée vers le sud-ouest, un bâtiment allongé, surmonté d'une tour à coupole, et qui, à force de loges, de balcons, semblait de loin troué et poreux comme une éponge, venait justement d'allumer ses premières lumières. Le crépuscule tombait rapidement. Une légère rougeur qui, un instant, avait animé le ciel couvert d'une manière égale, avait déjà pâli et sur la nature régnait cet état de transition décoloré, inanimé et triste qui précède immédiatement la tombée définitive de la nuit. La vallée habitée s'étendait là, allongée et légèrement sinueuse, s'allumait un peu partout, au fond comme sur les deux pentes, sur le versant droit surtout qui faisait saillie et sur lequel s'échelonnaient en terrasses les constructions. À gauche, des sentiers montaient à travers les prés et se perdaient dans la noirceur émoussée des forêts de conifères. Les coulisses des montagnes plus éloignées, derrière l'entrée à partir d'où la vallée se rétrécit, étaient d'un terne bleu d'ardoise. Comme un vent venait de se lever, la fraîcheur du soir se faisait sensible.

« Non, pour te le dire franchement, je ne trouve pas que ce soit si formidable, dit Hans Castorp. Où sont donc les glaciers et les cimes blanches et les géants de la montagne ? Ces machins ne sont tout de même pas bien haut, il me semble.

— Si, ils sont haut, répondit Joachim. Tu vois presque partout la limite des arbres. Elle est même marquée avec une netteté particulièrement frappante, les pins s'arrêtent, et puis tout s'arrête, il n'y a plus rien, rien que des rochers, comme tu peux t'en rendre compte. De l'autre côté, là-bas, à droite de la Dent Noire, de cette corne là-haut, tu as même un glacier. Vois-tu encore le bleu ? Il n'est pas grand, mais c'est un glacier authentique, le glacier de la Scaletta. Piz Michel et le Tinzenhorn, dans le creux, tu ne peux pas les voir d'ici, restent également toute l'année sous la neige.

— Sous la neige éternelle, dit Hans Castorp.

— Oui, éternelle, si tu veux. Oui, tout ça est déjà assez haut, mais nous-mêmes, nous sommes affreusement haut. Songes-y. Seize cents mètres au-dessus du niveau de la mer. De sorte que les altitudes n'apparaissent plus beaucoup.

— Oui, quelle escalade ! J'en avais le cœur oppressé, je ne te dis que cela. Seize cents mètres ! C'est que cela représente presque cinq mille pieds, si l'on fait le calcul. De ma vie, je n'ai jamais été aussi haut ! »

Et, avec curiosité, Hans Castorp aspira une longue bouffée de cet air étranger, pour l'éprouver. Il était frais, et c'était tout. Il manquait de parfum, de teneur, d'humidité, il pénétrait facilement et ne disait rien à l'âme.

« Parfait ! remarqua-t-il poliment.

— Oui, c'est un air réputé. D'ailleurs, le pays, ce soir, ne se présente pas sous son jour le plus favorable. Quelquefois il a meilleure apparence, surtout sous la neige. Mais on finit par s'en fatiguer. Nous tous, ici en haut, tu peux m'en croire, nous en sommes indiciblement las », dit Joachim, et sa bouche fut un instant tirée par une moue de dégoût qui semblait exagérée et mal contenue, et qui, elle aussi, lui seyait mal.

« Tu as une singulière façon de parler, dit Hans Castorp.

— Singulière ? demanda Joachim avec une certaine inquiétude ; et il se tourna vers son cousin.

— Non, non, je te demande pardon, j'ai eu cette impression, un instant seulement », s'empressa de dire Hans Castorp.

Mais, s'il avait voulu dire cela, c'était à cause de cette expression « nous autres, ici, en haut », que Joachim avait employée quatre ou cinq fois déjà, et qui, en quelque manière, lui avait semblé oppressante et bizarre.

« Notre sanatorium est situé plus haut encore que le village, vois-tu, poursuivit Joachim. Cinquante mètres. Le prospectus dit "cent", mais ce n'est que cinquante. Le sanatorium le plus élevé est le sanatorium Schatzalp, de l'autre côté ; on ne peut pas le voir d'ici. Ceux-là, en hiver, doivent transporter leurs cadavres en bobsleigh, parce que les chemins ne sont plus viables.

— Leurs cadavres ? Tiens, tiens ! Mais allons donc ! » s'écria Hans Castorp.

Et tout à coup il fut pris d'un rire, d'un rire violent et insurmontable qui ébranlait sa poitrine et tordait sa figure séchée par le vent frais d'une grimace légèrement douloureuse.

« En bobsleigh ! Et tu me racontes cela avec le plus grand calme ? Mais tu es devenu cynique, mon ami, en ces cinq mois !

— Pas du tout cynique, répliqua Joachim en haussant les épaules. Comment donc ? Les cadavres s'en moquent bien... Et puis, tu sais, c'est bien possible que l'on devienne cynique, ici, chez nous. Behrens lui-même est un vieux cynique, un type fameux, soit dit en passant, ancien étudiant et membre d'une corporation, chirurgien remarquable, à ce qu'il paraît. Il te plaira sans doute. Et puis il y a encore Krokovski, l'assistant, un monsieur très calé. Dans le prospectus, il est particulièrement question de son activité. Il fait de la dissection psychique avec les malades.

— Quoi ? que fait-il ? de la dissection psychique ? Mais c'est répugnant, dis donc », s'écria Hans Castorp.

Et la gaieté à présent prenait décidément le dessus. Il n'en était plus du tout le maître. Après tout le reste, la dissection psychique avait eu raison de lui, et il riait si fort que les larmes coulaient sous la main dont, penché en avant, il abritait ses yeux.

Joachim rit, lui aussi, très cordialement ; cela semblait lui faire du bien, et ainsi advint-il que l'humeur des deux jeunes gens fut excellente lorsqu'ils descendirent de leur voiture qui, en dernier lieu au pas, par le ruban d'une rampe zigzagante et roide, les avait conduits jusque devant le portail du sanatorium international Berghof.

Numéro 34

Tout de suite à droite, entre le portail et le tambour, était située la loge du concierge. De là vint à leur rencontre, vêtu de la même livrée grise que l'homme boiteux de la gare, un domestique du type français et qui, assis au téléphone, avait lu des journaux. Il les conduisit à travers le hall bien éclairé, à droite duquel se trouvaient des salons. En passant, Hans Castorp y jeta un coup d'œil et remarqua qu'ils étaient vides. Où donc étaient les pensionnaires ? s'informa-t-il, et son cousin répondit :

« Ils font la cure de repos. J'avais la permission de sortir aujourd'hui parce que je voulais te chercher. En temps ordinaire, moi aussi je reste étendu sur le balcon, après le dîner. »

Il s'en fallut de peu que le rire s'emparât une deuxième fois de Hans Castorp.

« Comment ? par le brouillard et la nuit noire, vous vous étendez sur le balcon ? demanda-t-il d'une voix vacillante.

— Oui, c'est la consigne. De huit à dix. Mais viens à présent voir ta chambre et te laver les mains. »

Ils entrèrent dans l'ascenseur dont le domestique français fit fonctionner le mécanisme électrique. Tout en montant, Hans Castorp séchait ses yeux.

« Je suis malade de rire, dit-il, en respirant par la bouche. Tu m'as raconté tant de choses folles. Ton histoire de dissection psychique était par trop forte, elle a dépassé la mesure. Et puis je suis peut-être un peu fatigué par le voyage. Est-ce que tu as aussi les pieds froids ? On a en même temps le visage brûlant, c'est énervant. Nous allons tout de suite dîner, n'est-ce pas ? Il me semble avoir faim. Mange-t-on bien, au moins, chez vous, ici, en haut ? »

D'un pas silencieux, ils suivirent le chemin de natte de l'étroit couloir. Des cloches en verre laiteux dispensaient une lumière pâle. Les parois luisaient, blanches et dures, recouvertes d'une couleur à l'huile semblable à de la laque. Une infirmière se montra quelque part, sous son bonnet blanc, portant sur le nez un lorgnon dont le cordon était passé derrière son oreille. C'était apparemment une sœur protestante, sans vocation véritable pour son métier, curieuse, agitée et affligée par l'ennui. En deux points du couloir, sur le plancher, il y avait certains ballons, de grands récipients pansus à cols courts, sur la signification desquels Hans Castorp oublia de s'informer.

« C'est ici que tu es ! dit Joachim. Numéro 34. À droite, c'est ma chambre, et à gauche il y a un ménage russe, un peu négligent et bruyant, il faut le reconnaître. Mais il n'y avait pas moyen d'arranger les choses autrement. Eh bien, qu'en dis-tu ? »

La porte était double, avec des crochets à habits dans le creux intérieur. Joachim avait allumé le plafonnier, et, à sa lumière tremblante, la chambre apparut, gaie et paisible, avec ses meubles blancs, pratiques, avec ses tentures également blanches, épaisses et lavables, avec son linoléum net et propre, et les rideaux de toile qui étaient brodés simplement et gaiement, dans le goût moderne. La porte du balcon était ouverte ; on apercevait les lumières de la vallée et l'on distinguait une lointaine musique de danse. Le bon Joachim avait placé quelques fleurs dans un petit vase, sur la commode, ce qu'il avait pu trouver dans la deuxième poussée d'herbe, un peu d'achillée et quelques campanules, cueillies par lui-même sur la pente.

« C'est charmant de ta part, dit Hans Castorp. Quelle jolie chambre ! On y passerait volontiers quelques semaines.

— Avant-hier, une Américaine est morte ici, dit Joachim. Behrens avait tout de suite dit qu'elle serait liquidée avant que tu ne viennes et que tu pourrais alors avoir la chambre. Son fiancé était près d'elle, un officier de marine anglais, mais il n'a pas montré beaucoup de cran. À tout moment il venait dans le corridor pour pleurer, tout comme un petit gosse. Et ensuite il se frottait les joues de Cold Cream, parce qu'il était rasé et que les larmes le brûlaient. Avant-hier soir, l'Américaine a encore eu deux hémorragies de premier ordre, et puis finie la comédie ! Mais elle est déjà partie depuis hier matin, et après cela ils ont naturellement fait de sérieuses fumigations, avec du formol, sais-tu, c'est excellent pour cela. »

Hans Castorp accueillit ce récit avec une distraction animée. Les manches de sa chemise retroussées, debout devant le large lavabo dont les robinets nickelés luisaient à la lumière électrique, c'est à peine s'il jeta un regard rapide vers le lit en métal blanc, garni de linge propre.

« Des fumigations, c'est fameux, cela, dit-il, disposé à causer et un peu hors de propos, en se lavant et se séchant les mains. Oui, du méthyl aldéhyde, les microbes les plus résistants ne supportent pas cela, H_2CO, mais cela pique au nez, hein ? Naturellement, une propreté rigoureuse est une condition primordiale. »

Il articula ce mot avec une certaine affectation et poursuivit avec une grande volubilité :

« Que voulais-je encore dire ? Sans doute l'officier de marine se rasait-il avec un rasoir de sûreté, je le suppose en tout cas, on s'écorche beaucoup plus facilement avec ces trucs qu'avec une lame bien aiguisée, telle est du moins mon expérience ; je me sers tantôt de l'un, tantôt de l'autre... Oui, et sur la peau irritée, l'eau salée brûle naturellement, il devait déjà avoir l'habitude au service d'employer le Cold Cream, cela n'a vraiment rien qui puisse surprendre... »

Et, continuant à bavarder, il dit qu'il avait deux cents Maria Mancini — son cigare préféré — dans sa malle — la visite de la douane s'était passée très confortablement — et transmit encore les salutations de diverses personnes de leur ville natale.

« Ne chauffe-t-on donc pas du tout ici ? s'écria-t-il tout à coup, et il courut vers les radiateurs pour y appuyer les mains.

— Non, on nous tient plutôt au frais, répondit Joachim. Il faudrait d'autres froids que celui-ci pour qu'on allume le chauffage central au mois d'août.

— Août, août, dit Hans Castorp, mais je suis gelé, je suis atrocement gelé, au corps tout au moins, car ma figure est échauffée. Tiens, touche donc, je brûle. »

Cette idée que l'on eût pu toucher sa figure ne s'accordait pas du tout, mais vraiment pas le moins du monde avec la nature de Hans Castorp, et le frappa lui-même péniblement. D'ailleurs, Joachim n'en fit rien, mais se borna à dire :

« Cela, c'est l'air, et cela ne prouve rien. Behrens lui-même a, du matin au soir, des joues bleues. Il y en a qui ne s'habituent jamais. Mais *go on*, sinon, nous n'aurions plus rien à manger. »

Dehors, l'infirmière fit de nouveau son apparition, les guettant d'un air myope et curieux. Mais au premier étage, Hans Castorp s'arrêta soudain, immobilisé par un bruit absolument atroce qui se faisait entendre à une faible distance, derrière un tournant du corridor, un bruit pas trop fort, mais d'une sorte si évidemment abominable que Hans Castorp fit une grimace et regarda son cousin avec des yeux dilatés. C'était une toux évidemment, la toux d'un homme ; mais une toux qui ne ressemblait à aucune autre que Hans Castorp eût jamais perçue, oui, une toux en comparaison avec laquelle toute autre toux qu'il avait jamais entendue avait été le sain témoignage d'une magnifique vitalité, une toux sans conviction d'ailleurs, qui ne se produisait pas par secousses régulières, mais qui sonnait comme un clapotis affreusement faible dans la bouillie d'une décomposition organique.

« Oui, dit Joachim, ça va mal, ici. Un noble autrichien, tu sais, un homme élégant, comme né pour la haute école. Et voilà où il en est. Mais il se promène encore. »

Tandis qu'ils poursuivaient leur chemin, Hans Castorp parla longuement de la toux du cavalier-né.

« Il faut que tu considères, dit-il, que je n'ai jamais rien entendu de pareil, que c'est absolument nouveau pour moi. Dans ces cas-là, on est toujours impressionné. Il y a tant d'espèces de toux, des toux sèches et des toux dégagées, et les toux qui se dégagent valent mieux, dit-on en général, et sont plus favorables que lorsqu'on aboie. Quand dans ma jeunesse (“dans ma jeunesse”, dit-il) j'avais l'angine, j'aboyais comme un loup, et tous ils étaient contents lorsque cela se dégageait. Je m'en souviens encore. Mais une toux comme celle-ci n'avait pas encore existé, pour moi tout au moins ; ce n'est même plus une toux vivante. Elle n'est pas sèche, mais on ne pourrait pas dire non plus qu'elle se dégage, ce n'est pas, de bien loin, le mot qu'il faudrait. C'est tout juste comme si on regardait en même temps à l'intérieur de l'homme, quel aspect cela a : rien que bourbe et marmelade.

— Là, suffit, dit Joachim, je l'entends chaque jour, tu n'as pas besoin de me la décrire. »

Mais Hans Castorp n'arrivait pas à surmonter l'impression que lui avait faite la toux entendue ; il assura à plusieurs reprises que l'on voyait littéralement à l'intérieur du cavalier-né, et lorsqu'ils pénétrèrent dans le restaurant, ses yeux, fatigués du voyage, avaient un éclat un peu fébrile.

Au restaurant

Le restaurant était éclairé, élégant, et il y faisait bon. Il était situé tout de suite à droite du hall, en face des salons, et, ainsi que Joachim l'expliqua, il était fréquenté, surtout, par les hôtes récemment arrivés qui mangeaient en dehors des heures de repas, ou par des pensionnaires qui avaient des visites. Mais on y fêtait également des anniversaires et des départs prochains, ainsi que des résultats favorables de consultations générales. Quelquefois, on menait la grande vie au restaurant, dit Joachim, on y servait même du champagne, mais en ce moment il ne s'y trouvait qu'une seule jeune femme, d'une trentaine d'années environ, qui lisait un livre, mais fredonnait en même temps et tapotait toujours de nouveau la nappe du majeur de sa main droite.

Lorsque les jeunes gens se furent installés, elle changea de place pour leur tourner le dos. Elle était misanthrope, expliqua Joachim à mi-voix, et mangeait toujours avec un livre au restaurant. On prétendait savoir que, encore toute jeune fille, elle était entrée dans les sanatoriums pour malades des poumons, et que depuis lors elle n'avait plus jamais vécu dans le monde.

« Eh bien, alors, tu n'es qu'un petit débutant auprès d'elle, avec tes cinq mois, et tu le seras encore lorsque tu auras tiré ton année », dit Hans Castorp à son cousin.

Sur quoi Joachim prit la carte avec ce haussement d'épaules qu'on ne lui avait pas connu autrefois.

Ils avaient choisi la table surélevée, près de la fenêtre, la place la plus agréable. Contre le store crème, ils étaient assis, l'un en face de l'autre, les visages éclairés par la lumière de leur lampe voilée de rouge. Hans Castorp joignit ses mains fraîchement lavées et les frotta l'une contre l'autre avec une sensation d'attente confortable, comme il le faisait d'habitude en se mettant à table — peut-être parce que ses ancêtres avaient prié avant la soupe. Une serveuse avenante, au parler guttural, en robe noire à tablier blanc, avec une grosse figure et un grand air de santé, les servait, et à sa grande gaieté, Hans Castorp apprit que l'on appelait ici les serveuses des « filles de salle ». Ils lui commandèrent une bouteille de Gruaud Larose que Hans Castorp renvoya pour la faire chambrer. Le dîner était excellent. Il y eut du potage aux asperges, des tomates farcies, un rôti avec des garnitures diverses, un entremets particulièrement bien préparé, des fromages variés et des fruits. Hans Castorp mangeait beaucoup, bien que son appétit fût moins vif qu'il ne l'avait cru. Mais il avait l'habitude de manger beaucoup, même lorsqu'il n'avait pas faim, par égard pour lui-même.

Joachim ne fit pas précisément honneur aux plats. Il était fatigué de cette cuisine, dit-il, c'était le cas pour tous, ici en haut, et c'était l'usage de pester contre la nourriture ; car lorsqu'on était installé ici pour l'éternité et trois jours… En revanche, il but du vin avec plaisir et même avec une certaine passion, et tout en évitant soigneusement des expressions trop sentimentales, il exprima à plusieurs reprises sa satisfaction de ce qu'il eût quelqu'un avec qui échanger quelques paroles sensées.

« Oui, c'est épatant que tu sois venu, dit-il, et sa voix compassée était émue ; je puis bien le dire, c'est presque un événement pour moi. C'est une bonne fois un changement, je veux dire une coupure, une marque dans cette antienne éternelle et infinie…

— Mais le temps doit passer relativement vite pour vous, dit Hans Castorp.

— Vite et lentement, comme tu voudras, répondit Joachim. Je veux dire qu'il ne passe absolument pas, il n'y a pas de temps ici et il n'y a pas de vie », dit-il en secouant la tête ; et il reprit son verre.

Hans Castorp, lui, buvait aussi, bien que sa figure le brûlât à présent comme du feu. Mais son corps était encore froid et dans tous ses membres il y avait une sorte d'inquiétude particulièrement joyeuse, mais qui, en même temps, le tourmentait un peu. Ses paroles se précipitaient, sa langue lui fourchait fréquemment, et d'un geste négligent de la main il passait là-dessus. D'ailleurs, Joachim aussi était très animé, et leur conversation se poursuivit avec une liberté d'autant plus joviale lorsque la jeune femme fredonnante et frappante se fût tout à coup levée et eût disparu. Tout en mangeant, ils gesticulaient avec leurs fourchettes, prenaient des airs importants tandis qu'ils avaient la bouche pleine, riaient, hochaient la tête, haussaient les épaules et n'avaient pas encore avalé convenablement qu'ils reparlaient déjà. Joachim voulut entendre des nouvelles de Hambourg, et il avait orienté la conversation vers la canalisation projetée de l'Elbe.

« Phénoménal, dit Hans Castorp, phénoménal ; cela fera date dans le développement de notre navigation, c'est d'une importance absolument incalculable. Nous y consacrons cinquante millions comme mise de fonds immédiate, inscrite au budget, et tu peux être certain que nous savons exactement ce que nous faisons. »

D'ailleurs, malgré l'importance qu'il attribuait à la canalisation de l'Elbe, il abandonna aussitôt ce sujet de conversation et demanda à Joachim de lui parler encore de la vie que l'on menait « ici en haut », et des pensionnaires, ce à quoi Joachim donna suite avec empressement, car il était heureux de pouvoir se confier et se soulager. Pour commencer, il dut répéter l'histoire des cadavres que l'on faisait descendre par la piste de bobsleigh, et assurer encore une fois expressément que c'était la pure vérité. Comme Hans Castorp fut de nouveau saisi d'un rire, lui aussi rit, ce dont il paraissait jouir de bon cœur, et il raconta toutes sortes de choses drôles pour alimenter cette humeur joyeuse. Une dame était placée à la même table que lui, du nom de Mme Stöhr, assez malade d'ailleurs, l'épouse d'un musicien de Cannstatt : c'était l'être le plus inculte qu'il eût jamais rencontré. Elle disait « désinfisquer » et cela avec tout son sérieux ! Et l'assistant Krokovski, elle l'appelait le « fomulus ». Il fallait avaler tout cela sans faire la moindre grimace. De plus, elle était médisante, comme d'ailleurs presque tous, ici en haut, et d'une autre dame, Mme Iltis, elle racontait que celle-ci portait un « stérilet ».

« Elle appelle ça un stérilet ! Tu ne trouves pas ça impayable ? »

À moitié couchés, rejetés vers les dossiers de leurs sièges, ils rirent si fort que leur corps fut saisi d'un tremblement et que les deux, presque en même temps, furent pris de hoquet.

Entre-temps, Joachim s'attristait et pensait à son infortune.

« Oui, nous voilà assis là, et nous rions, dit-il avec un visage douloureux, encore interrompu par les dernières commotions de sa rate, et pourtant on ne peut même pas prévoir approximativement quand je pourrai repartir d'ici, car lorsque Behrens dit : "encore six mois", c'est compté juste, il faut s'attendre à plus. Mais c'est tout de même dur. Dis toi-même si ce n'est pas triste pour moi. J'étais déjà enrôlé, et le mois suivant je devais passer mon examen d'officier. Et voilà que je traîne ici avec le thermomètre dans la bouche, et je compte les bévues de cette ignare Mme Stöhr et je perds du temps. Une année est d'une importance telle à notre âge, elle entraîne tant de changements et de progrès dans la vie, là, en bas. Et il faut que je stagne ici, moi, comme dans un trou d'eau, oui, comme dans une mare pourrie, la comparaison n'est pas trop forte. »

Chose étrange, en réponse à ces paroles, Hans Castorp demanda s'il n'y avait pas moyen, ici, d'avoir du porter. Son cousin le considéra d'un air un peu surpris. Il s'aperçut que l'autre était déjà en train de s'endormir, qu'à la vérité il dormait même déjà.

« Mais tu t'endors, dit Joachim. Viens, il est temps d'aller nous coucher, il est temps pour tous les deux.

— Il n'y a pas du tout de temps », dit Hans Castorp, la langue pâteuse.

Mais il suivit cependant Joachim, un peu penché et les jambes raides, comme un homme qui littéralement tombe de fatigue, puis il fit un violent effort sur lui-même lorsque dans le hall encore faiblement éclairé, il entendit son cousin dire :

« Voilà Krokovski. Il faut tout de même, je crois, que je te présente. »

Le docteur Krokovski était assis en pleine clarté, devant la cheminée d'un des salons, à côté de la porte à glissière grande ouverte, et lisait le journal. Il se leva lorsque les jeunes gens s'approchèrent de lui et que Joachim, prenant une attitude militaire, dit :

« Permettez-moi, monsieur le docteur, de vous présenter mon cousin Castorp, de Hambourg. Il vient d'arriver. »

Le docteur Krokovski salua le nouveau pensionnaire avec une certaine cordialité joviale, vigoureuse et réconfortante, comme s'il voulait donner à entendre qu'en tête à tête avec lui, toute gêne était superflue et que seule une confiance joyeuse était indiquée. Il était âgé de trente-cinq ans environ, large d'épaules, gras, beaucoup plus petit que les deux jeunes gens qui étaient debout en face de lui, de sorte qu'il devait rejeter la tête un peu obliquement pour les regarder dans les yeux, et de plus pâle, d'une pâleur blafarde, transparente, presque phosphorescente, qui était exagérée encore par l'ardeur sombre de ses yeux, par la noirceur de ses sourcils et d'une barbe assez longue qui se terminait en deux pointes où paraissaient déjà quelques fils blancs. Il portait un complet noir, croisé et déjà un peu usé, des escarpins noirs, semblables à des sandales, avec d'épaisses chaussettes en laine grise et un col mou rabattu, tel que Hans Castorp n'en avait vu jusque-là qu'à Dantzig, chez un photographe, et qui prêtait en effet à l'apparition du docteur Krokovski comme un air de bohème. En souriant cordialement, de telle sorte que ses dents jaunâtres parurent au milieu de la barbe, il secoua la main du jeune homme et dit de sa voix de baryton, avec un accent étranger un peu traînant :

« Soyez le bienvenu, monsieur Castorp ! J'espère que vous vous habituerez vite ici et que vous vous trouverez bien parmi nous. Venez-vous chez nous comme malade, si vous me permettez de vous poser cette question ? »

C'était un spectacle touchant que d'observer les efforts que fit Hans Castorp pour se montrer aimable et surmonter son envie de dormir. Il était vexé d'être si peu en forme, et, avec l'orgueil méfiant des jeunes gens, il croyait sentir dans le sourire et l'attitude réconfortante de l'assistant, les signes d'une moquerie indulgente. Il répondit en parlant de ses trois semaines, fit également allusion à son examen, et ajouta que, Dieu merci, il était tout à fait bien portant.

« Vraiment ? demanda le docteur Krokovski en poussant la tête en avant, obliquement, comme pour se moquer ; et son sourire s'accentua. Mais en ce cas vous êtes un phénomène tout à fait digne d'être étudié ! Car je n'ai jamais rencontré un homme absolument bien portant. Et quel examen avez-vous passé, si vous me permettez de poser la question ?

— Je suis ingénieur, monsieur le docteur, répondit Hans Castorp avec une dignité modeste.

— Ah ! ingénieur ? — et le sourire du docteur Krokovski se retira, il perdit en quelque sorte pour un instant un peu de sa force et de sa cordialité — voilà qui est parfait. Et par conséquent vous n'aurez besoin ici d'aucune espèce de traitement médical, ni d'ordre physique, ni d'ordre psychique ?

— Non, merci mille fois », dit Hans Castorp, qui fut sur le point de faire un pas en arrière.

À cet instant le sourire du docteur Krokovski éclata de nouveau victorieusement, et tandis qu'il secouait la main du jeune homme, il s'écria à voix haute :

« Eh bien, dormez bien, monsieur Castorp, dans la pleine conscience de votre santé parfaite. Dormez bien, et au revoir ! »

Sur ces paroles, il prit congé des deux jeunes gens, et se rassit avec son journal.

Il n'y avait plus personne pour faire marcher l'ascenseur, de sorte qu'ils montèrent à pied, par l'escalier, silencieux et un peu troublés par la rencontre du docteur Krokovski. Joachim accompagna Hans Castorp jusqu'au numéro 34 où le portier boiteux n'avait pas manqué de déposer les bagages du nouvel arrivé, et durant un quart d'heure encore, ils bavardèrent, tandis que Hans Castorp déballait ses vêtements de nuit et ses objets de toilette en fumant une épaisse cigarette légère. Il n'irait sans doute plus aujourd'hui jusqu'au cigare, remarqua-t-il, ce qui lui sembla étrange et assez insolite.

« On voit que c'est quelqu'un, dit-il, et tout en parlant il rejetait la fumée qu'il avait respirée. Mais il est d'une pâleur de cire. Et sa chaussure, dis donc, quelle allure ! Des chaussettes grises, et puis ces sandales ! En somme, était-il offensé, à la fin ?

— Il est assez susceptible, reconnut Joachim. Tu n'aurais pas dû refuser aussi brusquement les soins médicaux, tout au moins le traitement psychique. Il n'aime pas beaucoup que l'on se dérobe à cela. Je ne jouis pas non plus de sa faveur particulière, parce que je ne lui ai pas fait assez de confidences. Mais de temps à autre, je lui raconte quand même un rêve, pour qu'il ait quelque chose à disséquer.

— Ma foi, je l'ai donc plutôt brusqué », dit Hans Castorp d'un air ennuyé; car il était mécontent de lui-même pour avoir pu blesser quelqu'un, et en même temps la lassitude de la nuit le gagna avec une force accrue.

« Bonne nuit, dit-il, je tombe de sommeil.

— À huit heures, je viendrai te chercher pour le petit déjeuner », dit Joachim en sortant.

Hans Castorp ne fit qu'une rapide toilette du soir. Le sommeil le terrassa à peine eut-il éteint la petite lampe de la table de nuit, mais il sursauta encore une fois en se souvenant que quelqu'un était mort avant-hier dans son lit.

« Ce n'était sans doute pas la première fois, se dit-il, comme s'il y avait là de quoi le rassurer. En somme, c'est un lit de mort, un lit de mort tout à fait ordinaire. »

Et il s'endormit.

Mais à peine se fut-il endormi qu'il commença de rêver, et rêva presque sans interruption jusqu'au lendemain matin. Il vit surtout Joachim Ziemssen, dans une position étrangement tordue, descendre une piste oblique sur un bobsleigh. Il était d'une blancheur aussi phosphorescente que le docteur Krokovski, et, à l'avant du traîneau, était assis le cavalier-né, qui avait un aspect extrêmement vague, comme quelqu'un que l'on a seulement entendu tousser, et qui conduisait. « Nous nous en moquons bien, nous tous, ici en haut », disait Joachim dans sa position tordue, et puis c'était lui, et non plus le cavalier, qui toussait d'une manière si atrocement ramollie. Là-dessus, Hans Castorp se mit à pleurer à chaudes larmes, et il comprit qu'il devait courir à la pharmacie pour s'acheter du Cold Cream. Mais Mme Iltis était assise sur son chemin, avec son museau pointu, et tenait à la main quelque chose qui devait sans doute être son « stérilet », mais qui n'était autre chose qu'un rasoir de sûreté. Hans Castorp fut alors repris d'un accès de rire, et il fut jeté de la sorte d'un état d'âme dans l'autre, jusqu'à ce que le matin poignît derrière sa porte de balcon entrouverte, et l'éveillât.

CHAPITRE II

L'aiguière baptismale
et les deux aspects du grand-père

Hans Castorp n'avait conservé que des souvenirs lointains de sa maison paternelle proprement dite ; il avait à peine connu son père et sa mère. Ils étaient morts durant le bref intervalle qui avait séparé sa cinquième de sa septième année, d'abord, sa mère, d'une manière absolument inattendue, à la veille d'un accouchement, d'une obstruction des vaisseaux faisant suite à une inflammation des veines, d'une embolie (comme disait le docteur Heidekind), qui avait instantanément paralysé le cœur. Elle venait de rire, assise dans son lit, on eût dit qu'à force de rire elle tombait à la renverse, mais ce n'était arrivé que parce qu'elle était morte. Ce n'était pas une chose facile à comprendre pour Hans Hermann Castorp, le père, et comme il avait eu beaucoup d'affection pour sa femme, que par ailleurs lui non plus n'était pas d'une force de résistance exceptionnelle, il ne réussit plus à surmonter ce coup. Son esprit, depuis lors, s'était troublé et rétréci ; dans son engourdissement, il commit dans ses affaires des fautes qui firent subir des pertes sensibles à la maison Castorp et fils ; le deuxième printemps qui suivit la mort de sa femme, il contracta une pneumonie au cours d'une inspection d'entrepôts dans les courants d'air du port, et comme son cœur ébranlé ne supporta pas le haut degré de fièvre, il mourut, au bout de cinq jours, malgré tous les soins que le docteur Heidekind lui prodigua, et alla rejoindre sa femme, suivi d'un nombreux cortège de ses concitoyens, dans le caveau de famille des Castorp, qui était très bien situé, au cimetière de l'église de Sainte-Catherine, avec vue sur le jardin botanique.

Son père, le sénateur, lui survécut, de peu de temps il est vrai, et cette brève période jusqu'à la mort du grand-père de Hans Castorp — il mourut, du reste, également d'une pneumonie, mais après de longs tourments et luttes, car, à la différence de son fils, Hans Lorenz Castorp était une nature difficile à abattre, fortement enracinée dans la vie — l'orphelin la passa — c'est-à-dire un an et demi à peine — dans la maison de son aïeul : un hôtel de l'esplanade, construit au début du siècle dernier, sur un terrain étroit, dans le goût du classicisme nordique, peint dans une couleur claire, avec une entrée encadrée de demi-colonnes, au milieu du rez-de-chaussée surélevé de cinq marches, et avec deux étages supérieurs, outre l'entresol, dont les fenêtres descendaient jusqu'au plancher et étaient garanties par des grillages en fonte.

Il n'y avait ici que des pièces de réception, y compris la salle à manger claire, décorée de stuc, dont les trois fenêtres voilées de rideaux lie-de-vin donnaient sur le petit arrière-jardin, et où, durant ces dix-huit mois, le grand-père et le petit-fils dînaient tous les jours vers quatre heures, servis par le vieux Fiete qui portait des boucles d'oreilles, des boutons d'argent à son habit, la même cravate de batiste que celle où était enfoui le menton rasé du maître de la maison, et que le grand-père tutoyait en lui parlant en dialecte ; non pas en manière de plaisanterie — il n'avait aucun penchant pour l'humour — mais en toute simplicité, et parce que c'était son habitude avec les gens du peuple, ouvriers des entrepôts, facteurs, cochers et domestiques. Hans Castorp l'entendait volontiers, et il entendait non moins volontiers Fiete répondre, lui aussi, en dialecte, en se penchant tout en servant vers son maître, pour lui parler dans l'oreille droite dont le sénateur entendait beaucoup mieux que de la gauche. Le vieillard comprenait, hochait la tête et continuait de manger, très droit entre le haut dossier d'acajou de sa chaise et la table, à peine penché vers son assiette, et son petit-fils, en face de lui, considérait en silence, avec une attention profonde et inconsciente, les gestes brefs et soigneux au moyen desquels les belles mains blanches, maigres et vieilles du grand-père, avec leurs ongles bombés et pointus et la bague à sceau vert à l'index droit, disposaient sur la pointe de la fourchette une bouchée de viande, de légume et de pomme de terre, pour la porter à sa bouche avec une légère inclinaison de la tête. Hans Castorp regardait ses propres mains maladroites et y sentait préfigurée la capacité de tenir un jour, plus tard, le couteau et la fourchette de la même manière que son grand-père.

Une autre question était de savoir s'il en arriverait jamais à envelopper son menton dans une cravate analogue à celle qui remplissait la large ouverture du bizarre col dont les longues pointes frôlaient les joues du grand-père. Car pour en arriver là, il fallait être aussi âgé que lui, et aujourd'hui déjà, personne, hors lui et le vieux Fiete, ne portait plus ni près ni loin de tels cols et de telles cravates. C'était dommage, car le petit Hans Castorp se plaisait tout particulièrement à voir le menton du grand-père appuyé sur le beau nœud d'un blanc immaculé ; plus tard encore, lorsqu'il fut plus âgé, il aimait à s'en souvenir ; il y avait là quelque chose qu'il approuvait du fond même de son être.

Lorsqu'ils avaient fini de manger et roulé leurs serviettes dans les ronds d'argent — une tâche dont Hans Castorp avait alors quelque mal à s'acquitter parce que les serviettes étaient grandes comme des napperons — le sénateur se levait de sa chaise que Fiete retirait, et, d'un pas traînant, passait dans son « cabinet » pour y chercher son cigare, et parfois son petit-fils l'y suivait.

Ce « cabinet » devait son existence au fait que la salle à manger occupait toute la largeur de la maison et comptait trois fenêtres, de sorte qu'il n'était pas resté assez d'espace pour trois salons, comme c'est d'ordinaire le cas des maisons de ce type, mais pour deux salons seulement, dont l'un, perpendiculaire à la salle à manger, et qui n'ouvrait que par une seule fenêtre sur la rue, eût été d'une profondeur disproportionnée. C'est pourquoi on en avait retranché le quart environ de sa longueur, ce « cabinet » justement, pièce étroite recevant le jour d'en haut, à demi obscure et garnie seulement de quelques objets ; une étagère sur laquelle était placé le coffre à cigares du sénateur, une table à jouer, dont le tiroir contenait des objets tentants : cartes de whist, jetons, planchette à dents mobiles pour marquer les points, ardoise avec des morceaux de craie, fume-cigarettes en carton, et bien d'autres choses ; enfin, dans l'angle, une vitrine genre rococo en palissandre, derrière les vitres de laquelle était tendue une soie jaune.

« Grand-papa », advenait-il au jeune Hans Castorp de dire, arrivé dans ce cabinet, en se dressant sur la pointe des pieds, pour s'approcher de l'oreille du vieillard, « montre-moi donc, s'il te plaît, l'aiguière ».

Et le grand-père qui, déjà, avait rejeté les basques de sa longue redingote souple et qui avait tiré le trousseau de clefs de sa poche, ouvrait alors la vitrine de l'intérieur de laquelle un parfum agréable et mystérieux venait à la rencontre du jeune garçon. On y conservait toutes sortes d'objets inutiles et d'autant plus attachants : une paire de chandeliers tors, un baromètre cassé avec des figurines sculptées dans le bois, un album de daguerréotypes, un coffret à liqueurs en bois de cèdre, un petit Turc, dur au toucher sous son costume en soie multicolore, avec son mouvement d'horlogerie dans le corps qui, autrefois, lui avait permis de marcher sur la table, mais qui, depuis longtemps, ne fonctionnait plus, un ancien modèle de bateau, et tout au fond, même un piège à rats. Mais le vieillard tirait du compartiment du milieu un bassin rond en argent, fortement oxydé, qui était posé sur un plat, en argent lui aussi, et il montrait les deux pièces au garçon en les séparant l'une de l'autre, et en les tournant et retournant, avec des explications déjà souvent données.

Le bassin et le plat, primitivement, n'étaient pas assortis, ainsi qu'on pouvait s'en rendre compte et ainsi que l'enfant l'apprit à nouveau ; mais ils avaient été réunis dans l'usage, dit le grand-père, depuis environ cent ans, c'est-à-dire depuis l'achat du bassin. Celui-ci était beau, d'une forme simple et noble, empreinte du goût sévère du commencement du siècle dernier. Lisse et pur, il reposait sur un pied rond et était doré à l'intérieur ; mais le temps n'avait laissé de l'or qu'une lueur jaune pâle. Comme seul ornement, une couronne en relief, de roses et de feuilles dentelées, faisait le tour de son bord supérieur. En ce qui concerne le plat, on pouvait y lire son âge bien plus grand. « Seize cent cinquante », disaient des chiffres surchargés de traits, et toutes sortes d'arabesques encadraient le nombre, exécutées à la « manière moderne » d'autrefois, avec un arbitraire boursouflé, avec des écussons et des entrelacs qui étaient mi-étoiles, mi-fleurs. Mais sur le dos de l'assiette étaient inscrits en pointillé les noms des chefs de famille qui, dans le cours des temps, avaient été les possesseurs de l'objet ; ils étaient déjà au nombre de cinq, chacun avec l'année de la transmission de l'héritage, et le vieillard, de la pointe de son index orné de l'anneau, les désignait l'un après l'autre à son petit-fils. Le nom de son père était là, le nom de son grand-père et le nom de son arrière-grand-père ; et ensuite se doublait, se triplait et se quadruplait le préfixe *arrière* dans la bouche du conteur, et le jeune garçon, la tête penchée de côté, écoutait avec des yeux pensifs ou rêveusement absents et fixes, la bouche somnolente et recueillie, l'« arrière-arrière-arrière-arrière », ce son obscur du tombeau et des temps révolus, qui exprimait cependant un rapport pieusement entretenu entre le présent, sa propre vie, et ces choses profondément ensevelies, et qui lui faisait une impression bizarre : à savoir, justement celle qui s'exprimait sur sa figure. Il croyait respirer une odeur humide de renfermé, l'air de l'église de Sainte-Catherine, ou de la crypte de Saint-Michel ; en percevant ce son, il lui semblait ressentir le souffle de lieux qui vous incitent à une certaine démarche déférente et penchée, le chapeau à la main, sur la pointe des pieds ; il croyait aussi entendre le silence lointain et abrité de ces lieux aux échos sonores ; des sensations dévotieuses se mêlaient au son des syllabes sourdes, aux pensées de la mort et de l'histoire, et tout cela semblait au jeune garçon en quelque sorte bienfaisant ; oui, il était possible qu'il eût demandé à voir le bassin, surtout pour l'amour de ces syllabes, pour pouvoir les entendre et les répéter.

Puis le grand-père replaçait le bassin sur le plat et faisait voir à l'enfant la concavité lisse et légèrement dorée qui scintillait sous la lumière qui tombait d'en haut.

« Il va y avoir bientôt huit ans, dit-il, que nous t'avons tenu au-dessus de ce bassin et que l'eau avec laquelle tu as été baptisé a coulé là-dedans. C'est le marguillier Lassen, de Saint-Jacques, qui l'a versée dans la main creuse du brave pasteur Bugenhagen, et de là elle a coulé par-dessus ta tête dans ce bassin. Mais nous l'avions chauffée pour que tu n'aies pas peur et que tu ne pleures pas, et, en effet, tu n'as pas pleuré, car tu avais déjà tant crié que Bugenhagen a eu du mal à faire son sermon ; mais lorsque l'eau est venue, tu t'es tu, et j'espère bien que c'était par respect pour le saint sacrement. Et il y aura quarante-quatre ans ces jours-ci que feu ton père a reçu le baptême, et que l'eau a coulé de sa tête là-dedans. C'était ici, dans cette maison, sa maison paternelle, dans la pièce à côté de celle-ci, devant la fenêtre du milieu, et c'était encore le vieux pasteur Hesekiel qui l'a baptisé, le même que les Français ont failli fusiller encore jeune homme parce qu'il avait prêché contre leurs brigandages et leurs contributions de guerre ; celui-là aussi est depuis longtemps, longtemps chez le bon Dieu. Mais il y a soixante-quinze ans, c'est moi-même qu'ils ont baptisé ; c'était aussi dans la même salle, et ils ont tenu ma tête au-dessus du bassin, exactement comme il est là, posé sur le plat, et le pasteur a prononcé les mêmes paroles que sur toi et sur ton père, et l'eau claire et tiède a coulé de la même façon de mes cheveux (il n'y en avait pas beaucoup plus que je n'en ai à présent), là, dans ce bassin doré. »

L'enfant leva les yeux vers l'étroit visage de vieillard du grand-père qui était de nouveau incliné au-dessus du bassin, comme il l'avait été en cette heure depuis longtemps révolue dont il parlait en ce moment, et une impression qu'il avait déjà éprouvée, le reprit, cette étrange impression un peu angoissante, qui tenait à moitié du rêve, d'une immobilité mouvante, d'une changeante permanence, d'un recommencement et d'une monotonie donnant le vertige, impression qu'il avait déjà éprouvée en d'autres circonstances, et dont il avait attendu et désiré le retour ;

c'était en partie pour l'amour d'elle qu'il avait tenu à se faire montrer cet objet de famille à la fois mouvant et immuable.

Lorsque le jeune homme s'interrogeait par la suite, il trouvait que l'image de son grand-père s'était gravée en lui avec une profondeur plus nette et plus significative que celle de ses parents ; ce qui tenait peut-être à une sympathie ou à une affinité physique toute particulière, car le petit-fils ressemblait au grand-père autant qu'un blancbec aux joues roses peut ressembler à un septuagénaire chenu et ridé. Mais c'était surtout caractéristique pour le vieillard qui avait été incontestablement la physionomie marquante, la personnalité pittoresque dans la famille.

À la vérité, le temps, bien avant le décès de Hans Lorenz Castorp, avait déjà dépassé la manière d'être et de penser de l'aïeul de Hans. Il avait été un homme profondément chrétien, membre de l'Église réformée, aux sentiments sévèrement traditionnels — aussi préoccupé de tenir fermée la classe aristocratique de la société admise au gouvernement, que s'il avait vécu au quatorzième siècle, alors que l'artisanat, surmontant la résistance opiniâtre des patriciens férus de leurs anciennes libertés, avait commencé de conquérir des sièges et des voix au sein du conseil de la ville — et difficile à gagner aux choses nouvelles. Son activité avait coïncidé avec une époque de développement forcené et de transformations multiples, avec une époque de progrès en marches forcées qui avait exigé beaucoup de hardiesse et d'esprit de sacrifice dans la vie publique. Mais Dieu sait que ce n'est pas grâce au vieux Castorp que l'esprit des temps nouveaux avait célébré ses brillantes et retentissantes victoires. Il avait fait plus de cas des traditions ancestrales et des anciennes institutions que d'imprudentes extensions du port et d'autres plaisanteries impies et singeries de grandes villes ; il avait freiné et calmé les esprits partout où il avait pu, et, si on l'avait écouté, l'administration serait aujourd'hui encore cette idylle antédiluvienne dont ses propres bureaux offraient le spectacle.

Tel était le visage que le vieux, de son vivant et plus tard encore, montrait au regard des concitoyens, et, quoique le petit Hans Castorp n'entendît rien aux affaires publiques, son œil d'enfant au regard contemplatif faisait à peu près les mêmes observations, des observations muettes, et par conséquent sans critique, mais pleines de vie, et qui, plus tard encore, comme souvenir conscient, gardèrent leur caractère hostile à toute analyse verbale, approbateur sans plus. Comme il a été dit, la sympathie était en jeu, cette affection et cette affinité intime qui parfois franchit un degré intermédiaire. Les enfants et les petits-fils regardent pour admirer, et ils admirent pour apprendre et développer ce qui est déjà préfiguré en eux par l'hérédité.

Le sénateur Castorp était maigre et de taille élevée. Les années avaient courbé son dos et sa nuque, mais il s'efforçait de compenser cet affaiblissement en se redressant. Ce faisant, sa bouche, dont les lèvres n'étaient plus maintenues par les dents, mais qui reposaient sur les gencives vides (car il ne mettait son dentier que pour les repas), se contractait avec une dignité péniblement sauvegardée vers en bas, et c'est là justement — en même temps que peut-être le souci de combattre un commencement de branlement du chef — ce qui déterminait cette attitude rigide et sévère et cet engoncement du menton qui plaisaient si vivement au petit Hans Castorp.

Il aimait la tabatière — c'était une petite tabatière allongée, en écaille sertie d'or qu'il maniait — et se servait donc de mouchoirs rouges dont les pointes pendaient parfois de la poche de derrière de sa redingote. Bien que ce fût une faiblesse un peu comique, elle apparaissait essentiellement comme une concession au grand âge, comme une négligence que la vieillesse peut se permettre, soit sciemment et avec le sourire, soit avec une inconscience imposant le respect ; et, quoi qu'il en fût, c'est la seule faiblesse que le regard aigu du jeune Hans Castorp eût jamais observée dans la tenue de son grand-père. Mais aussi bien pour l'enfant âgé de sept ans que plus tard aux yeux de l'adulte, l'image quotidienne et familière du vieillard n'était pas son image la plus authentique. Dans son identité véritable, il était différent, beaucoup plus beau et plus sérieux encore que d'ordinaire, à savoir tel qu'il apparaissait sur un portrait en pied, grandeur nature, qui avait été longtemps accroché dans l'appartement des parents de l'enfant et qui, par la suite, avait émigré avec le petit Hans Castorp sur l'esplanade, où il avait pris place au-dessus du grand sofa de soie rouge, dans le salon.

Il représentait Hans Lorenz Castorp dans sa tenue officielle de sénateur de la ville, en cette sévère et pieuse tenue d'un siècle révolu qu'avait maintenue à travers les temps une communauté à la fois téméraire et imposante, et qu'elle avait conservée pour les occasions officielles, afin de confondre de cette cérémonieuse façon le passé avec le présent, le présent avec le passé, et d'affirmer ainsi la vénérable solidité de sa signature commerciale. On y voyait le sénateur Castorp représenté en pied, sur un dallage rougeâtre, dans une perspective de colonnes et d'arc gothique. Il était debout, le menton incliné, la bouche contractée vers en bas, ses yeux bleus, au regard songeur, avec les glandes lacrymales en saillie, dirigés vers le lointain, dans ce pourpoint, semblable à une robe sacerdotale, qui descendait plus bas que les genoux, et qui, ouvert sur le devant, était décoré d'un large bord de fourrures. Des demi-manches bouffantes et bordées de même sortaient des manches plus étroites et longues en un drap ordinaire, et des manchettes de dentelles couvraient les mains jusqu'aux poignets. Les grêles mollets du vieillard étaient revêtus de bas de soie noire, les pieds chaussés de souliers à boucles d'argent. Mais le cou était entouré de la collerette raide et plissée, aplatie sur le devant et relevée des côtés, sous laquelle, au surplus, un jabot plissé en batiste descendait sur la veste. Sous le bras, il portait l'antique chapeau au large rebord, dont la calotte allait en se rétrécissant.

C'était un excellent portrait, dû à un artiste notoire, traité avec goût dans le style des vieux maîtres auquel le sujet inclinait, et éveillant chez le spectateur toutes sortes d'images hispano-hollandaises de la fin du Moyen Âge. Le petit Hans Castorp l'avait souvent contemplé, non pas bien entendu avec une intelligence de connaisseur, mais toutefois avec une certaine compréhension pénétrante, d'un ordre plus général, et bien qu'il n'eût vu son grand-père en personne tel que la toile le représentait qu'une seule fois, et durant un court instant, à l'occasion d'une arrivée en cortège, à l'hôtel de ville, il ne pouvait s'empêcher, ainsi que nous l'avons dit, de considérer le tableau comme l'apparence véritable et authentique de son grand-père, tandis qu'il ne voyait dans le grand-père de tous les jours qu'une sorte d'intérim, un auxiliaire imparfaitement adapté à son rôle. Car ce qu'il y avait de distinct et d'étrange dans son apparence ordinaire tenait, semblait-il, à cette adaptation imparfaite et peut-être un peu maladroite. Il restait des marques et des allusions qui ne s'étaient pas complètement effacées, de sa forme pure et véritable. C'est ainsi que le grand faux col, le large foulard blanc étaient démodés ; mais il était impossible d'appliquer cette épithète au merveilleux vêtement que celui-ci ne rappelait en quelque sorte que par procuration, à savoir la collerette espagnole. Et il en allait de même du chapeau haut de forme au bord incurvé d'une façon inusitée que le grand-père portait dans la rue et auquel répondait, dans une réalité supérieure, le large chapeau de feutre du tableau, ainsi que de la longue redingote à plis dont l'image primitive et essentielle était aux yeux du petit Hans Castorp la robe bordée et garnie de fourrure.

Il approuva donc de tout son cœur que le grand-père apparût dans son authenticité et dans sa perfection somptueuses, le jour où il s'agit de lui faire ses adieux. C'était dans la grande salle, la même salle où ils avaient si souvent mangé, à table, l'un en face de l'autre. Hans Lorenz Castorp était étendu à présent sur le catafalque, dans le cercueil plaqué argent, au milieu des couronnes appuyées ou répandues. Il avait lutté contre la pneumonie, lutté longtemps et opiniâtrement, bien qu'il semblât qu'il ne se fût accommodé que bien mal de la vie du temps présent, et voici qu'il était étendu, on ne savait pas trop si c'était en vainqueur ou en vaincu, mais en tout cas avec une expression sévèrement pacifiée et très changée, le nez plus pointu d'avoir si longtemps lutté, sur le lit d'apparat, la tête relevée par des coussins de soie, de sorte que son menton reposait agréablement dans l'échancrure de devant de la collerette d'honneur ; et entre les mains à moitié recouvertes par les manchettes de dentelles, les mains dont la disposition, imitant une pose naturelle, ne laissait pas de produire une impression de froideur inanimée, on avait placé un crucifix en ivoire sous ses paupières baissées, que son regard semblait considérer sans arrêt.

Hans Castorp avait vu plusieurs fois son grand-père au début de sa maladie, mais ensuite il ne l'avait plus revu. On lui avait complètement épargné le spectacle de la lutte qui d'ailleurs s'était pour sa plus large part déroulée pendant la nuit ; tout au plus avait-il été touché par l'atmosphère angoissée de la maison, par les yeux rouges du vieux Fiete, par les allées et venues des médecins ; mais le résultat en présence duquel il se trouvait dans la salle à manger pouvait se résumer en ceci que le grand-père avait été solennellement affranchi de sa figuration intermédiaire et qu'il avait définitivement revêtu sa forme véritable et digne de lui. C'était là un événement que l'on devait approuver, encore que le vieux Fiete pleurât et hochât sans arrêt la tête, encore que Hans Castorp lui-même pleurât comme il l'avait fait à l'aspect de sa mère décédée subitement et de son père que peu de temps après il avait vu étendu, non moins silencieux et étranger.

Car c'était la troisième fois déjà qu'en un espace aussi court et à un âge aussi jeune, la mort agissait sur l'esprit et les sens — les sens surtout — du petit Hans Castorp ; cet aspect et cette impression n'étaient plus neufs pour lui, mais au contraire déjà très familiers, et de même qu'aux deux occasions précédentes, il s'était montré très posé et très maître de lui, nullement à la merci de ses nerfs, encore qu'il eût éprouvé un chagrin naturel, de même il apparut cette fois-ci, à un degré peut-être encore supérieur de calme. Ignorant la signification pratique des événements pour sa vie, ou puérilement indifférent à cet égard, dans sa confiance que le monde, de toute façon, aurait soin de lui, il avait fait montre devant ces cercueils d'une certaine froideur également puérile et d'une attention attachée aux choses extérieures que, dans la troisième circonstance, des sentiments et un air de connaisseur déjà expérimenté nuancèrent d'une expression particulière de sagesse prématurée (car nous négligeons les larmes fréquentes dues à l'émotion ou à la contagion des pleurs d'autrui, comme une réaction normale). Dans le cours des trois ou quatre mois qui avaient suivi la mort de son père, il avait oublié la mort ; à présent il se souvenait d'elle, et toutes les impressions d'alors se rétablissaient exactement, simultanées et pénétrantes, dans leur singularité incomparable.

Résolues et exprimées en paroles, ces impressions se seraient présentées à peu près comme suit : la mort était d'une nature pieuse, significative et d'une beauté triste, c'est-à-dire qui relevait de l'esprit, mais en même temps elle était d'une nature tout autre, presque contraire, très physique, très matérielle, que l'on ne pouvait considérer ni comme belle, ni comme significative, ni comme pieuse, ni même comme triste. La nature solennelle et spirituelle s'exprimait par la somptueuse mise en bière du défunt, par la magnificence des fleurs, par les palmes qui, on le sait, signifiaient la paix céleste ; de plus, et plus clairement encore, par le crucifix dans les mains du grand-père défunt, par le Christ bénissant de Thorvaldsen qui était debout à la tête du cercueil, et par les deux candélabres dressés de part et d'autre qui, en cette circonstance, avaient également pris un caractère sacerdotal. Toutes ces dispositions trouvaient apparemment leur sens exact et bienfaisant dans cette pensée que le grand-père avait pris pour toujours sa figure définitive et véritable. Mais en outre, comme le petit Hans Castorp ne laissa de le remarquer, encore qu'il ne se l'avouât pas à haute voix, tout cela, et surtout cette quantité de fleurs, en particulier les tubéreuses partout répandues, avait pour but de pallier l'autre aspect de la mort, qui n'était ni beau ni véritablement triste, mais plutôt un peu inconvenant, d'une nature bassement corporelle, de le faire oublier ou de vous empêcher d'en prendre conscience.

C'est à cette seconde nature de la mort que tenait le fait que le grand-père défunt parût si étranger, qu'à la vérité il n'apparût pas du tout comme le grand-père, mais comme une poupée de cire de grandeur naturelle, que la mort avait substituée à sa personne, et à laquelle on rendait ces pieux et fastueux honneurs. Celui qui était étendu là, ou plus exactement, ce qui était étendu là, ce n'était donc pas le grand-père lui-même, c'était une dépouille qui, Hans Castorp le savait bien, n'était pas en cire, mais faite de sa propre matière, c'était là ce qu'il y avait d'inconvenant, et d'à peine triste — aussi peu triste que le sont les choses qui concernent le corps et qui ne concernent que lui. Le petit Hans Castorp considérait cette matière lisse d'un jaune cireux et d'une consistance caséeuse, dont étaient faits cette figure de mort de la grandeur naturelle d'un vivant, le visage et les mains de l'ancien grand-père. Une mouche venait de se poser sur le front immobile et commença d'agiter ses boutoirs. Le vieux Fiete la chassa avec précaution, en se gardant de toucher le front, la mine pudiquement obscurcie, comme s'il ne devait ni ne voulait savoir ce qu'il faisait là. Cette expression de réserve tenait apparemment au fait que le grand-père n'était plus qu'un corps, et rien de plus. Mais, après un vol onduleux, la mouche se posa brusquement sur les doigts du grand-père, près du crucifix en ivoire. Et tandis que ceci se produisait, Hans Castorp crut respirer plus distinctement que jusqu'à présent cette émanation faible, mais si étrangement persistante qu'il connaissait d'autrefois, qui, à sa confusion, lui rappelait un camarade de classe affligé d'un mal gênant et pour cela même évité par tous, et que l'odeur des tubéreuses avait entre autres pour but de couvrir, sans d'ailleurs y réussir en dépit de leur luxuriance et de leur austérité.

Il fut plusieurs fois en présence du cadavre : une fois seul avec le vieux Fiete, la seconde fois avec son grand-oncle Tienappel, le négociant en vins, et ses deux oncles James et Peter, puis une troisième fois encore, lorsqu'un groupe endimanché d'ouvriers du port stationna pendant quelques instants devant le cercueil ouvert, pour prendre congé de l'ancien chef de la maison Castorp et fils. Ensuite, vint l'enterrement ; la salle fut pleine de gens, le pasteur Bugenhagen, de l'église Saint-Michel, le même qui avait baptisé Hans Castorp, prononça l'oraison funèbre ; dans la voiture qui, la première d'une longue, longue file, suivait le corbillard, il s'entretint très amicalement avec le petit Hans Castorp ; après quoi cette partie de son existence, elle aussi, prit fin, et Hans Castorp changea aussitôt de maison et d'entourage, pour la deuxième fois déjà de sa jeune existence.

Chez les Tienappel, et de l'état moral de Hans Castorp

Ce ne fut pas pour son malheur, car il habita dorénavant chez le consul Tienappel, son tuteur attitré, et ne manqua de rien : ni en ce qui concernait sa personne, ni en ce qui regardait la défense de ses autres intérêts dont il ne savait encore rien. Car le consul Tienappel, un oncle de feu la mère de Hans, géra le patrimoine des Castorp, mit les immeubles en vente, se chargea de liquider la maison Castorp et fils, importation et exportation, et il en tira encore quelque quatre cent mille marks, que Hans Castorp héritait et que le consul Tienappel plaça en valeurs sûres, en prélevant d'ailleurs, en dépit de ses sentiments affectueux, chaque trimestre, deux pour cent de provision pour son propre compte.

La maison des Tienappel, qui était située au fond d'un jardin dans le chemin de Harvestehud, donnait sur une étendue de gazon où l'on ne tolérait pas la moindre mauvaise herbe, sur des roseraies publiques et sur le fleuve. Bien qu'il possédât un bel attelage, c'est à pied que le consul se rendait chaque matin à son bureau, pour se donner un peu de mouvement, car il souffrait parfois d'une légère congestion à la tête, et il rentrait de même, à cinq heures du soir, après quoi on dînait chez les Tienappel avec tout le raffinement convenable. C'était un homme important, vêtu des meilleurs tissus anglais, aux yeux proéminents d'un bleu d'eau, derrière ses lunettes cerclées d'or, au nez fleuri, à la barbe grise de marinier, et qui portait un diamant d'un feu éclatant au petit doigt compact de sa main gauche. Sa femme était depuis longtemps décédée. Il avait deux fils, Peter et James, dont l'un était marin et séjournait rarement chez son père, tandis que l'autre travaillait dans le commerce paternel et devait un jour hériter de la firme. Le ménage était depuis de longues années dirigé par Schalleen, la fille d'un orfèvre d'Altona, laquelle portait autour de ses poignets cylindriques, des ruches blanches amidonnées. Elle prenait soin de ce que le déjeuner comme le dîner comprissent toujours un abondant service de hors-d'œuvre, des crabes et du saumon, de l'anguille, de la poitrine d'oie et du *tomato catsup* avec le rosbif; elle gardait un œil vigilant sur les extras lorsque le consul Tienappel donnait des dîners d'hommes, et ce fut elle aussi qui, tant bien que mal, tint lieu de mère au petit Hans Castorp.

Hans Castorp grandit par un vilain temps, dans le vent et le brouillard, grandit en imperméable jaune, si l'on peut ainsi dire, et se sentait en somme très dispos. Sans doute, commença-t-il par être un peu anémique; cela le docteur Heidekind en convint qui, à déjeuner, en rentrant de classe, lui fit servir chaque jour un bon verre de porter, boisson substantielle, on le sait, à laquelle le docteur Heidekind prêtait une influence reconstituante sur le sang et qui, en effet, adoucit d'une manière sensible les esprits de Hans Castorp et réagit d'une manière bienfaisante contre sa tendance à « rêvasser », comme s'exprimait son oncle Tienappel, c'est-à-dire, la bouche tombante, à bayer aux corneilles, sans une pensée solide. Mais pour le reste il était bien portant et normal, un joueur de tennis et un rameur convenable, encore qu'au lieu de manier la rame, il préférât s'installer par les soirs d'été devant un verre, sur la terrasse de l'embarcadère d'Uhlenhorst, à écouter de la musique et à considérer les barques éclairées entre lesquelles des cygnes nageaient sur l'eau miroitante et bariolée. Et lorsqu'on l'écoutait parler : placidement, raisonnablement d'une voix monotone, un peu creuse et avec une pointe d'accent du Nord (il suffisait d'ailleurs d'un rapide coup d'œil sur sa blonde correction, avec sa tête finement découpée, qui portait en quelque sorte une empreinte des époques révolues, et où une morgue héréditaire et inconsciente s'exprimait sous la forme d'une certaine indolence sèche), personne ne pouvait mettre en doute que ce Hans Castorp fût bien un produit authentique et non adultéré de ce sol, et qu'il tînt brillamment sa place. (Lui-même, s'il s'était interrogé sur ce point, n'eût pas hésité un instant.)

L'atmosphère du grand port de mer, cette atmosphère humide de mercantilisme mondial et de bien-être qui avait été l'air vital de ses pères, il la respirait avec une satisfaction profonde, en l'approuvant et en la savourant.

Parmi les exhalaisons de l'eau, du charbon et du thé, le nez pénétré des odeurs fortes des denrées coloniales amoncelées, il voyait sur les quais du port d'énormes grues à vapeur imiter le calme, l'intelligence et la force gigantesque d'éléphants domestiqués, en transportant des tonnes de sacs, de balles, de caisses, de tonneaux et de ballons, des ventres des vaisseaux ancrés dans les wagons de chemin de fer et les entrepôts. Il voyait les négociants en imperméable jaune, comme il en portait lui-même, affluer à midi vers la Bourse, où l'on jouait serré, autant qu'il sût, et où il arrivait facilement que quelqu'un lançât en toute hâte des invitations pour un grand dîner afin de sauver son crédit. Il voyait (et n'était-ce pas là le domaine qui plus tard l'intéresserait particulièrement ?) le grouillement des chantiers, il voyait les corps des mammouths des transatlantiques en cale sèche, hauts comme des tours, la quille et l'hélice dénudées, soutenus par des poutres d'une épaisseur d'arbre, au sec et paralysés dans leur lourdeur monstrueuse, recouverts d'armées de nains occupés à gratter, et marteler et à crépir. Il voyait sous les cales couvertes, enveloppées d'un brouillard fumeux, se dresser les squelettes des navires en construction, voyait les ingénieurs, leurs épures et leurs carnets à la main, donner leurs ordres aux ouvriers, visages familiers à Hans Castorp, depuis sa première enfance, et qui n'éveillaient en lui que des impressions de bien-être et de chez-soi, impressions qui s'épanouissaient lorsqu'il lui arrivait de déjeuner, le dimanche, au Pavillon de l'Alster, avec James Tienappel ou son cousin Ziemssen — Joachim Ziemssen — d'un bifteck au lard avec un verre de porto vieux, et qu'il se rencognait ensuite au fond de son siège, en tirant avec ferveur des bouffées de son cigare. Car il était authentique en cela surtout qu'il aimait bien vivre, oui, qu'en dépit de ses apparences anémiques et fines, il était, tel un nourrisson qui s'en donne à cœur joie aux seins maternels, attaché aux rudes jouissances de la vie.

Il portait commodément et non sans dignité sur ses épaules la haute civilisation que la classe dominante de cette démocratie municipale de commerçants transmet à ses enfants. Il était aussi bien baigné qu'un bébé et se faisait habiller par le tailleur qui jouissait de la confiance des jeunes gens de sa sphère. Le trousseau de linge, soigneusement marqué, que contenaient les tiroirs anglais de son armoire, était fidèlement administré par Schalleen ; lorsque Hans Castorp fit ses études au-dehors, il continua de renvoyer son linge pour le faire blanchir et repriser (car son principe était qu'en dehors de Hambourg on ne savait pas repasser en Allemagne), et un endroit rugueux à la manchette d'une de ses jolies chemises de couleur l'eût violemment indisposé. Ses mains, bien qu'elles ne fussent pas de forme particulièrement aristocratique, avaient la peau fraîche et soignée, ornées d'une gourmette en platine et de la chevalière de son grand-père, et ses dents, qui étaient un peu molles et dont il avait plusieurs fois souffert, étaient enrichies d'or.

Debout et en marchant, il portait le ventre un peu en avant, ce qui ne donnait pas une impression très énergique ; mais sa tenue à table était remarquable. Le torse très droit, il se tournait poliment vers le voisin avec lequel il bavardait (raisonnablement et avec une pointe d'accent du Nord), et ses coudes touchaient légèrement ses hanches tandis qu'il découpait son aile de poulet ou extrayait adroitement, au moyen de l'instrument spécialement destiné à cet usage, la chair rose d'une pince de homard. Son premier besoin à la fin du repas était le rince-doigts à l'eau aromatisée, le second la cigarette russe, non contrôlée par la régie, et qu'il se procurait en fraude. Elle précédait le cigare, une marque savoureuse de Brême, nommée Maria Mancini, dont il sera encore question par la suite et dont les poisons épicés s'alliaient d'une manière si satisfaisante à ceux du café. Hans Castorp mettait ses provisions de tabac à l'abri des influences néfastes du chauffage central en les conservant à la cave où il descendait chaque matin pour garnir son étui de sa dose journalière. Ce n'est qu'à contrecœur qu'il eût mangé du beurre qu'on lui eût présenté en une seule pièce, et non découpé en forme de coquilles.

On voit que nous nous appliquons à dire tout ce qui peut prévenir contre lui, mais nous le jugeons sans exagération et ne le faisons ni pire ni meilleur qu'il n'était. Hans Castorp n'était ni un génie ni un imbécile, et si nous évitons pour le caractériser le mot de « moyen » c'est pour des raisons qui n'ont à faire ni avec son intelligence ni avec sa modeste personne, mais par respect pour sa destinée à laquelle nous sommes tentés d'accorder une certaine importance plus que personnelle. Son cerveau répondait aux exigences du Lycée, section sciences, sans qu'il eût besoin de fournir un effort démesuré, mais cet effort il n'eût certainement été disposé à le faire en aucune circonstance et pour aucun objet : moins de peur de se faire du mal, que parce qu'il ne voyait aucune raison pour l'y résoudre, ou plus exactement aucune raison absolue : et c'est précisément pour cela que nous ne l'appelons pas moyen, parce qu'il éprouvait en quelque façon l'absence de ces raisons.

L'homme ne vit pas seulement sa vie personnelle comme individu, mais consciemment ou inconsciemment il participe aussi à celle de son époque et de ses contemporains, et même s'il devait considérer les bases générales et impersonnelles de son existence comme des données immédiates, les tenir pour naturelles et être aussi éloigné de l'idée d'exercer contre elles une critique que le bon Hans Castorp l'était réellement, il est néanmoins possible qu'il sente son bien-être moral vaguement affecté par leurs défauts. L'individu peut envisager toute sorte de buts personnels, de fins, d'espérances, de perspectives où il puise une impulsion à de grands efforts et à son activité, mais lorsque l'impersonnel autour de lui, l'époque elle-même, en dépit de son agitation, manque de buts et d'espérances, lorsqu'elle se révèle en secret désespérée, désorientée et sans issue, lorsqu'à la question, posée consciemment ou inconsciemment, mais finalement posée en quelque manière, sur le sens suprême, plus que personnel et inconditionné, de tout effort et de toute activité, elle oppose le silence du vide, cet état de choses paralysera justement les efforts d'un caractère droit, et cette influence, par-delà l'âme et la morale, s'étendra jusqu'à la partie physique et organique de l'individu. Pour être disposé à fournir un effort considérable qui dépasse la mesure de ce qui est communément pratiqué, sans que l'époque puisse donner une réponse satisfaisante à la question « à quoi bon ? », il faut une solitude et une pureté morales qui sont rares et d'une nature héroïque, ou une vitalité particulièrement robuste. Hans Castorp ne possédait ni l'une ni l'autre, et il n'était ainsi donc qu'un homme malgré tout moyen, encore que dans un sens des plus honorables.

Tout ceci se rapporte non seulement à la tenue intérieure du jeune homme durant ses années d'école, mais encore pendant les années qui suivirent, lorsqu'il eut choisi la profession bourgeoise qu'il exercerait. En ce qui concerne sa carrière scolaire, signalons qu'il dut même redoubler telle ou telle classe. Mais en somme, son origine, l'urbanité de ses mœurs et enfin un talent notable, sinon passionné, pour les mathématiques, l'aidèrent à franchir ces étapes, et lorsqu'il eut passé son volontariat, il décida de poursuivre ses études — à la vérité surtout, parce que c'était prolonger un état de choses habituel, provisoire et indéterminé, et qu'il gagnerait ainsi du temps pour réfléchir sur ce qu'il voudrait devenir, car il était loin de le savoir ; en première encore il ne le savait pas, et lorsqu'enfin cela se décida (car c'eût été presque trop dire que d'affirmer que lui-même en eût décidé), il sentit bien qu'il eût pu aussi bien en aller différemment.

Une chose du moins était vraie, à savoir qu'il avait pris un vif plaisir aux bateaux. Petit garçon déjà, il avait couvert les pages de ses carnets de notes de dessins de cotres de pêcheurs, de gabares chargées de légumes et de voiliers à cinq mâts, et lorsque, dans sa quinzième année, il eut le privilège d'assister d'une place réservée au lancement du nouveau paquebot postal à hélice double *Hansa*, chez Blom et Voss, il exécuta une peinture, réussie et exacte jusque dans le détail, du svelte navire, toile que le consul Tienappel accrocha dans son bureau personnel et sur laquelle le vert vitreux et transparent de la mer houleuse était en particulier traité avec tant d'amour et d'adresse que quelqu'un dit au consul Tienappel qu'il y fallait du talent et que Hans Castorp pourrait devenir un bon peintre de marines — appréciation que le consul put tranquillement répéter à son pupille, car Hans Castorp se borna à rire de bon cœur et ne donna pas un instant suite à de telles folies de bohème et idées de crève-la-faim.

« Tu n'es pas précisément riche, lui disait parfois l'oncle Tienappel. Le principal de ma fortune ira un jour à James et à Peter, c'est-à-dire qu'elle restera dans la maison et que Peter touchera une rente. Ce qui t'appartient est bien placé et te rapporte un revenu sûr. Mais vivre de revenus ce n'est plus très drôle aujourd'hui, à moins que l'on ait au moins cent fois plus que ce que tu as, et si tu veux être quelqu'un en ville, et vivre comme tu en as l'habitude, il faut que tu tâches de gagner encore pas mal, dis-toi ça, fiston. »

Hans Castorp se le tint pour dit, s'inquiéta d'une profession qui lui permettrait de faire figure devant lui-même et aux yeux des autres. Et lorsqu'il eut choisi — ce fut à l'instigation du vieux Wilms, de la maison Tunder et Wilms, qui, un samedi soir, à la table de whist, dit au consul Tienappel : « Hans Castorp devrait étudier la construction navale, ce serait une excellente idée, et il pourrait entrer chez moi, je ne manquerais pas d'avoir l'œil sur lui » —, il fit grand cas de sa profession, estima sans doute que ce serait un travail rudement compliqué et pénible, mais aussi un métier remarquable, important et de grande allure, et en tout cas pour sa pacifique personne infiniment préférable à celui de son cousin Joachim Ziemssen, le fils de la belle-sœur de feu sa mère, qui voulait absolument devenir officier. Or, Joachim Ziemssen n'avait même pas la poitrine très solide, mais c'est justement pourquoi l'exercice d'une profession en plein air qui n'exigeait sans doute aucune tension ni aucun effort intellectuels, lui conviendrait mieux, comme Hans Castorp jugea avec une pointe de dédain. Car il avait le plus grand respect pour le travail, bien que, personnellement, le travail le fatiguât quelque peu.

Nous revenons ici sur des considérations que nous avons déjà amorcées plus haut et qui tendraient à cette supposition qu'une altération de la vie personnelle par l'époque est capable d'influencer véritablement l'organisme physique de l'homme. Comment Hans Castorp n'aurait-il pas respecté le travail ? C'eût été contre nature. Les circonstances devaient le lui faire apparaître comme une chose éminemment respectable ; au fond il n'y avait rien de respectable en dehors du travail, il était le principe devant lequel on s'affirmait, ou devant lequel on se révélait insuffisant, c'était l'absolu de l'époque. Son respect pour le travail était de nature religieuse et, autant qu'il s'en rendît compte, indiscutable. Mais une autre question était de savoir s'il l'aimait ; car cela, il ne le pouvait pas, si profond que fût son respect, pour la simple raison qu'il ne lui réussissait pas. Un travail soutenu irritait ses nerfs, l'épuisait rapidement, et il reconnaissait ouvertement qu'en somme il aimait mieux le temps libre, le temps sur lequel ne pesait aucun des poids en plomb d'un labeur pénible, le temps qui eût été devant lui, libre et non pas jalonné par des obstacles qu'il s'agissait de vaincre en grinçant des dents. Cette contradiction dans son attitude à l'égard du travail avait, somme toute, besoin d'être résolue. Fallait-il supposer que son corps ainsi que son esprit — d'abord l'esprit et par lui le corps — eussent été plus joyeusement disposés et plus endurants au travail si, au fond de son âme, où lui-même ne voyait pas clair, il avait pu croire au travail comme à une valeur absolue et comme à un principe qui répondait de lui-même, et se tranquilliser par cette pensée ? Nous ne soulevons pas ici la question de savoir s'il était médiocre ou mieux que médiocre, question à laquelle nous ne voulons pas répondre brièvement. Car nous ne nous considérons nullement comme l'apologiste de Hans Castorp et nous émettons la supposition que le travail dans sa vie le gênait tout simplement dans sa jouissance paisible des Maria Mancini.

En ce qui le concerne, il ne fut pas reconnu apte au service militaire. Son être intime y répugnait et sut l'empêcher. Il était possible aussi que le major docteur Eberding, qui fréquentait la villa du chemin de Harvestehud, eût entendu dire en passant au consul Tienappel, que le jeune Castorp éprouverait l'obligation de porter les armes comme un obstacle gênant au développement de ses études universitaires commencées hors les murs.

Son cerveau qui travaillait lentement et tranquillement, d'autant plus que Hans Castorp conserva même hors Hambourg l'habitude calmante du déjeuner au porter, se remplissait de géométrie analytique, de calcul différentiel, de mécanique, de projection et de graphostatique ; il calculait le déplacement chargé et non chargé, la stabilité, le chargement des soutes et le métacentre, encore qu'il lui en coûtât parfois. Ses dessins techniques, ses épures de couples, ses tracés de lignes de flottaison et ses sections longitudinales n'étaient pas tout à fait aussi bonnes que sa représentation picturale de la *Hansa* en haute mer, mais dès qu'il s'agissait d'étayer une vue abstraite par une représentation plus accessible aux sens, de laver des ombres à l'encre de Chine et de colorier des coupes transversales de couleurs indiquant les matériaux, Hans Castorp surpassait en adresse la plupart de ses compagnons.

Lorsqu'il rentrait en vacances, très propre, très bien habillé, avec une petite moustache d'un blond roux dans son visage somnolent de jeune patricien, et apparemment sur la voie de situations très considérables, les gens qui s'occupaient des affaires municipales — et c'est la majorité dans un État municipal qui se régit lui-même —, ses concitoyens donc, l'examinaient d'un œil curieux en se demandant quel rôle officiel le jeune Castorp jouerait quelque jour. Il avait des traditions, son nom était ancien et bon, et un jour ou l'autre, c'était presque certain, il faudrait compter avec sa personne comme avec un facteur politique. Alors il serait électeur ou élu, et légiférerait, participerait dans l'exercice de sa charge honorifique aux soucis de la souveraineté, appartiendrait à une commission des finances, d'administration, ou peut-être d'architecture, et sa voix serait écoutée et comptée avec les autres. On pouvait être curieux de savoir à quel parti il adhérerait un jour, le jeune Castorp. Les apparences pouvaient être trompeuses, mais somme toute il avait tout à fait l'air que l'on n'avait pas lorsque les démocrates pouvaient compter sur vous, et la ressemblance avec son grand-père était évidente. Peut-être tiendrait-il de celui-ci et deviendrait-il un frein, un élément conservateur. C'était bien possible, et le contraire aussi pouvait être vrai. Car, finalement, il était ingénieur, un futur constructeur de bateaux, un homme du commerce mondial et de la technique. Il était donc possible que Hans Castorp se mêlât aux radicaux, qu'il se posât en homme d'action, en destructeur profane de vieux édifices et de beaux paysages, libre d'attaches comme un juif, sans piété comme un Américain, aimant mieux rompre sans égards avec des traditions dignement transmises, et précipiter l'État vers des expériences de casse-cou, qu'envisager un développement circonspect des conditions de vie données et naturelles, cela aussi on pouvait l'imaginer. Aurait-il dans le sang de juger que Leurs Révérences très sages, devant qui le double poste de l'hôtel de ville présentait les armes, savaient tout mieux que les autres, ou serait-il disposé à soutenir les citoyens de l'opposition ? Dans ses yeux bleus, sous ses sourcils d'un blond roux, on ne pouvait lire aucune réponse à toutes ces questions posées par des concitoyens curieux, et lui-même, sans doute n'eût su en donner, lui, Hans Castorp, cette page encore vierge.

Lorsqu'il entreprit le voyage au cours duquel nous l'avons rencontré, il était dans sa vingt-troisième année. Il avait derrière lui quatre semestres d'études à l'École polytechnique de Dantzig et quatre autres semestres qu'il avait passés aux Universités techniques de Brunswick et de Carlsruhe, il avait passé récemment sans éclat ni bravos, mais très convenablement, son premier examen, et s'apprêtait à entrer chez Tunder et Wilms, comme ingénieur volontaire, pour y recevoir une formation pratique. Mais arrivée en ce point, sa voie prit pour commencer la direction suivante :

En vue de son examen, il avait dû travailler rudement et avec persévérance, de telle sorte qu'en rentrant il parut cependant plus fatigué qu'à son habitude. Le docteur Heidekind le grondait chaque fois qu'il le rencontrait et exigeait un changement d'air, mais long et complet. Pour cette fois, il ne suffirait pas de Nordeney ou de Wyk-sur-Foehr, dit-il, et si l'on voulait le consulter, il estimait que Hans Castorp, avant d'entrer aux chantiers de construction, ferait bien de passer quelques semaines dans la haute montagne.

« Voilà qui est parfait », déclara le consul Tienappel à son neveu, mais s'il en était ainsi, leurs chemins se sépareraient durant l'été, car un attelage de quatre chevaux ne suffirait pas à le traîner, lui, dans la haute montagne. Ce climat, d'ailleurs, ne lui convenait pas, il avait besoin d'une pression atmosphérique raisonnable, sinon il risquait des accidents. Que Hans Castorp voulût donc partir seul pour la haute montagne. Et pourquoi ne rendrait-il pas visite à Joachim Ziemssen ?

C'était une proposition très naturelle. En effet, Joachim Ziemssen était malade — non pas malade comme Hans Castorp, mais d'une manière vraiment fâcheuse ; ç'avait même été une grande alerte. Depuis toujours il avait été facilement enrhumé et fiévreux, et voici qu'un beau jour il avait eu des crachements de sang, et en toute hâte Joachim avait dû partir pour Davos, à son grand chagrin et à sa désolation, car il venait d'arriver au terme de ses vœux. Pendant quelques semestres il avait, sur le désir des siens, étudié le droit, mais cédant à un besoin irrésistible, il avait tourné casaque, s'était présenté comme aspirant-officier, et déjà il venait d'être reçu. Or, voici qu'il était depuis cinq mois au sanatorium international Berghof (médecin en chef : le docteur Behrens, conseiller aulique), et s'ennuyait à mort, comme il l'écrivait sur des cartes postales. Si donc Hans Castorp voulait, avant d'entrer chez Tunder et Wilms, faire tant soi peu pour son propre bien, rien n'était plus indiqué que d'aller tenir compagnie à son cher cousin, ce qui serait agréable pour l'un comme pour l'autre.

On était déjà au plein de l'été lorsqu'il se décida à partir. Les premiers jours de juillet étaient là.

Il partit pour trois semaines.

CHAPITRE III

Assombrissement pudibond

Hans Castorp avait craint de manquer l'heure du déjeuner, parce qu'il avait été si fatigué, mais il fut debout plus tôt qu'il n'était nécessaire et il eut largement le temps d'observer minutieusement ses habitudes matinales — des habitudes d'homme civilisé, dont l'exercice exigeait un tub en caoutchouc ainsi qu'une sébile en bois garnie de savon de lavande vert et le blaireau indispensable — et de combiner avec ces soins de propreté et d'hygiène, les travaux de déballage et d'aménagement. Tout en conduisant le rasoir argenté le long de ses joues couvertes d'une écume parfumée, il se souvenait de ses rêves confus et hochait la tête en souriant avec indulgence sur tant de stupidités, avec la supériorité tranquille d'un homme qui se rase au grand jour de la raison. Il ne se sentait pas précisément très reposé, mais cependant frais pour la journée nouvelle.

Tout en s'essuyant les mains, les joues poudrées, en caleçons de fil d'Écosse et en pantoufles de maroquin rouge, il sortit sur le balcon qui longeait la façade et n'était coupé que par des parois de verre dépoli en compartiments distincts, correspondant à chacune des chambres. Le matin était frais et nuageux. Des traînées de brouillard s'étalaient allongées, immobiles, sur les hauteurs, tandis que des nuées volumineuses, blanches et grises, s'appesantissaient sur les montagnes plus lointaines. Des taches ou des raies de ciel bleu étaient çà et là visibles, et lorsqu'un rayon de soleil perçait, le village scintillait au fond de la vallée, blanc, en contrebas des bois de pins sombres qui couvraient les pentes. Quelque part, il y avait un concert matinal, sans doute dans le même hôtel d'où était venue hier soir la musique. Des accords de plain-chant arrivaient, assourdis, après une pause, une marche suivait, et Hans Castorp, qui aimait la musique de tout son cœur, parce qu'elle lui faisait le même effet qu'une bière anglaise bue à jeun (c'est-à-dire qu'elle le calmait profondément, l'engourdissait et l'inclinait à la somnolence), écoutait avec satisfaction, la tête penchée de côté, la bouche ouverte et les yeux un peu rougis.

En bas sinuait le chemin du sanatorium par lequel il était arrivé la veille. Des gentianes étoilées, aux tiges courtes, croissaient dans l'herbe humide de la pente. Une partie de la plate-forme, entourée d'une clôture, formait jardin. Il y avait là des chemins de gravier, des parterres de fleurs et une grotte artificielle au pied d'un superbe sapin. Une terrasse couverte d'un toit de tôle, sur laquelle étaient placées des chaises longues, s'ouvrait vers le midi, et auprès d'elle se dressait un mât peint en rouge brun, le long duquel montait parfois, en se déployant, un pavillon : un drapeau de fantaisie, vert et blanc, avec l'emblème de la médecine, un caducée, en son milieu.

Une femme se promenait dans le jardin, une dame d'un certain âge, à l'aspect sombre, presque tragique. Complètement vêtue de noir, portant un voile noir roulé autour de ses cheveux gris noir emmêlés, elle allait et venait sans répit sur les sentiers, d'un pas monotone et rapide, les genoux ployant, ses bras raides pendant en avant, et regardait droit devant elle, de ses yeux noirs dirigés de bas en haut, sous lesquels pendaient des poches molles, et le front sillonné de rides. Sa figure vieillissante, d'une pâleur méridionale, avec la grande bouche usée par le chagrin et, d'un côté, légèrement rétractée vers le bas, rappelait à Hans Castorp le portrait d'une tragédienne fameuse, qu'un jour il avait eu sous les yeux, et c'était un spectacle étrange de voir que la femme noire et pâle, sans apparemment s'en rendre compte, réglait ses longs pas accablés sur la mesure de la musique de marche qui leur parvenait de loin.

Avec une sympathie pensive, Hans Castorp la regarda du haut de son balcon et il lui sembla que cette triste apparition obscurcissait à ses yeux le soleil du matin. Mais presque en même temps, il recueillit encore autre chose, quelque chose perceptible à l'oreille : des bruits qui venaient de la chambre de ses voisins de gauche — le couple russe, d'après les renseignements de Joachim — et qui ne s'accordaient pas davantage avec ce matin clair et frais, mais qui semblaient bien plutôt le souiller en quelque manière gluante. Hans Castorp se souvint que, hier soir déjà, il avait entendu quelque chose d'analogue, mais que sa fatigue l'avait empêché d'y prendre garde. C'était une lutte accompagnée de rires étouffés et de halètements dont le caractère scabreux ne pouvait longtemps échapper au jeune homme, bien que, par esprit charitable, il s'efforçât tout d'abord de s'en donner à lui-même une explication innocente. On eût pu donner d'autres noms encore à cette bonté de cœur, par exemple le nom un peu fade de pureté d'âme, ou le beau nom grave de pudeur, ou les noms humiliants de crainte de la vérité et de sournoiserie, ou encore celui de crainte mystique et de piété ; il y avait un peu de tout cela dans l'attitude que Hans Castorp avait adoptée à l'endroit des bruits qui venaient de la pièce voisine, et sa physionomie l'exprima par un assombrissement pudique de son visage, comme s'il n'avait ni dû ni voulu rien savoir de ce qu'il entendait : expression de pudique bienséance qui n'était pas absolument originale, mais qu'en certaines circonstances il avait coutume d'adopter.

Or donc, avec cette expression, il se retira du balcon dans sa chambre, pour ne pas prêter l'oreille plus longtemps à des faits et gestes qui lui semblaient graves, oui, saisissants, encore qu'ils se traduisissent par des rires étouffés. Mais dans la chambre ce qui se passait de l'autre côté du mur devenait encore plus distinct. C'était une chasse autour des meubles, semblait-il, une chaise fut renversée, on se saisit l'un l'autre, on se donna des claques et des baisers, et il s'ajoutait à cela qu'à présent les accords d'une valse, les phrases usées et mélodieuses d'une rengaine, accompagnaient de loin la scène invisible. Hans Castorp était là, debout, une serviette à la main, et écoutait malgré lui. Et soudain il rougit sous sa poudre, car ce qu'il avait distinctement entendu approcher, venait de se produire, et le jeu, sans aucun doute, relevait à présent du domaine des instincts animaux.

« Sacré nom de Dieu ! pensa-t-il en se détournant, pour terminer sa toilette avec des mouvements intentionnellement bruyants. Après tout, ils sont mari et femme, mon Dieu, sur ce point rien à dire ! Mais le matin, en plein jour, voilà qui est malgré tout assez fort. Et j'ai tout à fait l'impression qu'hier soir non plus ils n'avaient pas conclu d'armistice. En somme, ils sont tout de même malades, puisqu'ils sont ici, tout au moins l'un d'entre eux, et un peu plus de modération serait convenable. Mais le plus scandaleux, c'est naturellement, songea-t-il avec irritation, que les murs soient minces au point que l'on entende tout ; c'est évidemment un état de choses intenable. Construit à bon marché, naturellement, un bon marché sordide ! Est-ce que, après cela, j'aurai l'occasion de voir ces gens, ou même de leur être présenté ? Ce serait infiniment gênant. » Et ici Hans Castorp s'étonna, car il venait de remarquer que la rougeur qui tout à l'heure avait gagné ses joues fraîchement rasées, ne voulait absolument pas disparaître, ou tout au moins la sensation de chaleur qui l'avait accompagnée. Elle persistait et n'était pas autre chose que cette ardeur sèche au visage dont il avait souffert encore hier soir, dont le sommeil l'avait débarrassé, mais qui, en cette circonstance, venait de se ranimer. Ce fait ne le disposa pas favorablement à l'égard du couple voisin ; serrant les lèvres, il murmura une parole de blâme assez vigoureux à leur endroit et commit la faute de se rafraîchir encore une fois le visage dans l'eau, ce qui aggrava sensiblement le mal. Ainsi advint-il que sa voix fut altérée par une humeur un peu chagrine lorsqu'il répondit à son cousin qui, tout en l'appelant, avait frappé contre le mur, et qu'à l'entrée de Joachim, il ne donna pas précisément l'impression d'un homme reposé et heureux d'accueillir le matin.

Petit déjeuner

« Bonjour, dit Joachim. Voilà que tu as passé ta première nuit ici en haut. Es-tu content ? »

Il était prêt à sortir, vêtu en sportif, chaussé de bottines solidement travaillées, et il portait sur le bras son raglan dans la poche latérale duquel se dessinait le flacon plat. Pas plus qu'hier, il n'avait de chapeau.

« Merci ! répondit Hans Castorp, cela va. Je ne veux pas en juger trop tôt. J'ai fait des rêves un peu confus, et puis cette maison présente l'inconvénient que les murs y ont des oreilles, c'est assez désagréable. Qui est donc la femme en noir au jardin ? »

Joachim sut aussitôt de qui son cousin voulait parler.

« Ah ! c'est *Tous-les-deux*, dit-il. Tout le monde, ici, chez nous, l'appelle ainsi, car c'est la seule chose qu'on l'entende toujours répéter. Elle est mexicaine, vois-tu, elle ne parle pas un mot d'allemand, et le français pas davantage, à peine quelques bribes. Elle est ici depuis cinq semaines, auprès de son fils aîné, un cas absolument désespéré qui passera maintenant assez vite. Cela le tient déjà partout, il est empoisonné de part en part, on peut bien le dire, cela finit par ressembler à peu près au typhus, dit Behrens. C'est en tout cas atroce pour tous les intéressés. Or, voici quinze jours, le frère cadet est monté ici parce qu'il voulait voir une dernière fois son frère — un très joli garçon du reste, comme aussi l'autre — tous les deux sont de magnifiques types, aux yeux ardents, les dames étaient absolument hors d'elles. Bon, le cadet avait déjà toussé un peu avant de monter, mais à part cela il paraissait tout à fait dispos. Mais à peine est-il ici que, figure-toi, il a de la température, et tout de suite 39,5, le degré de fièvre le plus élevé, comprends-tu, il se met au lit, et s'il se relève encore, dit Behrens, il aura plus de chance que de cervelle. De toute façon, dit-il, il était grand temps qu'il monte ici… Oui, et depuis la mère se promène ainsi, à moins qu'elle soit assise à leur chevet, et lorsqu'on lui adresse la parole, elle ne dit jamais que : “*Tous les deux !*”, car elle ne sait pas dire autre chose, et il n'y a personne ici pour le moment qui comprenne l'espagnol.

— Ah ! c'est ça, dit Hans Castorp. Je me demande si elle commencera aussi par me dire cela, lorsque je lui serai présenté ? Ce serait bizarre — je veux dire, ce serait comique et lugubre en même temps », dit-il, et ses yeux étaient comme hier : ils lui semblaient brillants et lourds, comme s'il avait longtemps pleuré, et ils avaient de nouveau cet éclat qu'y avait allumé la toux du cavalier mondain. D'une façon générale, il lui semblait qu'il venait seulement de rétablir le lien avec la journée d'hier, et en quelque sorte de s'y adapter à nouveau, ce qui n'avait pas été le cas aussitôt après son réveil. Tout en humectant d'un peu d'eau de lavande son mouchoir dont il se toucha le front et le tour des yeux, il déclara que d'ailleurs il était prêt.

« Si tu es d'accord, nous pouvons *tous les deux* aller déjeuner », plaisanta-t-il avec une impression d'exubérance joyeuse et presque déréglée, sur quoi Joachim le regarda avec douceur et sourit bizarrement, avec une mélancolie un peu moqueuse, lui sembla-t-il. Pourquoi ? Cela, c'était son affaire.

Après que Hans Castorp se fut assuré qu'il avait sur lui de quoi fumer, il prit canne, pardessus et chapeau — ce dernier en quelque sorte par défi, car il était trop sûr de son propre genre de vie et de ses usages de civilisé, pour se soumettre aussi légèrement et pour trois petites semaines à des habitudes nouvelles et étrangères — et ils s'en furent donc ainsi, descendirent les escaliers… Dans les couloirs, Joachim désignait tantôt une porte, tantôt l'autre, citait les noms de leurs occupants, des noms allemands et d'autres qui avaient toutes sortes de résonances étrangères, en ajoutant de brèves remarques sur leur caractère ou la gravité de leur cas.

Ils rencontrèrent aussi des personnes qui revenaient déjà du petit déjeuner, et lorsque Joachim disait bonjour à quelqu'un, Hans Castorp, poliment, levait son chapeau. Il était impatient et nerveux comme un jeune homme qui est sur le point d'être présenté à beaucoup de personnes inconnues, et qui est en même temps importuné par l'impression très nette d'avoir des yeux troubles et la figure rouge, ce qui d'ailleurs n'était qu'en partie exact, car il était plutôt pâle.

« Avant que j'oublie de te le dire, fit-il tout à coup avec une certaine vivacité irréfléchie, tu peux parfaitement me présenter à la dame du jardin, si l'occasion s'en présente, je n'y vois pas d'inconvénient. Qu'elle me dise : "*tous les deux*", peu importe j'y suis préparé, je saurai ce que cela veut dire et quel visage lui montrer. Mais je ne veux à aucun prix entrer en rapport avec le couple russe, tu m'entends ? Je te le demande expressément Ce sont des gens tout à fait mal élevés, et même si je dois habiter pendant trois semaines à côté d'eux et s'il n'est pas possible de l'éviter, je ne veux à aucun prix les connaître, c'est mon bon droit d'interdire de la façon la plus formelle que…

— Bien, dit Joachim, ils t'ont donc dérangé ? C'est vrai que ce sont en quelque sorte des barbares, des gens incultes, je te l'avais dit d'avance. Lui vient toujours à table en vareuse de cuir — mais d'un usé, je ne te dis que cela, je m'étonne toujours que Behrens ne soit pas encore intervenu. Et elle n'est pas non plus des plus fraîches, malgré son chapeau à plumes D'ailleurs, tu peux être tout à fait tranquille, ils sont assis très loin de nous, à la table des Russes ordinaires, car il y a une table des "Russes bien", où il n'y a que des Russes distingués et il y a bien peu de chances que tu les rencontres, à moins que tu le désires toi-même. En général, il n'est pas facile de nouer connaissance, par le fait déjà qu'il y a tant d'étrangers parmi les pensionnaires, et moi-même, bien que je sois ici depuis longtemps, je ne connais personnellement que fort peu de gens.

— Lequel des deux est donc malade ? demanda Hans Castorp. Lui ou elle ?

— Lui, je crois, oui, lui seul », dit Joachim, visiblement distrait, tandis qu'ils se débarrassaient aux portemanteaux, à l'entrée de la salle à manger. Puis ils entrèrent dans la salle claire, au plafond légèrement voûté, où des voix bourdonnaient, où la vaisselle cliquetait et où les servantes s'empressaient, portant des pots fumants.

Sept tables étaient disposées dans la salle à manger, la plupart dans le sens de la longueur, deux seulement en travers. C'étaient des tables assez grandes, chacune pour dix personnes, encore que tous les couverts ne fussent pas mis partout. Après quelques pas en diagonale à travers la salle, Hans Castorp était déjà à sa place. On l'avait placé du côté étroit de la table du milieu, entre les deux tables transversales. Debout derrière sa chaise, Hans Castorp s'inclina avec une raideur aimable à l'adresse de ses voisins de table auxquels Joachim le présenta cérémonieusement, et qu'il vit à peine : encore moins prit-il garde à leurs noms. Seuls le nom et la personne de Mme Stöhr retinrent son attention, et aussi le fait qu'elle avait un visage rouge et des cheveux graisseux d'un blond cendré. L'expression de son visage trahissait une ignorance si entêtée qu'on s'expliquait sans peine ses bourdes solennelles. Puis il s'assit et remarqua d'un air approbateur que l'on traitait ici le petit déjeuner comme un repas d'importance.

Il y avait des pots de marmelade et de miel, des écuelles de riz au lait et de gruau d'avoine, des plats d'œufs brouillés et de viande froide; le beurre figurait en abondance, quelqu'un leva une cloche de verre sous laquelle suintait un fromage de gruyère, pour en couper un morceau, et un compotier de fruits frais et secs était en outre placé au milieu de la table. Une servante en noir et blanc demanda à Hans Castorp ce qu'il désirait boire : du cacao, du café ou du thé. Elle était petite comme un enfant, avec un visage long et vieux : une naine, reconnut-il avec effroi. Il regarda son cousin, mais comme celui-ci haussait les épaules et fronçait les sourcils avec indifférence, comme s'il voulait dire : « Oui, et après ? » il se soumit et commanda du thé, avec une politesse particulière parce que c'était une naine qui l'interrogeait, et commença de manger du riz au lait, avec de la cannelle et du sucre, tandis que ses yeux considéraient les autres plats qu'il désirait goûter et erraient par-dessus les convives des sept tables, les collègues et compagnons de destin de Joachim qui, tous, étaient malades, intérieurement, et déjeunaient en bavardant.

La salle était conçue dans ce goût moderne qui sait donner à la simplicité la plus stricte une certaine couleur fantastique. Elle n'était pas très profonde en proportion de sa longueur, et entourée d'une sorte de promenoir qui abritait des dressoirs, et s'ouvrait par de larges arceaux sur l'intérieur, garni de tables. Des piliers, revêtus jusqu'à mi-hauteur d'une boiserie vernie à la façon d'un bois de santal, puis blanchis de même que la partie supérieure des murs et que le plafond, étaient ornés de plinthes bariolées, de modèles simples et drôles que répétaient les archivoltes espacées de la voûte plate. Plusieurs lustres électriques en métal blanc décoraient la salle, composés de trois arceaux superposés que reliait un gracieux clayonnage, et à la partie inférieure desquels des cloches en verre dépoli gravitaient comme de petites lunes. Il y avait quatre portes vitrées : deux, en face de Hans Castorp, sur le côté large, qui donnait sur une véranda, une troisième à gauche qui conduisait dans le hall de l'entrée, et puis celle par laquelle Hans Castorp était entré, car Joachim l'avait conduit ce matin par un autre escalier et un autre couloir que hier soir.

Il avait à sa droite un être insignifiant, en noir, au teint duveteux et aux joues faiblement échauffées, qu'il prit pour une raccommodeuse ou une couturière à la journée, sans doute parce qu'elle déjeunait exclusivement de café et de pain beurré, et que sa représentation d'une petite couturière avait toujours été associée au café et aux pains au lait. À sa gauche était assise une demoiselle anglaise, elle aussi très âgée, très laide, avec des doigts raides et gelés, qui lisait des lettres de chez elle, écrites en ronde, tout en buvant du thé couleur de sang. Ensuite venait Joachim, et puis Mme Stöhr dans sa blouse de laine écossaise. Sa main droite faisait le poing à proximité de sa joue et tout en mangeant elle s'efforçait visiblement de parler d'un air distingué, en découvrant ses longues et étroites dents de lièvre sous sa lèvre supérieure. Un jeune homme à moustache mince, dont la physionomie semblait exprimer qu'il avait dans la bouche on ne savait quoi d'écœurant, s'assit à côté d'elle, et déjeuna en observant le silence le plus complet. Il arriva lorsque Hans Castorp était déjà assis, salua du menton tout en marchant et, sans regarder personne, prit place en déclinant par son attitude toute présentation au nouveau pensionnaire. Peut-être était-il trop malade pour se soucier encore de ces convenances négligeables, ou simplement pour s'intéresser à son entourage. Durant quelques instants, il y eut en face de lui une jeune fille aux cheveux d'un blond clair, extraordinairement maigre, qui vida une bouteille de yaourt dans son assiette, la mangea à la cuiller et s'en fut aussitôt.

La conversation à table n'était guère animée. Joachim s'entretenait cérémonieusement avec Mme Stöhr, il s'informa de son état et apprit avec un regret correct qu'il laissait à désirer. Elle se plaignait de « flegme ». « Je suis si flegmatique », dit-elle en traînant les syllabes et avec une affectation de mauvais goût. Dès son lever elle avait eu 37,3 ; que serait-ce l'après-midi ? La couturière à la journée confessa la même température, mais déclara qu'au contraire elle se sentait agitée, tendue par une inquiétude secrète, comme si elle était à la veille d'un événement particulièrement décisif, ce qui, en réalité, n'était nullement le cas, et alors qu'il s'agissait d'une agitation physique qui ne relevait nullement de l'âme. Sans doute n'était-ce quand même pas une couturière à façon, car elle s'exprimait en un langage très châtié et presque savant. D'ailleurs, Hans Castorp trouvait cette émotion, ou tout au moins l'aveu de ces sentiments, en quelque manière inconvenants, voire presque choquants, de la part d'une créature aussi insignifiante. Il demanda tour à tour à la couturière et à Mme Stöhr depuis combien de temps elles étaient ici en haut (celle-là vivait dans l'établissement depuis sept mois, celle-ci depuis cinq mois), il rassembla ensuite son peu d'anglais pour apprendre de la bouche de sa voisine de droite quelle espèce de thé elle buvait (c'était du thé de cynorrhodon) et s'il était bon, ce qu'elle confirma presque impétueusement, puis regarda dans la salle où l'on allait et venait, car le petit déjeuner n'était pas un repas que l'on prenait rigoureusement en commun.

Il avait légèrement appréhendé de recevoir des impressions terribles, mais il se sentait déçu, tout le monde semblait plein d'entrain dans la salle ; on n'avait nullement le sentiment de se trouver en quelque lieu de détresse. Des jeunes gens hâlés des deux sexes entraient en fredonnant, bavardaient avec les servantes et, avec un appétit robuste, faisaient honneur au petit déjeuner. Il y avait également là des personnes plus âgées, des couples, une famille entière avec des enfants, qui parlait le russe, de jeunes garçons à peine formés. Les femmes portaient presque toutes des chandails collants en laine ou en soie, des sweaters comme on les appelait, blancs ou en couleur, avec des cols rabattus et des poches de côté, et il était plaisant de les voir s'arrêter et bavarder, les deux mains enfouies dans ces poches. À plusieurs tables on montrait des photographies, de récentes prises d'amateurs sans doute ; ailleurs on échangeait des timbres-poste. On parlait du temps, de la manière dont on avait dormi, de la température que l'on avait mesurée ce matin dans sa bouche. La plupart étaient dispos, sans raison particulière, sans doute simplement parce qu'ils étaient réunis en grand nombre. Quelques-uns, il est vrai, étaient assis à table, la tête appuyée sur les mains, et regardant fixement devant eux. On les laissait regarder et on ne s'occupait pas d'eux.

Soudain, Hans Castorp tressaillit, irrité et offensé. Une porte venait de claquer, c'était la porte de gauche qui donnait directement dans le hall, quelqu'un l'avait laissée se fermer d'elle-même, ou même l'avait fermée à la volée, et c'était un bruit qui faisait horreur à Hans Castorp, qu'il avait haï depuis toujours. Peut-être cette haine provenait-elle de l'éducation, peut-être était-ce une idiosyncrasie congénitale, bref, il avait horreur des portes qui claquaient et il eût pu gifler quiconque se permettait de claquer des portes en sa présence. Dans le cas particulier, la porte était de plus garnie de petits carreaux de verre, ce qui aggravait le choc ; c'était un cliquetis et un fracas. Fi donc ! pensa Hans Castorp, qu'est-ce que c'est que ce maudit vacarme ? D'ailleurs, comme la couturière lui adressait en même temps la parole, il n'eut pas le temps de constater quel était le coupable. Mais des plis parurent entre ses sourcils blonds, et son visage fut désagréablement altéré, tandis qu'il répondait à la couturière.

Joachim demanda si les médecins étaient déjà passés. Oui, ils avaient déjà fait leur première ronde, répondit quelqu'un, ils venaient précisément de quitter la salle, à l'instant où les cousins étaient arrivés.

« Alors, partons, ce n'est plus la peine d'attendre, dit Joachim. Nous trouverons sans doute une autre occasion de nous présenter dans la journée. »

Mais à la porte ils faillirent se heurter au docteur Behrens, qui arrivait au pas accéléré, suivi du docteur Krokovski.

« Oh ! là ! attention, messieurs ! dit Behrens, cette rencontre aurait pu mal finir pour nos cors aux pieds respectifs. »

Il parlait avec un accent saxon marqué, ouvrant largement la bouche et mâchant les mots.

« Alors, c'est vous ? dit-il à Hans Castorp que Joachim présenta en joignant les talons. Allons, enchanté, enchanté ! »

Et il tendit au jeune homme sa main qui était grande comme une pelle. C'était un homme osseux qui avait bien trois têtes de plus que le docteur Krokovski, à la tête déjà toute blanche, avec une nuque saillante, de grands yeux bleus, proéminents et striés de vaisseaux sanguins où nageaient des larmes, un nez retroussé et une moustache taillée court, qui était relevée de travers par suite du retroussement irrégulier de sa lèvre supérieure. Ce que Joachim avait dit de ses joues se confirma parfaitement ; elles étaient bleues ; aussi sa tête paraissait-elle abondamment coloriée au-dessus de la blouse blanche de chirurgien qu'il portait, une longue blouse serrée par une ceinture, qui descendait jusqu'aux genoux et laissait voir ses pantalons rayés et une paire de pieds colossaux chaussés de souliers jaunes, lacés et assez usés. Le docteur Krokovski lui aussi était en tenue professionnelle, mais sa blouse était noire, d'un tissu noir lustré, taillée en forme de chemise, avec des élastiques aux poignets, et ne laissait pas d'accuser sa pâleur. Il s'en tenait à son rôle d'assistant et ne prit aucune part aux salutations, mais une certaine tension critique de sa bouche révélait combien sa position de subordonné lui semblait extraordinaire.

« Cousins ? demanda le docteur Behrens en balançant sa main qui, allant de l'un à l'autre, désignait les deux jeunes gens, et en les regardant de ses yeux ecchymosés.

— Alors, lui aussi va traîner le sabre, dit-il à Joachim en désignant Hans Castorp de la tête. Jamais de la vie, hein ?

Je m'en suis rendu compte tout de suite — et il adressa la parole directement à Hans Castorp — que vous aviez quelque chose de civil, de confortable, de moins guerrier que ce soudard-là. Vous feriez un meilleur malade que lui, j'en ferais volontiers le pari. Je vois du premier coup d'œil à la tête de chacun s'il a l'étoffe d'un bon malade, car il faut du talent pour cela. Il faut du talent pour tout, et ce myrmidon-là n'a pas l'ombre de talent. Sur le champ de manœuvres, je ne sais pas, mais pour être malade, c'est le néant. Le croirez-vous ? Il veut toujours s'en aller. Il veut tout le temps partir, il me serine et me chine, et ne se tient pas d'impatience de se faire brimer, là en bas. Un tel excès de zèle ! Il ne nous accorderait même pas six petits mois. Et pourtant, on est si bien chez nous, dites-le vous-même, Ziemssen, si on n'est pas bien chez nous ! Allons, monsieur votre cousin nous appréciera sûrement mieux que vous, et saura s'amuser. Ce ne sont pas les dames qui manquent, nous avons ici des dames tout à fait délicieuses. Du moins, vues de l'extérieur, beaucoup d'entre elles sont très séduisantes. Mais vous devriez tâcher de prendre un peu plus de couleur, savez-vous, sinon les dames ne feront aucun cas de vous ! Vert est sans doute "l'arbre doré de la vie", mais comme teint de peau, le vert n'est pas très séant. Complètement anémique, naturellement, dit-il en s'approchant sans plus de façons de Hans Castorp et en abaissant une de ses paupières entre l'index et le majeur. Naturellement, complètement anémique, comme je vous le disais. Voyez-vous, ce n'est pas si bête de votre part d'abandonner pendant quelque temps ce cher Hambourg à son propre sort. C'est du reste une institution à laquelle nous devons beaucoup, ce cher Hambourg ! Grâce à sa météorologie si joyeusement humide, il nous procure chaque année un joli contingent. Mais si, à cette occasion, vous me permettez de vous donner un conseil absolument désintéressé — *sine pecunia*, s'entend — faites donc, tant que vous serez ici, tout ce que fait votre cousin. Dans votre cas, on ne peut rien faire de plus malin que de vivre pendant quelque temps comme si vous étiez atteint d'une légère *tuberculosis pulmonum* et de produire un peu d'albumine. Car c'est assez curieux, chez nous, le renouvellement de l'albumine… Bien que la combustion générale soit plus importante, le corps produit quand même de l'albumine… Allons, et vous avez bien dormi, Ziemssen ? Parfait, hein ? Alors, en route pour cette promenade ! Mais pas plus d'une demi-heure ! Et ensuite mettez-vous le cigare de vif-argent dans la bouche ! Toujours gentiment inscrire la température, Ziemssen, hein ? Service ! Conscience ! Samedi je veux voir la courbe. Que monsieur votre cousin prenne lui aussi sa température. Prendre la température ne fait jamais de mal. Bonjour, messieurs, amusez-vous bien ! Bonjour… Bonjour, mesdames ! »

Et le docteur Krokovski se joignit à son chef qui naviguait en balançant les bras, les paumes tournées vers l'intérieur, en demandant à droite et à gauche si l'on avait « gentiment » dormi, ce que tout le monde assurait avoir fait.

Gaieté interrompue

« Charmant jeune homme ! » dit Hans Castorp, tandis que, après un bonjour amical au concierge boiteux qui classait des lettres dans sa loge, ils sortaient à l'air libre par le portail. Le portail était situé sur le côté sud-est de l'immeuble crépi de blanc dont la partie centrale dépassait d'un étage les deux ailes et était surmonté d'une horloge dans une tourelle basse, couverte de tôle couleur d'ardoise. On ne pénétrait pas dans le jardin enclos lorsqu'on quittait la maison, mais l'on se trouvait aussitôt dans un espace libre, en face de pâturages alpestres dont la pente oblique était parsemée de quelques pins de taille moyenne et de pins nains, tordus et courbés jusqu'à terre. Le chemin qu'ils prirent — c'était en somme le seul qui s'offrît, en dehors de la route qui descendait vers la vallée — passait en pente légère derrière le sanatorium du côté des cuisines et de l'exploitation pratique où des tonneaux d'ordures en métal étaient placés le long des grilles des escaliers de la cave, se prolongeait encore pendant quelques instants dans la même direction, avant de décrire un tournant brusque et de s'élever en une pente plus raide vers la droite, le long du versant légèrement boisé. C'était un sentier dur, légèrement teinté de rose, encore un peu humide, le long duquel ils rencontraient parfois des fragments de rocher. Les deux cousins n'étaient pas seuls à se promener. Des pensionnaires qui avaient fini de déjeuner aussitôt après eux leur emboîtaient le pas, et des groupes entiers, sur le chemin du retour, venaient à leur rencontre, avec le pas appuyé de gens qui descendent.

« Charmant homme ! répéta Hans Castorp. Il a une si drôle manière de s'exprimer, c'était un plaisir de l'écouter. Le “cigare en vif-argent” pour le thermomètre était excellent, j'ai tout de suite saisi… Quant à moi, si tu permets, je vais m'en allumer un véritable, dit-il en s'arrêtant. Je n'y tiens plus. Depuis hier à midi, je n'ai plus rien fumé de convenable. Tu permets ?… »

Et il tira de son porte-cigares en cuir, orné d'un monogramme d'argent, un Maria Mancini, un bel exemplaire de la couche supérieure de la boîte, aplati d'un côté ainsi qu'il les aimait particulièrement, coupa la pointe à l'aide d'un petit couperet pendu à sa chaîne de montre, fit flamber son briquet et alluma le cigare assez long et arrondi en avant, en en tirant quelques bouffées pleines d'une ferveur satisfaite.

« Voilà, fit-il, à présent nous pouvons continuer notre promenade. Naturellement, tu ne fumes pas, dans ton zèle de néophyte ?

— Je ne fume jamais, répondit Joachim. Pourquoi me mettrais-je à fumer ici ?

— Je ne comprends pas cela, dit Hans Castorp. Je ne comprends pas que l'on puisse ne pas fumer. C'est se priver de toute façon de la meilleure part de l'existence et en tout cas d'un plaisir tout à fait éminent. Lorsque je m'éveille, je me réjouis déjà de pouvoir fumer pendant la journée, et pendant que je mange, j'ai la même pensée, oui, je peux dire qu'en somme je mange seulement pour pouvoir ensuite fumer, et je crois que j'exagère à peine. Mais un jour sans tabac, ce serait pour moi le comble de la fadeur, ce serait une journée absolument vide et insipide, et si, le matin, je devais me dire : “aujourd'hui je n'aurai rien à fumer”, je crois que je n'aurais pas le courage de me lever, je te jure que je resterais couché. Vois-tu, lorsqu'on a un cigare qui tire bien — naturellement, il ne faut pas qu'il ait une fuite ou qu'il tire mal, c'est tout ce qu'il y a de plus désagréable — je veux dire lorsqu'on a un bon cigare, on est en somme à l'abri de tout. Il ne peut vous arriver littéralement rien de fâcheux, littéralement. C'est exactement la même chose que lorsqu'on est étendu au bord de la mer ; eh bien, alors, on est étendu, n'est-ce pas ? et l'on n'a plus besoin de rien, ni travail ni distractions. Dieu merci ! on fume dans le monde entier ; ce plaisir, autant que je sache, n'est inconnu nulle part où l'on pourrait être jeté par les hasards de la vie. Même les explorateurs qui partent pour le pôle nord se pourvoient largement de provisions de tabac pour la durée de leurs pénibles étapes, et j'ai toujours trouvé cela sympathique lorsque je l'ai lu. Car on peut aller très mal — supposons par exemple que je sois dans un état lamentable —, aussi longtemps que j'aurai mon cigare, je le supporterai, je le sais bien ; il m'aiderait à tout surmonter.

— N'importe, c'est du relâchement, dit Joachim, que d'y tenir à ce point. Behrens a parfaitement raison : tu es un civil. Il disait cela à ton éloge, mais c'est un fait : tu es un civil, irrémédiablement. D'ailleurs, tu es bien portant, et tu peux faire ce qu'il te plaît », dit-il.

Et ses yeux devinrent las.

« Oui, bien portant, sauf mon anémie, dit Hans Castorp. J'en ai tout juste assez, comme il me l'a dit, pour paraître tout vert. Mais c'est exact, cela m'a frappé moi-même qu'en comparaison avec vous j'ai un teint presque verdâtre ; chez nous, je ne m'en étais pas rendu compte. Et puis c'est aussi très gentil de sa part de me donner des conseils, absolument *sine pecunia*, pour parler comme lui. Je veux bien essayer de faire comme il m'a recommandé et conformer exactement ma manière de vivre à la tienne ; d'ailleurs, que ferais-je d'autre, ici en haut, chez vous, et cela ne peut pas me faire de mal de produire un peu d'albumine, encore que je trouve l'expression assez répugnante, qu'en dis-tu ? »

Joachim toussota une ou deux fois en marchant. La montée semblait malgré tout le fatiguer. Lorsqu'il fut repris pour la troisième fois de sa quinte, il s'arrêta, les sourcils froncés.

« Va ton chemin », dit-il.

*

Hans Castorp s'empressa de poursuivre son chemin et ne se retourna pas. Puis il ralentit le pas et finit par faire presque halte, car il lui semblait avoir pris une avance sensible sur Joachim. Mais il ne se retournait toujours pas.

Un groupe de pensionnaires des deux sexes vint à sa rencontre. Il les avait vus venir à mi-hauteur du versant par le chemin plan ; à présent ils descendaient à grandes enjambées, droit vers lui, et faisaient entendre des voix très différentes. C'étaient six ou sept personnes d'âges variés, les unes toutes jeunes, les autres déjà plus avancées en âge. Il les considéra, la tête un peu inclinée, tout en pensant à Joachim. Ils étaient nu-tête et hâlés, les femmes vêtues de chandails de couleur, les hommes pour la plupart sans pardessus ni cannes, pareils à des gens qui, sans façons, ne font que quelques pas devant la maison. Comme ils descendaient la pente, ce qui n'exige pas un effort sérieux, mais tout au plus un freinage des jambes raidies, afin de ne pas être entraîné à courir ou à trébucher, et ce qui n'est en somme qu'une sorte d'abandon, leur allure avait quelque chose d'ailé et de léger qui se communiquait à leurs visages, à toute leur apparence, de telle sorte que l'on eût souhaité appartenir à leur groupe.

À présent ils étaient près de lui. Hans Castorp regarda attentivement leurs visages. Ils n'étaient pas tous hâlés, deux jeunes femmes tranchaient par leur pâleur, l'une maigre comme une canne et d'un teint d'ivoire, l'autre plus petite et grasse, enlaidie par des taches de rousseur. Tous le regardaient avec le même sourire impertinent. Une longue jeune fille en sweater vert, aux cheveux mal frisés et aux yeux bêtes, à demi ouverts, passa si près de Hans Castorp qu'elle le frôla presque du bras. Et en même temps elle siffla… Non, c'était fou ! Elle siffla, non pas de ses lèvres qui ne se desserrèrent pas. Elle siffla de l'intérieur d'elle-même, tout en le regardant, bêtement et les yeux mi-clos. Un sifflement étrangement désagréable, rauque, aigu et en même temps creux, prolongé et qui vers la fin retombait d'un ton (de telle sorte qu'il faisait penser à la musique de ces vessies que l'on trouve aux foires, lesquelles se vident et se recroquevillent en gémissant), s'échappa en quelque manière incompréhensible de sa poitrine, et puis elle passa avec sa compagnie.

Hans Castorp était debout, immobile, et regardait au loin. Puis il se retourna avec précipitation et comprit tout à coup que cette chose atroce devait avoir été une plaisanterie, une farce arrangée, car il reconnut au mouvement d'épaules des jeunes gens qui s'éloignaient qu'ils riaient, et un jeune homme trapu, aux lèvres épaisses, qui, les deux mains dans les poches de son pantalon, relevait sa veste d'une manière assez inconvenante, sans gêne, se retourna même vers lui, et rit… Joachim arrivait. Il salua le groupe en leur faisant presque face par un courtois demi-tour, et en s'inclinant, les talons joints, puis, le regardant de ses yeux doux, il s'approcha de son cousin.

« Tu en fais une tête ! remarqua-t-il.

— Elle a sifflé, répondit Hans Castorp. Elle a sifflé du ventre lorsqu'elle est passée à côté de moi. Veux-tu m'expliquer cela ?

— Ah ! dit Joachim, et il rit d'un air nonchalant. Non, pas du ventre, c'est idiot. C'était la Kleefeld, Hermine Kleefeld, elle siffle avec son pneumothorax.

— Avec quoi ? » demanda Hans Castorp.

Il était extrêmement agité et ne savait trop dans quel sens. Il balançait entre le rire et les larmes lorsqu'il ajouta :

« Tu ne peux tout de même pas exiger que je comprenne votre jargon !

— Allons, viens toujours, dit Joachim. Je peux te raconter cela tout en marchant. Tu es là comme enraciné. C'est quelque chose qui relève de la chirurgie, comme tu peux te le figurer ; c'est une opération qui est assez souvent exécutée ici en haut. Behrens a pour la faire un entraînement remarquable. Lorsqu'un poumon est entamé, tu comprends, mais que l'autre est sain, ou relativement sain, on dispense le côté malade pendant quelque temps de son activité, pour le reposer. C'est-à-dire que l'on vous ouvre par une entaille, ici, sur le côté, je ne connais pas exactement l'endroit, mais Behrens est passé maître dans ce genre d'opérations. Et puis l'on vous gonfle de gaz, nitrogène, tu sais, et le poumon amoché est mis hors d'activité. Le gaz, bien entendu, ne reste pas longtemps. Il faut qu'il soit renouvelé ; tous les quinze jours à peu près, on vous remplit en quelque sorte, tu te représentes cela. Et lorsque cela a duré un an, ou davantage et lorsque tout va bien, le poumon peut guérir, grâce à ce repos. Pas toujours, cela va de soi, et c'est même une affaire assez hasardeuse. Mais il paraît qu'on a obtenu de très beaux résultats au moyen du pneumothorax. Tous ceux que tu viens de voir ici l'ont. Mme Iltis aussi était là — celle qui a des taches de rousseur — et Mlle Lévi, la maigre, tu te rappelles, celle qui est restée si longtemps au lit. Ils se sont groupés, car une chose comme un pneumothorax rapproche naturellement les hommes, et ils s'appellent "l'Association des demi-poumons" ; c'est sous ce nom qu'on les connaît. Mais l'orgueil de la société, c'est Hermine Kleefeld, parce qu'elle sait siffler par son pneumothorax, c'est un don particulier qu'elle a, elle seule et aucun autre. Comment elle y réussit, c'est ce que je ne pourrais pas te dire, elle-même ne sait pas le dire exactement. Mais lorsqu'elle a marché vite, elle peut siffler intérieurement, et elle s'en sert naturellement pour effrayer les gens, surtout les malades nouvellement arrivés. Je crois d'ailleurs que cela lui fait gaspiller du gaz nitrogène, car il faut la gonfler tous les huit jours. »

À présent, Hans Castorp riait ; son trouble, aux paroles de Joachim, avait tourné à la gaieté, et tandis que, tout en marchant, il couvrait ses yeux de la main et se penchait en avant, ses épaules furent ébranlées par un rire étouffé et précipité.

« Ont-ils aussi déposé leurs statuts ? demanda-t-il, et il éprouvait de la peine à parler ; à force de rire contenu, sa voix sonnait gémissante et plaintive. Ont-ils des statuts ? Dommage que tu ne sois pas membre, toi. Vous auriez pu m'admettre comme membre d'honneur ou comme… hôte de passage. Tu devrais prier Behrens de te mettre partiellement en non activité. Peut-être pourrais-tu siffler, toi aussi, si tu te donnais de la peine, cela doit tout de même s'apprendre en fin de compte... Ça, c'est vraiment ce que j'ai entendu de plus drôle dans ma vie ! dit-il en poussant un profond soupir. Oui, pardonne-moi d'en parler sur ce ton, mais eux-mêmes semblent de l'humeur la plus joyeuse, tes amis pneumatiques ! Quelle allure ils avaient ! Quand je pense que c'était l'"Association des demi-poumons" ! Tiouou ! siffle-t-elle, cette jeune personne ! Elle est tordante ! Cela, au moins, cela s'appelle de l'exubérance. Mais pourquoi sont-ils aussi joyeusement exubérants ? Veux-tu me le dire ? »

Joachim cherchait une réponse.

« Mon Dieu, dit-il, ils sont libres... Je veux dire, ce sont des jeunes gens, et le temps pour eux n'a pas d'importance. Pourquoi donc feraient-ils triste figure ? Je me dis quelquefois : être malade et mourir, ce n'est pas sérieux en somme, c'est plutôt une sorte de laisser-aller ; du sérieux, on n'en rencontre à tout prendre que dans la vie de la plaine. Je crois que tu comprendras cela, lorsque tu auras séjourné plus longtemps ici.

— Sans doute, dit Hans Castorp. J'en suis même tout à fait sûr. Je me suis intéressé déjà à bien des choses d'en haut, et lorsqu'on prend de l'intérêt aux choses, n'est-ce pas ? on ne tarde jamais à les comprendre... Mais qu'est-ce que j'ai donc ? Il ne me revient vraiment pas aujourd'hui, dit-il en regardant son cigare. Depuis un bon moment je me demande ce qui ne va pas, et voici que je m'aperçois que c'est Maria qui n'est pas de mon goût. Elle a un goût de papier mâché, je t'assure, c'est comme si j'avais l'estomac absolument dérangé. C'est tout de même inexplicable ! Il est vrai que j'ai déjeuné d'une manière exceptionnellement copieuse, mais cela ne peut pas être la raison, car lorsqu'on a trop mangé, on l'apprécie d'habitude tout particulièrement. Crois-tu que cela provienne de ce que j'ai eu un sommeil agité ? Peut-être est-ce cela qui m'a mis sens dessus dessous. Non, il faut vraiment que je le jette, dit-il après une nouvelle tentative. Chaque bouffée est une déception ; cela n'a pas de sens de me forcer. »

Et après qu'il eut encore hésité un instant, il jeta le cigare en bas de la pente, dans le bois de pins humides.

« Sais-tu à quoi cela tient ? demanda-t-il. Je suis persuadé que c'est en rapport avec cette sacrée chaleur dans la figure que j'endure depuis mon réveil. Le diable sait pourquoi, j'ai toujours l'impression que je rougis de honte. Est-ce que tu as eu la même sensation lorsque tu es arrivé ?

— Oui, dit Joachim, j'ai eu pour commencer des impressions assez bizarres. Mais n'y attache pas d'importance ! Ne te l'avais-je pas dit que ce n'est pas si facile de s'acclimater chez nous ? Mais tout cela ne tardera pas à se tasser. Vois-tu, ce banc est joliment situé. Nous allons nous asseoir, et ensuite nous rentrerons, il faut que j'aille à ma cure de repos. »

Le chemin était devenu plan. Il se prolongeait dans la direction de Davos-Platz, à peu près à un tiers de l'altitude de leur promenade et entre des pins hauts, élancés, mais inclinés dans le sens du vent, il offrait une vue sur l'agglomération qui luisait, blanchâtre, dans une lumière claire. Le banc à la charpente grossière sur lequel ils s'assirent, était adossé au roc abrupt. Près d'eux, un ruisseau descendait vers la plaine en gargouillant, par une conduite de bois.

Joachim voulut renseigner son cousin sur les noms des sommets de montagne qui, au sud, semblaient fermer la vallée, en les désignant de la pointe de sa canne ferrée.

Mais Hans Castorp n'eut pour eux qu'un coup d'œil rapide ; il était penché en avant, de la virole de sa canne de citadin, au manche d'argent, il dessinait des figures sur le sable, et il voulait savoir autre chose.

« Qu'est-ce donc que je voulais te demander ? commença-t-il. Alors, le malade dans ma chambre venait de “passer” lorsque je suis arrivé ? Y a-t-il déjà eu beaucoup de décès depuis que tu es arrivé ?

— Certainement, il y en a eu plusieurs, répondit Joachim. Mais on les traite avec beaucoup de discrétion, tu comprends, on n'apprend rien de cela, ou seulement à l'occasion, plus tard. Tout se passe dans le plus grand mystère, lorsque quelqu'un meurt, par égard pour les pensionnaires et surtout pour les dames qui pourraient facilement avoir des crises. Et le cercueil est apporté de bon matin, alors que tu dors encore, et l'on ne vient chercher l'intéressé qu'à certaines heures, par exemple pendant les repas.

— Hum ! » dit Hans Castorp, et il continua de dessiner. « Ces choses-là se passent derrière les coulisses, par conséquent ?

— Oui, si tu veux. Mais récemment, il y a de cela, voyons, peut-être huit semaines…

— Alors, tu ne peux pas dire : récemment, remarqua Hans Castorp, attentif et froid.

— Comment ? Alors pas récemment ? Quel homme pointilleux tu fais ! Je t'ai cité ce chiffre à tout hasard. Donc, il y a quelque temps, j'ai jeté un regard derrière les coulisses, par pur hasard, je m'en souviens comme si c'était aujourd'hui. C'était lorsqu'ils ont apporté à la petite Hujus, une catholique, Barbara Hujus, le viatique, le saint sacrement, enfin l'extrême-onction. Elle était encore levée lorsque j'étais arrivé et elle était d'une gaieté folle, pétulante, absolument comme une gamine de quinze ans. Mais ensuite elle baissa rapidement, elle ne se leva plus, elle était couchée à trois chambres de la mienne, et puis ses parents arrivèrent, et enfin ce fut le tour du prêtre de venir. Il vint, alors que tout le monde était au thé, l'après-midi, et il n'y avait pas un chat dans les corridors. Mais, figure-toi, j'avais manqué l'heure du goûter, je m'étais endormi pendant la grande cure de repos, je n'avais pas entendu le gong et j'étais en retard d'un quart d'heure. À l'instant décisif, je ne me trouvais donc pas avec les autres. Je m'étais perdu derrière les coulisses, comme tu dis, et tandis que je suis le couloir, voici qu'ils arrivent, en chemise de dentelles avec une croix par-devant, une croix en or avec des lanternes que l'un d'eux portait en avant, comme le chapeau chinois en tête de la musique des janissaires.

— Ce n'est pas là une comparaison à faire, dit Hans Castorp, non sans sévérité.

— J'ai eu cette impression. Je me suis rappelé cela malgré moi. Mais écoute plutôt. Donc, ils viennent à ma rencontre, marche-marche, au pas gymnastique, à trois si je ne me trompe : en avant l'homme à la croix, puis le prêtre avec des binocles sur le nez, et ensuite un gamin avec l'encensoir. Le prêtre tenait le viatique contre sa poitrine, il l'avait recouvert, et il penchait la tête d'un air très humble, tu comprends, c'est leur saint sacrement.

— C'est justement pour cela, dit Hans Castorp, c'est pour cette raison que je m'étonne que tu puisses parler de chapeau chinois.

— Oui, oui, mais attends seulement ; si tu y avais été, tu ne saurais pas non plus quelle tête tu ferais dans ton souvenir. On pourrait en rêver…

— Sous quel rapport ?

— Voilà. Je me demande donc comment je dois me conduire en cette circonstance. Je n'avais pas de chapeau sur la tête que j'aurais pu enlever.

— Tu vois bien, l'interrompit encore rapidement Hans Castorp, tu vois bien qu'il faut porter un chapeau. Ça m'a naturellement frappé que vous n'en portiez pas, ici. Mais il faut en porter un, pour qu'on puisse l'enlever dans les circonstances où il sied de se découvrir. Et ensuite ?

— Je me suis mis contre le mur, dit Joachim, dans une attitude convenable, et je m'inclinai légèrement lorsqu'ils furent près de moi. C'était juste en face de la chambre de la petite Hujus, numéro 28. Je crois que le prêtre fut satisfait de me voir saluer ; il remercia très poliment et enleva sa barrette. Mais au même instant ils s'arrêtent déjà — l'enfant de chœur avec l'encensoir frappe à la porte, puis il ouvre et cède le pas à son supérieur. Et maintenant, figure-toi cela, et représente-toi ma frayeur et mes sensations. À l'instant où le prêtre franchit le seuil, voilà qu'il part de là-dedans des piailleries, des hurlements, tu n'as jamais rien entendu de pareil, trois, quatre fois de suite, et ensuite des cris sans une seconde d'interruption, des cris d'une bouche grande ouverte, aaah ! Il y avait là-dedans une désolation et une terreur et une protestation indescriptibles, et à travers tout cela on entendait aussi d'atroces supplications, et tout à coup cela devint creux et sourd comme si elle avait disparu sous terre ou comme si les cris venaient des profondeurs de la cave… »

Hans Castorp s'était brusquement retourné vers son cousin.

« Était-ce la Hujus, cela ? demanda-t-il, irrité. Et comment cela, pourquoi de la cave ?

— Elle s'était cachée sous la couverture, dit Joachim. Figure-toi ce que je devais éprouver ! Le prêtre était debout tout près du seuil et prononçait des paroles apaisantes. Je le vois encore : en parlant il avançait chaque fois un peu la tête, et puis la retirait de nouveau. Le porteur de croix et le servant étaient encore dans le chambranle et ne pouvaient pas entrer. Et entre eux, je pouvais voir dans la chambre. C'est une chambre comme la tienne et la mienne, le lit est à gauche de la porte, contre le mur, et au chevet du lit il y avait des gens, les parents naturellement, et eux aussi se penchaient avec des paroles consolantes sur le lit, mais on n'y voyait qu'une masse informe qui mendiait et protestait d'une manière effrayante, et gigotait des jambes.

— Tu dis qu'elle gigotait des jambes ?

— De toutes ses forces ! Mais cela ne lui servit de rien, il fallait qu'on lui administrât le sacrement. Le prêtre se dirigea vers elle et les deux autres aussi entrèrent et la porte fut refermée. Mais auparavant, je vis encore ceci : la tête de la petite Hujus surgit la durée d'une seconde, avec ses cheveux blond clair tout en désordre, et regarda fixement le prêtre de ses yeux grands ouverts, de ses yeux si pâles, absolument dépourvus de couleur, puis avec des aa et des ouh, disparut de nouveau sous les draps.

— Et tu me racontes cela aujourd'hui seulement ? dit Hans Castorp après une pause. Je ne comprends pas que tu ne m'aies point parlé de cela dès hier soir. Mais, mon Dieu, quelle force elle devait avoir pour se défendre encore de la sorte ! Il faut des forces pour cela. On ne devrait pas faire chercher le prêtre avant que l'on se sente très faible.

— Elle était très faible, répondit Joachim. Oui, il y aurait bien des choses à raconter ; il est difficile de faire le premier choix… Elle était très faible, ce n'était que la peur qui lui donnait tant de forces. Elle avait terriblement peur parce qu'elle se rendait compte qu'elle allait mourir. C'était une très jeune fille, de sorte qu'il faut, somme toute, l'excuser. Mais il y a aussi des hommes qui se conduisent quelquefois ainsi, ce qui est naturellement un laisser-aller inexcusable. Dans ces cas-là, Behrens sait d'ailleurs leur parler, il sait trouver le ton juste en de telles circonstances.

— Quel ton ? demanda Hans Castorp, les sourcils froncés.

— Ne faites donc pas tant de manières, répondit Joachim. Du moins l'a-t-il dit récemment à l'un d'entre eux, nous le savons par l'infirmière-major qui était là et qui aida à maintenir le mourant. C'était un de ceux justement qui pour finir font une scène effroyable et ne veulent absolument pas mourir. Alors Behrens l'a rappelé à l'ordre : Ne faites donc pas "*tant de manières*", a-t-il dit, et aussitôt le malade s'est calmé et il est mort tout à fait tranquille.

Hans Castorp frappa sa cuisse de la paume et se rejeta contre le dossier du banc en levant les yeux au ciel.

« Non, écoute-moi, cela, c'est pourtant un peu fort, s'exclama-t-il. Il s'en prend à lui et lui dit tout simplement : "Ne faites pas tant de manières !" À un mourant ! C'est tout de même trop fort ! Un mourant est, en quelque sorte, digne de respect. On ne peut tout de même pas pour un oui ou pour un non… Un mourant est, en quelque sorte, sacré, il me semble !

— Je ne dis pas le contraire, concéda Joachim. Mais lorsqu'on se conduit avec une telle lâcheté…

— Non, persista Hans Castorp avec une violence qui n'était nullement proportionnée à la résistance qu'on lui opposait. Non, on ne m'ôtera pas de l'esprit qu'un mourant est quelque chose de plus distingué que n'importe quel voyou qui se promène, et rit, et gagne de l'argent, et ne se prive de rien ! Cela ne va pas… — et sa voix vacilla étrangement —, cela ne va pas que pour un oui ou pour un non… » — et ses paroles furent étouffées dans un rire qui le saisit et le domina, le même rire que la veille, un rire jailli des profondeurs, illimité, qui ébranlait tout son corps, qui faisait fermer ses yeux et des larmes sourdre sous ses paupières serrées.

« Psst, fit Joachim tout à coup. Tais-toi ! » chuchota-t-il en poussant du coude son compagnon, qui riait sans mesure. Hans Castorp, à travers ses larmes, leva les yeux. Sur le chemin de gauche venait un étranger, un monsieur gracieux et brun, avec une moustache noire élégamment frisée et un pantalon à carreaux clairs, qui lorsqu'il se fut approché, échangea avec Joachim un bonjour matinal — le sien était précis et d'une agréable sonorité — et qui resta debout devant lui, les pieds croisés, appuyé sur sa canne, en une attitude gracieuse.

Satana

Son âge eût été difficile à déterminer ; il devait avoir entre trente et quarante, car, encore que l'ensemble de sa personne produisît une impression de jeunesse, sa chevelure, aux tempes, était déjà traversée de fils d'argent et un peu plus haut elle s'éclaircissait visiblement : deux baies chauves s'inséraient à côté de la raie mince, dessinée dans un cheveu clairsemé, et agrandissaient le front. Ses vêtements, ces larges pantalons jaune clair à carreaux, ainsi qu'une redingote de bure trop longue, avec deux rangées de boutons et de larges revers, étaient loin de prétendre à l'élégance ; de plus, son col raide aux angles arrondis paraissait déjà un peu effilé aux plis par le blanchissage fréquent, sa cravate noire était usée et il ne semblait pas porter de manchettes. Du moins Hans Castorp crut-il le reconnaître à la mollesse des manches qui pendaient sur les poignets. Cependant, il se rendait compte qu'il était en présence d'un monsieur ; l'expression cultivée du visage, l'allure libre, on dirait presque noble de l'étranger, ne laissaient à ce sujet aucun doute. Ce mélange de pauvreté et de grâce, les yeux noirs et la moustache à la courbe douce firent aussitôt penser Hans Castorp à certains musiciens étrangers qui jouaient aux environs de Noël dans les cours de chez lui, et leurs yeux de velours dirigés vers en haut, tendaient leur chapeau mou pour qu'on y jetât du haut des fenêtres des pièces de dix pfennigs. « Un joueur d'orgue de Barbarie », pensa-t-il. Et il ne fut donc nullement surpris par le nom qu'il entendit lorsque Joachim se leva de son banc et, avec un peu de timidité, fit les présentations :

« Mon cousin Castorp. Monsieur Settembrini. »

Hans Castorp s'était également levé pour saluer, cependant que son visage trahissait encore son récent accès de gaieté. Mais l'Italien pria courtoisement les deux jeunes gens de ne pas se laisser déranger et les obligea à reprendre leurs places tandis que lui-même restait debout devant eux dans sa pose agréable. Il souriait, debout, tout en considérant les cousins, mais surtout Hans Castorp, et ce renforcement fin et un peu moqueur des commissures de ses lèvres légèrement plissées sous la moustache pleine, là où sa belle courbe se redressait, produisait un effet particulier, vous invitait en quelque sorte à la lucidité d'esprit et à l'attention, et dégrisa à l'instant Hans Castorp, au point qu'il eut honte tout à coup.

Settembrini dit :

« Ces messieurs sont de bonne humeur. Avec juste raison, avec juste raison. Une matinée splendide. Le ciel est bleu, le soleil rit. »

Et d'un geste léger et élégant de son bras il leva sa petite main jaunâtre vers le ciel, tout en dirigeant dans la même direction un regard oblique et gai.

« On pourrait effectivement oublier où l'on se trouve. »

Il parlait sans accent, et seule la précision de son élocution aurait pu faire deviner qu'il était un étranger. Ses lèvres formaient les mots avec un certain plaisir. On éprouvait de l'agrément à l'entendre.

« Et monsieur a fait un agréable voyage jusque chez nous ? s'adressa-t-il à Hans Castorp. Le verdict vous a-t-il déjà été signifié ? je veux dire : cette sinistre cérémonie de la première consultation a-t-elle déjà eu lieu ? »

Ici il aurait dû se taire et attendre, si vraiment il avait souhaité une réponse ; car il avait posé sa question et Hans Castorp s'apprêtait à répondre. Mais l'étranger poursuivit aussitôt :

« Cela s'est-il bien terminé ? De votre hilarité — et il se tut un instant, tandis que la crispation de ses lèvres s'accentuait —, on pourrait tirer des conclusions contradictoires. Combien de mois vous ont administré nos Minos et Rhadamante ? »

Le mot « administré » semblait particulièrement drôle dans sa bouche. « Laissez-moi deviner ! six ? ou, d'emblée, neuf ? Oh ! on n'est pas précisément regardant ici… »

Hans Castorp rit, étonné, tout en essayant de se rappeler qui donc étaient Minos et Rhadamante. Il répondit :

« Comment ça ? Non, vous faites erreur, monsieur Septem…

— Settembrini, corrigea l'Italien avec élan et précision, en s'inclinant avec humour.

— Monsieur Settembrini, je vous demande pardon. Mais vous vous trompez, je ne suis pas malade du tout. Je ne fais que rendre une visite de quelques semaines à mon cousin, et par la même occasion, me reposer un peu.

— Sapristi, vous n'êtes donc pas des nôtres ? Vous êtes bien portant, vous n'êtes que de passage ici, comme Ulysse au royaume des Ombres ? Quelle audace de descendre dans ces profondeurs où habitent des morts, irréels et privés de sens !…

— Dans ces profondeurs ? Monsieur Settembrini, je vous en prie, j'ai dû faire une ascension de près de cinq mille pieds pour arriver jusqu'à vous…

— Vous vous êtes figuré cela. Ma parole, ce n'était qu'une illusion, dit l'Italien avec un geste décidé de la main. Nous sommes des créatures qui sont tombées très bas, n'est-il pas vrai, lieutenant ? » dit-il en se tournant vers Joachim, qui se réjouit sincèrement de ce titre qu'on lui donnait, mais s'efforça de le dissimuler et répondit d'un air réfléchi :

« Nous sommes, en effet, un peu abrutis. Mais après tout, il y a peut-être moyen de se ressaisir.

— Oui, je vous en juge capable : vous êtes un homme convenable, dit Settembrini.

— Tiens, tiens, tiens ! » dit-il trois fois, en faisant souffler le *t* et en se tournant de nouveau vers Hans Castorp. Il claqua de la langue contre le palais, puis dit encore trois fois : « Ah, ah, ah », en regardant si fixement le novice, que ses propres yeux prirent une expression fixe et aveugle, puis ranimant de nouveau son regard, il poursuivit :

« C'est donc tout à fait volontairement que vous venez en haut, chez nous autres qui sommes tombés si bas et que vous voulez nous procurer l'avantage de votre compagnie. Allons, voilà qui est bien. Et quel délai vous êtes-vous assigné ? Je ne vous pose pas la question très délicatement. Mais je serais vraiment curieux d'apprendre combien de temps l'on s'accorde lorsque c'est soi-même qui décide et non pas Rhadamante.

— Trois semaines », dit Hans Castorp avec une légèreté non dénuée de fatuité, comme il remarquait qu'on l'enviait.

« *O Dio*, trois semaines ! avez-vous entendu, lieutenant ? N'est-ce pas presque impertinent de dire je viens ici pour trois semaines et puis je repars ? Nous ne connaissons pas ici une mesure du temps qui s'appelle la semaine, si vous me permettez, monsieur, de vous dispenser cet enseignement. Notre unité la plus petite est le mois. Nous comptons largement, c'est un privilège des ombres. Nous en avons d'autres qui sont tous d'une espèce analogue. Puis-je vous demander quelle profession vous exercez, là en bas, dans la vie, ou plus exactement à quelle profession vous vous préparez ? Vous voyez, je n'impose aucune retenue à notre curiosité. La curiosité aussi fait partie de nos privilèges.

— Je vous en prie », dit Hans Castorp.

Et il donna le renseignement demandé.

« Ingénieur de la marine ! Mais c'est magnifique ! s'écria Settembrini. Soyez persuadé que je trouve cela magnifique, quoique mes propres facultés soient orientées dans un sens tout différent.

— Monsieur Settembrini est littérateur, dit Joachim avec un peu de gêne. Il a écrit la nécrologie de Carducci pour des journaux allemands… Carducci, tu sais… »

Et il parut encore plus gêné, parce que son cousin le regardait avec surprise et semblait dire : Que sais-tu donc de Carducci ? Aussi peu que moi, je pense.

« C'est exact, dit l'Italien en hochant la tête. J'ai eu l'honneur de parler à vos compatriotes de la vie de ce grand poète et libre penseur lorsqu'elle eut pris fin. Je l'ai connu, je puis me nommer son disciple. À Bologne, j'ai été assis à ses pieds. C'est à lui que je dois ce que je possède de culture et de gaieté de cœur. Mais nous parlions de vous. Un ingénieur de la marine ! Savez-vous que vous grandissez à mes yeux ? Ne voilà-t-il pas que vous m'apparaissez comme le représentant de tout un monde, celui du travail et du génie pratique.

— Mais, monsieur Settembrini, je ne suis encore qu'un étudiant et je débute à peine.

— Certainement, et tout commencement est difficile. En général, tout travail est difficile qui mérite ce nom, n'est-ce pas ?

— Oui, que diable ! » dit Hans Castorp, et ses paroles jaillirent du fond du cœur.

Settembrini tout aussitôt fronça les sourcils.

« Vous invoquez même le diable pour confirmer cela ! Satan en personne ? Et savez-vous que mon grand maître lui a dédié un hymne ?

— Permettez, dit Hans Castorp, au diable ?

— En personne. On le chante parfois dans mon pays en des circonstances solennelles.

Salute, o Satana,
o Ribellione,
o forza vindice
della Ragione !

Un cantique admirable. Mais il est peu probable que vous avez pensé à ce diable-là, car il vit sur un excellent pied avec le travail. Celui que vous vouliez mentionner et qui a horreur du travail parce qu'il a tout lieu de le redouter, est peut-être cet autre diable dont il est dit qu'il ne faut même pas lui abandonner le petit doigt de la main… »

Tout cela semblait bien étrange au bon Hans Castorp. Il ne comprenait pas l'italien, et le reste ne lui semblait pas plus confortable. Cela sentait le sermon dominical, bien que ce fût débité sur un ton de causerie légère et presque de plaisanterie. Il regarda son cousin qui baissait les yeux, puis dit :

« Mais, monsieur Settembrini, vous prenez les mots trop à la lettre. Ce que j'ai dit du diable n'était qu'une manière de parler, je vous l'assure.

— Il faut avoir de l'esprit », dit Settembrini en regardant en l'air d'un air mélancolique. Puis, se ranimant, s'égayant et dirigeant avec grâce la conversation, il poursuivit : « De toute façon, je conclus avec juste raison de vos paroles que vous avez choisi une profession aussi exigeante qu'honorable. Mon Dieu, je suis humaniste et je n'entends rien aux choses ingénieuses, si l'on peut dire, quelque sincère que soit le respect que je leur voue. Mais j'imagine que la théorie de votre métier doit exiger un cerveau clair et lucide et sa pratique un homme qui tienne sa place, n'est-il pas vrai ?

— Certainement, oui, je ne puis que vous donner raison, répondit Hans Castorp, en s'efforçant involontairement de s'exprimer avec un peu plus d'éloquence. Les exigences sont considérables aujourd'hui ; on se défend même de penser à quel point elles sont rudes, car on risquerait de perdre courage. Non, ce n'est pas une plaisanterie. Et quand on n'est pas des plus résistants… Il est vrai que je ne suis ici qu'en hôte, mais je ne suis cependant pas des plus résistants, et je mentirais si je prétendais que le travail me réussit parfaitement. Au contraire, il me fatigue passablement, pour tout dire. Au fond, je ne me sens parfaitement bien portant que lorsque je ne fais rien…

— Par exemple en ce moment !

— En ce moment ? Oh, je ne suis ici que depuis si peu de temps. Aussi je me sens un peu troublé, vous pensez bien ?

— Ah ! Troublé ?

— Oui, je n'ai pas non plus très bien dormi, et puis le petit déjeuner a été vraiment trop copieux… Sans doute suis-je habitué à un déjeuner convenable mais celui d'aujourd'hui était vraiment trop complet pour moi, *too rich*, comme disent les Anglais. Bref, je me sens un peu oppressé, et surtout je n'ai pas réussi ce matin à prendre goût à mon cigare, pensez donc ! Cela ne m'arrive pour ainsi dire jamais, à moins que je sois sérieusement malade, et voilà que je lui trouve un goût de cuir. J'ai dû le jeter, cela n'avait pas de sens de vouloir se forcer. Êtes-vous fumeur, si vous me permettez de vous poser la question ? Non ? vous ne pouvez pas vous imaginer quelle déception et quel sujet de mécontentement ce peut être pour quelqu'un qui depuis sa jeunesse aime particulièrement à fumer, comme c'est mon cas…

— Je n'ai aucune expérience dans ce domaine, répondit Settembrini, et, avec cette inexpérience, je ne me trouve pas en très mauvaise compagnie. Nombre de nobles et clairs esprits ont détesté le tabac à fumer, Carducci, lui non plus, ne l'aimait pas. Mais vous trouverez certainement à cet égard de la compréhension chez Rhadamante. Il est un adhérent de votre vice.

— Oh ! vice, monsieur Settembrini…

— Pourquoi pas ? Il faut désigner les choses avec force et vérité. Cela fortifie et élève la vie. Moi aussi, j'ai des vices.

— Et le docteur Behrens est, par conséquent, un connaisseur de cigares ? Quel homme charmant !

— Vous trouvez ? Vous avez donc fait sa connaissance ?

— Oui, tout à l'heure, avant de sortir. C'était même presque quelque chose comme une consultation, mais tout à fait *sine pecunia*, naturellement. Il a vu tout de suite que j'étais assez anémique. Et puis il m'a conseillé de suivre absolument le même régime que mon cousin, de rester longtemps étendu sur le balcon, et de prendre en même temps ma température ; oui, c'est ce qu'il m'a dit.

— Vraiment ? s'écria Settembrini. À la bonne heure ! s'écria-t-il, le visage tourné vers le ciel, et il rit en renversant la tête. Comment donc est-ce dit dans l'opéra de votre maître ? "C'est moi l'oiseleur, toujours joyeux de cœur…" Bref, c'est tout à fait amusant. Et vous allez suivre son conseil ! Sans aucun doute. Pourquoi ne le feriez-vous pas ? Quel suppôt de Satan, ce Rhadamante ! Et, en effet, "toujours gai", même si c'est parfois un peu forcé. Il pousse à la mélancolie. Son vice ne lui est pas profitable — sinon, ce ne serait d'ailleurs pas un vice —, le tabac le rend mélancolique, et c'est pourquoi notre respectable infirmière-major a mis les provisions sous clef et ne lui accorde que de petites rations quotidiennes. Il arrive, paraît-il, qu'il succombe à la tentation de la voler, et alors il tombe en mélancolie. En un mot : c'est une âme embrouillée. Vous connaissez déjà notre infirmière-major ? Non ? Cela, c'est une faute. Vous avez tort de ne pas solliciter l'honneur de faire sa connaissance. Elle est de la lignée des von Mylendonk, cher monsieur. Elle se distingue de la Vénus de Médicis en ceci que là où la déesse montre des seins, elle a coutume de porter un crucifix.

— Ah, ah, excellent ! rit Hans Castorp.

— Son prénom est Adriatica.

— Comment ? encore ? s'écria Hans Castorp. Dites donc, voilà qui est extraordinaire. Von Mylendonk et puis Adriatica ? Cela sonne comme si elle était morte depuis longtemps. C'est presque moyenâgeux.

— Mon cher monsieur, répondit Settembrini, il y a bien des choses ici qui sont "presque moyenâgeuses", comme il vous plaît de vous exprimer. Pour ma part, je suis persuadé que notre Rhadamante n'a nommé ce fossile gouvernante de son palais des terreurs que par un besoin artistique d'unité de style. Car il est artiste, ne le saviez-vous pas ? Il fait de la peinture à l'huile. Que voulez-vous, ce n'est pas interdit, n'est-ce pas ? chacun est libre... Madame Adriatica dit donc à qui veut l'entendre, et aux autres aussi, qu'une Mylendonk a été vers le milieu du XIIIe siècle, abbesse d'un couvent à Bonn, sur le Rhin. Il est probable qu'elle-même aura vu le jour peu de temps après cette époque.

— Ha ha ha, je vous trouve un peu caustique, monsieur Settembrini.

— Caustique ? Vous voulez dire : méchant ? Oui, je suis un peu méchant, dit Settembrini. Mon regret c'est que je sois obligé de gaspiller ma méchanceté à des sujets aussi misérables. J'espère que vous n'avez rien contre la méchanceté, mon cher ingénieur. À mon sens, c'est l'arme la plus étincelante de la raison contre les puissances des ténèbres et de la laideur. La méchanceté, monsieur, est l'esprit de la critique, et la critique est à l'origine du progrès et des lumières de la civilisation. »

Et tout aussitôt, il commença de parler de Pétrarque, qu'il nomma le « père des temps nouveaux ».

« Il est temps que nous allions à la cure de repos », dit Joachim avec sagesse.

Le littérateur avait accompagné ses paroles de gestes gracieux de la main. À présent, il coupa court à cette mimique par un mouvement des doigts qui désignait Joachim, et il dit :

« Notre lieutenant pousse au service. Allons-y donc. Nous suivons la même route

Vers la droite qui conduit aux murs de Dis, la Puissante.

Ah ! Virgile, Virgile ! Messieurs, il est insurpassable. Je crois certainement au progrès. Mais Virgile dispose d'épithètes dont aucun moderne ne dispose… »

Et tandis qu'ils suivaient le chemin du retour il commença de leur réciter des vers latins prononcés à l'italienne, mais s'interrompit lorsqu'une jeune fille qui devait habiter le village vint à leur rencontre, et il passa à un sourire et à un fredonnement polisson : « T, t, t, sifflota-t-il. Tiens, tiens, tiens, la la la, mon petit moucheron, veux-tu être à moi ? Regardez donc « son regard brille d'un éclat furtif », cita-t-il — Dieu savait ce que cela pouvait être —, et il envoya un baiser dans le dos de la jeune fille confuse.

« C'est un vrai polisson », pensa Hans Castorp, et il ne changea pas d'opinion lorsque Settembrini, après son accès de galanterie, reprit ses médisances. Il en voulait tout particulièrement au docteur Behrens, le taquinait sur la taille de ses pieds, parlait de son titre de conseiller aulique qu'il aurait reçu d'un prince qui souffrait de tuberculose cérébrale. Toute la contrée parlait encore de l'existence scandaleuse qu'avait menée ce prince, mais Rhadamante avait fermé un œil, avait fermé les deux yeux ; toujours il est resté « conseiller aulique » de pied en cap. À ce propos, ces messieurs savaient-ils qu'il était l'inventeur de la saison d'été ? Lui, et nul autre. Accordons sa couronne au mérite ! Autrefois, seuls les fidèles d'entre les fidèles avaient passé l'été dans la vallée. Mais alors « notre humoriste », avec sa clairvoyance incorruptible, avait distingué que ce fâcheux état de choses n'était que le résultat d'un préjugé. Il avait posé en principe que, autant du moins que son établissement entrait en ligne de compte, la cure d'été n'était pas seulement recommandable, mais encore particulièrement efficace et presque indispensable. Et il avait su répandre ces théories, il avait rédigé des articles de vulgarisation et les avait lancés dans la presse. Depuis lors, les affaires allaient aussi bien en été qu'en hiver. « Génie », disait Settembrini, « In-tu-i-tion », disait-il. Après quoi il passa au fil de sa critique tous les établissements de la place et loua sur un ton mordant l'esprit entreprenant de leurs propriétaires. Il y avait là le professeur Kafka... Chaque année, à l'époque critique de la fonte des neiges, lorsque beaucoup de pensionnaires demandaient à s'en aller, le professeur Kafka se voyait dans l'obligation de partir en voyage pendant huit jours, en promettant d'accorder les autorisations dès son retour. Mais il restait absent pendant huit semaines, et les malheureux attendaient et, soit dit en passant, voyaient grossir leurs additions. On faisait venir Kafka jusqu'à Fiume, mais il ne se mettait pas en route avant qu'on lui eût assuré au moins cinq mille francs suisses, ce qui durait toujours au moins une quinzaine de jours. Naturellement, le lendemain de l'arrivée du maître *celebrissimo*, le malade s'empressait de mourir. Quant au docteur Salzmann, il accusait le professeur Kafka de ne pas tenir propres ses seringues à injections et d'infecter ses malades. « Il roule sur pneus, disait Salzmann, pour que ses morts ne l'entendent pas. » À quoi Kafka répliquait que chez Salzmann on imposait aux malades « le fruit réconfortant des pampres » en telles quantités — également pour arrondir leurs factures — que les gens mouraient comme des mouches, non pas de phtisie, mais d'alcoolisme...

Il continua sur ce ton et Hans Castorp riait de tout cœur et sans y entendre malice, de ce torrent d'invectives débitées avec volubilité. La faconde de l'Italien était particulièrement agréable dans sa pureté et son exactitude, dépouillée de tout accent. Les mots jaillissaient, fermes, élastiques ; et comme tout neufs, de ses lèvres mobiles ; il jouissait des locutions cultivées, vives et mordantes, dont il se servait, de chaque inflexion ou nuance grammaticale, et même, avec une satisfaction si visible, si communicative et si joyeuse ; et il semblait d'esprit beaucoup trop clair et trop présent pour que la langue lui fourchât jamais.

« Vous parlez si drôlement, monsieur Settembrini, dit Hans Castorp, avec une telle vivacité… je ne sais pas comment l'exprimer…

— Plastiquement, n'est-ce pas ? répondit l'Italien, et il s'éventa de son mouchoir, bien qu'il fît plutôt frais. Ce doit être le mot que vous cherchez. J'ai une manière plastique de parler, voulez-vous dire. Mais halte ! s'écria-t-il, qu'aperçois-je là ? Voici nos juges infernaux qui se promènent ! »

Déjà les promeneurs venaient à nouveau de doubler leur tournant. Était-ce grâce aux discours de Settembrini, grâce à la pente du chemin ? ou s'étaient-ils en réalité moins éloignés du sanatorium que Hans Castorp l'avait d'abord cru ? — car un chemin que nous parcourons pour la première fois est beaucoup plus long que le même chemin quand nous le connaissons déjà — quoi qu'il en soit, on fut de retour avec une rapidité surprenante. Settembrini avait raison, c'étaient les deux médecins qui arpentaient le terre-plein, derrière le sanatorium : en avant, c'était le docteur Behrens, en blouse blanche, avec sa nuque saillante, qui agitait les mains comme des rames ; dans son sillage, le docteur Krokovski, en chemise noire, regardant autour de lui d'un air où la conscience qu'il avait de sa valeur se manifestait d'autant plus que l'usage professionnel l'obligeait à se tenir derrière son chef.

« Ah ! Krokovski ! s'écria Settembrini. Le voici qui passe, lui qui connaît tous les secrets de nos dames. Prière d'observer le symbolisme raffiné de ses vêtements. Il s'habille de noir pour indiquer que le domaine particulier de ses études est la nuit. Cet homme n'a en tête qu'une seule pensée, et cette pensée est impure. Mon cher ingénieur, comment se fait-il que nous n'ayons pas encore parlé de lui ? Vous avez fait sa connaissance ? »

Hans Castorp fit signe que oui.

« Eh bien ? Je commence à croire que lui aussi vous a plu.

— Je ne sais trop, monsieur Settembrini. Je ne l'ai approché que pour quelques instants. Et puis je ne suis pas très rapide dans mes jugements. Je commence par regarder les gens, et par me dire : Ah ! tu es ainsi, toi ? Bien, bien !

— Sottise, répondit l'Italien. Il faut que vous jugiez ! C'est pour cela que la nature vous a donné des yeux et un cerveau. Vous trouviez tout à l'heure que je parlais méchamment ; mais si je le faisais, ce n'était peut-être pas sans intention pédagogique. Nous autres humanistes avons tous une veine pédagogique… Messieurs, le lien historique entre l'humanisme et la pédagogie explique le lien psychologique qui existe entre les deux. Il ne faut pas enlever aux humanistes leur fonction d'éducateurs — on ne peut la leur enlever, car ils sont les seuls dépositaires d'une tradition : celle de la dignité et de la beauté de l'homme. Les humanistes avaient jadis remplacé les prêtres qui, en des temps troubles et anti-humains, pouvaient s'arroger la direction de la jeunesse. Depuis lors, messieurs, il ne s'est, à la vérité, plus formé aucun nouveau type d'éducateur. Le lycée classique — vous pouvez m'appeler un esprit rétrograde, mon cher ingénieur —, en principe, *in abstracto*, je vous prie de m'entendre exactement, j'en demeure partisan… »

Dans l'ascenseur encore, il poursuivit ce développement et ne se tut que lorsque les cousins sortirent au deuxième étage. Lui-même monta jusqu'au troisième où il occupait une petite chambre donnant sur l'arrière de l'établissement, ainsi que Joachim le rapporta.

« Il n'a sans doute pas d'argent ? » demanda Hans Castorp qui accompagnait Joachim.

La chambre de Joachim était exactement semblable à la sienne.

« Non, dit Joachim, il n'en a sans doute pas. Ou tout au moins, juste assez pour payer le séjour qu'il fait ici. Son père déjà était littérateur, tu sais, et je crois aussi son grand-père.

— Oui, alors ! dit Hans Castorp. Mais, en somme, est-il sérieusement malade ?

— Ce n'est pas dangereux autant que je sache, mais c'est persistant et cela le reprend sans cesse. Il est déjà malade depuis des années et, dans l'intervalle, il était parti, mais il a bientôt dû rentrer dans le rang.

— Pauvre diable ! Alors qu'il semble si enthousiasmé par le travail. Il est d'ailleurs extrêmement loquace et il passe avec une grande facilité d'un sujet à un autre. Avec la jeune fille, il s'est montré un peu insolent, et cela m'a gêné sur le moment. Mais ce qu'il a dit ensuite sur la dignité humaine semblait cependant fameux, absolument comme un discours, à une séance solennelle. Le vois-tu souvent ? »

Lucidité

Mais Joachim ne pouvait plus répondre qu'avec difficulté et d'une manière indistincte. Il avait tiré un petit thermomètre d'un étui de cuir rouge, doublé de velours, qui était posé sur sa table, et il en avait mis dans sa bouche l'extrémité inférieure emplie de mercure. Il le tenait à gauche, sous la langue, de telle sorte que l'instrument de verre lui sortait obliquement de la bouche. Puis il revêtit un costume d'intérieur, mit des souliers et une vareuse semblable à une « litevka » d'uniforme, prit sur la table une formule imprimée, ainsi qu'un crayon, puis un livre, une grammaire russe — car il étudiait le russe, parce que, disait-il, il espérait qu'au service cela lui vaudrait certains avantages — et ainsi équipé, il prit place dehors, sur le balcon, en s'étendant sur la chaise longue, et ne couvrant que légèrement ses pieds d'une couverture en poil de chameau.

Elle était à peine nécessaire : durant le dernier quart d'heure déjà, la couche de nuages s'était faite de plus en plus transparente, et le soleil perça avec une ardeur si estivale et si aveuglante que Joachim protégea sa tête sous un garde-vue en coutil blanc que, au moyen d'un ingénieux petit mécanisme, on pouvait fixer au dossier de la chaise et incliner selon la position du soleil. Hans Castorp loua cette invention. Il voulut attendre le résultat de la prise de température, et, cependant, regarda comment tout était disposé, examina le sac de fourrure qui était appuyé dans un angle de la loggia (Joachim s'en servait les jours froids), et les coudes sur la balustrade, regarda dans le jardin où la terrasse commune était peuplée à présent de pensionnaires étendus qui lisaient, écrivaient ou bavardaient. D'ailleurs, on n'en voyait qu'une partie, environ cinq chaises longues.

« Mais combien de temps cela dure-t-il ? » demanda Hans Castorp, et il se retourna.

Joachim leva sept doigts.

« Mais elles sont certainement passées, tes sept minutes. »

Joachim, de la tête, fit signe que non. Un peu plus tard, il retira le thermomètre de sa bouche, le considéra et dit en même temps :

« Oui, lorsqu'on surveille le temps, il passe très lentement. J'aime beaucoup la température, quatre fois par jour, parce que, à ce moment, on se rend vraiment compte de ce que c'est en réalité qu'une minute ou même sept minutes, alors que des sept jours d'une semaine, on ne fait ici aucun cas, ce qui est affreux.

— Tu dis : en réalité. Tu ne peux pas dire : en réalité », répondit Hans Castorp.

Il était assis, une cuisse sur la balustrade, et le blanc de ses yeux était veiné de rouge.

« Le temps n'a aucune "réalité". Lorsqu'il vous paraît long, il est long, et lorsqu'il vous paraît court, il est court, mais de quelle longueur ou de quelle brièveté, c'est ce que personne ne sait. »

Il n'était pas du tout habitué à philosopher, et cependant il en éprouvait le besoin.

Joachim répliqua :

« Comment donc ? Non. Puisque nous le mesurons. Nous avons des montres et des calendriers, et lorsqu'un mois est passé, il est passé pour toi et pour moi, et pour nous tous.

— Suis-moi un instant, dit Hans Castorp, et il leva l'index à la hauteur de ses yeux troubles. Une minute est donc aussi longue qu'elle te paraît lorsque tu prends ta température ?

— Une minute est aussi longue… elle dure aussi longtemps que l'aiguille des secondes met de temps à parcourir son cadran.

— Mais il lui faut des temps très différents… pour notre sentiment. Et en fait, je dis : en fait, répéta Hans Castorp en serrant son index tout contre son nez, au point d'en plier le bout, en fait, c'est un mouvement, un mouvement dans l'espace, n'est-ce pas ? Attention, je t'en prie. Nous mesurons donc le temps au moyen de l'espace. C'est par conséquent à peu près la même chose que si nous voulions mesurer l'espace à l'aide du temps, ce qui n'arrive qu'à des gens tout à fait dépourvus d'esprit scientifique. De Hambourg à Davos, il y a vingt heures, — oui, en chemin de fer. Mais à pied, combien est-ce ? Et en pensée ? Même pas une seconde.

— Dis donc, reprit Joachim, qu'est-ce qui te prend ? Je crois que tu es devenu bizarre, chez nous.

— Tais-toi. Je suis très lucide, aujourd'hui. Ainsi qu'est-ce que le temps ? demanda Hans Castorp, et il replia le bout de son nez d'un doigt si violent qu'il devint pâle et exsangue. Veux-tu me dire cela ? L'espace, nous le percevons par nos sens, par la vue et le toucher. Parfait ! Mais quel est celui de nos sens qui perçoit le temps ? Veux-tu me le dire, s'il te plaît ? Tu vois, te voilà coincé ! Mais comment pourrions-nous mesurer quelque chose dont nous ne saurions même pas définir un seul caractère ? Nous disons : le temps passe. Bien, qu'il passe donc ! Mais quant à le mesurer, minute ! Pour qu'il fût possible de le mesurer, il faudrait qu'il s'écoulât d'une manière uniforme, et d'où tiens-tu qu'il en soit ainsi ? Pour notre conscience, en tout cas, il n'en est pas ainsi ; tout au plus, pour le bon ordre, admettons-nous qu'il le fasse, et nos mesures ne sont donc que des conventions, permets-moi de t'en faire la remarque…

— Bien, dit Joachim, par conséquent ce n'est qu'une convention que j'aie quatre divisions de trop sur mon thermomètre. Mais à cause de ces cinq traits, il faut que je tire ma flemme ici et je ne peux pas faire de service, ça c'est un fait plutôt répugnant.

— As-tu 37,5 ?

— Cela redescend déjà. »

Et Joachim inscrivit le chiffre sur la feuille de température.

« Hier soir, j'avais presque 38, c'était à cause de ton arrivée. Tous ceux qui reçoivent des visites font plus de température. Mais c'est tout de même un bienfait.

— Du reste, je m'en vais te laisser, dit Hans Castorp. J'ai encore une foule de pensées sur le temps, c'est tout un complexe, on peut bien le dire. Mais je ne veux pas t'énerver avec cela, puisque tu as, de toute façon, trop de traits. Je me rappellerai tout cela et nous y reviendrons plus tard, peut-être après le déjeuner. Lorsque ce sera l'heure du déjeuner, tu m'appelleras, n'est-ce pas ? Je vais, moi aussi, faire la cure de repos, cela ne fait pas de mal, Dieu merci ! »

Et, sur ce, il passa de l'autre côté de la paroi de verre, dans sa propre loge où la chaise longue et la petite table étaient également dressées ; il chercha les *Ocean Steamships* et son beau plaid doux, rouge foncé et moucheté de vert, dans sa chambre proprement rangée, et s'installa.

Lui aussi dut bientôt ouvrir l'ombrelle ; à peine était-on couché, que la brûlure du soleil devenait insupportable. Mais on était couché d'une manière particulièrement confortable ; cela, Hans Castorp le constata aussitôt avec satisfaction ; il ne se souvenait pas avoir jamais rencontré une chaise longue aussi agréable. La carcasse, de forme un peu démodée — ce qui n'était qu'une fantaisie du goût, car le siège de toute évidence était neuf, — était faite d'un bois poli d'un brun rougeâtre, et un matelas, recouvert d'une housse de coutil, composé en réalité de trois coussins, s'étendait du pied jusqu'au dossier. De plus, un cordon maintenait derrière la nuque un traversin ni trop mou ni trop dur et recouvert d'une toile brodée, dont l'effet était particulièrement bienfaisant. Hans Castorp appuya son bras sur la large surface lisse de l'accotoir, cligna des paupières et se reposa, sans recourir aux *Ocean*

Steamships pour se distraire. Vu à travers les arcs de la loggia, le paysage dur et aride, mais clairement ensoleillé, semblait un tableau encadré. Hans Castorp le considérait d'un air pensif. Soudain, il se rappela quelque chose et dit à haute voix, dans le silence :

« Mais c'est une naine qui nous a servis au petit déjeuner ?

— Pst, fit Joachim. Doucement. Une naine, oui, et puis ?

— Rien, nous n'avons pas encore parlé de cela. »

Et puis il continua de songer. Il était déjà dix heures lorsqu'il s'était étendu. Une heure passa. C'était une heure ordinaire, ni longue ni courte. Lorsqu'elle fut passée, un gong retentit à travers la maison et le jardin, d'abord loin, puis plus près, puis de nouveau loin.

« Déjeuner », dit Joachim, et on l'entendit se lever.

Hans Castorp, lui aussi, mit fin pour cette fois à sa cure de repos ; et il entra dans sa chambre pour remettre ses vêtements en ordre. Les deux cousins se rencontrèrent dans le couloir et descendirent ensemble. Hans Castorp dit :

« Eh bien, on était vraiment admirablement couché. Qu'est-ce que c'est que ces chaises longues ? Si on peut en acheter ici, j'en emporte une à Hambourg, on y est couché comme au ciel. Ou crois-tu que Behrens les ait fait faire tout exprès, d'après ses propres indications ? »

Joachim n'en savait rien. Ils se débarrassèrent et entrèrent pour la deuxième fois dans la salle à manger, où le repas était déjà de nouveau en train.

Toute la salle scintillait de lait : devant chaque place, il y en avait un grand verre, au moins un demi-litre.

« Non », dit Hans Castorp, lorsqu'il eut repris place à son bout de table, entre la couturière et l'Anglaise, et qu'il eut déplié sa serviette avec résignation, bien qu'il sentît encore le poids de son premier déjeuner, « non, dit-il. Dieu m'assiste, du lait, je n'en bois pas du tout, et à cette heure-ci moins que jamais. Est-ce qu'il n'y aurait pas par hasard du porter ? »

Et avec une politesse pleine de ménagement, il adressa cette question à la naine.

Malheureusement, il n'y en avait pas. Mais elle promit d'apporter de la bière de Kulmbach, et l'apporta, en effet. Elle était noire, épaisse, avec une écume brunâtre, et remplaçait parfaitement le porter. Hans Castorp but avidement. Il mangea de la viande froide avec du pain grillé. De nouveau, on servit du porridge, et de nouveau beaucoup de beurre et de fruits. Il laissa du moins ses yeux reposer sur les plats, incapable comme il l'était d'en rien absorber. Il considérait aussi les pensionnaires. Les masses commençaient à se diviser, les individualités prenaient du relief.

Sa propre table était au complet, sauf la place à l'autre bout, en face de lui, qui, ainsi qu'il l'apprit, était la « place du docteur ». Car, dans la mesure où leurs occupations le leur permettaient, les médecins partageaient les repas communs et changeaient chaque fois de table ; à l'extrémité de chacune, on réservait ainsi une place pour le docteur. Aucun d'eux n'était présent aujourd'hui ; on disait qu'ils étaient retenus par une opération. De nouveau le jeune homme à la moustache entra, inclina une fois le menton sur la poitrine et s'assit avec une mine soucieuse et fermée. De nouveau, la jeune fille blonde et maigre était assise à sa place et mangeait son yaourt à la cuiller, comme si c'eût été la seule chose comestible. À côté d'elle, était assise cette fois une vieille petite dame alerte qui, avec insistance, parlait en langue russe au jeune homme taciturne, qui la regardait d'un air soucieux, ne répondant que par des hochements de tête, avec cette expression d'un homme qui a un mauvais goût dans la bouche. En face de lui, de l'autre côté de la vieille dame, était placée une seconde jeune fille, très jolie : un teint florissant et une poitrine haute, des cheveux châtains et agréablement ondulés, des yeux ronds, bruns et puérils, et un petit rubis à sa main qui était belle. Elle riait beaucoup et parlait également le russe, rien que le russe. Elle s'appelait Maroussia, d'après ce que Hans Castorp entendit. De plus, il remarqua en passant que Joachim baissait les yeux avec une expression sévère lorsqu'elle riait et qu'elle parlait.

Settembrini entra par la porte latérale et, tout en caressant sa moustache, gagna sa place, à l'extrémité de la table, qui était placée de biais, en face de celle de Hans Castorp. Ses compagnons de table, à peine eut-il pris place, partirent d'un grand éclat de rire. Sans doute venait-il de dire quelque méchanceté. Les membres de l'« Association des demi-poumons » eux aussi, Hans Castorp les reconnut. Les yeux inexpressifs, Hermine Kleefeld gagna sa table, de l'autre côté, près de la porte de la véranda, et salua le jeune homme aux lèvres retroussées qui, ce matin, avait relevé les pans de sa veste d'un geste si peu convenable. La pâle Mlle Lévi, couleur d'ivoire, était assise à côté de la grasse Mlle Iltis, tachée de son, parmi des inconnus, à droite de Hans Castorp, à la table disposée transversalement.

« Voilà tes voisins », dit Joachim à mi-voix, à son cousin, en se penchant en avant.

Le couple passa auprès de Hans Castorp, se dirigeant vers la dernière table à droite, la « table des Russes ordinaires », par conséquent, à laquelle une famille, avec un jeune garçon au visage laid, dévorait déjà de prodigieuses quantités de porridge. L'homme était d'une structure frêle et avait des joues grises et creuses. Il portait une vareuse de cuir brun et aux pieds des chaussures de feutre fermées par des boucles. Sa femme, elle aussi petite et menue, sous un chapeau à plume, était haut perchée sur des bottines minuscules en cuir de Russie ; un boa d'une fraîcheur douteuse enveloppait son cou. Hans Castorp les considéra tous deux avec un manque d'égards qui lui était habituellement étranger et dont il ressentit lui-même la brutalité ; mais cette brutalité même lui causait un certain plaisir. Ses yeux étaient à la fois indifférents et indiscrets. Lorsque, à cet instant, la porte vitrée claqua à sa gauche, avec un fracas cliquetant de même qu'au premier déjeuner, il ne tressaillit pas comme le matin, mais ne fit qu'une grimace paresseuse ; et lorsqu'il voulut tourner la tête de ce côté, il trouva que tout cela lui coûtait trop de mal et que ça n'en valait pas la peine. Ainsi advint-il que cette fois encore il ne réussit pas à établir qui donc traitait la porte avec un tel sans-gêne.

À la vérité, cette bière matinale, qui d'ordinaire n'exerçait sur lui qu'une influence modérément inhibante, avait aujourd'hui complètement étourdi et paralysé le jeune homme. Il en subissait les suites comme s'il avait reçu un coup en plein front. Ses paupières étaient d'une lourdeur de plomb, sa langue n'obéissait plus à une simple pensée, lorsque, par politesse, il essaya de bavarder avec l'Anglaise ; il avait même besoin de faire un grand effort sur lui-même pour réussir à changer la direction de son regard, et à cela s'ajoutait l'insupportable brûlure au visage qui avait atteint le même degré que la veille : ses joues lui paraissaient gonflées par la chaleur, il respirait avec peine, son cœur battait comme un marteau enveloppé, et s'il ne souffrait pas particulièrement de tout cela, c'est parce que sa tête se trouvait dans le même état que s'il eût respiré quelques bouffées de chloroforme. Il remarqua comme en rêve que le docteur Krokovski finit malgré tout par prendre place à sa table, en face de lui, bien que le docteur, à plusieurs reprises, le fixât avec une acuité particulière, tout en causant avec les dames assises à sa droite, non sans que les jeunes filles, savoir la florissante Maroussia et la maigre mangeuse de yaourt, baissassent les yeux devant lui, d'un air obséquieux et pudique. D'ailleurs Hans Castorp se tint convenablement, et joua même du couteau et de la fourchette avec une correction toute particulière. Lorsque son cousin lui fit un signe de tête et se leva, il se leva à son tour, s'inclina sans voir vers ses compagnons de table, et sortit d'un pas assuré derrière Joachim.

« Quand donc a lieu la prochaine cure de repos ? demanda-t-il lorsqu'ils sortirent de la maison. C'est ce qu'il y a de mieux ici, autant que je puisse m'en rendre compte. Je voudrais être étendu déjà sur mon excellente chaise longue. Est-ce que nous allons loin ? »

Un mot de trop

« Non, dit Joachim, d'ailleurs je ne peux pas aller très loin. À cette heure-ci je descends d'habitude faire un tour à travers le village et jusqu'à Davos-Platz, lorsque j'ai le temps. On voit les boutiques et les gens, et l'on fait des emplettes quand on a besoin de quelque chose. Avant le repas, on reste encore étendu pendant une heure, et ensuite, de nouveau, jusqu'à quatre heures. »

Ils descendirent au soleil, sur la route par laquelle ils étaient montés, franchirent le cours d'eau et les rails étroits, ayant devant leurs yeux le versant droit de la vallée : le petit Schiahorn, les Tours vertes, et le Dorfberg que Joachim énuméra. Là, de l'autre côté, à une certaine altitude, se trouvait le cimetière de Davos-Dorf, entouré d'un mur, et que Joachim lui désigna également de sa canne. Puis ils gagnèrent la grande route qui, un peu surélevée au-dessus du fond de la vallée, conduisait le long du versant descendant par terrasses.

D'un village on ne pouvait d'ailleurs pas parler, du moins n'en restait-il que le nom. La station climatique l'avait dévoré en s'étendant de plus en plus vers l'entrée de la vallée, et la partie de l'agglomération qui portait le nom de « Village » se raccordait sans changement visible à la partie dite « Davos-Platz ». Des hôtels et des pensions, tous abondamment pourvus de vérandas, de balcons et de terrasses de repos ; de petites maisons privées aussi, où l'on pouvait louer des chambres, étaient situées de part et d'autre ; ici comme là, on rencontrait des maisons neuves ; parfois il n'y avait plus de constructions, et la vue s'ouvrait sur les pâturages verts au fond de la vallée…

Hans Castorp, dans le vif besoin qu'il éprouvait de cet habituel délice, s'était de nouveau allumé un cigare, et, grâce à la bière qu'il venait de boire, il parvenait de temps à autre, à sa satisfaction indicible, à ressentir un peu de l'arôme désiré : rarement et faiblement, sans doute, il fallait un certain effort nerveux pour qu'il eût comme un lointain pressentiment du plaisir, et l'atroce goût de cuir continuait à prédominer. Incapable de se résoudre à son impuissance, il lutta pendant quelque temps pour une jouissance qui tantôt se dérobait, tantôt n'apparaissait que de loin, comme pour se moquer de lui, et enfin, fatigué et dégoûté, il jeta son cigare. Malgré sa légère ivresse, il se sentait obligé de poursuivre une conversation de politesse et s'efforçait de se souvenir des choses si remarquables que ce matin il avait voulu dire sur le temps.

Mais il apparut qu'il avait oublié tout le « complexe », sans le moindre résidu, et que sa tête n'abritait plus la moindre pensée sur le temps. En revanche, il se prit à parler de détails d'ordre corporel, et cela d'une manière assez singulière.

« Quand donc prends-tu de nouveau ta température ? demanda-t-il. Après le dîner ? Oui, c'est parfait. À ce moment-là, l'organisme est en plein fonctionnement, et cela doit bien se dégager. Mais, dis donc, je pense que c'était une plaisanterie de Behrens de me conseiller à moi aussi de prendre ma température. Settembrini en a ri à gorge déployée, et cela n'aurait vraiment pas le sens commun. D'ailleurs, je ne possède même pas de thermomètre.

— Bah, dit Joachim, cela serait la moindre des choses. Tu n'as qu'à t'en acheter un. Ici, on trouve partout des thermomètres, presque dans tous les magasins.

— Mais à quoi bon ? Non, la cure de repos, je veux bien, pourquoi pas ? mais prendre ma température ? ce serait vraiment trop pour un hôte de passage, cela, j'aime autant vous le laisser, à vous autres, ceux d'en haut. Si seulement je savais, reprit Hans Castorp, en portant les deux mains à son cœur comme un amoureux, pourquoi j'ai tout le temps de tels battements de cœur, c'est si inquiétant, j'y pense depuis quelque temps déjà. Vois-tu, on a des battements de cœur lorsqu'on est à la veille d'une joie particulière, ou au contraire lorsqu'on redoute quelque chose, bref lorsqu'on a des sentiments agités, n'est-ce pas ? Mais lorsque le cœur bat de lui-même, pour ainsi dire sans rime ni raison, et comme de son propre chef, je trouve cela étrangement inquiétant, tu m'entends bien, c'est à peu près comme si le corps allait son propre chemin et n'avait plus aucun rapport avec l'âme, en quelque sorte comme un corps mort qui, en fait, ne serait pas précisément mort — cela n'existe pas — mais qui mène au contraire une existence tout à fait active et indépendante : il lui pousse des cheveux et des ongles, et à toute sorte d'égards encore, physiquement et chimiquement, il y règne en somme, autant que je me suis laissé dire, une activité tout à fait joyeuse…

— Qu'est-ce que c'est que ces expressions ? dit Joachim avec un accent de blâme réfléchi. Une activité joyeuse ? »

Et peut-être se vengeait-il un peu de l'observation que son cousin lui avait faite ce matin au sujet du « chapeau chinois ».

« Mais c'est ainsi ! C'est une activité très mouvementée. Pourquoi donc cela te choque-t-il ? demanda Hans Castorp. D'ailleurs, je ne signalais cela qu'en passant. Je ne voulais pas dire autre chose que ceci : comme c'est inquiétant et pénible que le corps vive et se donne de l'importance, de son propre mouvement et sans rapport avec l'âme, ainsi c'est le cas pour ces battements de cœur sans motif. On est amené à leur chercher un sens, un état d'âme qui leur corresponde, une joie ou une peur qui les légitimerait en quelque sorte — du moins c'est ce qui m'arrive, je ne puis parler que de moi.

— Oui, oui, dit Joachim en gémissant, c'est assez cela lorsqu'on a de la fièvre. Il règne aussi une "activité particulièrement joyeuse" dans le corps, pour me servir de ton expression, et il est bien possible que dans cette situation on se mette involontairement en quête d'un état d'âme, comme tu dis, par quoi cette animation prendrait en quelque sorte un sens raisonnable. Mais nous parlons là de choses plutôt désagréables », dit-il d'une voix tremblante, et il s'interrompit ; sur quoi Hans Castorp se borna à hausser les épaules, exactement comme il l'avait vu faire la veille à Joachim.

Durant un moment, ils marchèrent en silence. Puis Joachim demanda :

« Eh bien, les gens d'ici te plaisent-ils ? Je veux dire ceux de notre table ? »

Hans Castorp prit une expression de parfait détachement.

« Mon Dieu, dit-il, ils ne me semblent pas très intéressants. Aux autres tables, il y a, je crois, des gens plus intéressants ; peut-être n'est-ce qu'une impression. Mme Stöhr devrait se faire laver les cheveux, elle les a tellement gras. Et cette Mazurka, ou comment s'appelle-t-elle ? me semble un peu sotte. Elle n'en finit pas de fourrer son mouchoir dans sa bouche à force de rire. »

Joachim rit à haute voix de la déformation du nom.

« Mazurka est excellent, s'écria-t-il, elle s'appelle Maroussia, s'il te plaît — c'est à peu près la même chose que Marie. Oui, elle est vraiment trop turbulente, dit-il. Et cependant elle aurait toutes raisons d'être plus posée, car elle est vraiment assez malade.

— On ne le dirait pas, dit Hans Castorp. Elle a l'air si bien portante. En tout cas, on ne la supposerait pas malade de la poitrine. »

Et il essaya d'échanger avec son cousin un regard malicieux, mais découvrit que le visage hâlé de Joachim était d'une coloration tachetée, comme la prennent les visages brunis par le soleil lorsque le sang se retire, et que sa bouche était tirée d'une manière particulièrement pitoyable. Cette expression éveilla chez le jeune Hans Castorp une frayeur indéterminée qui le décida à changer tout aussitôt de sujet de conversation, et à s'informer d'autres personnes, en essayant d'oublier rapidement Maroussia et le jeu de physionomie de Joachim, ce à quoi du reste il réussit parfaitement.

L'Anglaise à la tisane de cynorrhodon s'appelait Miss Robinson. La couturière n'était pas une couturière, mais institutrice au lycée de jeunes filles de Königsberg, et c'est pourquoi elle s'exprimait avec tant de précision. Elle s'appelait Mlle Engelhart. Quant à la vieille dame alerte, Joachim, bien qu'il fût depuis longtemps ici, ne savait même pas comment elle s'appelait. Quoi qu'il en fût, elle était la grand-tante de la jeune fille qui mangeait du yaourt, et lui tenait compagnie au sanatorium depuis le début. Mais le plus gravement atteint de ceux qui mangeaient à leur table était le docteur Blumenkohl, Léon Blumenkohl, d'Odessa, ce jeune homme à la moustache et au visage si soucieux et si fermé. Il était ici depuis de longues années déjà…

C'était sur un véritable trottoir de ville qu'ils marchaient, le lieu de promenade et de rendez-vous par excellence. Ils rencontraient des étrangers qui flânaient, de jeunes gens pour la plupart, les cavaliers en costume de sport et sans chapeau, les dames, également dépourvues de chapeaux, et en robes blanches. On entendait parler le russe et l'anglais. Des magasins aux étalages élégants se suivaient, et Hans Castorp, dont la curiosité avait à surmonter une ardente fatigue, contraignait ses yeux à voir, et s'arrêta longtemps devant un chemisier pour s'assurer si la devanture était vraiment « à la hauteur ».

Puis vint une rotonde, avec une galerie couverte où un orchestre donnait un concert. C'était ici le casino. Sur plusieurs courts de tennis des parties se poursuivaient. Des jeunes gens sveltes et rasés en pantalons de flanelle fraîchement repassés, les manches retroussées jusqu'au coude, jouaient sur leurs semelles de caoutchouc, en face de jeunes filles hâlées et vêtues de blanc qui, prenant leur élan, se dressaient tout à coup au soleil, pour frapper de très haut la balle couleur de craie. Il y avait comme une poussière de farine sur les courts bien entretenus. Les deux cousins s'assirent sur un banc libre pour suivre le jeu et le critiquer.

« Tu ne joues sans doute pas ? demanda Hans Castorp.

— Je n'ai pas la permission de jouer, répondit Joachim. Il faut que nous restions couchés, toujours couchés... Settembrini dit quelquefois que nous vivons horizontalement, nous sommes des horizontaux, dit-il : c'est une de ses mauvaises plaisanteries. Ce sont des gens bien portants qui jouent ici, ou bien ils le font malgré la défense. D'ailleurs, ils ne jouent pas très sérieusement ; c'est plutôt pour l'amour du costume... Et à propos de ces choses défendues, il y a encore d'autres jeux interdits que l'on pratique, le poker, tu sais, et dans un certain petit hôtel, aussi les petits chevaux — chez nous la peine prévue est l'expulsion, il paraît que c'est tout ce qu'il y a de plus nuisible. Et pourtant il en est qui descendent encore après le contrôle du soir, et vont pointer. Le prince qui a conféré son titre à Behrens, y filait, dit-on, toutes les nuits. »

Hans Castorp écoutait à peine. Sa bouche était ouverte, car, bien qu'il n'eût pas de rhume, il ne respirait que difficilement du nez. Son cœur martelait à contretemps de la musique, ce qui lui était obscurément pénible. Et, en proie à cette impression de désordre et de contrariété, il commençait à s'endormir lorsque Joachim rappela qu'il était temps de rentrer.

Ils parcoururent le chemin presque en silence. Hans Castorp buta même une ou deux fois, en pleine rue, et sourit d'un air mélancolique en hochant la tête. Le portier infirme les conduisit en ascenseur à leur étage. Ils se séparèrent devant le numéro 34 sur un bref « au revoir ». Hans Castorp se dirigea à travers sa chambre vers le balcon où il se laissa tomber tel qu'il était, sur la chaise longue, et où, sans même prendre la peine de rectifier sa position, il tomba dans un sommeil profond, péniblement animé par les battements rapides de son cœur.

Une femme naturellement !

Il ne sut pas combien de temps cela dura. Lorsque l'instant fut venu, le gong retentit. Mais il ne conviait pas immédiatement au repas. Il rappelait seulement de se tenir prêt. Hans Castorp ne l'ignorait pas, et il resta donc étendu jusqu'à ce que la vibration métallique grandît pour la seconde fois et s'éloignât. Lorsque Joachim traversa la chambre pour venir le chercher, Hans Castorp prétendit encore vouloir se changer. Mais à présent Joachim ne le permit plus. Il détestait et méprisait l'inexactitude. Comment donc ferait-on des progrès et redeviendrait-on bien portant pour pouvoir faire du service, dit-il, si l'on était trop flemmard pour observer les heures des repas ? Ce disant, il avait naturellement raison, et Hans Castorp ne put que lui faire remarquer que s'il n'était pas malade, par contre il tombait de sommeil. Il se lava donc rapidement les mains, puis ils descendirent dans la salle à manger, pour la troisième fois dans la journée.

Par les deux entrées, les pensionnaires affluaient. Ils venaient aussi par les portes de la véranda, qui étaient ouvertes, et bientôt tous furent assis aux sept tables, comme s'ils ne les avaient jamais quittées. Telle était du moins l'impression qu'avait Hans Castorp — une impression de songe tout à fait déraisonnable, naturellement, mais dont son cerveau embrumé, pour la durée de quelques instants, ne put se défendre, et dans laquelle il trouva même une certaine satisfaction ; car, à plusieurs reprises, durant le dîner, il essaya de la rappeler, et obtint chaque fois une illusion parfaite. La vieille dame alerte parlait de nouveau dans son langage indistinct au docteur Blumenkohl, assis de biais en face d'elle ; l'autre écoutait, la mine soucieuse. Sa maigre petite-nièce mangeait enfin autre chose que du yaourt, l'épaisse crème d'orge que les servantes avaient apportée dans les assiettes ; mais elle n'en avala que quelques cuillerées. La jolie Maroussia pressa son mouchoir sur sa bouche pour étouffer son rire. Miss Robinson lisait les mêmes lettres à l'écriture arrondie qu'elle avait déjà lues ce matin. Apparemment, elle ne savait pas un mot d'allemand et ne se souciait pas de le savoir. Par chevaleresque déférence, Joachim lui dit en anglais quelques mots sur le temps qu'il faisait, auxquels elle répondit par monosyllabes pour retomber ensuite dans son silence. En ce qui concerne Mme Stöhr, dans sa blouse de laine écossaise, elle avait subi ce matin une visite médicale, et elle en rendit compte avec une affectation vulgaire, en fronçant la lèvre supérieure au-dessus de ses dents de lièvre. À droite en haut, se plaignit-elle, elle avait encore des bruits ; de plus, derrière l'épaule gauche, elle avait le souffle très raccourci, et il fallait qu'elle restât encore cinq mois, lui avait dit le « vieux ». Dans sa vulgarité, elle surnommait le docteur Behrens le « vieux ». D'ailleurs, elle se montrait très indignée que le vieux ne fût pas aujourd'hui assis à leur table. D'après la « tournée » — elle voulait dire : d'après le roulement — c'était aujourd'hui, à midi, le tour de leur table. Or, déjà de nouveau, le vieux était assis à la table voisine sur la gauche (en effet, le docteur Behrens était assis là, et joignait ses mains énormes sur son assiette). Mais naturellement, c'était la table de la grosse Mme Salomon d'Amsterdam, qui venait tous les jours à table en décolleté, et le vieux y trouvait évidemment son plaisir, bien qu'elle, Mme Stöhr, ne pût se l'expliquer, puisque, à l'occasion de chaque visite médicale, il voyait tout ce qu'il voulait de la peau de Mme Salomon. Plus tard elle rapporta sur un ton de chuchotement excité que, hier soir, dans la salle de repos — qui se trouvait sur le toit — la lumière avait été éteinte, et cela dans un but que Mme Stöhr qualifia de « transparent ». Le vieux s'en était aperçu et avait tempêté au point qu'on l'avait entendu dans tout l'établissement. Mais naturellement, une fois de plus, il n'avait pas découvert le coupable, bien qu'il ne fût pas nécessaire d'avoir fait des études universitaires pour deviner que ç'avait été naturellement le capitaine Miklosich de Bucarest, pour qui il ne faisait jamais assez nuit lorsqu'il se trouvait en compagnie de femmes, un homme qui n'avait pas la moindre culture, bien qu'il portât un corset, et qui était moralement une bête de proie, oui, un fauve, répéta Mme Stöhr d'une voix étouffée, tandis que la sueur perlait à son front et au-dessus de sa lèvre supérieure. Quels rapports il entretenait avec la femme du consul général Wurmbrand de Vienne, cela, tout Davos, du village à la place, commençait à le savoir, et l'on pouvait à peine, à ce propos, parler de rapports secrets. Car non seulement le capitaine se rendait parfois dès le matin dans la chambre de la femme du consul, alors qu'elle était encore au lit, et il assistait ensuite à toute sa toilette, mais encore, mardi dernier, il n'était sorti de la chambre de la Wurmbrand qu'à quatre heures du matin — l'infirmière du jeune Franz, au numéro 19, dont le pneumothorax avait récemment échoué, l'avait rencontré et dans sa confusion s'était trompée de porte, de sorte qu'elle s'était brusquement trouvée dans la chambre du procureur Paravant de Dortmund… Enfin, Mme Stöhr se livra encore à des considérations sur un « institut cosmique » qui se trouvait dans le village et où elle achetait son eau dentifrice. Joachim regardait fixement dans son assiette.

Le dîner était aussi magistralement apprêté que copieux. En comptant le potage très nourrissant, il ne comprenait pas moins de six services. Après le poisson venait un plat de viande consistant, avec des garnitures, puis un plat de légumes servi à part, de la volaille rôtie, un entremets qui ne le cédait en rien, quant à la saveur, à celui de la veille, et enfin le fromage et les fruits. Chaque plat était présenté deux fois, et ne l'était pas inutilement. On remplissait les assiettes et l'on mangeait aux sept tables, un appétit d'ogre régnait sous la voûte, une faim de loup que l'on eût observée avec plaisir, si en même temps elle n'avait pas fait une impression vaguement inquiétante, et même dégoûtante. Non seulement les gens gais qui bavardaient et se lançaient des boulettes de pain, manifestaient cet appétit, mais aussi les taciturnes et les sombres qui, entre-temps, appuyaient leur tête dans leurs mains et regardaient fixement devant eux. Un jeune homme, à la table voisine de gauche, un collégien, à en juger par son âge, avec des manches trop courtes et de gros verres de lunettes ronds, coupait tout ce qu'il entassait dans son assiette en menus morceaux et le réduisait avant de le manger en une bouillie informe. Puis il se penchait et se mettait à dévorer, en passant de temps en temps sa serviette sous ses lunettes pour essuyer ses yeux, y séchant on ne savait quoi, des larmes ou de la sueur.

Deux incidents se produisirent durant le repas principal et éveillèrent l'attention de Hans Castorp pour autant que son état le permît. Tout d'abord la porte vitrée claqua de nouveau — c'était au poisson — ; Hans Castorp tressaillit, outré, et dans sa violente colère, il se dit à lui-même que cette fois il fallait absolument qu'il connût le coupable. Non seulement il le pensa, mais il l'articula du bout des lèvres, tant il prenait cela au sérieux.

« Il faut que je sache », chuchota-t-il avec une violence exagérée, de telle sorte que Miss Robinson et l'institutrice le regardèrent, étonnées.

Et, en même temps, il tourna son torse à gauche et ouvrit tout grands ses yeux injectés de sang.

C'était une dame qui traversait la salle, une femme, une jeune fille plutôt, de taille moyenne, vêtue d'un chandail blanc et d'une jupe de couleur, avec des cheveux d'un blond roux qu'elle portait simplement en nattes disposées autour de la tête. Hans Castorp ne vit que peu de chose de son profil, presque rien du tout. Elle marchait sans bruit, ce qui faisait un singulier contraste avec son entrée bruyante, elle marchait d'une manière étrangement furtive et la tête un peu penchée en avant, vers la dernière table de gauche, perpendiculaire à la porte de la véranda, à la table des « Russes bien », par conséquent, en gardant une main dans la poche de son gilet de laine collante, mais en portant l'autre, qui maintenait et remettait en ordre sa chevelure, derrière sa tête. Hans Castorp regarda cette main — il avait un sens très sûr et une attention très critique pour les mains, et lorsqu'il faisait de nouvelles connaissances, il avait l'habitude de fixer d'abord ses yeux sur cette partie du corps — ; ce n'était pas précisément une main de dame, cette main qui soutenait des cheveux, elle n'était ni soignée ni affinée, comme l'étaient d'ordinaire les mains de femme dans les milieux où fréquentait Hans Castorp. Assez large, avec des doigts courts, elle avait quelque chose de puéril et de primitif, quelque chose de la main d'une écolière. Ses ongles ignoraient visiblement la manucure, ils étaient coupés tant bien que mal, comme chez une écolière, et sur leurs côtés la peau semblait un peu irritée, presque comme si elle était sujette au petit vice de se ronger les ongles. D'ailleurs, Hans Castorp se rendit compte de cela plutôt par une sorte de sentiment confus que par ses yeux, la distance étant par trop grande. D'un hochement de tête, la retardataire salua ses compagnons de table et en s'asseyant, le dos tourné à la salle, à côté du docteur Krokovski qui présidait là-bas, elle se retourna, tenant toujours ses cheveux dans sa main, la tête au-dessus de l'épaule, et considéra le public, ce qui permit à Hans Castorp de remarquer rapidement qu'elle avait de larges pommettes et des yeux étroits. Un vague souvenir d'il ne savait quoi et d'il ne savait qui l'effleura un instant lorsqu'il la vit.

« Naturellement, une femme ! » pensa Hans Castorp, et de nouveau il articula ces mots si nettement que l'institutrice, Mlle Engelhart, comprit ce qu'il disait. La vieille fille indigente sourit avec attendrissement.

« Cela, c'est Mme Chauchat, dit-elle. Elle est si négligente ! Une femme délicieuse. »

Et, en même temps, la rougeur duveteuse des joues de Mlle Engelhart s'accrut d'une ombre, ce qui était toujours le cas lorsqu'elle ouvrait la bouche.

« Française ? demanda Hans Castorp sévèrement.

— Non, elle est russe, dit Mlle Engelhart. Peut-être son mari est-il français ou d'origine française, je n'en sais rien.

— Serait-ce celui-là ? » demanda Hans Castorp, encore irrité.

Et il désigna un monsieur aux épaules tombantes, à la table des « Russes bien ».

« Oh ! non, il n'est pas là, répondit l'institutrice. Il n'avait même jamais séjourné ici, ajouta-t-elle, on ne le connaissait pas du tout, ici.

— Elle devrait fermer la porte convenablement, dit Hans Castorp. Elle claque toujours les portes. En voilà des manières ! »

Et l'institutrice ayant accueilli la leçon avec un sourire humble, comme si elle-même était la coupable, il ne fut plus question davantage de Mme Chauchat.

Le deuxième incident fut le suivant : le docteur Blumenkohl quitta pour quelques instants la salle, rien de plus. Soudain l'expression de dégoût de son visage s'accentua ; il considéra fixement un point précis, puis, d'un geste discret, il repoussa sa chaise et sortit. Mais à ce moment, la grande vulgarité de Mme Stöhr apparut sous son jour le plus cru, car, par satisfaction sans doute de se savoir moins malade que Blumenkohl, elle accompagna sa sortie de commentaires mi-pitoyables, mi-dédaigneux.

« Le malheureux ! dit-elle. En voilà encore un qui aura bientôt fini de piper. Le voilà déjà de nouveau qui doit s'entretenir avec Henri le Bleu ! »

Sans être obligée de surmonter la moindre répugnance, avec un entêtement borné, elle prononça cette expression grotesque : « Henri le Bleu », et Hans Castorp éprouva un mélange de terreur et d'envie de rire lorsqu'elle articula ces mots. D'ailleurs, le docteur Blumenkohl revint au bout de quelques minutes de la même façon discrète dont il était sorti, reprit sa place et se remit à manger. Lui aussi mangeait beaucoup ; il se servait deux fois de chaque plat, sans mot dire, avec une expression soucieuse et fermée.

Puis le repas prit fin. Grâce à un service adroit — la naine, en particulier, était un être au pied rapide — il n'avait duré qu'une bonne heure. Hans Castorp, respirant difficilement, et sans trop savoir comment il était monté, était de nouveau allongé sur son excellente chaise longue, dans sa loge de balcon, car après le repas il y avait cure de repos jusqu'au thé. C'était même la plus importante de la journée et elle devait être sévèrement observée. Entre les deux parois de verre opaque qui le séparaient de Joachim d'un côté, du couple russe de l'autre, il était couché, à demi-conscient, le cœur battant, en respirant par la bouche. Lorsqu'il se servit de son mouchoir, il le trouva rougi de sang, mais n'eut pas la force de s'en inquiéter, bien qu'il fût assez craintif pour lui-même, et d'une nature qui inclinait plutôt à une hypocondrie fantasque. Il s'était de nouveau allumé un Maria Mancini, et cette fois il le fuma jusqu'au bout, qu'il le trouvât bon ou mauvais. En proie au vertige, oppressé, songeur, il pensait à l'étrange façon dont il se comportait ici. Deux ou trois fois, sa poitrine fut ébranlée par un rire intérieur, en songeant à l'odieuse expression dont Mme Stöhr, dans sa vulgarité, s'était servie.

Monsieur Albin

En bas, au jardin, un souffle d'air soulevait par instants le drapeau de fantaisie avec son caducée. Le ciel s'était de nouveau couvert d'une façon uniforme. Le soleil était loin, et de nouveau il régnait une fraîcheur presque rude. La salle commune de repos paraissait au complet ; ce n'était là en bas que rires étouffés et bavardages.

« Monsieur Albin, je vous en supplie, enlevez ce couteau, empochez-le, il arrivera encore un malheur », se plaignit une voix chevrotante. Et :

« Cher monsieur Albin, pour l'amour de Dieu, épargnez nos nerfs et éloignez de notre vue cet affreux instrument de meurtre », intervint une autre.

Sur quoi un jeune homme blond, qui, une cigarette à la bouche, était assis sur le côté de la première chaise longue, répliqua d'un ton impertinent :

« Jamais de la vie ! Ces dames voudront bien me permettre de jouer un peu avec mon couteau ! Oui, naturellement, c'est un couteau particulièrement bien aiguisé. Je l'ai acheté à Calcutta, à un musicien aveugle. Il l'avalait, et aussitôt son boy allait le déterrer à cinquante pas de là. Voulez-vous le voir ? Il coupe beaucoup mieux qu'un rasoir. Il n'y a qu'à toucher la lame et elle trancherait la chair comme du beurre. Attendez, je vais vous le montrer de plus près… »

Et M. Albin se leva. Des cris perçants s'élevèrent.

« Non, à présent je vais chercher mon revolver, dit M. Albin, cela vous intéressera davantage. Un machin tout à fait formidable ! D'une force de percussion ! Je vais le chercher dans ma chambre.

— Monsieur Albin, monsieur Albin, ne faites pas cela », éclatèrent plusieurs voix aiguës.

Mais M. Albin sortait déjà de la salle de repos, pour monter dans sa chambre, tout jeune et dégingandé, avec un visage rose de gamin et de petites pattes de duvet le long des oreilles.

« Monsieur Albin, s'écria une femme derrière lui, cherchez plutôt votre pardessus, et mettez-le, faites cela pour me faire plaisir. Il y a six semaines que vous étiez couché avec une pneumonie, et voici que vous restez assis dehors sans pardessus, que vous ne vous couvrez même pas et que vous fumez des cigarettes. C'est tenter Dieu, monsieur Albin, je vous en donne ma parole. »

Mais il ne fit que rire d'un air sarcastique en partant, et quelques minutes plus tard il revint avec le revolver. Alors elles se mirent à criailler encore plus sottement que tout à l'heure, et l'on put entendre que plusieurs d'entre elles voulaient sauter en bas de leur chaise, qu'elles se prenaient dans leurs couvertures et tombaient.

« Voyez-vous, comme il est petit et luisant, dit M. Albin. Mais pour peu que j'appuie ici, cela mord… »

Nouveaux cris.

« Il est naturellement chargé, poursuivit M. Albin. Dans ce barillet-là, il y a six balles, et il se déplace d'un trou à chaque coup. D'ailleurs, je ne me suis pas payé cet objet pour rire », dit-il comme il remarquait que l'effet de ses paroles faiblissait.

Il fit glisser le revolver dans la poche intérieure de sa veste et se rassit sur son siège en croisant les jambes pour se rallumer une nouvelle cigarette.

« Pas du tout pour rire ! répéta-t-il, et il serra les lèvres.

— Pourquoi donc ? pourquoi donc ? demandèrent des voix tremblantes de pressentiments angoissés. Mais c'est terrible ! s'écria soudain une voix isolée — et M. Albin, là-dessus, hocha la tête.

— Je vois que vous commencez à saisir, dit-il. En effet, c'est pour cela que je le garde, continua-t-il légèrement, après que, malgré sa récente pneumonie, il eut avalé et rejeté une grande quantité de fumée. Je le tiens prêt pour le jour où je commencerai à trouver ce métier par trop ennuyeux et où j'aurai l'honneur de vous tirer ma révérence. La chose est assez simple. Je l'ai étudiée d'assez près et je suis fixé sur la meilleure manière de liquider cela. (Au mot "liquider", un cri retentit.) Éliminons le cœur… La prise ici ne me serait pas très commode… Et je préfère détruire la conscience dans son centre même, en insérant un joli petit corps étranger dans cet organe si intéressant… »

Et M. Albin, de l'index, désigna son crâne blond aux cheveux coupés ras.

« C'est ici qu'il faut appuyer — M. Albin tira de nouveau de sa poche le revolver nickelé et, du canon, toucha sa tempe — ici, au-dessus de l'artère. Même sans glace, c'est une affaire de tout repos… »

Des protestations suppliantes retentirent sur plusieurs tons, auxquelles se mêla même un violent sanglot.

« Monsieur Albin, monsieur Albin, enlevez le revolver, enlevez le revolver de votre tempe. On ne peut pas voir cela ! Monsieur Albin, vous êtes jeune, vous guérirez, vous reviendrez à la vie, et vous serez très populaire, ma parole ! Mais mettez donc votre pardessus, étendez-vous, couvrez-vous, observez votre traitement ! Ne chassez plus le masseur lorsqu'il viendra vous frotter à l'alcool. Laissez les cigarettes, monsieur Albin, vous m'entendez, nous vous en supplions, pour l'amour de votre vie, de votre jeune et précieuse vie ! »

Mais M. Albin était impitoyable.

« Non, non, dit-il, laissez-moi, ça va bien, je vous remercie. Je n'ai jamais rien refusé à une femme, mais vous comprendrez qu'il est inutile de vouloir retenir la roue du destin. Je suis ici depuis trois ans. J'en ai soupé et je ne marche plus ! Pouvez-vous m'en vouloir ? Inguérissable, mesdames, regardez-moi, tel que me voilà, je suis inguérissable ; le conseiller aulique lui-même ne le dissimule que pour la forme et pour l'honneur. Accordez-moi donc ce petit peu de licence qui résulte pour moi de ce fait. C'est comme au lycée, lorsqu'il était certain que l'on resterait deux ans dans la même classe, que l'on ne vous interrogeait plus et que l'on n'avait plus rien à faire. Je suis enfin mûr pour cet heureux état. Je n'ai plus besoin de rien faire, je n'entre plus en ligne de compte, je me fiche de tout ! Voulez-vous du chocolat ? Servez-vous ! Non, vous ne me privez pas, j'ai des monceaux de chocolat dans ma chambre. J'ai là-haut huit bonbonnières, cinq tablettes de Gala Peter et quatre livres de chocolat Lindt. Tout cela, les dames du sanatorium me l'ont fait parvenir pendant ma pneumonie. »

Quelque part, une voix de basse réclama du silence. M. Albin eut un bref éclat de rire ; c'était un rire à la fois badin et saccadé. Puis, dans la salle de repos, le silence se fit, un silence si complet que l'on eût dit qu'un rêve ou qu'une apparition fantomatique venait de se dissiper ; et les paroles prononcées se répercutaient et se prolongeaient encore étrangement dans le silence. Hans Castorp prêta l'oreille jusqu'à ce qu'elles se fussent complètement tues, et bien qu'il lui semblât vaguement que M. Albin était un fat, il ne pouvait se défendre d'une certaine envie. La parabole tirée de la vie scolaire, en particulier, lui avait fait une vive impression, car lui-même avait passé deux ans en seconde et il se souvenait assez bien de cet abandon un peu humiliant, mais comique et agréable, dont il avait presque joui lorsque, durant le quatrième trimestre, il avait abandonné la course et qu'il avait pu rire « de toute l'histoire ». Comme ses pensées étaient obscures et diffuses, il est difficile de les préciser. En somme, il lui semblait que l'honneur comportait d'importants avantages, mais que la honte n'en comportait pas moins, voire que les avantages de celle-ci étaient presque illimités. Et tandis que, comme à titre d'essai, il essayait de se représenter l'état d'esprit de M. Albin et imaginait ce que cela pouvait signifier que d'être définitivement affranchi du poids de l'honneur et de jouir éternellement des avantages insondables de la honte, un sentiment de douceur sauvage effraya le jeune homme et accéléra encore pendant quelques instants le mouvement de son cœur.

Satan fait des propositions déshonorantes

Plus tard il perdit conscience. D'après sa montre, il était trois heures et demie lorsqu'une conversation derrière la paroi de verre, à sa gauche, l'éveilla. Le docteur Krokovski, qui, à cette heure-là, faisait sa ronde sans le médecin en chef, parlait russe avec le couple mal élevé, s'informait, semblait-il, de l'état du mari, et se faisait montrer la feuille de température ; mais ensuite il poursuivit sa tournée, non pas le long du balcon, mais, évitant la loge de Hans Castorp, fit un détour par le corridor, et entra chez Joachim par la porte de la chambre. Hans Castorp trouva pourtant un peu vexant que l'on pût de la sorte l'éviter et le négliger, bien qu'il ne souhaitât nullement un tête-à-tête avec le docteur Krokovski. Sans doute, il était bien portant et n'entrait pas en ligne de compte, car chez ces gens, ici, il était convenu que celui qui avait l'honneur d'être bien portant n'offrait point d'intérêt et n'était pas interrogé, ce dont s'irritait le jeune Castorp.

Après que le docteur Krokovski eut passé deux ou trois minutes chez Joachim, il continua sa tournée le long du balcon, et Hans Castorp entendit son cousin dire que l'on pouvait se lever et se préparer pour le goûter.

« Bien », répondit-il.

Et il se leva. Mais il avait le vertige d'être resté étendu si longtemps, et le demi-sommeil avait de nouveau échauffé son visage, bien que, par ailleurs, il gelât plutôt ; peut-être ne s'était-il pas couvert assez chaudement.

Il se lava les yeux et les mains, mit en ordre ses cheveux et ses vêtements, et rencontra Joachim dans le corridor.

« As-tu entendu ce M. Albin ? demanda-t-il, tandis qu'ils descendaient ensemble l'escalier.

— Naturellement, dit Joachim. Il faudrait mater cet individu sans discipline. Il trouble tout notre repos d'après-midi par son bavardage et excite les dames au point de retarder leur guérison de plusieurs semaines. Une grave insubordination. Mais qui donc irait faire le mouchard ? Et de tels discours sont le plus souvent les bienvenus, comme distraction.

— Crois-tu possible, demanda Hans Castorp, qu'il envisage sérieusement cette "histoire de tout repos", comme il dit, et qu'il s'insère un corps étranger ?

— Mon Dieu, ce n'est pas absolument impossible, répondit Joachim. Ces choses-là arrivent, ici. Deux mois avant mon arrivée, un étudiant qui était ici depuis longtemps s'est pendu dans la forêt, là-bas, de l'autre côté, après une visite générale. On en parlait encore les premiers temps de mon séjour. »

Hans Castorp eut un bâillement nerveux.

« En tout cas, je ne me sens pas précisément bien chez vous, non, précisément. Il est bien possible que je ne puisse pas rester, tu sais, que je sois obligé de repartir. M'en voudrais-tu ?

— Partir ? Qu'est-ce qui te prend ? s'écria Joachim. C'est idiot. Alors que tu viens à peine d'arriver. Comment pourrais-tu juger dès le premier jour ?

— Mon Dieu, nous en sommes encore au premier jour ? J'ai absolument l'impression d'être depuis longtemps, depuis très longtemps chez vous…

— Ne recommence pas à divaguer sur le temps, dit Joachim. Tu m'as déjà suffisamment brouillé le cerveau ce matin.

— Non, rassure-toi, j'ai tout oublié, répondit Hans Castorp. Tout le complexe. D'ailleurs, je n'ai plus la tête très claire, pour le moment, c'est passé. Alors, on va prendre du thé à présent ?

— Oui, et ensuite nous retournerons jusqu'au banc de ce matin.

— Allons-y, au nom de Dieu ! Mais j'espère que nous n'y retrouverons pas Settembrini. Je n'ai plus la force aujourd'hui de prendre part à une conversation intelligente, j'aime autant te le dire tout de suite. »

Dans la salle à manger, on servait toutes les boissons qui étaient prévues pour cette heure. Miss Robinson buvait de nouveau du thé rouge de cynorrhodon, tandis que la petite-nièce mangeait du yaourt à la cuiller. De plus, il y avait du lait, du thé, du café, du chocolat, oui, jusqu'à du bouillon, et partout les pensionnaires qui, depuis leur copieux dîner, avaient passé deux heures couchés, étaient activement occupés à étendre du beurre sur de grandes tranches d'un pain fourré de raisins de Corinthe.

Hans Castorp s'était fait servir du thé et y trempait des biscottes. Il goûta aussi un peu de marmelade. Il examina de très près le pain aux raisins de Corinthe, mais tressaillit littéralement à la pensée qu'il pourrait en manger. De nouveau il était assis à sa place, dans la salle à la voûte naïvement bariolée, dans la salle aux sept tables, pour la quatrième fois. Un peu plus tard, vers sept heures, il y était assis pour la cinquième fois, et cette fois il s'agissait de souper. L'intervalle, qui était court et insignifiant, avait été pris par une promenade jusqu'au flanc escarpé de la montagne, près du ruisseau — le chemin était à présent fréquenté par de nombreux malades, de sorte que les deux cousins durent souvent saluer — et par une nouvelle cure de repos, d'une petite heure et demie, rapide et sans contenu, sur le balcon. Hans Castorp frissonna plusieurs fois durant cette dernière.

Pour le souper, il se changea consciencieusement et mangea, entre Miss Robinson et l'institutrice, du potage julienne, de la viande rôtie et grillée avec garnitures, deux morceaux d'un gâteau qui contenait de tout : de la pâte de macarons, de la crème au beurre, du chocolat, de la confiture et de la pâte d'amandes, ainsi que d'un excellent fromage sur du pain de seigle. De nouveau il se fit servir une bouteille de bière de Kulmbach. Mais lorsqu'il eut bu la moitié de son grand verre, il se rendit nettement compte que sa place était au lit. Sa tête bourdonnait, ses paupières étaient de plomb, son cœur battait comme de petites cymbales, et, pour comble de torture, il s'imaginait que la jolie Maroussia, qui, penchée en avant, cachait son visage derrière sa main au rubis, se moquait de lui, bien qu'il fît infiniment d'efforts pour ne lui en donner aucune occasion. Comme de très loin, il entendit Mme Stöhr raconter quelque chose ou émettre des affirmations si saugrenues qu'il doutait, de plus en plus troublé, s'il entendait encore bien ou si les paroles de Mme Stöhr ne se transformaient pas par hasard dans sa tête en absurdités. Elle déclarait qu'elle savait préparer vingt-huit espèces différentes de sauces au poisson — elle avait le courage de l'avouer, bien que son mari lui eût déconseillé d'en parler : « Ne parle pas de cela ! lui avait-il dit. Personne ne te croira, et si on le croit, on trouvera cela ridicule. » Et pourtant elle voulait aujourd'hui confesser ouvertement qu'elle savait préparer vingt-huit variétés de sauces au poisson. Cela parut effrayant au pauvre Hans Castorp ; il prit peur, porta la main à son front, et oublia de mâcher et d'avaler une bouchée de pain de seigle et de chester qu'il avait dans sa bouche. En se levant de table, il l'avait encore.

On sortit par la porte vitrée de gauche, cette porte fatale, qui claquait toujours, et qui donnait sur le vestibule. Presque tous les pensionnaires prirent ce chemin, et il apparut qu'à cette heure, après le dîner, dans le hall et dans les salons voisins, une sorte de réunion avait lieu. La plupart des malades étaient debout par petits groupes, et bavardaient. Autour de deux tables pliantes, on jouait ; aux dominos à l'une, au bridge à l'autre, et ici c'étaient les jeunes gens qui jouaient, dont M. Albin et Hermine Kleefeld. Il y avait en outre pour se distraire quelques appareils optiques dans le premier salon : une boîte stéréoscopique par les loupes de laquelle on voyait les photographies disposées à l'intérieur, par exemple un gondolier vénitien, avec une plasticité rigide et exsangue ; deuxièmement, un kaléidoscope en forme de longue-vue, contre l'oculaire duquel on appuyait l'œil pour, en actionnant légèrement une roue dentée, mettre en mouvement une fantasmagorie multicolore d'étoiles et d'arabesques ; enfin, un tambour mobile, dans lequel on introduisait des bandes cinématographiques, et par les ouvertures duquel on pouvait observer un meunier qui se battait avec un ramoneur, un instituteur qui donnait une correction à un écolier, les bonds d'un danseur de corde, et un couple de paysans qui dansaient la tyrolienne. Hans Castorp, ses mains froides posées sur ses genoux, regarda pendant quelque temps dans chacun de ces appareils. Il s'attarda quelque peu auprès de la table de bridge, où l'inguérissable M. Albin, les lèvres dédaigneuses, maniait les cartes avec des gestes négligents d'homme du monde. Dans un angle de la pièce était assis le docteur Krokovski, engagé dans une conversation spontanée et cordiale avec un groupe de dames parmi lesquelles se trouvaient Mme Stöhr, Mme Iltis et Mlle Lévi. Les habitués de la « table des Russes bien » s'étaient retirés dans le petit salon voisin, qui n'était séparé de la salle des jeux que par des portières, et y formaient une sorte de clan intime. C'étaient, outre Mme Chauchat, un jeune homme à barbiche blonde, d'une allure nonchalante, à la poitrine concave et aux prunelles saillantes ; une jeune fille très brune, d'un type original et humoristique, avec des boucles d'oreilles en or et des cheveux laineux en désordre ; de plus, le docteur Blumenkohl qui s'était joint à eux, ainsi que deux jeunes gens aux épaules tombantes. Mme Chauchat portait une robe bleue, avec un col de dentelle blanche. Elle formait le centre du cercle, assise sur le canapé, derrière la table ronde, au fond de la petite pièce, le visage tourné vers le salon de jeux. Hans Castorp, qui considérait, non sans réprobation, cette femme mal élevée, pensait à part lui : « Elle me rappelle quelque chose, mais je ne saurais dire quoi… » Un grand diable d'environ trente ans, dont les cheveux s'éclaircissaient, exécuta trois fois de suite au petit piano brun la marche nuptiale du *Songe d'une nuit d'été*, et lorsque quelques-unes des dames présentes l'en prièrent, il commença de jouer pour la quatrième fois ce morceau sous la courbe de sa moustache noire. D'ailleurs, il regarda dans les yeux de chacune d'elles.

« Vous allez bien, monsieur l'ingénieur ? » demanda Settembrini qui, les mains dans les poches, s'était négligemment promené parmi les pensionnaires et qui venait de s'approcher de Hans Castorp.

Il portait encore sa redingote grise faite d'une sorte de bure et ses pantalons clairs à carreaux. Il sourit en adressant la parole à Hans Castorp, et de nouveau celui-ci éprouva comme une impression de dégrisement à la vue de ces lèvres qui ondulaient avec une finesse railleuse sous la courbe de la moustache noire. D'ailleurs il regarda l'Italien d'un air assez niais, la bouche abandonnée, et les yeux striés de sang.

« Ah ! c'est vous ? dit-il. Le monsieur de la promenade de ce matin, près du banc, là-haut, que nous avons… près de la chute d'eau… Naturellement, je vous ai tout de suite reconnu. Me croirez-vous, poursuivit-il, bien qu'il sentît parfaitement qu'il n'eût pas dû avouer cela, qu'au premier coup d'œil, je vous avais pris pour un joueur d'orgue de Barbarie ? C'était bien entendu absolument idiot, reprit-il en voyant que Settembrini posait sur lui un regard d'inspection froide et pénétrante, en un mot, une énorme sottise ! Je n'ai d'ailleurs pas encore compris pourquoi…

— Ne vous inquiétez pas, c'est sans importance, répondit Settembrini, après que, pendant un moment encore, il eut considéré le jeune homme en silence. Et comment avez-vous passé cette journée, la première de votre séjour en ce lieu de plaisir ?

— Je vous remercie, d'une manière tout à fait réglementaire. De préférence, en position horizontale, comme, paraît-il, vous aimez à dire. »

Settembrini sourit.

« Il est possible que je me sois à l'occasion exprimé ainsi, dit-il. Eh bien, l'avez-vous trouvé divertissant, ce genre de vie ?

— Divertissant, ennuyeux, c'est selon, répondit Hans Castorp. C'est parfois difficile à distinguer. Je ne me suis pas du tout ennuyé. D'ailleurs, il règne chez vous, ici, une animation par trop alerte. On entend tant de choses neuves et curieuses. Et pourtant, j'ai, d'autre part, l'impression de n'être pas ici depuis une journée seulement, mais depuis assez longtemps, exactement comme si j'étais devenu plus âgé et plus intelligent… oui, c'est là mon impression.

— Plus intelligent aussi ? dit Settembrini, et il fronça les sourcils. Voulez-vous me permettre une question ? Quel âge avez-vous exactement ? »

Mais voici que, tout à coup, Hans Castorp ne savait plus son âge ! Malgré les efforts impatients et désespérés qu'il faisait pour se le rappeler, en cet instant précis, il ne savait plus quel âge il avait. Pour gagner du temps, il se fit répéter la question et dit ensuite :

« Moi ? quel âge ? Je suis naturellement dans ma vingt-quatrième année. Je vais avoir bientôt vingt-quatre ans. Je vous demande pardon, je suis fatigué, dit-il. Et fatigué n'est même pas le mot qui exprime mon état. Connaissez-vous cela lorsqu'on rêve et qu'on sait que l'on rêve, et que l'on voudrait s'éveiller et qu'on ne le peut pas ? C'est exactement ce que je ressens. Je dois certainement avoir de la fièvre, je ne pourrais pas du tout m'expliquer cela autrement. Figurez-vous que j'ai les pieds froids jusqu'aux genoux ; c'est une façon de parler, car les genoux ne sont naturellement plus les pieds ; excusez-moi, j'ai le cerveau brouillé au dernier degré, et cela n'a finalement rien d'étonnant lorsque dès le matin, on vous a sifflé par le… par le… pneumothorax, et qu'on a ensuite écouté les discours de ce M. Albin, et cela en position horizontale. Figurez-vous qu'il me semble tout le temps que je ne puis pas trop me fier à mes cinq sens, et je dois dire que cela me gêne encore plus que la chaleur dans la figure et les pieds froids. Dites-moi franchement : croyez-vous qu'il soit possible que Mme Stöhr sache préparer vingt-huit sauces au poisson ? Je ne veux pas dire : si elle est réellement capable de les préparer — cela me paraît exclu —, mais simplement si elle a vraiment affirmé cela tout à l'heure à table, ou si je me suis seulement imaginé l'avoir entendu ? »

Settembrini le regardait. Il ne paraissait pas avoir écouté. De nouveau ses yeux s'étaient fixés. Ils avaient pris une direction immobile et aveugle, et comme le matin, il dit trois fois : « ah, ah, ah ! » et « tiens, tiens, tiens ! » avec une expression à la fois songeuse et moqueuse, et en faisant siffler le *t*.

« Vingt-quatre, disiez-vous ? demanda-t-il ensuite.

— Non, vingt-huit, dit Hans Castorp, vingt-huit sauces au poisson ! Non pas des sauces en général, mais des sauces pour poisson, c'est là l'énormité de la chose.

— Mon cher ingénieur, dit Settembrini d'un ton d'exhortation irritée, ressaisissez-vous et épargnez-moi vos sottises déréglées. Je n'en sais rien et n'en veux rien savoir. Dans la vingt-quatrième, m'avez-vous dit ? Hum ! permettez-moi encore une question et une proposition, selon mon humble avis, si vous le voulez bien. Comme ce séjour ne semble pas vous convenir, comme vous ne vous trouvez bien chez nous ni physiquement, ni moralement, à moins que les apparences soient trompeuses, que penseriez-vous de renoncer à prendre de l'âge ici, bref, de faire ce soir même vos bagages et de prendre la clef des champs demain matin par l'express que vous propose l'horaire ?

— Vous croyez que je dois repartir ? demanda Hans Castorp. Alors que je viens à peine d'arriver ? Mais non, comment pourrais-je en juger dès le premier jour ? »

En prononçant ces mots, il regarda par hasard dans la pièce voisine et il y vit Mme Chauchat, de face, ses yeux étroits et ses larges pommettes. « À quoi, songea-t-il, à quoi, à qui donc me fait-elle penser ? » Mais sa tête, fatiguée, malgré tous ses efforts ne sut pas répondre à cette question.

« Naturellement, il ne m'est pas si facile de m'acclimater chez vous, ici, poursuivit-il. C'était naturellement à prévoir, et si là-dessus je jetais le manche après la cognée, tout simplement parce que, pendant quelques jours, j'ai eu un peu chaud et que je me suis senti un peu troublé, il me semble que j'aurais honte, oui, que je me jugerais lâche, et puis ce serait contre toute raison… écoutez voir… »

Il parlait tout à coup avec beaucoup d'insistance, avec des mouvements agités des épaules, et semblait vouloir décider l'Italien à formellement retirer son conseil.

« Je m'incline devant la raison, répondit Settembrini. Je m'incline d'ailleurs également devant le courage. Ce que vous dites peut se défendre, il serait difficile d'y opposer un argument péremptoire. D'ailleurs, j'ai vu en effet de très beaux cas d'acclimatation. Il y avait par exemple, l'année dernière, Mlle Kneiffer, Odile Kneiffer, d'une excellente famille, la fille d'un haut fonctionnaire. Elle était là depuis au moins un an et demi, et s'était si parfaitement habituée que, lorsque sa santé fut complètement rétablie — car le cas se présente, parfois, on guérit, ici —, elle ne voulut à aucun prix repartir. Elle pria le médecin-chef de toute son âme de la garder encore ; elle ne pouvait ni ne voulait rentrer ; ici, elle était chez elle, c'est ici qu'elle serait heureuse ; mais comme la demande était très forte et que l'on avait besoin de sa chambre, ses prières furent vaines, et l'on persista à vouloir la renvoyer comme bien portante. Odile alors eut de la fièvre, elle fit sérieusement monter sa courbe, mais on la démasqua en échangeant le thermomètre contre une “sœur muette”. Vous ne savez pas encore ce que c'est ? C'est un thermomètre non chiffré, que le médecin contrôle personnellement en mesurant la colonne de mercure et en inscrivant lui-même la température. Odile, monsieur, avait 36,9. Odile n'avait pas de fièvre. Elle se baigna alors dans le lac — nous étions au commencement de mai, nous avions des gelées nocturnes, le lac n'était pas précisément glacé, il y faisait, pour être précis, quelques degrés au-dessus de zéro — ; elle resta assez longtemps dans l'eau pour contracter telle ou telle maladie. Mais le résultat ? Elle était et restait bien portante. Elle partit, désespérée, insensible aux paroles consolantes de ses parents. « Que ferai-je là-bas ? répétait-elle, c'est ici qu'est mon pays. » Je ne sais pas ce qu'elle est devenue… Mais il me semble que vous ne m'entendez pas, mon cher ingénieur. Vous avez du mal à vous tenir debout, si les apparences ne me trompent pas. Lieutenant, voici votre cousin, dit-il en se tournant vers Joachim qui s'approchait. Mettez-le au lit. Il joint la raison au courage, mais ce soir il ne tient pas debout.

— Du tout. J'avais compris, se récria Hans Castorp. Par conséquent, la “sœur muette”, c'est une colonne de mercure sans chiffres ? Vous voyez, j'ai parfaitement saisi. »

Mais néanmoins il monta dans l'ascenseur avec Joachim, en même temps que d'autres pensionnaires. La réunion pour ce soir était terminée, on se dispersa et l'on rejoignit les balcons et les salles de repos pour la cure vespérale. Hans Castorp accompagna son cousin dans sa chambre. Le plancher du corridor, couvert d'un chemin en coco, décrivait des mouvements onduleux sous ses pieds, mais cela ne le gênait pas outre mesure. Il s'assit dans le grand fauteuil à fleurs de Joachim — un fauteuil semblable se trouvait dans sa chambre — et s'alluma un Maria Mancini. Il lui trouva un goût de colle, de charbon et d'autres choses encore, tous les goûts, hors celui qu'il devait avoir. Mais il continua quand même à le fumer, tout en regardant Joachim se préparer à sa cure de repos, revêtir sa vareuse et, par-dessus, un vieux manteau, puis sortir, avec la veilleuse de sa table de nuit et sa grammaire russe, sur le balcon, où il mit le contact à la lampe et, étendu sur la chaise longue, le thermomètre dans la bouche, commença de s'enrouler avec une étonnante dextérité dans deux couvertures en poil de chameau qui étaient étendues sur le siège. Avec une admiration sincère, Hans Castorp le vit exécuter ces mouvements adroits. Joachim commença par rabattre sur lui les couvertures, l'une après l'autre, d'abord à gauche, en longueur jusqu'au-dessous de l'épaule, puis d'en bas, par-dessus les pieds, et ensuite à droite, de telle sorte qu'il finit par former un paquet parfaitement homogène et lisse d'où n'émergeaient que la tête, les bras et les épaules.

« Tu fais ça étonnamment, dit Hans Castorp.

— C'est affaire d'exercice, dit Joachim qui, tout en parlant, serrait les dents sur son thermomètre. Tu l'apprendras à ton tour. Demain, il faut absolument que nous nous procurions quelques couvertures pour toi. Tu en trouveras bien l'emploi quand tu seras reparti en bas, et ici, chez nous, elles sont indispensables, surtout étant donné que tu n'as pas de sac de fourrure.

— Mais je n'ai pas du tout l'intention de m'étendre la nuit sur le balcon, déclara Hans Castorp. Ça, non, j'aime mieux te le dire tout de suite. Cela me semblerait par trop drôle. Il y a des limites à tout. Et, en somme, il faut tout de même que je marque d'une manière ou d'une autre que je ne suis chez vous qu'en visite. Je reste encore un instant chez toi et je fume mon cigare comme il convient. Je lui trouve un goût infâme, mais je sais qu'il est bon, et pour aujourd'hui il faut que je me contente de cela. Il va être neuf heures, c'est vrai, il n'est même pas encore neuf heures. Mais lorsqu'il sera neuf heures et demie, ce sera à peu près l'heure convenable pour que l'on puisse sans extravagance se mettre au lit. »

Un frisson le parcourut, un frisson, puis plusieurs de suite, assez rapprochés. Hans Castorp sauta sur ses pieds et courut au thermomètre accroché au mur, comme s'il s'agissait de le prendre en flagrant délit. D'après Réaumur il faisait neuf degrés dans la chambre. Il toucha les radiateurs et les trouva froids et morts. Il murmura quelques paroles confuses qui signifiaient à peu près que, même si l'on était en août, c'était une honte de ne pas chauffer, car ce qui importait, ce n'était pas le mois du calendrier, mais la température qui régnait, et elle était telle que l'on était gelé comme un chien errant. Mais sa figure brûlait. Il se rassit, se releva, en un murmure demanda la permission de prendre la couverture de lit de Joachim, et, assis sur le fauteuil, l'étendit sur le bas de son corps. Il resta ainsi, échauffé et frissonnant, et se donna du mal pour fumer son cigare au goût détestable. Un sentiment de détresse le gagna ; il lui semblait que jamais de sa vie il n'avait été aussi mal. « En voilà une misère ! » murmura-t-il. Mais en même temps l'effleurait soudain un sentiment étrangement exubérant de joie et d'espérance et, lorsqu'il l'eut éprouvé, il ne resta plus là que pour attendre si ce sentiment n'allait pas le reprendre. Mais il ne revenait pas ; seul, le malaise demeurait. Il finit donc par se relever, rejeta la couverture de Joachim sur le lit, et, la bouche grimaçante, murmura quelque chose comme : « Bonne nuit ! », « Ne meurs pas de froid ! » et « Tu reviendras me prendre pour le petit déjeuner », puis, en chancelant, regagna sa chambre par le corridor.

En se déshabillant, il chantonna, mais pas de joie. Machinalement et sans en prendre bien conscience, il s'acquitta des petits gestes et des devoirs de sa toilette nocturne de civilisé, versa une eau dentifrice rouge du flacon de sa trousse de voyage dans son verre, se gargarisa discrètement, se lava les mains avec son savon doux et de bonne qualité, parfumé à la violette, et revêtit la longue chemise de batiste sur la poche de laquelle étaient brodées les initiales H. C. Puis il se coucha et éteignit la lumière en laissant retomber sa tête brûlante et troublée sur le coussin du lit de mort de l'Américaine.

Il s'était attendu avec certitude à tomber aussitôt dans le sommeil, mais il apparut qu'il s'était trompé, et ses paupières, que tout à l'heure il avait eu peine à garder ouvertes, ne voulaient absolument plus demeurer closes, mais s'ouvraient en tressaillant avec inquiétude dès qu'il les avait fermées. « Ce n'est pas encore mon heure habituelle de dormir », se dit-il. Et puis sans doute était-il resté trop longtemps étendu pendant la journée. De plus, on battait dehors un tapis, ce qui, en réalité, paraissait peu vraisemblable, et ce qui, en fait, n'était nullement le cas ; car il apparut en effet que c'était son cœur dont il entendait les battements, hors de lui et comme à l'air libre, exactement comme si, dehors, on battait un tapis au moyen d'un battoir en jonc.

Il ne faisait pas encore complètement sombre dans la chambre ; la lueur de la petite lampe, dehors, dans les loges du balcon chez Joachim et chez le ménage de la table des Russes ordinaires, entrait par la porte ouverte du balcon. Et tandis que Hans Castorp, les paupières clignotantes, était couché sur le dos, une impression se renouvela brusquement en lui, une impression unique entre celles de la journée, une observation qu'il avait faite et, par terreur et délicatesse, s'était efforcé d'oublier aussitôt. C'était l'expression qu'avait prise le visage de Joachim lorsqu'il avait été question de Maroussia et de ses qualités physiques, cette bizarre et pitoyable déformation de la bouche et cette pâleur tachetée des joues brunies. Hans Castorp comprenait et discernait ce que cela signifiait. Il le comprenait, et le pénétrait d'une manière si neuve, si approfondie et si intime que le jonc, là, dehors, redoublait de vitesse dans ses battements et couvrait presque les sons du concert du soir, à Davos-Platz ; car il y avait de nouveau de la musique dans cet hôtel, en bas ; une mélodie d'opérette aux coupes symétriques et d'un tour démodé venait à travers la nuit jusqu'à lui, et Hans Castorp la sifflotait en chuchotant (car on peut parfaitement siffler en chuchotant), tout en battant la mesure, de ses pieds froids, sous l'édredon de plumes.

Mais ce n'était pas là naturellement la bonne manière de s'endormir, et Hans Castorp n'en éprouvait du reste pas la moindre envie. Depuis qu'il avait compris d'une manière si nouvelle et si vivante pourquoi Joachim avait changé de couleur, le monde lui semblait neuf, et ce sentiment de joie débordante et d'espérance l'atteignait derechef au plus profond de lui-même. D'ailleurs, il attendait encore quelque chose, sans bien se demander quoi. Mais lorsqu'il entendit que ses voisins de droite et de gauche avaient terminé leur cure et qu'ils regagnaient leur chambre pour substituer à leur position horizontale au-dehors la même position à l'intérieur, il exprima à part lui-même la conviction que le couple barbare se coucherait en paix. « Je puis tranquillement m'endormir, pensa-t-il. Ils feront la paix ce soir, j'en suis persuadé. » Mais il n'en fut pas ainsi, et à la vérité, en toute sincérité, Hans Castorp ne l'avait pas pensé, oui, pour dire toute la vérité, personnellement il n'eût même pas compris qu'ils fissent la paix ce soir. Néanmoins, il se livra aux exclamations muettes du plus violent étonnement sur ce qu'il entendait. « Inouï ! » cria-t-il sans voix. « C'est formidable. Qui eût pensé cela ? » Et entre-temps, ses lèvres chuchotantes accompagnaient la rengaine de l'opérette qui, avec persistance, résonnait jusqu'à lui.

Plus tard vint le sommeil. Mais avec lui vinrent les images fantasques de rêve, encore plus fantasques que la nuit dernière, qui le faisaient sursauter fréquemment, avec effroi ou suivant une idée confuse. Il rêvait qu'il voyait le docteur Behrens, les genoux torses et les bras ballants, se promener dans les sentiers du jardin en rythmant ses longs pas tristes sur une lointaine musique de marche. Lorsque le médecin en chef s'arrêta devant Hans Castorp, il portait des lunettes avec d'épais verres ronds, et balbutiait des paroles sans rime ni raison : « Civil, naturellement ! » disait-il, et sans demander la permission, il tirait la paupière de Hans Castorp entre l'index et le majeur de sa main énorme. « Un honorable civil, je m'en suis tout de suite aperçu. Mais pas dépourvu de talent, pas dépourvu de talent pour une combustion générale accrue ! Il n'irait pas lésiner les années, les braves petites années de service chez nous, ici. Ça va bien, messieurs, et allons-y pour la partie de plaisir ! » s'écria-t-il en mettant ses deux énormes index dans la bouche et en sifflant d'une manière si étrangement harmonieuse que, de divers côtés et en miniature, vinrent à travers les airs l'institutrice et Miss Robinson, qui se perchèrent sur ses épaules à droite et à gauche, telles qu'elles étaient assises à droite et à gauche de Hans Castorp. En cette compagnie, le médecin-chef s'en fut d'un pas sautillant, tout en passant une serviette sous ses lunettes pour s'essuyer les yeux — on ne savait pas ce qu'il avait à sécher, si c'était de la sueur ou des larmes.

Puis il sembla au rêveur qu'il était dans le préau du collège où, durant tant d'années, il avait passé ses récréations, et qu'il était sur le point d'emprunter un crayon à Mme Chauchat, qui était également présente. Elle lui donna un crayon rouge, usé à mi-longueur, et pourvu d'un protège-pointe en argent, en recommandant à Hans Castorp d'une voix agréablement rauque de le lui rendre sans faute à la fin de la leçon, et lorsqu'elle le regarda, de ses yeux étroits d'un bleu tirant sur le gris-vert, au-dessus des pommettes larges, il s'arracha violemment à son rêve, car à présent il tenait ce que et celui qu'elle lui rappelait si vivement, et il voulait le retenir. Vite, il mit cette certitude en sûreté, car il sentait que le sommeil et le rêve s'emparaient à nouveau de lui, et il se trouva aussitôt obligé de chercher un refuge contre le docteur Krokovski qui le poursuivait pour faire avec lui de la di...ssection psychique, ce qui inspirait à Hans Castorp une peur folle, une peur vraiment insensée. Il fuyait le docteur le long des parois de verre, à travers les loges du balcon, au péril de sa vie il sautait dans le jardin, dans sa détresse il cherchait même à grimper le long du mât brun du pavillon et s'éveilla en transpirant, à l'instant où son persécuteur le saisissait par une jambe de son pantalon.

Mais à peine s'était-il un peu calmé et s'était-il rendormi, que les événements suivants se déroulèrent : de l'épaule il s'efforçait de repousser Settembrini qui était là, debout, et souriait, finement, sèchement et d'un air moqueur, sous sa moustache noire et fournie, là où elle se redressait en une courbe agréable, et c'était ce sourire justement dont Hans Castorp souffrait comme d'un tort qui lui était fait

« Vous me dérangez, s'entendait-il distinctement dire, allez-vous-en, vous n'êtes qu'un joueur d'orgue de Barbarie, et vous êtes de trop ici. » Mais Settembrini ne se laissait pas repousser et Hans Castorp se demandait ce qu'il fallait faire, lorsqu'il eut tout à coup une illumination sur ce qui s'imposait : une « sœur muette », tout simplement, une colonne de mercure sans chiffres pour ceux qui voulaient tricher. Après quoi il s'éveilla avec l'intention bien arrêtée de faire part dès le lendemain de cette trouvaille à son cousin Joachim.

La nuit se passa au milieu de telles aventures et découvertes, et Hermine Kleefeld, elle aussi, ainsi que M. Albin et le capitaine Miklosich, lequel emportait Mme Stöhr dans sa gueule et était transpercé d'une lance par le procureur Paravant, y jouaient un rôle confus. Un certain rêve, Hans Castorp le fit même deux fois dans la nuit, et deux fois exactement sous la même forme, la dernière fois vers le matin. Il était assis dans la salle aux sept tables, lorsque la porte vitrée se ferma avec fracas, et Mme Chauchat entra, en chandail blanc, une main dans la poche, une autre à la nuque. Mais au lieu d'aller à la table des Russes bien, cette femme mal élevée se dirigea sans mot dire vers Hans Castorp et lui donna en silence sa main à baiser, non pas le dos de sa main, mais la paume, et Hans Castorp embrassait l'intérieur de cette main, de cette main inculte, un peu large, aux doigts courts, avec sa peau rugueuse le long des ongles. De nouveau le parcourut des pieds à la tête cette sensation de douceur sauvage qui était montée en lui lorsque, à titre d'essai, il s'était senti affranchi du poids de l'honneur, et qu'il avait joui des avantages infinis de la honte; cela il l'éprouva à nouveau dans son rêve, mais avec infiniment plus de force.

CHAPITRE IV

Emplette nécessaire

« Votre été finit-il maintenant ? » demanda Hans Castorp, le troisième jour, d'un ton ironique, à son cousin.

C'était un terrible changement de temps.

La deuxième journée complète que le visiteur avait passée en haut avait été d'une splendeur vraiment estivale. Le ciel luisait d'un bleu profond au-dessus des cimes lanciformes des pins, tandis que le village, au fond de la vallée, étincelait sous un jour cru dans la chaleur et que le tintement des clarines des vaches qui, allant et venant, paissaient sur les pentes l'herbe courte et chaude des pâturages, animait l'air d'une gaieté doucement contemplative. Au petit déjeuner déjà, les dames étaient venues en légères blouses de linon, quelques-unes même avec des manches ajourées, ce qui ne seyait pas également bien à toutes. Mme Stöhr, par exemple, n'en était pas avantagée, ses bras étaient trop spongieux, la transparence des vêtements, en somme, ne lui convenait pas. Les messieurs du sanatorium, eux aussi, avaient chacun à sa façon tenu compte de la belle saison dans leur manière de s'habiller. Des vestes d'alpaga et de coutil avaient fait leur apparition, et Joachim avait porté des pantalons de flanelle ivoire avec sa vareuse bleue, ensemble qui prêtait à sa stature une prestance tout à fait militaire. Pour Settembrini, il avait sans doute à plusieurs reprises exprimé l'intention de changer de costume. « Du diable, avait-il dit, tout en se promenant après le lunch, en compagnie des cousins, dans les rues du village, comme le soleil brûle ! Je vois, il va falloir que je m'habille plus légèrement. » Mais, quoiqu'il eût bien pesé ses termes, il avait gardé une longue redingote aux larges revers, et ses pantalons à carreaux ; sans doute était-ce toute sa garde-robe.

Mais, le troisième jour, on eût dit que la nature avait été culbutée et que tout ordre avait été bouleversé. Hans Castorp n'en croyait pas ses yeux. C'était après le dîner, et l'on était depuis vingt minutes à la cure de repos, lorsque le soleil se cacha précipitamment, que des nuages vilains et tourbeux surgirent au-dessus des crêtes du sud-ouest et qu'un vent étranger, froid et qui vous pénétrait jusqu'aux os, comme il arrivait des contrées glaciales et inconnues, balaya tout à coup la vallée, abaissa la température et inaugura un nouveau régime.

« De la neige », dit la voix de Joachim derrière la paroi vitrée.

« Qu'entends-tu par "de la neige" ? demanda Hans Castorp. Tu ne veux cependant pas dire par là qu'il va neiger à présent ?

— Certainement, répondit Joachim. Ce vent-là, nous le connaissons. Lorsqu'il s'annonce, on peut être sûr de faire du traîneau.

— C'est idiot, dit Hans Castorp. Si je ne me trompe, nous sommes au début d'août. »

Mais Joachim avait dit vrai, car il connaissait les circonstances. Quelques instants après une formidable tempête de neige éclata, accompagnée de coups de tonnerre répétés, un tourbillon si épais que l'on eût pu se croire enveloppé de vapeur blanche et que l'on ne distinguait presque plus rien du fond de la vallée.

Il continua de neiger durant tout l'après-midi. Le chauffage central avait été allumé, et, tandis que Joachim avait recours à son sac de fourrure et ne se laissait pas déranger dans sa cure, Hans Castorp s'était réfugié à l'intérieur de sa chambre, avait poussé son fauteuil à côté du radiateur chaud, et, hochant fréquemment la tête, considérait ce phénomène étrange. Le lendemain matin, il ne neigeait plus ; mais, bien que le thermomètre à l'extérieur indiquât quelques degrés au-dessus de zéro, il restait encore plusieurs pieds de neige, de sorte qu'un parfait paysage d'hiver se déployait sous les yeux surpris de Hans Castorp. On avait de nouveau laissé éteindre le chauffage central. La température de la chambre était de six degrés au-dessus de zéro.

« Votre été finit-il maintenant ? demanda Hans Castorp à son cousin, avec une ironie amère.

— C'est ce qu'on ne pourrait pas affirmer, répondit Joachim avec objectivité. S'il plaît à Dieu, nous aurons encore de belles journées d'été. Même en septembre, c'est encore parfaitement possible. Mais la chose est ainsi que les saisons, ici, ne diffèrent pas si nettement les unes des autres, tu sais, elles se mélangent en quelque sorte et ne se tiennent pas strictement au calendrier. En hiver, le soleil est souvent si brûlant qu'on transpire et qu'on défait sa veste en se promenant, et en été, mon Dieu, tu te rends compte toi-même de ce que l'été peut être parfois ici. Et puis la neige, elle embrouille tout. Il neige en janvier, mais en mai beaucoup moins, et en août il neige aussi, comme tu peux t'en rendre compte. En somme, on peut dire qu'il ne se passe presque pas un mois sans qu'il neige, c'est une phrase que l'on peut retenir. Bref, il y a des jours d'hiver et des jours d'été, des jours de printemps et des jours d'automne, mais en somme de véritables saisons, cela n'existe pas chez nous, en haut.

— C'est du joli, cette confusion ! » dit Hans Castorp.

En caoutchouc et en manteau d'hiver, il descendit au village avec son cousin, afin de s'acheter des couvertures pour sa cure de repos, car il était clair que par cette saison son plaid ne pourrait lui suffire. Un instant, il se demanda s'il ne se déciderait pas à acheter même un sac de fourrure, mais ensuite il y renonça ; même, cette pensée l'effraya en quelque sorte.

« Non, non, dit-il, tenons-nous-en aux couvertures ! J'en trouverai toujours l'emploi en bas, et des couvertures on en a partout, cela n'a rien de particulier ni de surprenant. Mais un sac de fourrure est quelque chose de par trop spécial, tu m'entends bien ; si je m'achetais un sac de fourrure, je me ferais l'effet de m'installer ici définitivement, et d'être en quelque sorte des vôtres... Bref, je ne veux rien dire de plus que ceci : en définitive, cela ne vaudrait pas du tout la peine d'acheter un sac de fourrure pour quelques semaines seulement. »

Joachim fut du même avis, et dans un beau magasin anglais bien achalandé ils firent donc l'emplette de deux couvertures en poil de chameau, pareilles à celles que possédait Joachim, d'un modèle particulièrement long et large, d'une douceur agréable, en couleur naturelle, et les firent aussitôt envoyer au Sanatorium international Berghof, chambre numéro 34. Dès cet après-midi, Hans Castorp voulait pour la première fois s'en servir.

Naturellement, c'était après le deuxième déjeuner, car en d'autres temps l'ordre du jour n'offrait aucune occasion de descendre au village. Il pleuvait à présent, et la neige, sur les routes, s'était transformée en une bouillie de glace qui vous éclaboussait. Sur le chemin du retour, ils rattrapèrent Settembrini qui, protégé par un parapluie, bien que tête nue, se dirigeait également vers le sanatorium. L'Italien avait le teint jaune et, visiblement, il était d'humeur élégiaque. En un langage châtié, et d'un tour agréable, il se plaignit du froid, de l'humidité dont il souffrait si amèrement. Si du moins l'on chauffait ! Mais ces misérables potentats laissaient s'éteindre le chauffage central aussitôt qu'il cessait de neiger ; une règle stupide, un défi à tout bon sens ! Et comme Hans Castorp objectait en présumant qu'une température moyenne dans les chambres faisait sans doute partie des principes de la cure, et que l'on voulait peut-être par là empêcher les malades de contracter des habitudes de mollesse, Settembrini répondit par les sarcasmes les plus violents. Oui, en effet, les principes de la cure ! Les sacrés et intangibles principes de la cure ! Hans Castorp en parlait, en effet, sur le ton qui convenait, celui de la dévotion et de la soumission. Mais il était frappant — frappant dans un sens naturellement favorable — de noter que c'étaient justement ceux d'entre ces principes qui étaient sacro-saints qui coïncidaient exactement avec les intérêts financiers des maîtres et potentats, tandis qu'on fermait volontiers l'œil sur ceux qui ne répondaient pas à cette condition… Et tandis que les cousins riaient, Settembrini en vint à parler de son père défunt, à propos de cette chaleur à laquelle il aspirait.

« Mon père, dit-il avec exaltation et en traînant sur les syllabes, mon père était un homme si fin, qui avait l'âme et le corps également sensibles. Comme il aimait en hiver son petit cabinet de travail, il l'aimait de tout cœur, il fallait toujours y entretenir au moins vingt degrés Réaumur, au moyen d'un petit poêle qui rougeoyait, et lorsque, par des journées humides ou par des jours de tramontane, on y entrait du vestibule de la petite maison, la chaleur vous enveloppait les épaules comme d'un tiède manteau, et les yeux s'emplissaient de larmes de bien-être. Le petit cabinet était bourré de livres et de manuscrits parmi lesquels se trouvaient beaucoup de pièces précieuses, et, au milieu de ces trésors de l'esprit, il était debout, dans sa robe de chambre en flanelle bleue, devant son étroit pupitre, et il se consacrait à la littérature. Fluet et petit de taille — il avait une bonne tête de moins que moi, figurez-vous cela ! — mais avec d'épaisses touffes de cheveux gris aux tempes et un nez si long et si mince… Quel romanisant, messieurs ! Un des premiers de son temps, un connaisseur de notre langue comme il n'y en a pas beaucoup, un styliste latin comme il n'y en a plus, un *uomo letterato*, comme les voulait Boccace… De loin, les savants venaient pour s'entretenir avec lui, l'un de Haparanda, un autre de Cracovie, ils venaient tout exprès à Padoue, notre ville, pour lui témoigner leur estime, et il les recevait avec une dignité affable. C'était aussi un écrivain distingué lorsque, en ses heures de loisir, il composait des contes dans la prose toscane la plus élégante, un maître de l'*idioma gentile*, dit Settembrini, au comble de la jouissance, en laissant lentement fondre sur la langue les syllabes de sa langue maternelle et en penchant la tête de côté et d'autre. Il cultivait son petit jardin d'après l'exemple de Virgile, poursuivit-il, et ce qu'il disait était sain et beau. Mais chaud, il fallait qu'il eût chaud dans son petit cabinet, sinon il tremblait et pouvait verser des larmes de colère parce qu'on le laissait geler. Et à présent, mon cher ingénieur, et vous, lieutenant, imaginez-vous ce que moi, le fils de mon père, je dois endurer en ce lieu maudit et barbare, où le corps tremble de froid au plus fort de l'été et où des impressions humiliantes torturent perpétuellement l'âme. Ah ! c'est dur ! Quels types nous entourent ! Ce fou et ce suppôt du démon qu'est le conseiller aulique Krokovski — et Settembrini fit mine de se décrocher la langue — Krokovski, ce confesseur impudent qui me hait parce que ma dignité d'homme m'interdit de me prêter à ses simagrées de calotin… Et à ma table ! En quelle compagnie suis-je condamné à manger ! À ma droite est assis un brasseur de Halle — Magnus est son nom — avec une moustache qui ressemble à une botte de foin. “Laissez-moi en paix avec la littérature, dit-il. Que nous offre-t-elle ? de beaux caractères ? Que voulez-vous que je fasse avec de beaux caractères ! Je suis un homme pratique et, dans la vie, on ne rencontre presque jamais de beaux caractères.” Voilà l'idée qu'il s'est faite de la littérature ! De beaux caractères. *O madre de Dio !* Sa femme, en face de lui, perd de l'albumine tout en sombrant de plus en plus dans la stupidité. Cela fait pitié… »

Sans qu'ils se fussent concertés, Joachim et Hans Castorp étaient du même avis sur ces propos, ils les trouvaient péniblement et désagréablement séditieux, mais en même temps divertissants, oui, même instructifs dans leur animosité désinvolte et agressive. Hans Castorp rit jovialement de la « botte de foin » et aussi des « beaux caractères », ou plutôt du désespoir comique avec lequel Settembrini en parlait. Puis il dit :

« Mon Dieu, oui, la société est parfois un peu mêlée dans un tel établissement. On ne peut pas toujours choisir ses voisins de table — ou cela vous mènerait-il ? À notre table, il y a aussi une dame de ce genre, Mme Stöhr, je crois que vous la connaissez, d'une ignorance meurtrière, il faut l'avouer, et quelquefois on ne sait pas trop où regarder lorsqu'elle bavarde. Et en même temps, elle se plaint de sa température et de se sentir si fatiguée, et il semble que ce ne soit pas du tout un cas si bénin. C'est si bizarre — sotte et malade — je ne sais pas si je m'exprime exactement, mais cela me semble tout à fait singulier lorsque quelqu'un est bête et de plus malade, lorsque ces deux choses sont réunies, c'est bien ce qu'il y a de plus attristant au monde. On ne sait absolument pas quelle tête on doit faire, car à un malade on voudrait témoigner du respect et du sérieux, n'est-ce pas ? La maladie est en quelque sorte une chose respectable, si je puis ainsi dire. Mais lorsque la bêtise s'en mêle, avec des "formulus" et des "instituts cosmiques" et des bévues de cette taille, on ne sait vraiment plus si l'on doit rire ou pleurer, c'est un dilemme pour le sentiment humain, et plus lamentable que je ne saurais dire. J'entends que cela ne rime pas ensemble, cela ne s'accorde pas, on n'a pas l'habitude de se représenter cela réuni. On pense qu'un homme doit être bien portant d'ordinaire, et que la maladie doit rendre l'homme fin et intelligent et personnel. C'est ainsi que l'on se représente d'habitude les choses. N'est-ce pas votre avis ? J'avance peut-être plus que je ne pourrais justifier, conclut-il. Ce n'est que parce que cela m'est venu par hasard… » Et il se troubla.

Joachim, lui aussi, était un peu embarrassé et Settembrini se tut, les sourcils levés, en faisant semblant d'attendre par politesse que son interlocuteur eût terminé. En réalité, il attendait que Hans Castorp se fût complètement troublé avant de répondre :

« Sapristi, mon cher ingénieur, vous déployez là des dons philosophiques que je ne vous aurais jamais prêtés. D'après votre théorie il faudrait que vous soyez moins bien portant que vous ne vous en donnez l'air, car il est évident que vous avez de l'esprit. Mais permettez-moi de vous faire remarquer que je ne puis pas suivre vos déductions, que je les récuse, oui, que je m'y oppose avec une hostilité véritable. Je suis, tel que vous me voyez ici, un peu intolérant en ce qui touche les choses de l'esprit, et j'aime mieux me faire traiter de pédant que de ne pas combattre des opinions qui me semblent aussi répréhensibles que celles que vous venez de développer devant nous…

— Mais, monsieur Settembrini…

— Permettez… Je sais ce que vous voulez dire. Vous voulez dire que vous n'avez pas pensé cela très sérieusement, que les opinions que vous venez d'exprimer ne sont pas précisément les vôtres, mais que vous n'avez en quelque sorte que saisi au passage une des opinions possibles et qui flottaient pour ainsi dire dans l'atmosphère, pour vous y essayer une fois, sans engager votre responsabilité propre. Ceci répond à votre âge, qui manque encore de résolution virile et se plaît à faire provisoirement des essais avec toute sorte de points de vue. "*Placet experiri*", dit-il en prononçant le c de *placet* à l'italienne. Un excellent principe. Ce qui me rend perplexe, c'est tout au plus le fait que votre expérience s'oriente justement dans une certaine direction. Je doute que le hasard y soit pour beaucoup. Je crains qu'il n'existe chez vous un penchant qui menacerait de devenir un trait de caractère s'il n'était pas combattu. C'est pourquoi je me sens obligé de vous reprendre. Vous m'avez dit que la maladie, jointe à la bêtise, était la chose la plus attristante qui soit au monde. Je puis vous accorder cela. Moi aussi je préfère un malade spirituel à un imbécile phtisique. Mais ma protestation s'élève dès l'instant où vous commencez à considérer la maladie au même titre en quelque sorte que la bêtise, comme une faute de style, comme une erreur de goût de la Nature et comme un "dilemme pour le sentiment humain" ainsi qu'il vous a plu de vous exprimer. Et lorsque vous paraissez tenir la maladie unie à la bêtise pour quelque chose de si noble et — comment disiez-vous donc ? — de si digne de respect qu'elle ne s'accorde pas le moins du monde avec la bêtise. Telle était, je crois, l'expression dont vous vous êtes servi. Eh bien, non ! La maladie n'est aucunement noble, ni digne de respect, cette conception est elle-même morbide, ou ne peut que conduire à la maladie. Peut-être éveillerai-je le plus sûrement votre horreur contre elle, en vous disant qu'elle est vieille et laide. Elle remonte à des temps accablés de superstitions où l'idée de l'humain était dégénérée et privée de toute dignité, à des termes angoissés auxquels l'harmonie et le bien-être paraissaient suspects et diaboliques, tandis que l'infirmité équivalait à une lettre de franchise pour le ciel. Mais la raison et le siècle des Lumières ont dissipé ces ombres qui pesaient sur l'âme de l'humanité — pas complètement : la lutte dure aujourd'hui encore. Et cette lutte, cher Monsieur, s'appelle le travail, le travail terrestre, le travail pour la terre, pour l'honneur et les intérêts de l'humanité, et, chaque jour retrempées par cette lutte, ces forces finiront par affranchir définitivement l'homme, et par le conduire sur les chemins de la civilisation et du progrès, vers une lumière de plus en plus claire, de plus en plus douce et de plus en plus pure. »

« Nom de Dieu, pensa Hans Castorp, stupéfait et confus, on dirait un air d'opéra ! Par quoi ai-je provoqué cela ? Cela me semble un peu sec d'ailleurs. Et que veut-il donc toujours avec le travail ? D'autant que cela me semble bien déplacé, ici. » Et il dit :

« Très bien, monsieur Settembrini. Vous dites cela admirablement... On ne pourrait pas du tout l'exprimer plus... d'une manière plus plastique, veux-je dire...

— Une rechute, reprit Settembrini, en levant son parapluie au-dessus de la tête d'un passant, une rechute intellectuelle dans les conceptions de ces temps obscurs et tourmentés — croyez-m'en, ingénieur —, c'est de la maladie, c'est une maladie explorée à satiété, pour laquelle la science possède plusieurs noms, l'un qui ressortit à la langue de l'esthétique et de la psychologie, et l'autre qui relève de la politique — ce sont des termes d'école qui n'ont rien à voir ici et dont vous pouvez parfaitement vous passer. Mais, comme tout se tient dans la vie de l'esprit, et qu'une chose découle de l'autre, que l'on ne peut pas abandonner au diable le petit doigt sans qu'il vous prenne toute la main et tout l'homme par surcroît... comme, d'autre part, un principe sain ne peut jamais produire que des effets sains, quel que soit celui que l'on pose à l'origine — souvenez-vous donc que la maladie, loin d'être quelque chose de noble, de par trop digne de respect pour pouvoir être sans trop de mal associée à la bêtise —, elle signifie bien plutôt un abaissement de l'homme, oui, un abaissement douloureux et qui fait injure à l'Idée, une humiliation que l'on pourrait à la rigueur épargner et tolérer dans certains cas particuliers, mais que l'honorer sous l'angle de l'esprit — rappelez-vous cela ! — signifierait un égarement, et le commencement de tout égarement spirituel. Cette femme à qui vous avez fait allusion — je renonce à me rappeler son nom — Mme Stöhr donc, je vous remercie —, bref cette femme ridicule — ce n'est pas son cas, me semble-t-il, qui place le sentiment humain, comme vous le disiez, devant un dilemme. Elle est malade et bête — mon Dieu, c'est la misère en personne, la chose est simple, il ne reste qu'à avoir pitié d'elle et à hausser les épaules. Mais le dilemme, monsieur, le tragique commence là où la nature fut assez cruelle pour rompre — ou empêcher dès le début — l'harmonie de la personnalité, en associant une âme noble et disposée à vivre à un corps inapte à la vie. Connaissez-vous Leopardi, ingénieur, ou vous, lieutenant ? Un poète malheureux de mon pays, un homme bossu et maladif, une âme primitivement grande, mais constamment abaissée par la misère de son corps, et entraînée dans les bas-fonds de l'ironie, mais dont les plaintes déchirent le cœur. Écoutez ceci ! »

Et Settembrini commença de déclamer en italien, en laissant fondre sur sa langue les belles syllabes, en tournant la tête d'un côté ou de l'autre et en fermant parfois les yeux, sans se soucier de ce que ses compagnons ne comprenaient pas un traître mot. Visiblement il s'efforçait de jouir lui-même de sa mémoire et de sa prononciation, tout en les mettant en valeur devant ses auditeurs. Enfin il dit :

« Mais vous ne comprenez pas, vous écoutez sans percevoir le sens douloureux de cela. L'infirme Leopardi, messieurs, pénétrez-vous-en bien, a été surtout privé de l'amour des femmes, et c'est cela qui l'a empêché d'obvier au dépérissement de son âme. L'éclat de la gloire et de la vertu pâlissait à ses yeux, la nature lui semblait méchante — d'ailleurs elle est mauvaise, bête et méchante, sur ce point je lui donne raison — et il désespéra, c'est terrible à dire, il désespéra de la science et du progrès. C'est ici que vous entrez dans la tragédie, ingénieur. C'est ici que vous avez votre “dilemme de l'âme humaine”, mais non pas chez cette femme-là, je renonce à encombrer ma mémoire de ce nom… Ne me parlez pas de la “spiritualisation” qui peut résulter de la maladie, pour l'amour de Dieu, ne faites pas cela ! Une âme sans corps est aussi inhumaine et atroce qu'un corps sans âme, et, d'ailleurs, la première est l'exception rare et le second est la règle. En règle générale, c'est le corps qui prend le dessus, qui accapare toute la vie, toute l'importance et s'émancipe de la façon la plus répugnante. Un homme qui vit en malade n'est que corps, c'est là ce qu'il y a d'antihumain et d'humiliant — dans la plupart des cas il ne vaut guère mieux qu'un cadavre…

— C'est drôle, dit tout à coup Joachim en se penchant en avant pour regarder son cousin qui marchait de l'autre côté de Settembrini. Tu as dit l'autre jour quelque chose de tout à fait semblable.

— Tiens? dit Hans Castorp. Oui, c'est bien possible que quelque chose d'analogue me soit passé par la tête. »

Settembrini se tut pendant quelques pas. Puis il dit :

« Tant mieux, messieurs. Tant mieux s'il en est ainsi. Loin de moi l'intention de vous proposer quelque philosophie originale. Telle n'est pas ma fonction. Si notre ingénieur, de son côté, a déjà fait des remarques analogues, cela confirme ma supposition qu'il est un dilettante de l'esprit, que, à la manière de tous les jeunes gens cultivés, il ne se livre provisoirement qu'à des expériences sur toutes les conceptions possibles. Un jeune homme doué n'est pas une feuille blanche, il est au contraire une feuille sur laquelle tout a déjà été inscrit avec de l'encre sympathique, le bon comme le mauvais, et c'est le rôle de l'éducateur de révéler le bon, mais d'effacer par un réactif convenable le mauvais qui voudrait se manifester. Ces messieurs ont fait des emplettes? demanda-t-il d'un ton léger et tout différent.

— Non, rien de particulier, dit Hans Castorp, c'est-à-dire…

— Nous avons acheté quelques couvertures pour mon cousin, répondit Joachim d'un ton neutre.

— Pour la cure de repos… par ce froid de chien… Vous savez bien que je dois faire comme vous pendant ces quelques semaines, dit Hans Castorp en riant et en baissant les yeux.

— Ah, des couvertures, la cure de repos, dit Settembrini. Ah, ah, ah! Tiens, tiens, tiens! En effet. *Placet experiri* », répéta-t-il avec la prononciation italienne, et il prit congé, car, salués par le concierge boiteux, ils venaient d'entrer dans le sanatorium, et Settembrini se dirigea vers les salons, pour lire les journaux avant de dîner, dit-il. Il semblait vouloir négliger la deuxième cure de repos.

« Dieu me garde ! dit Hans Castorp, lorsqu'il se trouva avec Joachim dans l'ascenseur. C'est vraiment un pédagogue. C'est vrai que l'autre jour déjà il disait qu'il avait la bosse de la pédagogie. Mais il faut prendre terriblement garde avec lui ; pour peu que l'on dise un mot de trop, on essuie des leçons détaillées, mais cela vaut d'ailleurs la peine de l'entendre parler avec tant d'art. Chaque mot sort de sa bouche, si rond, si appétissant, cela me fait penser à des petits pains frais lorsque je l'écoute.

— Garde-toi de le lui dire. Je crois qu'il serait déçu d'apprendre que tu penses à des petits pains en écoutant ses leçons.

— Crois-tu ? Oh ! ce n'est même pas certain. J'ai toujours l'impression qu'il ne se soucie pas seulement des leçons, peut-être en deuxième lieu seulement, mais qu'il s'agit surtout pour lui de parler, tant il fait bien sauter et rouler les mots, aussi élastiques que des balles... et il me semble qu'il ne doit pas du tout lui être désagréable que l'on s'en rende compte. Le brasseur Magnus est sans doute un peu bête avec ses "beaux caractères", mais Settembrini aurait bien dû nous dire ce qui importe en somme, dans la littérature. Je n'ai pas voulu le lui demander pour ne pas me découvrir, étant donné que je n'ai pas de compétence en la matière et que je n'avais jamais vu jusqu'ici un littérateur. Mais si l'important, ce ne sont pas les beaux caractères, ce doivent être évidemment les belles phrases, telle est mon impression, en compagnie de Settembrini. De quels mots il se sert ! Sans se gêner le moins du monde, il parle de "Vertu", je te demande un peu... Toute ma vie je n'avais jamais eu ce mot à la bouche, et même en classe nous avons toujours dit "courage" lorsque nous lisions *virtus* dans les livres. Quelque chose s'est contracté en moi, il faut que je le dise. Et puis cela me rend un peu nerveux lorsqu'il peste ainsi contre le froid et *contre* Behrens et contre Mme Magnus parce qu'elle perd de l'albumine, et, bref, contre tout. C'est un homme d'opposition, cela, je m'en suis rendu compte tout de suite. Il s'en prend à tout ce qui existe, et cette attitude a quelque chose de négligé, je ne puis en juger autrement.

— Tu dis cela, répondit Joachim avec un calme pensif. Mais d'un autre côté cela témoigne aussi d'un orgueil qui n'a rien de négligé, tout au contraire. Il me semble qu'il est un homme qui se respecte, ou qui respecte l'homme en général, et cela me plaît en lui, je trouve cela convenable.

— Oui, sur ce point, c'est toi qui as raison, dit Hans Castorp, il a même quelque chose de sévère, on est souvent presque gêné parce qu'on se sent… disons : contrôlé, et je ne veux pas dire cela en mal. Me croiras-tu ? J'ai tout le temps eu le sentiment qu'il n'était pas satisfait que j'eusse acheté des couvertures pour rester allongé, qu'il désapprouvait cet achat, et même qu'il en était un peu préoccupé ?

— Non, dit Joachim, étonné et perplexe. Comment cela pourrait-il être ? Je ne le conçois pas. »

Et puis il s'en fut, son thermomètre dans la bouche, avec sac et bagages, à sa cure de repos, tandis que Hans Castorp commençait déjà de se changer et de se préparer pour le repas de midi, dont ne les séparait plus en effet qu'une petite demi-heure.

Digression sur le temps

Lorsqu'ils remontèrent après dîner, le paquet de couvertures était déjà dans la chambre de Hans Castorp, sur une chaise, et pour la première fois il s'en servit ce jour-là. Joachim, qui en avait l'habitude, lui enseigna l'art de s'empaqueter comme ils le faisaient tous et comme chaque nouveau devait l'apprendre. On étendait les couvertures, l'une, puis l'autre, sur le fond de la chaise, de telle sorte qu'elles débordaient largement au pied. Puis on prenait place et l'on commençait par rabattre la couverture intérieure, d'abord en longueur jusque sous l'épaule, ensuite d'en bas par-dessus les pieds, en se mettant sur son séant et en prenant l'épaisseur double de la couverture repliée, d'un côté d'abord, puis de l'autre, en appliquant exactement ce pan double sur le rebord de la chaise longue, si l'on voulait obtenir la plus grande régularité possible. On procédait ensuite exactement de même avec la couverture extérieure — elle était un peu plus difficile à manier, et Hans Castorp, en novice maladroit qu'il était, ne laissa pas de gémir en s'exerçant, tantôt allongé, tantôt plié en deux, aux maniements qu'on lui enseignait. Quelques rares anciens seulement, dit Joachim, savaient, en trois mouvements sûrs, enrouler autour d'eux à la fois les deux couvertures ; toutefois c'était là une adresse rare et enviée qui ne supposait pas seulement de longues années d'exercice, mais encore des dispositions naturelles. Hans Castorp, tout en se laissant choir en arrière, le dos courbatu, dut rire de ce dernier mot, et Joachim, qui ne comprit pas aussitôt ce qu'il y avait là de comique, le regarda d'un air incertain, puis rit à son tour.

« Voilà », dit-il, lorsque Hans Castorp fut étendu sur la chaise longue en une masse cylindrique et dépourvue de membres, le traversin moelleux dans la nuque, et épuisé par toute cette gymnastique, « quand même il y aurait à présent vingt degrés de froid, il ne pourrait rien arriver ».

Et il passa derrière la paroi vitrée pour s'empaqueter à son tour.

Ce que son cousin venait de dire des vingt degrés semblait à Hans Castorp assez douteux, car il avait décidément plutôt froid, des frissons, plusieurs fois, le parcoururent, tandis qu'il regardait sous les arceaux de bois de la galerie, dans cette humidité qui bruinait et s'infiltrait, et qui semblait à tout moment sur le point de se changer en une chute de neige. Comme c'était étrange, par ailleurs, que, malgré toute cette humidité, il eût encore les joues sèches et brûlantes, comme s'il avait été assis dans une chambre surchauffée ! Il se sentait encore ridiculement fatigué par ces exercices avec les couvertures — oui, vraiment, *Ocean Steamships* tremblait dans ses mains, dès qu'il l'approchait de ses yeux. Il n'était quand même pas si bien portant, se dit-il, mais complètement anémique, comme l'avait dit le docteur Behrens, et c'était sans doute pourquoi il se sentait si frileux. Mais ces impressions désagréables étaient compensées par la grande commodité de sa position, par les qualités difficiles à analyser et presque mystérieuses de la chaise longue, que Hans Castorp avait déjà appréciées lors de son premier essai, et qui s'affirmaient à nouveau, très heureusement. Cela tenait-il à la composition du capitonnage, à l'inclinaison favorable du dossier, à la hauteur ou à la largeur convenable des appuis, ou simplement à la consistance du traversin, bref, on ne pouvait pas assurer d'une façon plus humaine le bien-être de ses membres au repos, que par cette excellente chaise longue. Et le contentement régnait donc au cœur de Hans Castorp, à la pensée que deux heures vides et sûrement encloses étaient devant lui, ces heures de la cure principale, consacrées par l'ordre du jour qu'il éprouvait, bien qu'il ne fût ici qu'un invité, comme une disposition tout à fait opportune. Car il était de nature patiente, il pouvait rester longtemps sans occupation et aimait, nous nous en souvenons, le loisir qu'une activité étourdissante ne parvient pas à faire oublier, à dévorer ou à dissiper. À quatre heures venait le thé avec du gâteau et de la compote, ensuite un peu d'exercice au grand air, puis de nouveau du repos sur la chaise longue, à sept heures, le dîner qui comportait, comme tous les repas, ses tensions et ses curiosités, qu'on attendait avec une impatience joyeuse, ensuite quelques regards dans la boîte stéréoscopique, le kaléidoscope et le tambour cinétoscopique… Hans Castorp connaissait par cœur le programme de la journée, bien que c'eût été peut-être s'avancer trop que d'affirmer qu'il était déjà « acclimaté ».

C'est au fond une aventure singulière que cette acclimatation à un lieu étranger, que cette adaptation et cette transformation parfois pénible que l'on subit en quelque sorte pour elle-même, et avec l'intention arrêtée d'y renoncer dès qu'elle sera achevée, et de revenir à notre état antérieur. On insère ces sortes d'expériences, comme une interruption, comme un intermède, dans le cours principal de la vie, et cela dans un but de « délassement », c'est-à-dire afin de changer et de renouveler le fonctionnement de l'organisme qui courait le risque et qui était déjà en train de se gâter, dans le train-train inarticulé de l'existence, de s'y fatiguer et de s'y énerver. Mais à quoi tiennent cette lassitude physique et cet émoussement par une règle trop longtemps ininterrompue ? Ce n'est pas tant une fatigue du corps et de l'esprit, usés par les exigences de la vie (car à celle-ci, le simple repos serait le remède le plus reconstituant) que quelque chose qui touche à l'âme, que la conscience de la durée qui menace de se perdre par une monotonie trop ininterrompue, conscience qui est elle-même si étroitement apparentée et liée au sentiment de la vie que l'une ne peut être affaiblie sans que l'autre n'en pâtisse et dépérisse à son tour. Sur la nature de l'ennui, des conceptions erronées sont répandues. On croit en somme que la nouveauté et le caractère intéressant de son contenu « font passer le temps », c'est-à-dire : l'abrègent, tandis que la monotonie et le vide alourdiraient et ralentiraient son cours. Mais ce n'est pas absolument exact. Le vide et la monotonie allongent sans doute parfois l'instant ou l'heure et les rendent « ennuyeux », mais ils abrègent et accélèrent, jusqu'à presque les réduire à néant, les grandes et les plus grandes quantités de temps. Au contraire, un contenu riche et intéressant est sans doute capable d'abréger une heure, ou même une journée, mais, compté en grand, il prête au cours du temps de l'ampleur, du poids et de la solidité, de telle sorte que des années riches en événements passent beaucoup plus lentement que ces années pauvres, vides et légères que le vent balaye et qui s'envolent. Ce qu'on appelle l'ennui est donc, en réalité, un semblant maladif de la brièveté du temps pour cause de monotonie : de grands espaces de temps, lorsque leur cours est d'une monotonie ininterrompue, se recroquevillent dans une mesure qui effraye mortellement le cœur ; lorsqu'un jour est pareil à tous, ils ne sont tous qu'un seul jour ; et dans une uniformité parfaite, la vie la plus longue serait ressentie comme très brève et serait passée en un tournemain. L'habitude est une somnolence, ou tout au moins un affaiblissement de la conscience du temps, et lorsque les années d'enfance sont vécues lentement, et que la suite de la vie se déroule toujours plus vite et se précipite, cela aussi tient à l'habitude. Nous savons bien que l'insertion de changements d'habitudes ou de nouvelles habitudes est le seul moyen dont nous disposions pour nous maintenir en vie, pour rafraîchir notre perception du temps, pour obtenir un rajeunissement, une fortification, un ralentissement de notre expérience du temps, et par là même le renouvellement de notre sentiment de la vie en général. Tel est le but du changement d'air ou de lieu, du voyage d'agrément : c'est le bienfait du changement et de l'épisode. Les premières journées d'un séjour en un lieu nouveau ont un cours jeune, c'est-à-dire robuste et ample — ce sont environ six à huit jours. Mais ensuite, dans la mesure même où l'on « s'acclimate », on commence à les sentir s'abréger : quiconque tient à la vie, ou, pour dire mieux, quiconque voudrait tenir à la vie, remarque avec effroi combien les jours commencent à devenir légers et furtifs ; et la dernière semaine — sur quatre, par exemple — est d'une rapidité et d'une fugacité inquiétantes. Il est vrai que le rajeunissement de notre conscience du temps se fait sentir au-delà de cette période intercalée, et joue son rôle, encore après que l'on est revenu à la règle : les premiers jours que nous passons chez nous, après ce changement, paraissent, eux aussi, neufs, amples et jeunes, mais quelques-uns seulement : car on s'habitue plus vite à la règle qu'à son interruption, et lorsque notre sens de la durée est fatigué par l'âge, ou — signe de faiblesse congénitale — n'a pas été très développé, il s'assoupit très rapidement, et au bout de vingt-quatre heures déjà, c'est comme si l'on n'était jamais parti et que le voyage n'eût été que le songe d'une nuit.

Ces remarques ne sont intercalées ici que parce que le jeune Hans Castorp avait des pensées analogues, lorsque, au bout de quelques jours, il dit à son cousin (en le regardant avec des yeux striés de veines rouges) :

« C'est drôle, et cela reste drôle, que le temps, pour commencer, vous paraisse si long lorsqu'on est dans un nouvel endroit. C'est-à-dire… Naturellement, je ne veux pas du tout dire que je m'ennuie, au contraire, je peux même dire que je m'amuse royalement. Mais lorsque je me retourne, rétrospectivement par conséquent, il me semble, si je me comprends bien, être ici depuis je ne sais plus combien de temps, et j'ai l'impression que jusqu'à l'instant où je suis arrivé et où je n'ai pas tout de suite saisi que j'étais ici et où tu me dis : "Descends donc !" — tu te rappelles ? — il faille remonter toute une éternité. Cela n'a absolument rien à voir avec les mesures, ni même avec la raison, il me semble que c'est une pure affaire de sensibilité. Naturellement, ce serait idiot de dire : "Je crois être ici depuis deux mois." Ce serait un non-sens. Je ne puis que, dire, en somme : "Depuis très longtemps."

— Oui, répondit Joachim, le thermomètre dans la bouche. Moi aussi, j'en profite, je peux en quelque sorte m'accrocher à toi depuis que tu es là. »

Et Hans Castorp rit de ce que Joachim eût dit cela si simplement, sans un mot d'explication.

Essai de conversation française

Non, il n'était encore nullement acclimaté, ni en ce qui concernait la vie d'ici, dans toute sa particularité — connaissance qu'il n'eût pu acquérir en si peu de jours, et que, ainsi qu'il avait coutume de dire (en contredisant même Joachim), il ne pourrait malheureusement même pas acquérir en trois semaines — ni en ce qui concernait l'adaptation de son organisme aux conditions atmosphériques si particulières de « ceux d'ici », car cette adaptation lui donnait du mal, beaucoup de mal, et il lui semblait même qu'elle ne se ferait jamais.

La journée normale était clairement divisée et organisée avec prévoyance, on se mettait rapidement en train, et l'on acquérait de la routine en s'adaptant à ce mouvement, mais dans le cadre de la semaine et des unités de temps plus importantes, elle était soumise à certaines règles changeantes qui ne se présentaient que peu à peu, l'une pour la première fois après que l'autre s'était déjà répétée ; et même quant à la succession quotidienne des objets et des visages, Hans Castorp avait encore à apprendre à chaque pas, à observer de plus près des choses regardées superficiellement, et à accueillir du nouveau avec une réceptivité juvénile.

Ces récipients pansus aux cols courts, par exemple, qui étaient aux portes des couloirs, et que son regard avait rencontrés dès le soir de son arrivée, contenaient de l'oxygène, Joachim le lui apprit en réponse à sa question. Ils contenaient de l'oxygène pur, à six francs le ballon, et ce gaz vivifiant était dispensé aux mourants, pour les ranimer et faire durer leurs forces — ils l'aspiraient par un tuyau. Car derrière les portes près desquelles étaient placés de tels ballons, il y avait des mourants, ou des *moribundi*, comme dit le docteur Behrens, un jour que Hans Castorp le rencontra au premier étage. Le docteur, en blouse blanche et les joues bleues, naviguait le long du corridor, et ils descendirent ensemble l'escalier.

« Eh bien vous, le spectateur désintéressé, dit Behrens. Qu'est-ce que vous devenez donc ? Trouvons-nous grâce devant vos yeux observateurs ? J'en suis flatté. Oui, notre saison d'automne, elle a du bon, ce n'est pas un enfant trop mal venu. Je n'ai d'ailleurs pas ménagé les frais pour la pousser un peu. Mais c'est quand même dommage que vous ne vouliez pas passer l'hiver avec nous. Car vous ne voulez passer que huit semaines chez nous, m'a-t-on dit ? Comment, trois ? Mais ce n'est qu'une visite éclair, ça ; cela ne vaut même pas la peine de se débarrasser. Non, pas possible ? C'est quand même dommage que vous ne passiez pas l'hiver ici, car tout ce qui est la "hotte-voilée", dit-il en prononçant ce mot plaisamment avec un accent impossible, la haute volée internationale, en bas, à Davos-Platz, ne vient que pour l'hiver, et il faudrait que vous voyiez cela, ne serait-ce que pour votre éducation. C'est à se tordre lorsque ces types-là font des sauts de mouton sur leurs tremplins. Et puis les femmes, mon Dieu, les femmes ! Bariolées comme des oiseaux de paradis, je ne vous dis que cela, et puis d'un galant… Mais il est temps que j'aille chez mon moribond, dit-il, au numéro 27. Stade final, vous savez. Sortie par le milieu. Cinq douzaines de fiasques d'oxygène, qu'il nous a déjà soiffées, l'ivrogne. Mais d'ici midi il ira sans doute *ad penates*… Eh bien, mon cher Reuter, dit-il en entrant, qu'en diriez-vous si nous en entamions encore une… »

Ses paroles se perdirent derrière la porte qu'il referma. Mais, la durée d'un instant, Hans Castorp avait vu au fond de la chambre, sur le coussin, le profil cireux d'un jeune homme à la barbiche clairsemée, qui avait lentement tourné ses grandes prunelles vers la porte.

C'était le premier moribond que Hans Castorp voyait de sa vie, car ses parents et son grand-père étaient en quelque sorte morts derrière son dos. Avec quelle dignité la tête du jeune homme à la barbiche pointue avait reposé sur le coussin ! Comme le regard de ses yeux élargis avait été chargé de signification, lorsqu'il s'était lentement tourné vers la porte ! Hans Castorp, encore tout perdu dans cette vision fugitive, essayait involontairement de faire des yeux aussi grands, aussi importants et aussi lents que le moribond, tout en se dirigeant vers l'escalier, et c'est avec ces yeux-là qu'il regarda une dame qui, derrière lui, avait ouvert une porte et qui le dépassa sur le palier. Il ne reconnut pas aussitôt que c'était Mme Chauchat. Elle sourit légèrement des yeux qu'il faisait, puis maintint de la main la natte derrière sa tête et descendit l'escalier devant lui, sans bruit, avec souplesse, en avançant un peu la tête.

Il ne fit aucune connaissance durant ces premiers jours, et durant le temps qui suivit, pas davantage. L'ordre du jour, dans l'ensemble, ne les favorisait pas ; de plus Hans Castorp était de caractère réservé, se sentait ici en visiteur et en « spectateur désintéressé », comme avait dit le docteur Behrens, et s'en tenait bien volontiers à la conversation et à la compagnie de Joachim. Il est vrai que l'infirmière, dans le couloir, tendit si longtemps son cou vers eux, que Joachim qui, autrefois déjà, lui avait accordé quelques instants de bavardage, dut lui présenter son cousin. Le cordon de son lorgnon derrière l'oreille, elle parlait non seulement avec recherche, mais avec une affectation presque tourmentée, et un examen plus approfondi laissait l'impression que la torture de l'ennui avait troublé son intelligence. Il était difficile de se défaire d'elle, parce que, voyant venir la fin de la conversation, elle manifestait une peur maladive, et que, aussitôt que les jeunes gens faisaient mine de repartir, elle se cramponnait à eux avec des paroles et des regards empressés et avec un sourire si désespéré que, par pitié, ils s'attardaient encore auprès d'elle. Elle parlait longuement de son père qui était juriste et de son cousin qui était médecin, apparemment pour se montrer sous un jour avantageux et faire valoir ses attaches dans les milieux cultivés. Quant à son malade, là-bas, derrière la porte, il était le fils d'un fabricant de poupées de Cobourg, nommé Rotbein, et récemment, chez le jeune Fritz, le mal s'était porté sur l'intestin. C'était dur pour ceux qui avaient soin du malade, cela, ces messieurs pouvaient l'imaginer ; c'était surtout dur lorsqu'on était originaire d'une famille d'universitaires et qu'on avait la fine sensibilité des classes supérieures. Et elle ne pouvait même pas lui tourner le dos… Il y a quelques jours, — ces messieurs l'en croiraient-ils ? — elle était revenue d'une petite course — elle n'était allée que s'acheter un peu de poudre dentifrice — et elle avait trouvé le malade, assis dans son lit, avec, devant lui, un verre d'épaisse bière brune, un saucisson de salami, un morceau de gros pain noir et un concombre ! Toutes ces spécialités du pays, sa famille les lui avait envoyées pour se fortifier. Mais le lendemain, naturellement, il avait été plus mort que vif. Lui-même précipitait sa fin. Mais évidemment ce ne serait la délivrance que pour lui, non pas pour elle — elle s'appelait sœur Bertha, Alfreda Schildknecht, de son vrai nom — car elle soignerait ensuite d'autres malades, en un stade plus ou moins avancé, ici ou dans un autre sanatorium, telle était la perspective qui s'ouvrait à elle, et il n'y en avait point d'autre.

« Oui, dit Hans Castorp, votre profession doit sans doute être pénible ; mais certainement elle comporte des satisfactions.

— Oui, certainement, elle est satisfaisante, mais combien pénible.

— Eh bien, tous nos vœux pour M. Rotbein ! »

Et les deux cousins voulurent repartir.

Mais alors elle se cramponna à eux par les paroles et les regards, et c'était une pitié de voir quels efforts elle faisait pour retenir un peu plus longtemps les deux jeunes gens ; il eût été cruel de ne pas lui accorder du moins encore un répit.

« Il dort, dit-elle. Il n'a pas besoin de moi. Aussi suis-je sortie pour quelques instants dans le couloir… »

Et elle commença de se plaindre du docteur Behrens et du ton sur lequel il lui adressait la parole et qui était par trop familier, compte tenu de ses origines. Elle préférait de beaucoup le docteur Krokovski, elle le trouvait « plein d'âme ». Puis elle revint à son père et à son cousin. Son cerveau ne produisait rien de plus. En vain lutta-t-elle pour retenir encore un instant les deux cousins, en élevant la voix dans un élan subit et en commençant presque à crier lorsqu'ils voulurent s'en aller — ils finirent par s'échapper et partirent. Mais le haut du corps penché en avant, ses regards fixés sur eux, la sœur les suivit, comme si elle avait voulu encore les tirer en arrière avec les yeux. Puis un soupir s'échappa de sa poitrine et elle retourna chez son malade.

En dehors d'elle, Hans Castorp ne fit, ces jours-là, la connaissance que de la dame pâle et brune, cette Mexicaine qu'il avait vue au jardin et que l'on appelait *Tous-les-deux.* Il arriva en effet que lui aussi entendit dans sa bouche cette lugubre formule qui était devenu son surnom ; mais comme il s'y était préparé, il garda une tenue correcte et put ensuite être satisfait de lui-même. Les cousins la rencontrèrent devant le portail principal, au moment de partir après le premier déjeuner pour la promenade réglementaire du matin. Enveloppée d'un cachemire noir, les genoux fléchissants et à grands pas inquiets, elle s'épuisait à déambuler là. Le voile noir qui était roulé autour de ses cheveux parcourus de fils d'argent et noué sous son menton soulignait la pâleur mate de son visage vieillissant, à la grande bouche usée par le chagrin. Joachim, sans chapeau, comme d'habitude, la salua en s'inclinant, et elle répondit lentement, tandis que les rides transversales se marquaient plus profondément sur son front étroit. Elle s'arrêta, ayant vu une figure nouvelle, et attendit, hochant légèrement la tête, l'approche des jeunes gens ; car, apparemment, elle trouvait nécessaire d'apprendre si l'étranger connaissait son sort, et souhaitait accueillir son appréciation. Joachim présenta son cousin. De sous sa mantille, elle tendit la main à l'hôte, une main maigre, jaunâtre, très veinée et ornée de bagues, et continua de le regarder en hochant la tête. Puis cela vint :

« *Tous les dé, monsieur*, dit-elle, *tous les dé, vous savez...*

— *Je le sais, madame*, répondit Hans Castorp d'une voix sourde. *Et je le regrette beaucoup.* »

Les poches molles sous ses yeux noirs de jais étaient si grandes et si lourdes que chez aucun homme encore il n'en avait vu de semblables. Un léger parfum fané émanait d'elle. Il sentit son cœur pris d'un émoi doux et grave.

« *Merci* », dit-elle, avec un accent guttural qui s'accordait étrangement avec cet être brisé par le chagrin, et l'une des commissures de sa grande bouche pendait tragiquement, puis elle retira sa main sous la mantille, inclina la tête et se remit à marcher.

Mais Hans Castorp dit en repartant :

« Tu vois bien, cela ne m'a rien fait, je m'en suis très bien tiré. Je m'en tire toujours très bien avec cette espèce de gens ; je crois que, par nature, je suis fait pour entretenir des relations avec eux, tu n'es pas de mon avis ? Je crois même que dans l'ensemble je m'accorde mieux avec des gens tristes qu'avec des gens gais. Dieu sait à quoi cela tient, peut-être au fait que je suis orphelin et que j'ai perdu mes parents si tôt, mais lorsque les gens sont sérieux et tristes, et que la mort est en jeu, cela ne m'oppresse ni ne m'embarrasse, je me sens au contraire dans mon élément, et en tout cas mieux que lorsqu'on a trop d'entrain ; ce qui me plaît beaucoup moins. Je pensais, ces jours-ci : c'est quand même une stupidité de la part de toutes ces femmes d'avoir une telle peur de la mort et de tout ce qui s'y rattache, que l'on est obligé de tout leur cacher et d'apporter le saint sacrement lorsqu'elles sont en train de manger. Non, fi donc, c'est puéril ! N'aimes-tu pas voir un cercueil ? Moi, j'en vois volontiers un de temps à autre. Je trouve qu'un cercueil est un meuble presque beau, même lorsqu'il est vide, mais lorsqu'il y a quelqu'un dedans, je trouve que c'est véritablement une chose solennelle. Les enterrements ont quelque chose d'édifiant — je me suis souvent dit que, pour se recueillir, on devrait aller à un enterrement, au lieu d'aller à l'église. Les gens sont vêtus de beau drap noir et enlèvent leurs chapeaux et se tiennent convenablement et avec recueillement, et personne n'ose faire de mauvaises plaisanteries, comme d'ordinaire dans l'existence. J'aime beaucoup cela, lorsqu'ils sont enfin un peu recueillis. Je me suis déjà demandé quelquefois si je n'aurais pas dû me faire pasteur : je crois qu'à certains égards cela ne m'aurait pas mal convenu… J'espère que je n'ai pas fait de fautes en lui disant cela en français !

— Non, dit Joachim, "*je le regrette beaucoup*" était tout à fait correct. »

Politiquement suspect !

La journée normale subissait un certain nombre de variations régulières. Ce fut d'abord un dimanche, un dimanche marqué par la venue d'un orchestre sur la terrasse, ce qui se reproduisait tous les quinze jours, et délimitait par conséquent la quinzaine durant la seconde moitié de laquelle Hans Castorp était venu. Il était arrivé un mardi, et c'était donc le cinquième jour, une journée d'apparence printanière, après cette tempête aventureuse et cette rechute dans l'hiver, délicate et fraîche, avec des nuages nets sur un ciel bleu clair, et un soleil modéré sur les pentes et la vallée, qui avaient trouvé leur vert estival et saisonnier, car la neige fraîche avait été condamnée à fondre rapidement.

Il était visible que chacun s'efforçait d'observer et de distinguer ce dimanche ; l'administration et les pensionnaires s'entraidaient dans cet effort. Dès le thé du matin, on avait servi de la tarte aux amandes ; à chaque place il y avait un petit verre orné de quelques fleurs, des œillets sauvages, ou même des roses des Alpes, que les messieurs piquaient à leur boutonnière (le procureur Paravant, de Dortmund, avait même revêtu une queue de morue, avec un gilet à pois) ; les toilettes des dames étaient d'une élégance exceptionnelle et vaporeuse. Mme Chauchat parut au petit déjeuner dans un déshabillé de dentelles à manches courtes dans lequel elle commença — tout en fermant avec fracas la porte vitrée — par faire face à la salle, et par se présenter en quelque sorte, avec grâce, avant de se diriger à pas glissants vers sa table, et ce déshabillé lui seyait si bien que la voisine de Hans Castorp, l'institutrice de Königsberg, s'en montra absolument enthousiasmée. Jusqu'au couple barbare de la table des Russes ordinaires qui avait tenu compte du jour consacré au Seigneur, à savoir, le mari en échangeant sa vareuse de cuir contre une sorte de veston court, et ses pantoufles de feutre contre des chaussures en cuir ; elle, en portant sous son boa défraîchi et habituel une blouse de soie verte avec une collerette... Hans Castorp fronça les sourcils lorsqu'il les aperçut et changea de couleur, ce qui lui arrivait ici très fréquemment.

Aussitôt après le deuxième petit déjeuner, le concert commença sur la terrasse. Cuivres et bois de toutes sortes étaient réunis là, qui jouèrent alternativement des airs solennels et vifs, jusqu'à l'heure du déjeuner. Durant le concert, la cure de repos n'était pas strictement obligatoire. Sans doute, quelques-uns jouissaient-ils, du haut de leur balcon de ce régal sonore, et de même dans la halle du jardin, trois ou quatre chaises étaient occupées, mais la majorité des pensionnaires étaient assis aux petites tables blanches, sur la terrasse ouverte, tandis que la société des jeunes viveurs, qui trouvait trop correct de s'asseoir sur des chaises, occupait les marches de pierre qui conduisaient dans le jardin, et manifestait une grande gaieté. C'étaient de jeunes malades des deux sexes, dont Hans Castorp connaissait déjà la plupart de nom et par ouï-dire. Hermine Kleefeld était des leurs, ainsi que M. Albin, qui faisait circuler une grande boîte de chocolats décorée de fleurs et invitait tout le monde à en prendre, tandis que lui-même ne mangeait pas, mais fumait avec une mine paternelle des cigarettes à bout doré ; en outre, le jeune homme lippu de l'« Association des demi-poumons », Mlle Lévi, maigre et cireuse à son ordinaire, un jeune homme d'un blond cendré que l'on interpellait par le nom de Rasmussen et qui laissait pendre ses mains comme des nageoires aux articulations faibles, à hauteur de sa poitrine, Mme Salomon, d'Amsterdam, une femme vêtue de rouge, d'un physique opulent, qui s'était également jointe à la jeunesse. Ce grand diable aux cheveux clairsemés qui savait jouer des morceaux du *Songe d'une nuit d'été*, entourant de ses bras ses genoux pointus, était à présent assis derrière elle et ne cessait de fixer ses regards troublés sur sa nuque brune. Il y avait enfin une demoiselle rousse d'origine grecque, une autre jeune fille d'origine inconnue qui avait un profil de tapir, le collégien vorace aux épais verres de lunettes, un autre gamin de quinze ou seize ans qui avait ajusté un monocle et qui, en toussotant, portait à sa bouche l'ongle allongé de son petit doigt, un parfait imbécile, et bien d'autres encore.

Ce jeune homme à l'ongle semblable à une cuiller de sel, raconta Joachim doucement, n'avait été que très peu souffrant lorsqu'il était arrivé, sans température, et ce n'était que par précaution que son père, un médecin, l'avait envoyé en haut, et du jugement du médecin-chef, il devait y rester environ trois mois. Mais à présent, au bout de trois mois, il avait de 37,8 à 38 et était sérieusement malade. Il est vrai qu'il vivait d'une manière si insensée qu'il eût mérité des gifles.

Les deux cousins avaient une table à eux, car Hans Castorp fumait, en buvant sa bière brune qu'il avait emportée avec lui après le déjeuner, et, de temps en temps, il trouvait un peu de goût à son cigare. Engourdi par la bière et par la musique qui lui faisait comme toujours ouvrir la bouche et pencher légèrement la tête, il considérait autour de lui, avec des yeux rougis, cette insouciante vie de station balnéaire, et la conscience que tous ces gens intérieurement dépérissaient rapidement et sans arrêt, et que la plupart d'entre eux étaient en proie à une légère fièvre, loin de le gêner le moins du monde, prêtait au contraire à l'ensemble une singularité accrue, une sorte d'attrait intellectuel… On buvait, aux petites tables, de la limonade gazeuse ; sur le perron on prenait des photographies. D'autres y échangeaient des timbres, et la Grecque aux cheveux roux dessina M. Rasmussen sur un bloc, mais ne voulut pas ensuite lui montrer son dessin et, riant de toutes ses dents, se tourna et se retourna tant et si bien qu'il ne réussit pas à lui arracher le bloc. Hermine Kleefeld, les yeux entrouverts, était assise sur sa marche et battait avec un journal roulé la mesure de la musique, tout en laissant M. Albin attacher à sa blouse un petit bouquet de fleurs champêtres ; et le jeune homme lippu, accroupi aux pieds de Mme Salomon, bavardait avec elle, la tête tournée vers elle, tandis que le pianiste au cheveu rare regardait toujours fixement sa nuque.

Les médecins survinrent et se mêlèrent aux pensionnaires, le docteur Behrens en blouse blanche, le docteur Krakovski en blouse noire. Ils longèrent la rangée des petites tables et, devant chacune, le médecin-chef laissait tomber une plaisanterie cordiale, de sorte qu'un sillage de gaieté signalait son passage, puis ils descendirent vers la jeunesse dont la partie féminine s'attroupa aussitôt autour du docteur Krokovski en se trémoussant avec des regards obliques, tandis que le médecin-chef, en l'honneur du dimanche, montrait aux messieurs un tour de force exécuté sur ses chaussures lacées : il appuya son pied énorme sur une marche supérieure, dénoua ses lacets, les saisit d'une main avec une certaine dextérité, et, sans s'aider de l'autre, arriva à les nouer en les croisant avec une rapidité telle que tous en furent étonnés et que plusieurs essayèrent en vain d'en faire autant.

Plus tard, Settembrini, lui aussi, parut sur la terrasse. Il vint, appuyé sur sa canne, sortant de la salle à manger, une fois de plus vêtu de sa redingote de bure et de ses pantalons jaunâtres, avec son air fin, éveillé et sceptique, regarda autour de lui, s'approcha de la table des cousins en disant : « Ah ! bravo ! », puis demanda la permission de s'asseoir.

« De la bière, du tabac, de la musique, dit-il. Voilà votre patrie ! Je vois que vous avez le sens des atmosphères nationales, ingénieur. Vous voilà dans votre élément, j'en suis ravi. Laissez-moi prendre une petite part à l'harmonie de votre état. »

Hans Castorp rectifia sa position ; une première fois déjà il avait fait un effort sur lui-même en apercevant de loin l'Italien. Il dit :

« Mais vous arrivez tard au concert, monsieur Settembrini. Cela va être sans doute bientôt terminé. Aimez-vous la musique ?

— Pas exactement par ordre, répondit Settembrini. Pas d'après le calendrier, pas beaucoup lorsqu'elle sent la pharmacie et m'est octroyée pour des raisons sanitaires.

Je tiens un peu à ma liberté, ou tout au moins à ce reste de liberté et de dignité humaine que nous avons encore gardé. En de telles circonstances, je parais volontiers en visiteur, tout comme vous le faites chez nous, en grand : je viens pour un quart d'heure et je passe mon chemin. Cela me donne une illusion d'indépendance. Je ne dis pas que ce soit plus qu'une illusion, mais que voulez-vous, si elle me procure une certaine satisfaction ! Avec votre cousin, c'est autre chose. Pour lui, c'est la consigne. N'est-ce pas, lieutenant, vous considérez que cela fait partie du service ? Oh ! je sais, vous connaissez le truc pour garder votre fierté dans l'esclavage. C'est un truc troublant. Tout le monde en Europe ne s'y entend pas. Ne me demandiez-vous pas si je faisais profession d'aimer la musique ? Eh bien, si vous avez dit "amateur de musique" (Hans Castorp ne se souvenait pas de s'être ainsi exprimé), l'expression n'est pas mal choisie, elle comporte une nuance de frivolité affectueuse. Eh bien, tope là ! Oui, je suis un amateur de musique — ce qui ne veut pas dire que je l'estime particulièrement, comme j'estime et j'aime par exemple le verbe, le véhicule de l'esprit, l'instrument, le soc étincelant du progrès. La musique, elle, est l'informulé, l'équivoque, l'irresponsable, l'indifférent. Peut-être allez-vous m'objecter qu'elle peut être claire, mais la nature aussi peut être claire, le ruisseau aussi peut être clair, et en quoi cela nous sert-il ? Ce n'est pas la clarté véritable, c'est une clarté rêveuse, qui ne signifie rien et n'engage à rien, une clarté sans conséquences et partant dangereuse, parce qu'elle vous entraîne à vous en contenter… Laissez prendre à la musique une attitude magnanime. Bien. Elle enflammera nos sentiments. Mais il s'agit d'enflammer notre raison ! La musique semble être le mouvement lui-même, n'importe, je la soupçonne de quiétisme. Laissez-moi pousser ma thèse jusqu'à son extrême. J'ai contre la musique une antipathie d'ordre politique. »

Ici, Hans Castorp ne put s'empêcher de frapper de la main sur ses genoux et de se récrier que, de sa vie, il n'avait jamais rien entendu de pareil.

« Prenez-le quand même en considération, dit Settembrini en souriant. La musique est inappréciable comme moyen suprême de provoquer l'enthousiasme, comme force qui nous entraîne en avant et plus haut, lorsqu'elle trouve l'esprit déjà préparé à ses effets. Mais la littérature doit l'avoir précédée. La musique seule ne fait pas avancer le monde. La musique seule est dangereuse. Pour vous personnellement, ingénieur, elle est, à coup sûr, dangereuse. Votre physionomie me l'a appris aussitôt que je suis arrivé. »

Hans Castorp se mit à rire.

« Ah ! ne me regardez pas, monsieur Settembrini. Vous n'imaginez pas à quel point l'air, chez vous, ici, me défigure. J'ai plus de mal que je ne le croyais à m'acclimater.

— Je crains que vous vous trompiez.

— Non, comment donc ? J'ai toujours chaud, que diable ! et me sens bien fatigué.

— Il me semble pourtant que nous devons être reconnaissants à la direction de ces concerts, dit Joachim d'un air réfléchi. Vous considérez la chose d'un point de vue supérieur, monsieur Settembrini, en quelque sorte en écrivain, et je ne veux pas vous contredire sur ce plan. Mais je trouve quand même que l'on doit se montrer reconnaissant de ce petit peu de musique. Je ne suis pas du tout particulièrement musicien, et puis les morceaux que l'on exécute ne sont pas spécialement remarquables, ni classiques, ni modernes, c'est tout simplement de la musique d'orphéon, mais c'est quand même un changement qui vous réjouit. Il remplit quelques heures d'une manière fort convenable ; il les répartit et les remplit, une à une, de telle sorte qu'on en garde du moins quelque chose, tandis que d'ordinaire ici on gaspille si affreusement les jours et les semaines. Voyez-vous, un numéro de concert sans prétention dure peut-être sept minutes, n'est-ce pas ? et ces minutes, elles forment quelque chose pour elles, elles ont un commencement et une fin, elles se détachent et sont en quelque sorte garanties par le laisser-aller général. De plus, elles-mêmes sont encore divisées, d'abord par les coupes du morceau, et ensuite en mesures, de sorte qu'il arrive toujours quelque chose et que chaque instant prend un certain sens auquel on peut se tenir, tandis qu'autrement… Je ne sais pas si je me suis bien…

— Bravo, s'écria Settembrini, bravo ! lieutenant, vous définissez à merveille un aspect incontestablement moral de la musique, à savoir qu'elle prête à l'écoulement du temps, en le mesurant d'une manière particulièrement vivante, une réalité, un sens et une valeur. La musique éveille le temps, elle nous éveille à la jouissance la plus raffinée du temps… elle éveille… et dans cette mesure même elle est morale. L'art est moral dans la mesure où il éveille. Mais, quoi, lorsqu'il fait le contraire ? Lorsqu'il engourdit, endort, contrebalance l'activité et le progrès ? Cela aussi, la musique le peut, elle sait à merveille exercer l'influence de stupéfiants. Une influence diabolique, messieurs. La drogue est du diable, car elle entraîne la léthargie, la stagnation, l'inactivité, la passivité, l'asservissement… Il y a quelque chose d'inquiétant dans la musique, messieurs. Je maintiens qu'elle est d'une nature ambiguë. Je ne vais pas trop loin en la qualifiant de politiquement suspecte. »

Il poursuivit cette diatribe, et Hans Castorp l'écouta, mais ne réussit pas à suivre très bien, d'abord à cause de sa fatigue, ensuite parce qu'il était distrait par les faits et gestes de cette jeunesse légère, là-bas, sur les marches. Voyait-il bien clair ? Que se passait-il là ? La demoiselle au profil de tapir était occupée à recoudre un bouton au bas de la culotte de sport du jeune homme au monocle. L'asthme rendait lourde et chaude la respiration de la jeune fille, tandis que le jeune homme toussotait en portant à la bouche ses ongles longs comme des spatules. Il est vrai qu'ils étaient tous deux malades, mais cette attitude n'en témoignait pas moins que de singuliers usages régnaient ici, entre jeunes gens. La musique jouait une polka…

Hippe

C'est ainsi que le dimanche se détacha nettement. Son après-midi fut, de plus, marqué par des promenades en voiture qu'entreprenaient divers groupes de pensionnaires : plusieurs équipages à deux chevaux se traînèrent après le thé jusqu'en haut du virage et s'arrêtèrent devant le portail principal, pour charger les pensionnaires qui les avaient commandés ; c'étaient surtout des Russes, de préférence des dames russes.

« Les Russes font toujours des promenades en voiture », dit Joachim à Hans Castorp.

Ils étaient debout ensemble devant le portail et pour se distraire assistaient aux départs.

À présent, ils vont à Clavadel, ou au lac, ou dans la vallée du Fluelen, ou au couvent, ce sont les buts de promenade. Nous pourrons aussi faire un jour une promenade, tandis que tu seras là, si cela te fait plaisir. Mais je crois que, provisoirement, tu as suffisamment à faire pour t'acclimater, et tu n'as pas besoin d'entreprendre autre chose. »

Hans Castorp approuva. Il avait une cigarette à la bouche et les mains dans les poches de son pantalon. Il regarda ainsi la vieille petite dame russe si alerte, avec sa petite-nièce maigre, prendre place dans une voiture en compagnie de deux autres dames : c'étaient Maroussia et Mme Chauchat. Celle-ci avait mis un cache-poussière, avec une ceinture au dos, mais ne portait pas de chapeau. Elle s'assit à côté de la vieille dame, au fond de la voiture, tandis que les jeunes filles occupaient les places de strapontin. Toutes quatre étaient gaies et bavardaient continuellement dans leur langue comme désossée. Elles parlaient et riaient de la couverture trop étroite qu'elles se partageaient à grand-peine, des fruits confits russes que la grand-tante avait emportés dans une caissette garnie de coton et de dentelles en papier et qu'elle faisait déjà circuler. Hans Castorp distinguait avec intérêt le timbre voilé de Mme Chauchat. Comme toujours, lorsque cette femme nonchalante paraissait sous ses yeux, il se sentait de nouveau confirmé dans le sentiment de cette ressemblance qu'il avait cherchée un instant et qui avait surgi dans son rêve. Mais le rire de Maroussia, l'aspect de ses yeux ronds et bruns qui regardaient puérilement par-dessus le mouchoir qui cachait sa bouche, et par-dessus cette poitrine opulente qui ne semblait pas du tout être intérieurement malade, lui rappelait encore une autre chose bouleversante qu'il avait récemment observée, et il guigna donc, prudemment, et sans mouvoir la tête, vers Joachim. Non, Dieu merci ! sa figure n'était pas aussi tachetée que l'autre jour, ni ses lèvres aussi plaintivement déformées. Mais il regardait Maroussia dans une attitude et avec une expression des yeux qui n'avaient rien de militaire, qui apparaissaient au contraire si troubles et si oublieuses d'elles-mêmes que l'on était bien obligé de les reconnaître pour celles d'un civil. D'ailleurs, presque aussitôt, il se ressaisit et jeta un regard rapide vers Hans Castorp qui n'eut que le temps de détourner les yeux pour regarder n'importe où, en l'air. En même temps, il sentait son cœur battre, sans raison et de son propre chef, comme il le lui arrivait ici, bon gré mal gré.

Le reste du dimanche n'offrit rien d'exceptionnel, hormis peut-être les repas qui, faute de pouvoir être plus abondants que d'habitude, se distinguaient du moins par la délicatesse particulière des mets. (Pour le déjeuner, il y eut un chaud-froid de poulet garni d'écrevisses et de cerises coupées en deux ; avec la glace, des pâtisseries servies en de petits paniers en sucre filé, et ensuite encore de l'ananas frais.) Le soir, après avoir bu sa bière, Hans Castorp sentit ses membres encore plus épuisés, plus frissonnants et plus lourds que les jours précédents ; il dit bonsoir à son cousin vers neuf heures, tira l'édredon jusque sous son manteau et s'endormit, comme assommé.

Mais le lendemain déjà, le premier lundi par conséquent que l'hôte de passage était en haut, apporta une nouvelle modification périodique du programme de la journée : à savoir une de ces conférences que le docteur Krokovski faisait tous les quinze jours, dans la salle à manger, devant tout le public adulte, de langue allemande, et non moribond, du Berghof. Il s'agissait, comme Joachim l'apprit à son cousin, d'une suite régulière de cours, d'une sorte de vulgarisation scientifique sous le titre général : « L'amour, facteur pathogénique. » Ce divertissement didactique avait lieu après le deuxième déjeuner, et, comme Joachim le lui apprit encore, il n'était pas admissible — ou du moins très mal vu — que l'on s'abstînt d'y assister. Aussi était-ce considéré comme une impertinence surprenante que Settembrini, bien qu'il sût l'allemand mieux que personne, n'assistât non seulement jamais aux conférences, mais encore se livrât sur leur compte aux remarques les plus désobligeantes. Quant à Hans Castorp, il était décidé à s'y rendre, tout d'abord, sans doute, par politesse, mais également par une curiosité non dissimulée. Auparavant, toutefois, il entreprit encore quelque chose de tout à fait maladroit et erroné : la fantaisie le prit de faire de son propre chef une grande promenade, ce dont il se ressentit plus fâcheusement qu'on ne l'eût jamais supposé.

« Cette fois, attention ! furent ses premières paroles lorsque, le matin, Joachim entra dans sa chambre. Je vois déjà que je ne peux pas continuer ainsi. J'en ai assez de l'existence horizontale ; le sang finit par s'endormir à ce régime. Pour toi, c'est naturellement tout autre chose, tu es en traitement, et je ne veux pas t'entraîner. Mais j'ai envie de faire aussitôt après le déjeuner une bonne promenade, si tu ne m'en veux pas ; j'irai où le hasard me conduira. J'emporte quelques provisions pour mon petit déjeuner, et me voilà indépendant. Nous verrons bien si je ne serai pas un autre homme lorsque je serai de retour.

— Bien, dit Joachim lorsqu'il se rendit compte que l'autre prenait au sérieux ce désir et ce projet. Mais n'exagère pas, je te le conseille. Ici, c'est autre chose que chez nous. Et sois de retour à l'heure pour la conférence. »

En réalité, ce n'étaient pas que des raisons de bien-être qui avaient suggéré son projet au jeune Hans Castorp. Il lui semblait que sa tête échauffée, le mauvais goût qu'il sentait le plus souvent dans la bouche, et les battements arbitraires de son cœur, tenaient beaucoup moins aux difficultés de l'acclimatation, qu'à des choses comme la conduite du couple russe à côté de lui, les discours que prononçait à table cette Mme Stöhr malade et sotte, la toux molle de l'homme du monde autrichien qu'il entendait tous les jours dans les corridors, les paroles de M. Albin, ses conjectures sur les rapports qu'entretenait cette jeunesse malade, l'expression du visage de Joachim lorsqu'il regardait Maroussia, et beaucoup d'autres observations qu'il avait faites. Il pensait qu'il serait bon d'échapper une bonne fois au cercle magique du Berghof, de respirer profondément à l'air libre, et de se donner du mouvement, afin de savoir du moins, lorsqu'il se sentirait fatigué le soir, de quoi il l'était. Et, entreprenant, il se sépara donc de Joachim lorsque, après le déjeuner, celui-ci s'apprêta à l'exercice de la promenade réglementairement délimitée jusqu'au banc du ruisselet, pour, agitant sa canne, suivre son propre chemin en descendant par la route.

C'était un matin frais et couvert, aux environs de huit heures et demie, comme il se l'était proposé, Hans Castorp aspira profondément l'air pur de ce début de journée, cette atmosphère fraîche et légère qui pénétrait sans peine, qui était sans humidité, sans teneur et sans souvenirs… Il franchit le cours d'eau et la voie étroite des rails, rencontra la route irrégulièrement bordée de maisons, mais la quitta aussitôt et s'engagea dans un sentier à travers les prés qui, après un court trajet à plat, montait obliquement et en pente assez raide le long du versant de droite. Cette montée réjouit Hans Castorp, sa poitrine se dilata, de la poignée de sa canne il repoussa son chapeau en arrière, et lorsque, arrivé à une certaine hauteur et regardant en arrière, il aperçut au loin le miroir du lac auprès duquel il était passé en arrivant, il se mit à chanter.

Il chantait les chansons dont il avait provision, toutes sortes de chansons sentimentales et populaires comme on les trouve dans les chansonniers d'étudiants et de sociétés de gymnastique, entre autres une chanson qui contenait ces lignes :

Que les bardes chantent l'amour et le vin
Mais encore plus souvent la vertu…

Il commença par la fredonner, puis finit par la chanter à haute voix et de toutes ses forces. Sa voix de baryton était dure, mais aujourd'hui il la trouvait belle, et chanter l'enthousiasmait de plus en plus.

Lorsqu'il avait entonné trop haut, il s'appliquait à des tons de fausset et sa voix de tête aussi lui semblait belle. Lorsque sa mémoire était à court, il se tirait d'affaire en accompagnant la mélodie de n'importe quels mots ou syllabes dépourvus de sens que, à la manière des chanteurs d'opéra, il prononçait en les modelant des lèvres et en roulant des *r* gutturaux. Finalement, il en arriva même à improviser dans le texte comme dans la mélodie, et à accompagner sa production de gesticulations des bras, tel un acteur. Comme il était très pénible de chanter et de monter en même temps, son souffle bientôt se précipita et lui faisait de plus en plus défaut. Mais par idéalisme, par amour de la beauté du chant, il résista, et en poussant de fréquents soupirs, persévéra jusqu'au dernier souffle, jusqu'à ce que, complètement à court d'air, aveugle, le pouls battant, et n'ayant plus devant les yeux qu'un scintillement multicolore, il se laissât tomber sur un gros pin, en proie soudain, après une exaltation si extrême, d'une mauvaise humeur pénétrante, d'un mal aux cheveux qui touchait au désespoir.

Lorsque, les nerfs tant bien que mal rétablis, il se leva pour reprendre sa promenade, sa nuque tremblait si vivement qu'en dépit de sa jeunesse, il branlait la tête exactement comme avait fait jadis le vieux Hans Lorenz Castorp. Lui-même se souvint cordialement de son grand-père défunt et, sans éprouver de répugnance pour ce travers, il se plut à imiter la manière dont le vieillard avait combattu ce tremblement en soutenant son menton.

Il monta plus haut encore, en zigzag. Le son des clarines l'attirait et il trouva le troupeau ; il paissait aux environs d'une chaumière, dont le toit était consolidé par des fragments de rocher. Deux hommes barbus vinrent à sa rencontre et se quittèrent au moment où il les approcha.

« Adieu donc et mille fois merci ! » dit l'un à l'autre, d'une profonde voix gutturale, et il changea sa hache d'épaule, puis d'un pas fléchissant descendit entre les pins vers la vallée.

Qu'il avait résonné singulièrement dans la solitude cet « Adieu et mille fois merci » ! Il avait touché comme en un rêve l'esprit de Hans Castorp, étourdi par le chant et la montée. Il le répéta doucement, en s'efforçant d'imiter l'accent guttural et solennellement maladroit du montagnard, puis il monta encore un bout de chemin au-delà de la marcairie, car il s'agissait d'atteindre la limite des arbres ; mais, après un coup d'œil à sa montre, il renonça à son projet.

Il prit à gauche un sentier qui, d'abord plat, puis incliné, ramenait vers le bourg. Une forêt de conifères aux troncs hauts l'accueillit, et, tout en la traversant, il se reprit à chanter un peu, il est vrai avec précaution, et bien que ses genoux tremblassent dans la descente d'une manière encore plus inquiétante qu'auparavant. Mais, sortant du bois, il s'arrêta, surpris, devant la vue splendide qui s'offrait à lui : un paysage intimement isolé, d'une plasticité paisible et grandiose.

Dans son lit pierreux et plat, un torrent descendait le versant de droite, se déversait en écumant sur les blocs échelonnés en terrasses, puis coulait plus paisiblement vers la vallée, pittoresquement chevauché par une passerelle à la rampe simplement charpentée. Le fond de la vallée avait la couleur bleue des campanules dont les plantes frutescentes foisonnaient. De graves pins, géants et de stature régulière, se trouvaient isolés, ou par groupes, dans le fond du ravin, ainsi que sur les pentes, et l'un d'entre eux, au bord du torrent, plongeant dans le versant des racines obliques, se dressait, penché et bizarre, à travers l'image. Sur cette lointaine et belle retraite régnait une solitude pleine de rumeurs. De l'autre côté du torrent, Hans Castorp avisa un banc.

Il franchit le sentier et s'assit, pour se laisser distraire par l'aspect de la chute d'eau, de l'écume mobile, pour prêter l'oreille à ce bruissement idylliquement bavard, uniforme et cependant plein d'une variété intérieure ; car Hans Castorp aimait le murmure de l'eau autant que la musique ; et, peut-être, davantage encore. Mais à peine se fut-il installé commodément qu'il fut pris d'un saignement de nez si soudain qu'il ne réussit pas à mettre son costume complètement à l'abri. Le saignement était violent, persistant, et l'obligea durant une bonne demi-heure à aller et venir sans cesse entre le banc et le torrent, pour rincer son mouchoir, aspirer de l'eau, et s'étendre de nouveau à plat sur le siège du banc, le mouchoir humide posé sur le nez. Il resta ainsi étendu lorsque le sang fut enfin tari, demeura tranquille, les mains croisées derrière la tête, les genoux pliés, les yeux clos, les oreilles pleines de bourdonnements, ne se sentant pas mal, mais plutôt apaisé par cette saignée abondante, et dans un état de vitalité singulièrement diminuée ; car, lorsqu'il avait expiré l'air, pendant longtemps il n'éprouvait pas le besoin d'en aspirer à nouveau, mais, le corps immobilisé, laissait tranquillement son cœur battre un certain nombre de coups avant de reprendre haleine, tardivement et paresseusement.

Il arriva alors qu'il se trouva tout à coup reporté dans ce lointain état d'âme qui était à l'origine d'un certain songe modelé d'après ses impressions les plus récentes et qu'il avait fait voici quelques nuits. Mais il fut ravi si puissamment, si complètement dans cet autrefois et dans ce là-bas, qu'on eût dit qu'un corps inanimé gisait, en haut, sur le banc, à côté du torrent, tandis que le véritable Hans Castorp était debout, très loin, en un temps et dans un entourage passés, dans une situation osée et singulièrement enivrante malgré sa simplicité.

Il était âgé de treize ans, élève de troisième, un gamin en culotte courte, et causait dans le préau avec un autre gamin, à peu près du même âge, mais appartenant à une autre classe : conversation que Hans Castorp avait engagée assez arbitrairement et qui le réjouit au plus haut point, bien que, à cause de son objet précis et nettement délimité, elle ne pût être que très brève. C'était la récréation entre l'avant-dernière et la dernière leçon, entre le cours d'histoire et celui de dessin pour la classe de Hans Castorp. Dans la cour qui était pavée de briques rouges et séparée de la rue par un mur couvert de bardeaux et pourvu de deux portails, les élèves allaient et venaient en rangées, étaient debout en groupes, s'appuyaient, à moitié assis, aux encorbellements émaillés du bâtiment. Les voix bourdonnaient. Un professeur en chapeau mou surveillait le mouvement tout en mordant dans un sandwich.

Le collégien avec lequel Hans Castorp causait s'appelait Hippe, et son prénom était Pribislav. Détail curieux, l'*r* de ce prénom se prononçait *ch* : il fallait dire Pchibislav, et cet étrange prénom ne s'accordait pas mal avec son extérieur qui n'était pas très ordinaire, mais plutôt un peu exotique. Hippe, fils d'un historien et professeur du lycée, élève modèle par conséquent, et déjà plus avancé d'une classe que Hans Castorp, bien qu'à peine plus âgé que lui, était originaire du Mecklembourg, et sa personne était évidemment le produit d'un ancien mélange de races, d'un alliage de sang germanique et wendo-slave, ou d'une combinaison analogue. Sans doute était-il blond (ses cheveux étaient coupés à ras sur son crâne rond). Mais ses yeux gris-bleu ou bleu-gris — c'était une couleur un peu indéterminée et équivoque — étaient d'une forme particulière, étroite et, à en juger de près, même un peu oblique, et en dessous saillaient ses pommettes bien marquées. Dans l'ensemble, une physionomie qui, dans son cas, n'avait rien de grimaçant, qui, au contraire, suscitait même la sympathie, mais qui avait suffi à lui valoir parmi ses camarades le surnom de : « le Kirghize ». D'ailleurs, Hippe portait déjà des pantalons longs et une vareuse bleue boutonnée jusqu'au cou et tendue dans le dos, sur le col de laquelle on apercevait quelques pellicules.

Mais le fait est que Hans Castorp avait depuis longtemps déjà distingué ce Pribislav, que dans ce grouillement connu et inconnu de la cour du collège il l'avait élu, qu'il s'intéressait à lui, le suivait des yeux, et doit-on dire ? l'admirait, ou, de toute façon, le considérait avec un intérêt tout particulier ; déjà, sur le chemin de l'école, il se réjouissait de pouvoir l'observer dans ses rapports avec ses compagnons de classe, de le voir parler ou rire, et de distinguer de loin sa voix qui était agréablement voilée et un peu rauque. S'il faut admettre qu'il n'y avait pas de raison suffisante à cet intérêt, sauf, peut-être, ce prénom païen, cette qualité d'élève modèle (qui dans tous les cas n'y était pour rien), ou enfin ces yeux de Kirghize — des yeux qui, parfois, lors de certains regards obliques qui n'étaient dirigés sur rien, se fondaient en une sorte d'obscurité voilée — il n'en est pas moins vrai que, d'ailleurs, Hans Castorp se souciait fort peu de justifier intellectuellement ses sensations, voire de leur trouver un nom. Sans doute, ne pouvait-on pas parler d'amitié, puisqu'il ne « connaissait » même pas Hippe. Mais rien, en somme, ne l'obligeait à donner un nom à ses sentiments, puisqu'il ne pouvait pas lui arriver d'avoir à parler d'un sujet qui s'y prêtait aussi peu. Et en second lieu, un mot signifie sinon critique, du moins définition, c'est-à-dire classement dans l'ordre du connu et de l'habituel, tandis que Hans Castorp était pénétré de la conviction inconsciente qu'un trésor intérieur comme celui-ci devait être à jamais gardé à l'abri de cette définition et de cette classification.

Mais quoi qu'il en soit, bien ou mal justifiées, ces sensations, si éloignées d'une expression et d'une communication quelconques, étaient en tout cas d'une vitalité telle que Hans Castorp, depuis un an déjà — depuis un an environ, car il n'était pas possible de situer avec exactitude leur origine — les nourrissait en silence, ce qui témoignait tout au moins de la fidélité et de la constance de son caractère, si l'on réfléchit à la quantité formidable de temps qu'une année représente à cet âge. Malheureusement, les mots qui désignent des traits de caractère ont toujours la portée morale d'un jugement, soit dans le sens d'un éloge, soit dans le sens d'un blâme, bien qu'ils aient ces deux aspects. La « fidélité » de Hans Castorp, dont il ne se prévalait d'ailleurs pas particulièrement, consistait, à en juger sans émettre d'appréciation, en une certaine lourdeur, lenteur et obstination de ses sentiments, en un état d'âme essentiellement conservateur qui lui faisait paraître les situations et les circonstances de la vie d'autant plus dignes qu'on s'y attachât et qu'on les perpétuât, que leur durée avait été plus longue. Aussi inclinait-il à croire à la durée infinie de l'état dans lequel lui-même se trouvait justement, ne l'en estimait que davantage, et n'était nullement impatient de changement. Ainsi s'était-il habitué de tout cœur à ses rapports discrets et distants avec Pribislav Hippe, et il les tenait au fond pour un élément durable de son existence. Il aimait les états d'âme que lui procuraient ces rencontres, l'attente de savoir si l'autre passerait aujourd'hui près de lui, le regarderait, les satisfactions silencieuses et délicates dont le comblait son secret, et même les déceptions qui en découlaient, et dont la plus grande était que Pribislav « manquât la classe », car la cour alors était vide, la journée privée de toute saveur, mais l'espoir demeurait.

Cela dura un an, jusqu'au point culminant de l'aventure, puis cela dura une année encore, grâce à la fidélité conservatrice de Hans Castorp, et ensuite cela cessa, sans qu'il éprouvât davantage le relâchement et la dissolution des liens qui l'attachaient à Pribislav Hippe, qu'il ne s'était rendu compte auparavant de leur formation. Par suite du déplacement de son père, Pribislav quitta également le lycée et la ville ; mais Hans Castorp s'en aperçut à peine ; déjà il l'avait oublié. On peut dire que l'image du « Kirghize » était entrée insensiblement dans son existence, en se dégageant d'un brouillard, qu'elle avait acquis de plus en plus de netteté et de relief, jusqu'en cet instant de la proximité et de la présence corporelle la plus forte, certain jour dans le préau, que pendant quelque temps elle était ainsi demeurée au premier plan, et qu'ensuite, peu à peu, elle s'était effacée et évanouie, sans la tristesse des adieux, dans le brouillard.

Mais cet instant, cette situation osée et aventureuse dans laquelle Hans Castorp se trouvait en ce moment replacé, cette conversation, une véritable conversation avec Pribislav Hippe, s'était produite de la façon suivante. C'était l'heure de la leçon de dessin, et Hans Castorp remarqua qu'il n'avait pas de crayon sur lui. Tous ses compagnons de classe avaient besoin du leur ; mais parmi les élèves des autres classes ne pouvait-il pas s'adresser à tel ou tel de ceux qu'il connaissait pour leur emprunter un crayon ? De tous, lui parut-il, Pribislav lui était le mieux connu, c'était à lui qu'il touchait de plus près, à qui en silence il avait déjà eu si souvent affaire. Et en un joyeux élan de son être il résolut de saisir cette occasion — il appelait cela une occasion — de demander un crayon à Pribislav. Il lui échappait que c'était là une singulière équipée, puisque en somme il ne connaissait pas du tout Hippe, ou du moins il écarta cette considération, aveuglé par une étrange audace. Et voici que, dans le tumulte de la cour pavée de briques, il se trouva réellement devant Pribislav Hippe, et qu'il lui dit :

« Excuse-moi, peux-tu me prêter un crayon ? »

Et Pribislav le regarda de ses yeux de Kirghize au-dessus des pommettes saillantes et lui parla de sa voix agréablement rauque, sans s'étonner ou du moins sans paraître étonné.

« Volontiers, dit-il. Mais il faut que tu me le rendes sans faute après la leçon. »

Et il tira son crayon de sa poche : un porte-crayon argenté avec un anneau que l'on devait remonter pour que le crayon verni en rouge sortît de sa gaine de métal. Il expliqua le mécanisme très simple, tandis que leurs deux têtes étaient penchées au-dessus.

« Mais ne le casse pas, dit-il encore.

— Quelle idée ! » Comme si Hans Castorp avait par hasard eu l'intention de ne pas rendre le crayon, ou de l'abîmer.

Puis ils se regardèrent en souriant, et comme il n'y avait plus rien à dire, ils se tournèrent d'abord les épaules, puis le dos, et s'en furent.

Ce fut tout. Mais Hans Castorp, de sa vie, n'avait jamais été plus joyeux que pendant cette leçon de dessin, en dessinant avec le crayon de Pribislav Hippe — ayant par surcroît la perspective de le remettre de nouveau à son possesseur, ce qui résultait naturellement de ce qui avait précédé, et était en quelque sorte un don supplémentaire et gracieux qui lui était fait. Il prit la liberté de tailler légèrement le crayon et il conserva trois ou quatre des rognures laquées de rouge qui tombèrent, durant presque toute une année, dans un tiroir intérieur de son pupitre — personne, s'il les eût aperçues, n'eût soupçonné de quelle importance elles étaient. D'ailleurs, la restitution s'opéra dans les formes les plus simples, ce qui était tout à fait selon l'esprit de Hans Castorp, et ce dont il se prévalut même tout particulièrement, blasé et gâté qu'il était par ses rapports intimes avec Hippe.

« Voilà, dit-il, merci bien ! »

Et Pribislav ne dit rien du tout, ne fit que contrôler rapidement le mécanisme et glissa le crayon dans sa poche…

Ensuite ils ne se parlèrent plus jamais, mais cette unique fois cela était quand même arrivé, grâce à l'esprit entreprenant de Hans Castorp.

Il ouvrit les yeux, troublé par la profondeur de son absence. « Je crois que j'ai rêvé, pensa-t-il. Oui, c'était Pribislav. Depuis longtemps je n'ai plus pensé à lui. Que sont devenues les rognures de crayon ? Le pupitre est au grenier, chez mon oncle Tienappel. Elles doivent encore être dans le tiroir intérieur à gauche. Je ne les ai jamais retirées. Je n'ai même pas eu l'intention de les jeter… C'était Pribislav en chair et en os, je n'aurais pas cru que je le reverrais jamais aussi nettement. Comme il lui ressemblait bizarrement — à cette femme, ici. C'est donc pour cela que je m'intéresse tant à elle ? Ou peut-être aussi, est-ce pour cela que je me suis si vivement intéressé à lui ? Sottises ! Jolies sottises ! Il est d'ailleurs temps que je parte, et le plus vite possible. »

Néanmoins, il restait encore étendu, songeant et se souvenant. Puis il se redressa :

« Adieu donc et mille fois merci ! » dit-il, et tout en souriant il eut des larmes aux yeux.

Sur ce, il voulut se mettre en route ; mais, le chapeau et la canne à la main, il s'assit encore une fois rapidement, car il s'était aperçu que ses genoux ne le portaient pas très solidement. « Holà ! pensa-t-il, je crois que cela n'ira pas tout seul. Et pourtant je dois être à onze heures précises dans la salle à manger pour la conférence. Les promenades ici ont leur beau côté, mais comportent aussi leurs difficultés, semble-t-il. Avec tout ça, je ne puis pas rester ici. Je suis simplement un peu ankylosé d'être resté étendu ; en me donnant du mouvement cela ira mieux. » Et il essaya encore une fois de se mettre sur pied et comme il fit un sérieux effort, il y réussit.

N'importe, ce fut un pitoyable retour après ce départ orgueilleux. Plusieurs fois il dut se reposer au bord du chemin lorsque les palpitations irrégulières de son cœur lui coupaient la respiration. Il sentait alors son visage pâlir et une sueur froide perler sur son front. Pitoyablement il peina pour descendre les zigzags ; mais lorsque, à proximité du casino, il atteignit la vallée, il sentit nettement et clairement qu'il n'aurait plus les moyens de franchir par ses propres moyens le long trajet jusqu'au Berghof, et comme il n'y avait pas de tramways, et qu'aucune voiture de louage n'apparaissait, il pria un voiturier qui conduisait un véhicule chargé de caisses vides, de le laisser monter. Dos à dos avec le cocher, laissant pendre les jambes hors de la voiture, considéré par les passants avec un intérêt étonné, balancé et hochant la tête dans son demi-sommeil, cahoté par les secousses du véhicule, il poursuivit son chemin, descendit près du passage à niveau, paya sans voir si c'était trop ou pas assez, et monta en hâte le chemin du sanatorium.

« *Dépêchez-vous, monsieur!* lui dit le portier français. *La conférence de M. Krokovski vient de commencer.* »

Ayant jeté au vestiaire chapeau et canne, Hans Castorp se glissa avec des précautions hâtives, la langue entre les dents, par la porte vitrée entrouverte de la salle à manger, où les pensionnaires étaient assis en rang sur des chaises, tandis que, à droite, sur le côté droit, le docteur Krokovski, en redingote, debout derrière une table couverte d'une nappe et garnie d'une carafe d'eau, parlait.

Analyse

Une place libre, dans un coin voisin de la porte, heureusement attira son regard. Il s'y faufila discrètement et se donna l'air d'être assis là depuis toujours. Le public, suspendu avec l'attention des premières minutes aux lèvres du docteur Krokovski, prit à peine garde à lui ; c'était heureux, car son aspect était effrayant. Sa figure était pâle comme un linge, et son costume taché de sang, de sorte qu'il ressemblait à un assassin venant droit du lieu de son crime. La dame qui était assise devant lui, tourna la tête, il est vrai, et l'examina de ses yeux étroits. C'était Mme Chauchat ; il la reconnut avec une sorte d'irritation. Du diable encore une fois ! Ne le laisserait-on donc jamais en paix ? Il avait cru être assis tranquillement, comme parvenu au but, et pouvoir se reposer quelque peu, et voici qu'il était justement nez à nez avec cette femme ! Hasard qui, en d'autres circonstances, l'eût peut-être réjoui — mais fatigué et épuisé comme il l'était, qu'est-ce que cela pouvait lui faire ? Ce n'était que de nouvelles exigences imposées à son cœur, et cela le tiendrait en haleine durant toute la conférence. Elle l'avait regardé exactement comme par les yeux de Pribislav, elle avait regardé sa figure et les taches sur son costume, avec une insistance assez dénuée d'égards, ainsi qu'il convenait à une femme qui faisait claquer les portes. Comme elle se tenait mal ! Pas du tout comme les femmes dans les milieux familiers à Hans Castorp qui, le dos droit, tournaient la tête vers leur voisin de table, en parlant du bout des lèvres. Mme Chauchat était affaissée ; elle se laissait aller. Son dos était rond, elle laissait pendre ses épaules en avant et penchait de plus sa tête, de telle sorte que la vertèbre saillait à la nuque le décolletage de la blouse blanche. Pribislav aussi avait tenu la tête de la même manière ; c'était, il est vrai, un élève modèle qui avait vécu en tout bien et tout honneur (bien que ce ne fût pas justement la raison pour laquelle Hans Castorp lui avait emprunté le crayon), tandis qu'il était clair et évident que la tenue négligente de Mme Chauchat, sa manière de claquer les portes, le sans-gêne de son regard étaient en relation avec sa maladie, voire que s'y traduisaient cette licence, ces avantages incalculables, mais pas précisément honorables dont M. Albin s'était vanté…

Les pensées de Hans Castorp se troublèrent, tandis qu'il regardait le dos insolent de Mme Chauchat, elles cessèrent d'être des pensées et devinrent une rêverie dans laquelle le baryton traînant du docteur Krokovski faisait comme de très loin résonner son *r* à la sonorité assourdie. Mais le silence de la salle, la profonde attention qui semblait tenir tout le monde sous le charme, s'empara de lui et l'éveilla littéralement de sa confuse rêverie. Il regarda autour de lui… À côté, était assis le pianiste au cheveu rare ; la tête dans la nuque, il prêtait l'oreille, la bouche ouverte et les bras croisés. L'institutrice, Mlle Engelhart, plus loin, avait des yeux avides et des taches rouges sur les deux joues, ardeur que l'on retrouvait sur les visages des autres dames ; Hans Castorp la remarqua également sur celui de Mme Salomon, là-bas, à côté de M. Albin, et de la femme du brasseur, Mme Magnus, celle-là même qui perdait de l'albumine. Sur la figure de Mme Stöhr, un peu plus loin en arrière, se peignait une expression d'exaltation si extravagante et si stupide que c'était pitié, tandis que Mlle Lévi, au teint d'ivoire, les yeux mi-clos et les mains reposant à plat sur ses genoux, eût absolument ressemblé à une morte si sa poitrine ne s'était pas levée aussi fortement et aussi régulièrement, ce qui fit penser Hans Castorp à une figure de cire féminine qu'il avait vue autrefois dans un musée et qui aurait eu un ressort mécanique dans la poitrine. Plusieurs pensionnaires portaient leur paume à l'oreille, ou du moins esquissaient ce geste, en tenant leur main levée à moitié chemin de leur oreille, comme si leur geste avait été figé par leur excès d'attention. Le procureur Paravant, un homme brun, d'une apparence robuste, frappait même de l'index des petits coups sur son oreille pour la faire mieux entendre, puis l'ouvrait de nouveau vers le flot de paroles du docteur Krokovski.

De quoi donc parlait le docteur Krokovski ? Quelles pensées était-il en train de développer ? Hans Castorp rassembla ses idées pour en saisir le fil, ce à quoi il ne réussit pas aussitôt parce qu'il n'avait pas entendu le commencement et qu'en réfléchissant au dos indolent de Mme Chauchat il avait manqué la suite. Il était question d'une puissance… de cette puissance, bref, c'était la puissance de l'amour dont il s'agissait. Bien entendu ! Le sujet était indiqué dans le titre général du cycle de conférences, et de quoi d'autre le docteur Krokovski eût-il pu parler puisque tel était son domaine ? Il est vrai que c'était assez étrange pour lui d'assister tout à coup à un cours sur l'amour, alors qu'on n'avait jamais traité devant lui que des choses comme le mécanisme des transmissions à bord des navires. Comment s'y prenait-on pour traiter en plein jour, et le matin encore, devant des dames et des messieurs, un sujet aussi épineux et confidentiel ? Le docteur Krokovski le traitait en un style mi-poétique mi-doctoral, avec une sécheresse toute scientifique, mais en même temps sur un ton vibrant et chantant qui semblait quelque peu étrange au jeune Hans Castorp, bien que ceci pût précisément être l'explication des joues brûlantes des dames et des gestes des messieurs. En particulier, l'orateur employait le mot « amour » dans un sens légèrement variable, de sorte que l'on ne savait jamais bien où l'on en était et s'il signifiait un sentiment pieux ou une passion charnelle, ce qui causait comme une impression de mal de mer. Jamais de sa vie Hans Castorp n'avait entendu prononcer ce mot autant de fois d'affilée qu'ici et aujourd'hui, et, lorsqu'il y réfléchissait, il lui semblait que lui-même ne l'avait jamais prononcé, ni entendu dans une bouche étrangère. Ce pouvait être une erreur. Quoi qu'il en soit, il ne lui semblait pas que ce mot gagnât à être aussi souvent répété. Au contraire, ces deux syllabes finirent par lui paraître très répugnantes, elles étaient associées à une image comme de lait mouillé, quelque chose de blanc bleuâtre, de douceâtre, surtout en comparaison avec toutes les choses corsées que débitait là-dessus le docteur Krokovski. Car il était du moins évident que l'on pouvait dire des choses osées sans mettre les gens en fuite, pourvu que l'on s'y prît comme lui. Il ne se bornait nullement à débiter des choses généralement connues, mais communément passées sous silence, avec une sorte de cadence enivrante; il détruisait des illusions, il rendait impitoyablement hommage à la connaissance, il ne laissait pas de place pour une foi sentimentale en la dignité des cheveux d'argent et à la pureté angélique de la frêle enfant. D'ailleurs il portait, avec la redingote, son col mou rabattu et ses sandales sur les chaussettes grises, ce qui donnait une impression de conviction et d'idéalisme, mais n'en effraya pas moins Hans Castorp. Tout en appuyant, à l'aide de livres et de feuillets épars sur sa table, ses développements sur toutes sortes d'exemples et d'anecdotes, et en récitant même plusieurs fois des vers, le docteur Krokovski traita de formes effrayantes de l'amour, de variétés bizarres, pitoyables et lugubres de sa nature et de sa toute-puissance. De tous les instincts naturels, il était le plus chancelant et le plus menacé, inclinant profondément à l'égarement funeste et à la perversion, et cela n'avait rien d'étonnant. Car cette puissante impulsion n'était rien de simple, elle était de nature infiniment composite, et — si légitime qu'elle apparaisse en général — composée entièrement de perversions. Mais dès lors que, poursuivit le docteur Krokovski, dès lors que, très équitablement, on se refusait à conclure de l'absurdité des parties à l'absurdité du tout, on était incontestablement contraint de faire bénéficier de la légitimité de l'ensemble, sinon complètement, du moins en partie, les déformations particulières. C'était une exigence de la logique et il priait ses auditeurs de s'en pénétrer. C'était des résistances morales et des correctifs, des instincts de convenance et d'ordre, d'une espèce qu'il était presque tenté de dire bourgeoise, dont les effets compensateurs et limitateurs fondaient les parties différentes en un tout régulier et utile — développement malgré tout fréquent et heureux, mais dont le résultat, comme le docteur Krokovski ajouta un peu dédaigneusement, ne regardait pas le médecin et le penseur. Mais dans un autre cas il ne réussissait pas, ce développement ne voulait ni ne devait réussir, et qui donc pourrait dire, demanda le docteur Krokovski, si ce n'était pas peut-être là le cas le plus élevé et le plus précieux quant à l'âme ? Car, en ce cas, une tension exceptionnelle, une passion qui dépassait les ordinaires mesures bourgeoises, était propre à ces deux groupes de forces, le besoin d'amour ainsi que les instincts adverses, parmi lesquels il fallait particulièrement nommer la pudeur et le dégoût ; et, menée dans les tréfonds de l'âme, cette lutte empêchait cet isolement, cette stabilisation et cette moralisation des instincts errants qui conduisaient à l'harmonie usuelle, à la vie amoureuse réglementaire. Ce combat entre les puissances de la chasteté et de l'amour — car c'est bien de cela qu'il s'agissait —, comment se terminait-il ? Il se terminait apparemment par la victoire de la chasteté, de la crainte, des convenances. Le dégoût pudibond, un tremblant besoin de pureté comprimaient l'amour, le ligotaient dans les ténèbres, ne laissaient qu'en partie ces revendications confuses pénétrer dans la conscience et se manifester par des actes. Mais cette victoire de la chasteté n'était qu'une victoire apparente, qu'une victoire à la Pyrrhus, car le commandement de l'amour ne se laissait pas bâillonner, ne se laissait pas violenter, l'amour opprimé n'était pas mort, il vivait, dans la profondeur de son secret il continuait de tendre vers son accomplissement, il brisait le cercle magique de la chasteté et reparaissait, encore que sous une forme transformée et méconnaissable. Et quels étaient donc la forme et le masque sous lesquels l'amour non admis et refoulé reparaissait ? Ainsi interrogea le docteur Krokovski, et il regarda le long des rangs comme s'il attendait sérieusement une réponse de ses auditeurs. Mais c'était à lui-même encore de dire cela après qu'il avait déjà dit tant de choses. Personne en dehors de lui ne le savait, mais certainement il saurait encore cela, on le voyait à sa figure. Avec ses yeux ardents, avec sa pâleur de cire et sa barbe noire, avec ses sandales de moine sur ses chaussettes grises, il semblait lui-même symboliser en personne le combat entre la chasteté et la passion, dont il avait parlé. Du moins, était-ce l'impression de Hans Castorp tandis que, comme tout le monde, il attendait avec la plus grande impatience d'apprendre sous quelle forme l'amour refoulé reparaissait. Les femmes respiraient à peine. Le procureur Paravant, de nouveau, secoua rapidement son oreille pour que, à l'instant décisif, elle fût ouverte et prête à accueillir la réponse. Puis le docteur Krokovski dit : « Sous la forme de la maladie. » Le symptôme de maladie était une activité amoureuse déguisée et toute maladie était de l'amour métamorphosé.

À présent on le savait, encore que tous ne sussent peut-être pas l'apprécier. Un soupir parcourut la salle, et le procureur Paravant approuva de la tête d'un air significatif, tandis que le docteur Krokovski continuait à développer sa thèse. Hans Castorp, de son côté, baissait la tête pour réfléchir à ce qu'il avait entendu et se demander s'il l'avait compris. Mais mal exercé comme il l'était à de telles séquences de pensées, et de plus peu propre à la réflexion par suite de sa promenade malencontreuse, son attention était facile à détourner, et fut aussitôt détournée par ce dos devant lui, et le bras qui le prolongeait, qui se levait et se repliait en arrière, pour *soutenir* par en bas les cheveux nattés, juste devant les yeux de Hans Castorp.

C'était oppressant d'avoir cette main si près des yeux : il fallait la considérer, qu'on le voulût ou non, l'étudier avec toutes ses tares et ses particularités humaines, comme si on la voyait à travers une loupe. Non, elle n'avait absolument rien d'aristocratique, cette main d'écolière ramassée, avec ses ongles coupés tant bien que mal. (On n'était même pas sûr que l'extérieur des doigts fût absolument propre, et la peau à côté des ongles était rongée, cela ne pouvait faire aucun doute.) La bouche de Hans Castorp se plissa, mais ses yeux restèrent suspendus à la main de Mme Chauchat et un vague demi-souvenir lui traversa l'esprit de ce que le docteur Krokovski avait dit des résistances bourgeoises qui s'opposaient à l'amour… Le bras était plus beau, ce bras mollement replié derrière la tête, et qui était à peine vêtu, car l'étoffe de la manche était plus mince que celle de la blouse — c'était la gaze la plus légère —, de sorte que le bras n'en était que radieusement auréolé, et qu'il eût probablement été moins gracieux sans ce voile. Il était à la fois délicat et plein — et frais, se disait-on. En ce qui le concernait, il ne pouvait être évidemment question d'aucune espèce de résistance bourgeoise.

Hans Castorp rêvait, le regard suspendu au bras de Mme Chauchat. Comme les femmes s'habillaient ! Elles montraient ceci et cela de leur nuque et de leur gorge, elles transfiguraient leurs bras par une gaze transparente… Elles faisaient cela dans le monde entier pour exciter notre désir nostalgique. Mon Dieu, la vie était belle ! Elle était belle, grâce précisément à des choses aussi naturelles que ce fait que les femmes s'habillaient d'une manière séduisante — car c'était tout naturel, évidemment, c'était si usuel et si généralement admis qu'on y pensait à peine, qu'on le tolérait inconsciemment et sans en faire grand état. Mais on devait y penser, estima Hans Castorp en lui-même, pour prendre vraiment plaisir à la vie, et se rendre compte que c'était là une organisation délicieuse et au fond presque féerique. Il est bien entendu que c'était en vue d'un but certain que les femmes avaient le droit de s'habiller d'une manière délicieuse et féerique, sans pour cela contrevenir à la bienséance ; il s'agissait de la prochaine génération, de la reproduction de l'espèce humaine, parfaitement ! Mais quoi, lorsque la femme était intérieurement malade, lorsqu'elle n'était pas du tout faite pour la maternité — alors quoi ? Avait-ce un sens qu'elle portât des manches de gaze pour rendre les hommes curieux de son corps, de son propre corps intérieurement miné ? Cela n'avait évidemment pas de sens, et cela eût dû, en somme, passer pour malséant et être interdit. Car s'intéresser à une femme malade, c'était au fond aussi peu raisonnable pour un homme que… mon Dieu, que jadis l'intérêt silencieux que Hans Castorp avait éprouvé pour Pribislav Hippe. Une comparaison stupide, un souvenir quelque peu pénible. Mais elle s'était présentée à son esprit sans qu'il fût intervenu et sans qu'il l'eût appelée. D'ailleurs, ses réflexions rêveuses furent interrompues en ce point, principalement parce que son attention fut de nouveau attirée par le docteur Krokovski qui avait élevé la voix d'une manière frappante. Vraiment, il était là, debout, les bras ouverts et la tête penchée obliquement, derrière sa petite table, et malgré sa redingote, il ressemblait presque au Seigneur Jésus-Christ sur sa croix !

Il apparut que le docteur Krokovski faisait en terminant sa conférence une propagande active en faveur de la dissection psychique et que, les bras grands ouverts, il invitait tout le monde à venir à lui. Venez à moi, disait-il en d'autres termes, vous tous qui êtes affligés et chargés de peines. Et il n'admettait aucun doute quant à la conviction que tous, sans exception, fussent affligés et chargés de peines. Il parla encore de mal secret, de pudeur et de chagrin, des effets libérateurs de l'analyse, il célébra l'exploration et l'illumination de l'inconscient, préconisa la retransformation de la maladie en un sentiment rendu conscient, exhorta à la confiance et promit la guérison. Puis il laissa retomber les bras, releva la tête, ramassa les imprimés dont il s'était servi pendant sa conférence, et, en appuyant cette liasse, exactement comme un professeur, de la main gauche contre son épaule, il s'éloigna, la tête droite, par le corridor.

Tous se levèrent, repoussèrent leurs chaises et commencèrent lentement à se diriger vers la même sortie par laquelle le docteur avait quitté la salle. Il semblait que tous, par un mouvement concentrique, affluassent vers lui, de tous côtés, mais involontairement, d'un commun accord comme le grouillement qui suit le preneur de rats. Hans Castorp resta debout dans le flux, tenant d'une main le dossier de sa chaise. Je ne suis qu'en visite ici, pensait-il, je suis bien portant et, Dieu merci, je n'entre même pas en ligne de compte, et pour la prochaine conférence je ne serai même plus ici. Il regarda sortir Mme Chauchat, d'un pas glissant, la tête penchée en avant. Elle aussi se fait-elle disséquer ? se demanda-t-il, et son cœur se mit à battre… Il ne s'était pas aperçu que Joachim s'approchait de lui à travers les chaises et il tressaillit nerveusement lorsque son cousin lui adressa la parole.

« Tu es arrivé à la dernière minute, dit Joachim. As-tu été loin ? Comment cela s'est-il passé ?

— Oh ! agréablement, répondit Hans Castorp. Oui, j'ai été assez loin. Mais je dois avouer que cela m'a fait moins de bien que je ne l'avais espéré. C'était sans doute trop tôt, ou même pas indiqué du tout. Je crois que, provisoirement, je n'essayerai pas de recommencer. »

Joachim ne demanda pas si la conférence lui avait plu, et Hans Castorp ne se prononça pas à ce sujet. Comme par une entente muette, ils ne firent pas, par la suite, la moindre allusion à la conférence.

Doutes et réflexions

Le mardi, notre héros était donc depuis une huitaine chez les gens d'en haut, et il trouva par conséquent dans sa chambre, en rentrant de sa promenade du matin, sa note de pensionnaire, la note de sa première semaine, une pièce de comptabilité proprement exécutée, sous une enveloppe verdâtre, avec en-tête illustré (le bâtiment du Berghof y était représenté sous un aspect séduisant), et décorée en haut, du côté gauche, par un extrait du prospectus, composé en une étroite colonne de caractères, où le « traitement psychique d'après les principes les plus modernes » était tout particulièrement mentionné en caractère gras. Quant au relevé calligraphié, il s'élevait assez exactement à un total de cent quatre-vingt francs, dont douze par jour pour la pension et les soins médicaux, huit francs pour la chambre ; en outre il comprenait une somme de vingt francs sous la rubrique « Taxe d'entrée » et dix francs pour la désinfection de la chambre, tandis que des frais moins importants, pour le linge, la bière et le vin bu au dîner, arrondissaient la somme.

Hans Castorp ne trouva rien à rectifier lorsqu'il examina la facture avec Joachim.

« Il est vrai, dit-il, que je ne fais pas usage des soins médicaux, mais cela, c'est mon affaire ; ils sont compris dans le prix de pension, et je ne puis pas exiger qu'on me les déduise, comment serait-ce possible ? Pour la désinfection, c'est plutôt le coup de fusil, il est impossible qu'ils aient gaspillé pour dix francs d'H_2CO en fumigations contre la contagion de l'Américaine. Mais en somme je dois dire que c'est plutôt bon marché que cher, en considération de ce qu'ils offrent. »

Et ils se rendirent donc ensemble, avant le second déjeuner, à « l'administration » pour s'acquitter de cette dette.

« L'administration » se trouvait au rez-de-chaussée : lorsque, après le hall, on suivait le couloir en passant à côté du vestiaire, des cuisines et de l'office, on ne pouvait manquer la porte d'autant plus qu'elle se distinguait par un écriteau en porcelaine. Avec intérêt Hans Castorp fit connaissance avec le centre commercial de l'entreprise. C'était un véritable petit bureau : une demoiselle dactylographe y était occupée, et trois employés mâles étaient penchés sur leurs pupitres, tandis que, dans la pièce voisine, un monsieur qui devait occuper l'emploi supérieur de chef ou de directeur, travaillait à un bureau à cylindre, ne jetant que par-dessus les verres de son lorgnon un regard froid sur les clients pour les inspecter scrupuleusement. Tandis qu'on les expédiait au guichet, que l'on changeait un billet, encaissait et donnait quittance, ils gardèrent une attitude sévère et modeste, silencieuse, une attitude de sujets dociles, comme il sied à de jeunes Allemands qui témoignent à tout bureau et à tout local de service le respect dû à l'autorité ; mais dehors, en allant déjeuner, et dans le courant de la journée, ils parlèrent quelque peu de l'organisation de l'institut du Berghof, et ce fut Joachim qui, en sa qualité d'indigène informé, répondit aux questions de son cousin.

Le conseiller aulique Behrens n'était nullement le propriétaire et le tenancier de l'établissement, bien qu'au premier abord on pût avoir cette impression. Au-dessus de lui et derrière lui, planaient des puissances invisibles, qui, précisément, ne se manifestaient dans une certaine mesure que sous la forme du bureau : c'était un conseil d'administration, une société par actions à laquelle on eût volontiers appartenu, car, au dire, très vraisemblable, de Joachim, malgré les traitements élevés des médecins et les principes d'une gestion très libérale, elle distribuait chaque année à ses membres un dividende appréciable. Le médecin-chef n'était donc pas un homme indépendant, il n'était qu'un agent, un fonctionnaire, un allié des puissances supérieures, le premier et le plus haut placé, il est vrai ; l'âme de l'établissement, qui exerçait une influence décisive sur toute l'organisation, sans en exclure l'intendance, bien que, comme médecin dirigeant, il fût naturellement exempté de toute activité concernant la partie commerciale de l'entreprise. Originaire du nord-ouest de l'Allemagne, on savait qu'il occupait depuis de longues années cette situation contre son goût et son plan de vie, amené là par sa femme, dont le cimetière du « Village » avait depuis longtemps accueilli les restes — ce cimetière pittoresque de Davos-Dorf, là, en haut, sur le versant de droite, plus loin en arrière, vers l'entrée de la vallée. Elle avait eu une figure charmante, encore qu'asthénique, à en juger par les photographies qui se trouvaient partout dans le logement du médecin-chef, ainsi que d'après les peintures dues à son propre pinceau d'amateur, et qui étaient accrochées aux murs. Après qu'elle lui eut donné deux enfants, un fils et une fille, son corps léger et envahi par la fièvre avait été transporté dans ces régions-ci et, en peu de mois, il avait achevé de dépérir et de se consumer. On disait que Behrens, qui l'avait adorée, avait été si durement frappé par ce coup que, pendant quelque temps, il était devenu mélancolique et bizarre et que, dans la rue, il s'était fait remarquer par des rires étouffés, des gesticulations et des monologues. Ensuite, il n'était pas retourné dans son milieu primitif, mais était demeuré sur place ; sans doute parce qu'il n'avait pas voulu s'éloigner de la tombe ; mais la raison déterminante avait été ce motif moins sentimental que lui-même avait été quelque peu atteint par le mal, et que, de son propre avis scientifique, sa place était tout bonnement ici. C'est ainsi qu'il s'était installé comme un de ces médecins qui sont les compagnons de souffrance de ceux dont ils surveillent le séjour ; qui ne combattent pas la maladie — tout en échappant à son influence, en toute liberté et indépendance — mais qui en portent eux-mêmes le signe, cas particulier, mais non pas rare, et qui sans aucun doute a ses avantages comme ses inconvénients. La camaraderie du médecin et du malade doit certes être approuvée et on peut admettre que, seul, celui qui souffre peut être le guide et le sauveur de ceux qui souffrent. Mais peut-on concevoir une véritable domination spirituelle sur une puissance exercée par quelqu'un qui compte lui-même parmi ses esclaves ? Celui qui est subjugué peut-il affranchir ? Le médecin malade reste un paradoxe, un phénomène problématique pour le sentiment simple. Sa connaissance scientifique de la maladie n'est-elle pas bien plutôt troublée et rendue confuse par l'expérience personnelle, qu'enrichie et moralement fortifiée ? Il ne regarde pas la maladie en face avec le regard clair de l'adversaire, mais il est embarrassé, il ne prend pas nettement parti ; et avec toutes les précautions convenables on peut se demander si quelqu'un qui relève du monde de la maladie est en somme intéressé à la guérison, ou simplement à la conservation des autres, au même degré et au même sens qu'un homme bien portant.

Hans Castorp exprima une part de ces doutes et de ces réflexions, tout en bavardant avec Joachim sur le Berghof, et son médecin-chef ; mais Joachim fit remarquer qu'on ne savait nullement si le docteur Behrens était toujours malade ; sans doute était-il depuis longtemps guéri. Il y avait longtemps qu'il avait commencé à exercer ici, d'abord quelque temps de son propre chef, et il s'était vite fait un renom d'auscultateur à l'ouïe particulièrement fine, ainsi que de pneumotome très sûr. Ensuite, le Berghof s'était assuré son concours, cet établissement auquel son nom était si étroitement lié depuis bientôt dix années… Tout au fond, à l'extrémité de l'aile nord-ouest du sanatorium, était situé son appartement (le docteur Krokovski habitait non loin de là), et cette dame d'ancienne noblesse, l'infirmière-major dont Settembrini avait parlé sur un ton si sarcastique, et que Hans Castorp n'avait encore vue que très fugitivement, tenait son petit ménage de veuf. Du reste, le médecin en chef était seul, car son fils étudiait dans des universités allemandes, et sa fille était déjà mariée à un avocat établi en Suisse romande. Le jeune Behrens venait parfois en visite pendant ses vacances, ce qui s'était déjà produit une fois depuis que Joachim séjournait ici, et il disait que les dames de l'établissement étaient alors agitées, que les températures montaient, que des jalousies provoquaient des disputes et des querelles dans les salles de repos et que la consultation spéciale du docteur Krokovski était aussitôt plus fréquentée…

On avait concédé à l'assistant pour ses occupations particulières une pièce spéciale qui était — comme aussi la grande salle des consultations, le laboratoire, la salle d'opérations et le service de radiographie — située dans le sous-sol bien éclairé de l'établissement. Nous parlons d'un sous-sol parce que l'escalier en pierre qui y conduisait du rez-de-chaussée, donnait en effet l'impression que l'on descendait dans une sorte de cave, ce qui était presque une illusion. Car, en premier lieu, le rez-de-chaussée était situé assez haut, mais, de plus, le Berghof était construit contre la montagne sur un terrain en pente, et les pièces qui composaient cette « cave » s'ouvraient sur le devant, ayant vue sur le jardin et la vallée : circonstances qui contredisaient et compensaient en quelque sorte l'effet et le sens de l'escalier. Car on croyait sans doute descendre par ses marches au-dessous du niveau du sol, mais en réalité, une fois en bas, on se retrouvait au niveau de la terre, ou tout au plus quelques pieds en dessous — impression qui amusa Hans Castorp lorsque, un après-midi que son cousin voulait se faire peser par le masseur, il l'accompagna dans cette sphère « souterraine ». Il y régnait une clarté et une propreté de clinique ; tout était blanc sur blanc et les portes laquées blanc luisaient, y compris celle de la salle de consultation du docteur Krokovski, où la carte de visite du savant était fixée par des punaises et vers laquelle deux marches descendaient du couloir, de sorte que la pièce qui se trouvait derrière prenait l'apparence d'une cellule. Elle était située à droite de l'escalier, cette porte, à l'extrémité du couloir, et Hans Castorp la surveilla particulièrement, tandis que, en attendant Joachim, il allait et venait le long du corridor. Il en vit d'ailleurs sortir quelqu'un, une dame qui était récemment arrivée et dont il ne connaissait pas encore le nom, une petite femme gracile avec des franges sur le front et des boucles d'oreilles en or. Elle se pencha profondément en gravissant les marches et releva sa robe, tout en serrant de sa petite main ornée de bagues son mouchoir contre sa bouche et en regardant dans le vide avec de grands yeux pâles et hagards. Elle s'approcha ainsi de l'escalier à petits pas pressés qui faisaient froufrouter son jupon, s'arrêta tout à coup comme si elle se souvenait de quelque chose, se remit en marche de son pas sautillant, et disparut dans la cage de l'escalier, toujours penchée, sans retirer son mouchoir des lèvres.

Derrière elle, lorsque la porte s'était ouverte, il avait fait beaucoup plus sombre que dans le corridor blanc : la luminosité chirurgicale ne s'étendait pas apparemment jusque-là ; un demi-jour voilé, un profond crépuscule régnaient, ainsi que Hans Castorp s'en rendit compte, dans le cabinet analytique du docteur Krokovski.

Propos de table

Pendant les repas, dans la salle à manger bariolée, le jeune Hans Castorp se trouvait quelque peu gêné par le fait que, de cette promenade qu'il avait entreprise de sa propre initiative, il lui était resté le tremblement de tête de son grand-père : à table justement, ce tic se produisait presque régulièrement, il n'y avait pas moyen de l'empêcher, et il était difficile de le dissimuler. En dehors de la ressource consistant à appuyer son menton sur son col, ce qui ne pouvait pas se prolonger, il trouva plusieurs moyens de masquer sa faiblesse — par exemple, il donnait le plus de mouvement possible à sa tête en adressant la parole tantôt à droite tantôt à gauche, ou bien lorsqu'il portait sa cuiller à la bouche, il appuyait l'avant-bras gauche sur la table, pour se donner de la tenue, voire s'accoudait pendant les intervalles et appuyait sa tête sur la main, bien que cette attitude fût à ses yeux une véritable muflerie et ne pût être tolérée à la rigueur que dans cette compagnie de malades affranchis des convenances. Mais tout cela était pénible, et il s'en fallait de peu qu'en fussent complètement gâtés ces repas que par ailleurs il appréciait tant à cause des curiosités et des tensions intérieures qu'ils comportaient.

Mais la vérité — et Hans Castorp ne l'ignorait pas — était que le phénomène répréhensible contre lequel il luttait, n'était pas d'origine simplement physique, ne devait pas seulement être expliqué par l'air d'ici et par son effort d'acclimatation, mais qu'il exprimait une agitation intérieure et provenait précisément, et très directement, de ces tensions et de ces curiosités.

Mme Chauchat venait presque toujours en retard à table, et jusqu'à ce qu'elle arrivât, Hans Castorp ne pouvait tenir ses pieds tranquilles, car il attendait le fracas de la porte vitrée qui accompagnait inévitablement cette entrée, et il savait qu'il sursauterait à ce moment, et qu'il sentirait sa figure se glacer, ce qui arrivait en effet. Au commencement, il avait chaque fois tourné la tête avec irritation, et accompagné la retardataire négligente de ses yeux furieux jusqu'à la table des « Russes bien », voire avait, à mi-voix et entre les dents, murmuré quelque invective, une exclamation de désapprobation outrée. À présent, il n'en faisait plus rien, mais baissait au contraire la tête sur son assiette, en se mordant même la lèvre, ou se tournait exprès et par un mouvement affecté de l'autre côté, car il lui semblait que la colère ne lui revenait plus de droit, comme s'il n'était plus assez libre pour blâmer, mais en quelque sorte complice de ce désagrément, et en partie responsable devant les autres — bref, il avait honte, et il eût été inexact de dire qu'il avait honte pour Mme Chauchat, car c'est tout à fait personnellement qu'il avait honte devant les autres, ce dont il eût d'ailleurs parfaitement pu se dispenser, car personne dans la salle ne se souciait ni du travers de Mme Chauchat ni de la honte de Hans Castorp, hormis peut-être l'institutrice, Mlle Engelhart, à sa droite.

Cet être minable avait compris que, grâce à la susceptibilité de Hans Castorp à l'égard des portes qui claquaient, un certain rapport affectif entre son jeune voisin de table et la Russe s'était établi, et en outre, que le caractère de ce rapport importait peu, pourvu qu'il existât, et enfin, que son indifférence feinte — faute de don et d'exercice, très mal feinte — ne signifiait pas un affaiblissement, mais plutôt un renforcement, une phase plus avancée de ce rapport. Sans avoir pour sa propre personne ni prétentions ni espoir, Mlle Engelhart prodiguait des paroles qui exprimaient un ravissement désintéressé sur le compte de Mme Chauchat, et l'étrange était que Hans Castorp discernât et reconnût parfaitement, sinon tout de suite, du moins à la longue, le but de ces excitations ; elles lui répugnaient même, sans que pour cela il se laissât moins volontiers influencer et séduire par elles.

« Patatras ! dit la vieille fille, la voilà. On n'a pas besoin de lever les yeux pour se convaincre qu'elle est entrée. Naturellement, c'est elle — et quelle délicieuse démarche ! —, on dirait une chatte qui se glisse vers l'assiette de lait. Je voudrais que nous puissions changer de place pour que vous soyez à même de la contempler aussi commodément et aisément que moi. Je comprends naturellement que vous ne puissiez tout le temps tourner la tête vers elle — Dieu sait ce qu'elle finirait par s'imaginer si elle s'en apercevait… À présent elle dit bonjour à son monde… vous devriez regarder, elle est si exquise à observer. Lorsqu'elle sourit et parle comme en ce moment, elle a une fossette dans la joue, mais pas toujours, seulement quand elle le veut bien. Oui, c'est une enfant gâtée, c'est pourquoi elle est si nonchalante. On est obligé d'aimer de telles gens, bon gré mal gré ; car lorsqu'ils vous mettent en colère par leur laisser-aller, la colère même est un motif de plus de leur être attaché, c'est un tel bonheur de se mettre en colère, et d'être contraint d'aimer quand même… »

Ainsi murmurait l'institutrice derrière sa main, sans que les autres l'entendissent, tandis que la rougeur duveteuse sur ses joues de vieille fille rappelait la température anormale de son corps ; et ses paroles lascives pénétraient le pauvre Hans Castorp jusqu'au sang et jusqu'à la moelle. Un certain manque d'indépendance déterminait chez lui le besoin d'entendre confirmer par un tiers que Mme Chauchat était une femme délicieuse, et de plus, le jeune homme désirait se faire encourager du dehors, à des sentiments auxquels sa raison et sa conscience opposaient des résistances gênantes.

D'ailleurs, ces observations ne furent que peu fécondes en précisions, car avec les meilleures intentions du monde, Mlle Engelhart ne savait rien de plus exact sur Mme Chauchat que tous les autres pensionnaires du sanatorium ; elle ne la connaissait pas, elle ne pouvait même pas se vanter d'avoir avec elle une seule connaissance commune, et l'unique chose par quoi elle se donnait quelque contenance devant Hans Castorp, c'était le fait qu'elle était originaire de Königsberg, par conséquent d'un pays assez proche de la frontière russe, et qu'elle savait quelques bribes de russe — mérites assez chiches mais que Hans Castorp était prêt à considérer comme une relation lointaine avec Mme Chauchat.

« Elle ne porte pas de bague, dit-il, pas d'alliance comme je vois. Pourquoi cela ? Ne m'avez-vous pas dit que c'était une femme mariée ? »

L'institutrice parut confuse, comme si on l'avait poussée dans une impasse et comme si elle devait s'excuser, tant elle se sentait responsable de Mme Chauchat à l'égard de Hans Castorp.

« Il ne faut pas prendre cela trop à la lettre, dit-elle. Je sais de bonne source qu'elle est mariée. Il ne peut y avoir aucun doute là-dessus. Si elle se fait nommer madame, ce n'est pas simplement pour jouir de plus de considération, comme le font certaines demoiselles étrangères, lorsqu'elles sont un peu mûres, mais nous savons tous qu'elle a réellement un mari quelque part en Russie, on sait cela dans tout le pays. Elle a d'ailleurs un autre nom de jeune fille, un nom russe et non français, un nom en *-anof* ou en *-ukof*, je l'ai su, mais je l'ai oublié ; si vous voulez je m'en informerai, il y a certainement plusieurs personnes ici qui connaissent le nom. Une alliance ? non, elle n'en porte pas, cela m'avait déjà frappée. Mon Dieu, peut-être ne lui sied-elle pas, peut-être cela lui fait-il une main trop large. Ou peut-être trouve-t-elle cela bourgeois de porter une alliance, un anneau plat, il ne manquerait plus que le trousseau de clefs, non, elle est évidemment trop libre d'esprit pour cela... Je sais cela, les femmes russes ont toutes quelque chose de libre dans leur manière d'être. De plus, un tel anneau a quelque chose de véritablement rebutant et de dégrisant, n'est-ce pas un symbole de sujétion ? je veux dire qu'il donne à la femme presque un caractère de nonne, il fait d'elle une sainte nitouche ! Cela ne m'étonne pas du tout que cela ne convienne pas à Mme Chauchat. Une femme si ravissante, dans la fleur de l'âge… Sans doute n'a-t-elle ni raison ni désir de faire aussitôt sentir à chaque homme auquel elle donne la main ses liens conjugaux… »

Grand Dieu, avec quelle ardeur l'institutrice plaidait la cause de Mme Chauchat ! Effrayé, Hans Castorp la regarda en face, mais elle soutint son regard avec une sorte d'embarras farouche. Puis tous deux se turent un moment pour se remettre. Hans Castorp mangeait et réprimait le tremblement de sa tête. Enfin il dit :

« Et le mari ? Ne s'occupe-t-il pas du tout d'elle ? Ne vient-il jamais lui rendre visite ici ? Qu'est-ce qu'il fait dans la vie ?

— Fonctionnaire, fonctionnaire dans l'administration russe, dans un gouvernement perdu, le Daghestan, vous savez, c'est tout à fait à l'est, au-delà du Caucase, on l'y a envoyé. Non, je vous disais bien que personne ne l'avait jamais vu ici. Et pourtant, cette fois-ci, elle passe déjà son troisième mois chez nous.

— Elle n'est donc pas ici pour la première fois ?

— Oh ! non, c'est déjà pour la troisième fois. Et dans les intervalles elle séjourne ailleurs, en des endroits semblables. C'est le contraire qui est le cas, c'est elle qui lui rend visite, parfois, pas souvent, une fois par an, pour quelque temps. On peut dire qu'ils vivent séparés et qu'elle lui rend de temps à autre visite.

— Oui, évidemment, puisqu'elle est malade…

— Sans doute, elle est malade. Mais quand même pas à ce point. Pas assez gravement pour qu'elle soit obligée de vivre toujours dans des sanatoriums, et séparée de son mari. Il doit y avoir à cela d'autres raisons plus générales. On tend à supposer ici qu'il y a d'autres raisons. Peut-être ne se plaît-elle pas au Daghestan, derrière le Caucase, dans une contrée aussi sauvage et aussi lointaine, cela n'aurait, après tout, rien d'étonnant. Mais il faut aussi que cela tienne un peu au mari si elle ne se plaît absolument pas chez lui. Il a un nom français, mais c'est quand même un fonctionnaire russe, et c'est là une espèce d'homme assez grossière si vous pouvez m'en croire. Il m'est arrivé d'en voir un, il avait une barbe gris fer et une de ces figures rouges… Ils sont du reste corruptibles à l'extrême, et puis tous en tiennent pour le *Wutki*, cette eau-de-vie, vous savez ? Pour la convenance ils se font servir quelque chose à manger, quelques champignons marinés ou un petit morceau de morue, et ils boivent tout simplement avec cela, en quantités formidables. Ils appellent cela une collation…

— Vous lui attribuez tous les torts, dit Hans Castorp. Nous ne savons pourtant pas si elle-même ne porte pas en partie la responsabilité de ce qu'ils ne peuvent vivre ensemble. Il faut être juste. Lorsque je la considère, et quand je songe à ce travers qu'elle a de claquer des portes… je ne la tiens certainement pas pour un ange, ne m'en veuillez pas, je vous en prie, mais je ne m'y fierais pas. Mais vous n'êtes pas impartiale, vous êtes pleine jusqu'aux oreilles de préjugés en sa faveur… »

Ainsi parlait-il parfois. Avec une ruse qui était étrangère à sa nature, il feignait de croire que l'enthousiasme romanesque de Mlle Engelhart pour Mme Chauchat n'était pas ce qu'il signifiait en réalité (et il le savait parfaitement), comme s'il n'était, cet enthousiasme, qu'un fait en soi, fort cocasse, au sujet duquel lui, Hans Castorp, l'indépendant Hans Castorp, pouvait taquiner la vieille fille, en gardant une distance froide et humoristique. Et comme il était certain que sa complice admettrait et tolérerait cet impertinent renversement des choses, il ne risquait pas grand-chose ce faisant.

« Bonjour, mademoiselle, dit-il. Avez-vous bien dormi ? J'espère que vous avez rêvé de votre belle Minka… Pourquoi donc rougir dès qu'on la nomme ? Vous en êtes absolument folle, ne le niez donc pas ! »

Et l'institutrice, qui avait en effet rougi et qui se penchait profondément sur sa tasse, chuchota du coin des lèvres :

« Mais non, fi donc, monsieur Castorp, ce n'est pas gentil à vous de m'embarrasser ainsi par vos allusions. Tout le monde va s'apercevoir que nous parlons d'elle et que vous me dites des choses qui me font rougir… »

C'était un jeu étrange auquel jouaient ces deux voisins de table. Tous deux savaient qu'ils mentaient doublement et triplement, que Hans Castorp ne taquinait l'institutrice que pour pouvoir parler de Mme Chauchat, mais trouvait en même temps un plaisir malsain et indirect à badiner avec la vieille fille qui, de son côté, s'y complaisait : en premier lieu par instinct d'entremetteuse, mais en outre parce que, pour complaire au jeune homme, elle s'était sans doute réellement quelque peu entichée de Mme Chauchat, et enfin parce qu'elle tirait une pauvre jouissance de se faire ainsi taquiner et rougir. Tous deux savaient cela, de soi-même et de l'autre… et ils savaient aussi que chacun d'eux le savait de soi-même et de l'autre, et tout cela était tortueux et malpropre. Mais bien que Hans Castorp, en général, n'éprouvât que dégoût pour les choses tortueuses et malpropres, et bien que dans ce cas particulier aussi elles lui répugnassent, il continuait néanmoins à clapoter dans cet élément trouble, en se rassurant par la pensée qu'il n'était ici qu'en visite et qu'il allait bientôt repartir. Avec un détachement feint il jugeait en connaisseur le physique de la femme « nonchalante », constatait que, vue de face, elle paraissait sensiblement plus jolie et plus jeune que de profil, que ses yeux étaient trop écartés et que sa tenue laissait beaucoup à désirer, tandis que ses bras étaient, il est vrai, beaux et « d'un galbe suave ». Et tout en disant cela, il s'efforçait de dissimuler le tremblement de sa tête, et constatait cependant que non seulement l'institutrice s'apercevait de ses efforts inutiles, mais remarquait encore avec la plus vive répugnance qu'elle aussi tremblait de la tête. Au surplus, ce n'était que par politique et par une malice plutôt contraire à sa nature qu'il avait appelé Mme Chauchat « votre jolie Minka » ; aussi pouvait-il continuer d'interroger :

« Je dis Minka, mais comment s'appelle-t-elle donc en réalité ? Je veux parler de son prénom. Entichée comme vous l'êtes d'elle, vous devez évidemment connaître son prénom. »

L'institutrice réfléchit.

« Attendez donc, je le sais, dit-elle, je l'ai connu. Ne s'appelle-t-elle pas Tatiana ? Non, ce n'était pas cela, et pas davantage Natacha. Natacha Chauchat ? Non, ce n'est pas cela que j'ai entendu. Halte, ça y est. Advotia, c'est Advotia qu'elle s'appelle. Ou c'était en tout cas quelque chose dans ce genre. Car il est certain qu'elle ne s'appelle ni Katyenka ni Ninotchka. Vraiment, cela m'échappe. Mais je puis facilement m'en informer, si vous y tenez. »

Et en effet, le lendemain, elle savait le nom. Elle le prononça au déjeuner lorsque la porte vitrée fut fermée. Mme Chauchat s'appelait Clawdia.

Hans Castorp ne comprit pas aussitôt. Il se fit répéter et épeler le nom avant qu'il l'eût saisi. Puis il le répéta plusieurs fois, en regardant du côté de Mme Chauchat, de ses yeux veinés de rouge, et en le lui essayant en quelque sorte.

« Clawdia, dit-il, oui, elle peut bien s'appeler ainsi, c'est tout à fait cela. »

Il ne dissimula pas le plaisir qu'il éprouvait de ce renseignement intime et il ne disait plus maintenant que Clawdia lorsqu'il pensait à Mme Chauchat.

« Votre Clawdia fait des boulettes de pain, il me semble ? Ce n'est pas précisément distingué.

— Cela dépend de qui le fait, répondit l'institutrice, cela sied à Clawdia. »

Oui, les repas dans la salle aux sept tables avaient le plus grand charme pour Hans Castorp. Il regrettait lorsque l'un d'eux prenait fin, mais sa consolation c'était que bientôt, dans deux heures ou deux heures et demie, il serait à nouveau assis à cette place, et lorsqu'il était assis à nouveau, c'était comme s'il ne s'était jamais levé. Qu'y avait-il dans l'intervalle ? Rien ! Une petite promenade jusqu'à la chute d'eau ou jusque dans le quartier anglais, un peu de repos sur une chaise longue. Ce n'était pas une interruption grave, ce n'était pas un obstacle qui valût qu'on le prît au sérieux. C'eût été autre chose si un travail, si des soucis ou des peines se fussent interposés, qu'il n'eût pu aussi facilement écarter et négliger en pensée. Mais ce n'était pas le cas dans la vie si intelligemment et heureusement organisée du Berghof. Hans Castorp pouvait, lorsqu'il se levait de table, se réjouir immédiatement du repas prochain — pour autant du moins que le mot « se réjouir » désignât exactement cette sorte d'attente avec laquelle il voyait venir sa nouvelle rencontre avec la malade. Clawdia Chauchat, et pour autant que ce mot ne fût pas trop léger, trop gai, trop simple et trop commun. Il est possible que le lecteur soit tenté de ne juger appropriées à la personne de Hans Castorp et à sa vie intérieure que de telles expressions, à savoir gaies et ordinaires ; mais nous rappelons qu'en jeune homme pourvu de jugement et de conscience, il ne pouvait simplement « se réjouir » de la vue et du voisinage de Mme Chauchat ; constatons que ces mots, si on les lui avait proposés, il les eût repoussés en haussant les épaules.

Oui, il devenait méprisant à l'égard de certains moyens d'expression — c'est là un détail qui mérite d'être noté. Il allait et venait tandis que ses joues étaient brûlantes et il chantait devant lui, chantait en lui-même, car son état d'âme était musical et sensitif. Il fredonnait une petite chanson qu'il avait entendue Dieu sait où, à une soirée ou à un concert de bienfaisance, chantée par une petite voix de soprano, et qu'il avait retrouvée au fond de sa mémoire, — une tendre niaiserie qui commençait ainsi :

Comme me trouble étrangement
Parfois une parole de toi…

et il était sur le point d'ajouter :

Qui venait de tes lèvres
Et allait à mon cœur…

lorsqu'il haussa soudain les épaules, dit : « C'est ridicule ! » condamna et rejeta cette mièvre petite chanson comme démodée et empreinte d'une sensiblerie niaise, la rejeta avec une sévérité mêlée de mélancolie. À pareille petite chanson pleine de ferveur, le premier jeune homme venu pouvait se complaire qui aurait « donné son cœur » comme on a coutume de dire, en tout bien et tout honneur, et avec d'agréables perspectives d'avenir, à quelque oie blanche et bien portante, dans la plaine, là-bas, et qui s'abandonnerait à ses sentiments licites, raisonnables et, au fond, joyeux. Quant à lui et à sa liaison avec Mme Chauchat — le mot « liaison » est de lui, nous en déclinons la responsabilité — il ne pouvait rien avoir de commun avec tout cela et une mélodie de ce genre ; dans sa chaise longue, il se sentit enclin à prononcer sur elle un jugement esthétique en la traitant de « fadaise », mais se ravisa, un peu décontenancé, bien qu'il ne trouvât pour le moment rien de plus approprié à dire.

Mais une chose lui procurait de la satisfaction lorsqu'il était couché et prêtait l'oreille à son cœur, à son cœur corporel qui battait rapidement et distinctement dans le silence, dans le silence réglementaire qui, durant la principale cure de repos, régnait sur tout le Berghof. Il battait obstinément et indiscrètement, son cœur, comme c'était presque toujours le cas depuis qu'il était ici ; mais Hans Castorp s'y arrêtait moins que les premiers jours. On ne pouvait plus dire maintenant qu'il battait de son propre chef, sans raison et sans rapport avec l'âme. Ce rapport existait ou, tout au moins, pouvait être établi sans peine ; l'activité exaltée du corps pouvait aisément se justifier par un état d'âme correspondant. Hans Castorp n'avait besoin que de penser à Mme Chauchat — et il pensait à elle — pour éprouver le sentiment qui correspondait à son battement de cœur.

Inquiétude naissante
Les deux grands-pères
et la promenade en barque au crépuscule

Le mauvais temps était exorbitant — à cet égard Hans Castorp n'avait pas de chance pour son bref séjour dans ces contrées. Il ne neigeait pas précisément, mais il tombait, durant des journées entières, une pluie lourde et vilaine, d'épais brouillards emplissaient la vallée, et des orages ridiculement superflus — car il faisait en outre si froid que l'on avait même allumé le chauffage dans la salle à manger — éclataient avec des échos qui roulaient longuement.

« Dommage ! dit Joachim, j'avais pensé que nous pourrions aller un jour à la *Schatzalp* avec notre déjeuner, ou entreprendre quelque autre excursion, mais il semble que cela ne doive pas se faire. Espérons que ta dernière semaine sera meilleure. »

Mais Hans Castorp répondit :

« Laisse donc. Je n'aspire guère aux entreprises. Ma dernière expédition ne m'a pas précisément réussi. Je me repose mieux en vivant au jour le jour sans beaucoup de distraction. La distraction, c'est pour les anciens, mais moi, avec mes trois semaines, qu'ai-je besoin de distraction ? »

C'était ainsi, il se sentait occupé et absorbé là où il était. S'il avait des espérances, l'accomplissement comme la déception l'attendaient ici, et non pas sur une *Schatzalp* quelconque. Ce n'était pas l'ennui qui le tourmentait ; au contraire, il commençait à craindre que la fin de son séjour arrivât avec une rapidité trop ailée. La deuxième semaine s'écoulait, deux tiers du temps qui lui était accordé seraient bientôt vécus, et lorsque la troisième serait entamée, on commencerait déjà de penser à faire sa malle. La reviviscence de son sens de la durée s'était affaiblie ; déjà les jours commençaient à s'envoler, et ils le faisaient, bien que chacun d'entre eux s'étirât en une attente sans cesse renouvelée, et se gonflât de sensations, silencieuses et secrètes… Oui, le temps est une singulière énigme ; comment la tirer au clair ?

Serait-il nécessaire de désigner de plus près les sensations secrètes qui ralentissaient et accéléraient à la fois le cours des journées de Hans Castorp ? Mais tout le monde les connaît, c'étaient tout à fait les sensations coutumières en leur insignifiance sentimentale, et dans le cas plus raisonnable et plus prometteur auquel eût pu s'appliquer la petite chanson insipide : « Combien me touche étrangement », ils n'auraient pu se dérouler d'une autre manière.

Il était impossible que Mme Chauchat n'aperçût rien des fils qui se nouaient entre une certaine table et la sienne ; et cependant, c'était le désir effréné de Hans Castorp qu'elle s'en aperçût le plus possible. Nous l'appelons désir effréné, parce que Hans Castorp était absolument fixé sur le caractère déraisonnable de son cas. Mais quiconque en est au point où il en était arrivé, ou bien au point où il allait en arriver, veut que de l'autre côté on ait connaissance de son état, même si la chose n'a ni rime ni raison. L'homme est ainsi fait.

Or donc, après que Mme Chauchat se fut retournée deux ou trois fois par hasard, ou sous une influence magnétique, vers cette table, et qu'elle eut chaque fois rencontré les yeux de Hans Castorp, elle regarda une troisième fois avec préméditation, et cette fois encore, rencontra ses yeux. Pour la cinquième fois, elle ne le surprit pas immédiatement : il n'était pas au garde-à-vous. Mais il sentit aussitôt qu'elle le regardait, et ses yeux répondirent avec tant d'empressement qu'elle se détourna en souriant. La méfiance et le ravissement se disputèrent son esprit en face de son sourire. Si elle le jugeait puéril, elle se trompait. Son besoin de raffinement était considérable. À la sixième occasion, lorsqu'il devina, sentit, fut intérieurement averti, qu'elle regardait de son côté, il fit semblant de considérer avec un déplaisir insistant une dame pustuleuse qui s'était approchée de sa table pour bavarder avec la grand-tante, tint bon avec une volonté de fer, au moins pendant deux ou trois minutes, et ne céda pas jusqu'à ce qu'il fût certain que les yeux de Kirghize, là-bas, l'avaient quitté — étrange comédie que Mme Chauchat non seulement pouvait mais devait pénétrer afin que la grande finesse et la maîtrise de soi de Hans Castorp lui donnassent à réfléchir… Il arriva encore ceci : entre deux services, Mme Chauchat se retourna négligemment, et inspecta la salle. Hans Castorp s'était trouvé à son poste ; leurs yeux se rencontrèrent. Tandis qu'ils se regardent — la malade d'un air moqueur qui vaguement le guettait, Hans Castorp, avec une fermeté excitée (il serrait même les dents en tenant tête à ses yeux) —, la serviette est sur le point d'échapper à Mme Chauchat et de glisser de ses genoux jusque par terre. Tressaillant nerveusement, elle allonge la main, mais lui aussi est pris d'un sursaut qui le soulève à moitié de sa chaise et il veut se précipiter aveuglément à son secours, par-delà huit mètres d'espace et une table qui les sépare, comme si c'eût été une catastrophe que la serviette touchât le sol… À quelques centimètres du parquet elle réussit à la rattraper. Mais dans son attitude penchée, obliquement inclinée, tenant le bout de la serviette, et la mine sombre, apparemment irritée par cette absurde petite panique à laquelle elle vient de céder et dont elle rejette, semble-t-il, la faute sur lui, elle regarde encore une fois dans sa direction, voit son élan contenu, ses sourcils relevés et se détourne en souriant.

Cet incident, Hans Castorp le ressentit comme un triomphe auquel il se laissa aller. Mais le contrecoup ne se fit pas attendre, car, pendant deux journées entières, c'est-à-dire pendant dix repas, Mme Chauchat ne se retourna plus vers la salle, elle renonça même à se « présenter » au public en entrant dans le réfectoire, comme elle en avait eu l'habitude. C'était dur. Mais comme ces changements dans les habitudes de la dame s'adressaient sans aucun doute à lui, il y avait évidemment quand même un rapport entre eux, bien que sous une forme négative ; et cela pouvait suffire.

Hans voyait bien que Joachim avait eu parfaitement raison en faisant remarquer qu'il n'était pas du tout facile de nouer connaissance ici, hormis avec ses commensaux. Car, après le dîner, durant l'unique heure qui donnait l'occasion d'une sorte de vie de société régulière, mais qui se réduisait souvent à une vingtaine de minutes, Mme Chauchat était assise, sans exception, dans son entourage ordinaire, le monsieur à la poitrine plate, l'humoriste aux cheveux crépus, le silencieux docteur Blumenkohl et les jeunes hommes aux épaules tombantes, dans le fond du petit salon qui semblait être réservé à la « table des Russes bien ». De plus, Joachim était toujours pressé de s'en aller, afin de ne pas abréger la cure de repos du soir, comme il disait, et peut-être également pour d'autres raisons diététiques qu'il n'invoquait pas, mais que Hans Castorp soupçonnait et respectait. Nous lui avons reproché le caractère effréné de ses désirs, mais quels qu'ils fussent, ce n'était pas en tout cas des relations mondaines qu'il souhaitait avoir avec Mme Chauchat, et au fond il était d'accord avec les circonstances qui y faisaient obstacle. Les relations tendues et indéterminées que ses regards et ses manèges avaient établies entre lui et la Russe n'étaient pas d'une nature mondaine, elles n'obligeaient à rien et ne pouvaient en aucune façon l'obliger. Car une bonne part de réprobation mondaine pouvait d'un côté s'accorder avec eux, et le fait qu'il rattachait le battement de son cœur à la pensée de « Clawdia » ne suffisait guère à ébranler chez le petit-fils de Hans Lorenz Castorp la conviction qu'il ne pouvait rien avoir de commun avec cette étrangère qui passait sa vie séparée de son mari, et sans porter d'alliance, dans toutes les stations climatiques possibles, qui se tenait mal, qui claquait les portes, qui faisait des boulettes de pain et qui, incontestablement, rongeait ses ongles, que — mettons : en réalité, c'est-à-dire en dehors de ces relations secrètes — de profonds abîmes séparaient son existence à elle, de la sienne à lui, et qu'il n'aurait pu affronter avec elle aucune des critiques qu'il avouait justifiées. Hans Castorp était trop sensé pour avoir aucun orgueil personnel; mais un orgueil d'une espèce plus générale et d'une origine plus lointaine était inscrit sur son front et autour de ses yeux aux regards un peu somnolents, et du fond de cet orgueil montait un sentiment de supériorité dont il ne pouvait ni ne voulait se défaire en présence de l'être et de la manière d'être de Mme Chauchat. Chose étrange, il prit conscience avec une vivacité particulière et, peut-être pour la première fois, de ce sentiment de supériorité d'origine si lointaine lorsqu'il entendit pour la première fois Mme Chauchat parler l'allemand. Elle était debout, les deux mains dans les poches de son chandail, à l'issue d'un repas et, engagée, comme Hans Castorp l'entendit en passant, dans une conversation avec une autre malade, une compagne de cure de repos sans doute; elle faisait des efforts d'ailleurs charmants pour parler la langue allemande, la langue maternelle de Hans Castorp, ce qu'il éprouva avec une fierté qu'il n'avait encore jamais ressentie, bien qu'il se sentît en même temps assez disposé à sacrifier cette fierté au ravissement dont l'animait ce délicieux baragouin.

En un mot : Hans Castorp ne considérait cette liaison muette avec ce membre nonchalant de la société de ces gens que comme une aventure de vacances qui, devant le tribunal de la Raison — de sa propre conscience raisonnable — ne pouvait nullement prétendre à être approuvée : d'abord parce que Mme Chauchat était malade, fatiguée, fiévreuse et intérieurement vermoulue — circonstance étroitement liée au caractère douteux de son existence tout entière ainsi qu'aux sentiments de distante prudence de Hans Castorp… Non, chercher sérieusement à faire sa connaissance, voilà une idée qui ne pouvait pas lui venir, et quant au reste, tout ne serait-il pas fini, bien ou mal, avant une semaine et demie, lorsqu'il commencerait son stage chez Tunder et Wilms ?

Il est vrai qu'en attendant il en allait ainsi qu'il avait commencé de considérer les états d'âme, les tensions, les satisfactions et les déceptions qu'il tirait de ses rapports délicats avec la malade, comme le sens et le contenu véritables de son séjour de vacances, de ne vivre que pour eux et de laisser dépendre son humeur bonne ou mauvaise de leur développement. Les circonstances favorisaient ce culte avec beaucoup de bienveillance, car on vivait l'un près de l'autre, en un espace limité, et quoique Mme Chauchat fût logée à un autre étage que lui — au premier (elle faisait d'ailleurs sa cure de repos, comme Hans Castorp l'apprit par l'institutrice, dans une salle commune, celle-là même, située sous le toit, où le capitaine Miklosich avait l'autre jour éteint la lumière) — il n'en restait pas moins que, par le simple fait des cinq repas, et en outre à chaque pas, du matin au soir, la possibilité existait, voire la nécessité inéluctable de rencontres fréquentes. Et cela aussi, de même que tout le reste, l'absence de soucis et de peines, Hans Castorp le trouvait fameux, encore qu'il éprouvât une sorte d'angoisse à se sentir enfermé ainsi avec cet à-peu-près propice.

Pourtant il aidait même un peu, il calculait et mettait son cerveau au service de la cause, pour améliorer ce bonheur. Comme Mme Chauchat venait habituellement en retard à table, il s'arrangea pour venir lui aussi avec un léger retard afin de la rencontrer en chemin. Il s'attardait à sa toilette, n'était pas prêt lorsque Joachim venait le prendre, laissait son cousin le précéder et disait qu'il le suivait. Conseillé par l'instinct propre à son état, il attendait un certain temps qui lui semblait le temps indiqué, puis descendait au premier étage ; arrivé là, il ne continuait pas de descendre le même escalier, mais en gagnait un autre en parcourant toute la longueur du corridor et en passant devant la porte d'une chambre bien connue : c'était le numéro 7. Par ce chemin, en longeant le corridor, d'un escalier à l'autre, il s'offrait pour ainsi dire à chaque pas une chance, car à chaque instant ladite porte pouvait s'ouvrir — et cela se produisit à plusieurs reprises : avec fracas elle se refermait derrière Mme Chauchat qui, pour sa part, se montrait et glissait sans bruit vers l'escalier… Puis elle descendait devant lui et soutenait de la main ses cheveux, ou bien Hans Castorp marchait devant elle et sentait son regard dans le dos, avec des tressaillements et des fourmillements, mais avec la volonté de se tenir devant elle comme s'il ignorait sa présence, et comme s'il menait en toute indépendance sa vie personnelle. Aussi plongeait-il les mains dans les poches de son veston, roulait très inutilement les épaules, toussait tout haut en se frappant la poitrine du poing — tout cela pour manifester son détachement.

Parfois il poussait l'astuce encore plus loin. Lorsqu'il était déjà à table, il disait d'un air fâché et ennuyé à son cousin en tâtant ses poches : « Voilà que j'ai oublié mon mouchoir. Il va falloir encore me promener jusque là-haut. » Et il remontait pour que « Clawdia » et lui se rencontrassent, ce qui était encore tout autre chose, infiniment plus dangereux, et d'un charme plus aigu que lorsqu'il marchait devant ou derrière elle. La première fois qu'il exécuta cette manœuvre, elle le toisa à quelque distance d'un regard plutôt impertinent et sans timidité, le toisa de haut en bas, mais lorsqu'elle se fut approchée, elle détourna de lui les yeux avec indifférence et passa de telle façon que cet épisode ne pouvait avoir une grande valeur. Par contre, la deuxième fois elle le regarda, non pas seulement de loin, mais durant tout le temps, le regarda en face d'un air ferme et même un peu sombre, alla jusqu'à tourner à son passage la tête vers lui ; le pauvre Hans Castorp en fut pénétré jusqu'à la moelle. D'ailleurs il n'y avait pas lieu de le plaindre, puisqu'il n'avait pas voulu autre chose et que lui-même y avait préparé la voie. Mais cette rencontre lui causa un saisissement, aussi bien lorsqu'elle eut lieu, que plus tard, à titre rétrospectif ; car ce n'est que lorsque ce fut passé qu'il se rendit exactement compte comment cela avait été. Jamais encore il n'avait vu le visage de Mme Chauchat si proche de lui, si clairement distinct dans tous ses détails ; il avait pu distinguer les petits cheveux qui se détachaient de l'entrelacement de sa natte blonde, laquelle tirait un peu vers le roux métallique et était simplement nouée autour de la tête, et il n'y avait eu que la largeur de quelques mains entre son visage à lui et le sien à elle, aux formes si étranges, mais depuis si longtemps familières et qui lui plaisaient comme rien d'autre au monde : des formes exotiques et pleines de caractère à la fois (car seul ce qui nous est étranger nous semble avoir du caractère), d'un exotisme nordique et mystérieux, qui excitait à l'exploration, dans la mesure où ses signes et ses rapports étaient difficiles à déterminer. Mais le plus caractéristique, c'était sans doute la saillie des pommettes placées très haut : elles cernaient de près les yeux placés exceptionnellement loin l'un de l'autre, à fleur de tête, et les rendait un peu obliques tout en donnant leur concavité suave aux joues, laquelle, à son tour, semblait entraîner la plénitude des lèvres légèrement retroussées. Mais il y avait surtout les yeux — ces yeux étroits de Kirghize et (du moins était-ce la pensée de Hans Castorp) d'une coupe vraiment magique, d'un gris-bleu ou d'un bleu-gris, qui était la couleur de montagnes lointaines, et qui parfois, en un regard oblique qui ne servait pas à voir, se fondaient en une coloration nocturne, ténébreuse et voilée — les yeux de Clawdia qui l'avaient considéré d'un regard pénétrant et un peu sombre, de tout près, et qui, par la position, la couleur et l'expression, ressemblaient d'une manière frappante et presque effrayante à ceux de

Pribislav Hippe. « Ressemblaient » n'était pas du tout le mot juste — c'étaient les mêmes yeux, et aussi la largeur de la moitié supérieure du visage, ce nez renfoncé, tout, jusqu'à la blancheur rougissante de la peau, la couleur saine des joues, qui pourtant, chez Mme Chauchat, ne faisait que donner l'illusion de la santé, et, comme chez tous les autres ici, n'était que le résultat superficiel de la cure de repos à l'air libre — tout était comme chez Pribislav, et ce dernier ne l'avait pas regardé autrement lorsqu'ils se rencontraient dans la cour de l'école.

C'était bouleversant à tous les égards ; Hans Castorp était enthousiasmé par cette coïncidence, et en même temps il éprouvait quelque chose comme une crainte qui montait en lui, une angoisse du même genre que ce sentiment d'être enfermé avec l'à-peu-près propice dans un espace exigu : cela aussi qu'il rencontrât de nouveau Pribislav depuis longtemps oublié, et qu'en la personne de Mme Chauchat, son ancien camarade le regardât de ses yeux de Kirghize, cela aussi, c'était d'être enfermé avec quelque chose d'inévitable et d'inéluctable, inéluctable dans un sens de félicité angoissante. C'était à la fois prometteur, inquiétant et presque menaçant, et le jeune Hans Castorp sentit qu'il avait besoin de secours ; des mouvements vagues et instinctifs s'opéraient en lui, que l'on eût pu qualifier de tâtonnements, de gestes en quête d'une aide, d'un conseil, d'un appui : il pensa tour à tour à plusieurs personnes auxquelles il pouvait être éventuellement utile de penser en la circonstance.

Il y avait là Joachim, le brave et honnête Joachim, à ses côtés, dont les yeux, ces mois derniers, avaient pris une expression triste et qui haussait parfois les épaules avec cette violence négligente qu'on ne lui connaissait pas autrefois, Joachim avec son « Henri le Bleu » dans sa poche, pour nous servir du terme dont Mme Stöhr désignait cet ustensile ; avec un visage empreint d'une impudeur si têtue que Hans Castorp en était chaque fois épouvanté jusqu'au tréfonds de l'âme… L'honnête Joachim donc était là, qui agaçait et tourmentait le docteur Behrens pour pouvoir repartir, pour prendre, dans cette « plaine », dans ce « pays plat » dont on parlait ici avec une légère, mais sensible nuance de dédain, ce service tant convoité. Pour en arriver là plus vite, et gagner un peu de ce temps que l'on gaspillait ici si légèrement, il commençait donc par s'appliquer en toute conscience au service de la cure, le faisait pour l'amour du régime lui-même, qui en somme était une consigne comme une autre, et remplir ce devoir c'était remplir son devoir. Aussi, au bout d'un quart d'heure déjà, Joachim, chaque soir, pressait-il son cousin de quitter la réunion pour la cure du soir, et c'était heureux, car son exactitude militaire venait en quelque sorte au secours de Hans Castorp, le pékin, qui, autrement, s'y serait attardé plus longtemps encore, les yeux fixés sur le petit salon des Russes. Mais, si Joachim avait tellement hâte d'abréger la soirée, cela tenait encore à une autre raison qu'il taisait, mais que Hans Castorp connaissait exactement, depuis qu'il avait si bien appris à comprendre pourquoi le visage de Joachim se tachetait en pâlissant, et pourquoi sa bouche était tourmentée à certains instants d'une grimace si singulièrement plaintive. Car Maroussia, elle aussi, Maroussia l'éternelle rieuse, qui portait un petit rubis au doigt, qui respirait un parfum d'orange, Maroussia à la poitrine opulente, mais vermoulue, assistait le plus souvent à ces réunions, et Hans Castorp comprit que c'était cette chose qui éloignait Joachim parce qu'il se sentait trop attiré vers elle, et d'une manière trop terrible. Joachim, lui aussi, était-il enfermé, d'une manière plus étroite et plus oppressante encore que lui-même, puisqu'il était assis cinq fois par jour à la même table que Maroussia et que son mouchoir parfumé à l'orange ? Quoi qu'il en fût, Joachim était beaucoup trop occupé de lui-même pour que sa présence eût pu en quelque manière apporter une aide à Hans Castorp. Sa fuite quotidienne était sans doute tout à son honneur, mais rien moins que rassurante pour Hans Castorp et, par moments, il semblait à celui-ci que le bon exemple de Joachim, sous le rapport de l'exactitude dans l'observation de sa cure, et les instructions expertes qu'il donnait à cet égard, avaient quelque chose d'inquiétant.

Hans Castorp n'était encore là que depuis deux semaines, mais il lui semblait qu'il y avait plus longtemps, et le régime de ces gens d'ici que Joachim observait à ses côtés avec tant d'application, avait commencé à prendre à ses yeux une intangibilité presque sacrée et naturelle, de telle sorte que la vie d'en bas, dans la plaine, vue d'ici, lui semblait presque singulière et comme à rebours. Déjà il avait acquis une jolie dextérité dans le maniement des deux couvertures au moyen desquelles on se transformait par temps froids en un paquet bien fait, en une véritable momie ; il s'en fallait de peu qu'il égalât Joachim dans l'adresse assurée et dans l'art de s'en envelopper selon les règles et il s'étonnait presque, à la pensée que, dans la plaine, en bas, personne ne savait rien de cet art et de ces règles. Oui, c'était bizarre ; mais, en même temps que Hans Castorp s'étonnait de trouver cela bizarre, cette inquiétude qui le faisait se retourner intérieurement, en quête d'un conseil et d'un appui, montait de nouveau en lui.

Il pensait au docteur Behrens et à son conseil « absolument désintéressé » de vivre exactement comme les pensionnaires, et même de prendre sa température, et à Settembrini qui avait pouffé de rire en apprenant que ce conseil lui avait été donné, et qui ensuite avait cité quelque chose de *La Flûte enchantée*. Oui, à ceux-là, aussi, il pensa, en quelque sorte à titre d'essai, pour se rendre compte si cela le soulagerait. Le docteur Behrens n'avait-il pas des cheveux blancs ? N'eût-il pas pu être le père de Hans Castorp ? De plus, il était le directeur de l'établissement, la plus haute autorité, et c'était d'une autorité paternelle que le jeune Hans Castorp, au fond de son cœur, éprouvait un besoin anxieux. Et pourtant il avait beau essayer, il ne réussissait pas à penser au docteur avec une confiance filiale. Celui-ci avait enterré ici sa femme, il avait éprouvé un chagrin qui, passagèrement, l'avait rendu un peu bizarre, et, ensuite, il y était demeuré, parce que la tombe le retenait et parce que lui-même avait été légèrement atteint. Était-ce passé à présent ? Était-il décidé, sainement et sans duplicité, à guérir les gens, pour qu'ils pussent rapidement retourner dans la plaine et y accomplir leur service ? Ses joues étaient toujours bleues et en somme, on eût dit qu'il avait toujours de la température. Mais ce pouvait être une illusion et la couleur de son teint pouvait ne tenir qu'à l'air : Hans Castorp lui-même éprouvait de jour en jour comme une chaleur sèche, sans qu'il eût de fièvre, pour autant du moins qu'il pouvait en juger sans thermomètre…

Il est vrai que, lorsqu'on entendait parler le conseiller aulique, on pouvait parfois se figurer que l'on avait de la température ; quelque chose n'était pas très net dans son langage ; il semblait si allant, si gai et si jovial, mais on y sentait on ne savait quoi d'étrange et d'exalté, surtout lorsqu'on observait ses joues bleues et ses yeux larmoyants qui faisaient penser qu'il pleurait encore sa femme. Hans Castorp se rappelait ce que Settembrini avait dit de la « mélancolie » et de la « dépravation » du docteur, et il se souvenait que l'Italien l'avait appelé une « âme confuse ». Ce pouvait être malice ou légèreté ; mais il trouvait néanmoins assez peu réconfortant de penser au docteur Behrens.

Et il y avait encore ce Settembrini lui-même, cet homme d'opposition, ce farceur et « *homo humanus* », comme il se surnommait lui-même, qui, en beaucoup de paroles élastiques et rebondies, lui avait reproché de qualifier la rencontre de la maladie et de la sottise de « contradiction », et de « dilemme pour le sentiment humain ». Que fallait-il penser de lui ? Et était-ce profitable de penser à lui ? Sans doute, Hans Castorp se souvenait de s'être irrité au cours de ces rêves, vivaces à l'excès, qui emplissaient ici ses nuits, du sourire fin et sec de l'Italien — de ce sourire qui ondulait sous la belle courbe de la moustache — et il se souvenait d'avoir traité Settembrini de joueur d'orgue de Barbarie, et d'avoir essayé de le pousser dehors parce qu'il dérangeait ici. Mais ç'avait été en rêve, et Hans Castorp, éveillé, était un autre Castorp, moins déchaîné que le Hans Castorp du rêve. À l'état de veille il pouvait en être autrement — peut-être ferait-il bien de tenter l'étude de ce caractère nouveau pour lui, celle de Settembrini avec son esprit d'opposition et de critique, bien que cette critique fût larmoyante et bavarde ? L'autre ne s'était-il pas présenté comme un pédagogue ? De toute évidence, il souhaitait exercer une influence, et le jeune Hans Castorp désirait de tout cœur être influencé, ce qui naturellement ne signifiait pas qu'il dût aller jusqu'à se laisser décider par Settembrini à faire sa malle et à partir avant terme, comme celui-ci le lui avait récemment proposé le plus sérieusement du monde.

« *Placet experiri* », songeait-il en souriant en lui-même, car il savait suffisamment de latin, sans avoir pour cela le droit de se prendre pour un *homo humanus*. Et il gardait donc un œil sur Settembrini et écoutait volontiers, non sans une attention critique, tout ce que l'Italien débitait lors des rencontres qu'amenaient parfois les promenades prescrites par le traitement, jusqu'au banc près de la combe, ou jusqu'à Davos-Platz. Il faisait de même en d'autres occasions, quand, par exemple, le repas terminé, Settembrini se levait le premier et, dans son pantalon à carreaux, un cure-dents entre les lèvres, flânait à travers la salle aux sept tables, pour, au mépris de la règle et de l'usage, venir un instant à la table des cousins. L'Italien prenait cette liberté, se plantant là, les chevilles croisées, en une attitude gracieuse, et bavardait en gesticulant avec son cure-dents. Ou bien il tirait une chaise à lui, prenait place à l'un des coins de la table, entre Hans Castorp et l'institutrice, ou bien entre Hans Castorp et Miss Robinson de l'autre côté, et regardait ses neuf commensaux dévorer le dessert auquel il avait renoncé.

« Puis-je me joindre à cette noble compagnie ? disait-il en secouant la main des deux cousins et en adressant un salut aux autres personnes. Ce brasseur, là-bas… sans parler de l'aspect désespérant de Madame la brasseuse. Ah ! Monsieur Magnus ! Il vient de nous faire une conférence psychosociologique. Vous plaît-il de l'entendre ? “Notre chère Allemagne est une grande caserne, oui, certes ! Mais il s'y cache beaucoup d'énergie et je n'échangerais pas nos vertus solides contre la politesse des autres. À quoi me sert la politesse si on me trompe par-devant et par-derrière ?…” Et le reste est du même tonneau. Je suis à bout de forces. Et puis j'ai pour voisine un pauvre être qui a des roses de cimetière sur les joues, une vieille fille de Transylvanie, qui parle sans arrêt de son “beau-frère”, un homme dont personne ne sait rien ni ne veut rien savoir. Bref, je n'en puis plus ; je me suis esquivé.

— Vous avez pris la fuite avec armes et bagages, dit Mme Stöhr, c'est bien le cas de le dire.

— Exactement, s'écria Settembrini, avec armes et bagages. Je vois qu'un autre vent souffle ici. Pas de doute, je suis arrivé à bon port. Donc avec sac et bagages... Ah ! si tout le monde savait disposer ses mots de la sorte ! Puis-je m'informer des progrès de votre précieuse santé, madame Stöhr ? »

C'était effrayant de voir les airs qu'affectait Mme Stöhr :

« Grand Dieu ! dit-elle, c'est toujours la même chose. Monsieur ne l'ignore pas. On fait deux pas en avant et trois en arrière. Lorsqu'on a patienté ses cinq mois, arrive le vieux qui vous en administre encore six. Hélas ! ce sont des supplices de Tantale. On pousse, on pousse, et l'on croit être en haut...

— Oh ! comme c'est gentil à vous, cela ! Vous accordez enfin à ce pauvre Tantale un peu de variété. Pour changer, vous lui faites pousser le fameux rocher ! C'est ce que j'appelle la vraie bonté d'âme. Mais qu'y a-t-il, madame ? Il se passe autour de vous des choses mystérieuses. On parle de double, de corps astral. Je n'y croyais pas, mais ce qui se passe chez vous serait de nature à me troubler...

— Il semble que monsieur veuille s'amuser à mes dépens.

— Nullement, je n'y songe pas. Rassurez-moi d'abord sur certains côtés obscurs de votre existence et nous pourrons parler d'amusement ! Hier soir, entre neuf heures et demie et dix heures, je me donne un peu de mouvement dans le jardin ; des yeux je parcours les balcons, la petite lampe électrique, sur le vôtre, luit à travers l'obscurité. Vous faisiez donc votre cure, ainsi que le commandent le devoir, la raison et le règlement. “Voici notre jolie malade, me disais-je à moi-même, qui observe fidèlement les prescriptions pour pouvoir retourner le plus tôt possible dans les bras de M. Stöhr.” Et tout à l'heure, qu'entends-je ? Qu'à la même heure vous auriez été vue au *cinematografo* (M. Settembrini prononça le mot à l'italienne, avec l'accent sur la quatrième syllabe), au *cinematografo* des arcades du casino, et ensuite encore à la confiserie, avec du vin doux et on ne sait quels petits fours, et, dit-on… »

Mme Stöhr se tortillait, gloussait dans sa serviette, poussait du coude Joachim Ziemssen et le paisible docteur Blumenkohl, clignait d'un œil rusé et confidentiel et attestait de toutes les manières une coquetterie suffisante et bornée. Pour tromper la surveillance, elle avait l'habitude de poser sur le balcon sa petite lampe de chevet, de s'esquiver discrètement, et de s'accorder quelques distractions en bas, dans le quartier anglais. Son mari l'attendait à Cannstatt. D'ailleurs, elle n'était pas la seule malade qui pratiquât ce régime.

« … Et, dit-on, poursuivit Settembrini, vous auriez savouré ces petits fours en compagnie de qui ? En compagnie du capitaine Miklosich, de Bucarest. On assure qu'il porte un corset, mais, mon Dieu, quelle importance cela peut-il avoir ? Je vous en conjure, madame, où étiez-vous ? Vous êtes donc double ? Sans doute vous étiez-vous endormie ; tandis que la partie terrestre de votre être faisait solitairement sa cure, la partie spirituelle se divertissait en compagnie du capitaine Miklosich et de ses petits fours… »

Mme Stöhr se tordait et se débattait comme quelqu'un que l'on chatouille.

« On ne sait pas si on doit souhaiter le contraire, dit Settembrini. Que vous eussiez savouré seule les petits fours, et que vous eussiez fait votre cure de repos en compagnie du capitaine Miklosich…

— Hi, hi, hi…

— Ces dames et messieurs connaissent-ils l'histoire d'avant-hier ? demanda sans transition l'Italien. Quelqu'un a été enlevé, emporté par le diable, ou plus exactement par Madame sa mère, une dame énergique, elle m'a plu. C'est le jeune Schermann, Antoine Schermann, qui était assis là devant, à la table de Mlle Kleefeld ; vous voyez sa place est vide. Elle sera bientôt occupée, je n'ai pas d'inquiétude à ce sujet, mais Antoine est parti, sur les ailes de Zéphir, en un tournemain, et avant de s'en être rendu compte. Il était ici depuis un an et demi, avec ses seize ans ; on venait de lui octroyer six mois de plus. Et qu'arrive-t-il ? Je ne sais pas qui a glissé un mot à Mme Schermann ; toujours a-t-elle eu vent des mœurs de son rejeton *in Baccho et cœteris*. Elle entre en scène, sans crier gare, une matrone, trois têtes de plus que moi, les cheveux blancs, furibonde, elle administre sans mot dire une paire de gifles à M. Antoine, l'empoigne par le col et l'embarque dans le train. "S'il doit périr, dit-elle, il le peut aussi bien en bas." Et allons-y, en route, on rentre ! »

On riait aussi loin qu'on pouvait l'entendre, car M. Settembrini savait conter avec drôlerie. Il paraissait renseigné sur les dernières nouvelles, bien qu'il considérât la vie en commun des gens d'ici avec une ironie marquée. Il savait tout. Il connaissait les noms et, à peu près, les conditions de l'existence des nouveaux venus. Il rapportait qu'hier un tel ou une telle avait subi la section d'une côte, et il savait de la meilleure source qu'à partir de l'automne prochain, on n'admettrait plus de malades ayant plus de 38,5 de fièvre. La nuit dernière, contait-il, le petit chien de Mme Capatsoulias, de Mytilène, s'était assis sur le bouton du signal électrique lumineux sur la table de nuit de sa maîtresse, ce qui avait provoqué beaucoup d'allées et venues et de tumulte, d'autant plus que l'on avait trouvé Mme Capatsoulias, non pas seule, mais en compagnie de l'assesseur Dustmund, de Friedrichshagen. Le docteur Blumenkohl lui-même ne put s'empêcher de sourire de cette histoire, la jolie Maroussia faillit étouffer dans son mouchoir parfumé à l'orange, et Mme Stöhr poussa un cri perçant en comprimant son sein gauche des deux mains.

Mais, seul avec les cousins, Lodovico Settembrini parlait aussi volontiers de lui-même et de ses origines, tant en promenade qu'en profitant des réunions du soir, ou encore après le déjeuner, lorsque la plupart des pensionnaires avaient déjà quitté la salle à manger et que les trois hommes restaient encore assis un moment à leur bout de table, tandis que les serveuses la débarrassaient et que Hans Castorp fumait son Maria Mancini dont il commençait, en cette troisième semaine, à goûter de nouveau la saveur. Les examinant avec attention, étonné, mais disposé à subir leur influence, il écoutait les récits de l'Italien qui lui ouvraient un monde singulier et tout neuf.

Settembrini parlait de son grand-père qui avait été avocat à Milan, mais en même temps un grand patriote et quelque chose comme un agitateur, un orateur et un publiciste politique, lui aussi un homme d'opposition, de même que son petit-fils, mais ayant pratiqué la chose dans un plus grand style et dans un esprit plus hardi. Car, tandis que Lodovico, ainsi qu'il le faisait observer avec amertume, se voyait réduit à persifler la vie et les habitants du sanatorium international Berghof, à exercer sur eux sa critique railleuse et à protester contre eux au nom d'une humanité belle et active, l'aïeul avait donné du fil à retordre aux gouvernements, avait conspiré contre l'Autriche et la Sainte-Alliance qui avaient alors courbé sa patrie démembrée sous le joug d'une servitude accablante, et il avait été un membre zélé de certaines sociétés répandues en Italie, un *carbonaro*, comme le disait Settembrini en baissant subitement la voix, comme si, aujourd'hui encore, il avait été dangereux de parler de cela. Bref, ce Giuseppe Settembrini apparaissait, dans les récits de son petit-fils, aux auditeurs, comme ayant mené une existence ténébreuse, passionnée et séditieuse, comme un chef de bande et un conspirateur, et malgré tout le respect auquel ils s'efforçaient par politesse, ils ne parvenaient pas à effacer de leurs visages une expression d'antipathie méfiante, voire de répugnance. Il est vrai que les événements évoqués étaient d'une espèce assez particulière : ce qu'ils entendaient remontait à une époque lointaine, à un siècle ou presque, c'était de l'histoire ! Et par l'histoire, en particulier par l'histoire ancienne, la nature, de ce dont ils entendaient ici parler, l'amour téméraire et désespéré pour la liberté et une haine invincible des tyrans qui leur étaient théoriquement familiers, bien qu'ils n'eussent jamais pensé qu'un jour ils auraient avec de tels sentiments un contact humain aussi immédiat. De plus, cet esprit de révolte et ces menées de conspirateur du grand-père s'alliaient, ainsi qu'ils l'apprirent, à un profond amour de la patrie, qu'il voulait rendre libre et unie ; effectivement, ces agissements séditieux avaient été le fruit et l'émanation de cet alliage respectable entre tous, et si étrange que parût à l'un comme à l'autre des deux cousins ce mélange d'esprit révolutionnaire et de patriotisme — car ils avaient l'habitude d'identifier le patriotisme à un sens conservateur de l'ordre — ils n'en devaient pas moins, à part eux-mêmes, convenir de ce que dans les circonstances et à l'époque en question, la rébellion avait pu être le véritable devoir civique, et qu'un loyalisme inconsidéré pouvait équivaloir à une indifférence indolente à l'égard de la chose publique.

Le grand-père Settembrini n'avait d'ailleurs pas seulement été un patriote italien, mais encore un concitoyen et un allié de tous les peuples assoiffés de liberté. Car après l'échec d'un certain coup de main et d'une tentative de coup d'État que l'on avait entrepris à Turin, et auquel il avait participé par la parole et par l'action, n'ayant échappé que de justesse aux sbires du prince Metternich, il avait employé ses années d'exil à combattre et à verser son sang, en Espagne pour la Constitution, en Grèce pour l'indépendance du peuple hellénique. C'était dans ce dernier pays que le père de Settembrini était venu au monde — sans doute était-ce pourquoi il était devenu un si grand humaniste et un amateur de l'Antiquité classique —, né d'ailleurs d'une mère de sang allemand, car Giuseppe avait épousé la jeune fille en Suisse et l'avait emmenée avec lui dans ses aventures ultérieures. Plus tard, après avoir vécu pendant dix ans en exil, il avait pu rentrer dans son pays et s'était établi avocat à Milan, mais il n'avait pas renoncé à appeler la nation par la parole orale et écrite, en vers et en prose, à la liberté et à l'instauration d'une République une et indivisible, à concevoir des programmes révolutionnaires avec un élan passionné et dictatorial, et à prédire en un style clair l'union des peuples affranchis en vue d'assurer le bonheur universel. Un détail que Settembrini, le petit-fils, mentionna, fit une impression particulièrement vive sur le jeune Hans Castorp : à savoir que le grand-père Giuseppe s'était, sa vie durant, montré à ses concitoyens vêtu de noir, car, avait-il dit, il portait le deuil de l'Italie, sa patrie, asservie et malheureuse. En entendant cela, Hans Castorp, qui, plusieurs fois déjà, les avait comparés en pensée, se souvint de son grand-père qui, lui aussi, tant que son petit-fils l'avait connu, avait porté des vêtements noirs, mais dans un esprit fort différent de celui qui avait animé ce grand-père-ci : il se souvint de la tenue démodée par laquelle Hans Lorenz Castorp, qui relevait en somme d'un temps révolu, s'était conformé au temps présent, tout en marquant par une sorte d'artifice combien il lui appartenait peu, jusqu'au jour où, sur son lit de mort, ses vêtements eussent solennellement recouvré leur forme véritable et appropriée à son caractère (avec la collerette). En vérité, ç'avaient été là deux grands-pères foncièrement différents ! Hans Castorp songeait à cela, tandis que ses yeux prenaient une expression fixe, et il hochait prudemment la tête, de telle manière qu'on pouvait aussi bien interpréter ce mouvement comme une marque d'admiration pour Giuseppe Settembrini ou comme un signe de son étonnement et de sa désapprobation. Il se gardait bien d'ailleurs de condamner ce qui lui semblait étrange et s'en tenait à sa constatation et à sa comparaison. Il voyait la tête étroite du vieux Hans Lorenz se pencher sur le creux légèrement doré du plat baptismal — de cette pièce ancestrale qui se transmettait invariablement de père en fils —, la bouche arrondie, car ses lèvres formaient le préfixe allemand « *ur* » (ce qui veut dire « arrière »), ce son sourd et pieux qui rappelait des endroits où une démarche solennelle et révérencieuse était de mise. Et il voyait Giuseppe Settembrini, agitant le drapeau tricolore d'une main, brandissant son sabre de l'autre, ses yeux noirs levés invoquant le ciel, s'élancer à la tête d'une troupe de défenseurs de la liberté contre la phalange du despotisme. L'une et l'autre de ces attitudes avaient sans doute leur beauté et leur bonheur, pensait-il, d'autant plus soucieux de se montrer équitable que, personnellement ou pour une part de sa personne, il se sentait un peu juge et partie. Car le grand-père Settembrini avait combattu pour des droits politiques, tandis que tous les droits avaient, à l'origine, appartenu à son propre grand-père ou tout au moins à ses aïeux, et c'était la canaille qui les leur avait arrachés au cours des quatre derniers siècles par la violence et par de belles phrases. Et voici que l'un et l'autre avaient été vêtus de noir, le grand-père du Nord et le grand-père du Sud, l'un et l'autre à cette fin d'établir entre eux et le néfaste temps présent une distance sévère. Mais l'un avait agi ainsi par piété, en l'honneur du passé et de la mort auxquels appartenait sa nature ; l'autre, au contraire, par esprit de rébellion, en l'honneur d'un progrès ennemi de toute piété. Certes, c'étaient là deux mondes ou deux points cardinaux, songeait Hans Castorp, et se voyant ainsi en quelque sorte placé entre les deux pôles, tandis que M. Settembrini racontait, et qu'il jetait un regard attentif tantôt vers l'un, tantôt vers l'autre de ces mondes, il lui semblait que pareille aventure lui était déjà arrivée. Il se souvenait d'une promenade solitaire, en barque, dans la pénombre du soir, sur un lac du Holstein, vers la fin de l'été, voici quelques années. C'était vers sept heures, le soleil s'était déjà couché, une lune à peu près pleine s'était levée à l'est, au-dessus des rives plantées d'arbustes touffus. Pendant dix minutes, tandis que Hans Castorp ramait sur l'eau calme, une constellation de rêve, étrangement troublante, avait régné. À l'ouest il avait fait plein jour, un jour d'une clarté vitreuse et nette ; mais pour peu qu'il tournât la tête, il voyait une nuit de pleine lune, magique et balayée par des brouillards humides. Cet étrange contraste avait duré un petit quart d'heure, avant que la nuit et la lune eussent triomphé, et avec un étonnement émerveillé, les yeux éblouis et dupés de Hans Castorp étaient allés d'un éclairage et d'un paysage à l'autre, du jour à la nuit et de la nuit au jour. C'est de quoi, alors, il se souvint.

Quoi qu'il en soit, se disait-il encore, l'avocat Settembrini, en menant une vie pareille et poursuivant une activité aussi étendue, n'avait pas dû devenir un grand juriste. Mais le principe même de la justice l'avait animé, comme le faisait apparaître son petit-fils, de sa première enfance jusqu'à la fin de sa vie ; et bien qu'en ce moment il n'eût pas précisément le cerveau très clair et que son organisme fût absorbé par les six services d'un repas du sanatorium Berghof, Hans Castorp s'efforçait de comprendre ce que Settembrini entendait dire lorsqu'il appelait ce principe « la source de la Liberté et du Progrès ». Par ce dernier mot, Hans Castorp avait entendu jusqu'à présent quelque chose comme le développement des grues à vapeur dans le cours du XIXe siècle ; et il découvrit que Settembrini ne faisait pas peu de cas de ces choses et que son grand-père n'en avait pas usé autrement. L'Italien rendait à la patrie de ses deux auditeurs le plus grand hommage en tenant compte de ce qu'ils avaient inventé la poudre — qui avait relégué au bric-à-brac la cuirasse des féodaux — et la presse d'imprimerie ; car cette dernière avait permis de répandre les idées démocratiques. Il louait donc l'Allemagne à cet égard, et pour autant qu'il était question du passé, bien qu'il crût devoir en toute équité accorder la palme à son propre pays, puisque, le premier, il avait, tandis que les autres peuples vivaient encore dans le crépuscule de la superstition et de la servitude, déployé le drapeau des lumières, de la culture et de la liberté. Mais si Settembrini témoignait beaucoup d'estime à la technique et au trafic — le domaine propre de Hans Castorp — ainsi qu'il l'avait fait lors de sa première rencontre avec les cousins sur le banc de la combe, il ne semblait pas cependant que ce fût pour l'amour de ces puissances, mais plutôt en raison de leur influence sur le perfectionnement moral de l'homme, car c'est le genre d'importance qu'il se déclarait heureux de leur accorder. En subjuguant de plus en plus la nature, par les rapports qu'elle établissait, par les développements des réseaux routiers et télégraphiques, en triomphant des différences climatiques, la mécanique s'avérait le moyen le plus sûr de rapprocher les peuples, de favoriser leur compréhension réciproque, d'amorcer entre eux des compromis humains, de détruire leurs préjugés et enfin d'entraîner leur union universelle. La race humaine était sortie de l'ombre, de la peur et de la haine, mais sur une route de lumière elle se dirigeait vers un état final de sympathie, de clarté intérieure, de bonté et de bonheur ; et sur cette route la mécanique était le véhicule le plus utile. Mais en parlant ainsi, en un seul souffle il mêlait des catégories que Hans Castorp avait été habitué à n'envisager jusque-là que séparément. Mécanique et morale, disait-il. Et il allait jusqu'à parler du Sauveur du christianisme qui avait le premier révélé le principe de l'égalité et de l'union des peuples, après quoi la presse à imprimer avait puissamment favorisé l'expansion de ce principe ; et la grande Révolution française l'avait élevé à la dignité d'une loi. Pour des raisons mal définies, tout cela semblait au jeune Hans Castorp très certainement confus, encore que M. Settembrini le résumât en termes si clairs et si énergiques. Une seule fois, racontait-il, une seule fois dans sa vie, au début de sa maturité, son grand-père s'était senti entièrement heureux : ç'avait été à la nouvelle de la révolution de Juillet, à Paris. À haute voix et publiquement, il avait proclamé que tous les hommes, un jour, placeraient les Trois Glorieuses à côté des six jours de la Genèse. Hans Castorp, à cet instant, ne put s'empêcher de frapper de la main sur la table et d'éprouver un étonnement profond. Il lui semblait vraiment un peu fort que l'on dût placer les trois journées estivales de l'an 1830, au cours desquelles les Parisiens s'étaient donné une nouvelle Constitution, à côté des six jours pendant lesquels Dieu avait séparé la terre de l'eau et avait créé les astres éternels, ainsi que les fleurs, les arbres, les oiseaux, les poissons et toute vie ; et étant, plus tard, resté seul avec son cousin Joachim, il souligna que cela lui avait paru par trop fort et véritablement choquant.

Mais il était si bien disposé à se « laisser influencer », autrement dit à se livrer à des expériences, qu'il réprima la protestation que sa pitié et son bon goût élevaient contre la conception settembrinienne des choses ; il se disait que ce qui lui semblait blasphème pouvait être qualifié d'audace, et que ce qu'il jugeait de mauvais goût pouvait avoir été de la générosité et un noble enthousiasme, du moins en certaines circonstances, par exemple lorsque le grand-père Settembrini avait appelé les barricades le « trône du peuple », et qu'il avait déclaré qu'il s'agissait de « consacrer la pique du citoyen sur l'autel de l'Humanité ».

Hans Castorp savait pourquoi il écoutait M. Settembrini ; il le savait non pas de manière à l'exprimer avec clarté, mais il le savait quand même. Il y avait dans sa complaisance quelque chose comme un sentiment du devoir, en dehors de cette absence de responsabilité propre aux vacances du voyageur et de l'hôte de passage, qui ne se ferme à aucune impression et qui se laisse faire par les choses, sachant que demain ou après-demain il ouvrirait ses ailes, et retournerait à l'ordre accoutumé. C'était quelque chose, par conséquent, comme une voix de sa conscience, et pour être précis, de sa conscience mauvaise qui l'inclinait à écouter l'Italien, une jambe croisée sur l'autre, tirant des bouffées de son Maria Mancini, ou lorsque, tous les trois, ils remontaient du quartier anglais vers le Berghof.

D'après les vues et exposés de Settembrini, deux principes se disputaient le monde : la Force et le Droit, la Tyrannie et la Liberté, la Superstition et la Science, le principe de conservation et le principe du mouvement : le Progrès. On pouvait appeler l'un le principe asiatique, l'autre le principe européen, car l'Europe était le pays de la rébellion, de la critique et de l'activité qui transforme, tandis que le continent oriental incarnait l'immobilité, le repos. On ne pouvait pas du tout se demander laquelle de ces deux puissances finirait par remporter la victoire : c'était sans aucun doute la puissance de la Lumière, du perfectionnement conforme à la raison. Car l'humanité entraînait sans cesse de nouveaux pays dans sa vie rayonnante, elle conquérait toujours de nouvelles terres en Europe même, et déjà elle commençait à pénétrer en Asie. Mais il s'en fallait de beaucoup encore que sa victoire fût complète, et tous ceux qui avaient reçu la lumière devaient faire encore de grands et nobles efforts jusqu'à ce que se levât le jour où les monarchies et les religions s'effondreraient jusque dans les pays qui, à la vérité, n'avaient encore vécu ni leur dix-huitième siècle ni leur 1789. Mais ce jour viendrait, disait Settembrini, et il souriait finement sous sa moustache, il viendrait, sur des ailes d'aquilon sinon de colombes, et il se lèverait à l'aube de la fraternisation universelle des peuples, sous le signe de la Raison, de la Science et du Droit ; il apporterait la sainte alliance de la démocratie des citoyens, la contrepartie éclatante de cette trois fois infâme alliance des princes et des cabinets dont le grand-père Giuseppe avait été l'ennemi mortel et l'adversaire personnel, en un mot la république universelle. Mais pour atteindre ce but, il était avant tout nécessaire d'atteindre le principe asiatique de servitude et de conservation au centre et au nerf vital de sa résistance, c'est-à-dire à Vienne. Il s'agissait de frapper l'Autriche à la tête et de la détruire, d'abord pour se venger une bonne fois du passé, et ensuite pour préparer la voie au règne du droit et du bonheur sur la terre.

Cette dernière expression et cette conclusion des éloquents épanchements de Settembrini n'intéressait vraiment plus du tout Hans Castorp ; elle lui déplaisait au contraire, elle le touchait même péniblement comme un ressentiment personnel ou national, chaque fois qu'elle se répétait ; quant à Joachim Ziemssen, lorsque l'Italien s'engageait dans ces eaux, il détournait la tête, en fronçant les sourcils, et cessait d'écouter, voire rappelait aux Russes qu'il était temps de faire la cure, ou essayait de faire dévier la conversation. Hans Castorp ne se sentait pas davantage tenu à prêter attention à de tels égarements — sans doute étaient-ils au-delà des limites des influences que sa conscience lui conseillait de subir à titre d'essai — ; et pourtant il tenait tellement à être édifié que, lorsque Settembrini venait s'asseoir auprès d'eux, ou se joignait à eux en plein air, c'était le jeune homme qui invitait l'Italien à exprimer ses idées.

Ces idées, cet idéal et ces tendances, observait Settembrini, étaient chez lui une tradition de famille, car tous trois y avaient consacré leur vie et leurs forces : le grand-père, le père et le petit-fils, chacun à sa manière : le père non moins que le grand-père Giuseppe, bien qu'il n'eût pas été un agitateur politique et un combattant pour la cause de la liberté, mais un savant discret et délicat, un humaniste à son pupitre. Mais qu'était-ce que l'humanisme ? C'était l'amour des hommes, ce n'était pas autre chose, et par là même l'humanisme était aussi une politique, une attitude de révolte contre tout ce qui souille et déshonore l'idée de l'homme. On avait reproché au père de Settembrini de faire trop grand cas de la forme ; mais la belle forme elle-même, il ne l'avait cultivée que par respect pour la dignité de l'homme, en opposition éclatante avec le Moyen Âge qui, non seulement avait été livré au mépris de l'homme et à la superstition, mais qui avait encore sombré dans une absence de forme honteuse ; et avant toutes choses il avait pris fait et cause pour la liberté de pensée et le plaisir de vivre, et avait soutenu qu'il fallait abandonner le ciel aux moineaux. Prométhée ! Ce fut, selon lui, le premier humaniste et il ne faisait qu'un avec ce Satan en hommage auquel Carducci avait composé son hymne... Ah ! si les cousins avaient pu entendre le vieux Bolonais railler et maudire la sensibilité chrétienne des romantiques : les chants sacrés de Manzoni la poésie d'ombres et de clair de lune du *romanticismo* qu'il avait comparée à la « pâle nonne céleste *Luna* » ! *Per Bacco*, ç'avait été une haute jouissance ! Et ils auraient encore dû entendre Carducci interpréter Dante ; il l'avait célébré comme le citoyen d'une grande ville, qui aurait défendu, contre l'ascétisme et la négation de la vie, la force active qui transforme le monde et le rend meilleur. Car ce n'était pas l'ombre maladive et mystique de Béatrice que le poète avait entendu honorer sous le nom de *donna gentile e pietosa* ; il aurait, au contraire, désigné ainsi son épouse qui, dans le poème, figurait le principe de la connaissance d'ici-bas, et de l'activité dans la vie...

Hans Castorp avait donc appris bien des choses sur Dante, et de la meilleure source. Il ne se fiait pas absolument à ces connaissances nouvelles, en tenant compte de la légèreté de celui qui lui servait de truchement ; mais il valait la peine d'entendre dire que Dante avait été un citadin actif et lucide. Et puis il écoutait encore Settembrini parler de lui-même, et déclarer qu'en sa personne, en lui, le petit-fils Lodovico, les tendances de ses ascendants immédiats, la tendance combative du citoyen qu'avait été son grand-père et la tendance humaniste de son père s'étaient réunies, et que de ce fait même il était devenu un littérateur, un écrivain libre. Car la littérature n'était pas autre chose que cela même : elle était la réunion de l'humanisme et de la politique, réunion qui s'accomplissait d'autant plus aisément que l'humanisme était en lui-même de la politique, et la politique de l'humanisme. Ici, Hans Castorp dressait l'oreille et s'efforçait de bien le comprendre ; car il pouvait espérer percer toute l'ignorance du brasseur Magnus, et apprendre en quoi la littérature était autre chose que de « beaux caractères ». Settembrini demanda si ses auditeurs avaient jamais entendu parler de Brunetto, Brunetto Latini, greffier municipal de Florence vers 1250, qui avait écrit un livre sur les vertus et les vices. Ce maître avait été le premier à donner aux Florentins une éducation, il leur avait enseigné la parole, ainsi que l'art de diriger leur république d'après les règles de la politique. « Vous y voilà, Messieurs ! s'écriait Settembrini. Vous y voilà ! » Et il parlait du verbe, du culte du verbe, de l'éloquence, qu'il appela le triomphe de l'humanité. Car la parole était l'honneur de l'homme, et elle seule rendait la vie digne de l'homme. Non pas l'humanisme seulement, mais l'humanité en général, toute dignité humaine, l'estime des hommes et l'estime de l'homme pour soi-même, tout cela était inséparable de la parole, était lié à la littérature.

« Tu vois bien, dit plus tard Hans Castorp à son cousin, tu vois bien que dans la littérature, ce qui importe, ce sont les belles paroles. Je m'en étais tout de suite rendu compte. »

Et de même la politique était liée à la parole, ou plus exactement elle était issue de la conjonction, de l'union de l'humanité et de la littérature, car la belle parole produisait la belle action. « Vous avez eu dans votre pays, dit Settembrini, vous avez eu, voici deux siècles, un poète, un admirable vieux causeur qui attachait une grande importance à une belle écriture parce qu'il croyait qu'elle conduisait au beau style. Il aurait dû aller un peu plus loin, et dire qu'un beau style mène à de belles actions. Bien écrire, c'est déjà presque bien penser, et il n'y a pas loin de là jusqu'à bien agir. Toute civilisation et tout perfectionnement moral sont issus de l'esprit de la littérature, qui est l'âme de la dignité humaine et qui est identique à l'esprit de la politique. Oui, tout cela ne fait qu'un, ne fait qu'une seule et même idée et puissance, et c'est en un seul nom qu'on peut les réunir toutes. » Quel était ce nom ? Or donc, ce nom se composait de syllabes familières, mais dont les deux cousins n'avaient certes jamais saisi le sens et la majesté ; c'était le mot : Civilisation. Et tout en laissant tomber ce mot de ses lèvres, Settembrini levait sa petite dextre jaune, comme quelqu'un qui porte un toast.

Le jeune Hans Castorp jugeait tout cela très digne d'être écouté, mais, sans s'estimer engagé à quoi que ce soit, plutôt à titre d'expérience ; malgré tout, il lui semblait qu'en tout cas cela méritait d'être entendu, et c'est dans ce sens qu'il s'exprima en en parlant à Joachim Ziemssen, qui se trouva avoir justement le thermomètre dans la bouche, et qui ne put donc que répondre de façon indistincte, et qui fut trop occupé, ensuite, à lire le chiffre et à l'inscrire sur sa feuille de température pour pouvoir formuler un avis sur les points de vue de Settembrini. Ainsi que nous l'avons dit, Hans Castorp s'intéressait avec zèle à ces points de vue, et s'ouvrait à ces connaissances pour les examiner de près ; ce qui souligne déjà combien l'homme éveillé se distingue du rêveur confus qu'avait été Hans Castorp lorsqu'il traitait M. Settembrini, en face, de joueur d'orgue de Barbarie, tout en essayant de toutes ses forces de l'écarter, parce qu'il « dérangeait ici ». Mais, en tant qu'homme éveillé, Hans Castorp écoutait poliment et attentivement l'Italien, et s'efforçait honnêtement d'adoucir et d'atténuer les résistances qui se dressaient en lui contre les constructions et les vues du mentor. Car nous ne voulons pas nier que certaines résistances se faisaient jour dans son âme : c'étaient des résistances de vieille date qui avaient existé en lui depuis toujours, et d'autres aussi, qui résultaient de la situation présente, des expériences indirectes ou directes qu'il faisait chez les hommes d'ici.

Qu'est-ce que l'homme, et avec quelle facilité sa conscience ne s'égare-t-elle pas ? Comment trouve-t-il moyen de prendre pour la voix du devoir l'appel de la passion ? C'est par un sentiment du devoir, c'est pour l'amour de l'équité et de l'équilibre, que Hans Castorp prêtait volontiers l'oreille aux propos de M. Settembrini et qu'il examinait avec complaisance les considérations de celui-ci sur la Raison, la République et le beau style, prêt à se laisser influencer par elles. Et il jugeait ensuite qu'il y avait d'autant plus de constance à laisser libre cours à ses pensées et à ses rêveries dans une autre direction, voire dans la direction contraire, et pour formuler dès à présent tous nos soupçons et toute notre pensée, nous dirons qu'il n'avait même écouté M. Settembrini que dans le seul dessein d'obtenir de sa conscience une lettre de franchise qu'elle ne lui eût pas primitivement accordée. Mais qu'est-ce ou qui est-ce qui se trouvait du côte opposé au patriotisme, à la dignité humaine et aux belles-lettres, de ce côté vers lequel Hans Castorp croyait de nouveau pouvoir diriger ses actes et ses pensées ? Là se trouvait… Clawdia Chauchat, lasse, vermoulue, avec ses yeux de Kirghize ; et tandis que Hans Castorp pensait à elle (d'ailleurs le mot « penser » exprime avec trop de mesure sa manière de se pencher intérieurement vers elle), il se figurait de nouveau être dans la barque, sur ce lac de Holstein, et tourner son regard aveugle et dupé du jour vitreux de la rive occidentale vers la nuit de pleine lune où planaient les brouillards des ciels orientaux.

Le thermomètre

La semaine de Hans Castorp se déroulait du mardi au mardi, car il était arrivé un mardi. Depuis quelques jours déjà, il avait réglé sa note de la deuxième semaine, note modérée, d'environ cent soixante francs, raisonnable et justifiée, estimait-il, même si l'on ne tenait compte ni de certains avantages incalculables de ce séjour, et qui ne se laissaient pas chiffrer, ni de certains suppléments qu'on eût parfaitement pu lui facturer si l'on avait voulu, comme par exemple du concert bi-mensuel sur la terrasse et des conférences du docteur Krokovski, mais exclusivement de la pension proprement dite, des frais de séjour, du logement agréable, des cinq formidables repas.

« Ce n'est pas cher, c'est plutôt bon marché, tu ne peux pas te plaindre que l'on t'exploite ici, dit l'invité à l'habitué. Il te faut donc une moyenne de six cent cinquante francs par mois pour ta chambre et tes repas, et le traitement médical est compris dans ce chiffre. Bien. Admets que tu dépenses encore trente francs par mois en pourboires, si tu fais bien les choses, et si tu tiens à avoir autour de toi des visages souriants. Cela fait six cent quatre-vingts francs. Bon. Tu me diras qu'il y a encore d'autres frais. Il y a les boissons, les cosmétiques, les cigares, on fait de temps en temps une excursion, une promenade en voiture, si tu veux, et puis il y a les notes de cordonnier et de tailleur. Entendu ! Mais, tout compté, tu ne réussiras pas, avec la meilleure volonté du monde, à dépenser mille francs par mois. Pas même huit cents francs. Cela ne fait pas tout à fait dix mille francs par an. Certainement pas davantage. Et cela te suffit pour vivre.

— Bravo pour le calcul de tête, dit Joachim. Je ne savais pas du tout que tu étais aussi fort. Et je trouve vraiment généreux de ta part de faire tout de suite le compte pour une année entière. Décidément, tu as déjà appris quelque chose chez nous. D'ailleurs, tu comptes trop cher. Je ne fume pas de cigares, et je n'ai pas non plus l'intention de me faire faire ici des costumes. Non, merci !

— J'ai même compté trop ? » dit Hans Castorp, un peu confus. Quelle idée de porter en compte à son cousin des cigares et des costumes neufs ! Quant à la rapidité de son calcul de tête, ce n'était qu'une illusion de son cousin sur ses dons naturels. Car dans ce domaine comme dans tous les autres, il était plutôt lent et manquait de feu ; et ce n'était pas une improvisation que son rapide aperçu dans ce cas particulier, car, en réalité, il s'était préparé, et même préparé par écrit : un soir, pendant la cure de repos (car lui aussi avait fini par s'étendre après le dîner, comme tous les autres), il s'était levé tout exprès de son excellente chaise longue et, obéissant à une impulsion subite, il avait cherché dans sa chambre du papier et un crayon pour calculer. Il avait donc constaté que son cousin, ou plus exactement, que « l'on » n'avait besoin ici, en tout et pour tout, que de douze mille francs par an, et en manière de distraction, il s'était convaincu que, pour ce qui le concernait, la vie ici était plus qu'à la portée de sa bourse puisqu'il pouvait se considérer comme disposant annuellement de dix-huit à dix-neuf mille francs.

Ainsi donc, sa deuxième note hebdomadaire avait été réglée voici trois jours, contre quittance et remerciements, ce qui signifie qu'il était au milieu de la troisième semaine du séjour normal qu'il s'était proposé. Dimanche prochain, il assisterait encore à un de ces concerts sur la terrasse qui se renouvelaient tous les quinze jours, le lundi il assisterait à l'une des conférences, également bimensuelles, du docteur Krokovski, se disait-il à lui-même et à son cousin, mais le mardi ou le mercredi il se remettrait en route et laisserait Joachim seul, le pauvre Joachim à qui Rhadamante avait encore infligé Dieu sait combien de mois, et dont les yeux doux et noirs se couvraient d'un voile de mélancolie, chaque fois qu'il était question de ce départ de Hans Castorp, qui désormais approchait rapidement. Grand Dieu, qu'étaient devenues ces vacances ? Écoulées, envolées, enfuies ! on n'aurait vraiment su dire comment ! Ç'avait pourtant été vingt et un jours qu'ils avaient dû passer ensemble, une longue série, que d'abord on n'embrassait pas très facilement du regard. Et voici que, tout à coup, il n'en restait que trois ou quatre petits jours insignifiants, un reste négligeable, tout au plus un peu alourdi par les variantes périodiques de la journée ordinaire, mais déjà tout occupés à penser aux bagages et au départ. Trois semaines ici avaient été en somme peu de chose ou rien du tout. Ne le lui avaient-ils pas tous dit dès le premier jour ? La plus petite unité de temps ici était le mois, avait dit Settembrini, et, comme le séjour de Hans Castorp n'atteignait pas cet ordre de grandeur, il ne comptait pas en tant que séjour ; ce n'était en somme qu'une visite éclair, comme avait dit le conseiller aulique Behrens. Était-ce peut-être par suite de l'accroissement de la combustion générale que le temps passait ici comme en un tournemain ? Une telle rapidité de vie était somme toute une vraie consolation pour Joachim, s'il envisageait les cinq mois qui l'attendaient encore, en supposant qu'on s'en tînt là. Mais pendant ces trois semaines, ils auraient dû veiller sur la durée avec plus d'attention, comme ils faisaient en prenant leur température, lorsque les sept minutes prescrites devenaient une période si importante. Hans Castorp éprouvait une cordiale pitié à l'égard de son cousin, dans les yeux de qui on pouvait lire la tristesse de perdre bientôt son camarade, il éprouvait vraiment la plus vive compassion en songeant que le pauvre demeurerait dorénavant toujours sans lui, qui cependant vivrait de nouveau dans la plaine et déploierait son activité au service de la technique des transports qui rapprochent les peuples. C'était une pitié vraiment brûlante, à certains instants douloureuse à la poitrine, si vive que parfois il se demandait sérieusement s'il aurait le courage et s'il prendrait sur lui de laisser Joachim seul ici. Même, cette pitié le brûlait parfois avec acuité, et c'est pourquoi sans doute il parla lui-même de moins en moins de son départ ; c'était Joachim qui, de temps à autre, ramenait la conversation sur ce sujet ; Hans Castorp, ainsi que nous venons de le dire, par un tact et une délicatesse naturels, semblait jusqu'au dernier moment ne plus vouloir y penser.

« Espérons tout au moins, dit Joachim, que tu te seras reposé chez nous, et qu'en descendant, tu éprouveras les bienfaits de cette détente.

— Oui, je saluerai tout le monde de ta part, répondit Hans Castorp, et je leur dirai que tu me suivras au plus tard dans cinq mois. Reposé ? Tu demandes si je me suis reposé pendant ces quelques jours ? J'espère bien que oui. Même dans un temps aussi bref, il faut bien qu'un certain mieux se soit produit. Il est vrai que les impressions ici étaient si neuves, si neuves à tous égards, très excitantes, mais aussi très fatigantes moralement et physiquement ; je n'ai pas le sentiment d'en avoir encore fini avec elles, et de m'être acclimaté, ce qui est la condition première de tout repos véritable. Maria est, Dieu merci, toujours aussi bon, depuis quelques jours j'ai retrouvé son goût ordinaire. Mais de temps en temps, mon mouchoir se teint encore de rouge quand je me mouche et je ne réussirai plus, je le crois bien, à me défaire, avant mon départ, de cette sacrée chaleur à la figure, non plus que de ces battements de cœur insensés. Non, non, on ne peut pas très bien parler à mon propos d'acclimatation, et comment serait-ce possible après un délai aussi court ? Il faudrait plus longtemps que cela pour s'acclimater ici et assimiler ces impressions ; ce n'est qu'ensuite que le repos pourrait commencer et que l'on pourrait produire de l'albumine. Dommage ! Je dis "dommage" parce que c'est à coup sûr une faute de ma part de n'avoir pas réservé plus de temps pour ce séjour, car en somme, j'aurais pu le trouver. De sorte que j'ai tout à fait l'impression qu'arrivé chez moi, dans la plaine, j'aurai besoin de me remettre de ce repos, et qu'il faudra que je dorme pendant trois semaines, tant il me semble m'être parfois surmené ici. Et voilà qu'à tout cela s'ajoute encore ce maudit rhume… »

Il semblait en effet que Hans Castorp dût retourner dans la plaine avec un rhume de premier ordre. Il avait pris froid, sans doute en faisant la cure de repos, et, pour hasarder une deuxième conjecture, pendant la cure du soir, à laquelle il s'astreignait depuis une semaine environ, malgré le temps pluvieux et froid qui ne semblait pas vouloir se remettre avant son départ. Mais il avait appris que ce temps ne pouvait pas être considéré comme mauvais ; le concept de mauvais temps n'existait ici en aucune manière, on ne craignait aucun temps, on en tenait à peine compte, et avec toute la souple docilité de la jeunesse, avec sa faculté d'adaptation aux pensées et aux usages du milieu où elle se trouve justement transportée, Hans Castorp avait commencé à s'approprier cette indifférence. Lorsqu'il pleuvait à seaux, on ne devait pas croire que pour si peu l'air fût moins sec. Et, en effet, sans doute ne l'était-il vraiment pas, car on avait toujours la tête brûlante, comme si l'on se trouvait dans une chambre surchauffée, ou comme si l'on avait bu trop de vin. Quant au froid, qui était sensible, il eût été peu raisonnable de tenter de lui échapper en se réfugiant dans les chambres ; car aussi longtemps qu'il ne neigeait pas, on ne chauffait pas, et il n'était guère plus confortable d'être assis dans la chambre que de s'étendre sur la loge du balcon, empaqueté dans un manteau d'hiver, et selon toutes les règles de l'art dans deux bonnes couvertures en poil de chameau. Tout au contraire : cette position était de beaucoup la plus agréable, c'était tout bonnement l'état le plus plaisant que Hans Castorp se rappelât avoir jamais éprouvé, et il ne se laissait pas égarer dans son jugement par le fait qu'un quelconque homme de lettres et *carbonaro*, avec des sous-entendus malveillants, appelait cette position « horizontale ». Le soir surtout, il la trouvait agréable, lorsque la petite lampe luisait à côté de lui sur le guéridon, et que, chaudement enroulé dans les couvertures, reprenant goût au Maria et jouissant des avantages difficiles à définir de ce type de chaise longue, la pointe du nez glacée, il est vrai, et tenant un livre — c'était encore et toujours *Ocean Steamships* — entre ses mains raidies et rougies par le froid, il regardait sous l'arcade du balcon, par-dessus la vallée de plus en plus obscure, embellie de lumières qui, ici, étaient dispersées et, plus loin, se resserraient par-dessus la vallée, d'où montait presque chaque soir, et pendant une heure au moins, de la musique : des sons agréablement assourdis de mélodies familières. C'étaient des morceaux d'opéras, des fragments de *Carmen*, du *Trouvère* ou du *Freischütz*, puis des valses bien construites et entraînantes, des marches qui vous faisaient hocher la tête avec fougue et de gaies mazurkas. Mazurka ? C'est *Maroussia* qu'elle se nommait en réalité, la jeune fille au petit rubis, et dans la loge voisine, derrière l'épaisse paroi de verre laiteux, reposait Joachim. (De temps à autre Hans Castorp échangeait avec lui une parole prudente, en prenant les plus grands égards pour les autres horizontaux.) Joachim, dans sa loge, n'était pas plus mal partagé que Hans Castorp, bien qu'il ne fût pas musicien et qu'il ne sût pas prendre le même plaisir aux concerts du soir. Dommage pour lui ! Au lieu de cela, il lisait volontiers dans sa grammaire russe. Mais Hans Castorp laissait *Ocean Steamships* sous sa couverture et écoutait de tout cœur la musique, plongeait avec complaisance dans la profondeur transparente de sa composition et prenait un plaisir si vif à telle trouvaille mélodique originale ou évocatrice que, tout à son plaisir, il ne se souvenait qu'avec des sentiments hostiles des considérations de Settembrini sur la musique, considérations irritantes dans le genre de celle-ci par exemple ; que la musique était politiquement suspecte — ce qui, en effet, ne valait pas beaucoup mieux que l'expression du grand-père Giuseppe sur la révolution de Juillet et les six jours de la Genèse.

Joachim ne jouissait donc pas aussi vivement de la musique, et l'aromatique jouissance de fumer lui était également étrangère. Pour le reste, il était aussi bien à l'abri dans sa loge, à l'abri et bien calé. La journée était finie, pour cette fois tout était fini, on était sûr qu'il ne se produirait plus rien, qu'il n'y aurait plus d'émotions violentes, que le muscle du cœur ne serait plus en aucune façon appelé à contribution. Mais en même temps on était certain que, demain, tout cela se renouvellerait vraisemblablement à la faveur de cette existence étroite et régulière et que tout recommencerait derechef ; et cette double sécurité était des plus réconfortantes ; jointe à la musique et à la saveur retrouvée du Maria, elle faisait pour Hans Castorp de la cure de repos du soir un état véritablement bienheureux.

Mais tout cela n'avait donc pas empêché que l'hôte de passage et novice encore douillet se refroidît sérieusement à cette cure du soir (ou ailleurs). Un gros rhume s'annonçait. Il pesait sur la cavité frontale, la luette du palais était irritée et douloureuse, l'air ne traversait pas comme d'habitude le conduit destiné par la nature à cet usage, mais y pénétrait froid, avec difficulté, et provoquant sans cesse des accès de toux convulsive. En une nuit, sa voix avait pris la tonalité d'une basse sourde, comme brûlée par des boissons fortes, et, selon ses dires, durant cette même nuit il n'avait pas fermé l'œil parce qu'une sécheresse étouffante du gosier l'avait toujours de nouveau fait sursauter sur son oreiller.

« Tout à fait fâcheux, cette histoire-là, dit Joachim, et presque pénible. Les refroidissements — il faut que tu te le dises — ne sont pas admis ici, on nie leur existence. Officiellement, la grande sécheresse de l'atmosphère ne les justifie pas, et comme malade on serait mal accueilli chez Behrens, si l'on voulait se présenter comme enrhumé. Mais chez toi, c'est en somme autre chose ; à tout prendre, tu as le droit de l'être. Ce serait parfait si nous pouvions encore couper ton rhume ; dans la plaine on connaît des trucs, mais je doute qu'on aille s'y intéresser ici suffisamment. Ici il vaut mieux ne jamais tomber malade, personne ne s'en soucie. C'est une vérité établie, je te la donne en dernière heure. Lorsque je suis arrivé, il y avait ici une dame qui, toute la semaine, tenait son oreille et se plaignait de douleurs, et, finalement, Behrens l'examina. "Vous pouvez être tout à fait rassurée, dit-il, ce n'est pas tuberculeux." Et on en resta là ! Eh bien, nous allons voir ce qu'il y aura moyen de faire : je le dirai demain au masseur, lorsqu'il viendra chez moi. C'est la voie hiérarchique, et il transmettra la commission, de sorte qu'on finira quand même par faire quelque chose pour toi. »

Ainsi parla Joachim, et la voie hiérarchique fit ses preuves. Dès vendredi, lorsque Hans Castorp fut rentré de sa promenade matinale, on frappa à la porte, et il s'ensuivit pour lui la connaissance personnelle qu'il fit de Mlle von Mylendonk ou de la supérieure, comme on l'appelait. Jusque-là, il n'avait jamais vu que de loin cette personne apparemment très occupée lorsque, sortant d'une chambre de malade, elle traversait le corridor, pour entrer dans une chambre, en face, ou bien il l'avait vue faire une apparition fugitive dans la salle à manger, et avait entendu sa voix criarde. Or donc, cette fois, c'était à lui-même que sa visite était destinée ; attirée par son rhume, elle frappa d'un doigt osseux, durement et brièvement, à la porte de sa chambre, et entra — avant même qu'il eût dit « entrez » — en se rejetant encore une fois en arrière, déjà debout sur le seuil, pour s'assurer du numéro de la chambre.

« Trente-quatre, criailla-t-elle sans baisser la voix, c'est juste. Et alors, jeune homme, *on me dit que vous avez pris froid, I hear you have caught a cold, Wy, kaschetsja, prostudilisj*, et enfin, en allemand : j'apprends que vous avez pris froid ? Quelle langue faut-il parler ? L'allemand, je vois bien. Ah ! oui, la visite du jeune Ziemssen, j'y suis. Il faut que je passe dans la salle d'opérations. Il y en a un là-bas que l'on est en train de chloroformer et qui a mangé de la salade de haricots. Si l'on n'a pas les yeux partout à la fois... Et vous, jeune homme, vous prétendez avoir pris froid ici ? »

Hans Castorp était stupéfait par cette manière de s'exprimer chez une vieille dame noble. Tout en parlant, elle devançait ses propres paroles, en tortillant le cou et flairant, le nez levé, comme font des fauves dans leur cage, et elle agitait le poignet de sa main droite tachée de son, légèrement fermée, et le pouce tourné vers en haut, comme si elle avait voulu dire : « Vite, vite, vite. N'écoutez pas ce que je dis, mais parlez vous-même pour que je puisse m'en aller. » C'était une femme d'une quarantaine d'années, de taille chétive, sans formes, vêtue d'une blouse blanche d'infirmière, maintenue par une ceinture, et qui portait sur sa poitrine une croix de grenats. Sous son bonnet de diaconesse paraissaient des cheveux roux et clairsemés ; ses yeux bleu d'eau et enflammés qui, par surcroît, portaient un orgelet assez avancé, jetaient un regard instable, le nez était retroussé, la bouche avait quelque chose d'un batracien, et sa lèvre inférieure qui saillait obliquement, avait en parlant comme un mouvement de pelle. Cependant, Hans Castorp la considérait avec toute l'affabilité modeste, tolérante et confiante qui lui était innée.

« Qu'est-ce que c'est que ce refroidissement, hé ? » demanda pour la seconde fois l'infirmière en chef, en s'efforçant de donner à ses yeux un éclat pénétrant, mais sans y réussir, car ils louchaient. « Nous n'aimons pas ce genre de refroidissements. Êtes-vous souvent refroidi ? Votre cousin, lui aussi, n'était-il pas souvent refroidi ? Quel âge avez-vous donc ? Vingt-quatre ans ? C'est l'âge qui fait cela. Et vous vous avisez de venir ici et de prendre froid. Nous ne devrions pas parler ici de "refroidissement", honorable jeune homme, ce sont là des boniments d'en bas. (Le mot "boniment", dans sa bouche, avait quelque chose d'affreux et d'aventureux, tel qu'elle le proférait en remuant sa lèvre inférieure comme une pelle.) Vous avez la plus belle irritation de la trachée artère, j'en conviens, il suffit de voir vos yeux. (Et de nouveau elle se livra à l'étrange tentative de le regarder dans les yeux, d'un regard pénétrant, sans d'ailleurs y réussir parfaitement.) Mais les rhumes ne proviennent pas du froid, ils proviennent d'une infection que l'on est disposé à subir, et il s'agit seulement de savoir si nous sommes en présence d'une infection inoffensive, ou d'une infection moins inoffensive. Tout le reste n'est que boniment. (De nouveau cet affreux "boniment" !) Il est fort possible que chez vous ce soit plutôt une chose anodine, dit-elle, et elle le regarda avec son orgelet avancé, il ne savait pas comment. Tenez, voici un antiseptique inoffensif. Cela vous fera peut-être du bien. »

Et elle tira de la sacoche de cuir noir qui pendait à sa ceinture, un petit paquet qu'elle déposa sur la table. C'était du formol.

« D'ailleurs, vous avez l'air excité comme si vous aviez de la fièvre. »

Et elle ne cessait pas de le regarder en face, mais toujours d'un œil un peu fuyant.

« Avez-vous déjà pris votre température ? »

Il fit signe que non.

« Pourquoi pas ? » demanda-t-elle, et sa lèvre inférieure, qui saillait obliquement, resta en suspens.

Il se tut. Le brave garçon était encore si jeune, il avait encore gardé l'habitude du silence de l'écolier qui est debout devant son banc, qui ne sait rien et qui se tait.

« Est-ce que par hasard vous ne prendriez jamais votre température ?

— Si, madame la supérieure, lorsque j'ai de la fièvre.

— Enfant de malheur, mais on prend sa température justement pour savoir si l'on a de la fièvre. Et pour le moment, selon vous, vous n'en auriez pas encore ?

— Je ne sais trop, madame la supérieure. Je ne peux pas très bien me rendre compte. J'ai eu un peu chaud et froid depuis mon arrivée ici.

— Aha ? Et où avez-vous votre thermomètre ?

— Je n'en ai pas avec moi, madame l'infirmière en chef. À quoi bon ? Je ne suis ici qu'en visite. Je suis bien portant.

— Boniment ! M'avez-vous fait appeler parce que vous êtes bien portant ?

— Non, dit-il poliment, mais parce que je me suis un peu…

— … Refroidi. Ici, de tels refroidissements se produisent souvent. Voilà ! » dit-elle, et elle fouilla de nouveau dans son sac pour en tirer deux étuis en cuir, de forme allongée, un noir et un rouge, qu'elle posa sur la table.

« Celui-ci coûte trois francs cinquante, et celui-là cinq francs. Naturellement, vous serez mieux servi en prenant celui à cinq. Il peut vous servir toute la vie si vous en avez soin. »

Il prit en souriant l'étui rouge, et l'ouvrit. Coquet comme un joyau, l'ustensile en verre était étendu dans le renfoncement exactement adapté à sa forme et capitonné de velours rouge. Les degrés entiers étaient marqués par des traits rouges, les dixièmes par des traits noirs ; les chiffres étaient rouges, la partie inférieure qui allait en se rétrécissant était remplie de vif-argent qui brillait. La colonne était bas, elle était fraîche, bien en dessous du degré normal de la chaleur animale.

Hans Castorp savait ce qu'il se devait à lui-même et à son prestige.

« Je prends celui-ci, dit-il, sans même prêter la moindre attention à l'autre. Celui-ci, à cinq. Puis-je tout de suite… ?

— Entendu, criailla la supérieure. Surtout ne pas lésiner dans les achats importants. Ce n'est pas pressé, on vous l'inscrira sur la facture. Passez-le-moi. Nous allons, pour commencer, le faire baisser, tout à fait, comme ceci. »

Et elle lui reprit le thermomètre, l'agita plusieurs fois en l'air, et fit descendre le vif-argent encore plus bas, jusque en dessous de 35.

« Il montera, il remontera, le mercure, dit-elle. Voici votre acquisition. Vous connaissez sans doute nos usages. Sous votre honorable langue, pendant sept minutes quatre fois par jour, et bien refermer vos précieuses lèvres. Au revoir, jeune homme. Je vous souhaite de bons résultats. »

Et elle quitta la chambre.

Hans Castorp, qui s'était incliné, était debout près de la table, et regardait la porte par où l'infirmière en chef avait disparu, et l'instrument qu'elle avait laissé. « C'était donc ça la supérieure von Mylendonk ? se dit-il. Settembrini ne l'aime pas, et il est vrai qu'elle a ses côtés désagréables. L'orgelet n'est pas joli ; au demeurant, elle ne l'a sans doute pas toujours. Mais pourquoi m'appelle-t-elle toujours : "jeune homme" ? C'est d'une désinvolture un peu bizarre. Et voici qu'elle m'a vendu un thermomètre, elle en a toujours quelques-uns dans sa sacoche. Il paraît qu'il y en a partout ici, dans toutes les boutiques, même là où l'on ne s'y attendrait pas du tout. Mais je n'ai pas eu besoin de me donner trop de mal, il m'est tombé entre les mains. C'est Joachim qui le dit. »

Il tira le fragile objet de son écrin, le considéra, puis se mit à aller et venir avec inquiétude dans sa chambre, en le tenant à la main. Son cœur battait vite et fort. Il se retourna vers la porte ouverte du balcon et fit un mouvement vers celle de la chambre, comme tenté de rendre visite à Joachim, mais y renonça ensuite, et resta debout à sa table, en toussotant, pour se rendre compte du son assourdi de sa voix. Puis il toussa franchement. « Oui, il faut que je me rende compte si mon rhume m'a donné de la fièvre », dit-il, et il porta rapidement le thermomètre à sa bouche et introduisit la pointe de vif-argent sous la langue, de telle sorte que l'instrument lui sortait obliquement d'entre les lèvres qu'il ferma étroitement, pour ne pas laisser de jour. Puis il regarda sa montre-bracelet. Il était neuf heures trente-six. Et il commença d'attendre que ses sept minutes se fussent écoulées.

« Pas une seconde de trop, pensait-il, et pas une en moins. On peut se fier à moi. On n'a pas besoin de me l'échanger contre une "sœur muette" comme la personne dont Settembrini a parlé : Ottilie Kneiffer.

Et il se promena à travers la chambre, écrasant l'instrument sous sa langue.

Le temps traînait, le délai paraissait infini. Deux minutes et demie seulement s'étaient écoulées lorsqu'il regarda les aiguilles, craignant déjà qu'il eût laissé passer le moment. Il faisait mille choses, touchait les objets et les replaçait, sortait sur le balcon sans se faire remarquer de son cousin, regarda le paysage, cette vallée haute, déjà profondément familière à son esprit, dans toutes ses formes : avec ses pics, les lignes de ses crêtes et ses parois rocheuses, avec la coulisse avancée du *Brembühl*, à gauche, dont le dos descendait obliquement vers le bourg, et dont le rude *Mattenwald* recouvrait le flanc, avec les formations montagneuses à droite, dont les noms ne lui étaient pas moins familiers, et avec l'*Alteinwand*, qui, vue d'ici, semblait fermer la vallée au midi. Il regarda vers les chemins et les parterres de la terrasse du jardin, la grotte rocheuse, le sapin, écouta un murmure qui montait du solarium et se retourna vers sa chambre, en s'efforçant de corriger la position de l'instrument dans sa bouche, puis faisait retomber la manche du poignet qu'elle couvrait en allongeant le bras, et en ramenant l'avant-bras devant sa figure. Avec beaucoup de peine et d'efforts, à force, semblait-il, de les aider, les pousser et les faire avancer, six minutes s'étaient enfin écoulées. Mais comme il se perdait à présent en rêveries, debout au milieu de sa chambre, et laissait aller ses pensées, la dernière minute qui restait encore s'échappa inaperçue, avec une légèreté de chatte, un nouveau geste du bras lui révéla sa fuite discrète, et il était un peu trop tard, un tiers de la huitième minute appartenait déjà au passé, lorsque, se disant que peu importait et que le résultat en somme n'en était pas modifié, il tira le thermomètre de sa bouche et le considéra d'un œil troublé.

Il n'en discerna pas aussitôt l'indication, l'éclat du vif-argent se confondait avec le reflet lumineux du tube de verre, la colonne semblait tantôt être montée très haut, tantôt elle paraissait ne point du tout exister. Il approcha l'instrument de ses yeux, le tourna de côté et d'autre, et ne distingua rien. Enfin, après un mouvement favorable, l'image devint distincte, il la retint et fit fonctionner en hâte son intelligence. En effet, le mercure s'était dilaté, il s'était fortement dilaté, la colonne était montée assez haut, elle était plusieurs dixièmes au-dessus de la limite d'une température normale. Hans Castorp avait 37,6.

En plein jour, entre dix heures et onze heures et demie, 37,6 — c'était trop ! C'était « de la température », c'était une fièvre qui résultait d'une infection à laquelle il était prédisposé, et il ne s'agissait que de savoir quelle sorte d'infection c'était. 37,6 ! Joachim lui-même n'avait pas davantage, personne ici n'avait plus de température, qui ne gardât le lit comme gravement malade, ou moribond, ni la Kleefed avec son pneumothorax, ni Mme Chauchat. Naturellement, dans son cas à lui, ce n'était peut-être pas tout à fait la même chose : une simple fièvre grippale, comme on disait en bas. Mais peut-être ne pouvait-on pas discriminer et séparer exactement. Hans Castorp ne croyait pas qu'il n'eût cette température que depuis qu'il s'était refroidi, et il regretta de n'avoir pas interrogé Mercure plus tôt, dès le début, lorsque le docteur Behrens le lui avait suggéré. Ce conseil était tout à fait sensé, c'est ce qui apparaissait à présent, et Settembrini avait eu absolument tort d'éclater d'un rire si moqueur et si bruyant. Settembrini, avec sa République et son beau style. Hans Castorp méprisait la République et le beau style, tandis qu'il examinait à plusieurs reprises l'indication du thermomètre que les reflets lui avaient par deux fois fait perdre de vue et qu'il rétablissait en tournant et retournant l'instrument. Cette indication était : 37,6, le matin, de bonne heure.

Il éprouvait une vive émotion. Il marcha de long en large dans la chambre, le thermomètre à la main, en prenant soin de le tenir horizontalement afin de ne pas l'ébranler par une secousse verticale, puis il le déposa avec prudence sur la toilette et retourna tout d'abord avec manteaux et couvertures à sa cure de repos. Assis, il s'enroula dans ses couvertures, ainsi qu'il l'avait appris, des deux côtés et d'en dessous, l'une après l'autre, d'une main exercée, et resta immobile, en attendant l'heure du deuxième déjeuner et l'entrée de Joachim. De temps en temps il souriait, comme s'il avait souri à quelqu'un. De temps à autre, sa poitrine était soulevée par un frémissement angoissé, et il éprouvait le besoin de tousser, de sa poitrine oppressée.

Joachim le trouva encore étendu lorsque, à onze heures, après que le gong eut retenti, il entra le chercher pour le déjeuner.

« Eh bien ? » demanda-t-il, étonné, en s'approchant de la chaise longue.

Hans Castorp se tut encore un instant et regarda devant lui. Puis il répondit :

« Oui, la dernière nouvelle serait donc que j'ai un peu de température.

— Que signifie cela ? demanda Joachim. Te sens-tu par hasard fiévreux ? »

Hans Castorp fit de nouveau sa réponse qu'avec une certaine paresse il formula de la manière suivante :

« Fiévreux, mon cher ? Il y a quelque temps déjà que je me sentais fiévreux, et même tout le temps. Il ne s'agit plus maintenant d'impressions subjectives, mais d'une constatation exacte. J'ai pris ma température.

— Tu as pris ta température ? Avec quoi ? s'écria Joachim, effrayé.

— Bien entendu, avec un thermomètre, répondit Hans Castorp, non sans un accent de moquerie et de reproche. L'infirmière en chef m'en a vendu un. Pourquoi vous dit-elle toujours : "jeune homme", c'est ce que j'ignore ; ce n'est pas précisément correct. Mais elle a eu vite fait de me vendre un excellent thermomètre, et si tu veux te convaincre du degré qu'il indique, il est là-bas, sur la toilette. Il a monté très légèrement. »

Joachim fit demi-tour et entra dans la chambre. Lorsqu'il revint, il dit d'un ton hésitant :

« Oui, 37,5 et demi.

— Alors, il a un peu baissé, répondit vite Hans Castorp, c'était tout à l'heure 37,6.

— On ne peut pas du tout dire que ce soit peu de chose, pour le matin, dit Joachim. Jolie surprise ! » dit-il.

Et il était debout devant la couche de son cousin, exactement comme on peut être debout devant une « jolie surprise », les bras aux hanches et la tête baissée.

« Il faudra que tu te couches. »

Hans Castorp tenait déjà une réponse toute prête.

« Je ne saisis pas, dit-il, pourquoi je dois me coucher avec 37,6, alors que toi et tant d'autres ici qui n'ont pas moins que cela, vous vous promenez tous librement.

— Mais c'est tout autre chose. Chez toi, c'est à l'état aigu et inoffensif. Tu n'as qu'un rhume.

— Premièrement, répondit Hans Castorp, et il alla jusqu'à diviser son discours en "premièrement" et "deuxièmement", je ne comprends pas pourquoi avec une fièvre inoffensive — admettons un instant que cela existe —, pourquoi avec une fièvre inoffensive il faut rester au lit, et pas avec une autre fièvre. Et deuxièmement, ne t'ai-je pas déjà dit que le rhume ne m'a pas donné plus de fièvre que je n'en avais auparavant ? Je pars du principe que 37,6 égale 37,6. Si vous pouvez sortir ainsi, je le peux moi aussi.

— Mais j'ai dû rester couché pendant quatre semaines lorsque je suis arrivé, objecta Joachim, et ce n'est que lorsqu'il est apparu que le lit ne faisait pas baisser la température que j'ai été autorisé à me lever. »

Hans Castorp sourit.

« Eh bien ? demanda-t-il. Je suppose que chez toi c'était autre chose. Il me semble que tu te contredis. D'abord tu distingues et ensuite tu confonds. Ce sont des boniments... »

Joachim tourna sur ses talons, et lorsqu'il fit de nouveau face à son cousin, on vit que son visage bruni s'était encore assombri d'une nuance.

« Non, dit-il, je ne confonds pas, c'est toi qui es un esprit brouillon. Je veux simplement dire que tu es rudement refroidi, cela s'entend d'ailleurs à ta voix, et tu devrais te mettre au lit pour abréger l'évolution de la maladie, puisque tu veux rentrer la semaine prochaine. Mais si tu ne veux pas — je veux dire : si tu ne veux pas te mettre au lit — tu peux aussi bien t'en dispenser. Je ne te donne pas d'ordres. De toute façon, il faut à présent que nous allions déjeuner. Et vivement, l'heure est déjà passée.

— Parfait. Allons-y ! » dit Hans Castorp et il rejeta les couvertures. Il entra dans la chambre pour passer la brosse sur ses cheveux, et cependant, Joachim jeta encore un coup d'œil au thermomètre sur la toilette, ce que Hans Castorp observa de loin. Puis ils s'en furent, en silence, et reprirent une fois de plus leurs places dans la salle à manger, qui scintillait toujours à cette heure-ci, toute blanche de lait.

Lorsque la naine apporta à Hans Castorp la bière de Kulmbach, il la refusa avec une expression grave de renoncement. Il préférait aujourd'hui ne pas boire de bière. Il ne boirait rien du tout, non, merci beaucoup, tout au plus une gorgée d'eau. Cela surprit autour de lui. Comment ? Quelle grande nouvelle ? Pourquoi pas de bière ? Il avait un peu de température, répondit Hans Castorp négligemment ; 37,6. Une peccadille.

Mais voici qu'ils le menaçaient de l'index, c'était très bizarre. Ils prenaient un air taquin, ils hochaient la tête, clignaient de l'œil et agitaient l'index à la hauteur de l'oreille, comme s'ils venaient d'apprendre des choses scabreuses et piquantes sur quelqu'un qui aurait posé pour la vertu.

« Allons, allons ! vous, dit l'institutrice, et le duvet de ses joues rougit, tandis qu'elle le menaçait en souriant. De belles histoires que l'on apprend, polisson que vous êtes ! Tiens, tiens, tiens.

— Tiens, tiens, tiens, fit aussi Mme Stöhr, et elle le menaça de son gros moignon rouge, en l'approchant de son nez. De la température qu'il a, monsieur le visiteur ? C'est du joli, ça ! En voilà un numéro ! Quel petit rigolo ! »

Même la grand-tante, à l'autre bout de la table, le menaça du doigt, avec une expression à la fois taquine et rusée, lorsque la nouvelle lui parvint ; la jolie Maroussia qui, jusque-là, ne lui avait pas prêté la moindre attention, se pencha dans sa direction et le regarda, son petit mouchoir à l'orange pressé contre les lèvres, de ses yeux bruns, tout ronds, en le menaçant ; jusqu'au docteur Blumenkohl à qui Mme Stöhr racontait la chose, et qui ne put s'empêcher de faire le geste de tout le monde ; il est vrai, sans regarder Hans Castorp. Seule, Miss Robinson se montra indifférente et d'esprit obtus ; comme toujours, Joachim, très correct, gardait les yeux baissés.

Hans Castorp, flatté par tant de taquineries, crut devoir se défendre avec modestie. « Mais, mais, dit-il, vous faites erreur, mon cas est le plus inoffensif qui soit. Je suis enrhumé, vous le voyez. Mes yeux pleurent, j'ai la poitrine prise, je tousse la moitié de la nuit, c'est assez désagréable… » Mais ils n'admettaient pas ses excuses, ils riaient, et de la main lui faisaient signe de ne pas insister, en criant : « Oui, oui, des blagues, des excuses, un petit rhume, connu, connu. » Et voici que tous exigèrent subitement que Hans Castorp se présentât sans retard à la consultation. Cette nouvelle les avait animés ; d'entre les sept tables, celle-ci, durant le déjeuner, fut la plus gaie. Mme Stöhr surtout, sa figure têtue tout empourprée au-dessus de sa collerette, et de petites crevasses dans la peau de ses joues, faisait preuve d'une volubilité presque sauvage, et s'étendait sur les agréments de la toux. Oui, c'était à coup sûr une jouissance bien divertissante, lorsque au tréfonds de votre poitrine le chatouillement s'accroissait et se précisait, et que dans les efforts et la compression de la toux, on descendait le plus bas possible pour apaiser ce chatouillement ; c'était un plaisir analogue à celui que l'on tirait d'un éternuement, lorsque l'envie en devenait irrésistible, que, en une sorte de griserie, on faisait quelques inspirations et expirations véhémentes, et que l'on s'abandonnait enfin, avec délices, en oubliant le monde entier, dans la félicité de cette explosion. Et cela pouvait se produire deux ou trois fois de suite. C'étaient là des jouissances gratuites de la vie, de même qu'au printemps, par exemple, de se gratter les engelures jusqu'au sang, lorsqu'elles vous démangent si doucereusement — de se gratter jusqu'au sang, avec une ferveur cruelle, tout à sa rage et à sa jouissance, et lorsque, par hasard, on regardait dans la glace, on apercevait un masque diabolique.

C'est avec cette insistance effrayante que parlait l'inculte Mme Stöhr, jusqu'à ce que le repas court, mais substantiel, eût pris fin, et que les deux cousins partissent pour leur promenade matinale, en aval, vers Davos-Platz. Joachim était absorbé en lui-même, et Hans Castorp gémissait à force de se moucher, et la toux ébranlait sa poitrine rouillée. Sur le retour, Joachim dit :

« Je te fais une proposition. C'est aujourd'hui vendredi. Demain, après déjeuner, je passe mon examen mensuel. Ce n'est pas une auscultation complète, mais Behrens me donne quelques tapes dans le dos et fait prendre des notes à Krokovski. Tu pourrais m'accompagner et demander que, par la même occasion, on t'ausculte sommairement. C'est ridicule, mais si tu étais chez toi tu ferais sans doute venir Heidekind. Et ici, où nous avons deux spécialistes dans la maison, tu te promènes et tu ne sais à quoi t'en tenir, ni à quel point tu es atteint, et si tu ne ferais pas mieux de te coucher.

— Bien, dit Hans Castorp. Comme tu voudras. Naturellement, je peux faire cela. Et c'est même intéressant pour moi d'assister une fois à une consultation. »

Ils en convinrent donc ; et lorsqu'ils arrivèrent en haut, devant le sanatorium, le hasard voulut qu'ils rencontrassent le conseiller Behrens en personne et qu'ils trouvassent une occasion favorable de formuler leur requête séance tenante.

Behrens sortait de l'aile avancée de la maison, grand et portant haut, un chapeau raide sur l'occiput et un cigare à la bouche, les joues bleues et l'œil larmoyant ; il était en pleine activité, sur le point de rendre visite à sa clientèle privée, au village, après avoir travaillé dans la salle d'opérations, ainsi qu'il l'expliqua.

« Salut, messieurs ! dit-il. Toujours en balade. Vous vous êtes plu dans le grand monde ? Je reviens justement d'un combat inégal au couteau et à la scie, une grosse affaire, pensez donc, section d'une côte ! Autrefois cinquante pour cent restaient sur le carreau de la maison. Mais nous réussissons mieux maintenant, bien qu'il nous arrive encore de plier bagages avant terme, *mortis causa*. Bah ! celui d'aujourd'hui comprenait la plaisanterie : il tient bon pour l'instant... C'est fou, un thorax d'homme qui n'en est plus un. Partie molle, chose plutôt vilaine, vague idée... Baste, et vous ? Que fait la précieuse santé ? L'existence est plus drôle, à deux, hein, Ziemssen, vieux renard ? Pourquoi pleurez-vous donc, vous, le touriste ? s'adressa-t-il tout à coup à Hans Castorp. Il est interdit de pleurer en public. C'est le règlement de la maison. Si chacun se mettait à en faire autant.

— C'est mon rhume, docteur, répondit Hans Castorp. Je ne sais pas comment c'est arrivé, mais j'ai attrapé un fameux rhume. Je tousse aussi et j'ai la poitrine tout à fait prise.

— Ah ? dit Behrens. Il conviendrait peut-être de consulter un médecin sérieux. »

Tous deux rirent, et Joachim répondit en joignant les talons :

« Nous sommes sur le point de le faire, monsieur le Conseiller. C'est mon jour de consultation demain, et nous voulions justement vous demander si vous auriez la bonté d'examiner en même temps mon cousin. Il s'agit de savoir s'il pourra repartir mardi…

— T. d., dit Behrens. T. d. a. r. s. Tout disposé à rendre service. On aurait dû commencer par là. Du moment que l'on est ici, il faut au moins remporter cela. Mais naturellement, on ne veut pas s'imposer. Donc, demain, deux heures, aussitôt après le rata.

— C'est que j'ai également un peu de fièvre, ajouta Hans Castorp.

— Qu'est-ce que vous m'apprenez là ? s'écria Behrens. Croyez-vous que je n'aie pas d'yeux pour voir ? »

Et de son formidable index, il désigna ses deux yeux injectés de sang, bleu humide et larmoyants.

« Et combien avez-vous donc ? »

Hans Castorp cita modestement le chiffre.

« Le matin ? Hum, pas mal. Pour un début, vous ne manquez pas de dispositions. Bon, alors c'est entendu, demain, rassemblement à deux ! L'honneur sera pour moi. Bonne digestion ! »

Et les genoux tors, ramant des mains, il commença à descendre la pente du chemin, tandis que la fumée de son cigare flottait derrière lui comme un drapeau.

« Voilà qui est convenu comme tu le désirais, dit Hans Castorp. Ça ne pouvait pas tomber mieux, et me voilà annoncé ! Il est du reste probable qu'il n'y pourra mais. Tout au plus me prescrira-t-il un jus de réglisse ou une tisane pectorale, mais c'est quand même agréable de pouvoir compter sur un peu de réconfort médical, lorsqu'on se sent mal fichu comme moi. Mais pourquoi donc tient-il un langage si invraisemblablement énergique ? Au commencement, cela m'amusait, mais à la longue, cela m'est désagréable. "Bonne digestion !" Quel jargon ! On peut dire "bon appétit !", car appétit est en quelque sorte un mot poétique, comme "pain quotidien" et s'accorde assez bien avec "bon". Mais "digestion", c'est de la pure physiologie, et appeler là-dessus la bénédiction du ciel, c'est pure malice. Je n'aime pas non plus beaucoup le voir fumer, cela a quelque chose d'inquiétant pour moi, parce que je sais que cela ne lui fait pas de bien et que cela le rend mélancolique. Settembrini prétend que sa gaieté est forcée, et Settembrini est un critique, un homme de jugement sûr, cela il faut le lui laisser. Peut-être devrais-je, moi aussi, raisonner davantage, et ne pas accepter toutes choses comme elles se présentent ; il a parfaitement raison sur ce point. Mais il arrive qu'on commence par juger, par blâmer, et par s'indigner, et puis voici que survient quelque chose qui n'a aucun rapport avec le raisonnement et il ne peut plus être question de sévérité morale, et la République ou le beau style vous paraissent tout à coup bien anodins. »

Il murmura ces paroles indistinctes ; il ne paraissait lui-même pas très au clair sur ce qu'il entendait dire. Aussi son cousin le regarda-t-il de biais, et dit « Au revoir », sur quoi chacun d'eux rejoignit sa chambre et sa loge de balcon.

« Combien ? » demanda Joachim au bout d'un moment, bien qu'il n'eût pas vu que Hans Castorp avait de nouveau consulté son thermomètre…

Et Hans Castorp répondit d'un ton indifférent :

« Rien de nouveau ! »

En effet, à peine entré chez lui, il avait repris sur la toilette sa jolie acquisition de ce matin, avait détruit par des secousses verticales le 37,6 qui avait terminé son rôle, et, comme un malade expérimenté, son cigare de verre dans la bouche, avait repris sa cure de repos. Mais, à l'encontre de son attente trop ambitieuse, et bien qu'il eût gardé l'instrument durant huit bonnes minutes sous la langue, le mercure ne s'était pas dilaté au-delà des mêmes 37,6 — ce qui d'ailleurs était de la fièvre, sinon une fièvre plus forte que celle qu'il avait eue dès le matin. Après le déjeuner, la colonne miroitante monta jusqu'à 37,7, s'en tint le soir, lorsque le malade se sentit fatigué des émotions et des nouveautés de la journée, à 37,5, le matin tôt ne marqua même que 37, pour atteindre de nouveau vers midi le même degré que la veille. Sur ces entrefaites, le principal repas du lendemain était arrivé, et avec sa fin approchait l'heure du rendez-vous.

Hans Castorp se rappela plus tard que, durant ce repas, Mme Chauchat avait porté un chandail d'un jaune doré, avec de grands boutons et des poches galonnées, qui était neuf, en tout cas neuf pour Hans Castorp, et que, lors de son arrivée, comme toujours un peu tardive, elle s'était un instant présentée dans ce vêtement à la salle. Puis, comme tous les jours à cinq reprises, elle avait glissé vers sa table, s'était assise avec des mouvements souples, et, tout en bavardant, avait commencé de manger : comme chaque jour, mais avec une attention particulière, Hans Castorp l'avait vue hocher la tête en parlant, et de nouveau il avait remarqué la courbure de sa nuque, la tenue relâchée de son dos, lorsque, derrière le dos de Settembrini, qui était assis au bout de la table placée transversalement, entre eux, il avait regardé vers la table des « Russes bien », Mme Chauchat, de son côté, ne s'était pas retournée une seule fois vers la salle durant tout le déjeuner. Mais lorsqu'on eut fini le dessert, et que la grande pendule à chaînes, du côté droit de la salle, là où était la table des Russes ordinaires, eut sonné deux heures, à la surprise de Hans Castorp, tout ému par cette énigme, cela s'était quand même produit : tandis que la pendule sonnait deux coups — un et deux — la gracieuse malade avait tourné lentement la tête et légèrement le buste. Par-dessus son épaule et ouvertement, elle avait dirigé le regard vers sa table, vers Hans Castorp — non pas vaguement vers sa table, mais sans équivoque possible, vers lui en personne, un sourire à ses lèvres closes et dans ses yeux bridés, semblables à ceux de Pribislav, comme si elle avait voulu dire : « Eh bien ? Il est temps. Iras-tu ? » (Car lorsque les yeux parlent, ils tutoient, lors même que les lèvres n'ont pas encore prononcé un « vous ».) Et ç'avait été là un incident qui avait troublé et effrayé Hans Castorp jusqu'au fond de l'âme. Il se fiait à peine à ses sens, et, éperdu, il avait d'abord regardé Mme Chauchat en face, puis, levant les yeux, par-dessus son front et ses cheveux, dans le vide. Savait-elle donc qu'il avait pris rendez-vous à deux heures, pour une consultation ? On l'eût cru ! Et pourtant c'était invraisemblable ! Elle aurait aussi bien pu savoir qu'à la minute précédente il s'était demandé s'il ne ferait pas dire au docteur Behrens par Joachim que sa grippe allait mieux et qu'il jugeait la consultation superflue ! Pensée dont les avantages s'étaient tout à coup évanouis devant ce sourire interrogateur, pour prendre la couleur de l'ennui le plus repoussant. Une seconde plus tard, Joachim avait déjà posé sur la table sa serviette roulée, avait, d'un mouvement des sourcils, fait signe à Hans Castorp, s'était incliné devant leurs voisins et avait quitté la table, sur quoi Hans Castorp, titubant intérieurement, bien que d'un pas en apparence ferme, et avec le sentiment que ce regard et ce sourire pesaient toujours sur lui, emboîta le pas à son cousin et sortit de la salle.

Depuis hier matin, ils n'avaient plus parlé de leur projet, et à ce moment encore ils marchaient en un accord tacite. Joachim se pressait : l'heure convenue était déjà passée, et le docteur Behrens exigeait de la ponctualité. Ils suivirent le corridor du rez-de-chaussée, en passant devant « l'administration », et descendirent l'escalier, proprement recouvert d'un linoléum ciré, qui menait au sous-sol. Joachim frappa à la porte, immédiatement en face de l'escalier, qu'un écriteau de porcelaine désignait comme l'entrée de la salle de consultation.

« Entrez ! » s'écria Behrens en appuyant fortement sur la première syllabe. Il était au milieu de la pièce, en blouse, tenant de la main droite le stéthoscope noir, avec lequel il se battait la cuisse.

« *Tempo, tempo*, dit-il, et il tourna son œil larmoyant vers la pendule. *Un poco più presto, signori !* Nous ne sommes pas exclusivement à la disposition de vos seigneuries. »

Le docteur Krokovski était assis au double bureau, devant la fenêtre, pâle dans sa blouse de lustrine noire, les coudes sur le plat de la table, tenant d'une main la plume, de l'autre sa barbe, ayant devant soi des papiers, sans doute le dossier du malade, et il regarda les arrivants avec l'expression vague d'une personne qui n'est là que comme assistant.

« Allons, amenez-moi cet état de service », dit le docteur Behrens en réponse aux excuses de Joachim, et il saisit la feuille de température pour la parcourir, tandis que le patient s'empressait de se dénuder le torse et d'accrocher les vêtements qu'il retirait au portemanteau placé à côté de la porte. De Hans Castorp, personne ne s'occupait. Il resta un instant debout à les regarder, puis il s'assit sur un petit fauteuil genre ancien dont les accoudoirs portaient des dragonnes, à côté d'une petite table qui supportait une carafe d'eau. Des bibliothèques chargées de dossiers et d'épais ouvrages médicaux garnissaient les murs. En fait de meubles, il n'y avait en dehors de cela qu'une chaise longue au dossier mobile, qui était recouverte d'une toile cirée blanche, et dont le coussin était garni d'une serviette en papier.

« Virgule sept, virgule neuf, virgule huit », dit Behrens, en feuilletant les fiches hebdomadaires où Joachim avait fidèlement inscrit ses températures mesurées cinq fois par jour.

« Toujours encore un peu émoustillé, mon cher Ziemssen, vous ne pouvez pas précisément prétendre que depuis l'autre jour vous soyez devenu plus solide. ("L'autre jour" ç'avait été voici quatre semaines.) Pas désintoxiqué, pas désintoxiqué, dit-il. Allons ! ça ne se fait pas du jour au lendemain, nous ne sommes pas des sorciers. »

Joachim approuva de la tête et ses épaules nues frissonnèrent, bien qu'il eût pu objecter qu'il n'était pas précisément ici depuis la veille.

« Et comment vont les points au hile droit où le son était toujours plus aigu ? Mieux ? Allons, venez ici ! Nous allons essayer de frapper poliment. »

Et l'examen commença.

Le docteur Behrens, posté sur ses jambes écartées, le tronc rejeté en arrière, le stéthoscope sous le bras, commença par frapper tout en haut de l'épaule droite de Joachim, par frapper d'un mouvement du poignet, en se servant du puissant majeur de sa main droite comme d'un marteau, et en s'appuyant de la main gauche. Puis il descendit sous l'omoplate, et frappa sur le côté, au milieu et en bas du dos, après quoi Joachim, qui était bien dressé, leva le bras pour le laisser frapper sous l'épaule. Le tout se répéta du côté gauche, et ceci terminé, le conseiller commanda : « Demi-tour », pour ausculter la poitrine. Il frappa juste en dessous du cou, près de la clavicule, frappa par-dessus et sous la poitrine, d'abord à droite, puis à gauche. Lorsqu'il eut suffisamment frappé, il ausculta, en appuyant le stéthoscope sur la poitrine et le dos de Joachim, son oreille à l'écouteur, tous les endroits où il avait frappé tout à l'heure. En même temps il fallait que Joachim respirât ou toussât alternativement, ce qui semblait beaucoup le fatiguer, car il s'essoufflait et ses yeux larmoyaient. Quant au docteur Behrens il annonçait tout ce qu'il entendait là-dedans, l'annonçait en paroles brèves et nettes à l'assistant assis au bureau, de telle sorte que Hans Castorp ne put s'empêcher de penser à la séance chez le tailleur, lorsque le monsieur élégant vous prend les mesures d'un complet, que dans un ordre traditionnel il place le centimètre ici et là autour du corps et des membres de son client, et dicte les chiffres ainsi obtenus à l'apprenti, assis et penché. « Court », « raccourci », dictait le docteur Behrens. « Vésiculaire », disait-il, et de nouveau : « vésiculaire » (c'était bon signe, apparemment), « rauque », disait-il, et il faisait une grimace. « Très rauque. » « Bruit. » Et le docteur Krokovski inscrivait tout, comme l'employé les chiffres du coupeur.

Hans Castorp, la tête penchée de côté, suivait les événements, plongé dans une contemplation méditative du torse de Joachim, dont les côtes (Dieu merci, il avait encore toutes ses côtes !) se soulevaient sous la peau tendue, quand il respirait, et saillaient au-dessus du creux de l'estomac — ce torse svelte, d'un brun jaunâtre, avec son poil noir au sternum et aux bras, du reste robustes, dont l'un portait au poignet une gourmette en or. Ce sont des bras de gymnaste, cela, se dit Hans Castorp, il a toujours volontiers fait de la culture physique, tandis que j'en faisais peu de cas, et cela tenait à son goût pour le métier des armes. Il a toujours été préoccupé de son corps beaucoup plus que moi, ou du moins d'une autre manière ; car j'ai toujours été un pékin, et je me souciais bien davantage de prendre des bains chauds, de bien manger et de bien boire, tandis que lui cultivait sa vigueur. Et voici que d'une manière tout autre son corps est passé au premier plan, s'est rendu indépendant et a pris de l'importance par la maladie. Il est intoxiqué et il ne veut pas se laisser désintoxiquer et devenir solide, malgré toute l'envie qu'a le pauvre Joachim de devenir soldat, dans la plaine. Il est bâti d'une façon parfaite, comme un véritable Apollon du Belvédère, au poil près. Mais intérieurement, il est malade, et extérieurement échauffé par la maladie ; car la maladie rend l'homme plus corporel, elle le fait entièrement charnel… En agitant ces pensées, il prit tout à coup peur et jeta un regard rapide et interrogateur, du torse nu de Joachim vers ses yeux, vers ses grands yeux noirs et doux, que la respiration artificielle et la toux faisaient larmoyer, et qui, durant l'examen, regardaient avec une expression triste par-dessus le spectateur, dans le vide.

Cependant, le docteur Behrens avait terminé.

« Ça va bien, Ziemssen, dit-il. Tout est en règle, autant que possible. La prochaine fois (c'était dans quatre semaines), ça ira certainement partout un peu mieux…

— Combien croyez-vous, monsieur le Conseiller ?

— Ah ça, vous êtes donc de nouveau pressé ? Vous ne pouvez tout de même pas serrer la vis à vos recrues en cet état d'intoxication avancé ? Six petits mois, vous ai-je dit l'autre jour. Si cela vous fait plaisir, comptez-les à partir de l'autre jour, mais considérez-les comme un minimum. En somme, on n'est pas si mal ici, vous devriez tout de même être un peu plus poli. Ce n'est pas un bagne ici, ce n'est pas une… mine sibérienne ! Ou voulez-vous dire que notre maison offre quelque ressemblance avec cela ? Ça va bien, Ziemssen, rompez ! Au suivant, s'il y en a que cela tente ! » s'écria-t-il, et il regarda en l'air.

Allongeant le bras, il tendit en même temps son stéthoscope au docteur Krokovski qui se leva, et le prit pour procéder sur Joachim à un petit contrôle d'assistant.

Hans Castorp, lui aussi, avait sauté sur ses pieds, et, le regard suspendu à la personne du conseiller, qui, les jambes écartées, la bouche ouverte, semblait perdu dans ses pensées, il s'empressa de se mettre en tenue. Il se hâta trop, ne réussit pas tout de suite à sortir de sa chemise à pois lorsqu'il la tira par-dessus la tête. Et puis il se trouva debout, blanc, blond et mince, devant le docteur Behrens — il paraissait d'une conformation de civil, auprès de Joachim Ziemssen.

Mais le docteur Behrens, toujours perdu dans ses pensées, le laissa debout. Déjà le docteur Krokovski s'était rassis, et Joachim avait commencé de se rhabiller, lorsque Behrens se décida enfin à remarquer la présence de cet autre que « cela tentait ».

« Ah bon, c'est à vous ! » dit-il, et il saisit Hans Castorp à l'avant-bras, de sa main énorme, le tira devant soi et le considéra d'un regard aigu. Il le regarda, non pas au visage, comme on use de regarder un homme, mais au corps, le tourna, comme on retourne un corps, et considéra encore son dos. « Hum ! dit-il. Allons, nous allons voir ce que vous avez dans le ventre. » Et comme tout à l'heure, il commença de frapper.

Il frappa partout où il avait fait chez Joachim, et revint à plusieurs reprises à divers endroits. Pendant un certain temps, il frappa, pour comparer, alternativement, en haut, près de la clavicule, et un peu plus bas.

« Vous entendez ? » demanda-t-il, en se tournant vers le docteur Krokovski.

Et le docteur Krokovski, assis cinq pas plus loin, à sa table de travail, confirmait par un hochement de tête qu'il entendait : gravement, il inclinait le menton sur sa poitrine, de sorte que sa barbe s'écrasait et que les pointes s'en repliaient.

« Respirez profondément ! Toussez ! » commanda le conseiller qui, à présent, avait repris son stéthoscope, et Hans Castorp s'appliqua pendant huit ou dix bonnes minutes, tandis que le conseiller l'auscultait. Il ne prononçait pas une parole, ne faisait qu'appuyer ici ou là son stéthoscope, et écouta en particulier plusieurs fois en certains endroits où, tout à l'heure déjà, il s'était attardé plusieurs fois à frapper. Puis il glissa l'instrument sous son bras, posa ses mains sur son dos, et regarda par terre, entre Hans Castorp et lui.

« Eh bien, Castorp, dit-il — et c'était la première fois qu'il appelait le jeune homme tout simplement par son nom de famille —, oui, il en va justement *praeter-propter* comme je l'avais supposé dès l'origine. J'ai toujours eu un œil sur vous, Castorp, je puis vous le dire à présent. Je l'ai eu dès le début, aussitôt que j'ai eu l'honneur immérité de faire votre connaissance, et avec assez de certitude j'ai deviné que vous étiez au fond des nôtres, et que vous finiriez par vous en rendre compte, comme tant d'autres qui sont venus ici pour leur plaisir, qui ont regardé autour d'eux en fronçant le nez, et qui, un jour, ont appris qu'ils feraient bien — et pas seulement "feraient bien", pas de malentendu s'il vous plaît ! — d'accomplir ici, en dehors de toute curiosité désintéressée, un petit séjour plus profitable. »

Hans Castorp avait changé de couleur, et Joachim, sur le point de rattacher ses bretelles, s'arrêta net, et écouta.

« Vous avez là un cousin si gentil et si sympathique, poursuivit le conseiller, avec un mouvement de tête vers Joachim, tout en se balançant sur le gros orteil et sur les talons, un cousin qui, j'espère, pourra un de ces jours dire qu'il "a été" malade. Mais même si nous en arrivons là, il n'en restera pas moins qu'il aura été malade, monsieur votre cousin consanguin, et cela jette a priori, comme dit le philosophe, un certain jour sur vous, mon cher Castorp…

— Mais ce n'est qu'un cousin par alliance, monsieur le Conseiller.

— Allons, allons, vous n'allez pas vouloir renier votre cousin. Par alliance ou non, il reste quand même un consanguin. Et de quel côté ?

— Du côté de ma mère, monsieur le Conseiller, il est le fils d'une belle-…

— Et Madame votre mère se porte bien ?

— Non, elle est morte, elle est morte lorsque j'étais encore petit…

— Ah ! et pourquoi ça ?

— D'une hémorragie, docteur.

— Hémorragie ? Allons, il y a longtemps de cela. Et Monsieur votre père ?

— Il est mort d'une pneumonie, dit Hans Castorp, et mon grand-père aussi, ajouta-t-il.

— Ah ! lui aussi ? Allons, voilà pour vos ascendants ! En ce qui vous concerne, vous avez sans doute toujours été un peu anémique, n'est-ce pas ? Mais ni le travail physique ni le travail intellectuel ne vous fatiguaient facilement, hein ? Si ? Et avez-vous souvent des palpitations ? Depuis quelque temps seulement ? Bien ; et en dehors de cela vous avez évidemment une tendance marquée à l'engorgement des voies respiratoires. Savez-vous que vous avez déjà été malade autrefois ?

— Moi ?

— Oui, c'est vous, personnellement, que j'ai en vue. Vous entendez la différence ? »

Et le docteur Behrens frappa alternativement à gauche, en haut sur la poitrine, et un peu plus bas.

« Le son est un peu plus sourd ici que là, dit Hans Castorp.

— Très bien. Vous devriez devenir spécialiste. Il y a donc une gêne respiratoire, et les gênes respiratoires proviennent d'endroits malades, où la sclérose s'est déjà produite, ou, si vous voulez, qui se sont déjà cicatrisés. Vous êtes un vieux malade, Castorp, mais nous ne voulons reprocher à personne que vous n'en ayez rien su. Le diagnostic préalable est difficile, surtout pour messieurs nos collègues de la plaine. Je ne veux même pas dire que nous ayons l'ouïe plus fine qu'eux, bien que l'expérience et la spécialité y soient pour beaucoup. Mais c'est l'air qui nous aide à entendre, vous comprenez, cet air rare et sec des hauteurs.

— Naturellement, fit Hans Castorp.

— Bien, Castorp ! Et maintenant, écoutez-moi bien, mon garçon, je vais vous dire quelques paroles qui valent leur pesant d'or. S'il n'y avait pas autre chose dans votre cas, vous m'entendez, s'il n'y avait que ces gênes respiratoires et ces cicatrices dans votre conduit respiratoire, et ces corps étrangers calcaires, je vous renverrais à vos lares et à vos pénates, et je ne me soucierais pas un instant de vous, vous m'entendez ? Mais comme il en va autrement et après ce que nous avons constaté par ailleurs, et puisque vous êtes chez nous, ce n'est pas la peine de vous mettre en route. Avant peu, il faudrait que vous nous reveniez. »

Hans Castorp sentit de nouveau le sang affluer à son cœur, qui lui martelait la poitrine, et Joachim était toujours debout, les mains derrière le dos, et tenait les yeux baissés.

« Car, en dehors de ces gênes respiratoires, nous avons encore en haut un endroit rauque, qui est déjà presque un bruit, et qui provient sans nul doute d'un endroit frais — je ne veux pas encore parler d'un foyer d'infection — mais c'est certainement un endroit humide et, si vous continuez la même existence dans la plaine, mon cher, ni vu ni connu, tout le lambeau de poumon ira au diable un beau matin. »

Hans Castorp était debout, immobile, sa bouche tressauta singulièrement, et l'on voyait distinctement les pulsations de son cœur contre les côtes. Il regarda du côté de Joachim, dont il ne rencontra pas les yeux, puis, de nouveau, le visage du docteur Behrens, avec ses joues bleues, ses yeux également bleus et larmoyants, et sa petite moustache retroussée d'un seul côté.

« Comme confirmation objective, poursuivit Behrens, nous avons encore votre température : 37,6 à dix heures du matin, cela répond à peu près aux observations acoustiques.

— Je croyais, dit Hans Castorp, que cette fièvre provenait simplement de mon rhume.

— Et le rhume, répliqua le conseiller, d'où vient-il ? Laissez-moi vous raconter quelque chose, Castorp, et ouvrez vos oreilles, car, autant que je sache, vous disposez de suffisamment de circonvolutions cérébrales. Donc, l'air que nous avons ici est bon contre la maladie, c'est ce que vous savez, n'est-ce pas ? Et c'est bien vrai. Mais en même temps, cet air est également bon pour la maladie, il commence par hâter son cours, il révolutionne le corps, il fait éclater la maladie latente, et c'est justement une de ces explosions, pardonnez-moi, qui constitue votre rhume. Je ne sais pas si dans la plaine vous vous êtes déjà senti fiévreux, mais en tout cas vous l'êtes devenu ici, dès le premier jour, et non pas seulement par votre rhume, si je puis vous donner mon avis.

— Oui, dit Hans Castorp, oui, c'est ce que je crois, en effet.

— Vous avez tout de suite été un peu émoustillé, confirma le conseiller. Ce sont les poisons solubles produits par les microbes ; ils ont un effet grisant sur le système nerveux central, vous m'entendez, et c'est alors que vos joues se colorent gaiement. Vous allez commencer par vous mettre dans le plumard, Castorp ; nous verrons si quelques semaines de repos au lit vous dégriseront. La suite viendra à son heure. Nous prendrons de vous une belle vue intérieure, cela vous fera certainement plaisir de jeter un coup d'œil dans votre propre personne. Mais j'aime autant vous le dire tout de suite : un cas comme le vôtre ne guérit pas du jour au lendemain, les succès de réclame et les cures miraculeuses ne sont pas notre affaire. J'ai eu tout de suite l'impression que vous étiez un malade supérieur, plus doué pour la maladie que ce général de brigade-là qui veut filer chaque fois qu'il a quelques dixièmes en moins. Comme si "repos !" n'était pas un commandement aussi valable que "Garde à vous !". Le repos est le premier devoir du citoyen et l'impatience ne fait que nuire. Tâchez de ne pas me démentir, Castorp, et de ne pas démentir ma connaissance des hommes, je vous en prie. Et maintenant, en avant, marche, allez en cale sèche. »

Sur ces mots, le conseiller mit fin à la conversation et s'assit à sa table de travail, pour, en homme surchargé de besogne, employer à des écritures la pause jusqu'à la consultation suivante. Mais le docteur Krokovski se leva de sa place, marcha sur Hans Castorp, et, la tête rejetée obliquement en arrière, avec un sourire jovial qui découvrait dans sa barbe ses dents jaunâtres, il lui serra cordialement la dextre.

CHAPITRE V

Potage éternel et clarté soudaine

Mais voici qu'il va arriver quelque chose au sujet de quoi le narrateur fera bien d'exprimer sa propre surprise, afin que le lecteur ne s'en étonne pas, de son propre mouvement, outre mesure. En effet, et tandis que notre compte rendu des trois premières semaines du séjour de Hans Castorp chez les gens d'en haut (vingt et un jour du plein de l'été, auxquels, selon les prévisions humaines, ce séjour aurait en fait dû se borner) a dévoré des quantités d'espace et de temps, dont l'étendue ne correspond que trop à notre attente à demi avouée, il ne nous faudra, pour venir à bout des trois semaines suivantes de sa visite en ce lieu, qu'autant de lignes à peine, de mots et d'instants que celles-là avaient exigé de pages, de feuillets, d'heures et de journées de labeur : en un clin d'œil, nous le voyons bien, ces trois semaines vont être révolues et ensevelies.

De cela donc on pourrait s'étonner; et pourtant c'est dans l'ordre, et cela répond aux lois de la narration et de l'audition. Car il est dans l'ordre et il répond à ces lois que le temps nous paraisse aussi long ou aussi bref, que pour notre expérience propre il s'étende ou se recroqueville exactement autant que l'aventure du héros de notre histoire, surpris de façon si inattendue par le destin, de notre jeune Hans Castorp. Et il peut être utile, en présence de ce mystère qu'est le temps, de préparer le lecteur à bien d'autres miracles et phénomènes encore que ceux qui le surprennent ici, phénomènes qu'il rencontrera en notre compagnie. Pour le moment il suffit que chacun se souvienne avec quelle rapidité une série, voire une « longue » série de jours s'écoule, lorsqu'on les passe au lit, comme malade : c'est le même jour qui se répète sans cesse. Mais comme c'est toujours le même, il est au fond peu correct de parler de « répétition »; il faudrait parler d'identité, d'un présent immobile, ou d'éternité. On t'apporte le potage à déjeuner, tel qu'on te l'a apporté hier, et tel qu'on te l'apportera demain. Et au même instant, un souffle t'effleure, tu ne sais ni comment ni où; tu es pris de vertige, tandis que tu vois venir ce potage, les formes du temps se perdent, et ce qui se dévoile à toi comme la véritable forme de l'être, c'est un présent fixe où l'on t'apporte éternellement le potage. Mais il serait paradoxal de parler d'ennui à propos d'éternité; et nous voulons éviter les paradoxes, surtout en compagnie de notre héros.

Ainsi donc, Hans Castorp était-il au lit depuis samedi après-midi, parce que le docteur Behrens, la suprême autorité dans ce monde où nous sommes enfermés, en avait ainsi décidé. Il était étendu là, son monogramme sur la pochette de sa chemise de nuit, les mains jointes derrière la tête, dans son lit net et blanc, le lit de mort de l'Américaine, et sans doute de mainte autre personne, et il regardait de ses yeux simples, dont l'azur était troublé par le rhume, vers le plafond de sa chambre, considérant l'étrangeté de sa situation. On ne peut d'ailleurs pas admettre que sans ce rhume ses yeux eussent eu un regard clair et sans équivoque, car son aspect intérieur, si simple qu'il fût de sa nature, n'était en effet nullement ainsi, mais au contraire très trouble, brouillé, confus, seulement à demi sincère, et en proie au doute. Tantôt un rire fou et triomphal montait du tréfonds de son être, ébranlait sa poitrine, et son cœur se ralentissait; une joie et un espoir inconnus et sans mesure le torturaient; tantôt il pâlissait d'effroi et d'inquiétude, et c'étaient les coups de la conscience elle-même que son cœur répétait à une cadence accélérée en battant contre ses côtes.

Le premier jour, Joachim le laissa en paix et évita toute explication. Soucieux de le ménager, il entra plusieurs fois dans la chambre du malade, fit un signe de tête et demanda pour la forme s'il ne manquait de rien. D'ailleurs, il lui était d'autant plus facile de comprendre et de respecter la crainte que Hans Castorp éprouvait d'une explication, qu'il partageait cette crainte, et que, dans sa pensée, il était même dans une situation encore plus pénible que son cousin.

Mais le dimanche matin, en rentrant de sa promenade matinale que, comme autrefois, il avait dû faire seul, il ne recula pas plus longtemps la conversation au cours de laquelle il s'agissait de parer au plus pressé avec son cousin. Il resta debout près du lit et dit en soupirant :

« Ainsi, il n'y a rien à faire. Il faut à présent prendre nos dispositions. Ils vont t'attendre chez toi.

— Pas encore, répondit Hans Castorp.

— Non, mais ces prochains jours, mercredi ou jeudi.

— Bah, dit Hans Castorp, ils ne m'attendent pas si exactement, à un jour près. Ils ont autre chose à faire que de m'attendre et de compter les jours jusqu'à ce que je revienne. Quand j'arrive, je suis là, et l'oncle Tienappel dit : "Ah ! te voilà rentré !", et l'oncle James dit : "Alors, tout s'est bien passé ?" S'ils ne me voient pas venir, il faut longtemps avant que cela les frappe, tu peux en être sûr. Bien entendu, à la longue, il faudra les prévenir…

— Tu t'imagines, dit Joachim, et il soupira de nouveau, combien cette histoire m'est désagréable. Que va-t-il arriver ? Naturellement, je me sens un peu responsable. Tu viens ici, pour me rendre visite, je t'introduis, et te voilà tout à coup cloué au lit, et personne ne sait quand tu pourras repartir et occuper ton poste. Tu dois comprendre que cela m'est pénible au plus haut degré.

— Pardon, dit Hans Castorp, les mains toujours sous la tête. À quoi bon te creuser ainsi la cervelle ? C'est idiot. Est-ce que je serais par hasard venu ici pour te rendre visite ? Cela aussi ; mais en premier lieu pour me reposer, sur le conseil de Heidekind. Bon ; et voilà qu'il est apparu tout bonnement que j'avais plus besoin de repos que lui et nous tous l'avions rêvé. D'ailleurs, je ne suis pas le premier qui ait cru faire ici une visite éclair, et dont le séjour ait tourné autrement. Songe donc, par exemple, comment le second fils de *Tous-les-deux,* a été atteint encore beaucoup plus gravement — je ne sais pas s'il vit toujours, peut-être l'ont-ils déjà descendu pendant un repas. C'est vrai que c'est une surprise pour moi d'apprendre que je suis un peu malade, il faut que je m'habitue d'abord à me sentir ici comme un pensionnaire en traitement, et vraiment comme l'un des vôtres, au lieu de n'être, comme j'en avais l'impression jusqu'à présent, qu'un invité. Et puis, d'autre part, je dois dire que cela ne me surprend pas du tout, car je ne me suis jamais senti vraiment d'attaque, et lorsque je pense combien mes parents sont morts jeunes — de qui donc pourrais-je tenir une santé exceptionnelle ? Que tu aies une petite fêlure, n'est-ce pas ? encore qu'elle soit autant dire guérie à présent, nous ne nous y sommes pas trompés là-bas, et il se peut donc parfaitement que notre famille incline à cela. Behrens, du moins, a fait une remarque dans ce sens. Quoi qu'il en soit, me voilà depuis hier à me demander dans quelles dispositions profondes j'étais à l'égard de tout, de la vie, tu comprends, et de ses exigences. J'ai toujours eu dans ma nature un certain sérieux et une certaine antipathie pour des allures robustes et bruyantes — nous en avons parlé dernièrement —, et tu sais que j'ai été quelquefois presque tenté de devenir ecclésiastique, par goût pour les choses tristes et édifiantes. Une étoffe noire, tu sais, avec une croix en argent dessus ou R. I. P… *Requiescat in pace*, c'est au fond la parole la plus belle et qui m'est infiniment plus sympathique que “*Vive un tel !*” avec sa gaieté bruyante. Tout cela, je pense, doit provenir de ce que j'ai moi-même une fêlure, et que dès l'origine j'ai été disposé à la maladie qui s'est manifestée à cette occasion. Mais s'il en est vraiment ainsi, je peux parler de chance, c'est vraiment une chance que je sois monté ici et que je me sois fait ausculter. Tu n'as pas besoin de te faire à ce propos les moindres reproches. Car — ne l'as-tu pas entendu ? — si j'avais continué encore pendant quelque temps à mener cette vie dans la plaine là-bas, il se pourrait que tout le lambeau de poumon fût allé au diable.

— C'est ce qu'on ne peut pas savoir, dit Joachim, c'est justement là ce qu'on ne peut pas savoir. N'as-tu pas eu autrefois des endroits malades dont personne ne s'est occupé et qui ont complètement guéri d'eux-mêmes, de sorte que tu n'as plus à présent que quelques gênes respiratoires sans importance ? C'est ce qui serait sans doute également advenu au point humide que tu aurais à présent, si tu n'étais pas par hasard monté chez moi… On ne peut pas savoir…

— Non, on ne peut rien savoir du tout, répondit Hans Castorp. Et c'est pourquoi on n'a pas le droit de supposer le pire, par exemple en ce qui concerne la durée de mon traitement. Tu dis que personne ne peut savoir quand je pourrai m'en aller d'ici et entrer au chantier naval, mais tu dis cela dans un sens pessimiste, et je trouve que tu te hâtes trop, précisément parce qu'on ne peut pas savoir. Behrens n'a pas fixé de délai, c'est un homme réfléchi, et il ne se pose pas en oracle. Du reste, on n'a pas encore procédé à la radioscopie et à la photographie qui permettront seules une conclusion objective ; et qui sait s'il y aura alors un résultat appréciable, ou si je ne serai pas délivré de ma fièvre auparavant, et si je pourrai vous dire adieu. J'estime qu'il vaut mieux que nous ne nous accordions pas trop tôt de l'importance et que nous n'allions pas raconter chez nous dès le début des histoires de brigands. Il suffit que nous écrivions prochainement — je peux du reste écrire moi-même, avec mon stylo, en me redressant un peu — que j'ai eu un fort refroidissement, que me voilà fiévreux et alité et que, provisoirement, je ne suis pas en état de voyager. Par la suite nous verrons.

— Entendu, dit Joachim, c'est ce que nous pouvons faire en attendant. Et puis nous pourrions attendre aussi pour le reste.

— Pour le reste ?

— Ne sois pas aussi étourdi ! Tu n'es sans doute pourvu du nécessaire que pour trois semaines, avec ta malle de cabine. Tu as besoin de linge, de cols et de dessous, et de vêtements d'hiver, et tu as besoin de chaussures. Et enfin, il faut encore que tu fasses venir de l'argent.

— *Si*, dit Hans Castorp, *si* j'ai besoin de tout cela.

— Bon, attendons ! Mais nous devrions… Non, dit Joachim, et, visiblement troublé, il arpenta la chambre, nous ne devrions pas nous faire d'illusions. Il y a trop longtemps que je suis ici pour ne pas savoir à quoi m'en tenir. Quand Behrens dit qu'il y a un endroit rugueux, et presque un bruit… Mais bien entendu, nous pouvons attendre… »

Ils s'en tinrent là pour la journée, et, aussitôt, les variantes hebdomadaires ou bi-mensuelles de l'horaire normal reprirent leurs droits : même dans sa situation présente, Hans Castorp y prenait part, sinon en en jouissant directement, du moins par le compte rendu que Joachim lui en faisait lorsqu'il lui rendait visite et s'asseyait pour un quart d'heure au bord de son lit.

Le plateau à thé, sur lequel on lui servait le dimanche matin son déjeuner, était orné d'un vase à fleurs, et l'on n'avait pas manqué de lui envoyer un peu de la pâtisserie qui était servie aujourd'hui dans la salle à manger. Plus tard, le jardin et la terrasse s'animèrent et avec des *trara* et des nasillements de clarinette le concert bi-mensuel débuta, durant lequel Joachim resta avec son cousin : il écoutait le programme dehors sur la loge, à la porte ouverte, tandis que Hans Castorp prêtait l'oreille dans son lit, à moitié assis, la tête penchée de côté et le regard perdu dans une ferveur tendre, aux flots d'harmonie qui se pressaient, non sans penser avec un haussement d'épaules intérieur aux discours de Settembrini sur le « caractère suspect » de la musique.

Au reste, comme nous l'avons dit, il se faisait rendre compte par Joachim des événements et des réunions de ces jours. Il lui demandait si le dimanche avait apporté des toilettes élégantes, des négligés en dentelles, ou quelque chose de ce genre (mais il avait fait trop froid pour des négligés de dentelles), et encore si, l'après-midi, il y avait eu des promenades en voiture (en effet, il y en avait eu : « l'Association des demi-poumons » avait *in corpore* pris son vol pour Clavadel) ; et le lundi il demanda à être renseigné sur la conférence du docteur Krokovski lorsque Joachim en revint, et qu'avant de faire sa cure de l'après-midi, il lui rendit visite. Joachim se montra peu loquace et peu disposé à rendre compte de la conférence, de même qu'il n'avait que fort peu parlé de la précédente. Mais Hans Castorp persista à exiger des détails.

« Je suis couché ici, et je paie le plein tarif, dit-il. Je veux, moi aussi, profiter un peu de ce qui se fait. »

Il se rappela le lundi de la quinzaine précédente, la promenade entreprise de son propre chef et qui lui avait fait si peu de bien, et formula cette hypothèse précise que peut-être ç'avait été cette excursion qui avait mis la révolution dans son corps, et qui avait fait éclater la maladie latente.

« Mais comme les gens parlent ici ! s'écria-t-il. Les gens du peuple, avec quelle solennité, quelle dignité ! On dirait parfois presque de la poésie. "Adieu donc et mille mercis !" répéta-t-il, en imitant l'accent du bûcheron. C'est ce que j'ai entendu dans la forêt, et de ma vie je ne l'oublierai plus. De telles choses se rattachent à d'autres impressions et souvenirs, tu sais, et l'on garde cela dans l'oreille jusqu'à la fin de ses jours. Et Krokovski a donc parlé à nouveau d'"amour" ?

— Bien entendu, dit Joachim. De quoi aurait-il parlé puisque c'est son sujet, une fois pour toutes ?

— Et qu'en a-t-il dit aujourd'hui ?

— Oh ! Rien de particulier. Tu as entendu comment il s'exprime.

— Mais qu'a-t-il débité de nouveau ?

— Rien de particulièrement nouveau. C'était de la chimie pure aujourd'hui, poursuivit Joachim, à contrecœur. Il était question à ce propos d'une sorte d'empoisonnement, d'auto-intoxication de l'organisme, avait dit le docteur Krokovski, laquelle prenait son origine dans la décomposition d'un élément encore inconnu, répandu dans le corps ; les produits de cette décomposition exerçaient une influence enivrante sur certains centres de la moelle épinière, exactement comme cela se produisait en cas d'absorption habituelle de poisons étrangers, de morphine ou de cocaïne.

— Et alors les joues rougissent, dit Hans Castorp. Tiens, tiens, mais c'est tout à fait intéressant. Que ne sait-il pas, cet excellent docteur ! Et il n'y va pas avec le dos de la cuiller. Attends un peu, un de ces jours il finira encore par découvrir cet élément inconnu qui est répandu dans tout le corps, et il fabriquera les poisons solubles qui ont cet effet enivrant sur le centre nerveux, de sorte qu'il pourra griser les gens à sa manière. Peut-être, autrefois déjà, en était-on arrivé là. En entendant cela, on pourrait croire qu'il y a quelque chose de vrai dans les histoires de philtres d'amour, et autres fables que l'on trouve dans les livres de contes... Tu t'en vas déjà ?

— Oui, dit Joachim, il faut absolument que je m'étende encore un peu. Ma courbe monte depuis hier. Ton histoire a fini par me porter sur le système... »

Ainsi passèrent le dimanche, le lundi. Puis le soir et le matin formèrent le troisième jour du séjour de Hans Castorp dans la « cale sèche », un jour de semaine sans signe particulier, le mardi. C'était le jour de son arrivée ; il y avait trois semaines entières qu'il était ici, et il se sentit enfin obligé à écrire cette lettre, et à informer ses oncles de son état présent, tout au moins dans les grandes lignes. Son oreiller dans le dos, il écrivit sur une feuille de papier à lettres de l'établissement que son départ d'ici, à l'encontre de ses projets, se trouvait retardé. Il dit qu'il était couché, avec un refroidissement fiévreux, que le docteur Behrens, consciencieux à l'excès comme il l'était sans doute, ne prenait apparemment pas tout à fait à la légère, parce qu'il le mettait en rapport avec la constitution du malade en général. En effet, dès leur première rencontre, le médecin-chef l'avait trouvé très anémique, et, en somme, le délai que lui, Hans Castorp, s'était assigné pour se rétablir, n'avait pas été jugé suffisant par cette haute compétence. À bientôt de plus amples détails.

« Voilà qui est parfait, pensa Hans Castorp. Il n'y a pas un mot de trop, et pourtant cela nous fera en tout cas gagner quelque temps. »

On remit la lettre au valet d'étage qui, évitant le détour de la boîte aux lettres, alla immédiatement la porter au prochain train prévu à l'horaire.

Là-dessus, les choses parurent réglées à notre aventurier, et, l'esprit apaisé, encore que la toux et la chaleur du rhume le tourmentassent, il se mit à vivre au jour le jour, ce jour morcelé en tant de parcelles qui, dans sa monotonie permanente, ne s'écoulait ni vite ni lentement, qui était toujours le même. Le matin, après avoir frappé très fort, le baigneur entrait, un individu musclé, nommé Turnherr, les manches de sa chemise roulées sur des bras aux veines nombreuses, qui s'exprimait avec difficulté en un langage gargouillant, appelait Hans Castorp comme tous les autres malades, par le numéro de sa chambre, et le frictionnait à l'alcool. À peine était-il parti que Joachim paraissait, tout habillé, pour dire bonjour, s'informer auprès de son cousin de la température de sept heures du matin et annoncer la sienne propre. Tandis qu'il déjeunait en bas, Hans Castorp, son oreiller dans le dos, faisait de même, avec l'appétit que provoque un changement de régime, à peine dérangé par l'irruption affairée et habituelle des médecins qui, à cette heure-ci, avaient déjà parcouru la salle à manger, et qui terminaient au pas accéléré leur tournée à travers les chambres des malades alités et des moribonds. La bouche pleine de confiture, il affirmait avoir bien dormi, regardait par-dessus le bord de sa tasse le docteur — ses poings appuyés sur le plat de la table du milieu — jeter un rapide coup d'œil à la feuille de température, et répondait avec un accent traînant et indifférent au bonjour des partants. Puis il allumait une cigarette, et à peine s'était-il rendu compte que Joachim était parti pour sa tournée de service matinale, qu'il le voyait déjà revenir. De nouveau ils bavardaient de choses et d'autres, et l'intervalle entre les deux déjeuners — Joachim, entre-temps, faisait la cure de repos — était si court que même une tête de bois et un pauvre d'esprit achevé n'auraient pas réussi à s'ennuyer. À plus forte raison n'était-ce pas le cas de Hans Castorp qui tirait un aliment suffisant des impressions des trois semaines qu'il avait passées ici, qui avait encore à méditer sur sa situation présente, à se demander ce qu'il deviendrait ; c'est à peine s'il feuilletait les deux gros volumes d'un magazine illustré qui, empruntés à la bibliothèque du sanatorium, avaient été placés sur sa table de nuit.

Il n'en alla pas autrement pendant que Joachim fit sa seconde promenade jusqu'à Davos-Platz : cela dura une petite heure à peine. Ensuite il entra de nouveau chez Hans Castorp, lui fit part de certaines choses qui l'avaient frappé en se promenant, resta un instant debout ou assis près du lit du malade, avant d'aller à sa cure d'avant midi. Et combien de temps celle-ci durait-elle ? Encore une petite heure ! À peine avait-on joint les mains derrière la tête, à peine avait-on regardé le plafond et poursuivi une pensée, que le gong retentissait qui conviait tous les pensionnaires ni alités ni moribonds à s'apprêter pour le principal repas.

Joachim s'y rendait, et puis venait la « soupe de midi ». C'était un nom d'un symbolisme puéril, pour ce qu'il allait manger ! Car Hans Castorp n'était pas au régime de malade ; pourquoi donc lui aurait-on imposé ce régime ? Un régime de malade, un régime maigre n'était nullement indiqué pour son cas. Il était là et payait plein tarif, et ce qu'on lui servait, durant l'éternité immobile de cette heure, n'était pas un simple potage, c'était le déjeuner complet à six services du Berghof, un repas succulent les jours de semaine, le dimanche, un repas de gala, de plaisir et de parade, préparé par un chef de formation européenne, dans une cuisine d'établissement de luxe. La serveuse, dont c'était le rôle de servir les malades alités, le lui apportait sous des couvercles nickelés, en d'appétissantes gamelles. Elle poussait la table de malade qui se trouvait là comme par hasard — cette merveille d'équilibre à un pied — en travers de son lit, et Hans Castorp déjeunait, comme le fils du tailleur devant la table magique dans le conte de fées.

À peine avait-il terminé son repas que Joachim revenait déjà, et avant qu'il eût rejoint sa loggia, et que le silence de la grande cure de repos se fût étendu sur le Berghof, il était presque trois heures et demie. Pas tout à fait, peut-être ; pour être exact, il n'était sans doute que deux heures et quart. Mais on ne tient pas compte de ces quarts d'heure supplémentaires en dehors des unités rondes, on les absorbe incidemment, partout où le temps est calculé largement, comme par exemple en voyage, qu'on passe de longues heures dans le train, rendant toute autre attente prolongée et vide, lorsque le but de la vie semble être ramené à franchir le plus de temps possible. Et c'est donc ainsi que la durée de la grande cure de repos, en définitive, se réduisait de nouveau à une heure qui, au demeurant, était encore diminuée, réduite, en quelque sorte élidée par une apostrophe. L'apostrophe était le docteur Krokovski.

En effet, le docteur Krokovski n'évitait plus Hans Castorp en faisant un détour. Le jeune homme à présent tenait sa place, il n'était plus un intervalle, un hiatus. Il était un malade, on l'interrogeait, on ne le négligeait plus comme il en avait été, pour son mécontentement secret et passager, mais quotidien. Ç'avait été le lundi que le docteur Krokovski avait fait, pour la première fois, son apparition dans la chambre. Nous disons « apparition », car c'est le mot exact pour l'impression étrange et même un peu effrayante dont Hans Castorp, en cette circonstance, ne sut pas se défendre. Il avait reposé, dans un demi (ou quart de) sommeil, lorsque, éveillé en sursaut, il s'aperçut que l'assistant était dans la chambre, sans avoir passé par la porte, et que, du dehors, il venait vers lui. Car son chemin ne conduisait pas par le corridor, mais par les loges extérieures, et il était entré par la porte ouverte du balcon, de sorte que la pensée s'imposait qu'il était venu par la voie des airs. Quoi qu'il en fût, il était resté debout, près du lit de Hans Castorp, pâle et vêtu de noir, large d'épaules et trapu, l'apostrophe de l'heure, et dans sa barbe divisée en deux moitiés, ses dents s'étaient montrées, jaunâtres, et souriant d'un sourire jovial.

« Vous paraissez surpris de me voir, monsieur Castorp », avait-il dit, avec une douceur de baryton, un accent un peu affecté et un *r* guttural légèrement exotique, qu'il ne roulait pas, mais qu'il produisait en ne heurtant qu'une fois de la langue ses incisives supérieures. « Je me borne à remplir un devoir agréable en m'informant si tout va bien ici. Vos relations avec nous sont entrées dans une nouvelle phase : du jour au lendemain, d'hôte que vous étiez, vous êtes devenu un camarade (le mot "camarade" avait un peu inquiété Hans Castorp). Qui l'eût dit ? avait plaisanté Krokovski, un camarade… Qui l'eût cru, le soir où j'eus pour la première fois l'avantage de vous saluer et où vous rectifiâtes ma conjecture erronée — elle était alors erronée — en me faisant observer que vous étiez parfaitement bien portant. Je crois que j'ai alors exprimé quelques doutes à ce sujet, mais je vous assure que je ne le voyais pas ainsi. Je ne veux pas me faire passer pour plus clairvoyant que je ne suis, je n'ai pensé à aucun point humide, je voulais parler d'une façon plus générale, plus philosophique, j'ai exprimé mes doutes sur le point de savoir si les mots "homme" et "santé parfaite" pouvaient jamais rimer ensemble. Et, aujourd'hui encore, après votre examen de l'autre jour, à la différence de mon cher et honoré chef, je ne puis toujours pas estimer que ce point humide-là — de la pointe du doigt il avait effleuré l'épaule de Hans Castorp — doive nous intéresser au premier chef. Il n'est pour moi qu'un phénomène secondaire... Ce qui est organique est toujours secondaire. »

Hans Castorp avait tressailli.

« Et, par conséquent, votre grippe est, à mes yeux, un phénomène tertiaire, avait ajouté le docteur Krokovski, très négligemment. Où en êtes-vous de ce côté-là ? Le repos au lit aura certainement une excellente influence. Quelle température avez-vous, aujourd'hui ? »

Et, à partir de ces mots, le passage de l'assistant avait pris le caractère d'une inoffensive visite, comme elle l'eut d'ailleurs les jours suivants de la semaine. Le docteur Krokovski entrait à quatre heures moins le quart, parfois un peu plus tôt, par le balcon, saluait le malade avec une cordialité énergique, posait les questions médicales les plus ordinaires, engageait parfois une brève conversation de caractère plus personnel, faisait quelques plaisanteries en camarade, et, encore que tout cela gardât un caractère un peu équivoque, on finit par s'habituer à l'équivoque, pourvu qu'il reste dans les limites normales, et Hans Castorp, bientôt, ne trouva plus rien à objecter à la visite régulière du docteur Krokovski, qui faisait partie de la journée normale, et élidait d'une apostrophe la longue cure de l'après-midi.

Il était donc quatre heures lorsque l'assistant se retirait brusquement sur le balcon. Tout d'un coup, avant qu'on s'en fût avisé, on était au plein de l'après-midi qui d'ailleurs, sans tarder, tournait peu à peu au soir : car le temps de prendre le thé, en bas et au numéro 34, il était déjà presque cinq heures, et lorsque Joachim revenait de sa troisième tournée de service et reparaissait chez son cousin, il était si près de six heures que la cure de repos jusqu'au dîner se bornait de nouveau à une heure, et c'était un adversaire facile à vaincre, pour peu que l'on eût quelques pensées dans la tête et tout un *orbis pictus* sur sa table de nuit.

Joachim prit congé pour aller dîner. On servit. La vallée s'était emplie d'ombres, et pendant que Hans Castorp mangeait, l'obscurité entrait à vue d'œil dans la chambre blanche. Lorsqu'il eut terminé, il demeura appuyé à son oreiller, devant la table desservie, et regarda dans le crépuscule qui progressait rapidement, ce crépuscule d'aujourd'hui qui était difficile à distinguer de celui d'hier, d'avant-hier ou d'il y a huit jours. C'était le soir, et à peine le matin était-il passé. Cette journée morcelée et artificiellement abrégée s'était émiettée et évanouie entré ses doigts comme il le constata avec un étonnement joyeux, ou tout au plus réfléchi ; car il n'était pas encore d'âge à s'en effrayer.

Un jour — quelque dix ou douze jours pouvaient s'être écoulés depuis que Hans Castorp s'était alité — on frappa à la porte vers cette heure-ci, c'est-à-dire avant que Joachim fût revenu du dîner et de l'heure de conversation qui le suivait, et en réponse à l'« entrez » interrogateur de Hans Castorp, Lodovico Settembrini parut sur le seuil, en même temps qu'une clarté éblouissante se répandit dans la chambre. Car le premier mouvement du visiteur, près de la porte ouverte, avait été de tourner le commutateur du plafonnier et, réfléchie par le plafond blanc, une lumière tremblante emplit la pièce.

L'Italien était le seul des pensionnaires dont Hans Castorp se fût ces jours-ci expressément et nommément informé auprès de Joachim. Joachim ne manquait pas, aussi souvent qu'il était assis sur le bord du lit de son cousin, ou debout près de lui — c'était le cas dix fois par jour —, de rendre compte des petits événements et des variantes de la vie courante du sanatorium, et pour autant que Hans Castorp avait posé des questions, elles avaient été de caractère général et impersonnel. Sa curiosité de solitaire le poussait à demander si de nouveaux pensionnaires étaient arrivés, ou si quelqu'un des habitants était reparti, et il parut satisfait que la première hypothèse seule se fût justifiée. Un « nouveau » était arrivé, un jeune homme, de figure verdâtre et creuse, et avait pris place à la table de la jeune Lévi au teint d'ivoire et de Mme Iltis, immédiatement à la droite des cousins. Allons, Hans Castorp attendrait sans impatience l'occasion de le voir. Personne n'était donc parti ? Joachim fit signe que non, en baissant les yeux. Mais il dut répondre plusieurs fois à cette question, en fait tous les deux jours, bien que, avec un peu d'impatience, il eût tenté de répondre une fois pour toutes, en alléguant que, pour autant qu'il était renseigné, personne n'était sur le point de partir, et que l'on ne repartait pas d'ici aussi aisément.

En ce qui concernait Settembrini, Hans Castorp s'était donc personnellement informé de lui et avait voulu savoir ce qu'il « avait dit de ça ». De quoi ? « Mon Dieu ! de ce que je suis couché ici et jugé malade. » En effet, Settembrini avait exprimé un avis, encore que brièvement. Le jour même de la disparition de Hans Castorp, il avait demandé à Joachim ce que son cousin était devenu, et, s'attendant visiblement à apprendre que Hans Castorp avait quitté Davos, aux explications de Joachim, il n'avait répondu que par deux mots italiens ; il avait d'abord dit *Ecco !* puis *Poveretto !* c'est-à-dire : « allons bon ! », et « pauvre garçon ! » (il n'était pas nécessaire d'avoir une connaissance plus étendue que ne la possédaient les deux jeunes gens pour saisir le sens de ces deux exclamations). « Pourquoi *poveretto* ? avait demandé Hans Castorp. N'est-il pas, lui aussi, perché ici, avec toute sa littérature faite d'humanisme et de politique, et fort empêché de faire avancer les affaires terrestres ? Il n'a pas besoin de s'apitoyer sur moi du haut de sa grandeur. Je retournerai plus tôt que lui dans la plaine. »

Or donc, voici que M. Settembrini était debout dans la chambre, soudainement éclairée, et Hans Castorp, qui s'était appuyé sur son coude et retourné, le reconnut en clignotant des yeux, et rougit en le reconnaissant. Comme toujours, Settembrini portait son épaisse redingote aux larges revers, un col un peu usé et ses pantalons à carreaux. Comme il revenait du dîner, il avait, selon son habitude, un cure-dents en bois entre les dents. Les commissures de ses lèvres, sous la gracieuse ondulation de la moustache, étaient tendues par le fameux sourire fin, froid et critique.

« Bonsoir, ingénieur ! Est-il permis de s'inquiéter de vous ? Si oui, il est besoin de lumière. Excusez ma désinvolture, dit-il en tendant sa petite main d'un geste plein d'élan vers le plafonnier. Vous méditiez, je ne voudrais pour rien au monde vous déranger. Je m'expliquerais parfaitement dans votre cas une tendance contemplative, et pour bavarder, vous avez en somme la ressource de votre cousin. Vous voyez, j'ai parfaitement conscience de ma superfluité. Néanmoins, nous vivons resserrés en un espace si exigu, on éprouve de la sympathie d'homme à homme, une sympathie de l'esprit, une sympathie du cœur… Voici une bonne semaine que l'on ne vous voit plus. En vérité, je m'imaginais que vous étiez reparti, lorsque je vis que votre place, en bas, au réfectoire, était restée inoccupée. Le lieutenant m'a détrompé, hum ! il m'a appris la vérité qui est moins rose, si je puis ainsi dire sans être indiscret… Bref, comment allez-vous ? Que faites-vous ? Comment vous sentez-vous ? Pas trop abattu, j'espère !

— C'est vous, monsieur Settembrini ! Comme c'est aimable ! Ha, ha, “réfectoire” ! Voici que vous plaisantez déjà. Asseyez-vous, je vous en prie. Vous ne me dérangez pas le moins du monde. J'étais couché là et je rêvassais — rêvasser, c'est presque encore trop dire ! J'étais tout simplement trop paresseux pour allumer la lumière. Merci beaucoup. Subjectivement, je me sens autant dire en état normal. Le repos au lit a presque guéri mon rhume, mais il paraît que ce n'est qu'un phénomène secondaire, à ce que l'on dit de tous côtés. La température, en effet, n'est toujours pas ce qu'elle devrait être, tantôt 37,5, tantôt 37,7 ; ces jours-ci, cela n'a guère varié.

— Vous prenez régulièrement votre température ?

— Oui, six fois par jour, exactement comme vous tous. Ha, ha, excusez-moi, je ris encore de ce que vous ayez appelé “réfectoire” notre salle à manger. C’est ainsi que l’on dit au couvent, n’est-ce pas ? En effet, cela tient un peu du couvent, ici. Il est vrai que je n’y ai jamais été, mais je me le représente ainsi… Je connais déjà par cœur la “règle” et je l’observe très exactement.

— Comme un frère pieux. On peut dire que vous avez terminé votre noviciat, vous avez prononcé des vœux. Mes félicitations solennelles ! Vous dites déjà “notre salle à manger”. D’ailleurs, sans vouloir porter atteinte à votre dignité d’homme, vous me faites plutôt penser à un jeune nonnain qu’à un moine, à une petite fiancée du Christ, à peine tondue, tout innocente avec de grands yeux de victime. J’ai vu autrefois ici ou là de tels agneaux jamais sans… jamais sans une certaine sentimentalité. Ah ! oui, oui, monsieur votre cousin m’a tout raconté. Vous ne vous êtes donc fait ausculter qu’au dernier moment ?

— Parce que je me sentais fiévreux. Je vous prie de croire, monsieur Settembrini, avec un tel refroidissement, je me serais adressé dans la plaine à notre médecin. Et ici, où l’on est en quelque sorte à la source, où nous avons deux spécialistes dans la maison, il eût été par trop drôle…

— Bien entendu, bien entendu. Et vous aviez déjà pris votre température avant que l’on vous l’eût ordonné ? On vous l’avait d’ailleurs recommandé dès le début. Et c’est la Mylendonk qui vous a octroyé le thermomètre ?

— Octroyé ? Comme le besoin s’en faisait sentir, je lui en ai acheté un.

— Je comprends. Une affaire absolument correcte. Et combien de mois vous a administrés le chef ? Grand Dieu, je vous ai déjà posé la même question une fois. Vous rappelez-vous ? Vous étiez à peine arrivé. Vous m’avez répondu avec tant de désinvolture…

— Naturellement, je m’en souviens, monsieur Settembrini. Depuis, j’ai bien fait de nouvelles expériences, mais je m’en souviens cependant comme si c’était aujourd’hui. Vous étiez si drôle dès le premier jour, et vous nous avez présenté le docteur Behrens comme le juge des enfers… Radamès… Non, attendez, c’était autre chose…

— Rhadamante ? Il est possible que je l'aie appelé ainsi, incidemment. Je ne retiens pas tout ce que ma tête produit occasionnellement.

— Rhadamante, naturellement ! Minos et Rhadamante ! De Carducci aussi, vous nous avez parlé dès la première fois…

— Permettez, cher ami, ce nom-là, laissons-le de côté pour aujourd'hui. Il prend en ce moment dans votre bouche un son par trop singulier.

— Si vous voulez, dit en riant Hans Castorp. Du reste, j'ai appris par vous bien des choses sur son compte. À ce moment-là, je ne me doutais de rien, et je vous ai répondu que j'étais venu pour trois semaines ; je ne prévoyais pas autre chose. La Kleefeld venait de me saluer en sifflant par son pneumothorax. J'en étais encore hors de moi. Mais dès ce moment-là, je me suis senti fiévreux, car, n'est-ce pas ? l'air d'ici n'est pas seulement bon contre la maladie, il est également bon pour la maladie ; il arrive qu'il en précipite l'évolution, et sans doute est-ce nécessaire si l'on veut guérir.

— C'est une hypothèse séduisante. Le docteur Behrens vous a-t-il aussi parlé de cette Russo-Allemande que nous avons eue ici pendant cinq mois l'année passée, non, il y a maintenant deux ans ? Non ? Il aurait dû vous en parler. Une femme charmante, d'origine russo-allemande, mariée, jeune mère. Elle venait de l'Est, lymphathique, anémique, sans doute y avait-il aussi quelque chose de plus grave. Bon. Elle passe un mois ici et commence à se plaindre de ce qu'elle se sentirait mal. Patience, patience ! Un second mois s'écoule, et elle continue à prétendre que, loin de se trouver mieux, elle va plus mal. On lui signifie que seul le médecin peut juger comment elle se porte ; tout au plus a-t-elle le droit de dire comment elle se sent, et cela importe peu. Par ailleurs, on se déclare satisfait de son poumon. Bon, elle s'incline, fait la cure, et perd du poids chaque semaine. Le quatrième mois, elle manque s'évanouir à la consultation. Peu importe, déclare Behrens qui se dit enchanté de son poumon. Mais lorsque le cinquième mois elle ne peut plus marcher, elle en avise son mari, dans l'Est, et Behrens reçoit une lettre de lui. On pouvait y lire : *Personnelle et urgente*, d'une écriture énergique. Je l'ai vue moi-même. "Mais oui", dit Behrens, et il hausse les épaules, "il pourrait bien se faire qu'elle ne supporte pas très bien le climat d'ici." La femme était hors d'elle. "Vous auriez dû me dire cela plus tôt, s'écrie-t-elle. Je l'ai toujours senti, je me suis complètement abîmée ici..." Espérons que chez son mari, dans l'Est, elle a repris des forces.

— Exquis ! Vous contez admirablement, monsieur Settembrini, chacune de vos paroles est pour ainsi dire plastique. J'ai souvent ri aussi, en moi-même, de votre histoire de la jeune fille qui se baignait dans le lac et à laquelle on a dû donner la "sœur muette". Oui, il arrive bien des choses ici ! On ne finit certainement jamais son apprentissage. D'ailleurs, mon cas est encore tout à fait dans le vague. Le docteur Behrens prétend, il est vrai, avoir trouvé une vétille chez moi, les endroits anciens dont j'ai souffert autrefois sans m'en douter, je les ai entendus moi-même en frappant, et voici que l'on découvrirait, paraît-il, un endroit frais, je ne sais pas exactement où, dans ces parages. "Frais" est d'ailleurs une expression assez inattendue. Mais jusqu'à présent il ne s'agit que d'observations acoustiques, et le diagnostic absolument sûr, nous ne l'aurons que lorsque je serai de nouveau levé et que l'on aura procédé à la radioscopie et à la radiographie. Alors nous serons fixés d'une manière positive.

— Croyez-vous ? Savez-vous que la plaque photographique montre souvent des taches que l'on tient pour des cavernes, alors qu'elles ne sont que des ombres, et que, là où il y a quelque chose, elle ne présente souvent pas de taches, *Madonna*, la plaque photographique ! Il y avait ici un numismate qui avait de la fièvre. Et comme il avait de la fièvre, on vit distinctement des cavernes sur la plaque photographique. On prétendit même les avoir entendues. On le traita comme phtisique, et sur ces entrefaites il mourut. Mais l'autopsie montra qu'il ne manquait rien à son poumon, et qu'il était mort d'on ne sait quels microbes.

— Allons, monsieur Settembrini, vous me parlez d'autopsie. Tout de même, nous n'en sommes pas là.

— Ingénieur, vous êtes un plaisantin.

— Et vous êtes un critique et un sceptique jusqu'au bout des ongles, il faut bien le dire. Vous ne croyez même pas aux sciences exactes. Votre plaque montre-t-elle donc des taches ?

— Oui, elle en a.

— Et vous êtes vraiment un peu malade ?

— Oui, je suis malheureusement assez malade » répondit M. Settembrini, et il baissa la tête.

Il y eut une pause, durant laquelle il toussota. Hans Castorp, dans sa position de repos, regarda son visiteur réduit au silence. Il lui semblait que, par ces deux simples questions, il avait tout réfuté et fait taire toute objection, y compris la République et le beau style. Pour son compte, il ne fit rien pour ranimer la conversation.

Au bout d'un instant, M. Settembrini se redressa de nouveau en souriant.

« Racontez-moi donc, ingénieur, comment les vôtres ont accueilli la nouvelle.

— Quelle nouvelle ? celle de mon départ retardé ? Oh ! les miens, vous savez, les miens, à la maison, se composent de trois oncles, d'un grand-oncle et de deux de ses fils qui sont pour moi plutôt des cousins. Je n'ai pas d'autres “miens”, je suis resté très jeune orphelin de père et de mère. Accueilli ? Ils ne savent pas encore grand-chose, pas plus que moi-même. Pour commencer, lorsque j'ai dû me coucher, je leur ai écrit que j'avais contracté un sérieux refroidissement et que je ne pouvais pas risquer le voyage. Et hier, comme cela a duré un peu longtemps, j'ai écrit à nouveau et j'ai dit que ma grippe avait attiré l'attention du docteur Behrens sur l'état de mes poumons, et qu'il insistait pour que je prolongeasse mon séjour jusqu'à ce que la chose fût tirée au clair. Ils auront appris tout cela avec assez de sang-froid.

— Et votre situation ? Vous m'avez parlé d'un stage pratique que vous comptiez accomplir.

— Oui, comme volontaire. J'ai prié qu'on m'excusât provisoirement au chantier naval. Vous pensez bien que l'on ne sera pas au désespoir pour cela. Ils peuvent parfaitement se tirer d'affaire sans volontaire.

— Très bien. Considéré sous cet angle, tout est donc en ordre. Flegme sur toute la ligne. On est en général flegmatique dans votre pays, n'est-ce pas ? Mais également énergique.

— Oh ! oui, énergique aussi, oui, très énergique », dit Hans Castorp.

Il supputa à distance l'atmosphère de la vie que l'on menait là-bas et trouva que son interlocuteur la qualifiait exactement. Flegmatiques et énergiques, c'est juste ce qu'ils sont.

« Dès lors, poursuivit M. Settembrini, si vous restiez longtemps, il arriverait sans doute que nous ferions ici la connaissance de Monsieur votre oncle, je veux dire le grand-oncle. Il viendrait sans doute se rendre compte de votre état.

— Exclu ! s'écria Hans Castorp. À aucun prix. Dix chevaux ne réussiraient pas à le traîner jusqu'ici. Mon oncle est très apoplectique, vous savez, il n'a presque pas de cou. Non, il a besoin, lui, d'une pression raisonnable, il se porterait ici plus mal que votre dame de l'Est, il risquerait toutes sortes de désagréments.

— Vous me voyez déçu. Apoplectique, dites-vous ? Que me serviraient en ce cas le flegme et l'énergie ? Monsieur votre oncle est sans doute riche. Vous aussi, vous êtes riche ? On est riche, chez vous. »

Hans Castorp sourit de cette généralisation littéraire de M. Settembrini et, de sa position couchée, il regarda dans le lointain, dans cette sphère familiale à laquelle il avait été enlevé. Il se rappelait, il s'efforçait de juger impartialement, la distance l'y encourageait et l'en rendait capable. Il répondit :

« On est riche, oui, ou on ne l'est pas. Et tant pis pour ceux qui ne le sont pas ! Moi ? Je ne suis pas millionnaire. Mais ma fortune est à l'abri. Je suis indépendant, j'ai de quoi vivre. Mais ne parlons pas de moi, pour l'instant. Si vous aviez dit : “Il faut être riche là-bas”, je vous aurais approuvé. Car supposez que vous ne soyez pas riche, ou que vous cessiez de l'être, malheur à vous ! “Ce garçon, est-ce qu'il a de l'argent ?” demandent-ils. Textuellement, comme je vous le dis et avec cet air-là. Je l'ai souvent entendu, et je m'aperçois que cela m'est resté. Il faut donc quand même que j'aie trouvé cela bizarre, bien que je fusse habitué à l'entendre, sinon, cela ne me serait pas resté. Qu'en pensez-vous ? Non, je ne crois pas par exemple que vous, *homo humanus*, vous vous plairiez chez nous. Moi-même qui suis chez moi là-bas, j'ai souvent trouvé cela déplaisant, comme je m'en rends compte à présent, bien que, personnellement, je n'aie jamais eu à en souffrir. Chez un homme qui ne ferait pas servir à ses dîners les meilleurs vins et les plus chers, personne ne voudrait aller, et ses filles ne trouveraient pas de mari. Ces gens sont ainsi. Étendu ici comme je le suis, et en regardant les choses avec un peu de recul, cela me paraît vilain. De quelles expressions vous êtes-vous servi ? Flegmatique et énergique ? Bien, mais qu'est-ce que cela veut dire ? Cela signifie dur, froid. Et que signifie dur et froid ? Cela veut dire cruel. C'est un air cruel qui règne là-bas, impitoyable. Quand on est couché et que l'on regarde cela de loin, cela vous ferait frémir. »

Settembrini écoutait et hochait la tête. Il continuait encore lorsque Hans Castorp fut, provisoirement, arrivé au bout de ses critiques et qu'il cessa de parler. Puis il reprit haleine, et dit :

« Je ne veux pas dénier les formes particulières que la cruauté naturelle de la vie emprunte au sein de votre société. N'importe ! Le reproche de cruauté demeure un reproche assez sentimental. Vous l'auriez à peine formulé sur les lieux, de peur de paraître ridicule. C'est avec raison que vous l'avez abandonné aux embusqués de l'existence. Le fait que vous le formuliez aujourd'hui témoigne d'un certain éloignement que je ne voudrais pas voir s'accroître, car quiconque s'habitue à le formuler peut facilement être perdu pour la vie, pour la forme de vie pour laquelle il est né. Savez-vous, ingénieur, ce que cela signifie : “Être perdu pour la vie” ? Moi, je le sais. Je vois cela chaque jour, ici. Au bout de six mois au plus tard, le jeune homme qui monte ici (et il n'y a presque que des jeunes gens) n'a plus d'autre pensée en tête que le flirt et la température. Et un an après au maximum, ils ne seront plus capables d'en concevoir d'autre, et jugeront “cruelle” ou plus exactement fausse et témoignant d’ignorance toute autre pensée. Vous aimez les histoires, je pourrais vous en conter. Je pourrais vous parler de certain fils et époux qui a passé onze mois ici et que j’ai connu. Il était un peu plus âgé que vous, je crois, même sensiblement plus âgé. On le renvoya chez lui, à titre d’essai, comme presque guéri ; il retourna dans les bras des siens. Ce n’étaient pas des oncles, c’étaient sa mère et sa femme. Toute la journée, il resta étendu, le thermomètre dans la bouche, et ne se souciait pas d’autre chose. “Vous ne comprenez pas cela, disait-il. Il faut avoir vécu là-haut pour savoir comment les choses doivent se passer. Chez vous, les principes essentiels font défaut.” Finalement sa mère lui signifia sa décision : “Remonte là-haut, tu n’es plus bon à rien.” Et il remonta. Il retourna dans sa “patrie”. Car vous savez que l’on dit : “notre patrie” lorsqu’on a vécu ici. Il était devenu complètement étranger à sa jeune femme. Il lui manquait les principes essentiels, et elle renonça à lui. Elle comprit que, dans sa patrie, il trouverait une compagne qui aurait les mêmes principes et qu’il y resterait. »

Hans Castorp parut n’avoir écouté que d’une oreille. Il regardait toujours dans le vague de la clarté blanche de l’ampoule. Il rit, un peu tard, et dit :

« “Notre patrie”, disent-ils ? Voilà qui est en effet un peu sentimental, comme vous dites. Oui, vous savez des histoires innombrables. J’étais justement en train de penser à ce que nous disions tout à l’heure de la dureté et de la cruauté, cela m’a assez souvent traversé l’esprit ces jours derniers. Voyez-vous, il faut avoir un épiderme d’une certaine épaisseur pour être à l’unisson avec la manière de raisonner des gens d’en bas et avec des questions comme : “A-t-il encore de l’argent ?” et avec la tête qu’ils font en parlant ainsi. En somme, je n’ai jamais trouvé cela tout à fait normal, bien que je ne sois même pas un *homo humanus* — je m’aperçois à présent que cela m’a toujours frappé ; peut-être cela tenait-il à ma propension inconsciente à la maladie —, j’ai moi-même entendu les endroits anciens, et voici que Behrens a, prétend-il, trouvé chez moi une bagatelle toute fraîche. Cela m’a sans doute paru surprenant et pourtant, au fond, je ne m'en suis pas trop étonné. Je ne me suis jamais senti solide comme un roc ; et comme mes parents sont morts si tôt et que je suis depuis mon enfance orphelin de père et de mère, vous comprenez... »

M. Settembrini décrivit de la tête, des épaules et des mains un geste plein d'unité qui signifiait, posée avec gaieté et amabilité, la question :

« Bien. Et puis après ?

— N'êtes-vous pas écrivain ? dit Hans Castorp. Littérateur. Vous devez donc avoir fait cette expérience et comprendre que, dans ces conditions, on ne peut pas avoir une sensibilité très rude et trouver toute naturelle la cruauté des gens, des gens ordinaires, vous comprenez, qui se promènent, qui rient, qui gagnent de l'argent et se garnissent la panse... Je ne sais pas si je me suis exactement... »

Settembrini s'inclina.

« Vous voulez dire, commenta-t-il, que le contact précoce et fréquent avec la mort incline à un état d'esprit qui vous rend plus délicat et plus sensible aux duretés, trivialités et, disons-le, au cynisme de la vie quotidienne ?

— C'est exactement cela, s'écria Hans Castorp, avec un enthousiasme sincère. Admirablement exprimé, jusqu'au point sur les *i*, monsieur Settembrini. Avec la mort. Je le savais bien que vous, en votre qualité de littérateur... »

Settembrini étendit alors la main vers lui en penchant la tête de côté et en fermant les yeux : geste qui interrompait avec douceur et priait qu'on continuât de lui prêter l'oreille. Il resta pendant plusieurs secondes dans cette position et s'y trouvait encore longtemps après que Hans Castorp, qui, avec un peu d'embarras, attendait ce qui allait venir, se fut tu. Enfin, l'Italien rouvrit ses yeux noirs — les yeux des joueurs d'orgue de Barbarie — et parla :

« Permettez, permettez-moi, ingénieur, de vous dire — et j'insiste auprès de vous sur ce point — que la seule manière saine et noble, et d'ailleurs aussi — je veux ajouter cela expressément — la seule manière religieuse de considérer la mort consiste à la rencontrer et à l'éprouver comme une partie, comme un complément, comme une condition sacrée de la vie, et non pas — ce qui serait le contraire de la santé, de la noblesse, de la raison et du sentiment religieux — de l'en séparer en quelque sorte, de l'y opposer, ou même d'en faire un argument contre elle. Les anciens ornaient leurs sarcophages de symboles de la vie et de la fécondité, même de symboles obscènes. Dans la religion antique, le sacré se confondait souvent avec l'obscène. Ces hommes savaient honorer la mort. La mort est digne de respect comme le berceau de la Vie, comme le sein du renouvellement. Mais opposée à la Vie et séparée d'elle, elle devient un fantôme, un masque, et pire encore. Car la mort prise comme une puissance spirituelle indépendante est une puissance fort dépravée dont l'attirance perverse est incontestablement très forte, et ce serait sans doute le plus effroyable égarement de l'esprit humain que de vouloir sympathiser avec elle. »

M. Settembrini se tut. Il s'en tint à cette affirmation de principe et conclut sur un ton très décidé. Il parlait sérieusement ; ce n'était pas pour se distraire qu'il avait dit cela, il avait négligé de donner à son interlocuteur l'occasion de riposter, et, à la fin de ses affirmations, il avait baissé la voix et marqué une pause. Il était assis, bouche close, les mains croisées sur ses genoux, une jambe de son pantalon à carreaux croisée sur l'autre, et considérait sévèrement son pied qu'il balançait légèrement en l'air.

Hans Castorp, lui aussi, garda le silence. Appuyé sur son coussin, il tourna la tête vers le mur et tambourina légèrement du bout des doigts sur la courtepointe. Il avait l'impression qu'on venait de l'endoctriner, de le rappeler à l'ordre, voire de le gronder, et dans son silence il y avait une pointe d'obstination puérile. Le silence dura assez longtemps.

Enfin, M. Settembrini releva la tête et dit en souriant :

« Rappelez-vous, ingénieur, que nous avons déjà une fois engagé une controverse analogue, on peut dire la même. Nous bavardions alors — je crois que c'était pendant une promenade — sur la maladie et la bêtise, dont vous teniez la coïncidence pour un paradoxe, et cela par suite de votre estime pour la maladie. J'ai qualifié cette estime de sinistre lubie, par quoi on déshonore la pensée de l'homme, et, à ma satisfaction, vous sembliez assez disposé à tenir compte de mon objection. Nous avons parlé aussi de la neutralité et de l'incertitude intellectuelle de la jeunesse, de sa liberté de choix, de sa tendance à faire l'expérience de tous les points de vue possibles, et nous avons dit que l'on n'avait pas besoin de considérer ces expériences comme des résultats définitifs, sérieux et valables pour la vie entière. Voulez-vous me permettre de même — et M. Settembrini, souriant, se pencha en avant sur sa chaise, les pieds rapprochés sur le parquet, les mains jointes entre les genoux, la tête également penchée un peu obliquement —, voulez-vous me permettre à l'avenir de vous être de quelque secours dans ces expériences et d'exercer sur vous une influence régulatrice, si par hasard le danger de partis pris funestes vous menaçait ?

— Mais certainement, monsieur Settembrini ! »

Hans Castorp s'empressa de renoncer à son attitude distante, mi-timide, mi-têtue, il cessa de tambouriner sur la courtepointe et se tourna vers son visiteur avec une amabilité pleine de surprise.

« C'est même trop gentil de votre part... Je me demande si vraiment je... C'est-à-dire si chez moi...

— *Sine pecunia*, vous savez, dit Settembrini en se levant. Pourquoi vous feriez-vous tirer l'oreille ? »

Ils rirent. On entendit s'ouvrir la double porte extérieure, et au même instant la poignée de la porte intérieure tourna. C'était Joachim qui revenait de la conversation du soir. En apercevant l'Italien, lui aussi il rougit, comme avait fait Hans Castorp tout à l'heure : le hâle de son visage brûlé devint plus foncé.

« Oh ! tu as une visite, dit-il. Bravo ! J'ai été retenu. Ils m'ont forcé à faire une partie de bridge. Cela s'appelle officiellement bridge, dit-il en hochant la tête, mais c'était naturellement tout autre chose... J'ai gagné cinq marks...

— Pourvu que cela n'exerce pas sur toi l'attirance d'un vice, dit Hans Castorp. Hum, hum ! M. Settembrini m'a fait, en attendant, passer le temps très agréablement. Ce qui est d'ailleurs une expression des plus maladroites. Tout au plus s'appliquerait-elle à votre pseudo-bridge, mais M. Settembrini a occupé mon temps d'une manière si précieuse… Un homme convenable devrait en somme faire des pieds et des mains pour se tirer d'ici. Mais pour entendre encore très souvent M. Settembrini et pour lui permettre de me venir en aide par ses conversations, je souhaiterais presque rester encore fiévreux pendant un temps infini et m'installer chez vous à domicile… Il faudra finir par me donner une "sœur muette" pour m'empêcher de tricher.

— Je vous répète, ingénieur, que vous êtes un farceur », dit l'Italien.

Il prit congé dans les formes les plus courtoises. Resté seul avec son cousin, Hans Castorp poussa un soupir de soulagement.

« En voilà un professeur, dit-il. Un professeur humaniste, c'est vrai. Il ne cesse de te faire la leçon, tantôt sous une forme d'anecdotes, tantôt sous une forme abstraite. Et on en arrive à parler de choses ! Jamais je n'aurais imaginé que l'on pourrait parler de choses pareilles, ou même les comprendre. Et si je l'avais rencontré dans la plaine, je ne les aurais en effet pas comprises », ajouta-t-il.

À cette heure-ci Joachim restait quelque temps avec lui ; il sacrifiait deux ou trois quarts d'heure de sa cure de repos du soir. Quelquefois ils jouaient aux échecs sur le plateau de Hans Castorp. Joachim avait monté le jeu dans la chambre de son cousin. Plus tard il sortit avec sac et bagages, son thermomètre dans la bouche, sur le balcon, et Hans Castorp, lui aussi, prit une dernière fois sa température, tandis qu'une musique légère tantôt de près, tantôt de plus loin, montait de la vallée pleine de nuit. À dix heures, la cure de repos était terminée ; on entendit Joachim, on entendit le couple de la table des Russes ordinaires… Et Hans Castorp se tourna sur le côté, dans l'attente du sommeil.

La nuit était la moitié la plus difficile de la journée, car Hans Castorp s'éveillait souvent et restait quelquefois éveillé pendant de longues heures, parce que la chaleur anormale de son sang l'empêchait de dormir, ou parce que son plaisir et ses dispositions au sommeil avaient souffert de sa position constamment horizontale. En revanche, les heures de sommeil étaient animées de rêves variés et pleins de vie, de rêves auxquels il pouvait encore songer lorsqu'il était éveillé. Et, si les divisions multiples de la journée abrégeaient celle-ci, la nuit, l'uniformité diffuse des heures qui passaient avait le même effet. Mais lorsque enfin le matin approchait, c'était une distraction d'observer la chambre qui s'éclaircissait et reparaissait peu à peu, de voir les objets surgir et se dévoiler, et le jour s'allumer dehors, d'un rougeoiement tantôt trouble et fumeux, tantôt gai ; et avant qu'on s'en fût rendu compte, l'instant était de nouveau arrivé où le baigneur, en frappant d'une main énergique, annonçait l'entrée en vigueur de la règle journalière.

Hans Castorp n'avait pas emporté de calendrier dans son excursion, et par conséquent il n'était pas toujours exactement renseigné sur la date. De temps à autre, il s'en informait auprès de son cousin qui sur ce point n'était pas non plus toujours très sûr de son fait. Cependant, les dimanches, surtout le second, celui du concert bi-mensuel, fournissaient des points de repère et l'on était donc certain que le mois de septembre touchait à son milieu. Dehors, dans la vallée, depuis que Hans Castorp s'était alité, au temps triste et froid qu'il avait fait avaient succédé de belles journées de fin d'été, de beaux jours sans nombre, toute une série, de telle sorte que Joachim était entré chaque matin en pantalon blanc chez son cousin et que celui-ci n'avait pu réprimer l'expression d'un regret sincère, d'un regret de l'âme et de ses jeunes muscles, à la pensée de cette saison magnifique. À mi-voix il avait même parlé de « honte », en se reprochant de laisser passer un temps si beau. Mais ensuite, pour se calmer, il avait ajouté que même s'il avait été sur pied, il n'eût sans doute pu en profiter, puisque l'expérience lui interdisait de se donner ici beaucoup de mouvement. Et en définitive, par la porte du balcon largement ouverte il jouissait malgré tout dans une certaine mesure de ce rayonnement chaud du dehors.

Mais vers la fin de la retraite qui lui avait été imposée, le temps changea de nouveau. Pendant la nuit, il était devenu brumeux et froid, la vallée disparut dans une tempête de neige humide, et le souffle sec du chauffage central remplit la chambre. Il en était encore ainsi le jour où Hans Castorp, à l'occasion de la visite matinale des médecins, rappela au docteur Behrens qu'il était couché depuis trois semaines et demanda la permission de se lever.

« Comment, diable, vous en avez déjà assez ! dit Behrens. Faites voir. En effet, c'est exact. Dieu, comme on vieillit ! Il me semble du reste qu'il n'y a pas grand-chose de changé chez vous. Comment ? Hier, c'était normal ? Oui, sauf la température de six heures du soir. Allons, Castorp, je ne veux pas me montrer intraitable, et je vais vous rendre au commerce de vos semblables. Levez-vous et marchez, mon ami. Dans les limites et dans les bornes indiquées, naturellement ! Nous ferons prochainement votre portrait intérieur. Prenez-en note », dit-il en sortant au docteur Krokovski, en désignant de son pouce énorme l'épaule de Hans Castorp, et en regardant l'assistant pâle, de ses yeux bleus larmoyants et injectés de sang.

Hans Castorp sortit de la « cale sèche ».

Le col de son manteau relevé, chaussé de caoutchoucs pour la première fois, il accompagna de nouveau son cousin jusqu'au banc du cours d'eau, et revint, non sans avoir en cours de route posé la question de savoir combien de temps encore Behrens l'aurait laissé au lit s'il n'avait pas annoncé lui-même que le délai était écoulé. Et Joachim, le regard sombre, la bouche ouverte comme pour un « hélas ! » désespéré, traça dans l'air le geste de l'infini.

« Seigneur, je vois ! »

Une semaine se passa avant que Hans Castorp fût invité par l'infirmière en chef, Mlle von Mylendonk, à se présenter au laboratoire de radiologie. Il ne voulait pas hâter le cours des choses. On était suffisamment occupé au Berghof. Les médecins et le personnel, apparemment, y avaient fort à faire. De nouveaux pensionnaires étaient arrivés ces jours derniers : deux étudiants russes, hirsutes, en blouses noires fermées qui ne découvraient pas le moindre signe de linge blanc ; un couple hollandais que l'on avait placé à la table de Settembrini ; un Mexicain bossu qui effrayait ses compagnons de table par d'épouvantables accès de gêne respiratoire ; de la poigne de fer de ses longues mains, il se cramponnait alors à ses voisins, homme ou femme, les tenait serrés comme dans un étau et les entraînait, malgré leur résistance épouvantée et leurs appels au secours, dans le domaine de sa propre angoisse. Bref, la salle à manger était presque au complet, bien que la saison d'hiver ne commençât qu'en octobre. Et la gravité du cas de Hans Castorp, son degré de maladie, lui donnait à peine le droit d'exiger des égards particuliers. Mme Stöhr, toute stupide et inculte qu'elle fût, était sans doute plus malade que lui, sans parler du docteur Blumenkohl. Il aurait fallu manquer de tout sens des hiérarchies et des distances pour ne pas montrer à la place de Hans Castorp une réserve discrète, d'autant plus qu'un tel état d'esprit faisait partie des usages de la maison. Les malades légers ne comptaient guère ; il avait déduit cette conclusion de maints propos entendus par lui. On parlait d'eux avec dédain, selon l'échelle qui était valable ici, on les regardait avec hauteur ; non seulement les malades gravement atteints en usaient ainsi, mais même ceux qui étaient eux-mêmes « légers ». Ce faisant, ces derniers se témoignaient, il est vrai, le même dédain à eux-mêmes, mais ils sauvegardaient leur dignité en se soumettant à cette échelle de valeurs. Voilà qui est humain. « Bah ! celui-ci, semblaient-ils dire les uns des autres, en somme, il n'a pas grand-chose. C'est tout juste s'il a le droit de rester ici. Il n'a même pas de cavernes... » Tel était l'esprit qui régnait ici ; il était aristocratique à sa manière, et Hans Castorp s'inclinait devant lui par un respect inné de la loi et des règles de toute sorte. Chaque pays à sa guise, dit le proverbe. C'est témoigner de peu de culture pour un voyageur que de se moquer des usages et des conceptions des peuples qui l'accueillent ; et il y a plusieurs manières d'apprécier les choses. Même à l'endroit de Joachim, Hans

Castorp observait un certain respect et certains égards, non pas tant parce qu'il était le plus ancien et son guide et cicerone dans ce domaine, que parce que, incontestablement, il était le « cas le plus grave » des deux. Comme cela se passe partout, il est explicable que l'on inclinât volontiers à monter son cas en épingle, voire à l'exagérer tant soit peu, pour se ranger dans l'aristocratie, ou s'en rapprocher. Hans Castorp lui-même, lorsqu'on l'interrogeait à table, ajoutait volontiers quelques dixièmes à ceux qu'il avait relevés, et ne manquait pas de se sentir flatté lorsqu'on le menaçait du doigt comme un garçon qui est plus malin qu'il ne semble. Mais il avait beau broder un peu, il n'en restait pas moins, à proprement parler, un personnage d'une catégorie inférieure, de sorte que la patience et la réserve étaient à coup sûr l'attitude qui s'imposait à lui.

Il avait repris à côté de Joachim le genre de vie de ses trois premières semaines, cette vie déjà familière, monotone et réglée avec précision, et elle allait comme sur des roulettes, depuis le premier jour, comme si elle n'avait jamais été interrompue ; en effet, cette interruption ne comptait pas ; dès sa première réapparition à table, il s'en rendit nettement compte. Sans doute Joachim, qui attachait avec un scrupule particulier de l'importance à de telles coupures, avait-il eu soin de décorer de quelques fleurs la place du ressuscité. Mais les compagnons de table de Hans Castorp le saluèrent sans aucune solennité et leur accueil ne se distinguait pas de celui qu'il recevait lorsque leur séparation avait duré non pas trois semaines, mais trois heures, ou tout au moins s'en distinguait à peine : moins parce qu'ils étaient indifférents à sa personne simple et sympathique et parce que ces gens étaient trop exclusivement occupés d'eux-mêmes, c'est-à-dire de leur corps si intéressant, que parce qu'ils n'avaient pas pris conscience de l'intervalle. Et Hans Castorp pouvait les suivre sans peine dans cette voie, car il se retrouvait à son bout de table, entre l'institutrice et Miss Robinson, comme s'il y avait été assis pour la dernière fois encore la veille.

Or, si, à sa propre table, on ne faisait pas grand cas de la fin de sa retraite, comment s'en serait-on soucié dans le reste de la salle ? Là, personne ne s'en était aperçu, à la seule exception de Settembrini qui, à la fin du repas, s'était approché pour le saluer à sa manière : plaisante et amicale. Hans Castorp, il est vrai, était enclin à voir encore une exception, mais nous ne saurions nous prononcer sur ce sujet. Il croyait savoir que Clawdia Chauchat avait remarqué son retour, qu'aussitôt après son entrée, comme toujours tardive, après que la porte vitrée se fut fermée, elle avait laissé reposer sur lui son regard étroit, que son regard à lui l'avait rencontré, et qu'à peine assise, elle s'était encore retournée vers lui, par-dessus l'épaule, en souriant, en souriant comme elle l'avait fait trois semaines plus tôt, avant qu'il fût allé à la consultation. Et ç'avait été un geste si peu dissimulé et si dépourvu d'égards — d'égards pour lui comme pour tous les autres pensionnaires — qu'il n'avait pas su s'il devait s'en déclarer ravi ou tenir cette attitude pour une marque de dédain et s'en irriter. Quoi qu'il en fût, son cœur s'était convulsé sous ces regards, qui avaient renié les conventions mondaines, d'après lesquelles ils étaient censés s'ignorer réciproquement, qui l'avaient remué d'une manière qui était à ses yeux fantastique et enivrante, son cœur s'était convulsé, presque douloureusement, dès que la porte vitrée avait claqué, car c'était cette minute qu'il avait attendue, le souffle oppressé.

Il convient d'ajouter ici que les relations intérieures de Hans Castorp avec la malade de la table des « Russes bien », la part prise par ses sens et son esprit modeste à cette personne de taille moyenne, au pas glissant et aux yeux de Kirghize, bref, ses sentiments d'amoureux (risquons ce mot, bien que ce soit un mot d'en bas, un mot de la plaine, et qu'il puisse faire supposer que la chanson *Combien me touche étrangement* soit en quelque manière applicable en ce cas) avaient fait durant sa retraite de très grands progrès. L'image de Mme Chauchat avait flotté devant les yeux du jeune homme lorsque, éveillé de bonne heure, il avait regardé dans la chambre qui se dévoilait en hésitant, ou, le soir, dans le crépuscule qui s'épaississait. (À l'heure même où Settembrini, dans le jaillissement subit de la lumière, était soudain entré chez lui, elle avait plané, tout à fait distincte, et c'était pour cette raison que la venue de l'humaniste avait fait rougir Hans Castorp.) C'était à la bouche de la jeune femme, à ses pommettes, à ses yeux, dont la couleur, la forme, la position lui lacéraient l'âme, à son dos nonchalant, au port de sa tête, à la vertèbre cervicale dans le décolleté de la nuque, c'est à ses bras transfigurés par la gaze la plus fine qu'il avait pensé durant les heures distinctes de la journée morcelée, et si nous avons caché que, grâce à ce moyen, ces heures pour lui s'étaient écoulées sans peine, c'est parce que nous avons pris part à l'inquiétude de sa conscience, mêlée à l'effrayant bonheur de ces images et de ces visions. Car une appréhension, une véritable angoisse étaient mêlées à cela, un espoir qui s'égarait dans l'indéfini, dans l'infini et dans l'aventureux de la joie et une peur qui était sans nom, mais qui parfois comprimait si brusquement le cœur du jeune homme — son cœur au sens propre et physiologique — qu'il portait une main dans la région de cet organe, l'autre main au front (comme une visière au-dessus de ses yeux) et murmurait :

« Ah ! mon Dieu ! »

Car derrière son front il y avait des pensées et des demi-pensées, et c'étaient elles qui prêtaient aux images et aux visions leur douceur trop grande, et qui se rapportaient à la nonchalance et au manque d'égards de Mme Chauchat, à sa maladie, au relief et à l'importance accrue que la maladie donnait à son corps, à cet attrait charnel qu'en prenait son être. Et à ce mal, lui, Hans Castorp, allait désormais, de par la décision de la Faculté, participer. Et c'est ainsi que, de derrière la tête, il comprenait l'aventureuse liberté avec laquelle Mme Chauchat, en se retournant et en souriant, défiait la convention mondaine d'après laquelle ils étaient censés s'ignorer, tout comme s'ils n'étaient pas tous les deux des êtres sociaux et comme s'ils n'avaient même pas besoin de se parler. Et c'était justement ce qui l'effrayait, de la même manière que lorsque, dans la salle de consultation, il avait levé les yeux vers les yeux de son cousin ; mais alors ce furent la pitié et la sollicitude qui lui avaient inspiré sa frayeur, tandis qu'il éprouvait ici des émotions toutes différentes !

Or donc, cette vie du Berghof, si favorable et si bien réglée dans ses limites étroites, reprenait son cours monotone ; Hans Castorp, dans l'attente de sa radiographie, continuait à la partager avec le bon Joachim, en réglant cette vie, heure par heure, exactement sur celle de son cousin ; et ce voisinage était sans doute bon pour le jeune homme. Bien que ce ne fût qu'un voisinage de malade, il comportait pourtant beaucoup de rigueur militaire : une rigueur qui était, il est vrai, déjà sur le point de s'accommoder du service de la cure, qui finissait par se substituer à l'accomplissement du devoir professionnel normal (Hans Castorp n'était pas assez sot pour ne pas s'en rendre compte très exactement). Mais il sentait combien ce voisinage refrénait son âme de civil, peut-être même était-ce cet exemple et le contrôle exercé par Joachim qui l'empêchaient d'entreprendre à l'extérieur des démarches irréfléchies. Car il voyait bien combien le brave Joachim devait souffrir de certain parfum d'orange qui l'atteignait quotidiennement, et où il y avait des yeux bruns et ronds, un petit rubis, une gaieté rieuse et une poitrine au contour agréable. Et le souci de l'honneur qui faisait craindre à Joachim l'influence de cette atmosphère et le forçait à la fuir touchait Hans Castorp, lui imposait à lui-même de l'ordre et de la discipline, et l'empêchait « d'emprunter son crayon » à la femme aux yeux bridés ; sans ce voisinage édifiant, il eût été tout prêt à le faire, si l'on en jugeait par l'expérience.

Joachim ne parlait jamais de la rieuse Maroussia, et cela équivalait à une interdiction pour Hans Castorp de parler de Clawdia Chauchat. Il se dédommageait par un commerce discret avec l'institutrice assise à table à sa droite, en s'efforçant de faire rougir la vieille fille par des taquineries sur son faible pour la malade aux souples mouvements, et tout en imitant l'attitude digne du vieux Castorp appuyant son menton sur son col. Il insista aussi auprès d'elle pour apprendre des détails nouveaux et intéressants sur la situation personnelle de Mme Chauchat, sur ses origines, son mari, son âge, le caractère de sa maladie. Avait-elle des enfants ? Mon Dieu, non, elle n'en avait pas. Que ferait d'enfants une femme comme celle-ci ? Sans doute lui était-il défendu d'en avoir, et, d'autre part, quelle espèce d'enfants pourrait-elle bien avoir ? Hans Castorp dut lui donner raison. Au surplus, peut-être était-il déjà trop tard, hasarda-t-il avec un détachement forcé. Parfois, de profil, le visage de Mme Chauchat lui semblait déjà un peu durci. Avait-elle plus de trente ans ? Mlle Engelhart se récria. Clawdia, trente ? En mettant les choses au pire, elle avait vingt-huit ans. Et quant au profil, elle défendait à son voisin de rien dire de pareil. Le profil de Clawdia était de la délicatesse et de la douceur la plus juvénile, encore que naturellement ce fût un profil intéressant et non pas celui de n'importe quelle oie bien portante. Et pour le punir, Mlle Engelhart ajouta sans un temps que Mme Chauchat recevait souvent la visite de messieurs, en particulier la visite d'un compatriote qui habitait Davos-Platz, elle le recevait l'après-midi, dans sa chambre.

Le coup porta. Le visage de Hans Castorp se convulsa malgré tous ses efforts, et même les phrases prononcées avec détachement : « Comment donc » et « Voyez-moi ça », par lesquelles il répondit à cette confidence, avaient quelque chose de crispé. Incapable de prendre à la légère l'existence de ce compatriote, comme il avait d'abord feint de le faire, il y revenait sans cesse, et ses lèvres tremblaient. « Un homme jeune ? — Jeune et bien, d'après ce que l'on disait, répondait l'institutrice, car elle n'avait pu en juger de ses propres yeux. — Malade ? — Tout au plus légèrement malade. — J'espère bien, dit Hans Castorp sarcastique, que l'on découvre chez lui plus de linge que chez ses compatriotes de la table des Russes ordinaires » ; sur quoi, toujours pour le punir, Mlle Engelhart répondit par l'affirmative. Il finit par convenir que c'était là une affaire que l'on ne pouvait négliger, et la chargea sérieusement de se renseigner sur ce compatriote qui fréquentait chez Mme Chauchat ; mais au lieu de le renseigner à ce sujet, elle allait, quelques jours plus tard, lui apporter une nouvelle tout à fait différente.

Elle avait appris que l'on « peignait Clawdia Chauchat », que l'on faisait son portrait, et elle demanda à Hans Castorp s'il était au courant. Sinon, il pouvait être convaincu qu'elle tenait la nouvelle de la source la plus sûre. Depuis un certain temps, Mme Chauchat posait quelque part, pour un portrait, et où ça ? Chez le conseiller, chez le docteur Behrens qui la recevait à cet effet, presque chaque jour, dans ses appartements privés.

Cette nouvelle émut Hans Castorp plus encore que la précédente. Il ne cessait de faire à ce sujet des plaisanteries cocasses. Oui certainement, on savait que le docteur peignait à l'huile. En quoi cela pouvait-il gêner l'institutrice, puisque ce n'était pas défendu et que chacun était libre d'en faire autant ? Alors, ça se passait dans sa garçonnière de veuf ? Sans doute Mlle von Mylendonk assistait-elle aux séances. — Elle n'en avait certainement pas le temps. « Behrens ne doit pas avoir beaucoup plus de temps que l'infirmière en chef », dit Hans Castorp, sévèrement. Mais, bien que tout parût ainsi avoir été dit sur cette affaire, il se garda de la laisser tomber et s'épuisa en questions, pour plus ample informé, sur le portrait et ses dimensions. Était-ce un médaillon ou un portrait en pied ? À quelle heure posait-elle ? Mlle Engelhart ne pouvait lui donner de précisions à ce sujet ; il n'avait qu'à prendre patience en attendant les résultats des investigations conduites par l'institutrice.

Hans Castorp eut 37,7 après avoir appris cette nouvelle. Plus encore que les visites que recevait Mme Chauchat, le troublaient et l'inquiétaient celles qu'elle faisait. L'existence privée et particulière de Mme Chauchat prise en elle-même, indépendamment de son contenu, avait déjà commencé à le faire souffrir et à l'inquiéter ; et combien ces deux sentiments devaient s'aiguiser dès lors que des nouvelles d'un contenu aussi équivoque parvenaient à ses oreilles ! Sans doute paraissait-il possible que les rapports du visiteur russe avec sa compatriote fussent d'une nature triviale et inoffensive. Mais Hans Castorp, depuis quelque temps, était porté à tenir le raisonnable et l'inoffensif pour des boniments, de même qu'il ne pouvait se résoudre à admettre que toute cette peinture à l'huile soit autre chose qu'un trait d'union entre un veuf au langage truculent et une jeune femme aux yeux bridés et au pas insinuant. Le goût que le docteur avait manifesté dans le choix de son modèle répondait trop au sien propre pour qu'il pût lui supposer un sang-froid raisonnable dont le souvenir des joues bleues et des yeux larmoyants, injectés de rouge, du conseiller ne semblait pas témoigner.

Un fait qu'il observa ces jours-là, personnellement et par hasard, eut sur lui un effet différent, bien qu'il s'agît à nouveau d'une confirmation de son goût. Il y avait là, à la table placée en travers de celle de Mme Salomon et du collégien vorace à lunettes, à gauche de celle des cousins, la plus voisine de la porte vitrée, un malade, originaire de Mannheim, à ce que Hans Castorp avait entendu dire, âgé d'une trentaine d'années environ, à la chevelure clairsemée, aux dents cariées et au langage timide — le même qui, parfois, durant la soirée, jouait du piano, le plus souvent la marche nuptiale du *Songe d'une nuit d'été.* On le disait très dévot, comme il n'était pas rare que fussent les gens d'ici, avait-on expliqué à Hans Castorp ; et cela s'expliquait. Chaque dimanche, il assistait au service religieux à Davos-Platz, et pendant la cure il lisait des livres pieux, des livres dont la reliure était ornée d'un calice ou de rameaux de palmier. Or, lui aussi — et c'est ce que Hans Castorp observa un beau jour — avait ses regards suspendus au même endroit, à savoir à la souple personne de Mme Chauchat, et cela d'une manière presque canine dans sa timidité indiscrète. Après que Hans Castorp l'eut observé une fois, il ne put s'empêcher d'en faire à chaque occasion la remarque. Il le voyait le soir, debout dans la salle de jeu, parmi les pensionnaires, trouble et égaré par l'aspect de la jeune femme, désirable bien que contaminée, qui était assise de l'autre côté sur le canapé, avec Tamara aux cheveux laineux (tel était le nom de la jeune fille), le docteur Blumenkohl et avec leur voisin de table à la poitrine creuse et aux épaules tombantes. Il le voyait se détourner, se donner l'air de regarder ailleurs, puis de nouveau tourner la tête par-dessus l'épaule, en louchant et la lèvre supérieure troussée avec une expression plaintive. Il le voyait blêmir et ne pas lever les yeux, puis lever les yeux quand même, et regarder avidement lorsque la porte vitrée se fermait et que Mme Chauchat glissait vers sa place. Et, plusieurs fois, il vit le malheureux s'arrêter après les repas entre la sortie et la table des « Russes bien », pour laisser passer Mme Chauchat près de lui, et la dévorer des yeux de tout près, elle qui ne se souciait pas de lui, avec des yeux qui étaient tristes jusqu'au fond de l'âme.

Cette découverte émut assez vivement le jeune Hans Castorp, quoique cette pitoyable et importune insistance du Mannheimois ne pût l'inquiéter dans la même mesure que les rapports privés de Clawdia Chauchat avec le conseiller Behrens, un homme qui lui était si nettement supérieur par l'âge, la personne et la situation. Clawdia ne s'occupait pas le moins du monde du Mannheimois : s'il en avait été autrement, cela n'aurait pas échappé à l'attention en éveil de Hans Castorp, et ce n'était donc pas l'aiguillon déplaisant de la jalousie dont, en l'occurrence, il ressentait la piqûre. Mais il éprouvait tous les sentiments qu'éprouve l'homme enivré par la passion lorsqu'il découvre chez d'autres sa propre image, sentiments qui forment le plus singulier mélange de répugnance et de solidarité secrète. Impossible de tout approfondir et de tout analyser, si nous voulons avancer ! Quoi qu'il en soit, c'était beaucoup à la fois, pour l'état où il était, que l'observation du Mannheimois faisait endurer au pauvre Hans Castorp.

Ainsi se passèrent les huit jours jusqu'à la radioscopie de Hans Castorp. Il n'avait pas su qu'ils se passeraient ainsi jusque-là, mais lorsque, un matin, au premier déjeuner, il reçut de la supérieure (elle avait déjà un nouvel orgelet, ce ne pouvait être le même ; sans doute ce mal inoffensif, mais qui la défigurait, tenait-il à sa constitution) l'ordre de se présenter l'après-midi au laboratoire, il se trouva qu'ils étaient passés. En même temps que son cousin, Hans Castorp devait se présenter, une demi-heure avant le thé ; car, par la même occasion, on reprendrait également une nouvelle photographie intérieure de Joachim — la précédente pouvait être déjà tenue pour périmée.

Ils avaient donc abrégé aujourd'hui de trente minutes la grande cure de repos de l'après-midi et sur le coup de trois heures et demie, ils étaient descendus par l'escalier de pierre vers le sous-sol factice, et prirent place ensemble dans la petite salle d'attente qui séparait le cabinet de consultation du laboratoire de radiographie : Joachim qui ne prévoyait rien de nouveau, en toute tranquillité, Hans Castorp dans une attente un peu fiévreuse, puisque jusqu'à présent on n'avait jamais sondé de cette façon la vie intérieure de son organisme. Ils n'étaient pas seuls. Plusieurs pensionnaires, qui attendaient avec eux, étaient déjà assis dans la pièce lorsqu'ils étaient entrés, des revues illustrées déchirées sur les genoux. C'étaient un jeune géant suédois qui, dans la salle à manger avait sa place à la table de Settembrini et de qui l'on disait que, lors de son arrivée en avril, il avait été si malade que l'on avait à peine voulu le recevoir ; mais à présent il avait augmenté de quatre-vingts livres et il était sur le point d'être renvoyé comme complètement guéri ; de plus, une femme de la table « des Russes ordinaires », une mère, elle-même chétive, avec un garçonnet chétif, laid, au nez trop long, appelé Sacha. Ces personnes donc attendaient depuis plus longtemps que les cousins. Elles avaient apparemment le pas sur eux dans la suite des convocations ; un retard s'était certainement produit dans le laboratoire de radiographie, et l'on devait se résigner à prendre son thé refroidi.

Dans le laboratoire, on était occupé. On entendait la voix du docteur Behrens qui donnait des instructions. Il était trois heures et demie, ou un peu plus, lorsque la porte s'ouvrit — un assistant attaché à ce service, l'ouvrit — et seul ce veinard de géant suédois fut introduit : sans doute son prédécesseur était-il reparti par une autre sortie. Le rite, désormais, se déroula plus rapidement. Au bout de dix minutes déjà on entendit le Scandinave complètement guéri — cette publicité ambulante de la station et du sanatorium — s'éloigner d'un pas énergique par le corridor, et la mère russe, ainsi que son Sacha furent reçus. De nouveau, comme ç'avait déjà été le cas lors de l'entrée du Suédois, Hans Castorp remarqua que dans le laboratoire régnait une pénombre, ou plus exactement un demi-jour artificiel, de même que, de l'autre côté, dans le cabinet analytique du docteur Krokovski. Les fenêtres étaient voilées, la lumière du jour était exclue et quelques lampes électriques brûlaient. Mais tandis qu'on introduisait Sacha et sa mère et que Hans Castorp les suivait des yeux, à ce moment juste, la porte du couloir s'ouvrit et le malade suivant pénétra dans la salle d'attente, en avance puisque l'on était en retard : c'était Mme Chauchat.

C'était Clawdia Chauchat qui se trouva tout à coup dans la petite pièce ; Hans Castorp la reconnut, en écarquillant les yeux et il sentit distinctement le sang se retirer de son visage et sa mâchoire inférieure se détendre, de sorte qu'il faillit ouvrir la bouche. L'entrée de Clawdia s'était produite d'une manière inopinée, à l'improviste : tout à coup elle se trouva partager avec les cousins cet espace exigu alors que, voici un instant encore, elle n'avait pas été là. Joachim jeta sur Hans Castorp un regard rapide ; ne se bornant pas à baisser les yeux, il alla jusqu'à reprendre sur la table le journal illustré qu'il venait de déposer, et à cacher son visage derrière la feuille déployée. Hans Castorp n'eut pas assez de présence d'esprit pour en faire autant. Après avoir pâli, il était devenu très rouge et son cœur battait.

Mme Chauchat prit place près de la porte du laboratoire, dans un petit fauteuil arrondi aux accoudoirs écourtés et comme rudimentaires ; penchée en arrière, elle croisa légèrement une jambe sur l'autre et regarda dans le vide, tandis que ses « yeux de Pribislav » nerveusement détournés de leur direction par la conscience qu'elle avait d'être observée, louchaient légèrement. Elle portait un chandail blanc et une jupe bleue, tenait un livre sur ses genoux, un livre emprunté au cabinet de lecture, semblait-il, et frappait légèrement le plancher de son pied posé à terre.

Déjà, après une minute et demie, elle changea de pose, regarda autour d'elle, se leva avec une expression comme si elle ne savait trop où elle en était ni à qui elle devait s'adresser, et commença de parler. Elle demanda quelque chose, posa une question à Joachim, bien que celui-ci parût plongé dans son journal illustré, tandis que Hans

Castorp était assis là, inoccupé. Elle formait des mots dans sa bouche et leur prêtait la voix qui sortait de sa gorge blanche : c'était la voix, non pas grave, mais agréablement voilée bien qu'avec certains tons aigus, que Hans Castorp connaissait, qu'il connaissait depuis longtemps et qu'il avait même entendue de tout près, le jour où cette voix avait dit à son intention : « Volontiers. Mais il faut que tu me le rendes sans faute après la leçon. » Il est vrai que ceci avait été dit alors avec plus de netteté et d'aisance ; à présent, les mots venaient, un peu traînants, incertains ; celle qui parlait ainsi n'y avait pas un droit naturel, elle les empruntait, comme Hans Castorp l'avait déjà plusieurs fois entendu faire, et il en éprouvait un sentiment de supériorité, mais mêlé de l'émerveillement le plus humble. Une main dans la poche de sa jaquette de laine, l'autre portée à sa nuque, Mme Chauchat demanda :

« Pardon, monsieur, pour quelle heure étiez-vous convoqué ? »

Joachim, qui avait jeté un coup d'œil rapide vers son cousin, répondit en joignant les talons, tout en restant assis :

« Pour trois heures et demie. »

Elle parla de nouveau :

« Moi, pour quatre heures moins le quart. Que se passe-t-il donc ? Il est presque quatre heures. Il y a des personnes qui viennent d'entrer, n'est-ce pas ?

— Oui, deux personnes, répondit Joachim, C'était leur tour avant nous. Le service a du retard. Il semble que tout ait été décalé d'une demi-heure.

— Comme c'est ennuyeux ! dit-elle, et d'un geste nerveux elle palpa ses cheveux.

— Plutôt, répondit Joachim. Nous aussi, nous attendons depuis près d'une demi-heure. »

Ainsi conversaient-ils, et Hans Castorp écoutait comme en rêve. Que Joachim parlât à Mme Chauchat, c'était presque comme s'il lui avait parlé lui-même — encore qu'à certains égards ce fût aussi tout différent. Le « plutôt » avait choqué Hans Castorp ; ce mot lui semblait impertinent, ou tout au moins d'une indifférence surprenante, eu égard aux circonstances. Mais, en somme,

Joachim pouvait parler ainsi, il pouvait en général parler avec elle, et il se targuait peut-être devant lui de son désinvolte « plutôt », de même que lui, Hans Castorp, avait fait l'important devant Joachim et Settembrini lorsqu'on lui avait demandé combien de temps il comptait rester, et qu'il avait répondu : « Trois semaines. » C'est à Joachim qu'elle s'était adressée, bien qu'il eût tenu le journal devant sa figure — sans doute parce qu'il était le plus ancien des deux, celui qu'elle connaissait le plus longtemps de vue, mais aussi pour cette autre raison qu'avec lui des relations civilisées et un échange de paroles articulées étaient à leur place, et que rien de sauvage, de profond, d'effrayant et de mystérieux n'existait entre eux. Si certains yeux bruns, joints à un rouge de rubis et à un parfum d'orange, avaient attendu ici avec eux, il eût appartenu à Hans Castorp de conduire la conversation et de dire « plutôt » — indépendant et pur, comme il se serait senti vis-à-vis de cet autre. « En effet, plutôt désagréable, mademoiselle », eût-il dit et peut-être, d'un geste désinvolte, eût-il tiré son mouchoir de la poche de son veston, pour se moucher. « Je vous conseille de patienter. Nous sommes dans la même situation. » Et Joachim se serait étonné de son aisance, mais probablement sans désirer sincèrement être à sa place. Non, Hans Castorp n'était pas non plus jaloux de Joachim, dans la situation présente, bien que ce fût lui qui avait le droit de parler à Mme Chauchat. Il approuvait celle-ci de s'être adressée à son cousin ; elle avait tenu compte des circonstances en le faisant, et avait fait connaître ainsi qu'elle avait conscience de la situation… Son cœur battait fort.

Après l'accueil froid que Mme Chauchat avait reçu de Joachim et dans lequel Hans Castorp avait même distingué une légère hostilité du bon Joachim contre cette compagne de maladie — hostilité qui le fit sourire malgré toute son émotion —, Clawdia essaya de faire un tour de promenade à travers la pièce. Mais comme l'espace manquait, elle aussi prit sur la table un cahier illustré, et retourna sur son siège aux moignons d'accoudoirs. Hans Castorp restait assis et la regardait en appuyant son menton, comme avait fait son grand-père et en ressemblant ainsi d'une manière vraiment ridicule au vieillard. Comme Mme Chauchat avait de nouveau croisé une jambe sur l'autre, son genou se dessina, et même toute la ligne de sa svelte jambe sous sa jupe de drap bleu. Elle n'était que de taille moyenne, d'une taille harmonieuse et infiniment agréable aux yeux de Hans Castorp, mais elle avait les jambes relativement longues et n'était pas large des hanches. Elle se tenait non pas rejetée en arrière, mais penchée en avant, les bras croisés appuyés sur la cuisse, le dos arrondi et les épaules affaissées, de sorte que les vertèbres cervicales saillaient, et qu'on distinguait même sous le chandail collant la colonne vertébrale et que sa poitrine, qui n'était pas opulente et haute comme celle de Maroussia, mais une gorge menue de jeune fille, était comprimée des deux côtés. Soudain, Hans Castorp se rappela qu'elle aussi était assise ici en attendant la radioscopie. Le docteur Behrens la peignait ; il reproduisait son apparence extérieure sur une toile, au moyen d'huile et de couleurs. Mais à présent, dans la pénombre, il dirigeait sur elle des rayons lumineux qui lui découvriraient l'intérieur du corps. Y pensant, Hans Castorp détourna la tête avec une mine pudiquement assombrie et avec une expression de discrétion et de réserve qu'il lui semblait convenable, à cette pensée, d'adopter devant lui-même.

Ils ne restèrent pas longtemps réunis à trois dans la petite salle d'attente. On n'avait sans doute pas fait grand cas là-dedans de Sacha et de sa mère, on se dépêchait pour rattraper le retard. De nouveau l'assistant en blouse blanche ouvrit la porte. En se levant, Joachim rejeta son journal sur la table, et Hans Castorp le suivit, non sans une hésitation intérieure, vers la porte. Des scrupules chevaleresques s'éveillaient en lui, avec la tentation d'adresser quand même avec quelque civilité la parole à Mme Chauchat, de lui offrir de passer la première ; peut-être même en français, si c'était faisable ; et il s'empressa de chercher en lui-même les mots, la construction de la phrase. Mais il ne savait pas si de telles prévenances étaient usitées ici, si l'ordre de succession établi n'était pas au-dessus de toute galanterie. Joachim devait le savoir, et, comme il ne faisait pas mine de céder le pas à la dame présente, bien que Hans Castorp l'eût regardé avec trouble et insistance, il emboîta donc le pas à son cousin, en passant devant Mme Chauchat qui ne redressa que légèrement son attitude penchée, et il passa par la porte dans le laboratoire.

Il était trop absorbé par ce qu'il laissait derrière soi, par les aventures des dix dernières minutes, pour se sentir, au moment où il entrait dans le laboratoire, intérieurement présent à ce qui s'y passait. Il ne voyait rien ou n'avait que des perceptions très générales dans ce demi-jour artificiel. Il entendait encore la voix agréablement voilée dont Mme Chauchat avait dit : « Que se passe-t-il donc ?... Il y a des personnes qui viennent d'entrer... Comme c'est ennuyeux ! » et le son de cette voix, comme un exquis chatouillement le long de son dos, le faisait frissonner. Il voyait son genou moulé par l'étoffe de la robe, voyait saillir sur sa nuque courbée, sous ses cheveux courts d'un blond roussâtre, qui à cette place pendaient librement, sans avoir été recueillis dans son nœud natté, les vertèbres cervicales, et de nouveau un frisson le parcourut. Il vit le docteur Behrens, tournant le dos aux nouveaux venus, debout devant un placard, ou une cabine en forme d'étagère, occupé à considérer une plaque noirâtre que, de son bras tendu, il tenait devant la lumière mate du plafonnier. Passant à côté de lui ils pénétrèrent au fond de la pièce, rejoints, dépassés par l'assistant qui faisait des préparatifs pour les traiter et les expédier. Une odeur étrange régnait ici. Une sorte d'ozone éventé emplissait l'atmosphère. Entre les fenêtres tendues de noir, la cabine divisait le laboratoire en deux parties inégales. On distinguait des appareils de physique, des verres concaves, des tableaux de commande, des instruments de mesure dressés verticalement, mais aussi une boîte semblable à un appareil photographique sur un châssis à roulettes, des diapositifs en verre qui étaient encastrés en rangées dans le mur — on ne savait pas si l'on était dans l'atelier d'un photographe, dans une chambre noire, dans l'atelier d'un inventeur, ou dans une officine technique de sorcellerie.

Joachim avait aussitôt commencé à se dévêtir jusqu'à la ceinture. L'assistant, un jeune Suisse trapu aux joues roses, et en blouse blanche, invita Hans Castorp à faire de même. Cela allait vite, son tour ne tarderait pas à venir… Tandis que Hans Castorp se débarrassait de sa veste, Behrens passa de la cabine où il s'était tenu dans la pièce proprement dite.

« Allô ! dit-il. Voilà nos deux Dioscures ! Castorp et Pollux… Pas de jérémiades, je vous en prie. Attendez donc, dans un instant nous vous aurons vus en transparence, tous les deux. Je crois bien que vous avez peur, Castorp, de nous ouvrir votre for intérieur ? Rassurez-vous, tout cela fonctionne très esthétiquement… Avez-vous déjà vu ma galerie privée ? »

Et il amena Hans Castorp par le bras devant les rangées de verres sombres derrière lesquels il alluma la lumière en tournant le commutateur. Ils s'éclairèrent alors et révélèrent leurs images. Hans Castorp voyait des membres, des mains, des pieds, des rotules, des hauts et des bas de cuisses, de bras et des fragments de bassins. Mais la forme vivante, arrondie de ces fragments de corps humains était schématique et avait un contour estompé ; comme un brouillard et un halo pâle, elle entourait son noyau clair qui ressortait avec une netteté lumineuse.

« Très intéressant ! dit Hans Castorp.

— C'est en effet intéressant, répondit le conseiller. Utile leçon de choses pour jeunes gens ! Anatomie par la lumière, vous comprenez, triomphe des temps nouveaux. Cela, c'est un bras de femme, vous vous en rendez compte à sa mignardise. C'est avec cela qu'elles vous enlacent à l'heure du berger, vous comprenez. »

Et il rit, ce qui retroussa d'un côté sa lèvre supérieure à la moustache rognée. Les plaques s'éteignirent. Hans Castorp se retourna vers l'endroit où l'on procédait à la radiographie de Joachim.

Cela avait lieu devant la cabine où le conseiller s'était tenu tout à l'heure. Joachim avait pris place sur une sorte de tabouret de cordonnier, devant une planche contre laquelle il pressait sa poitrine en l'entourant des bras : et l'assistant corrigeait la position du patient, en le pétrissant, poussant en avant l'épaule de Joachim et massant son dos. Puis il s'en retourna derrière l'appareil comme n'importe quel photographe, se carra sur ses jambes, se pencha pour juger de l'image, exprima sa satisfaction, et reculant de côté, recommanda à Joachim de respirer profondément, et de garder l'air dans son poumon jusqu'à ce que tout fût fini. Le dos arrondi de Joachim se dilata, puis demeura immobile. À cet instant l'assistant avait imprimé au levier de commande le mouvement convenable. Pendant deux secondes, les forces terribles dont le déploiement était nécessaire pour transpercer la matière jouèrent : des courants de milliers de volts, de cent mille volts, se rappelait Hans Castorp. À peine assujetties, les forces tentèrent de se frayer des chemins détournés. Des décharges éclatèrent comme des coups de feu. Une étincelle bleue grésilla à la pointe d'un appareil. Des éclairs montèrent en crépitant le long du mur. Quelque part une lumière rouge, semblable à un œil, regardait, calme et menaçante, dans la pièce, et une fiole dans le dos de Joachim s'emplit d'un liquide vert. Puis tout s'apaisa ; les phénomènes lumineux s'évanouirent et Joachim, en soupirant, rendit son souffle. C'était fait.

« Au prochain délinquant, dit Behrens, et il toucha Hans Castorp du coude. Surtout, ne prétextez pas de fatigue ! Vous aurez un exemplaire gratuit, Castorp, grâce auquel vous pourrez encore projeter au mur les secrets de votre sein, pour vos enfants et petits-enfants. »

Joachim avait rompu ; mais l'assistant changea de place. Le docteur Behrens instruisit en personne le novice de la manière dont il devait s'asseoir et se tenir. « Enlacez, dit-il, enlacez donc la planche ! Si cela vous fait plaisir, imaginez que c'est tout autre chose ! Et serrez-la bien contre votre poitrine comme si des sensations voluptueuses y étaient liées. Bien comme ça. Respirez. Halte ! commanda-t-il. Un petit sourire, s'il vous plaît ! » Hans Castorp attendit en clignotant, le poumon plein d'air. Dans son dos l'orage grésilla, éclata, crépita et s'apaisa. L'objectif avait regardé au-dedans de lui.

Il descendit, troublé et étourdi par ce qui venait de lui arriver bien qu'il ne se fût pas le moins du monde ressenti de cette pénétration. « Bravo ! dit le conseiller. Nous allons regarder nous-mêmes à présent. » Et déjà Joachim, en homme informé qu'il était, avait pris place à côté d'un support, tournant le dos à l'appareil volumineux au sommet duquel on apercevait une cornue en verre, à demi emplie d'eau, avec un tuyau d'évaporation, à hauteur de sa poitrine un écran encadré et mobile. À sa gauche, au milieu d'un tableau de commandes, était dardée une ampoule rouge. Le conseiller, à califourchon sur un tabouret, l'alluma. Le plafonnier s'éteignit et, seul, le rubis éclairait encore la scène. Puis le maître, d'un geste, effaça même celui-ci et une profonde obscurité enveloppa les alchimistes.

« Il faut d'abord que les yeux s'habituent, entendit-on dire le conseiller dans l'obscurité. Il faut pour commencer que nous ayons des pupilles immenses comme des chats, pour voir ce que nous voulons voir. Vous comprenez bien que nous ne puissions pas d'emblée y voir clair au moyen de nos yeux ordinaires habitués au jour. Il faut commencer par oublier le jour clair avec ses images gaies.

— Bien entendu », dit Hans Castorp, qui était debout derrière l'épaule du conseiller, et il ferma les yeux, car il était tout à fait indifférent qu'on les gardât ouverts ou non, tant la nuit était sombre. « Il faut pour commencer que nous baignions les yeux dans l'obscurité, pour voir quelque chose, c'est évident. Je trouve même que c'est bien et juste que nous commencions par nous recueillir un peu, comme par une prière silencieuse. Je reste là et j'ai fermé les yeux, je suis dans un état d'agréable somnolence. Mais quelle est donc l'odeur que l'on sent ?

— De l'oxygène, dit le conseiller, c'est l'oxygène que vous sentez dans l'air. Le produit atmosphérique de l'orage en chambre, vous comprenez… Ouvrez les yeux, dit-il. À présent, l'évocation va commencer. »

Hans Castorp s'empressa d'obéir.

On entendit déplacer un levier. Un moteur démarra, chanta furieusement en montant, mais fut bientôt réglé par un second mouvement. Le plancher vibrait régulièrement. La petite lumière rouge, allongée et verticale, regardait avec une menace muette. Quelque part, un éclair grésilla. Et lentement, avec un reflet laiteux, comme une fenêtre qui s'éclaire, surgit de l'obscurité le pâle rectangle de l'écran, devant lequel le docteur Behrens était à cheval sur son tabouret de cordonnier, les cuisses écartées, les poings appuyés, son nez camus collé contre la vitre qui permettait de voir à l'intérieur d'un organisme humain.

« Voyez-vous, jeune homme ? » demanda-t-il.

Hans Castorp se pencha par-dessus son épaule, mais leva encore une fois la tête dans la direction où il soupçonnait les yeux de Joachim qui devaient avoir un regard doux et triste, comme autrefois, lors de la consultation.

« Tu permets ?

— Je t'en prie, je t'en prie », répondit Joachim, bon prince, dans l'obscurité. Et sur le plancher, bourdonnant, dans le grésillement et les éclatements des forces qui jouaient, Hans Castorp, courbé, guetta par cette fenêtre blafarde le squelette vide de Joachim Ziemssen. Le sternum se confondait avec la colonne vertébrale en un pilier sombre et cartilagineux. La rangée antérieure des côtes était coupée par celles du dos qui semblaient plus pâles. Les clavicules, infléchies, déviaient vers le haut, de part et d'autre, et dans l'enveloppe légère et lumineuse de la forme charnelle se dessinait, roide et aigu, le squelette de l'épaule, l'attache de l'os du bras de Joachim. Il faisait clair dans la vacuité de la poitrine, mais on distinguait un système veineux, des taches sombres, un moutonnement noirâtre.

« Image claire, dit le conseiller ; voilà bien la maigreur convenable, la jeunesse militaire. J'ai eu ici des panses : impénétrables, pas moyen de rien distinguer ! Il faudrait commencer par découvrir les rayons qui traverseraient une telle couche de graisse… Mais ceci est du travail propre. Voyez-vous le diaphragme ? » Et il désigna du doigt un arc sombre qui se levait et s'abaissait dans le bas de l'écran… « Voyez-vous ces voussures, ici, à gauche, ces bosses ? Cela, c'est la pleurésie qu'il a eue à l'âge de quinze ans. Respirez profondément, commanda-t-il. Plus profondément. » Et le diaphragme de Joachim se levait en tremblant aussi haut que possible, on remarquait un éclaircissement dans les parties supérieures du poumon, mais le conseiller n'était pas satisfait. « Insuffisant ! dit-il. Voyez-vous les glandes du hile ? Voyez-vous les adhérences ? Voyez-vous les cavernes, ici ? C'est de là que viennent les poisons qui montent à la tête. » Mais l'attention de Hans Castorp était absorbée par une sorte de sac, une masse sombre, ayant quelque chose de bestial et d'informe, qui apparaissait derrière la colonne centrale, sur la droite du spectateur, qui se dilatait régulièrement, et se contractait de nouveau, un peu à la manière d'une méduse qui nage.

« Voyez-vous son cœur ? » demanda le conseiller en détachant à nouveau sa main énorme de sa cuisse, et en désignant du doigt ce sac animé de pulsations… Grand Dieu, c'était le cœur si fier de Joachim, que Hans Castorp avait sous les yeux.

« Je vois ton cœur, dit-il, d'une voix étranglée.

— Je t'en prie, je t'en prie », répondit Joachim de nouveau, et sans doute sourit-il, résigné, là en haut, dans l'obscurité. Mais le conseiller leur ordonna de se taire et de ne pas échanger de sensibleries. Il étudiait les taches et les lignes, le moutonnement noir dans la cavité intérieure de la poitrine, tandis que son compagnon ne se lassait pas davantage d'explorer la forme sépulcrale de Joachim et ses ossements de cadavre, cette charpente dénudée et ce *memento* d'une maigreur de fuseau. Le respect et la terreur l'étreignirent. « Oui, oui, je vois, dit-il plusieurs fois. Seigneur, je vois. » Il avait entendu parler d'une femme, d'une parente, depuis longtemps décédée, du côté des Tienappel, qui avait été douée ou affligée d'un don particulier : les gens qui devaient bientôt mourir lui apparaissaient comme des squelettes. Et c'est ainsi que Hans Castorp voyait le bon Joachim, encore que ce fût grâce à la science physique et optique, de sorte que cela ne voulait rien dire et que tout se passait normalement, d'autant plus qu'il avait expressément sollicité l'autorisation de Joachim. Néanmoins il se sentait pris d'une sympathie subite pour le mélancolique destin de sa tante, la voyante. Violemment ému par tout ce qu'il voyait, ou plus exactement par le fait de le voir, il sentait son cœur assailli par des doutes secrets, se demandait si vraiment tout se passait ici normalement, si ce spectacle, dans cette obscurité trépidante et grésillante était vraiment licite ; et le plaisir inquiet de la curiosité indiscrète se mêlait dans sa poitrine à des sentiments d'émotion et de piété.

Mais, quelques minutes plus tard, il était lui-même en plein orage, sur la sellette, tandis que Joachim couvrait son corps refermé. De nouveau le conseiller guettait à travers la vitre laiteuse. Cette fois il épiait l'intérieur de Hans Castorp, et de ses exclamations à mi-voix, de ses jurons et de ses expressions, il semblait résulter que ce qu'il trouvait répondait à ses prévisions. Il poussa ensuite l'amabilité jusqu'à permettre que le pensionnaire, sur ses instantes prières, considérât sa propre main à travers l'écran lumineux. Et Hans Castorp vit ce qu'il avait dû s'attendre à voir, mais ce qui, en somme, n'est pas fait pour être vu par l'homme, et ce qu'il n'avait jamais pensé qu'il fût appelé à voir ; il regarda dans sa propre tombe. Cette future besogne de la décomposition il la vit, préfigurée par la force de la lumière, la chair dans laquelle il vivait, décomposée, anéantie, dissoute en un brouillard inexistant, et, au milieu de cela, le squelette, fignolé avec soin, de sa main droite, autour de l'annulaire duquel son anneau, qui lui venait de son grand-père, flottait, noir et lâche : un objet dur de cette terre, avec quoi l'homme pare son corps qui est destiné à disparaître, de sorte que, redevenu libre, il aille vers une autre chair qui pourra le porter un nouveau laps de temps. Avec les yeux de cette aïeule du côté des Tienappel, il apercevait un membre familier de son corps : avec des yeux pénétrants de visionnaire, et pour la première fois de sa vie, il comprit qu'il mourrait. En ce faisant il avait une expression comme lorsqu'il écoutait de la musique — assez sotte, somnolente et pieuse, la bouche entrouverte et la tête inclinée sur l'épaule. Le conseiller dit :

« Spectral, hein ? Oui, il y a incontestablement quelque chose de fantomatique là-dedans. »

Et puis il dompta les forces. Le plancher cessa de vibrer, les phénomènes lumineux disparurent, la fenêtre magique s'enveloppa de nouveau de ténèbres. Le plafonnier s'alluma. Et tandis que Hans Castorp se hâtait de se rhabiller, Behrens donna aux jeunes gens quelques renseignements sur ses observations, en tenant compte de leur ignorance d'amateurs. En ce qui concernait Hans Castorp, les constatations optiques avaient confirmé les observations acoustiques avec autant de précision que pouvait l'exiger l'honneur de la science. On avait pu voir les anciens endroits aussi bien que les frais et des « ligaments » s'étiraient des bronches avec des « nœuds ». Hans Castorp pourrait lui-même le contrôler sur le petit diapositif qui, c'était entendu, lui serait remis prochainement. « Donc, du calme, de la patience, de la discipline virile : prendre sa température, manger, s'étendre, attendre et se rouler les pouces. » Il leur tourna le dos. Ils s'en furent. Hans Castorp, en sortant derrière Joachim, regarda par-dessus son épaule. Introduite par l'assistant, Mme Chauchat pénétrait dans le laboratoire.

Liberté

Quelle était, en somme, l'impression du jeune Hans Castorp ? Il lui semblait à tout prendre que les sept semaines qu'incontestablement, et selon toutes les apparences, il avait passées chez les gens d'en haut, n'avaient été que sept jours. Ou bien lui semblait-il qu'il vivait en ce lieu depuis beaucoup plus longtemps que ce n'était le cas en réalité ? Il se le demandait, aussi bien à part soi qu'en posant la question à Joachim, mais il ne réussissait pas à la trancher. L'un et l'autre, sans doute, étaient vrais : le temps qu'il avait passé ici, quand il se le remémorait, lui semblait à la fois d'une brièveté et d'une longueur peu naturelles ; un seul aspect de ce temps lui échappait pourtant : sa durée réelle, en admettant que le temps soit chose naturelle et qu'il soit admissible de lui appliquer la notion de réalité.

Quoi qu'il en soit, le mois d'octobre était à la porte ; du jour au lendemain il allait venir. C'était chose facile pour Hans Castorp que de faire le compte et, de plus, les conversations de ses compagnons de maladie qu'il écoutait attiraient son attention sur ce point. « Savez-vous que dans cinq jours ce sera une fois de plus le premier du mois ? » entendit-il Hermine Kleefeld dire à deux jeunes gens de sa compagnie, à l'étudiant Rasmussen et à ce jeune homme lippu dont le nom était Gänser. On s'était arrêté, après le principal repas et dans la buée des plats, entre les tables, et l'on bavardait en tardant à se rendre à la cure de repos.

« Le 1er octobre. Je l'ai vu au calendrier de l'administration. C'est le deuxième que je passe dans ce lieu de plaisir. Bon, l'été est passé, pour autant que nous avons eu un été. On a été volé de son été, comme on est volé de la vie, sous tous les rapports et en général. »

Et elle soupira de son demi-poumon, en hochant la tête et en levant vers le plafond ses yeux voilés par la bêtise.

« Soyez gai, Rasmussen, dit-elle, ensuite, et elle frappa sur son épaule tombante. Racontez-nous des blagues !

— Je n'en sais presque pas, répondit Rasmussen, et il laissa pendre ses mains à hauteur de sa poitrine comme des nageoires, et même celles que je sais ne veulent plus venir, je suis toujours si fatigué.

— Un chien, dit Gänser entre ses dents, ne voudrait pas vivre plus longtemps ainsi. »

Et ils rirent, en haussant les épaules.

Mais Settembrini lui aussi, son cure-dents entre les lèvres, s'était trouvé dans leur voisinage, et, en sortant, il dit à Hans Castorp :

« Ne les croyez pas, ingénieur, ne les croyez jamais lorsqu'ils pestent. Ils le font tous, sans exception, bien qu'ils ne se sentent que trop chez eux. Ils mènent une vie de patachon et ils ont la prétention d'inspirer de la pitié. Ils se croient autorisés à l'amertume, à l'ironie, au cynisme ! "En ce lieu de plaisir !" Ne serait-ce pas un lieu de plaisir ? Je veux dire que c'en est un, au sens le plus équivoque de ce mot ! "Volé", dit cette femme, "en ce lieu de plaisir, volé de sa vie !". Mais renvoyez-la dans la plaine, et son existence là-bas fera, sans aucun doute, qu'elle s'efforcera de remonter ici le plus tôt possible. Ah ! oui, l'ironie ! Gardez-vous de l'ironie que l'on cultive ici, ingénieur ! Gardez-vous en général de cette attitude de l'esprit ! Partout où elle n'est pas une forme directe et classique de rhétorique parfaitement intelligible à un esprit sain, elle devient dérèglement, obstacle à la civilisation, compromis malpropre avec la stagnation, l'abêtissement, le vice. Comme l'atmosphère où nous vivons est apparemment très favorable au développement de cette plante marécageuse, j'espère et je dois craindre que vous me comprenez. »

En effet, les paroles de l'Italien étaient telles que, il y avait six semaines encore, dans la plaine, elles n'auraient été pour Hans Castorp qu'un bruit vide de signification, mais au sens desquelles le séjour ici avait ouvert son esprit : l'avait ouvert au sens de pénétration intellectuelle, et même de sympathie, ce qui signifie peut-être encore davantage. Car, bien que, au fond de son âme, il fût heureux que Settembrini continuât, après tout ce qui était arrivé, de lui parler comme il faisait, de l'instruire et de tenter de prendre sur lui de l'influence, son entendement allait déjà si loin qu'il jugeait les paroles de l'Italien et leur refusait, tout au moins jusqu'à un certain degré, son adhésion. « Tiens, tiens, se dit-il, il parle de l'ironie à peu près comme de la musique. Il ne manque que de l'entendre la qualifier de "politiquement suspecte", à partir de l'instant où elle cesse d'être un "moyen d'enseignement direct et classique". Mais une ironie qui "ne peut, à aucun moment, donner lieu à un malentendu", que serait donc cette ironie-là, je le demande au nom de Dieu, puisqu'il se trouve que j'ai droit à la parole. Ce serait une cuistrerie de maître d'école ! » Telle est l'ingratitude de la jeunesse qui se développe. Elle accepte des cadeaux pour ensuite en critiquer les défauts.

Il ne lui en eût pas moins paru par trop hasardé d'exprimer en paroles son humeur récalcitrante. Il borna ses objections au jugement de M. Settembrini sur Hermine Kleefeld qui lui parut injuste, ou que, pour des raisons très précises il voulait faire apparaître comme tel.

« Mais cette jeune fille est malade, dit-il, elle est véritablement très malade, et elle a toutes raisons d'être désespérée. Qu'exigez-vous donc d'elle ?

— Maladie et désespoir, dit Settembrini, ne sont souvent que des formes du dérèglement. »

« Et Leopardi, pensa Hans Castorp, qui a expressément douté de la science et du progrès ? Et vous-même, monsieur le pédagogue, n'êtes-vous pas, vous aussi, malade, et ne remontez-vous pas toujours de nouveau ici ? Vous ne donneriez à Carducci que peu de satisfaction. »

À haute voix il dit :

« Vous êtes bon, vous. Cette demoiselle peut, du jour au lendemain, mordre la poussière, et vous appelez cela du dérèglement ! Il faudrait que vous vous expliquiez un peu plus clairement. Si vous me disiez : la maladie est parfois une conséquence du dérèglement, ce serait plausible.

— Très plausible, intervint Settembrini. Ma foi, vous ne seriez pas fâché si je m'en tenais là.

— Ou bien si vous disiez : la maladie sert parfois de prétexte à la licence, je pourrais encore l'admettre.

— *Grazie tanto !*

— Mais la maladie, une forme du dérèglement ? C'est-à-dire : non pas issue du dérèglement mais dérèglement elle-même ? N'est-ce pas paradoxal ?

— Oh ! je vous en prie, ingénieur, pas d'escamotages ! Je méprise les paradoxes, je les hais. Mettons que tout ce que je vous ai dit de l'ironie, je l'ai également dit du paradoxe, et même un peu plus. Le paradoxe est la fleur vénéneuse du quiétisme, le chatoiement de l'esprit décomposé, le pire de tous les dérèglements ! Du reste, je constate qu'une fois de plus vous prenez la défense de la maladie...

— Non, ce que vous dites m'intéresse. Cela fait penser aux choses que le docteur Krokovski dit dans ses conférences du lundi. Lui aussi tient la maladie organique pour un phénomène secondaire.

— Ce n'est pas un idéaliste bien pur.

— Qu'avez-vous contre lui ?

— Précisément ce que je viens de dire.

— Êtes-vous mal disposé envers l'analyse ?

— Pas tous les jours. Très mal et très bien à tour de rôle, ingénieur.

— Comment dois-je entendre cela ?

— L'analyse est bonne comme instrument du progrès et de la civilisation, bonne dans la mesure où elle ébranle des convictions stupides, dissipe des préjugés naturels et mine l'autorité, bref, en d'autres termes, dans la mesure où elle affranchit, affine, humanise et prépare les serfs à la liberté. Elle est mauvaise, très mauvaise dans la mesure où elle empêche l'action, porte atteinte aux racines de la vie, est impuissante à lui donner une forme. L'analyse peut être une chose très peu appétissante, aussi peu appétissante que la mort dont elle relève en réalité, apparentée qu'elle est au tombeau et à son anatomie tarée. »

« Bien rugi, lion », ne put s'empêcher de penser Hans Castorp, comme d'habitude lorsque M. Settembrini avait émis quelque vue pédagogique. Mais il se borna à dire :

« Nous avons récemment fait de l'anatomie lumineuse dans notre rez-de-chaussée-sous-sol. Du moins Behrens l'a-t-il appelée ainsi lorsqu'il a fait notre radioscopie.

— Ah ! cette étape aussi, vous l'avez franchie ? Eh bien ?

— J'ai vu le squelette de ma main, dit Hans Castorp en s'efforçant d'évoquer les sentiments qu'avait soulevés en lui ce spectacle. Vous êtes-vous, vous aussi, fait montrer la vôtre ?

— Non, je ne m'intéresse pas le moins du monde à mon squelette. Et le diagnostic médical ?

— Il a vu des ligaments, des ligaments avec des nœuds.

— Suppôt du diable !

— Vous avez déjà une fois appelé ainsi le docteur Behrens. Qu'entendez-vous par là ?

— Soyez persuadé que c'est une expression choisie.

— Non, vous êtes injuste, monsieur Settembrini. Je vous accorde que l'homme a ses faiblesses. Sa manière de parler m'est, à la longue, désagréable à moi-même ; elle a parfois quelque chose de forcé, surtout lorsqu'on se rappelle qu'il a eu la grande douleur de perdre ici sa femme. Mais cet homme n'est-il pas honorable et n'a-t-il pas du mérite ? En somme, c'est un bienfaiteur de l'humanité souffrante. Je l'ai rencontré récemment lorsqu'il revenait d'une opération, une section de côte, une affaire où on risquait le tout pour le tout. Cela m'a fait une impression profonde de le voir venir d'un travail aussi difficile et aussi utile, et auquel il s'entend si bien. Il en était encore tout excité et, pour sa récompense, il s'était allumé un cigare. Je l'ai envié.

— Comme c'était gentil à vous ! Mais la durée de votre peine ?

— Il ne m'a pas fixé de délai.

— Pas mal non plus. Allons donc nous étendre, ingénieur. Rejoignons nos postes. »

Ils se séparèrent devant le numéro 34.

« À présent, vous montez sur votre toit, monsieur Settembrini ? Ce doit être plus gai d'être étendu en compagnie que de rester seul ? Sont-ce des gens intéressants, ceux avec qui vous faites la cure ?

— Oh ! il n'y a guère que des Parthes et des Scythes.

— Vous voulez dire : des Russes ?

— Et des femmes russes, dit M. Settembrini, et la commissure de ses lèvres se plissa. Adieu, ingénieur. »

Ç'avait été dit à bon escient, à n'en pas douter. Hans Castorp, troublé, regagna sa chambre. Settembrini savait-il où il en était ? Sans doute l'avait-il épié en bon pédagogue, et avait-il suivi la direction de ses yeux. Hans Castorp en voulait à l'Italien et à soi-même, parce que, faute d'avoir su se maîtriser, il s'était exposé à cette piqûre d'épingle. Tandis qu'il prenait plume et papier pour les emporter à sa cure de repos — car il n'était plus possible de tarder, il fallait écrire la troisième lettre —, il continua de s'irriter, grogna à part soi contre ce farceur et ce raisonneur qui se mêlait de ce qui ne le regardait pas, tandis qu'il abordait lui-même en fredonnant les jeunes filles dans la rue ; et il ne se sentait plus du tout disposé à écrire… Ce joueur d'orgue de Barbarie, par ses allusions, avait littéralement gâté sa bonne humeur. Mais, de toute façon, il avait besoin de vêtements d'hiver, d'argent, de linge, de chaussures, bref de tout ce qu'il aurait emporté s'il avait su qu'il était venu ici non pas pour trois semaines du plein de l'été, mais pour un délai indéterminé qui s'étendait certainement sur une partie de l'hiver, peut-être sur l'hiver entier, en tenant compte des conceptions que l'on avait du temps, « chez nous, en haut ». C'était là justement ce dont il fallait les informer là-bas. Il s'agissait cette fois de faire du travail sérieux, de jouer cartes sur table et de ne pas plus longtemps les berner par des sornettes.

C'est dans cet esprit qu'il leur écrivit donc en procédant comme il avait vu plusieurs fois faire Joachim : à savoir sur sa chaise longue, avec le stylographe, son buvard de voyage posé sur ses genoux remontés. Il écrivit sur une feuille de papier à lettres de l'établissement, dont une provision se trouvait dans le tiroir de sa table, à James Tienappel, celui des trois oncles avec qui il était le plus lié, et le pria de mettre le consul au courant. Il parla d'un incident fâcheux, de craintes qui s'étaient confirmées, de la nécessité, établie par les médecins, de passer ici une partie de l'hiver, peut-être l'hiver tout entier, car des cas comme le sien étaient souvent plus persistants que d'autres d'apparence plus grave, et il s'agissait, dans son cas, d'intervenir avec énergie et de se soigner une fois pour toutes. De ce point de vue, dit-il, c'était une chance et une conjoncture heureuse qu'il fût par hasard monté ici en ce moment et qu'il eût été amené à se faire ausculter ; sinon, longtemps encore, il aurait ignoré son état et plus tard il aurait peut-être été éclairé sur lui d'une manière bien plus pénible. En ce qui concernait la durée présumée de la cure, il ne faudrait pas s'étonner qu'il dût sans doute s'infliger l'hiver entier et qu'il pût difficilement revenir dans la plaine plus tôt que Joachim. Les conceptions du temps étaient tout autres ici que celles que l'on applique d'ordinaire aux séjours de vacances et aux cures de repos ; le mois était en quelque sorte la plus petite unité de temps, et pris isolément il ne jouait presque aucun rôle.

Il faisait frais, et Hans Castorp écrivait en pardessus, enveloppé dans sa couverture, avec des mains rougies. Quelquefois il levait les yeux de son papier, qui se couvrait de phrases raisonnables et persuasives, et regardait le paysage familier qu'il voyait encore à peine, cette vallée allongée, avec, au loin, la masse des sommets blafards, son fond parsemé d'habitations claires que le soleil faisait luire par instants, et les versants de forêts rugueuses et de prairies d'où venaient des sons de clarines. Il écrivait de plus en plus aisément et ne comprenait plus comment il avait pu reculer devant cette lettre. En écrivant, il comprenait lui-même que ses explications étaient absolument convaincantes et que, bien entendu, elles rencontreraient chez ses oncles une entière adhésion. Un jeune homme de sa classe et dans sa situation se soignait lorsque cela paraissait s'imposer, et il usait des commodités spécialement faites pour les gens de sa condition. C'est ainsi qu'il fallait agir. S'il était rentré et avait rendu compte de son voyage, on n'aurait pas manqué de le renvoyer ici. Il demanda qu'on lui fît parvenir ce dont il avait besoin. Il pria aussi qu'on lui envoyât régulièrement l'argent nécessaire : une mensualité de huit cents marks permettrait de couvrir toutes les dépenses.

Il signa. Voilà qui était fait. Cette troisième lettre, pour les gens de là-bas, était circonstanciée, elle suffisait pour un moment — non pas d'après les conceptions du temps qui régnaient en bas, mais d'après celles qui étaient en vigueur ici, sur la montagne. Elle consolidait la *liberté* de Hans Castorp. Tel était le mot dont il se servit, non pas expressément, non pas même en formant intérieurement ces syllabes, mais il le ressentit en son sens le plus large, comme il avait appris à le faire durant son séjour ici, un sens qui n'avait rien de commun avec celui que Settembrini prêtait à ce mot ; et une vague d'effroi et d'émotion, qu'il connaissait déjà, passa sur lui et fit frémir sa poitrine soulevée par un soupir.

Il avait le sang à la tête, et ses joues brûlaient. Il prit le thermomètre sur sa table de nuit et mesura sa température, comme s'il s'agissait de profiter de l'occasion. Le mercure monta à 37,8.

« Vous voyez bien ! » se dit Hans Castorp. Et il ajouta ce post-scriptum : « Cette lettre m'a quand même fatigué. J'ai en ce moment 37,8. Je vois qu'il faut pour commencer que je me tienne tranquille. Il faut m'excuser si j'écris rarement. » Puis il s'allongea et leva sa main vers le ciel la paume tournée en dehors, telle qu'il l'avait tenue derrière l'écran lumineux. Mais la lumière du ciel laissa intacte sa forme vivante, sa clarté en rendit même la matière plus sombre et plus opaque, et seuls les contours extérieurs furent éclairés d'une lueur rougeâtre. C'était la main vivante qu'il avait l'habitude de voir, de soigner, d'utiliser, non pas cette charpente étrangère qu'il avait aperçue sur l'écran. La fosse analytique, qu'il avait vue ouverte, s'était refermée.

Caprices du mercure

Octobre débuta comme d'autres mois commencent d'habitude : débuts, en eux-mêmes, tout à fait discrets et silencieux. Sans signes ni marques de feu, ils s'insinuent en quelque sorte d'une manière qui échapperait facilement à l'attention si elle ne veillait rigoureusement à l'ordre. Le temps, en réalité, n'a pas de coupures, il n'y a ni tonnerre, ni orage, ni sons de trompes au début d'un mois nouveau ou d'une année nouvelle ; et même à l'aube d'un nouveau siècle, les hommes seuls tirent le canon et sonnent les cloches.

Dans le cas de Hans Castorp, la première journée d'octobre ne différa en rien du dernier jour de septembre ; le temps fut aussi froid et morose qu'il avait été jusque-là, et les jours suivants ne furent pas autrement faits. On avait besoin, pour la cure de repos, du manteau d'hiver et de deux couvertures en poil de chameau, non seulement le soir, mais même le jour ; les doigts qui tenaient le livre étaient humides et raides, encore que les joues brûlassent d'une chaleur sèche ; même Joachim fut tenté de prendre son sac de fourrure, mais il y renonça pour ne pas contracter trop tôt des habitudes de mollesse.

Cependant, quelques jours plus tard — on était encore entre le commencement et le milieu du mois —, tout changea, et un été tardif éclata avec une telle splendeur qu'on en fut tout surpris. Ce n'était pas à tort que Hans Castorp avait entendu vanter le mois d'octobre dans ces parages ; durant deux bonnes semaines et demie cette splendeur du ciel régna sur la montagne et dans la vallée, une journée surenchérissait sur l'autre par la pureté de son azur, et le soleil brûlait là-dessus avec une ardeur si directe que tout le monde était tenté de sortir ses vêtements d'été les plus légers, des robes de mousseline et des pantalons de coutil que l'on avait déjà relégués, et même le grand parasol en toile sans hampe, que l'on maintenait au moyen d'un dispositif ingénieux — un piquet à plusieurs trous fixé à l'accoudoir de la chaise longue —, n'offrait vers le milieu de la journée qu'un abri insuffisant contre l'ardeur de l'astre.

« C'est une chance que je profite encore de ça, dit Hans Castorp à son cousin. Nous avons été quelquefois bien mal servis ; on dirait vraiment que l'hiver est déjà derrière nous et que le beau temps va venir. »

Il avait raison. Peu de signes indiquaient la véritable saison, et ces signes mêmes étaient à peine visibles. Si l'on mettait à part quelques érables plantés qui végétaient tout juste, en bas, à Davos-Platz, et qui depuis longtemps, découragés, avaient laissé tomber leurs feuilles, il n'y avait pas ici d'arbres à feuilles, dont l'état eût donné au paysage l'empreinte de la saison, et seul l'hybride aulne des Alpes, qui porte des aiguilles molles et les renouvelle comme des feuilles, montrait une calvitie automnale. Les autres arbres qui ornaient la contrée, qu'ils fussent hauts ou rabougris, étaient des conifères toujours verdoyants, assurés contre l'hiver qui, faute de limites distinctes, peut étendre ses tempêtes de neige sur l'année entière ; et seule une tonalité de rouille, plusieurs fois dégradée de la forêt, trahissait, malgré l'ardeur estivale du ciel, l'année finissante. Il est vrai qu'à y regarder de plus près, il y avait encore les fleurs des prés qui, elles aussi, apportaient, à voix basse, leur témoignage sur cette question. Il n'y avait plus de ces orchis qui, lors de l'arrivée du visiteur, avaient encore orné les pentes, et l'œillet sauvage n'était plus là, lui non plus. Seuls, la gentiane, le colchique à tige courbe étaient visibles et témoignaient d'une certaine fraîcheur intérieure de l'atmosphère superficiellement réchauffée, d'une fraîcheur qui pouvait tout à coup pénétrer jusqu'à la moelle des os l'homme étendu, extérieurement presque rôti par la chaleur, comme un frisson de froid secoue le malade que brûle la fièvre.

Ainsi donc, Hans Castorp ne veillait-il pas intérieurement à cet ordre par quoi l'homme qui administre le temps contrôle son écoulement, divise, compte et dénomme ses unités. Il n'avait pas pris garde à l'aube discrète du dixième mois, seul ce qui touchait les sens l'atteignait, l'ardeur du soleil avec cette secrète fraîcheur glacée en dessous et au-dedans — impression qui, à ce degré de force, était neuve pour lui et l'induisit à une comparaison culinaire : elle le faisait penser, comme il le dit à Joachim, à une *omelette en surprise*, avec de la glace sous la chaude écume des œufs. Il disait souvent des choses semblables, les disait vite, couramment et d'une voix troublée comme fait un homme qui frissonne la peau brûlante. Il est vrai que dans les intervalles, il était aussi silencieux, pour ne pas dire renfermé en lui-même; car son attention était bien dirigée vers le dehors, mais vers un seul point; le surplus, hommes et choses, se dissolvait dans un brouillard, un brouillard produit dans le cerveau de Hans Castorp et que le conseiller Behrens et le docteur Krokovski auraient sans nul doute qualifié de « produits des toxines solubles »; le jeune homme obnubilé se le disait à lui-même, mais sans que cette conscience qu'il avait de son état lui eût prêté le moins du monde le pouvoir, ou ne fût-ce que le désir de s'affranchir de son ivresse.

Car c'est une ivresse qui se suffit à elle-même et à laquelle rien ne paraît moins souhaitable et plus odieux que le dégrisement. Elle se défend même contre des impressions faites pour la dissiper, elle ne les admet pas pour se garder intacte. Hans Castorp savait et avait exprimé autrefois, que Mme Chauchat n'était pas à son avantage vue de profil; sa face paraissait alors un peu dure et plus très jeune. La conséquence? Il évita de la regarder de profil : il ferma littéralement les yeux lorsque, de près ou de loin, elle s'offrait à lui sous cet aspect, cela lui faisait mal. Pourquoi? Sa raison aurait dû saisir joyeusement cette occasion de prévaloir. Mais que demandons-nous là?... Il pâlit de ravissement lorsque Clawdia, en ces journées brillantes, parut de nouveau dans sa robe d'intérieur blanche en dentelles qu'elle portait par temps chaud et qui la rendait si extraordinairement gracieuse — lorsqu'elle survint en retard, et que, faisant claquer la porte et souriante, les bras légèrement levés à des hauteurs inégales, elle fit front à la salle à manger pour se présenter. Mais il était enchanté non pas tellement parce qu'elle paraissait à son avantage que parce que c'était ainsi, parce que cela renforçait le suave brouillard dans sa tête, cette ivresse qui l'enchantait et qui cherchait à être justifiée et nourrie.

Un expert ayant la tournure d'esprit de Lodovico Settembrini aurait, en présence d'un tel manque de bonne volonté, volontiers parlé de dérèglement, « d'une forme de dérèglement ». Hans Castorp se rappelait parfois les choses littéraires que l'Italien avait dites sur « la maladie et le désespoir », et qu'il avait trouvées incompréhensibles ou feint de juger telles. Il regarda Clawdia Chauchat, son dos affaissé, sa tête penchée en avant; il la voyait sans cesse descendre à table avec un grand retard, sans raison ni excuse, simplement par manque d'ordre et d'énergie morale ; il la voyait, par suite de ce même défaut fondamental, laisser se refermer d'elle-même la porte par laquelle elle entrait ou sortait, rouler des boulettes de pain ou, à l'occasion, ronger les côtés des bouts de ses doigts, et un pressentiment inexprimé montait en lui de ce que, si elle était malade — et elle l'était sans doute, malade, presque sans espoir, puisque depuis longtemps déjà et souvent elle avait dû vivre ici —, sa maladie était, sinon complètement, du moins pour une bonne part, de nature morale, et précisément, comme Settembrini l'avait dit, non pas la cause ou la conséquence de sa nonchalance, mais qu'elle ne formait qu'une seule et même substance avec celle-ci. Il se rappelait aussi le geste dédaigneux que l'humaniste avait eu en parlant des « Parthes et Scythes » avec lesquels il lui fallait faire sa cure de repos. Geste de mépris et d'hostilité, naturel et spontané (sans qu'il fût besoin de les justifier), que Hans Castorp connaissait bien d'autrefois, du temps où lui-même, un Castorp qui, à table, se tenait très droit, qui haïssait du fond du cœur le fracas des portes et qui n'était même pas tenté de ronger ses doigts (cela, déjà pour l'excellente raison qu'il y avait pour lui le Maria Mancini), avait été profondément choqué par la mauvaise éducation de Mme Chauchat et n'avait pu se défendre d'un sentiment de supériorité lorsqu'il avait entendu l'étrangère aux yeux bridés essayer de s'exprimer dans sa propre langue maternelle.

Mais de ce genre d'impressions, Hans Castorp s'était, par suite de son état d'esprit intime, complètement affranchi, et c'était bien plutôt contre l'Italien qu'il s'irritait, parce que celui-ci, dans sa suffisance, avait parlé de « Parthes et de Scythes », sans qu'il eût même visé des gens de la table des Russes ordinaires, de cette table autour de laquelle étaient assis les étudiants aux cheveux par trop drus et au linge invisible, discutant sans arrêt dans leur langue barbare, la seule qu'ils parussent connaître, et dont le laisser-aller faisait penser à un thorax sans côtes comme celui que le conseiller Behrens avait récemment décrit. Il était exact que les mœurs de ces gens-là pouvaient éveiller chez un humaniste des sentiments d'aversion assez vifs. Ils mangeaient avec leur couteau et tachaient leurs vêtements d'une façon indescriptible. Settembrini assurait qu'un des membres de cette compagnie, un médecin assez avancé dans ses études, s'était montré absolument ignorant du latin ; que, par exemple, il n'avait pas su ce qu'était un *vacuum*, et, d'après les propres expériences quotidiennes de Hans Castorp, Mme Stöhr ne mentait probablement pas lorsqu'elle racontait à table que les époux du numéro 32 recevaient le baigneur le matin, lorsqu'il venait pour la friction, couchés dans le même lit.

Si tout cela était vrai, le départ très visible entre les bons et les mauvais n'avait pas été institué inutilement, et Hans Castorp s'assurait à lui-même qu'il n'avait qu'un haussement d'épaules pour un quelconque propagandiste de la République et du beau style, qui, plein de suffisance et la tête froide — la tête froide, surtout, bien que lui aussi fût fiévreux et excité — confondait les deux tablées sous le nom commun de Parthes et Scythes. Le jeune Hans Castorp comprenait amplement dans quel sens cela était dit ; n'avait-il pas lui-même commencé de discerner les rapports qui existaient entre la maladie de Mme Chauchat et sa nonchalance ? Mais son état était tel qu'il l'avait un jour décrit à Joachim : on commence par être irrité et choqué, mais tout à coup « quelque chose de tout autre survient » qui « n'a absolument rien à voir avec le jugement », et c'en est fait de toute austérité ! C'est à peine si l'on reste encore accessible à des influences pédagogiques du genre républicain et oratoire. Qu'est-ce que cela, nous demandons-nous dans le même esprit que Lodovico Settembrini, qu'est-ce que cet événement énigmatique qui paralyse et suspend le jugement chez l'homme, qui le prive du droit de porter ce jugement, ou plutôt qui le détermine à renoncer à ce droit avec une ivresse insensée ? Nous ne demandons pas son nom, car ce nom tout le monde le connaît. Nous nous interrogeons sur sa nature morale et — nous l'avouons franchement — nous n'attendons pas une réponse très enthousiaste à cette question. Dans le cas de Hans Castorp, cette nature se manifesta à un degré tel que non seulement il cessa de juger, mais encore qu'il commença lui-même, de son côté, à s'essayer au genre de vie qui l'avait ensorcelé. Il tentait de se rendre compte des sentiments que l'on pouvait éprouver à se tenir à table affaissé et le dos tombant, et il trouva que c'était un grand répit pour les muscles du bassin. Puis il essaya de ne pas fermer avec soin une porte par laquelle il entrait mais de la laisser se refermer elle-même ; et cela aussi lui apparut aussi commode qu'admissible ; c'était aussi expressif que ce haussement d'épaules avec lequel Joachim l'avait naguère accueilli à la gare, et qu'il avait si souvent retrouvé chez les gens d'en haut.

À parler simplement, notre voyageur était donc amoureux fou de Clawdia Chauchat ; nous usons encore de ce mot, car nous croyons avoir suffisamment dissipé le malentendu auquel il pourrait donner lieu. Ce n'était donc pas une mélancolie tendrement sentimentale dans l'esprit de certaine chansonnette qui formait l'essence de son amour. C'était bien plutôt une variante assez osée et indéfinissable de cette démence, mélange de froid et de chaleur, comme l'état d'un fiévreux ou comme une journée d'octobre dans les zones élevées ; et ce qui manquait c'était justement un élément de cordialité qui eût relié ces extrêmes. Cet amour se rapportait d'une part, avec une spontanéité qui faisait pâlir le jeune homme et altérait ses traits, au genou de Mme Chauchat et à la ligne de sa jambe, à son dos, à sa vertèbre cervicale et à ses avant-bras qui comprimaient sa petite poitrine, en un mot à son corps, forme charnelle nonchalante et plastique, infiniment accentué par la maladie, à son corps devenu doublement corps. Et c'était d'autre part quelque chose de très fugitif et indéfini, une pensée, non, un songe, le rêve effrayant et infiniment séduisant d'un jeune homme dont les questions précises, encore que posées inconsciemment, n'avaient reçu de lui-même d'autre réponse qu'un silence creux. Comme tout le monde, nous revendiquons le droit, dans le récit qui se poursuit ici, de nous livrer à nos réflexions personnelles, et nous hasardons la supposition que Hans Castorp n'eût même pas dépassé, jusqu'au point où nous en sommes arrivés, le délai qui lui avait été primitivement assigné pour son séjour, si son âme simple avait trouvé dans les profondeurs du temps quelque réponse satisfaisante quant au sens et au but de ce service commandé : vivre.

Au surplus, sa passion amoureuse lui infligeait toutes les douleurs et lui procurait toutes les joies que cet état comporte partout et en toutes circonstances. La douleur est pénétrante; elle comporte un élément dégradant comme toute souffrance, et répond à un tel ébranlement du système nerveux qu'elle coupe la respiration et peut arracher à un homme adulte des larmes amères. Pour rendre également justice aux joies, ajoutons que celles-ci étaient nombreuses, et que, bien qu'elles eussent des motifs insignifiants, elles n'étaient pas moins vives que les souffrances. Presque chaque instant de la journée du Berghof était capable de les faire naître. Par exemple : sur le point d'entrer dans la salle à manger, Hans Castorp aperçoit derrière lui l'objet de ses rêves. Le résultat est connu d'avance et de la plus grande simplicité, mais il l'exalte intérieurement au point de faire couler ses larmes. Leurs yeux se rencontrent de près, les siens et ces yeux gris-vert dont la forme légèrement asiatique l'enchante jusqu'à la moelle. Il a perdu conscience, et c'est inconsciemment qu'il fait un pas en arrière et de côté, pour lui laisser le passage par la porte. Avec un demi-sourire et un « *merci* » prononcé à mi-voix, elle fait usage de cette offre de simple courtoisie, et, devant lui, franchit le seuil. Dans le souffle de sa personne qui le frôle, il est là, fou du bonheur que lui cause cette rencontre, et de ce qu'un mot de sa bouche, ledit « *merci* », lui ait été directement et personnellement destiné. Il la suit, en chancelant il se dirige à droite vers sa table, et, tandis qu'il tombe sur sa chaise, il peut observer que Clawdia, de l'autre côté, prenant place elle aussi, se retourne vers lui, et que son visage trahit quelque réflexion, lui semble-t-il, sur cette rencontre à la porte. Ô incroyable aventure ! Ô jubilation, triomphe et exultation infinie ! Non, Hans Castorp n'aurait pas éprouvé cette ivresse d'une satisfaction fantastique auprès de quelque petite oie blanche et saine à laquelle il eût, là-bas, au pays plat, en toute bienséance et tout repos, et avec toutes les chances de réussite, donné son cœur au sens de la chansonnette. Avec une gaieté fébrile, il salue l'institutrice qui a tout vu et qui a rougi sous son duvet, après quoi il donne assaut à Miss Robinson dans une conversation en anglais à tel point privée de sens que la demoiselle, peu habituée aux extases, recule vivement et le mesure de regards pleins d'appréhension.

Une autre fois, pendant le dîner, les rayons du clair soleil couchant tombent sur la table des « Russes bien ». On a tiré les doubles rideaux devant les portes et les fenêtres de la véranda, mais quelque part une fente bâille, à travers laquelle la lueur rouge, froide mais éblouissante, trouve son chemin pour frapper exactement la tête de Mme Chauchat, de sorte que, dans la conversation avec son creux compatriote à sa droite, elle doit s'en abriter de la main. C'est une gêne, mais pas très grave ; personne n'en a souci, l'intéressée elle-même prend à peine conscience de ce désagrément. Mais Hans Castorp parcourt la salle du regard, lui aussi laisse faire pendant un moment. Il étudie la situation, suit la direction du rayon, établit le point où il fait irruption. C'est la fenêtre en ogive, là derrière, à droite, dans l'angle, entre une porte de la véranda et la table des « Russes ordinaires », assez loin de la place de Mme Chauchat et presque aussi loin de celle de Hans Castorp. Et il prend une décision. Sans mot dire, il se lève, sa serviette à la main, passe en biais entre les tables, à travers la salle, tire soigneusement l'un sur l'autre les rideaux crème, s'assure par un coup d'œil par-dessus l'épaule que la lumière du couchant est bien écartée et que Mme Chauchat est délivrée, puis, en faisant un effort pour paraître indifférent, retourne à sa place. Un jeune homme attentionné qui fait le nécessaire parce que, autrement, personne ne penserait à le faire ! Rares étaient ceux qui avaient pris garde à son intervention, mais Mme Chauchat s'était aussitôt sentie soulagée et s'était retournée ; elle conserva cette position jusqu'à ce que Hans Castorp eût de nouveau rejoint sa place, et eût, en se rasseyant, regardé de son côté ; sur quoi elle le remercia par un sourire plein d'une surprise amicale, c'est-à-dire qu'elle porta sa tête en avant, plutôt qu'elle ne la pencha. Il accusa réception par une légère inclination du corps. Son cœur était immobile, il semblait avoir cessé de battre. Plus tard seulement, lorsque tout fut passé, il commença de marteler, et ce n'est qu'alors que Hans Castorp s'aperçut que Joachim tenait les yeux discrètement baissés sur son assiette, en même temps que sur le tard il se rendit compte que Mme Stöhr avait donné une bourrade dans le côté du docteur Blumenkohl et que son rire contenu quêtait chez les autres des regards complices…

Nous rapportons des faits quotidiens ; mais le quotidien devient étrange lorsqu'il se développe sur un terrain étrange. Il y avait entre eux des tensions et des détentes bienfaisantes, ou, sinon entre eux (car nous ne voulons pas décider dans quelle mesure Mme Chauchat elle-même y participait), du moins pour l'imagination et la sensibilité de Hans Castorp. Après le déjeuner, par ces belles journées, un grand nombre de pensionnaires avaient coutume de se rendre sur la terrasse située devant la salle à manger, pour demeurer un instant par groupes au soleil. C'était une vie et un tableau analogues à ceux qui se développaient le dimanche de la fanfare bimensuelle. Les jeunes gens, absolument désœuvrés, rassasiés de plats de viande et de douceurs, et tous légèrement fiévreux, bavardaient, se taquinaient et se lançaient des œillades. Mme Salomon, d'Amsterdam, devait être assise contre la balustrade — serrée de près par les genoux de Gänser le lippu, d'un côté, de l'autre le géant suédois qui, bien que complètement rétabli, prolongeait encore son séjour pour une petite cure supplémentaire. Mme Iltis semblait être veuve, car elle jouissait depuis peu de la présence d'un « fiancé », d'allure mélancolique et subalterne, présence qui ne l'empêchait pas d'accueillir en même temps les hommages du capitaine Miklosich, un homme au nez courbé, à la moustache cirée, à la poitrine proéminente et aux yeux menaçants. Il y avait là des habitués du solarium, de nationalités différentes, et, parmi elles, des figures nouvelles, apparues depuis le 1er octobre seulement, et que Hans Castorp eût à peine su nommer, mêlées à des cavaliers du type de M. Albin ; des jeunes gens de dix-sept ans portant monocle ; un jeune Hollandais à lunettes avec un visage rose et une passion de monomane pour l'échange des timbres-poste ; plusieurs Grecs, pommadés, avec des yeux en forme d'amande, qui inclinaient à empiéter, à table, sur les droits d'autrui ; deux petits gommeux inséparables que l'on avait surnommés « Max et Maurice », comme dans les albums de Busch, et qui passaient pour des récidivistes de l'évasion… Le Mexicain bossu, à qui son ignorance des langues ici représentées prêtait l'expression d'un sourd, prenait sans cesse des vues photographiques, en traînant avec une agilité burlesque son trépied d'un point de la terrasse à l'autre. Le conseiller aussi survenait volontiers, pour exécuter le tour de force des lacets de soulier. Mais quelque part, solitaire, se cachait dans la foule le dévot Mannheimois, et ses yeux profondément tristes suivaient, à la vive répugnance de Hans Castorp, certains chemins déterminés et secrets.

Or donc, pour en revenir cependant une fois de plus à ces « tensions et ces détentes », il arrivait que, en cette circonstance, Hans Castorp, assis sur une chaise de jardin laquée, s'entretînt avec Joachim que, malgré sa résistance, il avait forcé à sortir et à s'installer contre le mur de la maison, tandis que, devant lui, Mme Chauchat se trouvait avec ses compagnons de table, fumant une cigarette, debout près de la balustrade. Il parlait pour elle, afin qu'elle l'entendît. Elle lui tournait le dos… On voit que nous faisons allusion à un cas déterminé. La conversation de Joachim n'avait pas suffi à alimenter la loquacité affectée de Hans Castorp, il avait exprès fait une connaissance nouvelle. La connaissance de qui ? D'Hermine Kleefeld. Comme par hasard il avait adressé la parole à la jeune femme, s'était présenté lui-même et Joachim avait approché, pour elle aussi, une chaise laquée, afin de mieux pouvoir jouer son rôle dans une scène à trois. Savait-elle, demanda-t-il, de quelle diabolique façon elle l'avait effrayé, naguère, lors d'une promenade du matin ? Oui, ç'avait été à lui qu'elle avait souhaité la bienvenue par ce sifflement si encourageant ! Et elle avait réussi dans son dessein, cela, il le lui avouait sans ambages, il avait été comme frappé à la tête d'un coup de massue, elle n'avait qu'à interroger son cousin là-dessus. Ha, ha, ha, siffler avec son pneumothorax, et effrayer ainsi d'inoffensifs promeneurs ! C'était un jeu impie, un abus sacrilège, et il le qualifiait de tel, il prenait cette liberté dans un juste courroux. Et tandis que Joachim, conscient de n'être qu'un instrument, était assis, les yeux baissés, et que la Kleefeld tirait peu à peu des regards aveugles et détournés de Hans Castorp cette conviction, blessante pour sa personne, qu'elle ne servait que de moyen pour atteindre un but, Hans Castorp minaudait, prenait des airs affectés, s'exprimait avec recherche, et parlait d'une voix agréablement timbrée, jusqu'à ce qu'il obtînt enfin que Mme Chauchat se retournât vers celui qui se faisait ainsi remarquer en parlant, et le regardât en face — mais un instant seulement. Car il arriva que ses « yeux de Prisbislav » glissèrent rapidement le long de Hans Castorp, assis, les jambes croisées, et cela avec une expression d'indifférence si voulue que l'on eût dit du mépris, exactement du mépris. Un instant ils restèrent accrochés à ses souliers jaunes, puis, flegmatiques, et cachant peut-être un sourire intérieur, se retirèrent de nouveau.

Un grand, très grand malheur ! Hans Castorp continua encore quelque temps à parler fiévreusement ; puis lorsque, dans son for intérieur, il eut clairement discerné ce coup d'œil sur ses chaussures, il se tut, presque au milieu d'une phrase, et tomba en langueur. La Kleefeld, ennuyée et offensée, s'en fut. Non sans un peu d'humeur dans la voix, Joachim dit : « À présent nous pouvons aller faire notre cure. » Et ce fut un homme brisé qui lui répondit, les lèvres pâles, qu'en effet on le pouvait à présent.

Pendant deux jours, Hans Castorp souffrit cruellement de cet incident ; car il n'arriva rien dans l'intervalle qui eût pu verser un baume sur sa blessure brûlante. Pourquoi ce regard ? Pourquoi ce dédain pour lui, au nom de Dieu et de la Trinité ? Le tenait-elle pour un serin bien portant d'en bas, en quête de plaisirs anodins ? Pour un ingénu du pays plat, en quelque sorte, pour un type quelconque qui se promenait et riait et se garnissait la panse et gagnait de l'argent, un élève modèle de la vie qui ne cherchait pas autre chose que les avantages ennuyeux de l'honneur ? Était-il un futile visiteur de passage, qui ne pouvait participer de sa sphère, ou avait-il prononcé des vœux, en vertu d'un endroit humide ? N'avait-il pas pris place dans le rang, comme « un d'entre nous, en haut », avec deux bons mois derrière lui ; et le mercure, hier soir encore, n'était-il pas monté jusqu'à 37,8 ? Mais c'était cela justement qui mettait le comble à sa peine : le mercure ne montait plus ! Le terrible abattement de ces jours détermina un refroidissement, un retour au sang-froid, une détente de la nature de Hans Castorp, qui, pour son humiliation, se traduisait par des températures très basses, à peine un peu plus que normales, et c'était cruel pour lui de constater que son chagrin et sa peine ne réussissaient qu'à l'éloigner davantage encore de la manière d'être et de sentir de Clawdia.

Le troisième jour apporta la douce délivrance, l'apporta dès le matin, de bonne heure. C'était une magnifique journée d'automne, ensoleillée et fraîche, avec des prés couverts d'un réseau gris d'argent. Le soleil et la lune qui diminuait étaient tous deux également haut au ciel pur. Les cousins s'étaient levés plus tôt que d'habitude, pour prolonger, en l'honneur de cette belle journée, leur promenade matinale un peu au-delà de la limite réglementaire, et pousser un peu plus avant sur le sentier en forêt, près duquel se trouvait le banc au petit cours d'eau. Joachim, dont la courbe, elle aussi, avait précisément marqué un heureux fléchissement, avait proposé cette réconfortante entorse à la règle, et Hans Castorp n'avait pas dit non.

« Nous sommes des gens guéris, avait-il dit, désenfiévrés et désintoxiqués, autant dire mûrs pour le pays plat. Pourquoi ne nous ébattrions-nous pas comme des poulains ? » Ils s'en furent donc, tête nue — car depuis que Hans Castorp était « entré en religion », il s'était bon gré mal gré adapté à l'usage régnant de sortir sans chapeau, quelle que fût au début la fermeté avec laquelle il opposait, à cette coutume, ses habitudes d'homme bien élevé — et ils s'aidaient de leurs cannes. Mais ils n'avaient pas encore franchi en amont le chemin rougeâtre, ils étaient à peine arrivés à peu près au point où la troupe des « pneumatiques » avait autrefois rencontré le novice, lorsqu'ils remarquèrent devant eux, à quelque distance, montant lentement, Mme Chauchat. Mme Chauchat en sweater blanc, en robe de flanelle blanche et même en souliers blancs, sa chevelure roussâtre éclairée par le soleil du matin. Plus exactement : Hans Castorp l'avait reconnue ; l'attention de Joachim ne fut attirée sur ce fait que par une impression générale d'être tiraillé — sentiment provoqué par la démarche plus rapide et ailée que son compagnon avait subitement adoptée, après avoir tout d'abord brusquement ralenti et failli faire halte. Joachim trouva insupportable et irritant d'être ainsi harcelé ; son souffle se précipita et il toussota. Mais Hans Castorp qui savait où il allait et dont les organes semblaient travailler à merveille, s'en souciait peu ; et comme Joachim avait compris la situation, il fronça les sourcils en silence et emboîta le pas à son cousin, car il n'était pas possible de le laisser marcher seul en avant.

La belle matinée animait le jeune Hans Castorp. De plus, dans leur dépression, ses forces d'âme s'étaient secrètement reposées, et la certitude brillait clairement devant son esprit, que l'instant était venu où devait être brisé l'anathème qui pesait sur lui. Il allongea le pas, traînant avec lui Joachim, haletant, et qui opposait encore d'autres résistances ; et, avant le tournant du chemin, là où il devenait plat et s'infléchissait à droite, le long de la colline boisée, ils avaient presque rattrapé Mme Chauchat. Alors Hans Castorp ralentit de nouveau son allure, pour ne pas exécuter son dessein dans un état de fatigue qui trahirait son effort. Et, au-delà du tournant, entre la pente et la muraille de la montagne, entre les pins couleur de rouille parmi les branches desquels tombaient des points de soleil, il arriva, chose merveilleuse, que Hans Castorp, marchant à gauche de Joachim, rejoignit la suave malade, que, d'un pas viril, il la dépassa, et qu'à l'instant où il se trouvait à sa droite, par une inclination, sans coup de chapeau et par un « bonjour, madame », prononcé à mi-voix, il la salua *respectueusement* (pourquoi en somme : respectueusement ?), et obtint d'elle une réponse. Par un mouvement de tête aimable, et sans marquer de surprise, elle remercia, dit, à son tour, bonjour dans la langue de Hans Castorp, cependant que ses yeux souriaient — et tout cela fut tout autre chose, une chose plus profonde et bienfaisante, que le regard qu'elle avait jeté sur ses chaussures ; c'était un hasard heureux et une tournure favorable des choses vers un mieux inespéré, et qui dépassait presque son pouvoir de compréhension ; c'était la délivrance.

D'un pied ailé, ébloui par une joie insensée, en possession du salut, de la parole, du sourire, Hans Castorp poursuivait sa route à côté de Joachim qu'il mettait à l'épreuve, et qui, en silence, détourné de son cousin, regardait en bas de la pente. Castorp lui avait joué un tour, un tour assez extravagant, et qui était presque une trahison et une malice aux yeux de Joachim. Hans Castorp le savait très bien. Ce n'était pas tout à fait comme s'il avait emprunté un crayon à quelqu'un d'absolument inconnu ; bien au contraire, c'eût été presque le fait d'un malotru de passer à côté d'une femme, avec laquelle on vivait depuis des mois sous le même toit, avec raideur et sans lui témoigner sa politesse. Et Clawdia n'avait-elle pas engagé une conversation avec eux, l'autre jour, dans la salle d'attente ? Joachim n'avait donc qu'à se taire. Mais Hans Castorp comprenait bien pour quelle raison le prude Joachim se taisait, et marchait, la tête détournée, tandis que lui-même était si enthousiasmé avec tant d'exubérante frivolité, par la réussite de son coup. Non, certes, ne pouvait être plus heureux un quidam dans le pays plat, qui aurait en tout bien et tout honneur, avec de belles espérances, et le plus joyeusement du monde, « donné son cœur » à une petite oie bien portante, et qui aurait remporté un grand succès, non, un tel homme ne pouvait être aussi heureux que lui-même l'était de cette petite aubaine qu'en une heure propice il avait dérobée et mise en lieu sûr… C'est pourquoi, après un silence, il frappa avec force sur l'épaule de son cousin et dit :

« Eh bien, toi, qu'est-ce qui t'arrive ? Il fait si beau temps. Tout à l'heure nous descendrons au casino, ils jouent sans doute de la musique là-bas, y penses-tu ? Peut-être jouent-ils *Carmen*, l'air de don José. Quelle mouche t'a piqué ?

— Je n'ai rien, dit Joachim. Mais tu as l'air échauffé. Je crains que c'en soit fini de ta baisse de température. »

En effet, c'en était fini. La dépression humiliante de l'organisme de Hans Castorp était surmontée par le salut qu'il avait échangé avec Clawdia Chauchat, et, à proprement parler, c'était à la conscience qu'il avait de ce fait que tenait en réalité sa satisfaction. Oui. Joachim avait eu raison : le mercure reprenait son ascension. Lorsque Hans Castorp, de retour de sa promenade, le consulta, il monta jusqu'à 38 degrés.

Encyclopédie

Si certaines allusions de M. Settembrini avaient irrité Hans Castorp, il ne devait cependant pas s'en étonner et n'avait pas le droit d'accuser l'humaniste d'espionner ses sentiments par manie pédagogique. Même un aveugle se serait rendu compte de son état : lui-même ne faisait rien pour le tenir secret. Une certaine fierté et une noble ingénuité l'empêchaient tout simplement de ne pas avoir le cœur sur la main, en quoi il se distinguait tout au moins — et à son avantage, si l'on veut — de l'amoureux aux cheveux clairsemés, l'homme de Mannheim, et de son allure tortueuse. Nous rappelons et nous répétons que l'état dans lequel il se trouvait est généralement accompagné d'un besoin de se confier à autrui et de s'ouvrir d'une aveugle préoccupation de soi-même, et d'une tendance à remplir le monde de soi, d'autant plus gênantes pour nous autres gens de sang-froid, que l'affaire est plus stupide, sans raison ni espoir. Comment ces gens font en somme pour se trahir, c'est ce qu'il est difficile de préciser; ils ne peuvent semble-t-il, rien dire ni faire qui ne les trahisse, surtout dans une société qui, ainsi que l'avait observé un esprit sagace, avait en tout et pour tout deux choses en tête : premièrement la température, et secundo... encore une fois la température, c'est-à-dire, par exemple, la question de savoir avec qui Mme Wurmbrand, de Vienne, la dame du consul, se dédommage de l'inconstance du volage capitaine Miklosich, si c'est avec le géant suédois complètement guéri, ou avec le procureur Paravant, de Dortmund, ou, troisième éventualité, avec les deux à la fois. Car il était notoire que les liens qui avaient uni pendant plusieurs mois le procureur et Mme Salomon, d'Amsterdam, avaient été rompus par accord amiable, et que Mme Salomon, suivant la tendance de son âge, s'était tournée vers les classes plus jeunes et avait recueilli sous son aile Gänser, le lippu de la table de la Kleefeld, ou, comme Mme Stöhr disait en une sorte de style de chancellerie, mais non sans une certaine précision évocatrice, « se l'était décerné », de sorte qu'il était loisible au procureur de se battre ou de s'entendre avec le Suédois au sujet de la consule générale.

Ce sont donc ces procès qui étaient pendants dans la société du Berghof, particulièrement devant la jeunesse fébrile; procès dans lesquels les passages du balcon (à côté des parois en verre et le long de la balustrade) jouaient visiblement un rôle important. Et c'est à ces manèges que nous pensions : ils formaient une partie essentielle de l'atmosphère du lieu, et même, ce disant, nous n'avons pas encore exprimé à proprement parler ce que nous voudrions faire entendre. Hans Castorp avait, en effet, l'impression singulière qu'un accent tout particulier était placé ici sur certaine affaire, sans doute importante, mais à laquelle on accorde partout dans le monde une portée suffisante, exprimée à la fois sur le mode sérieux et plaisant, un accent si grave et si nouveau par sa gravité, qu'il faisait apparaître la chose elle-même sous un jour absolument nouveau et, sinon terrible, du moins effrayant dans sa nouveauté. En énonçant ceci, nous changeons d'expression, et nous faisons remarquer que, s'il nous est arrivé de parler jusqu'ici des rapports en cause sur un ton léger et badin, il en a été ainsi pour les mêmes raisons secrètes pour lesquelles on en use souvent ainsi, sans que cela prouve en rien qu'il s'agît de choses plaisantes et futiles (et dans la sphère où nous nous mouvons cela serait même plus déplacé qu'ailleurs). Hans Castorp avait cru qu'il s'entendait comme tout le monde et dans une mesure normale à cette affaire importante qui est si souvent l'objet de plaisanteries, et sans doute avait-il eu raison de le supposer. Mais à présent, il se rendait compte que, dans le pays plat, il n'avait eu de cela qu'une expérience très insuffisante, qu'en somme il avait été plongé à ce sujet dans l'ignorance la plus candide, tandis que, ici, des expériences personnelles dont nous avons essayé à plusieurs reprises d'indiquer la nature, et qui, à certains instants, lui avaient arraché l'exclamation : « Mon Dieu ! » le rendaient tout au moins intérieurement capable de saisir cette nuance très poussée d'inouï, d'aventureux et d'ineffable que cette chose prenait chez les gens d'en haut, en général, et pour chacun en particulier. Non qu'on ne l'ait pas, ici même, plaisanté là-dessus. Mais beaucoup plus qu'en bas, ce ton paraissait déplacé, il avait quelque chose d'essoufflé, il claquait des dents et se trahissait trop nettement comme un voile transparent jeté sur une détresse cachée, ou plutôt sur une détresse que l'on ne parvenait plus à cacher. Hans Castorp se rappelait la pâleur tachetée de Joachim, lorsque, pour la première et la dernière fois, à la manière innocemment moqueuse du pays plat, il avait fait allusion au physique de Maroussia. Il se rappelait aussi la pâleur glacée qui s'était étendue sur son propre visage lorsqu'il avait délivré Mme Chauchat de la lumière du soir qui faisait irruption, et il se souvint que, avant et après, en diverses circonstances, il avait aperçu cette pâleur sur maints visages étrangers : en général, sur deux visages à la fois, comme justement, ces jours derniers, sur les visages de Mme Salomon et du jeune Gänser entre lesquels s'engageait alors ce que Mme Stöhr constatait avec son sans-gêne habituel. Il se le rappelait, disions-nous, et il comprenait qu'en de telles circonstances il eût été non seulement très difficile de ne pas se « trahir », mais encore qu'un tel effort n'eût pas servi à grand-chose. En d'autres termes, peut-être n'était-ce pas seulement une certaine grandeur d'âme et une certaine franchise qui étaient en jeu ; mais Hans Castorp avait puisé un certain encouragement dans l'atmosphère même du lieu ; mais il se sentait peu enclin à imposer une contrainte à ses sentiments et à dissimuler son état.

Si la difficulté, signalée dès le début par Joachim, de lier ici connaissance, n'avait existé — cette difficulté se ramenait surtout au fait que les cousins formaient en quelque sorte un parti et un groupe en miniature à eux deux, et que Joachim le militaire, soucieux avant tout de guérir rapidement, était en principe opposé à un contact et à des relations plus intimes avec des compagnons de souffrance —, Hans Castorp aurait trouvé et saisi bien plus d'occasions d'afficher ses sentiments avec une spontanéité sans frein. Toujours est-il qu'il arriva à Joachim, un soir, lors de l'heure de conversation au salon, de le trouver debout en compagnie d'Hermine Kleefeld, de ses deux voisins de table, Gänser et Rasmussen, avec pour quatrième le jeune homme au monocle et aux ongles rongés, en passe d'improviser, avec des yeux qui ne se cachaient pas de leur éclat anormal, et d'une voix émue, un discours sur la conformation particulière et exotique des traits de Mme Chauchat, tandis que ses auditeurs échangeaient des regards, se poussaient du coude, et étouffaient des rires.

Voilà qui était pénible à Joachim ; mais celui qui était la cause de cette gaieté resta insensible à la révélation de son état. Resté inaperçu et celé, comment son sentiment se serait-il manifesté ? Il pouvait être certain ainsi d'être compris par tous, et il acceptait par-dessus le marché la malice dont s'accompagnait cette sympathie.

Non seulement à sa propre table, mais encore des tables voisines, on le dévisageait, pour jouir de ses pâleurs et de ses rougeurs, lorsque, après le commencement d'un repas, la porte vitrée se fermait violemment. Et de cela aussi il était content, parce qu'il lui semblait que son ivresse se trouvait en quelque sorte fortifiée et reconnue lorsqu'elle éveillait ainsi l'attention, que cette publicité était faite pour favoriser sa cause, pour encourager ses espérances vagues et insensées ; et cela l'enchantait. On en arriva à s'attrouper littéralement pour le regarder faire dans son aveuglement. Cela se passait, par exemple, après déjeuner sur la terrasse ou le dimanche après-midi, devant la loge du concierge, lorsque les pensionnaires recevaient leur courrier qui ce jour-là n'était pas distribué dans les chambres. On savait un peu partout qu'il y avait là un garçon surexcité et intoxiqué à outrance, dont toutes les émotions se lisaient sur sa figure, et il y avait là, par exemple, Mme Stöhr, Mlle Engelhart, la Kleefeld, ainsi que son amie au visage de tapir, l'incurable M. Albin, le jeune homme à l'ongle, et encore tel ou tel membre de la compagnie — ils étaient debout, là, les lèvres serrées avec ironie, pouffant par le nez, et le regardaient, lui qui, souriant d'un air absent et passionné, les yeux brillant de l'éclat qu'y avait déjà allumé la toux du « gentleman-rider », regardait dans une certaine direction…

En somme, c'était généreux de la part de Settembrini qu'en de telles circonstances il s'approchât de Hans Castorp pour l'engager dans une conversation et s'informer de sa santé ; mais il est douteux que cette philanthropique largeur de vues fût appréciée avec reconnaissance. Cela pouvait se passer dans le vestibule, le dimanche après-midi. Chez le concierge, les pensionnaires se pressaient et étendaient les mains vers leur courrier. Joachim, lui aussi, était là. Son cousin était resté en arrière et s'efforçait — dans l'état d'âme que nous avons décrit — de surprendre un regard de Clawdia Chauchat, qui était debout près de lui, avec ses compagnons de table, attendant que la foule s'éclaircît autour de la loge. C'était une heure qui mêlait les pensionnaires, une heure d'occasions impatiemment attendue, propice et, comme telle, appréciée par le jeune Hans Castorp. Il y a huit jours, au guichet, il avait frôlé de si près Mme Chauchat qu'elle l'avait même touché, et qu'avec un rapide mouvement de tête, elle lui avait

dit : « *Pardon* », sur quoi, avec une présence d'esprit fébrile qu'il bénit, il avait su répondre :
« *Pas de quoi, madame !* »

Quelle faveur de la vie, pensait-il, que, chaque dimanche après-midi, il y eût sans faute une distribution de courrier dans le hall ! On peut dire qu'il avait dévoré la semaine en attendant le retour de cette heure ; et attendre signifie devancer, signifie percevoir la durée et le présent non comme un don, mais comme un obstacle, en nier et en détruire la valeur propre, les franchir en esprit. On dit que l'attente est toujours longue. Mais elle est aussi bien ou même plus exactement courte, parce qu'elle dévore des quantités de temps, sans qu'on les vive, ni les utilise pour elles-mêmes. On pourrait dire que celui-qui-ne-fait-qu'attendre ressemble à un gros mangeur dont l'organe digestif chasserait la nourriture en quantité sans en tirer la valeur nutritive. On pourrait aller plus loin et dire : De même qu'un aliment non digéré ne fortifie pas un homme, de même le temps que l'on a passé à attendre ne le vieillit pas. Il est vrai que l'attente pure et sans mélange n'existe pour ainsi dire pas.

La semaine donc était dévorée et l'heure dominicale du courrier était de nouveau entrée en vigueur, pas autrement que si ç'avait encore été celle d'il y a sept jours. Elle continuait d'offrir des occasions propices de la manière la plus excitante ; elle contenait et offrait à chaque minute des possibilités d'entrer en relations sociales avec Mme Chauchat : possibilités qui serraient et accéléraient le cœur de Hans Castorp, sans que cependant il tentât de les transporter dans le domaine de la réalité. À cela s'opposaient, en effet, des freins d'une nature, pour une part civile, pour une part militaire, qui tenaient en partie à la présence du loyal Joachim et au sentiment de l'honneur et du devoir de Hans Castorp lui-même, en partie aussi à cette impression que des relations sociales avec Clawdia Chauchat, que des relations mondaines qui obligeaient à dire « vous », à s'incliner et peut-être même à parler français, n'étaient ni nécessaires, ni souhaitables, n'étaient pas la chose qui convenait… Il était debout, et la regardait parler en riant, exactement comme Pribislav Hippe, autrefois, avait parlé en riant dans le préau du lycée : sa bouche s'ouvrait assez largement, et ses yeux obliques, au-dessus des pommettes, s'étiraient en des fentes étroites. Ce n'était pas « joli » du tout, mais c'était ainsi, et pour un amoureux le jugement esthétique de la raison a aussi peu de portée que le jugement moral.

« Vous aussi attendez des missives, ingénieur ? »

Seul, un trouble-fête pouvait parler ainsi. Hans Castorp tressaillit et se tourna vers M. Settembrini, qui était debout en face de lui, et qui souriait. C'était le sourire fin et « humaniste » avec lequel il avait salué naguère, pour la première fois, le nouvel arrivant près du banc au bord du ruisseau, et, comme l'autre fois, Hans Castorp rougit lorsqu'il vit ce sourire. Mais aussi fréquemment qu'il eût essayé d'éconduire, dans ses songes, le « joueur d'orgue de Barbarie », parce qu'il « dérangeait ici », l'homme éveillé est meilleur que celui qui rêve, et Hans Castorp prit conscience de ce sourire non seulement pour sa confusion mais encore avec le sentiment d'en avoir besoin, et avec reconnaissance. Il dit :

« Mon Dieu, des missives, monsieur Settembrini. Je ne suis pas un ambassadeur ! Peut-être y a-t-il là une carte postale pour l'un de nous. Mon cousin est justement allé voir.

— À moi, le diable boiteux, là-devant, m'a déjà remis ma petite correspondance », dit Settembrini.

Et il porta la main à la basque de son inévitable redingote.

« Des choses intéressantes, des choses d'une portée littéraire et sociale indéniable. Il s'agit d'un ouvrage encyclopédique, auquel un institut humanitaire me fait l'honneur de me convier à collaborer… Bref, du beau travail. »

M. Settembrini s'interrompit.

« Mais vos affaires ? demanda-t-il. Où en êtes-vous donc ? Où en est, par exemple, le processus de votre assimilation ? En somme, vous n'êtes pas encore au milieu de nous depuis si longtemps pour que la question ne soit plus à l'ordre du jour.

— Merci, monsieur Settembrini ; j'éprouve toujours quelques difficultés. Il est possible que cela continue jusqu'au dernier jour. Il en est qui ne s'habituent jamais, m'a dit mon cousin dès mon arrivée. Mais on s'habitue à ne pas s'habituer.

— Un processus compliqué, rit l'Italien, une singulière manière de s'assimiler. Naturellement, la jeunesse est capable de tout. Elle ne s'habitue pas, mais elle prend racine.

— Et en définitive, nous ne sommes pas ici dans une mine sibérienne.

— Non ! Oh ! vous avez une prédilection pour des comparaisons orientales. Très explicable. L'Asie nous dévore. Partout où l'on jette les yeux, des visages tartares. »

Et M. Settembrini tourna discrètement la tête pardessus l'épaule.

« Gengis Khan, dit-il, yeux de loups des steppes, neige et eau-de-vie, knout, casemates et christianisme. On devrait élever ici, dans l'entrée, un autel à Pallas Athéna — par manière de défense. Voyez-vous là devant un de ces Ivan Ivanovitch sans linge blanc qui se dispute avec le procureur Paravant ? Chacun veut avoir le pas sur l'autre pour recevoir son courrier. Je ne sais pas qui des deux a raison, mais, à mon sentiment, le procureur est sous la protection de la déesse. Il a beau être un âne, du moins entend-il le latin. »

Hans Castorp rit — ce qui n'arrivait jamais à M. Settembrini. On ne pouvait pas du tout l'imaginer riant jovialement ; il ne dépassait jamais ce plissement fin et sec aux commissures de ses lèvres. Il regarda rire le jeune homme et l'interrogea ensuite :

« Votre cliché, l'avez-vous déjà reçu ?

— Je l'ai reçu, confirma Hans Castorp, d'un ton important. Il y a quelque temps déjà. Le voici. »

Et il plongea sa main dans la poche intérieure de sa veste.

« Ah ! vous l'avez dans votre portefeuille. Comme une pièce d'identité en quelque sorte, un passeport ou une carte de membre. Très bien. Faites voir. »

Et M. Settembrini leva la petite plaque de verre, encadrée d'une bande de papier noir, pour la tenir, entre l'index et le pouce de sa main gauche, contre la lumière : un geste très courant, et que l'on pouvait fréquemment observer ici. Sa figure aux yeux noirs taillés en amande grimaça légèrement lorsqu'il examina la funèbre photographie, sans laisser voir tout à fait nettement si ce n'était qu'un effort pour mieux y voir ou pour tout autre chose.

« Eh bien, dit-il ensuite. Je vous rends votre passeport, merci bien. »

Et il remit la plaque à son propriétaire, la lui tendit de côté, par-dessus son propre bras, en détournant la tête.

« Avez-vous vu les lignes calcifiées ? demanda Hans Castorp ? Et les nœuds ?

— Vous savez, répondit Settembrini, lentement, ce que je pense de l'importance de ces produits. Vous savez aussi que ces taches et ces ombres là-dedans sont pour la plupart d'origine physiologique. J'ai examiné des centaines de clichés qui avaient à peu près l'aspect du vôtre, et qui laissaient au jugement toute latitude de décider si oui ou non elles constituaient une pièce justificative. Je parle en amateur, mais malgré tout en amateur qui a des années d'expérience.

— Votre propre passeport est-il plus vilain ?

— Oui, un peu moins favorable. D'ailleurs, je sais que même nos chefs et supérieurs ne fondent aucun diagnostic sur ce jouet à lui seul. Et vous avez donc l'intention d'hiverner chez nous ?

— Mon Dieu, oui… Je commence à m'habituer à la pensée que je ne redescendrai d'ici qu'avec mon cousin.

— C'est-à-dire que vous commencez à vous habituer à ne pas… Vous formulez cela très spirituellement. J'espère que vous avez reçu vos affaires — des vêtements chauds, des chaussures solides.

— Tout, tout est parfaitement en ordre, monsieur Settembrini. J'ai prévenu mes parents, et notre gouvernante m'a tout envoyé par exprès. Je peux donc tenir.

— Cela me rassure. Mais, halte ! vous avez besoin d'un sac, d'un sac de fourrure — à quoi pensons-nous ? Cet été tardif est trompeur ; d'une heure à l'autre, nous pouvons être en plein hiver. Vous passerez ici les mois les plus froids…

— Oui, le sac de couchage, dit Hans Castorp, c'est sans doute un accessoire nécessaire. J'y ai déjà songé en passant, et me suis dit que mon cousin et moi, nous descendrions un de ces jours à Davos-Platz pour en acheter un. On n'en a plus jamais besoin ensuite, mais en somme, pour quatre à six mois, cela en vaut la peine.

— Cela en vaut la peine, cela en vaut la peine, ingénieur, dit doucement M. Settembrini, en s'approchant du jeune homme. Mais savez-vous que c'est effrayant de vous voir jongler avec les mots ! Effrayant parce que c'est anormal et étranger à votre nature, parce que cela ne tient qu'à la docilité de votre âge. Ah ! cette excessive faculté d'adaptation de la jeunesse ! La jeunesse est le désespoir des éducateurs, parce qu'elle est avant tout prête à faire ses preuves dans le pire. Ne parlez pas, jeune homme, comme vous entendez parler ici, mais en conformité avec votre manière d'être européenne. Ici, il y a surtout beaucoup d'Asie en l'air, ce n'est pas en vain que cela grouille de types de la Mongolie moscovite. Ces gens — et Settembrini, du menton, fit un mouvement en arrière, par-dessus son épaule —, ne vous orientez pas intérieurement sur eux, ne vous laissez pas infecter par leurs conceptions, opposez bien plutôt votre nature, votre nature *supérieure* à la leur, et tenez sacré ce qui, par nature et par votre origine, doit être sacré pour vous, fils de l'Occident, du divin Occident, fils de la civilisation : je veux dire le Temps, par exemple. Ce galvaudage, cette prodigalité généreuse dans l'emploi du temps est de style asiatique, et sans doute est-ce la raison pour laquelle les enfants de l'Orient se plaisent ici. N'avez-vous jamais remarqué que lorsqu'un Russe dit "quatre heures", ce n'est pas plus que lorsque quelqu'un de nous dit "une heure" ? Il tombe sous le sens que la nonchalance de ces gens à l'égard du temps est en rapport avec la sauvage immensité de leur pays. Où il y a beaucoup d'espace, il y a beaucoup de temps ; ne dit-on pas qu'ils sont le peuple qui "a le temps" et qui peut attendre ? Nous autres Européens, nous ne le pouvons pas. Nous avons aussi peu de temps que notre noble continent, découpé avec tant de finesse, a d'espace ; nous sommes astreints à administrer l'un comme l'autre avec précision, nous devons songer à l'utile, à l'utilité, ingénieur ! Prenez nos grandes villes comme symbole, ces centres et ces foyers de la civilisation, ces cratères de la pensée ! Dans la mesure où le terrain monte en prix, où le gaspillage de l'espace y devient une impossibilité, le temps — remarquez-le ! — y devient également de plus en plus précieux. *Carpe diem !* C'est un citadin qui a chanté ainsi. Le temps est un don des dieux, prêté à l'homme pour qu'il en tire parti, pour qu'il en tire un parti utile, ingénieur, au service du progrès de l'humanité. »

Même ces derniers mots — et quelque obstacle que la langue allemande pût opposer à sa langue méditerranéenne —, M. Settembrini les avait prononcés d'une manière agréablement sonore, claire, et l'on peut presque dire, plastique. Hans Castorp ne répondit pas autrement que par la révérence brève, raide et empruntée d'un élève qui vient de recevoir une leçon tenant du blâme. Qu'eût-il dû répondre ? Cette conversation très personnelle que M. Settembrini avait engagée avec lui, le dos tourné à tous les autres pensionnaires et presque en chuchotant, avait eu un caractère trop objectif, trop peu mondain, avait trop peu ressemblé à une conversation proprement dite pour que le tact eût permis même de formuler une approbation. On ne répond pas à un professeur : « Comme vous avez bien dit ça ! » Hans Castorp, autrefois, l'avait dit à plusieurs reprises, comme pour se maintenir sur un pied d'égalité mondaine avec Settembrini ; mais l'humaniste n'avait jamais parlé avec une insistance aussi didactique ; il ne lui restait qu'à encaisser la réprimande, étourdi comme un écolier par tant de morale.

On voyait d'ailleurs à l'expression de M. Settembrini que, même dans le silence, l'activité de son esprit se poursuivait. Il se tenait toujours immédiatement contre Hans Castorp, de sorte que celui-ci dut même le rejeter légèrement en arrière, et ses yeux noirs étaient suspendus avec la fixité aveugle d'un homme absorbé par sa pensée au visage du jeune homme.

« Vous souffrez, ingénieur, poursuivit-il, vous souffrez comme un égaré. Qui ne s'en apercevrait pas à votre expression ? Mais votre attitude en face de la souffrance devrait être une conduite européenne, non pas la conduite de l'Orient, cet Orient efféminé et morbide qui délègue ici tant de malades… La pitié et la patience infinie, telle est sa manière d'affronter le mal. Ce ne peut, ce ne doit être la vôtre ! Nous parlions tout à l'heure de mon courrier… Voyez-vous, ici… Ou, mieux encore, venez ! Il est impossible, ici… Nous nous retirons, nous entrons là, de l'autre côté… Je vais vous faire des confidences qui… Venez ! »

Et, faisant volte-face, il entraîna Hans Castorp hors du vestibule, dans le premier salon, le plus voisin du portail qui était aménagé en salle de lecture et de travail, et où aucun pensionnaire ne se tenait pour le moment. Il y avait des boiseries en chêne sous la voûte claire, des bibliothèques, une table entourée de chaises et couverte de journaux encadrés au centre, et des tables pour écrire sous les arceaux des fenêtres. M. Settembrini s'avança jusque dans le voisinage d'une de ces fenêtres. Hans Castorp le suivit. La porte demeura ouverte.

« Ces papiers, dit l'Italien, en tirant d'une main pressée, de la poche de sa basque, gonflée comme une bourse, une liasse, une volumineuse enveloppe déjà ouverte, et son contenu — divers imprimés ainsi qu'une lettre — et en les faisant glisser à travers ses doigts sous les yeux de Hans Castorp, ces papiers portent en langue française l'en-tête : "Ligue internationale pour l'organisation du progrès." On me les envoie de Lugano, où se trouve une section de la Ligue. Vous vous informez de ses principes, de ses buts ? Je vous les indiquerai en deux mots. La Ligue pour l'organisation du progrès déduit de la doctrine évolutionniste de Darwin cette vue philosophique que la vocation naturelle la plus profonde de l'humanité est de se perfectionner elle-même. Elle en conclut encore que c'est le devoir de chacun qui veut répondre à cette vocation naturelle, de collaborer activement au progrès de l'humanité. Nombreux sont ceux qui ont entendu cet appel ; le nombre des membres de la Ligue en France, en Italie, en

Espagne, en Turquie, et même en Allemagne, est considérable. Moi aussi, j'ai l'honneur de figurer comme tel sur les registres de la Ligue. Un programme de réformes de grand style a été élaboré selon des méthodes scientifiques, programme qui embrasse toutes les possibilités présentes de perfectionnement de l'organisme humain. On étudie le problème de la santé de notre race, on examine toutes les méthodes pour combattre la dégénérescence qui est sans doute une conséquence inquiétante de l'industrialisation croissante. De plus, la Ligue s'emploie en faveur de la fondation d'universités populaires, de la suppression de la lutte des classes par toutes les réformes sociales qui peuvent contribuer à ce dessein, enfin de la suppression des conflits entre les peuples, de la guerre, par le développement du droit international. Vous le voyez, les efforts de la Ligue sont généreux et largement conçus. Plusieurs revues internationales témoignent de son activité, des revues mensuelles qui, en trois ou quatre langues, rendent compte d'une manière fort intéressante du développement et des progrès de l'humanité cultivée, de nombreux groupes locaux ont été fondés en divers pays, et doivent exercer une action civilisatrice et éducatrice dans le sens de l'idéal progressiste par des réunions contradictoires et des solennités dominicales. Mais la Ligue s'applique surtout à aider, par sa documentation, les partis politiques progressistes de tous pays… Vous me suivez, ingénieur ?

— Absolument ! » répondit Hans Castorp avec une vivacité précipitée. Ce disant, il avait l'impression d'un homme qui glisse et qui réussit tout juste à se maintenir sur ses pieds.

M. Settembrini parut satisfait.

« Je suppose que ce sont des perspectives nouvelles et surprenantes que je vous ouvre là.

— Oui, je dois avouer que c'est la première fois que j'entends parler de ces… de ces efforts.

— Ah ! Que n'en avez-vous entendu parler plus tôt ! Mais peut-être n'est-il pas encore trop tard. Donc, ces imprimés… Vous voulez savoir de quoi ils traitent ? Écoutez-moi donc ! Ce printemps-ci, une assemblée générale solennelle de la Ligue a eu lieu à Barcelone. Vous savez que cette ville peut s'enorgueillir de relations particulières avec l'idéal politique du progrès. Le congrès siégea pendant une semaine, avec des banquets et des solennités de toute sorte. Mon Dieu, mon intention était de m'y rendre, j'éprouvais le désir le plus vif de prendre part à ses délibérations. Mais ce gredin de docteur me l'a interdit en me menaçant de mort, et que voulez-vous ? j'ai eu peur de la mort, et je n'y suis pas allé. J'étais désespéré, comme vous le pensez bien, de ce tour que me jouait ma santé précaire. Rien n'est plus douloureux que lorsque la partie animale, organique, de nous-même nous empêche de servir la raison. D'autant plus vive est ma satisfaction de cette lettre du bureau de Lugano... Vous êtes curieux de son contenu ? Je le crois volontiers. Quelques rapides renseignements... La Ligue pour l'organisation du progrès, consciente que sa tâche consiste à préparer le bonheur de l'humanité, en d'autres termes : à combattre et à éliminer finalement la souffrance humaine par un effort social approprié, considérant d'autre part que cette tâche très haute ne peut être accomplie qu'au moyen de la science sociologique — dont le but dernier est l'État parfait —, la Ligue donc a décidé à Barcelone la publication d'une œuvre en de nombreux volumes qui portera le titre *Sociologie de la souffrance* et où les maux de l'humanité, toutes leurs catégories et leurs variétés, devront faire l'objet d'une étude systématique et complète. Vous m'objecterez : à quoi servent les catégories, les variétés et les systèmes ? Je vous réponds : Ordonnance et sélection sont le commencement de la domination, et l'ennemi le plus dangereux c'est l'ennemi inconnu. Il faut tirer l'espèce humaine des stades primitifs de la peur et de l'apathie résignée, et l'entraîner dans la phase de l'activité consciente. Il faut éclairer sa religion, lui faire entendre que les effets disparaissent, dont on a commencé, avant de les supprimer, de découvrir les causes, et que presque tous les maux de l'individu sont des maladies de l'organisme social. Bon ! Tel est donc le dessein de la "pathologie sociale". En une vingtaine de volumes du format de dictionnaire, elle énumérera et étudiera tous les cas de souffrances humaines qui se peuvent imaginer, depuis les plus personnelles et les plus intimes jusqu'aux grands conflits de groupes, aux maux qui découlent d'hostilités de classes et de heurts internationaux ; bref elle dénoncera les éléments chimiques dont les mélanges et les combinaisons multiples déterminent toutes les souffrances humaines, et en prenant pour ligne de conduite la dignité et le bonheur de l'humanité, elle lui proposera au moins les moyens et les mesures qui paraîtront indiqués pour éliminer les causes de ces maux. Des spécialistes avertis du monde de la science européenne, des médecins, des économistes et des psychologues se partageront la rédaction de cette encyclopédie des maux, et le bureau central de rédaction à Lugano sera le confluent de ces divers articles. Vos yeux me demandent quel rôle doit me revenir dans tout cela ? Laissez-moi terminer. Les belles-lettres, non plus, ne doivent pas être négligées dans cette grande œuvre, pour autant qu'elles ont précisément pour objet les souffrances humaines. Aussi a-t-on prévu un volume à part qui, pour la consolation et l'enseignement de ceux qui souffrent, doit grouper et analyser brièvement tous les chefs-d'œuvre de la littérature universelle qui concernent chacun de ces conflits ; et telle est la tâche que, par la lettre que voici, on confie à votre humble serviteur.

— Pas possible, monsieur Settembrini ! S'il en est ainsi, laissez-moi vous féliciter de tout cœur. Voilà une tâche magnifique et vraiment faite pour vous, me semble-t-il. Je ne suis pas du tout surpris que la Ligue ait pensé à vous. Et comme cela doit vous réjouir de pouvoir aider à présent à combattre les souffrances humaines.

— C'est un long travail, dit M. Settembrini, songeur, qui exige beaucoup de circonspection et de lectures, ajouta-t-il, tandis que son regard semblait se perdre dans la multiplicité de sa tâche, d'autant plus qu'en effet les belles-lettres se sont presque régulièrement donné la souffrance pour objet et que même des chefs-d'œuvre de deuxième et troisième ordre s'en occupent en quelque manière. N'importe, ou plutôt, tant mieux ! Si vaste que puisse être cette tâche, elle est de toute façon de celles dont on peut, à la rigueur, s'acquitter en ce maudit séjour, quoique j'espère ne pas être contraint de l'achever ici. On ne peut pas en dire autant, poursuivit-il en se rapprochant à nouveau de Hans Castorp et en baissant la voix jusqu'au chuchotement, on ne peut pas en dire autant des devoirs que la nature vous impose, à *vous*, ingénieur. C'est là où je voulais en venir et c'est là ce que je voulais vous rappeler. Vous savez combien j'admire votre profession, mais comme c'est une profession pratique, non pas une profession intellectuelle, vous ne pouvez l'exercer, contrairement à ce qu'il en est de moi, que là-bas, dans le monde. Ce n'est qu'au pays plat que vous pouvez être Européen, combattre activement la douleur, à votre manière, favoriser le progrès, utiliser votre temps. Je vous ai parlé de la tâche qui m'incombe pour vous faire souvenir, pour vous rendre à vous-même, pour redresser vos conceptions qui, apparemment, commencent à se brouiller sous des influences atmosphériques. J'insiste auprès de vous : Ayez de la tenue ! Soyez fier et ne vous égarez pas au milieu de ce qui vous est étranger. Évitez ce marécage, cet îlot de Circé, vous n'êtes pas assez Ulysse pour y séjourner impunément. Vous marcherez à quatre pattes, vous vous penchez déjà vers vos extrémités antérieures, bientôt vous commencerez à grogner… Prenez garde ! »

Tout en exhortant doucement Hans Castorp, l'humaniste avait hoché la tête avec insistance. Il se tut, les yeux baissés et les sourcils froncés. Il était impossible de lui répondre sur un mode plaisant, ou évasivement, comme Hans Castorp avait pris l'habitude de le faire, et comme cette fois encore, il en envisagea un instant la possibilité. Lui aussi avait baissé les paupières. Puis il haussa les épaules, et dit tout aussi doucement :

« Que dois-je faire ?

— Ce que je vous ai dit.

— C'est-à-dire : repartir ? »

M. Settembrini se tut.

« Voulez-vous dire que je dois retourner chez moi ?

— Je vous ai conseillé cela dès le premier soir, ingénieur.

— Oui, et alors j'étais libre de le faire, bien que je jugeasse déraisonnable de jeter ainsi le manche après la cognée, simplement parce que l'air d'ici me portait un peu sur les nerfs. Mais depuis, la situation a tout de même changé. Depuis, il y a eu cette consultation après laquelle le docteur Behrens m'a dit clairement que ce n'était pas la peine de rentrer, puisque sous peu je me verrais contraint de remonter ici, et que si je continuais cette vie dans la plaine, que je le veuille ou non, tout le lambeau de poumon s'en irait au diable.

— Je sais, maintenant vous avez votre justification en poche.

— Oui, vous dites cela ironiquement… avec cette ironie de bon aloi, naturellement, celle qui ne prête à aucun malentendu, qui est une forme directe et classique de rhétorique — vous voyez, je me rappelle vos propres termes. Mais pouvez-vous prendre la responsabilité, devant cette photographie, et après les résultats de la radioscopie, et après le diagnostic du docteur, de me conseiller de rentrer chez moi ? »

M. Settembrini hésita un instant. Puis il se redressa, ouvrit les yeux, qu'il fixa sur Hans Castorp, fermes et noirs, et répondit avec un accent qui ne manquait pas d'une certaine intention théâtrale et d'une recherche de l'effet :

« Oui, ingénieur, je suis prêt à prendre cette responsabilité. »

Mais l'attitude de Hans Castorp, elle aussi, s'était raffermie à présent. Il se tenait les talons joints et regardait en face M. Settembrini. Cette fois, c'était un duel. Hans Castorp tenait tête. Des influences toutes proches le fortifiaient. Ici il y avait un pédagogue, et là, tout près, il y avait une femme aux yeux bridés. Il ne s'excusa même pas de ce qu'il allait dire ; il n'ajouta pas : « Ne m'en veuillez pas. » Il répondit :

« Alors, vous êtes plus prudent pour vous que pour autrui ! Vous n'êtes pas allé, vous, à Barcelone, au congrès des progressistes, en dépit de l'interdiction du médecin. Vous avez eu peur de la mort et vous êtes resté ici. »

Jusqu'à un certain point la pose de M. Settembrini était incontestablement ébranlée. Il ne sourit pas tout à fait sans peine et dit :

« Je sais apprécier une repartie prompte, même lorsque sa logique frise le sophisme. Il me répugne de concourir dans cet odieux concours qui est d'usage ici ; sinon, je vous répondrais que je suis sensiblement plus malade que vous : malheureusement si malade que je ne conserve plus l'espoir de jamais quitter ce lieu et de pouvoir retourner dans le monde d'en bas, qu'en me dupant moi-même par des artifices. À l'instant où il me paraîtra tout à fait indécent de maintenir plus longtemps cette illusion, je quitterai cet établissement et occuperai pour le restant de mes jours un logement privé, quelque part, dans la vallée. Ce sera triste, mais comme la sphère de mon travail est la plus libre et la plus idéale, cela ne m'empêchera pas de servir jusqu'à mon dernier souffle la cause de l'humanité et de faire front contre l'esprit de la maladie. J'ai déjà attiré votre attention sur la différence qu'il y a à cet égard entre nous. Ingénieur, vous n'êtes pas un homme fait pour défendre ici la meilleure part de vous-même, je l'ai vu dès notre première rencontre. Vous me reprochez de ne pas être parti pour Barcelone. Je me suis soumis à l'ordre du médecin, pour ne pas me faire périr prématurément. Mais je l'ai fait sous les plus fortes réserves, non sans que mon esprit ait protesté orgueilleusement et douloureusement contre l'injonction de mon corps pitoyable. Cette protestation est-elle aussi vivante en vous tandis que vous obéissez aux prescriptions des puissances d'ici, ou n'est-ce pas bien plutôt au corps et à sa tendance néfaste que vous obéissez avec trop d'empressement... ?

— Pourquoi en voulez-vous au corps ? » interrompit rapidement Hans Castorp, et il regarda l'Italien de ses yeux bleus grands ouverts dont le blanc était strié de veines rouges. Sa folle témérité lui donnait le vertige, et il s'en rendait compte. « De quoi parlé-je ? pensait-il. Cela devient formidable. Mais me voici sur le pied de guerre avec lui, et, tant que ça ira, je ne lui laisserai pas le dernier mot. Naturellement, il finira par l'avoir quand même, mais ça ne fait rien, j'y trouverai toujours mon profit. Je vais l'exciter. » Il compléta son objection :

« N'êtes-vous pas humaniste ? Comment pouvez-vous être mal disposé envers le corps ? »

Settembrini sourit, cette fois sans contrainte, et sûr de lui.

— « “Que reprochez-vous à l’analyse ?” cita-t-il, la tête sur l’épaule. “Êtes-vous mal disposé envers l’analyse ?” Vous me trouverez toujours prêt à vous donner la réplique, ingénieur, dit-il en s’inclinant et en saluant d’un geste de la main le plancher, surtout lorsque vous faites preuve d’esprit dans vos objections. Vous ne parlez pas sans élégance. Humaniste, certes, je le suis. Vous ne me convaincrez jamais de tendances ascétiques. J’approuve, j’honore et j’aime le corps, comme j’approuve, j’honore et j’aime la forme, la beauté, la liberté, la gaieté et la jouissance — comme je représente le monde des intérêts vitaux contre la fuite sentimentale hors du monde, le *classicismo* contre le romantisme. Je pense que ma position ne comporte pas d’équivoque. Mais il y a une puissance, un principe auxquels va ma plus haute approbation, mon hommage suprême et ultime, et mon amour, et cette puissance, ce principe, c’est l’esprit. Quelque répugnance que j’éprouve à voir opposer au corps je ne sais quel tissu et quel fantôme de clair de lune que l’on appelle “l’âme”, dans l’antithèse entre corps et esprit, le corps signifie le principe mauvais et diabolique, car le corps est nature, et la nature — opposée comme vous le faites, à l’esprit, à la raison, je le répète — est mauvaise, mystique et mauvaise. “Vous êtes humaniste !” Sans doute, je le suis, car je suis un ami de l’homme, comme Prométhée l’était, un amoureux de l’humanité et de sa noblesse. Mais cette noblesse est sise dans l’esprit, dans la Raison, et c’est pourquoi vous me ferez en vain le reproche d’obscurantisme chrétien… »

Hans Castorp se défendit du geste.

« … Vous élèverez en vain ce reproche, persista Settembrini, si l’humanisme, en son noble orgueil, éprouve la soumission de l’esprit au corps, à la nature d’un jour, comme une humiliation, comme une insulte. Savez-vous que l’on nous a transmis cette parole du grand Plotin qu’il avait “honte d’avoir un corps” ? demanda Settembrini et il exigeait si sérieusement une réponse que Hans Castorp fut obligé d'avouer qu'il entendait cela pour la première fois.

— Porphyre nous a transmis cette parole. Elle est absurde, si vous voulez. Mais l'absurde est ce qui est spirituellement vaillant, et rien ne peut être au fond plus mesquin que l'objection de l'absurdité là où l'esprit tend à maintenir sa dignité contre la nature, se refuse à abdiquer devant elle... Avez-vous entendu parler du tremblement de terre de Lisbonne ?

— Non — un tremblement de terre ? Je ne vois pas de journaux ici...

— Vous me comprenez mal. Soit dit en passant il est regrettable — et cela caractérise ce lieu — que vous négligiez ici de lire les journaux. Mais vous vous méprenez, le phénomène naturel auquel je fais allusion n'est pas récent, il s'est produit voici quelque cent cinquante ans...

— Ah ! oui, attendez donc — c'est juste. J'ai lu que Goethe avait dit à ce moment-là, la nuit, à Weimar, dans sa chambre à coucher, à son domestique...

— Ah ! ce n'est pas de cela que je voulais parler, l'interrompit Settembrini en fermant les yeux et en agitant en l'air sa petite main brune. D'ailleurs, vous confondez les catastrophes. Vous pensez au tremblement de terre de Messine. Je veux dire la secousse qui a éprouvé Lisbonne, en 1755.

— Excusez-moi.

— Eh bien, Voltaire s'est élevé contre elle.

— C'est-à-dire... comment ? Il s'est élevé ?

— Il s'est révolté, oui. Il n'a pas admis cette fatalité brutale ; et le fait même, il s'est refusé à abdiquer devant lui. Il a protesté au nom de l'Esprit et de la Raison contre ce scandaleux excès de la nature dont les trois quarts d'une ville florissante et des milliers de vies humaines ont été victimes... Vous êtes surpris ? vous souriez ? Étonnez-vous toujours ; quant au sourire, je prends la liberté de vous le reprocher ! L'attitude de Voltaire était celle d'un vrai descendant de ces authentiques Gaulois qui envoyaient leurs flèches contre le ciel... Voyez-vous, ingénieur, voilà bien l'hostilité de l'esprit contre la nature, sa fière méfiance envers elle, sa noble obstination dans le droit à la critique à l'égard de cette puissance mauvaise et contraire à la Raison. Car la nature est une puissance et c'est se montrer servile que d'accepter la puissance, que de s'en accommoder… Notez bien : de s'en accommoder intérieurement. Il n'en est pas autrement de cet humanisme qui ne se laisse impliquer dans aucune contradiction, qui ne se rend coupable d'aucune rechute dans l'hypocrisie chrétienne, lorsqu'elle se décide à voir dans le corps le principe mauvais et adverse. La contradiction que vous croyez apercevoir est au fond toujours la même. “Pourquoi en voulez-vous à l'analyse ?” Je ne lui en veux pas… lorsqu'elle est le fait de l'enseignement, de l'affranchissement et du Progrès. Je lui en veux lorsqu'elle porte en elle le haut goût nauséabond du tombeau. Il n'en va pas autrement du corps. Il faut l'honorer et le défendre lorsqu'il s'agit de son émancipation et de sa beauté, de la liberté des sens, du bonheur, du plaisir. Il faut le mépriser pour autant qu'il s'oppose au mouvement vers la lumière comme principe de gravité et d'inertie, lui répugner pour autant qu'il représente le principe de la maladie et de la mort, pour autant que son esprit spécifique est l'esprit de la perversion, l'esprit de la décomposition, de la volupté et de la honte… »

Settembrini avait prononcé ces derniers mots debout tout près de Hans Castorp, presque sans accent, et très vite, pour en finir. Mais la délivrance s'approchait pour Hans Castorp cerné. Joachim, deux cartes postales en main, entra dans la salle de lecture, le discours du littérateur fut interrompu, et l'habileté avec laquelle il sut faire prendre à son visage une expression légère et mondaine ne manqua pas de faire impression sur son élève, si l'on pouvait nommer ainsi Hans Castorp.

« Vous voilà, lieutenant ! Vous devez avoir cherché votre cousin, pardonnez-moi. Nous avons engagé une conversation, et, si je ne me trompe, nous avons eu une petite querelle. Ce n'est pas un mauvais raisonneur que votre cousin, un jouteur assez dangereux dans la controverse, lorsqu'elle lui tient à cœur. »

Humaniora

Hans Castorp et Joachim Ziemssen, en pantalons blancs et en vareuses bleues, étaient, après le dîner, assis au jardin. C'était encore une de ces journées d'octobre tant vantées, une journée à la fois chaude et légère, joyeuse et amère, avec un bleu d'une profondeur méridionale au-dessus de la vallée dont les pacages, sillonnés de chemins et habités, verdoyaient encore gaiement dans le fond, et dont les pentes couvertes de forêts rugueuses renvoyaient le son des clarines, ce pacifique tintement de ferblanc, ingénument musical, qui flottait, clair et paisible, à travers les airs calmes, rares et vides, approfondissant l'atmosphère de fête qui domine ces hautes contrées.

Les cousins étaient assis sur un banc, au bout du jardin, devant un rond-point de petits sapins. L'endroit était situé au bord nord-ouest de la plate-forme enclose, qui, surélevée de cinquante mètres au-dessus de la vallée, formait le piédestal de la propriété du Berghof. Ils se taisaient. Hans Castorp fumait. Il en voulait secrètement à Joachim parce que celui-ci, après le dîner, n'avait pas voulu prendre part à la réunion dans la véranda, et, contre son gré, l'avait obligé à venir dans le calme du jardin, en attendant qu'ils reprissent leur cure de repos. C'était tyrannique de la part de Joachim. En somme, ils n'étaient pas des frères siamois. Ils pouvaient se séparer si leurs penchants n'étaient pas les mêmes. Hans Castorp, après tout, n'était pas ici pour tenir compagnie à Joachim, il était lui-même un malade. Il boudait, tout à sa rancune, et se consolait avec son Maria Mancini. Les mains dans les poches de son veston, ses pieds chaussés de noir étendus devant lui, il tenait entre les lèvres, en le laissant pendre légèrement, le long cigare d'un gris mat qui se trouvait encore dans le premier stade de la combustion — c'est-à-dire : dont il n'avait pas encore fait tomber la cendre de l'extrémité tronquée — et après le repas lourd il jouissait de cet arôme dont il avait complètement repris possession. Si sa manière de s'accoutumer à ce séjour ici consistait en ceci qu'il s'habituait à ne pas s'habituer, à en juger par les réactions chimiques de son estomac, par les nerfs de ses muqueuses sèches portées à saigner, l'assimilation, apparemment, s'était quand même accomplie : insensiblement et sans qu'il eût pu poursuivre ce progrès, au gré des jours, de ces soixante-cinq ou soixante-dix jours, il avait reconstitué toute la jouissance organique qu'il tirait de cet excitant ou de ce stupéfiant végétal préparé avec soin. Il était heureux d'avoir retrouvé son pouvoir, La satisfaction morale multipliait la satisfaction physique. Pendant toute la durée de son séjour au lit, il avait épargné sa provision de quelque deux cents cigares ; et il en restait encore. Mais en même temps que son linge, que ses vêtements d'hiver, il s'était fait envoyer par Schalleen encore cinq cents pièces de l'excellente marchandise brémoise, pour être paré à toute éventualité. C'étaient de jolies cassettes laquées, ornées d'une mappemonde, de beaucoup de médailles et d'un pavillon d'exposition entouré de drapeaux flottants et décorés d'or.

Tandis qu'ils étaient assis, voici venir le docteur Behrens à travers le jardin. Il avait pris part ce jour-là au dîner, dans la salle à manger ; à la table de Mme Salomon on l'avait vu joindre ses immenses mains devant l'assiette. Ensuite il s'était sans doute attardé sur la terrasse, avait fait entendre quelques notes personnelles, avait probablement exécuté le tour de force du lacet de soulier, pour quelqu'un qui ne l'avait pas encore vu. Et le voilà qui venait par le chemin de gravier, d'une allure nonchalante, sans blouse, vêtu d'une jaquette à petits carreaux, le melon en bataille, ayant, lui aussi, dans la bouche, un cigare qui était très noir et d'où il tirait de grands nuages de fumée blanchâtre. Sa tête, sa figure aux joues bleuâtres et échauffées, le nez camus, les yeux humides et bleus avec la moustache retroussée, semblaient petits, en tenant compte de sa longue silhouette légèrement penchée et cassée, des dimensions de ses mains et de ses pieds. Il était énervé : il sursauta visiblement en apercevant les cousins, et parut même un peu confus parce qu'il fut obligé d'aller droit à leur rencontre. Il les salua à sa manière ordinaire, jovialement et avec une de ses expressions habituelles, par un : « Vois donc, vois, Timothée[1] ! », tout en appelant la bénédiction du Ciel sur leur digestion et en les invitant à rester assis quand ils voulurent se lever en son honneur.

« Dispensés, dispensés ! Pas tant de façons avec un homme simple comme moi. C'est un honneur qui ne me revient pas du tout, d'autant que vous êtes des malades, l'un comme l'autre. Vous n'avez pas besoin de ça. Rien à dire contre la situation telle qu'elle est. »

Et il resta debout en face d'eux, le cigare entre l'index et le majeur de sa droite gigantesque.

« Comment trouvez-vous votre quenouille du père Nicot, Castorp ? Faites voir, je suis connaisseur et amateur. La cendre est bonne. Quelle est cette brune beauté ?

— Maria Mancini, Postre de Banquete, de Brême, docteur. Il ne coûte presque rien, dix-neuf pfennigs en tout, mais il a un bouquet comme vous ne le trouvez pas d'habitude dans ces prix-là. Sumatra-Havane, comme vous le voyez. J'en ai pris l'habitude. C'est un mélange plein de ressources et très savoureux, mais léger à la langue. Il aime qu'on lui laisse longtemps ses cendres, je les fais tomber deux fois au plus. Naturellement il a aussi ses petits caprices, mais le contrôle de la fabrication doit être très minutieux, car le Maria est très solide dans ses qualités et tire avec une régularité parfaite. Puis-je vous en offrir un ?

— Merci. Nous pouvons faire un échange. »

Et ils tirèrent leurs porte-cigares.

« Celui-ci a de la race, dit le conseiller, en tendant sa marque. Du tempérament, vous savez, juteux et fort. Saint-Félix Brésil, je m'en suis toujours tenu à ce type. Un vrai remède contre les soucis, qui brûle comme une eau-de-vie, et surtout vers la fin il a quelque chose de fulminant. On recommande une certaine retenue dans les rapports avec lui, on ne peut pas allumer un cigare après l'autre, ce serait au-dessus des forces d'un homme. Mais j'aime mieux une seule bonne bouffée que de la vapeur d'eau pendant toute une journée. »

---

1. Citation de la ballade de Schiller : *Les Grues d'Ibycus.*

Ils retournèrent entre les doigts les cadeaux qu'ils venaient d'échanger, examinèrent avec une précision de connaisseur ces corps sveltes qui, avec leurs côtes obliques et parallèles, leurs bandes en relief, leurs veines saillantes qu'on eût dit mues par une pulsation, les petites aspérités de leur peau, le jeu de la lumière sur leurs surfaces et leurs arêtes, avaient quelque chose d'organique et de vivant. Hans Castorp exprima cette impression :

« Ces cigares-là, c'est une chose vivante. Ils respirent véritablement. Chez moi, j'avais eu l'idée de conserver Maria Mancini dans une boîte étanche en fer-blanc, pour le mettre à l'abri de l'humidité. Me croirez-vous qu'il est mort ? Il périt et fut mort en l'espace d'une semaine — plus que des cadavres coriaces ! »

Et ils échangèrent leurs expériences sur la meilleure façon de conserver des cigares, en particulier des cigares d'importation. Le conseiller aimait les cigares importés, il n'aurait fumé de préférence que de forts havanes. Malheureusement, il ne les supportait pas, et deux petits Henry Clay qu'il avait aspirés au cours d'une soirée, raconta-t-il, auraient failli causer sa mort. « Je les avais fumés avec le café, dit-il, l'un après l'autre, sans faire attention. Mais à peine avais-je fini que je commençai à me demander ce qui m'arrivait. Contrairement à mon habitude, je me sentais tout chose ; jamais de la vie je n'avais rien éprouvé de pareil. Rentrer jusque chez moi, je vous assure, ne fut pas facile. Et lorsque je fus arrivé, je réalisai seulement que ça n'allait pas du tout. Les jambes glacées, vous savez, une sueur froide sur tout le corps, la figure blanche comme un linge, le cœur dans un état, un pouls, tantôt comme un fil et à peine perceptible, tantôt un vacarme, au galop, vous m'entendez, et le cerveau dans une agitation… J'étais persuadé que j'allais danser ma dernière danse. Je dis danser parce que c'est le mot qui me vint alors et dont j'avais besoin pour caractériser mon état. Car, en somme, c'était tout à fait gai, une vraie fête, bien que j'eusse une peur atroce, ou plus exactement bien que je ne fusse qu'une seule peur, des pieds à la tête. Mais la peur et la gaieté ne s'excluent pas, en somme, tout le monde sait cela. Le garnement qui doit posséder pour la première fois une gamine a peur, lui aussi, et elle de même, ce qui ne les empêche pas de fondre de plaisir. Ma foi, moi aussi, j'aurais presque fondu : le cœur battait, j'étais sur le point de danser ma dernière danse. Mais la Mylendonk, par ses applications, me tira de cet état. Compresses glacées, frictions à la brosse, une injection de camphre, et c'est ainsi que je fus sauvé pour l'humanité. »

Hans Castorp, assis en sa qualité de malade, dévisageait, avec une mine qui témoignait de l'activité de son cerveau, Behrens dont les yeux bleus, larmoyants, durant ce récit s'étaient emplis de larmes.

« Vous faites aussi quelquefois de la peinture, n'est-ce pas, docteur ? » dit-il tout à coup.

Le conseiller fit le simulacre d'un mouvement de recul.

« Par exemple, jeune homme, qu'est-ce que vous me racontez là ?

— Pardon. Je l'avais entendu dire à l'occasion. Cela m'est tout à coup revenu.

— Allons bon ! Alors je ne vais pas essayer de nier. Nous avons tous nos petites faiblesses. Oui, cela m'est arrivé, *Anch'io sono pittore*, comme avait coutume de dire certain Espagnol.

— Des paysages ? demanda Hans Castorp avec une condescendance de mécène. Les circonstances l'amenaient à prendre ce ton.

— Tout ce que vous voudrez, répondit le conseiller avec une vantardise embarrassée, des paysages, des natures mortes, des animaux… Quand on est un homme, on ne recule devant rien…

— Mais pas de portraits ?

— Si, il m'est arrivé aussi de faire un portrait. Voulez-vous me faire une commande ?

— Ha, ha, non ! Mais ce serait très aimable à vous, docteur, si vous vouliez à l'occasion nous montrer vos toiles. »

Joachim, lui aussi, après avoir regardé son cousin d'un air surpris, s'empressa d'assurer que ce serait très aimable.

Behrens était ravi, flatté jusqu'à l'enthousiasme. Il rougit de plaisir, et cette fois ses yeux semblèrent vouloir verser des larmes.

« Mais volontiers, s'écria-t-il, mais avec le plus grand plaisir. Mais tout de suite, sur-le-champ, si le cœur vous en dit. Venez ici, venez avec moi, je vous fais un café turc dans la taule. »

Et il prit les jeunes gens par la main, les tira de leur banc et les conduisit, suspendu à leurs bras, le long du chemin de gravier, vers son appartement qui, ainsi qu'ils le savaient, était situé dans l'aile voisine nord-ouest du Berghof.

« J'ai fait moi-même autrefois quelques essais dans ce genre, expliqua Hans Castorp.

— Qu'est-ce que vous m'apprenez là ? Vous êtes ferré à l'huile ?

— Non, non, je n'ai pas été au-delà de quelques aquarelles. Tantôt un bateau, tantôt une marine, des enfantillages. Mais j'aime bien voir des toiles, et c'est pourquoi j'ai pris la liberté… »

Joachim surtout se sentit quelque peu rassuré par cet éclaircissement sur l'étrange curiosité de son cousin, et c'était en effet pour lui plus encore que pour le conseiller que Hans Castorp avait rappelé ses propres essais artistiques. Ils arrivaient : de ce côté-ci, il n'y avait pas, comme de l'autre côté, à l'entrée principale, de magnifique portail flanqué de lanternes. Quelques marches arrondies conduisaient à la porte d'entrée en chêne que le docteur ouvrit au moyen d'une clef de son trousseau nombreux. Sa main tremblait : décidément, il était énervé. Une entrée, aménagée en vestiaire, les accueillit, où Behrens accrocha son melon à un clou. À l'intérieur, dans la partie exiguë séparée par une porte vitrée du reste de l'immeuble, dans les deux ailes duquel était situé le petit appartement privé, il appela la domestique et donna ses ordres. Puis il fit entrer ses hôtes par une des portes de droite, avec toute sorte de paroles joviales et engageantes.

Quelques pièces donnant sur la vallée, meublées dans un style banalement bourgeois, communiquaient sans porte de séparation, séparées seulement par des draperies : une salle à manger de style « vieil-allemand », un salon-cabinet de travail, avec un secrétaire au-dessus duquel étaient suspendus une casquette d'étudiant et deux rapières croisées, avec des tapis laineux, un divan encastré dans une bibliothèque, et enfin un fumoir meublé « à la turque ». Partout étaient accrochés des tableaux, des toiles du conseiller… Polis et prêts à admirer, les yeux des visiteurs les effleurèrent aussitôt. L'épouse défunte du conseiller était visible en plusieurs endroits : à l'huile et aussi en photographie sur le secrétaire. C'était une blonde un peu énigmatique, vêtue de robes minces et flottantes, qui, les mains jointes près de l'épaule gauche — non pas serrées, mais seulement nouées jusqu'à la première articulation des doigts —, tenait ses yeux ou bien dirigés vers le ciel, ou entièrement baissés et dissimulés sous ses longs cils qui se détachaient obliquement des paupières, mais jamais la défunte ne regardait le spectateur en face. En dehors d'elle, il y avait surtout des paysages de montagne : des montagnes sous la neige et sous la verdure des sapins, des montagnes entourées des vagues de brouillard des altitudes, et des montagnes dont les contours secs et aigus entaillaient sous l'influence de Segantini un ciel d'un bleu profond. En outre il y avait encore là des chalets, des vaches au fanon pendant sur des pâturages ensoleillés, un coq plumé dont le cou se tordait entre des légumes, des fleurs, des types de montagnards, et bien d'autres choses — tout cela peint avec un certain dilettantisme facile, en couleurs hardiment appliquées qui souvent avaient l'air d'avoir été directement pressées du tube sur la toile, et qui avaient dû mettre longtemps pour sécher, ce qui ne laissait pas de faire un certain effet dans le cas de fautes grossières.

Comme dans une exposition de peinture, ils longèrent les murs en regardant, accompagnés du maître de maison qui, çà et là, expliquait les sujets, mais qui, le plus souvent, silencieux, et avec l'inquiétude vaniteuse de l'artiste, laissait, avec volupté, reposer ses yeux, en même temps que les étrangers, sur ses œuvres. Le portrait de Clawdia Chauchat était accroché dans le salon, du côté de la fenêtre, et Hans Castorp, à peine entré, l'avait découvert de son œil qui épiait, bien qu'il ne présentât qu'une ressemblance lointaine. Il évita exprès l'endroit, retint ses compagnons dans la salle à manger où il prétendit admirer une vue verte de la vallée de Sergi, avec des glaciers bleuâtres dans le fond, puis, de sa propre initiative, retourna d'abord dans le fumoir turc qu'il examina également de près, la louange aux lèvres, et visita ensuite le premier mur du salon du côté de la porte, invitant aussi parfois Joachim à exprimer son approbation. Enfin, il se retourna et demanda, en marquant une surprise mesurée :

« N'est-ce pas un visage de connaissance, cela ?

— Vous le reconnaissez ? voulut savoir Behrens.

— Mais oui, je ne crois pas que l'on puisse s'y tromper. C'est la jeune femme de la table des Russes bien avec ce nom français…

— Exact, la Chauchat. Cela me fait plaisir que vous la trouviez ressemblante.

— C'est frappant », mentit Hans Castorp, moins par hypocrisie que parce que si tout s'était passé normalement, ils n'auraient même pas dû reconnaître le modèle — aussi peu que Joachim l'eût jamais reconnu de ses propres moyens, le bon Joachim, abusé, qui, il est vrai, commençait à comprendre, et qui découvrait à présent l'explication vraie après la fausse que Hans Castorp avait donnée tout à l'heure. « Ah ! oui », dit-il doucement et il se résigna à aider les autres à examiner le tableau. Son cousin avait su trouver une compensation pour avoir été éloigné de la compagnie sur la véranda.

C'était un buste en demi-profil, un peu moins que grandeur nature, décolleté, avec une écharpe drapée autour des épaules et de la poitrine, entouré d'un large cadre noir, orné au bord de la toile d'une baguette dorée. Mme Chauchat apparaissait de dix ans plus âgée qu'elle n'était en réalité, comme c'est habituellement le cas sur les portraits d'amateurs qui cherchent à rendre le caractère d'une physionomie. Dans toute la figure il y avait trop de rouge, le nez était mal dessiné, la nuance des cheveux n'était pas heureuse, trop près de la couleur paille, la bouche était déformée, le charme spécial de la physionomie n'était pas reconnu ou pas rendu, il était manqué par ce que l'artiste en avait grossièrement exagéré ; l'ensemble, un navet plutôt raté, n'avait qu'une très lointaine parenté avec un portrait. Mais Hans Castorp ne se montrait pas si pointilleux quant à la ressemblance avec Mme Chauchat ; le rapport existant entre cette toile et Mme Chauchat lui suffisait, ce portrait devait représenter Mme Chauchat qui avait elle-même posé dans cet appartement, c'était assez. Avec émotion il répétait :

« En chair et en os !

— Ne dites pas cela, se défendit le conseiller. C'était un boulot formidable, je ne m'imagine pas du tout y avoir réussi, bien que nous ayons eu au moins vingt séances. Comment voulez-vous vous rendre maître d'un visage si embrouillé ? On la croit facile à attraper avec ses pommettes hyperboréennes et avec ses yeux, qui sont des crevasses dans une pâtisserie. Oui, attrape, mon cher ! Si on reste fidèle au détail, on gâche l'ensemble. C'est un véritable rébus. La connaissez-vous ? Peut-être ne devrait-on pas la peindre en sa présence, mais travailler de mémoire. Au fait, la connaissez-vous ?

— Oui, non, superficiellement, comme on peut faire la connaissance des gens, ici...

— Ma foi, j'ai d'elle une connaissance plutôt intérieure, sous-cutanée. La pression artérielle, la tension des tissus et le mouvement de la lymphe, là-dessus je suis assez exactement informé, pour des raisons très précises. La surface présente des difficultés plus considérables. L'avez-vous déjà vue marcher ? Sa figure est pareille à sa démarche : féline. Prenez par exemple les yeux — je ne parle pas de la couleur qui, elle aussi, a ses ruses —, je veux dire leur emplacement, leur forme. La fente des paupières, me direz-vous, est bridée, oblique. Mais ce n'est qu'une impression. Ce qui vous trompe, c'est l'épicanthus, c'est-à-dire une particularité qui existe chez certaines races et qui consiste en ceci qu'une membrane qui provient de la bosse nasale de ces gens descend du pli de la paupière jusqu'au-dessus du coin intérieur de l'œil. Si vous tendez la peau par-dessus la racine du nez, vous avez un œil comme le nôtre. C'est une mystification assez piquante, mais d'ailleurs pas autrement honorable ; car, observé de près, l'épicanthus nous apparaît comme ayant pour origine une imperfection atavique.

— Ah ! c'est ainsi, dit Hans Castorp. Je ne le savais pas, mais cela m'intéressait depuis longtemps d'apprendre ce qu'il en était de ces yeux.

— Illusion, mystification, confirma le conseiller. Dessinez-les simplement obliques et fendus, et vous serez un homme perdu. Il faut que vous réalisiez cette obliquité, et cette apparence bridée par le même procédé que les réalise la nature, que vous fassiez en quelque sorte de l'illusion sur une illusion ; et il est naturellement nécessaire pour cela que vous connaissiez l'existence de l'épicanthus. Cela ne fait jamais de mal de savoir. Regardez-moi cette peau, cette peau du corps. Est-ce éloquent, selon vous ?

— Énormément ! dit Hans Castorp, formidablement éloquente, cette peau-là ! Je crois que je n'ai jamais rencontré une peau aussi bien reproduite. On se figure voir les pores. »

Et il effleura légèrement du rebord de la main le décolleté du portrait, qui se détachait, très blanc, de la rougeur exagérée de la figure, comme une partie du corps qui n'est pas habituellement exposée à la lumière et qui appelait ainsi avec insistance, intentionnellement ou non, l'idée de la nudité : un effet en tout cas assez grossier.

Néanmoins, l'éloge de Hans Castorp était justifié. Le rayonnement mat des blancs de ce buste délicat mais non pas maigre, qui se perdait dans la draperie bleuâtre de l'écharpe, avait beaucoup de naturel ; visiblement, il avait été peint avec sentiment, mais en dépit d'un caractère un peu doucereux, l'artiste avait su lui prêter une sorte de réalité scientifique et de précision vivante. Il s'était servi de la surface légèrement grenue de la toile, pour rendre, à travers la couleur à l'huile, notamment dans la région de la clavicule délicatement saillante, les aspérités naturelles de l'épiderme. Une éphélide, à gauche, là où la poitrine commençait à se diviser, n'avait pas été négligée, et entre les proéminences, on croyait voir transparaître des veines légèrement bleutées. On eût dit que sous le regard du spectateur un frisson à peine perceptible de sensualité avait parcouru cette nudité. Pour nous exprimer hardiment : on pouvait croire distinguer l'émanation, l'invisible et vivante évaporation de cette chair, de telle sorte que, si l'on avait appuyé ses lèvres sur elle, on aurait respiré non pas une odeur de couleur et de vernis, mais l'odeur d'un corps humain. Ce disant, nous rendons les impressions de Hans Castorp. Mais quoiqu'il fût particulièrement disposé à recevoir de telles impressions, il y a lieu de constater objectivement que le décolleté de Mme Chauchat était de beaucoup le morceau le plus réussi du tableau.

Le docteur Behrens se balançait, les mains dans les poches de son pantalon, sur la plante et les pointes des pieds, tout en contemplant son travail, en même temps que ses visiteurs.

« Cela me fait plaisir, mon cher collègue, dit-il, cela me fait plaisir que cela vous saute aux yeux. C'est, en effet, très utile, et cela ne peut pas faire de mal que l'on sache aussi ce qui se passe sous l'épiderme, et que l'on puisse peindre en même temps ce qui ne se voit pas, en d'autres termes que l'on n'ait pas avec le modèle des rapports purement lyriques ; admettons que l'on exerce accessoirement la profession de médecin, de physiologiste, d'anatomiste, et que l'on ait sa discrète petite connaissance des dessous. Cela peut avoir ses avantages, quoi qu'on dise. Cette peau-là est peinte scientifiquement, vous pouvez vous assurer au microscope de sa vérité organique. Vous ne voyez pas seulement là des couches épithéliales et cornées de l'épiderme, mais on s'est encore représenté en pensée là-dessous le tissu conjonctif, avec ses glandes, ses vaisseaux sanguins et ses papilles, et en dessous la couche graisseuse, le capitonnage, comprenez-vous, la doublure qui, par toutes ses cellules grasses, parachève les exquises formes féminines, car ce que l'on savait et que l'on a pensé tout en peignant joue un rôle. Cela vous guide la main et cela produit son effet, ça y est et ça n'y est pas ; et c'est là ce qui rend le tout éloquent. »

Hans Castorp prenait feu et flamme pour cette conversation, son front avait rougi, ses yeux parlaient, il ne sut pas d'abord ce qu'il devait répondre, car il avait trop de choses à dire. Tout d'abord, il se proposait de placer le tableau à un endroit plus favorable que ce mur situé à contre-jour, en second lieu il voulait absolument broder sur les paroles du conseiller sur la nature de la peau, laquelle l'intéressait vivement, mais troisièmement il voulait tenter d'exprimer une pensée générale et philosophique qui lui était venue et qui lui tenait particulièrement à cœur. Tout en portant déjà la main au portrait pour le décrocher, il commença avec hâte :

« Oui, oui ! très bien, c'est important. Je voudrais dire… C'est-à-dire, docteur, vous disiez : "Pas seulement des rapports purement lyriques." Il serait bon qu'en dehors du rapport lyrique — c'est là, je crois, ce que vous disiez —, en dehors des rapports artistiques, il existât encore d'autres rapports, bref, que l'on envisageât les choses sous un autre angle, par exemple sous l'angle médical. C'est extraordinairement juste, cela — excusez-moi, docteur —, je veux dire que c'est d'autant plus juste qu'il ne s'agit pas là, au fond, de rapports et de points de vue différents, mais à proprement parler, d'un seul et même point de vue, ou tout au plus de formes différentes, je veux dire : de nuances, c'est-à-dire : de variantes d'un seul et même intérêt, dont l'activité artistique n'est elle-même qu'une partie et une expression, si je puis m'exprimer ainsi. Mais, excusez-moi, je décroche le tableau, il manque absolument de lumière ici, vous allez voir, je vais le placer là-bas sur le divan, si cela ne va pas autrement… Je voulais dire : de quoi s'occupe la science médicale ? Naturellement, je n'y entends rien du tout, mais, en somme, ne s'occupe-t-elle pas de l'homme ? Et le droit, la législation et la jurisprudence ? Encore de l'homme ! Et l'étude des langues qui, le plus souvent, ne se sépare pas de l'exercice de la profession pédagogique ? Et la théologie, le salut des âmes, le pastorat spirituel ? Tout cela concerne l'homme, ce ne sont là qu'autant de variantes d'un seul intérêt important et… capital, à savoir de l'intérêt pour l'homme. En un mot, ce sont des professions humanistes et, lorsque l'on veut les étudier, on commence par apprendre avant tout les langues anciennes, n'est-ce pas ? en guise d'initiation aux formes, comme on dit. Vous vous étonnez peut-être que je parle de cela, moi qui ne suis qu'un réaliste, un technicien. Mais j'y ai pensé récemment, quand j'étais étendu : c'est quand même parfait, c'est quand même merveilleux que l'on place à la base de toute espèce de profession humaniste l'élément formel, l'idée de forme, de la belle forme, comprenez-vous ? Cela prête à tout cela un caractère noble et superflu, et de plus quelque chose comme du sentiment et… de la courtoisie — l'intérêt devient presque quelque chose comme une proposition galante… C'est-à-dire, je m'exprime probablement d'une façon très maladroite, mais on voit l'esprit et la beauté qui, somme toute, n'ont jamais fait qu'un, se mêler, en d'autres termes : la science et l'art, et vous m'accorderez que le travail artistique, incontestablement, fait aussi partie de cela, comme cinquième faculté en quelque sorte, qu'il n'est pas autre chose qu'une profession humaniste, une variante de l'intérêt humaniste, dans la mesure où son objet et son but essentiel est une fois de plus l'homme. Il est vrai que dans ma jeunesse je n'ai jamais peint que des bateaux et de l'eau, lorsque j'ai fait des essais dans ce sens, mais ce qu'il y a de plus attirant dans la peinture, est et demeure à mes yeux le portrait, parce qu'il a pour objet immédiat l'homme, et c'est pourquoi je vous ai tout de suite demandé, docteur, si vous vous étiez livré à des essais dans ce domaine… Ne croyez-vous pas qu'à cet endroit-ci, il serait infiniment mieux éclairé ? »

Tous deux, Behrens comme Joachim, le regardaient, comme pour lui demander s'il n'avait pas honte de ce qu'il débitait là. Mais Hans Castorp était beaucoup trop occupé de lui-même pour être le moins du monde gêné. Il tenait le portrait contre le mur au-dessus du divan, et attendait qu'on lui répondît s'il n'était pas mieux éclairé en cet endroit-ci. En même temps, la bonne apporta, sur un plateau, de l'eau chaude, une lampe à alcool et des tasses à café. Le conseiller lui fit signe de les porter dans le fumoir, et dit :

« Mais s'il en est ainsi, vous devriez vous intéresser à la sculpture plutôt qu'à la peinture… Oui, naturellement, il a plus de lumière ici, si vous croyez qu'il en supporte autant… Je veux dire, à la statuaire parce que c'est elle qui s'occupe le plus nettement et le plus exclusivement de l'homme en général. Mais prenons garde que l'eau ne s'évapore pas entièrement.

— Très juste, la statuaire », dit Hans Castorp, tandis qu'ils passaient dans l'autre pièce, et il oublia de raccrocher ou de reposer le tableau, il l'emporta, le porta de pied ferme dans la pièce contiguë. « Certainement, une Vénus grecque ou un de ces athlètes, c'est là qu'un élément humaniste apparaît incontestablement avec le plus de netteté ; au fond c'est ce qu'il y a de plus vrai, le véritable art humaniste lorsqu'on y réfléchit.

— Ma foi, quant à la petite Chauchat, remarqua le conseiller, elle est en somme plutôt un sujet de peinture ; je crois que Phidias ou l'autre dont le nom a une désinence juive auraient froncé le nez devant ce genre de physionomie… Que faites-vous donc ? Pourquoi trimbalez-vous cette croûte ?

— Merci, je vais l'appuyer ici contre ma chaise, elle y est bien pour le moment. Mais les sculpteurs grecs ne se souciaient pas beaucoup de la tête, ce qui leur importait c'était le corps, c'était peut-être là l'élément proprement humaniste… Et vous disiez donc que la plastique féminine est de la graisse ?

— C'est de la graisse », dit d'un ton catégorique le conseiller, qui avait ouvert un placard et en avait tiré le nécessaire pour préparer son café : un moulin turc en forme de tuyau, la cafetière, le récipient double, pour le sucre et le café moulu ; tous ces objets étaient en cuivre…

« Palmitine, oléine, stéarine », dit-il ; et il versa les grains de café d'une boîte en fer-blanc dans le moulin dont il commença de tourner la manivelle.

« Vous voyez, je fais tout moi-même depuis le commencement, il est deux fois meilleur. Que pensiez-vous donc ? Que c'était de l'ambroisie ?

— Non, je le savais. Mais c'est curieux de l'entendre dire », dit Hans Castorp.

Ils étaient assis dans le coin, entre la porte et la fenêtre, autour d'un guéridon en bambou, supportant un plateau de cuivre décoré de motifs orientaux, sur lequel le service à café avait trouvé place, à côté des ustensiles pour fumeurs : Joachim, près de Behrens sur le divan copieusement pourvu de coussins de soie, Hans Castorp, dans un fauteuil de cuir à roulettes contre lequel il avait appuyé le portrait de Mme Chauchat. Un tapis bariolé était étendu sous leurs pieds. Le conseiller remuait le café et le sucre dans la cafetière à long manche, et faisait bouillonner le liquide au-dessus de la lampe à alcool. L'écume brune coula dans les petites tasses et se montra au goût aussi douce que forte.

« La vôtre d'ailleurs aussi, dit Behrens, votre plastique, pour autant qu'il peut en être question, est naturellement de la graisse, sinon dans la même mesure que chez les femmes. Chez nous autres la graisse ne constitue en général que la vingtième partie du poids du corps, tandis que chez les femmes elle en constitue la seizième partie. Sans le tissu élastique du derme, nous ne serions tous que des morilles. Il se relâche à la longue et c'est alors que se produit le fameux et si peu esthétique plissement de la peau. Ce tissu est chargé de graisse surtout à la poitrine et au ventre de la femme, en haut des cuisses, bref partout où il se trouve quelque chose pour le cœur et la main. Les plantes des pieds aussi sont grasses et chatouilleuses. »

Hans Castorp tournait entre ses mains le moulin à café en forme de tuyau. Comme tout le service il était sans doute plutôt d'origine hindoue ou persane que d'origine turque. Le style des dessins gravés dans le cuivre, dont les surfaces brillantes se détachaient du fond mat, l'attestait. Hans Castorp considéra cette décoration, sans aussitôt en saisir les motifs. Lorsqu'il les eut distingués, il rougit tout à coup.

« Oui, c'est un attirail pour messieurs seuls, dit Behrens. C'est pourquoi je le garde sous clef. Ma perle de cuisinière pourrait en perdre la vue. Mais je ne pense pas que cela puisse vous faire grand mal, à vous autres. C'est une cliente qui m'en a fait cadeau, une princesse égyptienne qui, pendant une petite année, nous a fait l'honneur de séjourner parmi nous. Vous voyez, le dessin se reproduit sur chaque pièce. Rigolo, hein ?

— Oui, c'est curieux, répondit Hans Castorp. Ha, non, cela ne me fait rien, naturellement. On pourrait même en donner une interprétation sérieuse et solennelle, si l'on voulait, bien que ce ne soit pas tout à fait indiqué pour un service à café. Les anciens auraient représenté cela quelquefois sur leurs cercueils. L'obscène et le sacré n'étaient pour eux en quelque sorte qu'une seule et même chose.

— Ma foi, en ce qui concerne la princesse, je crois que c'est l'obscène plutôt qui faisait son affaire. Je tiens d'ailleurs encore d'elle d'excellentes cigarettes, quelque chose d'extra-fin que je n'offre qu'aux occasions exceptionnelles. »

Et il tira de son placard la boîte aux couleurs vives pour la présenter à ses hôtes. Joachim remercia et refusa en joignant les talons. Hans Castorp se servit et fuma la cigarette, d'une épaisseur et d'une longueur anormales, décorée d'un sphinx imprimé en or — et qui était, en effet, exquise.

« Dites-nous donc encore quelque chose de la peau, docteur, vous seriez bien aimable », pria-t-il.

Il avait de nouveau tiré à lui le portrait de Mme Chauchat, l'avait posé sur ses genoux et le considérait, appuyé au dossier de son siège, la cigarette entre les lèvres.

« Pas précisément de la couche grasse, nous savons maintenant à quoi nous en tenir là-dessus. Mais de la peau humaine en général que vous peignez si bien.

— De la peau ? Vous vous intéressez à la physiologie ?

— Oui, beaucoup. Je m'y suis toujours énormément intéressé. Le corps humain, j'ai toujours eu beaucoup de sens pour cela. Je me suis même quelquefois demandé si je n'aurais pas dû devenir médecin — à certains égards je crois que cela ne m'aurait pas mal convenu. Car quiconque s'intéresse au corps, s'intéresse aussi à la maladie, surtout à elle — n'est-il pas vrai ? D'ailleurs, cela ne prouve pas grand-chose, j'aurais pu également embrasser d'autres professions. Par exemple, j'aurais pu me faire ecclésiastique.

— Allons donc ?

— Oui, j'ai eu quelquefois l'impression passagère que j'étais doué pour cela.

— Pourquoi donc êtes-vous devenu ingénieur ?

— Par hasard. Je crois que ce sont plutôt les circonstances extérieures qui en ont décidé.

— Ainsi donc, de la peau ? Que voulez-vous donc que je vous raconte de cette surface de vos sens ? C'est votre cerveau externe, vous me comprenez ? Ontogénétiquement parlant, il a absolument la même origine que l'appareil de vos prétendus organes supérieurs là-haut, dans votre crâne. Le système nerveux central, c'est ce qu'il faut que vous sachiez, n'est qu'une forme évoluée de l'épiderme, et chez les espèces inférieures il n'y a pas de différences entre le central et le périphérique, ces animaux-là flairent et goûtent par la peau, représentez-vous cela, ils n'ont pas d'autres sens que leur peau — ce doit être tout à fait agréable si on se met à leur place. Par contre, chez des êtres très différenciés, comme vous et moi, l'ambition de la peau se réduit à se montrer chatouilleuse, parce qu'elle n'est qu'un organe de défense et de transmission, mais d'une attention infernale pour tout ce qui approche le corps de trop près, puisqu'elle étend même au-dehors des organes du toucher, à savoir les poils, le duvet du corps qui ne se compose que de petites cellules de peau racornies, et qui permettent de distinguer la moindre approche, avant que la peau elle-même soit touchée. Soit dit entre nous, il est même possible que le rôle protecteur et défensif de la peau ne se réduise pas aux seules fonctions physiques... Savez-vous comment vous rougissez et pâlissez ?

— Pas exactement.

— Je dois vous avouer que nous-mêmes nous ne le savons pas exactement, tout au moins en ce qui concerne le rouge de la honte. La chose n'a pas encore été complètement éclaircie, car jusqu'ici on n'a pu établir l'existence aux vaisseaux de muscles extenseurs qui soient mis en mouvement par les nerfs vaso-moteurs. Comment gonfle la crête du coq — ou quelque autre exemple de vantardise qu'il vous plaise de choisir en la circonstance —, c'est ce qui est pour ainsi dire mystérieux, surtout lorsque des influences psychiques entrent en jeu. Nous admettons qu'il y a des liaisons entre la substance grise et le centre vasculaire du cerveau. Et, à la suite de certaines excitations — par exemple : vous êtes profondément honteux —, cette liaison joue et les nerfs vaso-moteurs agissent sur la figure, et puis les vaisseaux se dilatent et s'emplissent, de sorte que vous avez une tête comme un dindon, vous êtes là tout gonflé de sang, et vous voyez à peine clair. Par contre, dans d'autres cas — Dieu sait ce qui vous attend, quelque chose de très dangereusement agréable, si vous voulez —, les vaisseaux sanguins de la peau se rétractent, et la peau devient pâle et froide, et se défait, et puis vous avez l'air d'un cadavre, à force d'émotion, avec des orbites couleur de plomb et un nez blanc, pointu. Et cependant le sympathique fait bien battre le cœur.

— Ah ! c'est comme ça ? dit Hans Castorp.

— À peu près comme ça. Ce sont des réactions, comprenez-vous ? Mais comme toutes les réactions et tous les réflexes ont naturellement une raison d'être, nous autres physiologistes supposons presque que même ces phénomènes secondaires de réactions psychiques sont en réalité des moyens de défense voulus, des réflexes protecteurs du corps, comme la chair de poule. Savez-vous comment vous avez la chair de poule ?

— Pas très bien non plus.

— Cela c'est une des glandes sébacées qui sécrètent une substance albumineuse, graisseuse, pas précisément appétissante, vous savez, mais elle garde la peau souple pour qu'elle n'éclate et ne se déchire pas de sécheresse, et qu'elle soit agréable au toucher, on ne peut même pas imaginer comment on pourrait toucher la peau humaine sans la cholestérine. Ces glandes sébacées sont renforcées de petits muscles qui peuvent redresser les bulbes, et lorsqu'elles font cela, il vous arrive ce qui est arrivé au gamin auquel la princesse a versé sur le corps le seau de goujons : votre peau devient pareille à une râpe, et lorsque l'excitation est trop forte, les papilles, elles aussi, se dressent, les cheveux se dressent sur votre tête, et les poils sur votre corps, comme chez un porc-épic qui se défend, et vous pouvez dire que vous avez appris à trembler.

— Oh ! moi, dit Hans Castorp, j'ai déjà souvent appris cela. Je frissonne assez facilement, dans les circonstances les plus diverses. Ce qui m'étonne, c'est seulement que les papilles se dressent en des circonstances si variées. Lorsque quelqu'un passe avec un crayon d'ardoise sur du verre, on a la chair de poule, et une musique particulièrement belle vous fait le même effet, et lorsque, à l'occasion de ma confirmation, j'ai pris part à la sainte Cène, j'ai eu une chair de poule après l'autre, les frissons et les chatouillements ne voulaient pas du tout s'arrêter. C'est tout de même bizarre, et on se demande par quoi ces petits muscles sont mis en mouvement.

— Oui, dit Behrens. L'irritation est l'irritation. Le pourquoi de l'irritation importe peu au corps. Que ce soient des goujons ou la sainte Cène, les papilles se redressent.

— Docteur, dit Hans Castorp, et il considéra le tableau sur ses genoux, ce à quoi je voulais encore revenir... Vous parliez tout à l'heure de phénomènes intérieurs, de mouvements de la lymphe et de choses analogues... Qu'en est-il ? J'aimerais bien en savoir plus long sur le mouvement de la lymphe par exemple, si vous étiez assez aimable, cela m'intéresse vivement.

— Je le crois volontiers, répliqua Behrens. La lymphe est ce qu'il y a de plus fin, de plus intime et de plus délicat dans toute l'activité du corps, je suppose que vous vous en doutez vaguement puisque vous me posez cette question. On parle toujours du sang et de ses mystères, et on tient le sang pour un liquide tout particulier. Mais la lymphe est le suc des sucs, l'essence, savez-vous, un lait sanguin, un liquide absolument délicieux — après une alimentation grasse il a d'ailleurs précisément l'aspect du lait. »

Et tout guilleret, il commença, en un langage imagé, de décrire comment ce sang, ce bouillon d'un rouge de manteau de théâtre, produit par la respiration et la digestion, saturé de gaz, chargé du chyle alimentaire, fait de graisse, d'albumine, de fer, de sucre et de sel, qui, à une température de 38 degrés, était chassé par la pompe du cœur à travers les vaisseaux et entretenait partout dans le corps la nutrition, la chaleur animale, en un mot la vie même, comment ce sang n'atteignait pas les cellules elles-mêmes, mais comment la pression sous laquelle il était faisait transpirer un extrait laiteux du sang à travers les parois des vaisseaux et l'infiltrait dans les tissus, de telle sorte qu'il pénétrait partout, qu'il comblait chaque fente, dilatait et tendait tout l'élastique tissu conjonctif. Cela, c'était la tension des tissus, le *turgor*, et c'était encore grâce au *turgor* que la lymphe, après avoir aimablement parcouru les cellules et assuré leur nutrition, était renvoyée dans les vaisseaux lymphatiques, les *vasa lymphatica*, et retournait dans le sang, chaque jour à raison d'un litre et demi. Il décrivit le système de conduits et d'aspiration des vaisseaux lymphatiques, parla du canal galactophore qui recueille la lymphe des jambes, du ventre et de la poitrine, d'un bras et d'un côté de la tête, puis des délicats organes-filtres qui étaient partout formés dans les vaisseaux lymphatiques, nommés glandes lymphatiques et situés au cou, dans le creux de l'épaule, dans les articulations des coudes, dans le jarret et en d'autres endroits non moins intimes et délicats. « Il peut se produire là des enflures, déclara Behrens, et c'est précisément de là que nous sommes partis tout à l'heure. Des grossissements des glandes lymphatiques, disons par exemple aux articulations des genoux et des coudes, comme des tumeurs hydropiques ici ou là, et il y a toujours une raison à cela, si même elle n'est pas nécessairement belle. Dans certaines circonstances on peut être facilement amené à supposer une obstruction des vaisseaux lymphatiques d'origine tuberculeuse. »

Hans Castorp garda le silence.

« Oui, dit-il doucement, après une pause, c'est ainsi. J'aurais parfaitement pu devenir médecin. Le canal galactophore. La lymphe des jambes… Cela m'intéresse beaucoup. Qu'est-ce que le corps ? s'écria-t-il tout à coup, éclatant avec une impétuosité soudaine. Qu'est-ce que la chair ? Qu'est-ce que le corps humain ? De quoi se compose-t-il ? Dites-nous cela cet après-midi, docteur ! Dites-nous cela une fois pour toutes, et exactement, pour que nous le sachions.

— D'eau, répondit Behrens. Vous vous intéressez donc aussi à la chimie organique ? C'est pour la plus large part d'eau que se compose le corps humain et “humaniste”, de rien de meilleur ni de pire, il n'y a pas là de quoi s'emballer. La substance sèche représente à peine vingt-cinq pour cent, dont vingt pour cent sont du simple blanc d'œuf, des albuminoïdes, si vous voulez vous exprimer en termes un peu plus nobles, auxquels ne s'est en somme ajouté qu'un peu de graisse et de sel, c'est à peu près tout.

— Mais ce blanc d'œuf. Qu'est-ce que c'est ?

— Toute sorte d'éléments. Du carbone, de l'hydrogène, de l'azote, de l'oxygène, du soufre. Quelquefois encore du phosphore. Vous manifestez vraiment une soif exceptionnelle de savoir. Beaucoup d'albumines sont combinées avec des hydrates de carbone, c'est-à-dire avec du sucre de raisin et de l'amidon. Avec l'âge, la chair devient coriace, cela provient du fait que la gélatine augmente dans le tissu conjonctif, la gélatine, comprenez-vous, la partie essentielle des os et du cartilage. Que vous dire encore ? Nous avons là dans le plasma musculaire une sorte d'albumine, le myosine gène qui, dans un corps mort, se fige en fibrine musculaire et provoque la rigidité du cadavre.

— Ah ! oui, la rigidité du cadavre, dit Hans Castorp gaiement. Très bien, très bien. Et ensuite vient l'analyse générale, l'anatomie du tombeau.

— Oui, bien entendu. Vous avez d'ailleurs joliment dit cela. La chose alors s'étend. On se répand en quelque sorte. Pensez donc, toute cette eau ! Et les autres ingrédients sans vie se conservent très mal, en pourrissant, ils se décomposent en combinaisons plus simples, en combinaisons inorganiques.

— Pourriture, décomposition, dit Hans Castorp, n'est-ce pas là combustion, combinaison avec l'oxygène, autant que je sache ?

— Très juste. Oxydation.

— Et la Vie ?

— Aussi. Aussi, jeune homme. Aussi de l'oxydation. La vie est principalement une oxydation de l'albumine des cellules, c'est de là que provient cette bonne chaleur animale, que l'on a parfois en excès. Oui, vivre c'est mourir, il n'y a rien à enjoliver là-dedans — *une destruction organique*, comme je ne sais quel Français, en sa légèreté innée, a une fois appelé la vie. D'ailleurs, c'est l'odeur qu'elle a, la vie. Lorsque nous croyons qu'il en est autrement, c'est notre jugement qui est corrompu.

— Et lorsqu'on s'intéresse à la vie, dit Hans Castorp, on s'intéresse notamment à la mort. N'est-ce pas vrai ?

— Mon Dieu, il y a finalement entre les deux une sorte de différence. La vie, c'est que, dans la transformation de la matière, la forme subsiste.

— Pourquoi conserver la forme ? dit Hans Castorp.

— Pourquoi ? Écoutez, ce n'est pas le moins du monde humaniste, ce que vous me dites là.

— La forme, on s'en fiche.

— Vous avez décidément quelque chose d'entreprenant aujourd'hui. Vraiment, quelque chose d'agressif. Mais je vous laisse maintenant, dit le conseiller. Je tombe en mélancolie, dit-il, et il étendit sa main énorme au-dessus de ses yeux. Voyez-vous, cela me prend comme cela. J'ai pris du café avec vous, et cela m'a fait plaisir, et voilà tout à coup que cela me prend, que je deviens mélancolique. Je vous prie, messieurs, de m'excuser. J'ai été ravi de vous avoir et cela m'a fait le plus grand plaisir… »

Les cousins s'étaient levés. Ils se reprochaient, dirent-ils, d'avoir si longtemps retenu le conseiller… Il leur assura qu'il n'y avait pas de quoi. Hans Castorp se hâta de porter le portrait de Mme Chauchat dans la pièce voisine et de le raccrocher à sa place. Ils ne retournèrent pas dans le jardin pour regagner leur quartier. Behrens leur indiqua le chemin à travers la maison, en les accompagnant jusqu'à la porte vitrée. Sa nuque semblait saillir plus que d'habitude, dans l'état d'âme qui l'avait subitement envahi, il clignotait de ses yeux larmoyants, et sa moustache oblique, par suite de son retroussement unilatéral, avait pris une expression pitoyable.

Tandis qu'ils suivaient les corridors et les escaliers, Hans Castorp dit :

« Tu m'accorderas que c'était une bonne idée.

— En tout cas, c'était un changement, répondit Joachim. Et par la même occasion vous avez parlé de bien des choses, il faut en convenir. J'ai même trouvé que tout cela allait un peu sens dessus dessous. Mais il est grand temps qu'avant le thé nous allions encore pour vingt minutes à la cure de repos. Tu dois trouver que de cela on s'en fiche, entreprenant comme tu l'es depuis quelque temps. Mais il est vrai que tu en as moins besoin que moi. »

Recherches

C'est ainsi qu'arriva ce qui devait arriver et ce que Hans Castorp, il y avait peu, n'eût même pas imaginé en rêve : l'hiver survint, l'hiver d'ici que Joachim connaissait déjà parce que le précédent avait été au beau milieu de son règne lorsqu'il était arrivé, mais dont Hans Castorp avait un peu peur, bien qu'il se sût parfaitement équipé. Son cousin s'efforça de le rassurer.

« Il ne faut pas te le représenter sous un jour trop effrayant ; ce n'est pas précisément un hiver arctique. On sent peu le froid, grâce à la sécheresse de l'air et au calme. Lorsqu'on se couvre bien, on peut rester jusque tard dans la nuit sur le balcon, sans avoir froid. C'est cette histoire du changement de température au-dessus de la limite du brouillard, il fait plus chaud dans les couches supérieures, autrefois on ne savait pas encore cela. Il fait plutôt froid lorsqu'il pleut. Mais tu as à présent ton sac de couchage, et on chauffe même un peu, quand le froid devient trop vif. »

D'ailleurs, il ne pouvait être question d'assaut par surprise, ni de brusquerie, l'hiver vint lentement ; pour commencer il ne parut pas très différent de maints autres jours comme on en avait eu au plein de l'été. Pendant quelques jours, le vent du sud avait soufflé, le soleil pesait, la vallée semblait raccourcie et rétrécie ; proches et dures, les coulisses alpines paraissaient à son entrée. Puis des nuages se levèrent, s'avancèrent du pic Michel et du Tinzenhorn vers le nord-est, et la vallée s'obscurcit. Puis il plut abondamment. Ensuite la pluie devint impure, d'un gris blanchâtre, de la neige s'y était mêlée, la vallée fut envahie par des tourbillons, et comme cela dura assez longtemps, et que, dans l'intervalle, la température, elle aussi, avait sensiblement baissé, la neige ne put fondre complètement, elle était mouillée, mais elle resta ; la vallée s'étendait sous un vêtement blanc, mince, humide, rapiécé, sur lequel tranchait le rugueux manteau d'aiguilles des pentes noires ; dans la salle à manger les radiateurs commençaient à tiédir. On était au début de novembre, aux environs de la Toussaint ; et ce n'était pas nouveau. En août déjà ç'avait été ainsi et depuis longtemps l'on s'était déshabitué de considérer la neige comme un privilège de l'hiver. Sans cesse et en toute saison, fût-ce parfois de loin, on avait eu de la neige sous les yeux, car toujours des restes et des vestiges en scintillaient dans les fentes et les crevasses de la chaîne rocheuse du Rätikon qui semblait fermer l'entrée de la vallée, et toujours les majestés montagneuses les plus lointaines du Sud avaient étincelé de neige. Mais cette fois, l'une et l'autre durèrent : la chute des neiges et la baisse de température. Le ciel pesait, gris pâle et bas, sur la vallée, se défaisait en flocons qui tombaient silencieusement et sans arrêt, en une abondance exagérée et un peu inquiétante, et, d'heure en heure, il faisait plus froid. Vint le matin, où Hans Castorp eut sept degrés dans la chambre, et le lendemain il n'en avait plus que cinq. C'était le gel qui se tenait dans ces limites, mais qui durait. Il avait gelé la nuit, à présent il gelait aussi le jour, du matin jusqu'au soir, et en même temps il continuait de neiger, avec de brèves interruptions, le quatrième et le cinquième, puis le septième jour. La neige s'amoncelait à présent, elle devenait presque une gêne. Sur le sentier de service jusqu'au banc du ruisseau ainsi que sur le chemin qui conduisait dans la vallée, on avait dû frayer des pistes ; mais elles étaient étroites, il n'y avait pas moyen de s'en écarter, lorsqu'on rencontrait quelqu'un il fallait s'effacer dans le rempart de neige, et l'on enfonçait jusqu'aux genoux. Un rouleau compresseur en pierre, traîné par un cheval qu'un homme tenait par la bride, roulait toute la journée sur les routes du bourg là-bas, et un traîneau jaune, ayant l'aspect d'une vieille diligence franconienne, précédé d'un chasse-neige qui, pareil au soc d'une charrue, fendait et rejetait les masses blanches, reliait le quartier du casino et la partie nord, nommée Davos-Dorf, de l'agglomération. Le monde, le monde étroit, haut et perdu de ceux d'ici en haut, apparaissait donc capitonné et emmitouflé, il n'y avait pas un pieu ni un piquet qui ne portât sa calotte blanche, les marches de l'escalier du Berghof disparaissaient, se transformaient en un plan incliné, de lourds coussins aux formes drolatiques pesaient partout sur les branches des pins, ici et là la masse glissait, se défaisait en poussière et, nuage ou brouillard blanc, se répandait entre les troncs. Couvertes de neige étaient les montagnes alentour, pleines d'aspérités dans les régions inférieures; mollement recouverts, les sommets aux formes variées qui dépassaient la limite des arbres. Il faisait sombre, le soleil ne paraissait que comme une lueur pâle derrière le voile. Mais la neige versait une lumière indirecte et adoucie, une clarté laiteuse qui avantageait le monde et les hommes, encore que les nez fussent rouges, sous les bonnets de laine blanche ou de couleur.

Dans la salle à manger aux sept tables, cette entrée de l'hiver, de la grande saison de ces contrées, dominait les conversations. Beaucoup de touristes et de sportifs, disait-on, étaient arrivés et peuplaient les hôtels, de Dorf à Platz. On évaluait l'épaisseur de la neige tombée à soixante centimètres, et l'on disait qu'elle était idéale pour les skieurs. On travaillait activement à la piste de bobsleigh qui, sur l'autre versant, conduisait de la Schatzalp à la vallée, et ces prochains jours déjà elle pourrait être inaugurée, à condition que le föhn ne contrariât pas ces espérances. On se réjouissait d'assister au mouvement des bien-portants, des pensionnaires d'en bas, qui allait de nouveau commencer, aux fêtes sportives et aux courses auxquelles on comptait bien assister malgré l'interdiction, en négligeant la cure de repos et en faisant l'école buissonnière. Il y avait du nouveau, apprit Hans Castorp, une invention du Nord, le *ski joering*, une course dont les participants se feraient traîner par des chevaux. Pour cette occasion il faudrait s'échapper. De Noël aussi il était question.

De Noël? Non, Hans Castorp n'y avait pas encore songé. Il avait pu facilement dire et écrire que, de l'avis du médecin, il devrait passer l'hiver ici, avec Joachim. Mais ceci impliquait, comme il apparaissait à présent, qu'il passerait ici l'hiver, et cela avait sans doute quelque chose d'effrayant pour son cœur parce que — et pas seulement pour cette raison — il n'avait jamais passé ce temps ailleurs que dans son pays natal, au sein de la famille. Allons, mon Dieu, il fallait donc se soumettre à cela. Il n'était plus un enfant, Joachim ne paraissait pas non plus s'en ressentir particulièrement et semblait s'en accommoder sans lamentations ; et sous quelle latitude, dans quelles circonstances Noël n'avait-il pas déjà été fêté de par le monde ?

Malgré tout, il lui paraissait un peu prématuré de parler de Noël avant le premier dimanche de l'Avent ; il y avait encore six bonnes semaines jusque-là. Mais on les enjambait, on les « dévorait » dans la salle à manger — phénomène intérieur dont Hans Castorp avait sans doute pour son compte acquis l'expérience, s'il n'était pas encore habitué à s'y livrer en un style aussi hardi que ses compagnons de vie plus anciens. De telles étapes dans le cours de l'année, comme la fête de Noël, leur semblaient justement des points de repère, comme une sorte d'agrès grâce auxquels on pouvait se balancer et voltiger agilement pardessus les intervalles vides. Ils avaient tous de la fièvre, leur nutrition s'accélérait, leur vie physique était accentuée et stimulée — peut-être cela tenait-il au fait qu'ils faisaient passer le temps avec une telle rapidité et en gros. Il n'eût pas été surpris qu'ils eussent tenu Noël pour une date déjà franchie et qu'ils eussent immédiatement parlé du nouvel an et du carnaval. Mais on n'était quand même pas aussi superficiel et aussi désordonné dans la salle à manger du Berghof. À Noël on s'arrêtait, cette fête causait des soucis et des préoccupations. On délibérait sur le cadeau commun qui, selon l'usage établi dans la maison, devait être remis le soir de Noël au directeur, le docteur Behrens, et en vue duquel une souscription avait lieu. L'année passée on lui avait offert une malle, au dire de ceux qui étaient ici depuis plus d'une année. On parlait cette fois-ci d'une nouvelle table d'opérations, d'un chevalet, d'une pelisse, d'un fauteuil à bascule, d'un stéthoscope incrusté d'ivoire ou d'autre chose, et Settembrini, interrogé, recommanda la souscription à un ouvrage lexicographique intitulé *Sociologie de la souffrance* qui, disait-il, était en préparation; mais seul un libraire, placé depuis peu à la table de la Kleefeld, opina dans le même sens. On n'avait pas encore réussi à s'entendre. L'entente avec les pensionnaires russes présentait des difficultés particulières. La somme fut divisée. Les Moscovites déclarèrent vouloir faire en toute indépendance, de leur côté, un cadeau à Behrens. Mme Stöhr manifesta pendant des journées entières la plus grande inquiétude à cause d'une somme de dix francs qu'elle avait imprudemment avancée, lors de la quête, à Mme Iltis, et que celle-ci « oubliait » de lui rembourser. Elle « oubliait » ! Les intonations avec lesquelles Mme Stöhr prononçait ce mot étaient infiniment dégradées, mais toutes calculées pour exprimer le doute le plus profond sur cet « oubli » qui semblait vouloir persister, en dépit de toutes les allusions et des rappels les plus délicats, que Mme Stöhr assurait ne pas manquer de multiplier. Plusieurs fois, Mme Stöhr déclara renoncer et faire cadeau à Mme Iltis de la somme due. « Je paie donc pour moi et pour elle, dit-elle. La honte n'est pas pour moi. » Mais finalement, elle avait trouvé un moyen dont elle fit part à ses commensaux parmi l'hilarité générale : elle s'était fait payer les dix francs par « l'administration » et les avait fait porter sur le compte de Mme Iltis, de sorte que la débitrice nonchalante se trouva jouée et que cette affaire fut enfin réglée.

Il avait cessé de neiger. Le ciel se découvrait en partie; des nuages gris-bleu qui s'étaient séparés laissaient filtrer des regards du soleil qui coloraient le paysage de bleu. Puis il fit tout à fait clair. Un froid serein régna, une splendeur hivernale, pure et tenace, en plein novembre, et le panorama derrière les arceaux de la loge de balcon, les forêts poudrées, les ravines comblées de neige molle, la vallée blanche, ensoleillée sous le ciel bleu et rayonnant, étaient magnifiques. Le scintillement cristallin, l'étincellement adamantin régnaient partout. Très blanches et noires, les forêts étaient immobiles. Les contrées du ciel éloignées de la lune étaient brodées d'étoiles. Des ombres aiguës, précises et intenses, qui semblaient plus réelles et plus importantes que les objets eux-mêmes, tombaient des maisons, des arbres, des poteaux télégraphiques sur la plaine scintillante. Quelques heures après le coucher du soleil, il faisait sept ou huit degrés au-dessous de zéro. Le monde semblait voué à une pureté glacée, sa malpropreté naturelle semblait cachée et figée dans le rêve d'une fantastique magie macabre.

Hans Castorp se tenait très avant dans la nuit dans la loge de son balcon, au-dessus de la vallée hivernale et enchantée, beaucoup plus longtemps que Joachim qui se retirait à dix heures ou à peine un peu plus tard. Il avait approché son excellente chaise longue au capitonnage pliant et au rouleau qui soutenait la nuque, de la balustrade de bois où s'étendait un coussin de neige. Sur le guéridon blanc, à côté de lui, brûlait la petite lampe électrique et, à côté d'une pile de livres, était posé un verre de lait gras que l'on servait encore vers neuf heures dans la chambre de tous les habitants du Berghof et dans lequel Hans Castorp versait une gorgée de cognac pour le rendre potable. Déjà il avait eu recours à tous les moyens de protection disponibles contre le froid, à l'appareil au grand complet. Il disparaissait jusqu'à la poitrine dans le sac de fourrure boutonné qu'il avait acheté à temps, dans un magasin spécialisé de la station, et il avait roulé autour de ce sac, selon le rite, les deux couvertures en poil de chameau. Il portait en outre sur ses vêtements d'hiver sa courte pelisse, sur la tête un bonnet de laine, aux pieds des souliers en feutre, et aux mains d'épais gants fourrés qui ne pouvaient, il est vrai, empêcher les mains de s'engourdir.

Ce qui le tenait si longtemps dehors, jusque vers et après minuit (longtemps après que le couple des Russes ordinaires avait quitté la loge voisine), c'était sans doute aussi la magie de la nuit d'hiver, surtout que jusqu'à onze heures la musique s'y mêlait, qui, de plus près ou de plus loin, montait de la vallée, mais c'était surtout de la paresse et de la surexcitation, l'une et l'autre à la fois et en parfait accord ; à savoir la paresse et la fatigue de son corps ennemi de tout mouvement, et l'agitation de son esprit absorbé auquel certaines études nouvelles qu'avait entreprises le jeune homme, n'accordaient plus aucun repos. La température le fatiguait, le froid exerçait sur son organisme un effet épuisant. Il mangeait beaucoup, il profitait des formidables repas du Berghof, où des oies rôties succédaient à un rosbif garni, avec cet appétit anormal qui était ici tout à fait dans l'ordre, et en hiver, il était en proie à une somnolence constante, de sorte que, par ces nuits de lune, il s'endormait souvent sur les livres qu'il traînait avec lui (et que nous allons énumérer plus tard), pour poursuivre après quelques minutes ses recherches inconscientes. Parler avec animation — et plus qu'au pays plat il avait ici un penchant à bavarder vite, sans frein et d'une manière presque osée —, parler vite avec Joachim, durant leurs promenades à travers la neige, l'épuisait beaucoup. Vertige et tremblement, une impression d'étourdissement et d'ivresse le gagnait, et sa tête s'échauffait. Sa courbe avait monté depuis le commencement de l'hiver, et le conseiller Behrens avait parlé d'injections auxquelles il avait recours en cas de température obstinée et auxquelles les deux tiers des pensionnaires, y compris Joachim, devaient se soumettre régulièrement. Mais cette combustion accrue de son corps, pensait Hans Castorp, était précisément en rapport avec cette agitation et cette mobilité spirituelle qui, pour une part, le tenait si tard dans la scintillante nuit glacée, sur sa chaise longue. La lecture qui le captivait lui suggérait de telles explications.

On lisait beaucoup dans les salles de cure et sur les balcons privés du sanatorium international Berghof — surtout les débutants et les pensionnaires qui faisaient des séjours brefs ; car les pensionnaires qui étaient ici depuis de longs mois ou depuis plusieurs années avaient depuis longtemps appris à détruire le temps même sans distractions ni occupations intellectuelles, et à le faire s'écouler grâce à une virtuosité intérieure ; ils déclaraient même que c'était une maladresse de novices que de se cramponner dans ce but à un livre. Tout au plus devait-on en poser un sur ses genoux ou sur le guéridon, cela suffisait parfaitement pour que l'on se sentît pourvu du nécessaire. La bibliothèque de la maison, polyglotte et riche en ouvrages illustrés, répertoire élargi d'une salle d'attente de dentiste, était à la disposition de tous. Des romans venant du cabinet de lecture de Platz étaient échangés. De temps à autre surgissait un livre, un écrit, que l'on se disputait et vers lequel même ceux qui avaient cessé de lire étendaient les mains avec un flegme hypocrite. À l'époque à laquelle nous sommes arrivés, un cahier mal imprimé circulait de main en main, introduit par « Monsieur Albin » et qui s'intitulait : *L'Art de séduire*. Le texte en était traduit littéralement du français ; la syntaxe même de cette langue avait été conservée, dans la traduction, ce qui prêtait à l'exposé beaucoup d'allure et une certaine élégance aguichante. L'auteur exposait la philosophie de l'amour physique et de la volupté dans un esprit de paganisme mondain et épicurien. Mme Stöhr l'eut bientôt lu et le trouva « enivrant ». Mme Magnus, celle qui avait de l'albumine, l'approuva sans réserves. Son époux, le brasseur, prétendit pour sa part avoir à beaucoup d'égards tiré profit de cette lecture, mais déplora que Mme Magnus en eût pris connaissance, car ces choses-là « gâtaient » les femmes et leur donnaient des idées peu modestes. Cette parole accrut naturellement l'intérêt que d'autres prêtèrent à cet ouvrage. Entre deux dames de la salle d'en bas, arrivées en octobre, Mme Redisch, la femme d'un industriel polonais, et une certaine veuve Hessenfeld, de Berlin, dont chacune affirmait s'être inscrite la première pour cette lecture, il y eut après le dîner une scène peu édifiante, à vrai dire brutale même, à laquelle Hans Castorp fut obligé d'assister du haut de sa loge de balcon, et qui se termina par une crise d'hystérie chez une des deux dames — ce pouvait être la Redisch, mais ce pouvait tout aussi bien être la Hessenfeld — et par le transport dans sa chambre de la femme malade de fureur. La jeunesse s'était emparée du traité avant les personnes d'âge mûr. Elle l'étudia pour une part en commun, après le souper, dans différentes chambres. Hans Castorp vit le jeune homme à l'ongle le remettre dans la salle à manger à une jeune malade légère, récemment arrivée, Fränzchen Oberdank, petite jeune fille récemment amenée par sa mère et dont une raie divisait les cheveux blonds.

Peut-être y avait-il des exceptions, peut-être y avait-il des pensionnaires qui meublaient les heures de leur cure de repos par quelque occupation intellectuelle sérieuse, par quelque étude utile, ne fût-ce que pour garder un contact avec la vie d'en bas, ou prêter au temps un peu de poids et de profondeur, afin qu'il ne fût pas du temps pur, et rien de plus. Peut-être, en dehors de M. Settembrini, qui s'efforçait d'abolir les souffrances, et du brave Joachim avec ses grammaires russes, y avait-il encore ici ou là quelqu'un qui avait un souci analogue, sinon parmi les habitués de la salle à manger, ce qui était vraiment improbable, du moins parmi les alités ou, peut-être bien, les moribonds. Hans Castorp inclinait à l'admettre. Quant à lui, comme *Ocean Steamships* ne lui disait décidément plus rien, il avait fait venir, en même temps que ses vêtements d'hiver, quelques livres relevant de sa profession, des ouvrages techniques sur la construction des bateaux. Mais ces volumes avaient été négligés au profit d'autres qui appartenaient à un secteur et à une faculté toute différente et au sujet desquels le jeune Hans Castorp s'était intéressé. C'étaient des ouvrages d'anatomie, de physiologie et de biologie, rédigés en différentes langues, en allemand, en français et en anglais, et ils lui avaient été un jour envoyés par un libraire, apparemment parce qu'il les avait commandés, et cela de sa propre initiative, lors d'une promenade qu'il avait faite à Platz, sans Joachim, qui avait été justement convoqué pour son injection ou pour passer à la bascule. Joachim vit avec surprise ces livres dans les mains de son cousin. Ils avaient coûté cher, comme c'est le cas des ouvrages scientifiques. Les prix étaient encore inscrits à l'intérieur de la reliure et sur les couvertures. Il demanda pourquoi Hans Castorp, s'il voulait lire de tels ouvrages, ne les avait pas empruntés au docteur Behrens, qui possédait un assortiment riche et bien choisi de ce genre de littérature. Mais Hans Castorp répondit qu'il voulait les avoir à lui, qu'on lisait tout autrement lorsque le livre vous appartenait ; de plus, il aimait souligner et marquer des passages au crayon. Durant des heures Joachim entendait dans la loge de son cousin le bruit du coupe-papier qui sépare les feuillets brochés.

Les volumes étaient lourds et peu maniables ; Hans Castorp, étendu, en appuyait le bord inférieur sur sa poitrine, sur son estomac. Cela lui pesait, mais il le supportait : la bouche entrouverte, il laissait ses yeux parcourir les passages savants qui étaient, presque inutilement, éclairés par la lueur rougeâtre de la lampe sous son abat-jour — car on eût pu, au besoin, les lire à la clarté de la lune —, les accompagnait de la tête jusqu'à ce que son menton reposât sur sa poitrine, position dans laquelle le liseur demeurait quelque temps, réfléchissant, somnolent ou à moitié somnolent, avant de relever son visage vers la page suivante. Il se livrait à des recherches profondes ; il lisait, tandis que la lune suivait son orbite par-dessus la vallée de haute montagne scintillante de cristaux, il lisait des choses sur la matière organique, sur les qualités du protoplasme, de cette substance sensible qui se maintient en un étrange état intermédiaire entre la composition et la décomposition, et sur le développement de ses formes issues de formes originelles, mais toujours présentes, il lisait en prenant une part fervente à la vie et à son mystère sacré et impur.

Qu'était-ce que la vie ? On ne le savait pas. Elle avait conscience d'elle-même, incontestablement, la conscience, en tant que sensibilité, s'éveillait jusqu'à un certain point encore chez les formes les plus inférieures, les plus primitives de l'existence ; il était impossible de lire la première apparition de phénomènes conscients à un point quelconque de son histoire générale ou individuelle, de faire dépendre, par exemple, la conscience de l'existence d'un système nerveux. Les formes animales inférieures n'avaient pas de système nerveux, encore moins avaient-elles un cerveau, et cependant personne ne se serait hasardé à contester qu'elles eussent des réflexes. De plus, on pouvait arrêter la vie, la vie elle-même, non pas seulement les organes particuliers de la sensibilité qui la constituaient, pas seulement les nerfs. On pouvait momentanément suspendre la sensibilité de toute matière douée de vie, dans le règne végétal comme dans le règne animal, on pouvait engourdir des œufs et des spermatozoïdes au moyen de chloroforme, de chlorhydrate ou de morphine. La conscience de soi était donc tout simplement une fonction de la matière organisée, et, à un degré plus avancé, cette fonction se retournait contre son propre porteur, devenait tendance à approfondir et à expliquer le phénomène ; elle devenait une tendance qui l'avait suscitée, une tendance, pleine à la fois de promesses et de désespoir, de la vie à se connaître elle-même, descente de la nature en elle-même, recherche vaine en dernier ressort, puisque la nature ne peut se résoudre dans la connaissance, puisque la vie ne peut surprendre le dernier mot d'elle-même.

Qu'était-ce que la vie ? Personne ne le savait. Personne ne connaissait le point de la nature d'où elle jaillissait, où elle s'allumait. Rien n'était spontané dans le domaine de la vie à partir de ce point ; mais la vie elle-même surgissait brusquement. Si l'on pouvait dire quelque chose à ce sujet, c'était ceci : sa structure devait être d'un genre si évolué que le monde inanimé ne comportait aucune forme qui lui fût apparentée même de très loin. Entre l'amibe pseudopode et l'animal vertébré l'écart était négligeable, insignifiant, en comparaison de l'écart entre le phénomène le plus simple de la vie et cette nature qui ne méritait même pas d'être appelée morte, puisqu'elle était inorganique. Car la mort n'était que la négation logique de la vie ; mais entre la vie et la nature inanimée béait un abîme que la science tentait en vain de franchir. On s'efforçait de le circonscrire par des théories qu'il engloutissait sans rien perdre de sa profondeur ni de son étendue. Pour établir un lien, on s'était laissé induire à cette contradiction de supposer une matière vivante incomplète, des organismes non organisés qui se condensaient d'eux-mêmes dans la solution d'albumine comme le cristal dans l'eau-mère, bien que la différenciation organique fût la condition première et la manifestation de toute vie et que l'on ne connût point d'être vivant qui n'eût pas dû son existence à une conception. Le triomphe, que l'on avait fêté lorsqu'on avait pêché dans les profondeurs de la mer le mucilage primitif, avait tourné en confusion. Il apparut que l'on avait pris des dépôts de plâtre pour du protoplasme. Mais afin de ne pas s'arrêter devant un miracle — car la vie composée des mêmes éléments et se décomposant dans les mêmes éléments que la nature inorganique, sans formes intermédiaires, eût été miracle —, on avait quand même été obligé d'admettre une conception initiale, c'est-à-dire de croire que l'organique naissait de l'inorganique, ce qui du reste était également un miracle. On continua ainsi d'admettre des degrés intermédiaires et des transitions, de supposer l'existence d'organismes inférieurs à tous ceux que l'on connaissait, mais qui eux-mêmes avaient pour ascendants des ébauches de la vie encore plus primitives, des protozoaires que personne ne verrait jamais parce que d'une petitesse inframicroscopique, et avant la naissance supposée desquels la synthèse des combinaisons de l'albumine devait s'être produite…

Qu'était-ce donc que la vie ? Elle était chaleur, chaleur produite par un phénomène sans substance propre qui conservait la forme ; elle était une fièvre de la matière qui accompagnait le processus de la décomposition et de la recomposition incessantes de molécules d'albumine d'une structure infiniment compliquée et infiniment ingénieuse. Elle était l'être de ce qui en réalité ne peut être, de ce qui oscille en un doux et douloureux suspens sur la limite de l'être, dans ce processus continu et fiévreux de la décomposition et du renouvellement. Elle n'était pas matière et elle n'était pas esprit. Elle était quelque chose entre les deux, un phénomène porté par la matière, pareille à l'arc-en-ciel sur la cataracte et pareille à la flamme. Mais bien qu'elle ne relevât pas de la matière, elle était sensuelle jusqu'à la volupté et jusqu'au dégoût, l'impudeur de la nature devenue sensitive et sensible à elle-même, la forme impudique de l'être. C'était une velléité secrète et sensuelle dans le froid chaste de l'univers, une impureté intimement voluptueuse de nutrition et d'excrétion, un souffle excréteur d'acide carbonique et de substances nocives de provenance et de nature inconnues. C'était la végétation, le déploiement et la prolifération de quelque chose de bouffi, fait d'eau, d'albumine, de sel et de graisses, que l'on appelait chair, et qui devenait forme, image et beauté, mais qui était le principe de la sensualité et du désir. Car cette forme, cette beauté n'était pas portée par l'esprit, comme dans les œuvres de la poésie et de la musique, elle n'était pas davantage portée par une substance neutre et absorbée, par l'esprit incarnant l'esprit d'une manière innocente, comme le sont la forme et la beauté des œuvres plastiques. Elle était au contraire portée et développée par la substance, éveillée, d'une manière inconnue, à la volupté, par la substance organique, par la matière elle-même qui vit tout en se décomposant, par la chair parfumée…

Aux yeux du jeune Hans Castorp qui reposait au-dessus de la vallée scintillante, dans la chaleur de son corps conservée grâce à la fourrure et à la laine, l'image de la vie apparaissait dans cette nuit froide éclairée par la lueur de l'astre mort. Il flottait devant lui, quelque part dans l'espace lointain, et en même temps proche de ses sens, ce corps d'un blanc mat, exhalant des odeurs et des buées, visqueux, la peau dans toute l'impureté et l'imperfection de sa nature, avec des taches, des papilles, des endroits jaunis, des gerçures et des régions granulo-pelliculeuses, recouverte des courants et des tourbillons délicats du rudimentaire duvet *lanugo*. Il reposait, non point parmi le froid de la matière inanimée, mais dans sa sphère embuée, nonchalant, le chef couronné de quelque chose de frais, de corneux, de pigmenté qui était un produit de sa peau, les mains jointes derrière la nuque, et regardait le spectateur sous des paupières baissées, de ces yeux qu'un pli de la peau palpébrale faisait paraître bridés, les lèvres entrouvertes, légèrement retroussées, appuyé sur une jambe, de sorte que l'os de la hanche qui supportait le poids saillait sous la chair, tandis que le genou de l'autre jambe, légèrement plié, frôlait l'intérieur de la jambe-appui, et que le pied ne touchait le sol que de la pointe des orteils. Il était là, debout, se retournant en souriant, appuyé dans sa grâce, les coudes rayonnants écartés en avant, dans la symétrie de ses membres jumelés.

À l'ombre des aisselles au relent âcre répondait en un triangle mystique l'obscurité du sexe, de même qu'aux yeux la bouche rouge et épithéliale, aux fleurs rouges de la poitrine le nombril vertical et allongé. Sous l'action d'un organe central et des nerfs moteurs qui partaient de la colonne vertébrale, le ventre et le thorax, la caverne pleuropéritonéale se dilataient et se rétractaient, la respiration, réchauffée et humectée par les muqueuses du conduit respiratoire s'échappait des lèvres, après que dans les alvéoles du poumon elle avait combiné son oxygène avec l'hémoglobine du sang pour permettre la respiration intérieure. Car Hans Castorp comprenait que ce corps vivant, dans l'équilibre mystérieux de sa structure nourrie de sang, parcourue de nerfs, de veines, d'artères, de vaisseaux capillaires, baignée par la lymphe, avec sa charpente intérieure de pièces creuses garnies de moelle grasse, d'os plats, d'os longs, d'os courts qui avaient consolidé à l'aide de sels calcaires et de gélatine leur substance primitive, le suc nucléaire, pour le supporter, avec des capsules et des cavités, lubrifiées, avec les tendons et les cartilages et ses articulations avec ses muscles au nombre de plus de deux cents, avec ses organes centraux servant à la nutrition, à la respiration, à la perception et à l'émission, avec ses membranes protectrices, ses cavités séreuses, ses glandes aux sécrétions abondantes, le jeu de conduits et de fentes de sa complexe surface intérieure qui débouchait par des ouvertures du corps dans la nature extérieure — que ce moi était une unité vivante d'une espèce supérieure, très éloignée de l'espèce de ces êtres très simples qui respiraient, se nourrissaient, voire pensaient par toute la surface de leur corps, mais fait de myriades de tels organismes minuscules qui avaient pris leur origine dans un seul d'entre eux, s'étaient multipliés en se dédoublant toujours de nouveau, s'étaient organisés, différenciés, développés isolément et avaient fait naître des formes qui étaient la condition et l'effet de leur croissance.

Le corps tel qu'il lui apparut alors, cet être distinct et ce moi vivant, était donc une formidable multitude d'individus qui respiraient et se nourrissaient, qui, en se subordonnant et s'adaptant à des fins particulières, avaient à tel point perdu leur existence propre, leur liberté et leur vie indépendante, étaient si complètement devenus des éléments anatomiques que la fonction des uns se réduisait à la perception de la lumière, du son, du toucher, de la chaleur, que d'autres ne savaient plus que modifier leur forme en se contractant, ou sécréter des liquides, que d'autres encore n'étaient développés que pour protéger, soutenir et transmettre des sucs, ou étaient exclusivement bons à la reproduction. Il y avait des relâchements de cette pluralité organique élevée à la forme d'un moi, des cas où la multitude des individus inférieurs n'était rassemblée que d'une manière superficielle et incertaine en une unité de vie supérieure. Notre chercheur méditait le phénomène des colonies de cellules, il apprenait qu'il existait des demi-organismes, des algues dont les cellules distinctes n'étaient qu'enveloppées d'une membrane, et qui étaient souvent éloignées les unes des autres, organismes à cellules multiples malgré tout, mais qui, si on les avait interrogés, n'auraient pas su dire s'ils voulaient être considérés comme une agglomération d'individus unicellulaires ou comme un être pour soi et qui auraient étrangement oscillé entre le Je et le Nous dans leur témoignage sur eux-mêmes. Ici la nature montrait un état intermédiaire entre l'association d'innombrables individus élémentaires formant les tissus et les organes d'un Moi supérieur, et la libre existence individuelle de ces unités : l'organisme multicellulaire n'était qu'une des formes sous lesquelles apparaissait le processus cyclique selon lequel se déroulait la vie et qui était un mouvement circulatoire de conception en conception. L'acte qui fécondait, la fusion sexuelle de deux corps de cellules était à l'origine de la construction de tout individu plural tout comme on le trouvait à l'origine de toute lignée de créatures élémentaires et individuelles ; il se ramenait à lui-même. Car cet acte persistait durant plusieurs générations qui n'avaient pas besoin de lui pour se multiplier en se divisant indéfiniment jusqu'à ce que vînt un instant où les descendants, nés sans le concours du sexe, étaient de nouveau astreints à l'accouplement et où le cycle se refermait. Le multiple royaume de la Vie, issu de la fusion des noyaux de deux cellules génératrices, c'était donc la communauté de beaucoup d'individus cellulaires formés sans le concours du sexe ; son accroissement était leur multiplication, et le cycle de la conception se fermait lorsque des cellules sexuelles, éléments développés à la seule fin de la reproduction, s'étaient constituées en lui et trouvaient le chemin d'un mélange qui stimulait à nouveau la vie.

Un volume d'embryologie dans le creux de l'estomac, le jeune aventurier poursuivait le développement de l'organisme à partir de l'instant où le spermatozoïde — l'un d'entre les nombreux spermatozoïdes —, progressant grâce aux mouvements de nageoires de son arrière-train, heurtait de la pointe de sa tête la membrane de l'œuf, et s'enfonçait dans la vésicule que le vitellus avait ménagée au germe. On ne pouvait imaginer aucune farce ni aucune caricature à laquelle la nature ne se fût complu dans les variantes de ce phénomène constant. Il y avait des animaux dont le mâle était un parasite vivant dans l'intestin de la femelle. Il y en avait d'autres chez lesquels le bras du mâle pénétrait dans le gosier de la femelle pour déposer sa semence, après quoi ce bras coupé et vomi s'enfuyait tout seul sur ses doigts à cette fin unique d'égarer la science qui l'avait longtemps désigné en grec ou en latin comme un être vivant autonome. Hans Castorp entendit se quereller les écoles des ovistes et des animalculistes dont les uns avaient prétendu que l'œuf était une grenouille, un chien ou un homme tout achevé, et que le sperme n'avait fait que déclencher sa croissance tandis que les autres voyaient dans le spermatozoïde qui possédait une tête, des bras et des jambes, un être vivant préfiguré, auquel l'œuf ne servait que de terrain nourricier, jusqu'à ce que l'on se fût accordé à attribuer les mêmes mérites à l'œuf et à la cellule du germe qui étaient issus de cellules primitivement identiques de reproduction. Il voyait l'organisme unicellulaire de l'œuf fécondé sur le point de se tranformer en un organisme multicellulaire, en se sillonnant et se segmentant, il voyait les corps des cellules former la *blastula* dont une paroi s'enfonce en une cavité qui commençait de remplir la fonction de la nutrition et de la digestion. C'était le rudiment du tube digestif, l'animal originel, la *gastrula*, forme primitive de toute vie animale, forme fondamentale de la beauté charnelle. Ses deux couches épithéliales, l'extérieur et l'intérieur, apparaissaient comme des organes primitifs qui, par des saillies ou des renfoncements, donnaient naissance aux glandes, aux tissus, aux organes des sens, aux prolongements du corps. Une bande de la couche extérieure s'épaississait, se sillonnait en une gouttière, se fermait en un canal médullaire, devenait colonne vertébrale, encéphale. Et, de même que le mucus fœtal se transformait en un tissu fibreux, en un cartilage, par le fait que les nucléoses commençaient à produire, au lieu de mucine, une substance gélatineuse, il voyait en certains endroits les cellules conjonctives tirer des sels calcaires et des substances graisseuses des sucs qui les baignaient, et s'ossifier. L'embryon de l'homme était accroupi, replié sur lui-même, caudifère, à peine différent de celui du porc, avec un énorme tronc digestif et des extrémités rabougries et informes, la larve du visage ployée sur la panse gonflée, et son développement, aux yeux d'une science dont les constatations véridiques étaient sombres et peu flatteuses, n'apparaissait que comme la répétition rapide de la formation d'une espèce zoologique. Passagèrement, il avait des poches branchiales comme une raie. Il semblait permis ou nécessaire de conclure, des stades de développement qu'il parcourait, à l'aspect peu humaniste que l'homme achevé avait offert dans les temps primitifs. Sa peau était pourvue de muscles se contractant pour se protéger des insectes, et couverte d'une toison abondante, l'étendue de sa muqueuse pituitaire était formidable ; ses oreilles écartées, mobiles, et qui prenaient une part importante au jeu de physionomie, avaient été plus aptes à capter le son que nos oreilles présentes. Ses yeux, protégés par une troisième paupière cillante, avaient été placés de part et d'autre de la tête, à l'exception du troisième, dont le rudiment était la glande pinéale, et qui avait pu surveiller le zénith. Cet homme possédait en outre un très grand conduit intestinal, beaucoup de dents molaires et de cordes vocales au larynx pour beugler ; le mâle avait porté les testicules à l'intérieur du ventre.

L'anatomie dépouillait et préparait aux yeux de notre explorateur les parties du corps humain, elle lui montrait ses muscles, ses tendons et ses fibres superficiels, profonds et sous-jacents — ceux des cuisses, du pied, et surtout du bras et de l'avant-bras, elle lui enseignait les noms latins par lesquels la médecine, cette variante de l'esprit humaniste, les avait noblement et galamment distingués, et le faisait pénétrer jusqu'au squelette, dont la constitution lui ouvrait de nouvelles perspectives sur l'unité de tout ce qui est humain, sur la connexité de toutes les disciplines. Car ici — chose singulière ! — il se trouva ramené à sa profession véritable — ou faut-il dire : ancienne ? —, à l'activité scientifique dont il s'était déclaré, en arrivant ici, un représentant aux personnes qu'il avait rencontrées (le docteur Krokovski, M. Settembrini). Pour apprendre quelque chose — peu lui avait importé quoi —, il avait appris dans les universités bien des choses sur la statistique, sur les supports flexibles, sur la capacité et sur la construction considérés comme une administration rationnelle du matériel mécanique. Il eût sans doute été puéril de supposer que la science de l'ingénieur, les lois de la mécanique avaient été appliquées à la nature organique, mais on ne pouvait pas davantage prétendre qu'elles avaient été déduites de celle-ci. Elles s'y trouvaient tout simplement reproduites et confirmées. Le principe du cylindre creux régissait la structure des longs os médullaires, de telle façon que l'exact minimum de substance solide y répondait aux besoins statiques. Un corps — avait-on appris à Hans Castorp — qui, répondant aux conditions posées de résistance à la traction et à la compression, n'était composé que d'une armature faite d'une matière résistante, peut supporter la même charge qu'un corps massif de la même composition. De même, au cours de la formation des os médullaires on pouvait observer qu'à mesure que s'ossifiait la surface, les parties intérieures, devenues mécaniquement inutiles, des substances graisseuses, se changeaient en moelle jaune. L'os fémoral était une grue, dans la construction de laquelle la nature organique, par la flexion de la pièce osseuse, avait décrit à un cheveu près les mêmes courbes de compression et de traction que Hans Castorp aurait dû régulièrement tracer s'il avait représenté graphiquement un appareil ayant la même charge. Il le constatait avec satisfaction, car désormais il entretenait avec le fémur, ou avec la nature organique en général, un triple rapport : le rapport lyrique, le rapport médical et le rapport technique, tant était vive l'excitation de son esprit ; et ces trois rapports, lui semblait-il, ne formaient qu'un dans l'ordre humain, ils étaient des variantes d'une seule et même et persistante tendance, des facultés humanistes…

Cependant, l'action du protoplasme restait toujours absolument inexplicable ; il semblait interdit à la vie de se comprendre elle-même. La plupart des phénomènes biochimiques étaient, non seulement inconnus, mais encore c'était le propre de leur nature d'échapper à la compréhension. On ne savait presque rien de la structure, de la composition de cette unité de vie que l'on appelait la « cellule ». À quoi servait-il de dénombrer les parties constitutives du muscle mort ? On ne pouvait analyser chimiquement le muscle vivant ; les seules modifications qu'entraînait la rigidité cadavérique suffisaient à enlever toute portée à ces expériences. Personne ne comprenait la nutrition, personne, le principe de la fonction nerveuse. À quelles qualités les papilles gustatives devaient-elles le sens du goût ? En quoi consistaient les excitations différentes de certains nerfs sensitifs par les odeurs ? En quoi consistait l'odeur en général ? L'odeur spécifique des animaux et des hommes tenait à l'évaporation de substances que personne n'aurait su nommer. La composition du liquide sécrété que l'on appelait la sueur était mal éclaircie. Les glandes qui la sécrétaient produisaient des arômes qui jouaient incontestablement un rôle important chez les mammifères et dont on prétendait ne pas connaître la signification pour l'homme. La fonction physiologique de parties apparemment importantes du corps demeurait obscure. On pouvait négliger l'appendice qui était un mystère et que l'on trouvait chez le lapin empli régulièrement d'une bouillie dont on ne pouvait dire ni comment elle en sortait ni comment elle s'y renouvelait. Mais qu'en était-il de la substance blanche et grise de la moelle cérébrale, qu'en était-il du centre de vision qui communiquait avec le nerf optique et avec les couches de matière grise du « pont » ? La moelle cérébrale et épinière était si fragile qu'il n'y avait pas d'espoir de pénétrer jamais sa structure. Qu'était-ce qui, durant le sommeil, dispensait la substance corticale de son activité? Qu'était-ce qui empêchait l'estomac de se digérer lui-même, ce qui, en effet, se produisait quelquefois dans les cadavres? On répondait : la vie, un pouvoir de résistance particulier du protoplasme vivant, et l'on faisait semblant de ne pas s'apercevoir que c'était là une explication mystique. La théorie d'un phénomène aussi quotidien que la fièvre était pleine de contradictions. L'accélération des échanges avait pour conséquence une production plus forte de chaleur. Mais pourquoi, en retour, la dépense de chaleur n'augmentait-elle pas, comme c'était le cas en d'autres circonstances? La paralysie des glandes sudoripares tenait-elle à des contractions de la peau? Mais ce n'était qu'en cas de frissons de fièvre qu'on pouvait les observer, car, hormis ce cas, la peau était plutôt chaude. Le « coup de chaleur » désignait le système nerveux central comme le siège des causes de l'accélération des échanges, de même que d'une particularité de la peau que l'on se bornait à qualifier d'« anormale » parce qu'on ne savait pas l'expliquer.

Mais que signifiait toute cette ignorance, en regard de la perplexité à laquelle on était en proie face à des phénomènes comme celui de la mémoire, ou de cette mémoire élargie et plus surprenante encore qu'était la transmission héréditaire de qualités acquises? Il était impossible de concevoir, ou même de pressentir une explication mécanique de ce travail accompli par la substance cellulaire. Le spermatozoïde, qui transmettait à l'œuf les innombrables et complexes particularités propres à l'espèce et à l'individualité du père, n'était visible qu'au microscope, et le grossissement le plus puissant ne suffisait pas à le faire apparaître autrement que comme un corps homogène, ni à permettre de déterminer son origine; car il apparaissait identique chez les animaux divers. C'étaient là des conditions d'organisation qui obligeaient à supposer qu'il n'en allait pas autrement de la cellule que du corps supérieur qu'elle allait engendrer; c'est-à-dire qu'elle aussi était déjà un organisme supérieur, lequel, à son tour, se composait de minuscules corps vivants, d'unités de vie individuelles. On passait donc d'un élément que l'on avait supposé le plus petit, à un élément encore plus infinitésimal, on se voyait contraint de décomposer le phénomène élémentaire en des éléments encore inférieurs. Pas de doute : de même que le règne animal se composait de différentes espèces d'animaux, de même que l'organisme animal-humain se composait de tout un règne d'espèces de cellules, de même l'organisme de la cellule se composait d'un nouveau et multiple règne animal d'unités vivantes élémentaires, dont la grandeur était très loin de la limite du visible atteinte par le microscope, d'unités qui croissaient d'elles-mêmes, qui se multipliaient d'elles-mêmes, astreintes par la loi à ne reproduire que leurs semblables et qui servaient de concert, d'après le principe de la division du travail, la forme de vie placée immédiatement au-dessus d'eux.

C'étaient les gènes, les bioplastes, les biophores. Hans Castorp fut enchanté de faire, par cette nuit glacée, leur connaissance et d'apprendre leurs noms. Mais, excité comme il l'était, il se demanda quelle pouvait être leur nature élémentaire si on les examinait de tout près. Comme ils portaient la vie, ils devaient être organisés, car la vie c'est l'organisation ; or, s'ils étaient organisés, ils ne pouvaient être élémentaires, car un organisme n'est pas élémentaire, il est plural. Ils étaient des unités de vie au-dessous de l'unité de la cellule qu'ils composaient organiquement. Mais s'il en était ainsi, bien que d'une petitesse inimaginable, ils devaient être eux-mêmes construits, organiquement construits, comme des formes de la vie ; car la notion de l'unité vivante était identique au concept de l'ensemble organique d'unités plus petites et inférieures, d'unités de vie organisées en vue d'une vie supérieure. Aussi longtemps que, en les divisant, on rencontrait des unités organiques qui possédaient les qualités de la vie, c'est-à-dire les facultés de s'assimiler, de se développer et de se multiplier, il n'y avait pas de limite. Aussi longtemps qu'il était question d'unités vivantes, on ne pouvait que parler à tort d'unités élémentaires, car la conception de l'unité avait, à l'infini, pour corollaire une unité subordonnée et composante ; et la vie élémentaire, c’est-à-dire quelque chose qui était déjà la vie, mais qui était encore élémentaire, n’existait pas.

Mais bien que la logique n’admît pas son existence, une vie semblable devait, en fin de compte, exister, car l’idée de la génération spontanée, c’est-à-dire d’une vie issue du non-vivant, ne pouvait être rejetée, et cet abîme que l’on cherchait en vain à combler dans la nature extérieure, à savoir l’abîme entre la vie et l’inanimé, devait être en quelque sorte comblé ou franchi au sein organique de la nature. Cette division devait, on ne savait quand, conduire à des unités qui étaient sans doute composées, mais qui n’étaient pas encore organisées : unités intermédiaires entre la vie et la non-vie, groupes de molécules formant la transition entre l’organisation vivante et la simple chimie. Mais parvenu à la molécule chimique, on se trouvait de nouveau devant un abîme béant, infiniment plus mystérieux que l’abîme entre la nature organique et inorganique : devant l’abîme qui séparait le matériel de l’immatériel. Car la molécule se composait d’atomes, et l’atome n’était de loin pas assez grand pour pouvoir être qualifié, ne fût-ce que d’extraordinairement minime. C’était une condensation si infime, si minuscule, si précoce et si transitoire de l’immatériel, du pas-encore-matériel, mais de ce qui déjà ressemblait à la matière, à savoir de l’énergie, que l’on ne pouvait déjà plus, que l’on pouvait à peine encore le considérer comme matériel, et qu’il fallait bien plutôt l’imaginer comme un stade liminaire et intermédiaire entre le matériel et l’immatériel. Le problème d’une autre genèse originelle, encore infiniment plus énigmatique et plus aventureuse que la génération spontanée, se posait : celui de l’origine de la matière, issue de l’immatériel. En effet, l’abîme entre la matière et la non-matière demandait à être comblé avec autant et plus d’insistance encore que l’abîme entre la nature organique et inorganique. Il devait nécessairement y avoir une chimie de l’immatériel, des combinaisons immatérielles, d’où était issue la matière, de même que les organismes étaient issus de combinaisons inorganiques, et les atomes pouvaient être les protozoaires et les monades de la matière, d’une substance à la fois matérielle et immatérielle. Mais, parvenus à « ce qui n'est même plus petit », toute mesure vous échappait ; « ce qui n'était même plus petit » était déjà presque de l'« immensément grand » ; et le pas fait vers l'atome apparaissait, sans exagération, comme fatal au suprême degré. Car, à l'instant où la matière achevait de se démembrer et de s'amenuiser, l'univers astronomique s'ouvrait tout à coup devant vos yeux.

L'atome était un système cosmique chargé d'énergie, au sein duquel des corps gravitaient en une rotation frénétique autour d'un centre semblable au soleil, et dont les comètes parcouraient l'aire à des vitesses mesurées en années-lumière, maintenues dans leurs orbites excentriques par le pouvoir du corps central. C'était aussi peu une comparaison que lorsqu'on appelait le corps des êtres multicellulaire un « État cellulaire ». La cité, l'État, la communauté sociale organisée d'après le principe de la division du travail étaient non seulement comparables à la vie organique, mais elles la répétaient exactement. De même, se répétait au tréfonds de la nature, s'y reflétait infiniment l'univers stellaire, le macrocosme, dont les groupes, les figures, les nébuleuses, les nuages, pâlis par la lune, flottaient devant les yeux de notre adepte emmitouflé, au-dessus de la vallée scintillante de neige. N'était-il pas permis de penser que certaines planètes du système solaire atomique — de ces armées et de ces voies lactées de systèmes solaires qui composaient la matière —, que l'un ou l'autre de ces corps célestes intraterrestres se trouvaient dans un état pareil à celui qui faisait de la terre un siège de vie ? Pour un jeune adepte un peu obnubilé qui ne manquait plus tout à fait d'expérience dans le domaine des choses interdites, une telle spéculation n'était non seulement pas extravagante, mais encore séduisante au point de s'imposer avec toute l'apparence logique de la vérité. La « petitesse » des corps stellaires intraterrestres eût été une objection très peu objective, car toute mesure s'était égarée au plus tard à l'instant où le caractère cosmique de ces parcelles infimes s'était révélé, et les conceptions de l'extérieur et de l'intérieur avaient également perdu de leur solidité. Le monde des atomes était un « extérieur » de même que très probablement l'étoile terrestre que nous habitons, considérée organiquement, était un profond « intérieur ». Dans sa hardiesse rêveuse, un savant n'était-il pas allé jusqu'à parler « d'animaux de la voie lactée », de monstres cosmiques, dont la chair, les os et le cerveau se composaient de systèmes solaires ? Mais s'il en était comme le pensait Hans Castorp, tout recommençait à l'instant où l'on croyait être arrivé au terme ! Et peut-être, au tréfonds, au plus secret de sa nature, c'était lui-même qui se retrouvait encore une fois, lui, le jeune Hans Castorp, encore une fois, encore cent fois, chaudement enveloppé, dans une loge de balcon, avec la vue sur le clair de lune d'une nuit glacée dans la haute montagne, étudiant avec des doigts engourdis et une figure brûlante, par intérêt humaniste et médical, la vie du corps.

L'anatomie pathologique, dont il tenait un volume, incliné sous la lumière rouge de sa lampe basse, le renseignait par un texte parsemé d'illustrations sur le caractère des groupes parasitaires de cellules et des tumeurs infectieuses. C'étaient des formes de tissus particulièrement luxuriantes — provoquées par l'irruption de cellules étrangères dans un organisme qui leur était apparu particulièrement accueillant, et qui en quelque manière — il fallait peut-être dire en quelque manière dépravée — offrait à leur croissance des conditions favorables. Non pas que le parasite eût dérobé sa nourriture au tissu qui l'entourait ; mais en se nourrissant comme toute cellule, il produisait des combinaisons organiques, qui apparaissaient étonnamment toxiques et inéluctablement nuisibles pour les cellules de l'organisme qui l'hébergeait. On était parvenu à isoler et présenter sous une forme concentrée les toxines de quelques micro-organismes et l'on avait été surpris par les doses infimes de ces corps qui étaient tout simplement des albuminoïdes, mais qui, introduits dans la circulation d'un animal, y déterminaient les phénomènes d'empoisonnement les plus dangereux, et entraînaient une destruction rapide. L'apparence extérieure de cette corruption était une excroissance de tissu, la tumeur pathologique qui constituait la réaction des cellules contre les bacilles établis au milieu d'elles. Des nœuds d'une épaisseur de grains de mil se formaient, composés de cellules d'apparence visqueuse entre lesquelles et dans lesquelles les bactéries s'installaient et dont quelques-unes étaient extraordinairement riches en protoplasme, immenses et emplies d'une multitude de noyaux. Mais cette effervescence amenait une ruine rapide, car aussitôt les noyaux de ces cellules monstrueuses commençaient à se recroqueviller et à se décomposer, et leur protoplasme à se lubrifier ; de nouvelles zones voisines de tissus étaient atteintes de cette influence étrangère, des phénomènes d'inflammation se répandaient et attaquaient les vaisseaux voisins ; des globules blancs s'approchaient, attirés par le lieu du désastre ; la mort par coagulation progressait, et cependant les poisons solubles des bactéries avaient depuis longtemps grisé les centres nerveux, l'organisme atteignait une température élevée, et, la poitrine houleuse, il marchait, en chancelant, vers la dissolution.

Voilà pour la pathologie, pour la doctrine de la maladie, pour l'accent de la douleur placé sur le corps, mais en même temps que sur le corps, sur la volupté. La maladie était la forme dépravée de la vie. Et la vie pour sa part ? Peut-être n'était-elle, elle aussi, qu'une maladie infectieuse de la matière, de même que ce que l'on pouvait appeler la genèse originelle de la matière n'était peut-être que maladie, que réflexe et prolifération de l'immatériel ? Le premier pas vers le mal, la volupté et la mort était, sans nul doute, parti de là où, provoqué par le chatouillement d'une infiltration inconnue, cette première condensation de l'esprit, cette végétation pathologique et surabondante de son tissu s'était produite qui, mi-plaisir, mi-défense, constituait le premier degré du substantiel, la transition de l'immatériel au matériel. C'était le péché originel. La deuxième génération spontanée, le passage de l'inorganique à l'organique, n'était plus qu'une dangereuse prise de conscience du corps, de même que la maladie de l'organisme était une exagération enivrée et une accentuation dépravée de sa nature physique : la vie n'était plus qu'une progression sur le sentier aventureux de l'esprit devenu impudique, un réflexe de chaleur de la matière éveillée à la sensibilité, et qui s'était montrée réceptive à cet appel…

Les livres étaient accumulés sur la petite table, l'un était par terre, à côté de la chaise longue, sur la natte de la galerie, et celui que Hans Castorp avait feuilleté en dernier lieu pesait à son estomac, lui coupait le souffle, mais sans que de sa matière grise l'ordre fût allé aux muscles compétents de l'éloigner. Il avait lu la page du haut en bas, son menton avait atteint sa poitrine, les paupières s'étaient fermées sur ses yeux bleus et naïfs. Il voyait l'image de la vie, ses membres florissants, la beauté portée par la chair. Elle avait détaché ses mains de sa nuque ; ses bras qu'elle ouvrait, et à l'intérieur desquels, en particulier sous la peau délicate de l'articulation du coude, les vaisseaux, les deux branches des grandes veines se dessinaient, bleuâtres, ces bras étaient d'une inexprimable douceur. Elle se pencha pour lui, vers lui, sur lui, il sentit son odeur organique, sentit le choc de son cœur battant. Une suave chaleur enlaça son cou et tandis que, défaillant de plaisir et d'angoisse, il posait ses mains sur l'extérieur de ses bras, là où la peau tendue sur les triceps était d'une exquise fraîcheur, il sentit sur ses lèvres la succion humide de son baiser.

Danse macabre

Peu de temps après Noël le « gentleman rider » mourut… Mais auparavant il y eut encore Noël, ces deux jours de fête, ou plus exactement, en comptant le réveillon, ces trois jours que Hans Castorp avait vus approcher en hochant la tête avec un certain effroi, en se demandant comment ils se dérouleraient, et qui, ensuite, avaient point et décru comme des jours ordinaires, avec un matin, un midi, un soir et par un temps moyen (il dégela quelque peu), nullement différents des autres jours de leur espèce. Extérieurement, ils s'étaient quelque peu distingués des autres et avaient, pour leur délai prévu, exercé leur domination sur les cerveaux et les cœurs des hommes ; puis ils étaient devenus un passé récent et de plus en plus lointain, laissant des souvenirs qui se détachaient de la vie quotidienne.

Le fils du conseiller, nommé Knut, vint passer ses vacances auprès de son père, dans l'aile du sanatorium; c'était un joli garçon dont la nuque saillait aussi déjà quelque peu. On sentait dans l'atmosphère la présence du jeune Behrens. Les femmes se montraient rieuses, coquettes et énervées, et dans leurs conversations il était question de rencontres avec Knut, au jardin, dans la forêt ou dans le quartier du casino. D'ailleurs, lui-même reçut des visites : un certain nombre de camarades d'université montèrent dans la vallée, six ou sept étudiants qui se logèrent au village, mais prenaient leur repas chez le docteur et qui parcouraient en groupes toute la contrée. Hans Castorp les évita. Il évita ces jeunes gens et les fuyait avec Joachim, lorsqu'il le fallait, car il était peu désireux de les rencontrer. Un monde séparait celui qui faisait partie de « ceux d'en haut » de ces chanteurs, de ces touristes qui brandissaient leurs cannes; il ne voulait rien entendre, ni savoir d'eux. De plus, la plupart d'entre eux semblaient originaires du Nord; peut-être se trouvait-il même parmi eux des concitoyens; et Hans Castorp éprouvait la plus grande appréhension à l'égard de ses concitoyens. Souvent, il envisageait avec répugnance l'éventualité de l'arrivée au Berghof de quelque Hambourgeois, d'autant plus que Behrens avait dit que cette ville fournissait toujours à l'établissement un contingent d'importance. Peut-être s'en trouvait-il parmi les malades gravement atteints où les moribonds que l'on ne voyait pas. On ne voyait qu'un négociant aux joues creuses qui était assis depuis quelque temps à la table de Mme Iltis, et qui devait être originaire de Cuxhaven. Hans Castorp, en pensant à ce voisinage, se réjouit que l'on eût ici si peu de contact avec des pensionnaires qui n'étaient pas vos commensaux, et en outre que son pays natal fût étendu et divisé en sphères très distinctes. La présence indifférente de ce négociant apaisa beaucoup les inquiétudes que lui avait inspirées la pensée qu'il pouvait y avoir ici des Hambourgeois.

Le réveillon de Noël approchait; un beau jour il fut imminent, et le lendemain il était là… Six bonnes semaines s'étaient encore écoulées depuis le jour où Hans Castorp s'était étonné qu'ici l'on parlât déjà de

Noël : par conséquent autant de temps — si l'on voulait l'exprimer en chiffres — qu'avait duré son séjour tout d'abord prévu, plus les trois semaines qu'il avait passées au lit. Et pourtant ces six premières semaines lui avaient semblé un laps de temps considérable, surtout la première partie, jugeait-il à présent, tandis que la quantité égale, aujourd'hui, n'avait presque plus d'importance : les gens de la salle à manger, lui semblait-il, avaient eu raison d'en faire si peu de cas. Six semaines, pas même autant de semaines que la semaine compte de jours, qu'était-ce que cela dès qu'on posait la question de savoir ce qu'était une de ces semaines, un de ces petits circuits du lundi au dimanche et, de nouveau, au lundi ? Il suffisait toujours de supputer la valeur et l'importance de l'unité plus petite la plus voisine, pour comprendre que le total ne pouvait pas produire grand-chose, ce total qui, par surcroît, subissait une abréviation, un recroquevillement et un anéantissement très sensibles. Qu'était-ce qu'un jour, compté par exemple à partir de l'instant où l'on se mettait à table pour le déjeuner, jusqu'au retour de cet instant après vingt-quatre heures ? Rien, quoique ce fussent vingt-quatre heures ! Et qu'était-ce qu'une heure, passée à la cure de repos, en promenade ou à un repas ? (Et cette énumération épuisait à peu près les possibilités de faire passer cette unité de temps.) Toujours rien ! Et le total de ces riens ne valait pas d'être pris au sérieux. La chose ne devenait sérieuse que lorsqu'on descendait l'échelle vers les plus petites mesures : ces sept fois soixante secondes durant lesquelles on tenait le thermomètre entre les lèvres, afin de pouvoir prolonger le graphique de la température, avaient la vie dure et étaient d'un poids peu ordinaire ; elles se dilataient jusqu'à former une petite éternité, elles inséraient des périodes de la plus haute solidité dans la fuite rapide et dans le jeu d'ombres du grand Temps…

Le jour de fête troubla à peine le régime habituel des habitants du Berghof. Quelques jours auparavant, on avait dressé, à droite, sur le côté droit de la salle à manger, près de la table des Russes ordinaires, un svelte sapin, et son arôme qui, à travers l'odeur des plats abondants, atteignait parfois les dîneurs, allumait des reflets pensifs dans les yeux de quelques personnes autour des sept tables. Au dîner du 24 décembre, le sapin apparut, décoré de fil doré, de boules en verre, de pommes de pin dorées, de petites pommes suspendues dans des filets et de maintes espèces de bonbons, et ses bougies en cire de couleur brûlèrent durant et après le repas. Dans les chambres des malades alités, disait-on, de petits arbres étaient de même allumés ; chacun avait le sien. Et le courrier des colis avait été abondant depuis quelques jours déjà. Joachim Ziemssen et Hans Castorp avaient, eux aussi, reçu des envois de leur pays lointain et plat, des cadeaux soigneusement empaquetés qui s'étaient répandus dans les chambres : vêtements ingénieusement choisis, cravates, bibelots de luxe en cuir et en nickel, ainsi que beaucoup de pâtisseries de Noël, des noix, des pommes, et de la pâte d'amandes — provisions que les cousins regardaient d'un œil incertain, en se demandant quand arriverait l'instant où ils pourraient en goûter. C'était Schalleen qui avait confectionné le paquet de Hans Castorp, comme il le savait bien ; et c'était elle aussi qui avait fait l'emplette des cadeaux après avoir sérieusement consulté les oncles. Une lettre de James Tienappel y était jointe, sur un épais papier à lettres, mais écrite à la machine à écrire. L'oncle y faisait part des vœux du grand-oncle, et de ses propres vœux de Noël et de guérison, et avec beaucoup de sens pratique il y avait joint les vœux de nouvel an qui allaient venir avant peu à échéance, comme d'ailleurs en avait usé Hans Castorp lui-même, lorsque, étendu dans son lit, il avait, en temps utile, adressé au consul Tienappel sa lettre de Noël ainsi qu'un rapport sur son état de santé.

L'arbre dans la salle à manger flamboyait, grésillait, parfumait et entretenait dans les cœurs et dans les esprits la conscience de l'heure. On avait fait toilette, les messieurs étaient en tenue de soirée, on voyait les femmes porter des bijoux que des mains aimantes d'époux pouvaient leur avoir envoyés des pays de la plaine. Clawdia Chauchat, elle aussi, avait remplacé le chandail de laine qui était de mise en ces lieux par une robe habillée ; mais la coupe en avait quelque chose d'arbitraire, ou plutôt de national : c'était un ensemble clair, brodé, muni d'une ceinture, d'un caractère rustique, russe, ou tout au moins balkanique, peut-être bulgare, décoré de petites paillettes d'or, et dont les plis nombreux prêtaient à sa silhouette une plénitude particulièrement souple, répondaient à ce que Settembrini appelait volontiers sa « physionomie tartare » ou ses « yeux de loup des steppes ». On était très gai à la table des Russes bien; c'est de là que partit le premier bouchon de champagne, et toutes les autres tables, ensuite, en commandèrent à leur tour. À la table des cousins, ce fut la grand-tante qui en commanda pour sa nièce et pour Maroussia et qui les régala tous. Le menu était choisi, il se terminait par de la pâtisserie au fromage et par des petits fours; on le compléta par du café et des liqueurs, et de temps en temps une branche de sapin qui flambait et que l'on devait rapidement éteindre, provoquait une panique stridente et exagérée. Settembrini, vêtu comme d'habitude, se trouva, vers la fin du dîner, assis un instant, avec son cure-dents, à la table des cousins; il taquina Mme Stöhr et commémora en quelques mots le Fils du Charpentier et le Rabbi de l'humanité dont on simulait aujourd'hui l'anniversaire. Avait-il vraiment vécu, on ne le savait pas avec certitude. Mais ce qui était né en ce temps-là et ce qui avait commencé sa marche victorieuse ininterrompue, c'était l'idée de la valeur de l'âme individuelle, en même temps que l'idée d'égalité, en un mot, c'était la démocratie individualiste. Dans cet esprit, il consentait à vider le verre qu'on avait placé devant lui. Mme Stöhr jugea cette manière de s'exprimer « équivoque et sans âme ». Elle se leva en protestant, et comme on avait déjà commencé de passer au salon, ses compagnons de table suivirent son exemple.

La réunion de ce soir tirait son importance et son animation de la remise des cadeaux au docteur Behrens qui vint pour une demi-heure avec Knut et avec Mlle de Mylendonk. La cérémonie se déroula au salon où se trouvaient les appareils optiques. Le cadeau des Russes consista en un objet en argent, un très grand plat rond au milieu duquel on avait gravé le monogramme du docteur, et qui, cela sautait aux yeux, ne pouvait servir à rien. On pouvait du moins s'étendre sur la chaise longue que les autres pensionnaires avaient offerte, bien qu'elle ne comportât ni housse ni coussin, et fût simplement recouverte d'une toile. Mais son dossier était mobile, et Behrens éprouva son degré de confort, en s'y étendant de tout son long, son plat inutile sous le bras, en fermant les yeux, et en commençant à ronfler comme une scierie, tout en prétendant être le dragon Fafner à côté du trésor. Ce fut une jubilation générale. Mme Chauchat, elle aussi, rit de cette scène, ses yeux se plissèrent et sa bouche resta ouverte, exactement, songea Hans Castorp, comme ç'avait été le cas de Pribislav Hippe lorsqu'il lui était arrivé de rire.

Aussitôt après le départ du docteur, on prit place aux tables de jeu. La société russe occupa comme toujours le petit salon. Quelques pensionnaires restaient debout, dans la salle à manger, autour de l'arbre de Noël, regardaient s'éteindre les lumignons dans leurs petites capsules de métal, et croquaient les friandises accrochées aux branches. Aux tables qui étaient déjà mises pour le petit déjeuner, quelques personnes isolées étaient assises, éloignées les unes des autres, accoudées chacune à sa manière, silencieuses chacune dans son coin.

Le premier jour de Noël fut humide et brumeux. C'étaient des nuages, dit Behrens, qui les entouraient. Il n'y avait jamais de brouillard ici en haut. Mais nuages ou brouillard, l'humidité était pénétrante. La neige étendue dégelait en surface, devenait poreuse et gluante. La figure et les mains, durant la cure, s'engourdissaient d'une façon beaucoup plus pénible que par temps de gel et de soleil.

La journée fut marquée par une soirée musicale, un véritable concert, avec des rangées de chaises et des programmes imprimés, qui fut offert à ceux d'en haut par la direction du Berghof. Ce fut un récital de chansons donné par une cantatrice professionnelle qui était établie et enseignait à Davos. Elle portait deux médailles en bordure du décolleté de sa robe de soirée, avait des bras qui ressemblaient à des cannes, et une voix dont le timbre, singulièrement sourd, renseignait d'une manière attristante sur les raisons de son séjour en ce lieu. Elle chanta :

Je porte avec moi
Mon amour.

Le pianiste qui l'accompagnait était également un habitant de Davos... Mme Chauchat était assise au premier rang, mais profita du premier entracte pour se retirer, de sorte que Hans Castorp, à partir de ce moment, put, le cœur tranquille, prêter l'oreille à la musique (de toute façon c'était de la musique), en suivant le texte des chansons, imprimé sur le programme. Pendant quelque temps Settembrini resta assis à son côté, puis l'Italien, lui aussi, disparut, après avoir fait quelques remarques élastiques et plastiques sur le *bel canto* de la cantatrice du cru, et après avoir exprimé sa satisfaction satirique de ce que, ce soir, l'on se fût retrouvé si fidèlement et si sympathiquement ensemble. À vrai dire Hans Castorp se sentit soulagé lorsque tous deux furent partis, la femme aux yeux bridés et le pédagogue, et qu'il put en toute liberté accorder son attention aux chansons. Il jugea bon que dans le monde entier, jusque dans les circonstances les plus spéciales, l'on fit de la musique, probablement même au cours d'expéditions polaires.

Le deuxième jour de Noël ne se distingua plus en rien d'un dimanche, ou même d'un jour de semaine ordinaire, si ce n'est par la légère conscience que l'on prenait de sa présence, et, lorsqu'il fut passé, la fête de Noël se trouva reléguée dans le passé, ou plus exactement dans un lointain avenir, à une distance d'un an ; douze mois s'écouleraient de nouveau, à l'issue desquels Noël se renouvellerait, c'est-à-dire, à bien compter, seulement sept mois de plus que Hans Castorp n'en avait déjà passé ici.

Mais aussitôt après la Noël de cette année, encore avant le nouvel an, le « gentleman rider » mourut. Les cousins l'apprirent par Alfreda Schildknecht, dite sœur Bertha, l'infirmière du pauvre Fritz Rotbein, qui leur conta dans le couloir cet événement traité avec beaucoup de discrétion. Hans Castorp y prit une part vive et insistante, d'abord parce que les manifestations de vie du « gentleman rider » avaient fait partie des premières impressions qu'il avait reçues ici — de celles qui, les premières, lui semblait-il, avaient provoqué cette sensation de chaleur à la peau de son visage, laquelle, depuis lors, avait persisté —, ensuite, pour des raisons morales, voire d'ordre spirituel. Joachim s'engagea en une longue conversation avec la diaconesse qui se cramponna avec reconnaissance à ce dialogue et à cet échange de vues. C'était un miracle, dit-elle, que le gentleman eût encore survécu aux jours de fête. Depuis longtemps, il s'était montré un dur à cuire, mais personne n'avait compris au moyen de quoi il avait respiré ces derniers temps. Il est vrai que depuis de longs jours il ne s'était plus maintenu que grâce à des quantités prodigieuses d'oxygène : dans la seule journée d'hier il avait consommé quarante ballons à six francs pièce. Cela avait dû coûter cher, comme ces messieurs pouvaient s'en rendre compte, et il fallait en outre considérer que sa femme, dans les bras de laquelle il était mort, restait absolument sans ressources. Joachim blâma ces dépenses. À quoi bon cette prolongation coûteuse et artificielle de la souffrance, dans un cas tout à fait désespéré ? On ne pouvait pas reprocher à cet homme d'avoir absorbé à l'aveuglette ce gaz vivifiant et précieux qu'on lui avait administré. Mais ceux qui le traitaient auraient dû se montrer plus raisonnables et, bon gré mal gré, le laisser aller son chemin inévitable, indépendamment des contingences, et à plus forte raison en des circonstances pareilles. Les vivants n'avaient-ils pas eux aussi leurs droits ? Et ainsi de suite. Mais Hans Castorp le contredit avec vigueur. Il reprocha à son cousin de parler presque comme Settembrini, sans respect ni pudeur devant la souffrance. Le « gentleman rider » n'était-il pas mort ? C'en était fini de rire, on ne pouvait faire autre chose pour prouver son sérieux, et un mourant avait droit à tout le respect et à tous les honneurs ; Hans Castorp persistait à le soutenir. Il espérait que, du moins, Behrens n'aurait pas querellé le cavalier et tempêté à sa manière impie. Il n'y avait pas eu lieu, déclara la Schildknecht. Il est vrai que le gentleman avait encore fait au dernier moment une petite tentative de fuite, et qu'il avait voulu sauter au bas de son lit. Mais une simple remarque sur l'inutilité d'une telle entreprise avait suffi à le ramener à la raison.

Hans Castorp se dérangea pour voir le défunt. Il le fit, pour tenir tête au système établi qui consistait à faire mystère de ces événements, parce qu'il méprisait cette volonté égoïste d'ignorer, de ne pas voir et de ne pas entendre ce qui arrivait aux autres, et parce qu'il voulait la contredire par un acte. À table, il avait tenté d'amener la conversation sur ce décès, mais il s'était heurté à une hostilité si unanime et si entêtée envers ce sujet, qu'il en avait été confondu et indigné. Mme Stöhr s'était montrée presque grossière. Quelle mouche l'avait piqué pour qu'il se permît de parler d'une chose pareille, lui avait-elle demandé, et quelle éducation avait-il donc reçue ? Le règlement de la maison les mettait à l'abri, eux, les pensionnaires, de tout contact avec de telles histoires ; et voici qu'un de ces blancs-becs en parlait à haute voix, et cela à l'heure du rôti, et en présence du docteur Blumenkohl que, du jour au lendemain, le même sort pouvait atteindre (cela, ajouté à voix basse). Si le fiait se renouvelait, elle porterait plainte. C'est à la suite de cela que Hans Castorp avait décidé (et avait exprimé sa décision) de rendre quant à lui les derniers honneurs à ce compagnon défunt par une visite et une discrète oraison à son chevet, et il avait su déterminer Joachim à l'accompagner.

Par l'entremise de sœur Alfreda ils eurent accès à la chambre mortuaire qui était située au premier étage, au-dessous de leurs propres chambres. La veuve les reçut, une petite blonde ébouriffée, épuisée par les veilles, un mouchoir devant la bouche, avec un nez rouge et un épais manteau en laine dont elle avait relevé le col, car il faisait très froid dans la chambre. On avait fermé le chauffage, la porte du balcon était ouverte. À voix basse, les jeunes gens dirent les paroles qui convenaient, puis douloureusement conviés par un geste de la main, ils traversèrent la chambre vers le lit, à pas dignes et fléchissants, sans s'appuyer sur les talons, ils avancèrent, et restèrent en contemplation devant la couche du mort, chacun à sa manière : Joachim au garde-à-vous, saluant d'une demi-inclination du corps, Hans Castorp en une attitude abandonnée et perdu dans ses pensées, les mains croisées devant lui, la tête sur l'épaule, avec une expression semblable à celle qu'il avait en écoutant la musique. La tête du « gentleman rider » était appuyée assez haut, de sorte que le corps, cette longue charpente et ce circuit de vie multiple, avec les pieds saillants à l'extrémité de la couverture, paraissait d'autant plus plat, presque d'une platitude de planche. Une couronne de fleurs était posée dans la région des genoux, et le rameau qui s'en détachait touchait les grandes mains jaunes et osseuses qui étaient jointes sur la poitrine affaissée. Jaunes et osseux étaient aussi le visage avec le crâne chauve, le nez bossué, les pommettes saillantes, et la moustache touffue d'un blond roux dont l'épaisseur accusait les creux gris et hérissés des poils des joues. Les yeux étaient fermés d'une certaine manière peu naturelle — on les avait fermés, se dit Hans Castorp, ils ne s'étaient pas fermés —, on appelait cela rendre les derniers offices, bien que cela se fît bien plutôt par égard pour les survivants que pour l'amour du mort. Il fallait, du reste, s'y prendre à temps, aussitôt après la mort ; car, lorsque la myosine s'était déjà formée dans les muscles, ce n'était plus possible, et le mort était couché là et regardait fixement, et c'en était fait de cette image délicate du sommeil.

C'est en expert se sentant dans son élément à bien des égards, que Hans Castorp restait debout près du lit, compétent, mais pieux. « Il semble dormir », dit-il, par humanité, bien qu'il y eût de grandes différences. Puis, d'une voix décemment assourdie, il engagea une conversation avec la veuve du « gentleman rider », s'informa du martyre de son époux, de ses derniers jours et de ses derniers instants, du transport du corps en Carinthie qui devait avoir lieu, par des questions qui témoignaient de sa sympathie et de son initiation mi-médicale, mi-spirituelle et morale, à ces matières. La veuve, s'exprimant en son langage autrichien traînant et nasillard, tout en poussant par instants des sanglots, trouva surprenant que des jeunes gens fussent disposés à s'intéresser ainsi à la douleur d'autrui ; à quoi Hans Castorp répondit que son cousin et lui étaient eux-mêmes malades, que quant à lui, il avait été souvent debout près du lit de mort de ses parents, qu'il était orphelin de père et de mère, et par conséquent de longue date familiarisé en quelque sorte avec la mort. Elle lui demanda quelle profession était la sienne. Il répondit qu'il « avait été » ingénieur. Avait été ? Avait été, en ce sens qu'à présent la maladie et un séjour d'une durée indéterminée ici étaient survenus, ce qui était une coupure importante et peut-être même un tournant de l'existence, on ne pouvait jamais savoir. (Joachim le regarda avec un effroi interrogateur.) « Et monsieur votre cousin ? — Il voulait se faire soldat dans la plaine. Il était aspirant. — Oh ! dit-elle, le métier militaire est en effet un métier qui inclinait au sérieux, un soldat peut dans des circonstances données entrer en contact assez direct avec la mort, et il fait sans doute bien de s'habituer de bonne heure à son aspect. » Elle congédia les jeunes gens avec reconnaissance et en ayant repris une contenance aimable faite pour inspirer le respect, eu égard à sa situation pénible et au chiffre élevé de la facture d'oxygène que son mari lui avait léguée. Les cousins remontèrent à leur étage. Hans Castorp se montra satisfait de la visite et ému par les impressions qu'il avait reçues.

« *Requiescat in pace*, dit-il. *Sit tibi terra levis. Requiem aeternam dona ei, Domine.* Vois-tu, lorsqu'il est question de la mort ou qu'on parle à des morts, ou de morts, le latin reprend ses droits, c'est la langue officielle dans ces circonstances-là, on voit comme la mort est une chose particulière. Mais ce n'est pas par une courtoisie humaniste que l'on parle le latin en son honneur, la langue des morts n'est pas du latin scolaire, tu comprends, elle est d'un tout autre esprit, d'un esprit en quelque sorte opposé. C'est du latin sacré, un dialecte de moines, le Moyen Âge, un chant sourd, monotone et comme souterrain. Settembrini n'y prendrait aucun plaisir, ce n'est pas ce qu'il faut aux humanistes républicains et pédagogues, cela relève d'un autre esprit, de l'autre esprit. Il trouve qu'il faut mettre au clair les différentes tendances ou attitudes de l'esprit ; il y en a deux : l'attitude libre et l'attitude pieuse. Elles ont toutes deux leurs avantages, mais ce que j'ai sur le cœur contre l'attitude libre, celle de Settembrini, veux-je dire, est qu'elle prétend à elle seule accaparer toute la dignité humaine ; voilà qui est exagéré. L'autre attitude comporte aussi beaucoup de dignité humaine, elle est faite de décence, de haute tenue et de noble cérémonial et même plus encore que l'attitude libre, bien qu'elle tienne particulièrement compte de la faiblesse et de la fragilité humaine et que la pensée de la mort et de la pourriture y joue un rôle important. As-tu déjà vu au théâtre *Don Carlos*[1], et comment les choses se passent à la cour espagnole lorsque le roi Philippe fait son entrée, tout en noir, avec l'ordre de la Jarretière et la Toison d'or, et qu'il retire lentement son chapeau qui ressemble déjà presque à nos melons ? Il le tire vers le haut et dit : “Couvrez-vous, mes grands” ou quelque chose d'analogue, d'un air infiniment compassé. Il faut bien en convenir, il ne peut pas être question là-dedans de laisser-aller et de mœurs négligées, au contraire, et la reine elle aussi, dit : “Dans ma France, c'était tout différent.” Naturellement, elle trouve tout cela trop méticuleux et trop compliqué, elle voudrait une existence plus familière, plus humaine. Mais que veut dire : “humain” ? Tout est humain. La dévotion espagnole et ce côté humble, solennel et compassé est un genre très digne d'humanité, me semble-t-il, et d'autre part, ce mot “humain” peut couvrir tous les relâchements et toutes les négligences.

— Sur ce point je te donne raison, dit Joachim. Moi non plus je ne peux pas souffrir le laisser-aller et la négligence. De la discipline, il en faut.

— Oui, tu dis cela en militaire et je t'accorde que dans le service militaire on s'entend à ces choses-là. La veuve a eu tout à fait raison de dire de votre métier qu'il est d'une nature grave, car il faut toujours que vous envisagiez le pire et que vous soyez prêts à avoir affaire à la mort. Vous avez l'uniforme qui est ajusté et net et comporte un col raide ; cela vous donne de la tenue. Et puis vous avez votre hiérarchie et l'obéissance et vous vous rendez les honneurs les uns aux autres d'une manière méticuleuse, cela se fait dans l'esprit espagnol, par dévotion, au fond

1. Drame de Schiller *(N.d.T.)*.

cela me plaît assez. Chez nous autres civils, cet esprit devrait régner davantage, dans nos mœurs et dans notre manière d'être, je préférerais cela, je trouverais cela séant. Je trouve que le monde et la vie sont ainsi faits que l'on devrait toujours se vêtir de noir, avec une collerette empesée au lieu de col, et entretenir des rapports graves, réservés et formalistes, tout en pensant à la mort, c'est cela qui me conviendrait, je trouverais cela moral. Vois-tu, c'est encore une erreur et une présomption de Settembrini, je suis content que la conversation m'amène à en parler. Il s'imagine non seulement avoir un monopole de la dignité humaine, mais encore de la morale, avec son "activité pratique" et avec ses "fêtes dominicales et progressistes" (comme si, justement, le dimanche on ne pensait pas à tout autre chose qu'au progrès !), et avec suppression systématique des souffrances, dont tu ne sais d'ailleurs rien, mais il m'en a parlé pour m'instruire, il veut les supprimer systématiquement au moyen d'un dictionnaire. Et si cela me paraît justement immoral, alors quoi ? Naturellement, je n'irai pas le lui dire à lui, il me désarme par sa manière plastique de s'exprimer et dit : "Je vous mets en garde, ingénieur !" Mais on a bien le droit de penser ce qu'il vous plaît. "Sire, accordez la liberté de pensée !" Je veux te dire quelque chose, conclut-il. (Ils étaient arrivés dans la chambre de Joachim, et Joachim s'apprêtait à se coucher.) On vit ici porte à porte avec des gens mourants et avec les pires souffrances et martyres. Or, non seulement on fait comme si cela ne vous regardait pas, mais encore on vous ménage et on vous protège pour que vous n'entriez jamais en contact avec cela et que vous n'en voyiez rien, et le "gentleman rider", ils le feraient de nouveau disparaître en cachette, pendant que nous goûterions ou que nous déjeunerions. Je trouve cela immoral. La Stöhr s'est déjà mise en colère lorsque j'ai fait allusion à ce décès, mais c'est trop bête pour moi et elle a beau être dépourvue de la moindre culture et croire que *Leise, leise, fromme Weise* est un air de *Tannhaüser*, comme cela lui est arrivé l'autre jour à table, elle devrait pourtant avoir des sentiments un peu plus moraux, et les autres aussi. J'ai donc décidé de m'occuper davantage, à l'avenir, des grands malades et des moribonds de la maison, cela me fera du bien. Cette visite déjà m'a, dans une certaine mesure, fait du bien. Le pauvre Reuter, autrefois, au numéro 25, que j'ai vu les premiers jours de mon séjour, doit être depuis longtemps allé *ad penates* et on a dû l'emporter discrètement, à ce moment-là déjà il avait des yeux si exagérément grands. Mais il y en a bien d'autres, la maison en est pleine, il ne manque pas d'arrivants, et sœur Alfreda ou la supérieure, ou même Behrens en personne nous aideront volontiers à faire la connaissance de quelques-uns, cela doit pouvoir se faire sans difficulté. Suppose que ce soit l'anniversaire de quelque moribond, et que nous l'apprenions, il y a moyen d'apprendre ces choses. Bon, nous envoyons à notre homme ou à notre femme — à lui ou à elle, c'est selon — un pot de fleurs dans sa chambre, une attention de deux compagnons anonymes — meilleurs vœux de guérison —, le mot guérison par simple politesse reste toujours indiqué. Naturellement, on finit par nous nommer à l'intéressé, et lui ou elle, dans sa faiblesse, nous faire dire par la porte un aimable bonjour, nous invite peut-être un instant dans sa chambre, et nous échangeons encore quelques paroles humaines avec lui avant qu'il ne disparaisse. C'est ainsi que je vois cela. Es-tu d'accord ? Pour ma part, j'ai décidé de le faire en tout cas. »

Joachim, en effet, ne trouva pas grand-chose à objecter à ces projets :

« C'est contraire au règlement de la maison, dit-il, tu fais une sorte de révolution. Mais, exceptionnellement et pour une fois que tu exprimes un désir, Behrens te donnera peut-être bien son autorisation. Tu peux d'ailleurs invoquer ton intérêt pour la médecine.

— Oui, il y a encore cela », dit Hans Castorp, car en effet, c'étaient des motifs enchevêtrés, qui lui avaient inspiré ce désir. La protestation contre l'égoïsme qui régnait ici n'était qu'un d'entre ces motifs. Ce qui l'avait poussé, c'était aussi le besoin de son esprit de prendre au sérieux la vie et la mort et de pouvoir les honorer, besoin qu'il espérait satisfaire et fortifier en s'approchant des grands malades et des mourants, pour compenser les affronts innombrables auxquels ce besoin se trouvait par ailleurs exposé à chaque pas, chaque jour et à toute heure, et qui confirmait parfois d'une manière choquante certains jugements de Settembrini. Les exemples ne s'offrent à nous que trop nombreux ; si l'on avait interrogé Hans Castorp, il aurait peut-être parlé, en premier lieu, de ceux des pensionnaires du Berghof qui, de leur propre aveu, n'étaient malades en aucune façon et qui étaient venus tout à fait volontairement, sous le prétexte officiel d'une légère fatigue, mais en réalité pour leur plaisir, et qui vivaient ici parce que la forme d'existence des malades leur agréait, comme cette veuve Hessenfeld que nous avons déjà mentionnée incidemment, une femme pétulante dont la passion était de parier. Elle pariait avec les messieurs, pariait sur tout et à propos de tout, pariait sur le temps qu'il allait faire, sur les plats que l'on servirait, sur le résultat des consultations générales et sur le nombre de mois de traitement que l'on ajouterait à chacun, sur certains champions de bobsleigh, de patins ou de skis lors de matches sportifs, sur l'issue des intrigues amoureuses qui s'engageaient entre les pensionnaires, et sur cent autres choses absolument négligeables et indifférentes. Elle pariait du chocolat, du champagne et du caviar, que l'on mangeait ensuite en festoyant au restaurant, de l'argent, des billets de cinéma et même des baisers à prendre ou à recevoir, bref, par cette passion elle apportait beaucoup de tension et de vie dans la salle à manger. Eh bien, le jeune Hans Castorp ne voulait naturellement pas prendre ces manèges au sérieux : leur seule existence lui semblait déjà porter atteinte à la dignité de ce lieu de souffrances.

Car c'est à protéger cette dignité et à la maintenir à ses propres yeux qu'il s'efforçait honnêtement, quelque peine qu'il éprouvât à le faire, après avoir passé presque la moitié d'une année parmi ceux d'en haut. Sa connaissance, devenue peu à peu plus grande, de leur vie et de leur activité, de leurs conceptions, n'était guère de nature à encourager son bon vouloir. Il y avait là ces deux jeunes gommeux maigres, âgés de dix-sept et de dix-huit ans, surnommés « Max et Maurice », dont les sorties quotidiennes pour aller boire ou jouer au poker alimentaient les conversations des dames. Récemment, c'est-à-dire environ huit jours après le nouvel an (car il ne faut pas oublier que, tandis que nous racontons, le temps progresse sans arrêt et poursuit son cours silencieux), au petit déjeuner, la nouvelle s'était répandue qu'au matin le baigneur avait trouvé les deux jeunes gens étendus sur leurs lits en habits de soirée fripés. Hans Cartorp rit, lui aussi ; mais si sa bonne volonté en était confondue, combien plus encore le fut-elle par les aventures de l'avocat Einhuf de Jüterbog, un homme de quarante ans environ, à la barbiche pointue et aux mains couvertes de poils noirs, qui depuis quelque temps occupait à la table de Settembrini la place du Suédois rétabli et qui non seulement rentrait ivre chaque nuit, mais qui récemment n'était pas même rentré du tout, et que l'on avait trouvé allongé dans le pré. Il passait pour un libertin dangereux et Mme Stöhr désignait du doigt la jeune femme — du reste fiancée en pays plat — qu'à une certaine heure on avait vue pénétrer dans la chambre de Einhuf, vêtue seulement d'un manteau de fourrure sous lequel elle n'avait qu'une culotte de jersey. C'était scandaleux, non pas seulement au nom de la morale en général, mais c'était scandaleux et offensant pour Hans Castorp personnellement, eu égard à ses efforts spirituels. À cela s'ajoutait qu'il ne pouvait penser à la personne de l'avocat, sans songer simultanément à Fränzchen Oberdank, cette petite jeune fille à la raie bien tracée que voici quelques semaines sa mère, une digne provinciale, avait amenée ici. Lors de son arrivée et après la consultation médicale. Fränzchen Oberdank avait passé pour un cas bénin ; mais soit qu'elle eût commis des imprudences, soit que ce fût précisément un de ces cas dans lesquels l'air n'était pas seulement bon contre la maladie, mais avant tout bon pour elle, soit encore que la petite eût été engagée dans des intrigues ou des tribulations qui lui avaient fait du tort, quatre semaines après son arrivée il se produisit que, venant d'une nouvelle consultation et en entrant dans la salle à manger, elle lança son mouchoir en l'air et s'écria d'une voix claire : « Hourra, il faut que je reste une année entière », sur quoi un rire avait éclaté dans toute la salle. Mais quinze jours plus tard, le bruit avait couru que l'avocat Einhuf avait agi comme un gredin envers Fränzchen Oberdank. D'ailleurs, cette expression vient de nous, ou tout au moins de Hans Castorp, car les porteurs de ce message ne le jugèrent sans doute pas d'un caractère assez inédit pour s'en émouvoir en termes aussi vifs. De plus, ils donnèrent à entendre en haussant les épaules que, pour de telles choses, il fallait être deux, et que sans doute rien ne s'était fait sans l'assentiment et le désir de l'intéressée. Du moins, fut-ce là l'attitude et la tendance morale de Mme Stöhr en présence de l'affaire en question.

Caroline Stöhr était effrayante. Si quelque chose troublait Hans Castorp dans ses honnêtes efforts spirituels, c'était la manière d'être de cette femme. Ses lapsus continuels auraient suffi. Elle disait : « agomie » au lieu d'« agonie », « insoliste » pour « insolite » et débitait les plus effroyables sottises sur les phénomènes astronomiques qui déterminaient une éclipse solaire. Elle qualifia de « calamineuse » la quantité de neige, et un jour elle provoqua l'étonnement prolongé de Settembrini en disant qu'elle était en train de lire un ouvrage emprunté à la bibliothèque de l'établissement : « Benedetto Cenelli, dans la traduction de Schiller[1] » ! Elle affectionnait les tournures qui donnaient sur les nerfs du jeune Castorp par leur platitude ou leur vulgarité de locutions à la mode du jour. Et comme l'expression « épatant » que le langage à la mode avait longtemps substituée à l'expression « parfait » ou « étonnant », apparaissait complètement usée, vieillie et vidée de toute saveur, elle se jeta sur la dernière locution à la mode, à savoir « c'est formidable », et dès lors, sérieusement ou ironiquement, elle trouva tout « formidable », la piste de luge, l'entremets et la température de son corps, ce qui semblait également répugnant. À cela s'ajoutait sa manie de jaser qui dépassait la mesure. D'ailleurs, lorsqu'elle racontait que Mme Salomon portait aujourd'hui sa plus précieuse combinaison de dentelle, parce qu'elle était convoquée à la consultation, et qu'en cette circonstance elle se présentait au médecin

1. La vie de Benvenuto Cellini a été traduite en allemand par Goethe *(N.d.T.)*.

en linge fin, cela pouvait être exact. Hans Castorp lui-même avait eu l'impression que la procédure de l'auscultation faisait, indépendamment de son résultat, plaisir aux femmes, et qu'elles se paraient ce jour-là avec une coquetterie particulière. Mais que pouvait-on dire lorsque Mme Stöhr assurait que Mme Redisch, de Posnanie, que l'on soupçonnait de souffrir de la tuberculose de la moelle épinière, devait une fois par semaine aller et venir pendant dix minutes, complètement nue, devant le docteur Behrens ? L'invraisemblance de ce racontar égalait presque son inconvenance, mais Mme Stöhr s'y obstinait et jurait ses grands dieux qu'elle disait vrai, bien que l'on eût peine à comprendre que la pauvre dépensât tant de zèle, d'insistance et d'entêtement à de telles choses, alors qu'elle avait fort à faire avec ses propres soucis. Car, dans l'intervalle, des accès de peur et de larmoyante inquiétude l'agitaient, lesquels tenaient apparemment à un accroissement de sa prétendue « lassitude » ou à l'ascension de sa courbe. Elle arrivait à table en sanglotant, ses joues gercées et rouges inondées de larmes, et pleurait dans son mouchoir, en disant que Behrens avait décidé de l'envoyer au lit, mais qu'elle voulait savoir ce qu'il avait dit derrière son dos, ce qu'elle avait, ce qu'il en était d'elle, qu'elle voulait voir la vérité en face. À son effroi, elle avait remarqué un jour que le pied de son lit était orienté vers la porte d'entrée et elle faillit avoir des convulsions en faisant cette découverte. On ne comprit pas aussitôt sa colère et son épouvante, en particulier Hans Castorp ne se l'expliqua pas tout de suite. Et puis après ? Comment donc ? Pourquoi le lit ne devait-il pas être placé comme il l'était ? « Mais pour l'amour de Dieu, ne comprenez-vous donc pas ? Les pieds devant ! » Désespérée, elle fit du scandale, et il fallut immédiatement déplacer le lit, bien que, dorénavant, elle eût la lumière en pleine figure, ce qui gênait son sommeil.

Tout cela n'était pas sérieux ; cela favorisait très peu les aspirations spirituelles de Hans Castorp. Un incident effrayant qui, à ce moment-là, se produisit pendant un repas fit sur le jeune homme une impression particulièrement profonde. Un pensionnaire encore assez nouveau, le professeur Popof, un homme maigre et silencieux, qui avait pris place à la table des Russes bien, avec sa fiancée, également maigre et silencieuse, fut pris, au milieu du repas, d'une violente crise d'épilepsie, s'écroula à terre, auprès de sa chaise, avec ce cri dont on a souvent dépeint le caractère démoniaque et inhumain et se débattit avec les plus effrayantes contorsions des bras et des jambes. Circonstance aggravante, c'était justement le poisson que l'on venait de servir, de sorte que l'on devait craindre que Popof n'avalât une arête de travers dans les convulsions de sa crise. Le désordre fut indescriptible. Les femmes, Mme Stöhr en tête, mais sans que Mmes Salomon, Redisch, Hessenfeld, Magnus, Iltis, Lévi, etc., le lui eussent cédé en rien, tombèrent dans les états les plus variés, de telle sorte qu'elles faillirent égaler M. Popof. Leurs cris étaient stridents. On ne voyait que des yeux convulsivement fermés, des bouches ouvertes, et des corps tordus. Une seule d'entre elles préféra s'évanouir en silence. Il y eut des accès d'étouffement, parce que tout le monde avait été surpris par cet événement violent au moment de mâcher et d'avaler. Une partie des pensionnaires prit la fuite par toutes les portes que l'on pouvait atteindre, même par les portes de la terrasse, bien qu'il fît dehors un froid humide. Mais cet incident avait un caractère étrange et choquant, tout effrayant qu'il fût, surtout parce qu'on ne put s'empêcher de le rapprocher de la dernière conférence du docteur Krokovski. En effet, l'analyste, au cours de ses derniers développements sur l'amour considéré comme agent pathogène, avait parlé le lundi précédent de l'épilepsie, et s'était exprimé sur ce mal, où l'humanité avait vu en des temps préanalystes tour à tour une épreuve divine, voire prophétique et une possession par le démon, en termes mi-poétiques, mi-scientifiques et impitoyables comme d'un « équivalent de l'amour » et comme d'un « orgasme du cerveau », bref, l'avait rendu suspect dans un sens tel que ses auditeurs durent interpréter la conduite du professeur Popof, cette illustration de la conférence, comme une confession crapuleuse et comme un scandale mystérieux ; et ainsi la fuite des femmes qui se dérobaient à ce spectacle exprimait une certaine pudeur. Le docteur Behrens lui-même assistait à ce repas, et ce fut lui qui, avec Mlle de Mylendonk et quelques jeunes dîneurs solides, entraîna l'extatique, bleu, écumant, raide et défiguré, comme il l'était, hors de la salle dans le hall, où l'on vit les médecins, la supérieure et d'autres membres du personnel, s'empresser pendant quelque temps encore autour du malade évanoui, que l'on emporte ensuite sur un brancard. Mais très peu de temps après, on put revoir M. Popof, silencieux et réjoui, assis auprès de sa fiancée, également silencieuse et réjouie, à la table des Russes bien, et finir le dîner comme s'il n'était rien arrivé !

Hans Castorp avait assisté à cet événement avec tous les signes d'un effroi déférent, mais au fond — que Dieu l'assiste ! — il ne réussissait pas à prendre cela très au sérieux. Sans doute, Popof eût-il pu étouffer en avalant sa bouchée de poisson, mais en réalité il n'avait pas étouffé, malgré la furie de son paroxysme, il avait quand même fait un peu attention au plus secret de lui-même. À présent il était là, tout dispos, il finissait de manger, et se comportait comme s'il ne venait pas d'être en proie à la frénésie la plus meurtrière et la plus démente ; sans doute même ne s'en souvenait-il pas. Mais son apparence n'était pas faite pour confirmer le respect qu'éprouvait Hans Castorp devant la souffrance. Elle aussi multipliait, à sa manière, les impressions de libertinage peu sérieux auxquelles il se trouvait malgré lui exposé ici et qu'il s'efforçait de surmonter en se consacrant davantage — contrairement à l'usage établi — aux grands malades et aux moribonds.

À l'étage des cousins, non loin de leurs chambres, une jeune fille était couchée, du nom de Leila Gerngross qui, d'après les informations de sœur Alfreda, était mourante. En l'espace de dix jours elle avait eu quatre violentes hémorragies, et ses parents étaient arrivés, pour la ramener peut-être encore vivante. Mais cela ne semblait pas praticable. Le conseiller déclara que la pauvre petite Gerngross ne pouvait être transportée. Elle avait seize ou dix-sept ans. Hans Castorp estima que l'occasion s'offrait à lui de réaliser son projet du pot de fleurs et des vœux de guérison. Sans doute, n'était-ce pas l'anniversaire de

Leila, que, d'après les prévisions humaines, elle ne verrait probablement plus, car, ainsi que Hans Castorp avait réussi à l'apprendre, cette date ne reviendrait qu'au printemps. Mais, à son avis, ça ne devait pas être là un obstacle à cet hommage de respect et de pitié. Lors d'une de leurs promenades de midi, aux environs du casino, il entra avec son cousin dans une boutique de fleuriste dont il respira d'une poitrine émue l'atmosphère humide chargée d'une odeur de terre et de parfums, et il fit l'emplette d'un joli pot d'hortensias, qu'il envoya à la jeune moribonde, anonymement, « de la part de deux voisins de chambre, avec leurs meilleurs vœux de guérison ». Il le fit avec un empressement joyeux, agréablement grisé par l'arôme des plantes, par la tiédeur de l'endroit qui, après le froid du dehors, faisait larmoyer ses yeux, le cœur battant, et en éprouvant toute la témérité aventureuse et opportune de cette entreprise insignifiante à laquelle il prêtait en secret une portée symbolique. Leila Gerngross n'avait pas d'infirmière spéciale, mais était confiée aux soins immédiats de Mlle von Mylendonk et des médecins. Toutefois, la sœur Alfreda avait accès chez elle, et rendit compte aux jeunes gens de l'effet qu'avait produit leur attention. Dans l'univers borné où la confinait son état, la petite avait pris un plaisir puéril à ce témoignage d'amitié provenant d'inconnus. La plante était près de son lit, elle la caressait des yeux et des mains, veillait à ce qu'on l'arrosât, et même lorsque les pires accès de toux la torturaient, ses yeux tourmentés y restaient suspendus. Ses parents, le commandant en retraite Gerngross et sa femme, avaient également été touchés et agréablement surpris, et comme ils ne pouvaient même pas essayer de deviner le nom des donateurs, faute de connaître qui que ce fût dans la maison, Mlle Schildknecht, comme elle l'avoua, n'avait pu se retenir de lever le voile de l'anonymat, et de désigner les cousins comme les donateurs. Elle leur transmettait l'invitation des trois Gerngross à venir recevoir l'expression de leur gratitude, de sorte que tous deux, le surlendemain, firent, conduits par la diaconesse, leur entrée, sur la pointe des pieds, dans la chambre de douleur de Leila.

La mourante était une créature blonde des plus gracieuses, aux yeux couleur de myosotis, qui, malgré d'effrayantes pertes de sang et une respiration qui ne se faisait plus qu'au moyen d'un reste tout à fait insuffisant de tissu pulmonaire, offrait un aspect sans doute frêle, mais non pas misérable. Elle remercia et bavarda d'une voix agréable quoique éteinte. Une lueur rose s'épanouit sur ses joues et y demeura. Hans Castorp qui avait expliqué aux parents et à la malade sa manière d'agir ainsi qu'ils l'attendaient de lui, et qui s'en était presque excusé, parla d'une voix assourdie et émue, avec une déférence tendre. Il s'en fallut de peu — de toute façon il en éprouva intérieurement le besoin — qu'il ne se fût agenouillé devant ce lit, et longtemps il garda la main de Leila dans la sienne, bien que cette menotte chaude fût, non seulement humide, mais véritablement mouillée, car la jeune fille transpirait énormément. Elle transpirait même si fort que sa chair se fût depuis longtemps recroquevillée et desséchée, si elle n'avait absorbé avidement de la limonade, dont une carafe pleine était posée sur sa table de nuit, pour compenser à peu près la sudation. Les parents, affligés qu'ils étaient, soutinrent, selon l'usage mondain, la conversation à bâtons rompus par des questions sur l'état de santé des cousins et par d'autres moyens classiques. Le commandant était un homme large d'épaules, de front bas et à moustache hérissée, un géant ; son innocence quant aux dispositions morbides et à la fragilité de sa fillette sautait aux yeux. C'était évidemment sa femme qui en était responsable, une petite personne d'un type nettement phtisique, dont la conscience semblait en effet fléchir sous ce poids. Car, lorsque Leila eût donné, après dix minutes, des signes de fatigue, ou plutôt de surexcitation (le rose de ses joues s'était accentué, tandis que ses yeux de myosotis brillaient d'un éclat instable), et que les cousins, avertis par un regard de sœur Alfreda, eurent pris congé, Mme Gerngross les raccompagna jusque devant la porte et se répandit, contre elle-même, en accusations, qui émurent singulièrement Hans Castorp. C'était d'elle, d'elle seule que cela était venu, assura-t-elle, accablée ; ce n'était que d'elle que la pauvre enfant pouvait tenir ce mal, son mari n'y était pour rien, il en était complètement innocent. Mais elle aussi, c'est ce qu'elle pouvait affirmer, n'en avait souffert que très passagèrement et superficiellement, très peu de temps, étant jeune fille. Puis elle s'en était complètement débarrassée, lui avait-on certifié, car elle avait voulu se marier, elle avait été si heureuse de se marier et de vivre, et elle y avait réussi, complètement guérie et rétablie, elle était entrée dans la vie conjugale avec son cher époux, fort comme un chêne, qui, de son côté, n'avait jamais pensé à de telles histoires. Mais si pur et si fort qu'il fût, son influence, cependant, n'avait pas pu empêcher le malheur. Car chez leur enfant — c'était là, la chose effroyable —, le mal enseveli et oublié était reparu, et elle n'avait pu le secouer, elle en mourait, tandis que la mère en avait triomphé et avait atteint l'âge de la sécurité ; elle mourait, cette pauvre chère enfant, les médecins ne donnaient plus d'espoir, et c'était elle seule qui était coupable de cela, en raison de sa vie passée.

Les jeunes gens s'efforcèrent de la réconforter, firent des phrases sur la possibilité d'un revirement heureux. Mais la commandante ne faisait que sangloter et les remercia encore de tout, des hortensias, et de ce qu'ils avaient, par leur visite, diverti son enfant et lui avaient donné un peu de bonheur. La pauvre petite était couchée là avec son tourment et sa solitude, tandis que d'autres jeunes filles jouissaient de la vie et dansaient avec de jolis garçons, désir que la maladie n'étouffait nullement. Ils lui avaient apporté quelques rayons de soleil, mon Dieu, peut-être les derniers. Les hortensias étaient comme un succès au bal, et cette conversation avec deux cavaliers de belle mine avait été pour elle comme un joli petit flirt, ce dont elle, la mère Gerngross, s'était parfaitement rendu compte.

Mais voilà qui devait toucher péniblement Hans Castorp, d'autant que la commandante n'avait pas prononcé le mot « flirt » correctement, c'est-à-dire à la manière anglaise, mais avec un *i* allemand, ce qui l'irrita violemment. De plus, il n'était pas un cavalier de belle mine, mais il avait rendu visite à la petite Leila, pour protester contre l'égoïsme régnant ici, et dans un esprit médical et moral. Bref, il était agacé par l'issue de cette démarche, pour autant qu'il fallait tenir compte des commentaires de la commandante, mais très animé et ému par la réalisation de leur projet. Deux impressions surtout : le parfum de terre de la boutique de fleuriste et l'humidité de la menotte de Leila avaient été retenues par son âme et ses sens. Et comme le premier pas avait été fait, on convint le même jour encore avec sœur Alfreda d'une visite à son malade Fritz Rotbein qui s'ennuyait si effroyablement avec son infirmière, bien que, à moins que tous les signes ne fussent trompeurs, il ne lui restât que peu de temps à vivre.

Joachim eut beau faire, il dut tenir compagnie à son cousin. L'élan charitable de Hans Castorp et son esprit entreprenant furent plus forts que la répugnance de son cousin, que celui-ci ne put exprimer que par des silences et en baissant les yeux, parce qu'il n'eût pas su la justifier sans manquer aux sentiments chrétiens. Hans Castorp voyait cela très bien et en tira parti. Il comprit exactement le sens de ce manque d'enthousiasme. Mais si, lui-même, de telles entreprises l'animaient et le rendaient heureux, et si elles lui paraissaient profitables ? Il sut donc vaincre la résistance discrète de Joachim. Ils délibérèrent ensemble sur le point de savoir s'ils pourraient envoyer ou apporter des fleurs au jeune Fritz Rotbein, bien que ce moribond fût du sexe masculin. Hans Castorp souhaitait vivement pouvoir le faire ; des fleurs, trouvait-il, étaient de mise ; le choix des hortensias, qui étaient mauves et de forme agréable, lui avait extraordinairement plu ; et il décida donc que le sexe de Rotbein était compensé par la gravité de son état et qu'il n'était pas besoin que ce fût son anniversaire pour lui offrir des fleurs, puisque des mourants peuvent être, pour cela même et d'une façon permanente, traités à l'égal des gens qui fêtent leur anniversaire. À cette fin, il se rendit avec son cousin dans l'atmosphère chaude et parfumée de terre de la boutique de fleuriste, et entra chez M. Rotbein avec une gerbe fraîchement aspergée et odorante de roses, d'œillets et de giroflées, conduit par Alfreda Schildknecht qui avait annoncé les jeunes gens.

Le grand malade, à peine âgé d'une vingtaine d'années, mais déjà un peu chauve et grisonnant, le teint cireux et les traits émaciés, avec de grandes mains, un grand nez et de grandes oreilles, se montra reconnaissant jusqu'aux larmes de ce réconfort et de cette distraction. En effet, il pleura un peu par faiblesse, en saluant les deux cousins et en recevant le bouquet, mais à ce propos il en arriva aussitôt, encore que d'une voix presque chuchotante, à parler du commerce des fleurs en Europe et de son développement sans cesse croissant, de la formidable exportation des horticulteurs de Nice et de Cannes, des chargements de wagons et de colis postaux qui partaient chaque jour de ces points dans toutes les directions, pour les marchés de gros de Paris et de Berlin, et pour l'approvisionnement de la Russie. Car il était commerçant et son intérêt s'était orienté dans ce sens, pour autant qu'il vivait encore. Son père, le fabricant de Cobourg, l'avait, pour le former, envoyé en Angleterre — ainsi chuchotait-il —, et c'est là qu'il était tombé malade. Mais on avait considéré sa fièvre comme une typhoïde et on l'avait traité en conséquence, c'est-à-dire qu'on l'avait mis au régime des soupes à l'eau, ce qui l'avait affaibli à ce point. Arrivé ici, on lui avait permis de manger et il l'avait fait : à la sueur de son front, il avait mangé au lit et s'était efforcé de se nourrir. Malheureusement il était trop tard. Son intestin, hélas ! était atteint, et l'on avait beau lui envoyer de chez lui de la langue et de l'anguille fumée, il ne supportait plus rien. À présent, son père venait de partir de Cobourg, appelé par une dépêche de Behrens, car on allait tenter une intervention décisive, la section des côtes ; on voulait du moins la tenter bien que les chances fussent infimes. Rotbein chuchota des choses fort raisonnables sur ce sujet et envisagea également la question de l'opération sous son aspect commercial : tant qu'il vivrait, il considérerait les choses sous cet angle. Le prix de revient, chuchota-t-il, y compris l'anesthésie de la moelle épinière, s'élevait à mille francs, car il s'agissait en somme d'enlever presque tout le thorax, sept ou huit côtes, et il s'agissait tout au plus de savoir si ce serait là un placement relativement lucratif. Behrens l'y encourageait, mais son intérêt était certain tandis que le sien à lui semblait douteux, et que l'on ne pouvait pas savoir s'il ne vaudrait pas mieux mourir tranquillement avec toutes ses côtes.

Il était difficile de le conseiller. Les cousins estimèrent que dans l'établissement de ce devis, il y avait lieu de tenir compte de l'exceptionnelle habileté de chirurgien du conseiller. On s'accorda à estimer que l'opinion du vieux Rotbein, qui était en route, entraînerait la décision. Lorsqu'ils prirent congé, le jeune Fritz pleura de nouveau un peu, et bien que ce ne fût que par faiblesse, les larmes qu'il versa formaient un singulier contraste avec la sèche objectivité de sa manière de penser et de parler. Il pria ces messieurs de bien vouloir renouveler leur visite, et ils le promirent avec empressement, mais n'en trouvèrent plus le temps. Car, comme le fabricant de poupées était arrivé le soir, on avait tenté l'opération le lendemain matin, après quoi le jeune Fritz n'avait plus été en état de recevoir. Et deux jours plus tard, Hans Castorp vit, en passant avec Joachim, que l'on rangeait la chambre de Rotbein. Sœur Alfreda avait déjà quitté le Berghof, parce qu'on l'avait dépêchée d'urgence dans un autre établissement vers un autre moribond, et, en soupirant, le cordon de son pince-nez derrière l'oreille, elle s'était rendue auprès de lui, puisque telle était la seule perspective qui s'ouvrait à elle.

Une chambre « abandonnée », une chambre devenue libre, où l'on désinfectait, la double porte grande ouverte et les meubles entassés les uns sur les autres, comme on la voyait lorsque, se rendant dans la salle à manger ou sortant, on passait auprès de l'une d'elles, était un spectacle significatif, mais si familier qu'il ne frappait presque plus l'imagination, surtout lorsqu'on avait soi-même, en son temps, pris possession d'une chambre, devenue « libre » dans les mêmes conditions, qui avait été désinfectée, et où l'on s'était ensuite senti chez soi. Parfois, on savait qui avait occupé ce numéro, ce qui donnait malgré tout à penser. Il en fut ainsi ce jour-là, et il en fut de même huit jours plus tard lorsque Hans Castorp, en passant, vit la chambre de la petite Gerngross dans le même état. Dans ce dernier cas, il tarda à saisir le sens de l'activité qui régnait là-dedans. Il s'arrêta, songeur et interdit, lorsque le docteur Behrens passa par hasard.

« Je reste ici à regarder, dit Hans Castorp. Bonjour, docteur. La petite Leila…

— Oui… », répondit Behrens, et il haussa les épaules. Après un silence, qui donna à ce geste tout son effet, il ajouta :

« Vous vous êtes encore dépêché de lui faire la cour très gentiment avant la clôture. Ça me plaît chez vous que vous vous intéressiez un peu à mes petits pinsons poitrinaires dans leurs cages, vous qui êtes relativement valide. C'est un joli trait de votre caractère. Non, non, ne vous en défendez pas, c'est un trait tout à fait sympathique. Voulez-vous qu'à l'occasion je vous introduise chez quelques autres ? J'ai encore toute sorte de merles sur leurs perchoirs, si cela vous intéresse. Tenez, en ce moment, je vais précisément faire un saut chez ma “trop pleine”. M'accompagnez-vous ? Je vous présente tout simplement comme un compagnon d'infortune compatissant. »

Hans Castorp dit que le conseiller était allé au-devant de son désir et qu'il lui avait proposé exactement ce dont il allait le prier. C'est avec reconnaissance qu'il usait de la permission et qu'il se joignait au docteur. Mais qui était-ce donc, la « trop pleine », et comment fallait-il entendre ce sobriquet ?

« À la lettre, dit le conseiller. D'une manière textuelle et sans métaphore. Demandez-lui de vous le raconter elle-même. »

En quelques pas ils se trouvèrent devant la chambre de la « trop pleine », le conseiller entra par la double porte en engageant son compagnon à attendre. Un rire et des paroles, oppressés par un souffle court, mais clairs et joyeux, retentirent à l'entrée de Behrens dans la chambre, puis furent interceptés par la porte. Mais lorsque le visiteur compatissant entra quelques minutes plus tard à son tour dans la pièce, le rire résonna de nouveau, et Behrens présenta Hans Castorp à la jeune femme blonde aux yeux bleus, qui, de son lit, le regardait avec curiosité. Un coussin dans le dos, elle était à moitié assise, très agitée, et riait sans cesse d'un rire perlé, très aigu et argentin, haletante, mais excitée et chatouillée, semblait-il, par cette gêne respiratoire. Elle rit également des termes en lesquels le conseiller présenta le visiteur, cria plusieurs fois au docteur : « Au revoir, merci beaucoup, et à bientôt », lorsqu'il s'en fut, en lui faisant des signes de la main, poussa un soupir vibrant, rit d'un rire argentin, appuya les mains contre sa poitrine agitée sous la chemise de batiste, et ne réussit pas à tenir ses jambes tranquilles. Elle s'appelait Mme Zimmermann.

Hans Castorp la connaissait vaguement de vue. Elle avait été assise pendant quelques semaines à la table de Mme Salomon et du collégien vorace, et avait toujours beaucoup ri. Puis elle avait disparu, sans que le jeune homme se fût autrement soucié d'elle. Elle devait être partie, avait-il supposé, pour autant qu'il s'était fait une opinion sur sa disparition. Et voici qu'il la trouvait ici, sous ce nom de « la trop pleine » dont il attendait l'explication.

« Ha, ha, ha, pétillait-elle, chatouillée, la poitrine agitée. Un homme terriblement drôle, ce Behrens, fabuleusement drôle et amusant, à vous rendre bossue et malade de rire. Asseyez-vous donc, monsieur Kasten, monsieur Carten, ou comment vous appelez-vous donc ? Vous avez un si drôle de nom, ha, ha, hi, hi, excusez-moi ! asseyez-vous sur cette chaise, à mes pieds, mais permettez-moi de gigoter, je ne puis… ah… ah ! soupira-t-elle, la bouche ouverte, puis pétilla de nouveau. Je ne peux pas faire autrement. »

Elle était presque jolie, avait des traits nets, un peu trop marqués, mais agréables, et un petit menton double. Mais ses lèvres étaient bleuâtres, et le bout du nez avait la même teinte, sans doute parce qu'elle manquait d'air. Ses mains, qui étaient d'une maigreur lymphatique et que les manchettes de dentelles de la chemise de nuit mettaient en valeur, étaient aussi incapables de se tenir tranquilles que les pieds. Elle avait un cou de jeune fille, avec des salières au-dessus des clavicules tendres, et la gorge, sous le linon, agitée par le rire et la gêne respiratoire, d'un mouvement irrégulier, court et ahanant, semblait frêle et jeune. Hans Castorp décida d'envoyer ou d'apporter, à elle aussi, de belles fleurs, vaporisées, parfumées, et provenant des horticulteurs-exportateurs de Nice et de Cannes. Avec un peu d'inquiétude, il se joignait à la gaieté agitée et oppressée de Mme Zimmermann.

« Et vous rendez visite aux grands fiévreux ? demanda-t-elle. Comme c'est amusant et aimable à vous, ha, ha, ha, ha ! Figurez-vous que je ne suis pas du tout une grande malade, c'est-à-dire qu'en somme je ne l'étais pas du tout, encore dernièrement, pas le moins du monde… Jusqu'à ce que, récemment, cette histoire… Écoutez donc si ce n'est pas ce que vous aurez rencontré de plus drôle dans votre vie… »

Et, cherchant son souffle, parmi des tirilis et des trilles, elle raconta ce qui lui était arrivé.

Un peu malade, elle était montée ici — assez malade malgré tout (sinon, elle ne serait pas montée), peut-être même pas tout à fait légèrement atteinte, mais enfin plutôt légèrement que gravement. Le pneumothorax, cette conquête encore récente de la technique chirurgicale qui avait connu un succès si rapide, avait, dans son cas à elle, fait brillamment ses preuves. L'intervention avait pleinement réussi, l'état de Mme Zimmermann avait fait les progrès les plus réconfortants ; son mari — car elle était mariée, encore que sans enfants — pouvait compter sur son retour dans deux ou trois mois. C'est lors que, pour s'amuser, elle fit une excursion à Zurich, il n'y avait pas d'autre raison à ce voyage que le désir de s'amuser. Et elle s'y était en effet amusée de tout son cœur, mais elle s'était aperçue qu'elle allait avoir besoin de se faire regonfler, et elle avait chargé de ce soin un médecin de là-bas. Un jeune homme charmant, et si drôle, hahaha ! hahaha ! mais qu'était-il arrivé ? Il l'avait trop gonflée ? Il n'y avait pas d'autre terme, ce mot disait tout. Plein de bonnes intentions, sans doute ne s'y entendait-il pas très bien, bref : trop pleine, c'est-à-dire avec des battements de cœur et de l'oppression — ha, hihihi —, elle était arrivée ici et avait été aussitôt fourrée au lit par Behrens, qui avait juré et tempêté. Car à présent elle était gravement malade — non pas précisément grande fiévreuse, mais gâchée, bousillée —, hahaha ; mais quelle figure, quelle drôle de figure faisait-il donc ? Et tout en la désignant du doigt, elle riait si fort de la figure de Hans Castorp que son front, à lui aussi, commença de bleuir. Mais le plus drôle, dit-elle, était Behrens, avec sa fureur et sa grossièreté. D'avance elle en avait ri lorsqu'elle s'était rendu compte qu'elle était trop pleine. « Vous êtes en danger de mort absolu », avait-il tempêté sans égards ni ménagements aucuns. Quels ours ! Hahaha, hihihi. Excusez-moi.

On pouvait se demander ce qui dans la déclaration du conseiller la faisait rire, d'un rire perlé ; si ce n'était que sa « grossièreté » et parce qu'elle n'y croyait pas, ou quoiqu'elle y crût — et sans doute y croyait-elle —, ou si elle trouvait terriblement comique la chose elle-même, c'est-à-dire le danger de mort qu'elle courait. Hans Castorp avait l'impression que c'était cette dernière supposition qui était exacte, et que vraiment elle ne poussait des trilles, gazouillait et pétillait que par une légèreté puérile et dans l'inconscience de sa cervelle d'oiseau ; et il l'en blâmait. Néanmoins, il lui envoya des fleurs, mais ne revit pas davantage la rieuse Mme Zimmermann. Car, après que quelques jours encore elle eut été soutenue par l'oxygène, elle était bel et bien morte dans les bras de son mari, appelé par télégramme ; elle avait été une oie *in-folio*, ajouta le conseiller de qui Hans Castorp tint cette nouvelle.

Mais auparavant déjà l'esprit entreprenant et compatissant de Hans Castorp avait noué, à l'aide du conseiller et du personnel d'infirmières, de nouvelles relations avec les grands malades de la maison ; et il fallut que Joachim l'accompagnât. Hans Castorp l'emmena chez le fils de *Tous-les-deux*, le second qui restait encore, après que l'on eut depuis longtemps nettoyé et désinfecté avec du H_2CO la chambre de l'autre. Puis ils allèrent chez Teddy, le jeune garçon arrivé récemment, parce que son cas avait été trop grave pour l'internat du Fredericianum, où il avait d'abord séjourné. Ensuite, chez un employé d'une compagnie d'assurance germano-russe, Antoine Carlovitch Ferge, martyr résigné et doux. Enfin, chez l'infortunée et cependant si coquette Mme de Mallinckrodt, qui elle aussi reçut des fleurs, à l'instar des précédents, et à laquelle on donna même plusieurs fois sa bouillie en présence de Hans Castorp et de Joachim… Ils finirent par se faire une réputation de Samaritains et de frères de charité. Aussi Settembrini aborda-t-il un jour Hans Castorp en ces termes :

« Sapristi, ingénieur, j'entends dire des choses bizarres de votre conduite. Vous vous seriez voué à la charité ? Vous tentez de vous justifier par de bonnes œuvres ?

— Cela ne vaut pas la peine d'en parler, monsieur Settembrini. Il n'y a pas de quoi fouetter un chat. Mon cousin et moi…

— Mais laissez donc votre cousin de côté ! C'est à vous que nous avons affaire, quand même on parle de vous deux, voilà qui est sûr. Le lieutenant est une nature respectable, mais simple et dont l'esprit ne court aucun risque qui puisse inquiéter l'éducateur. Vous ne me ferez pas accroire que c'est lui qui dirige vos expéditions. Le plus marquant des deux, mais aussi celui qui court le plus grand danger, c'est vous. Vous êtes, si je puis ainsi m'exprimer, un enfant difficile de la vie, il faut s'occuper de vous. D'ailleurs, vous m'avez permis de m'occuper de vous.

— Certainement, monsieur Settembrini, je l'ai permis, une fois pour toutes. C'est tout à fait aimable à vous. Un “enfant difficile de la vie” est bien dit. Ah ! ces écrivains, tout ce qu'ils peuvent inventer ! Je ne sais pas trop si je peux être fier de ce titre, mais c'est joliment tourné, il faut en convenir. Eh bien, voilà : je m'occupe un peu des “enfants de la mort”, c'est là sans doute ce que vous voulez dire. Je m'intéresse de-ci de-là, tout à fait accessoirement, sans que la cure de repos puisse en souffrir, aux grands malades, aux plus sérieux, comprenez-vous, à ceux qui ne sont pas ici pour leur plaisir, ceux qui ne tournent pas mal, mais qui s'en vont mourants.

— Mais il est écrit : “Laissez les morts enterrer leurs morts”, dit l'Italien.

Hans Castorp leva les bras et exprima par son jeu de physionomie que bien des choses étaient écrites, de sorte qu'il était difficile de discerner les meilleures et de s'en inspirer. Bien entendu, le joueur d'orgue de Barbarie avait mis en avant un argument gênant, c'était à prévoir. Mais encore que Hans Castorp fût toujours disposé à lui prêter l'oreille, à trouver bon de l'écouter sous toutes réserves et sans engagement, et de subir à titre d'essai cette influence éducatrice, il était bien loin de songer à renoncer le moins du monde, pour l'amour de conceptions pédagogiques, à des entreprises qui, malgré la mère Gerngross et sa façon de parler du « gentil petit flirt », malgré la sécheresse du pauvre Rotbein et le sot tirili de la « trop pleine », lui paraissaient encore, et d'une façon indéterminée, profitables et d'une portée considérable.

Le fils *Tous-les-deux* s'appelait Lauro. Il avait reçu des fleurs, des violettes de Nice au parfum de terre, « de la part de deux compagnons de souffrances compatissants, avec leurs meilleurs vœux de guérison », et comme l'anonymat était devenu de pure forme, et que tout le monde savait de qui provenaient ces présents, Mme *Tous-les-deux* elle-même, la mère mexicaine pâle et vêtue de noir, aborda les cousins lorsqu'elle les rencontra dans le corridor, les remercia et les invita par des paroles rauques, mais surtout par une mimique attristée, à recevoir en personne les remerciements de son fils, *de son seul et dernier fils qui allait mourir aussi*. Ce qui eut lieu incontinent. Lauro se trouva être un jeune homme d'une étonnante beauté, avec des yeux ardents, un nez aquilin dont les narines palpitaient, et des lèvres admirables au-dessus desquelles pointait une petite moustache noire, mais il prit un tel air de vantardise dramatique que les visiteurs, Hans Castorp non moins que Joachim Ziemssen, furent heureux lorsque la porte de la chambre du malade se referma derrière eux. Car, tandis que Mme *Tous-les-deux*, dans son châle de cachemire, le voile noir noué sous le menton, des rides transversales sur son front étroit tout plissé, avec d'énormes poches sous ses yeux noirs de jais, les jambes arquées, allait et venait dans la pièce, laissait tomber avec affliction un des coins de sa grande bouche et s'approchait de temps à autre des jeunes gens assis au bord du lit, pour répéter sa tragique sentence de perroquet : « *Tous les dé, vous comprenez, messiés ? Premièrement l'un, et maintenant l'autre* », le beau Lauro, se livrait, également en français, à des discours rauques et râlants d'une insupportable présomption, dont le sens était qu'il comptait mourir « *comme héros, à l'espagnole* », ainsi qu'avait dit son frère, « *de même que son fier jeune frère Fernando* » qui, lui aussi, était mort comme un héros espagnol ; il gesticulait, ouvrait sa chemise pour tendre aux coups de la mort sa poitrine jaune, et continua à se conduire de la sorte jusqu'à ce qu'un accès de toux, qui fit monter à ses lèvres une mince écume rose, étouffât ses rodomontades et décidât les cousins à s'éloigner sur la pointe des pieds.

Ils ne s'entretinrent pas de la visite chez Lauro et même dans leur for intérieur ils s'abstinrent de juger son attitude. Tous deux se trouvèrent plus à leur aise chez Antoine Carlovitch Ferge, de Pétersbourg, qui, avec sa grande moustache joviale, et l'expression également joviale de sa pomme d'Adam saillante, gisait sur son lit et se remettait lentement et difficilement de la tentative que l'on avait faite de lui appliquer le pneumothorax, ce qui, à un cheveu près, avait failli lui coûter la vie. Il avait en effet ressenti un choc violent, le choc à la plèvre, connu comme incident de cette intervention chirurgicale à la mode du jour. Mais chez lui ce choc s'était produit sous la forme exceptionnellement dangereuse d'un évanouissement complet et d'une syncope des plus inquiétantes, en un mot il s'était produit avec une telle force que l'on avait dû interrompre et ajourner provisoirement l'opération.

Les bons yeux gris de M. Ferge se dilataient et son visage blêmissait chaque fois qu'il parlait de cet événement qui devait avoir été effroyable pour lui. « Sans anesthésique, messieurs ! Bon, nous autres, nous ne supportons pas cela, c'est contre-indiqué dans notre cas, on le comprend et, en homme raisonnable, on se résigne à son sort. Mais l'anesthésie locale ne pénètre pas très profondément, messieurs, il n'y a guère que la surface de la chair qu'elle engourdit, on sent que l'on vous ouvre, il est vrai que l'on se sent seulement pincer et triturer. Je suis couché, la tête couverte, pour que je ne voie rien, et l'assistant me tient à droite, l'infirmière en chef, à gauche. C'est comme si l'on me pressait et me pinçait, c'est la chair que l'on ouvre et que l'on replie à l'aide de pinces. Mais voici que j'entends le docteur Behrens dire :

“Bon !” et à cet instant, messieurs, il commence à palper la plèvre avec un instrument sans pointe — il faut qu’il soit épointé pour que l’on ne transperce pas trop tôt — à tâtons il cherche le bon endroit où il pourra percer un trou et introduire le gaz, et tandis qu’il fait cela, tandis qu’il promène son instrument le long de ma plèvre, messieurs, messieurs, c’en fut fait de moi, c’était fini, il m’arrivait quelque chose d’absolument indescriptible. La plèvre, messieurs, il ne faut pas la toucher, elle ne veut et ne peut en aucune façon être touchée, elle est taboue, elle est protégée par la chair, isolée et inabordable, une fois pour toutes. Et voici qu’il l’avait dénudée et qu’il la palpait. Messieurs, je me trouvai mal. Effrayant, effrayant, messieurs ! Jamais je n’aurais cru qu’on pouvait ressentir une impression aussi effroyable et aussi misérablement abjecte sur terre et ailleurs qu’en enfer ! Je tombai en syncope, en trois syncopes à la fois, une verte, une brune et une violette. De plus, cela puait, cette syncope, le choc se portait sur mon odorat, messieurs, cela sentait follement l’hydrogène sulfuré, comme cela doit sentir en enfer, et en même temps je m’entendais rire tout en tournant de l’œil, mais pas comme un homme rit, non, c’était l’éclat de rire le plus inconvenant et le plus odieux que j’aie jamais entendu de ma vie, car de se laisser ainsi palper la plèvre, messieurs, c’est comme si l’on vous chatouillait de la manière la plus infâme, la plus exagérée et la plus inhumaine, c’est cela et pas autre chose que cette damnée honte et torture, et voilà ce qu’est le choc à la plèvre, que le bon Dieu veuille vous épargner ! »

Souvent, et toujours livide de terreur, Antoine Carlovitch Ferge revint sur cette « saloperie » d’opération et il ne laissait pas d’appréhender son renouvellement. D’ailleurs, dès les premiers mots, il s’était montré un homme simple, à qui toutes les choses « élevées » étaient étrangères et à l’égard de qui il ne fallait avoir de prétentions d’ordre intellectuel ou sentimental d’aucune sorte, ainsi que lui-même n’avait à l’endroit des autres aucune exigence pareille. Cela admis, il parlait par ailleurs d’une façon assez intéressante de sa vie passée, à laquelle la maladie l’avait arraché, de la vie d’un représentant au service d’une compagnie d'assurances contre l'incendie. De Pétersbourg, il avait entrepris de longues randonnées à travers la Russie, dans tous les sens, il avait visité les usines assurées et son rôle avait été d'enquêter sur les maisons qui étaient dans une situation financière difficile ; car la statistique apprenait que c'est dans les usines qui font de mauvaises affaires que se produisaient le plus souvent des incendies. C'est pourquoi on l'avait chargé de la mission de sonder sous tel ou tel prétexte une entreprise, et de rendre compte à sa banque de ses enquêtes, afin que, par une réassurance plus forte ou par une répartition des primes, on pût prévenir des pertes sensibles. Il parla de voyages en plein hiver à travers l'immense empire, de courses nocturnes par un froid inouï, allongé en traîneau, sous des peaux de mouton, et raconta comment, en s'éveillant, il avait vu luire les yeux des loups au-dessus de la neige, pareils à des étoiles. Il avait emporté dans son coffre des provisions congelées, de la soupe aux choux et du pain blanc que l'on faisait dégeler aux étapes, en changeant de chevaux (et le pain était alors aussi frais que le premier jour). On ne risquait de mésaventure que lorsqu'on avait tout à coup un temps de dégel : car la soupe aux choux que l'on avait emportée en morceaux congelés fondait alors, et s'écoulait.

M. Ferge racontait ainsi, en s'interrompant de temps à autre pour remarquer en soupirant que tout cela eût été très joli, si seulement il n'avait pas été nécessaire que l'on renouvelât encore sur lui la tentative du pneumothorax. Il ne débitait rien de plus « élevé », c'étaient des faits que l'on écoutait volontiers, surtout Hans Castorp qui trouvait profitable d'entendre parler de l'empire russe et de ses formes d'existence, de samovars, de caviar, de cosaques et d'églises en bois, avec tant de clochers en forme d'oignons que l'on eût dit des colonies de champignons. Il invitait aussi M. Ferge à lui parler des habitants de ce pays, de leur exotisme nordique et d'autant plus aventureux à ses yeux, du sang asiatique qui coulait en eux, des pommettes saillantes, de la forme finno-mongole de leurs yeux, et il prêtait l'oreille à tout cela avec un intérêt tout anthropologique. Il se fit encore adresser la parole en russe — l'idiome oriental jaillissait de la sympathique moustache de M. Ferge et de sa pomme d'Adam saillante non moins bonasse, rapide, indistinct, désossé et infiniment étrange, et Hans Castorp trouvait cette diversion d'autant plus agréable (la jeunesse est ainsi faite), qu'il s'ébattait sur un terrain interdit en bonne pédagogie.

Fréquemment, ils entraient pour un quart d'heure chez Antoine Carlovitch Ferge. Entre-temps, ils rendaient visite au jeune Teddy du Fredericianum, un élégant adolescent de quatorze ans, blond et fin, en possession d'une infirmière privée et d'un pyjama en soie blanche orné de brandebourgs. Il était orphelin et riche, ainsi que lui-même le leur apprit. En attendant une opération d'une certaine gravité que l'on voulait tenter sur lui — il s'agissait de retirer des parties vermoulues —, il quittait de temps à autre son lit pour une heure, lorsqu'il se sentait mieux, et, dans un gracieux costume de sport, prenait part à la réunion du salon. Les dames badinaient volontiers avec lui, et il écoutait leurs conversations, par exemple celles qui avaient trait à l'avocat Einhuf, à la demoiselle à la culotte de jersey et à Fränzchen Oberdank. Puis il retournait au lit. C'est ainsi que vivait le jeune Teddy, parmi les élégances, au jour le jour, en laissant deviner que c'était désormais tout ce qu'il attendait de la vie.

Mais au numéro 50 gisait Mme de Mallinckrodt, qui répondait au prénom de Nathalie, avec des yeux noirs et des boucles d'oreilles en or, coquette, aimant se parer, et qui était cependant une sorte de Lazare ou de Job féminin, frappée par Dieu de toutes les infirmités possibles. Son organisme semblait inondé de toxines, de sorte que toutes les maladies imaginables s'abattaient sur elle, à tour de rôle et simultanément. Particulièrement atteinte était sa peau, recouverte sur de grandes étendues d'un eczéma qui la démangeait cruellement, et qui, çà et là, était à vif, même aux lèvres, de sorte qu'elle avait peine à y introduire sa cuillère. Des inflammations internes de la plèvre, des reins, des poumons, du périoste et même du cerveau — cette dernière lui causait des syncopes — se succédaient chez Mme de Mallinckrodt, et sa faiblesse, conséquence de la fièvre et des souffrances, lui causait de grandes angoisses, faisait, par exemple, qu'en mangeant elle avait peine à avaler convenablement : les aliments restaient accrochés en haut de l'œsophage. Bref, cette femme était dans une situation effroyable, et, de plus, elle était seule au monde. Car, après qu'elle eut quitté son mari et ses enfants, pour l'amour d'un autre homme, ou plus exactement d'un grand gamin, elle avait été à son tour abandonnée par son amant, ainsi qu'elle-même l'apprit aux deux cousins, et elle se trouvait donc n'avoir pas de foyer, quoiqu'elle ne manquât pas de ressources : son époux les lui fournissait. Sans tirer une vanité déplacée de cette générosité ou de cet amour persistant, elle en profitait sans le prendre elle-même au sérieux ; et elle comprenait qu'elle n'était qu'une pauvre pécheresse déshonorée, en raison de quoi elle supportait toutes ses plaies dignes de Job, avec une patience et une ténacité surprenantes, avec la force de résistance élémentaire de sa race et de son sexe, qui triomphait de la détresse de son corps de brune ; elle réussissait à faire une coiffure seyante même du pansement de gaze blanche qu'elle devait porter à la tête pour quelque dégoûtante raison. Elle ne cessait de changer de bijoux, inaugurait la matinée par des coraux, et finissait la soirée parée de perles. Enchantée par l'envoi de fleurs de Hans Castorp, auquel elle prêta une signification plutôt galante que charitable, elle fit inviter les jeunes gens à prendre, près de son lit, le thé, qu'elle-même buvait dans un « canard », les doigts couverts, jusqu'aux articulations, d'opales, d'améthystes et d'émeraudes, sans excepter les pouces. Bientôt, et tandis que les anneaux d'or se balançaient à ses oreilles, elle eut raconté aux cousins comment tout s'était passé. Elle leur parla de son mari, si respectable, mais ennuyeux, de ses enfants également convenables et ennuyeux, qui tenaient absolument du père, et à l'égard desquels elle n'avait jamais éprouvé des sentiments particulièrement chaleureux, et aussi du grand gamin avec lequel elle avait pris la fuite, et dont elle se plaisait à vanter la poétique tendresse. Mais les parents du jeune homme avaient su l'éloigner d'elle par la ruse et la force, et peut-être aussi la maladie, qui alors avait éclaté sous des formes multiples et soudaines, avait-elle répugné au petit. « Vous répugne-t-elle également, messieurs ? » demanda-t-elle avec coquetterie, et sa féminité triomphait de l'eczéma qui recouvrait la moitié de sa figure.

Hans Castorp n'avait que mépris pour le petit à qui elle avait répugné, et il exprima cette impression en haussant les épaules. Pour ce qui le concernait, la lâcheté du poétique adolescent l'incita à un zèle d'un caractère tout opposé, et à plusieurs reprises il saisit l'occasion de rendre à l'infortunée Mme de Mallinckrodt de menus services d'infirmier, qui n'exigeaient pas de préparation spéciale, c'est-à-dire qu'il s'essaya à lui introduire avec précaution dans la bouche la bouillie de midi lorsqu'il arrivait qu'on la servît, qu'il lui donna à boire dans le « canard » lorsqu'une bouchée ne voulait pas descendre ou qu'il l'aidait à changer de position dans son lit, car, en sus de tous ses maux, elle était encore gênée par la plaie d'une opération. Il procédait à ces manipulations en se rendant à la salle à manger, ou en revenant d'une promenade, après avoir invité Joachim à poursuivre sa route, cependant qu'il contrôlerait en passant l'état du numéro 50. Et il se sentait exalté par une joie particulière, qui tenait au sentiment qu'il avait de la portée secrète et de l'opportunité de sa conduite, à quoi se mêlait d'ailleurs un certain plaisir furtif et impeccablement chrétien qu'il prenait à cette manière d'agir, manière, en effet, si pieuse, si douce et si louable, que, ni du point de vue militaire, ni du point de vue humaniste et pédagogique, on ne pouvait y faire d'objections sérieuses.

Nous n'avons pas encore parlé de Karen Karstedt, et cependant Hans Castorp et Joachim s'occupèrent d'elle tout particulièrement. C'était une cliente privée et externe du docteur Behrens qui l'avait recommandée à la sollicitude charitable des cousins. Elle était ici, en haut, depuis quatre ans, sans ressources et dépendant de parents très durs à son égard, qui, une fois déjà, l'avaient emmenée d'ici, sous prétexte qu'elle était de toute manière condamnée à mourir, et qui ne l'avaient renvoyée que sur l'intervention du conseiller. Elle habitait à Dorf, dans une pension bon marché, elle était frêle, âgée de dix-neuf ans, avec des cheveux lisses et huileux, avec des yeux qui s'efforçaient timidement de cacher une lueur qui répondait à la rougeur fiévreuse de ses joues et à une voix prenante mais voilée d'une manière caractéristique. Elle toussait presque sans arrêt, et le bout de presque tous ses doigts était couvert d'emplâtres, parce qu'ils étaient crevassés par la maladie.

C'est donc à elle que les deux cousins — à la prière du docteur, et en braves garçons qu'ils étaient — se consacrèrent tout spécialement. Cela commença par un envoi de fleurs, puis ils firent une visite à la malheureuse Karen, sur son petit balcon, à Dorf, après quoi l'on organisa quelques promenades à trois. On allait à un concours de patinage ou à une course de bobsleigh. Car la saison des sports d'hiver de notre haute vallée battait maintenant son plein, on avait organisé une semaine de championnats. Les initiatives se multipliaient, plaisirs et spectacles, auxquels les cousins n'avaient accordé jusque-là qu'incidemment une attention distraite. Joachim, en effet, était hostile à tous les divertissements d'ici. Ce n'était pas pour eux qu'il était ici, il n'était pas du tout ici pour vivre et s'accommoder de ce séjour en le rendant agréable et varié, mais uniquement pour se désintoxiquer le plus vite possible, afin de se mettre en état de prendre du service dans la plaine, du service véritable au lieu du service de la cure, qui n'était qu'un succédané, mais auquel il ne souffrait aucune atteinte. Il lui était interdit de participer activement aux sports d'hiver et il lui déplaisait de faire le badaud. Quant à Hans Castorp, il se sentait uni à ceux d'en haut par une solidarité trop stricte et trop intime pour témoigner le moindre intérêt à la vie des gens qui considéraient cette vallée comme un terrain de sport.

Mais leur sollicitude à l'endroit de la pauvre Mlle Karstedt avait modifié la situation, et, à moins de se montrer peu chrétien, Joachim ne pouvait élever aucune objection. Ils allèrent prendre la malade dans son modeste logement à Dorf et la conduisirent, par un froid chaudement ensoleillé, à travers le quartier anglais, ainsi dénommé d'après l'hôtel d'Angleterre, entre les magasins luxueux de la rue principale, où des traîneaux sonnaient, où se promenaient de riches viveurs et des fainéants du monde entier, des pensionnaires du casino et d'autres grands hôtels, tête nue, en d'élégants costumes de sport taillés en des étoffes choisies et coûteuses, avec des figures bronzées par la brûlure du soleil d'hiver et par la réverbération de la neige, et plus bas jusque sur la patinoire située non loin du casino au fond de la vallée, patinoire qui, en été, avait servi de terrain de football. On entendait de la musique, l'orchestre du casino donnait un concert sur l'estrade du pavillon de bois, en haut de la patinoire rectangulaire, derrière laquelle les montagnes neigeuses se dressaient dans l'azur foncé. Ils entrèrent, se frayèrent un passage à travers le public qui entourait la patinoire sur des sièges en gradins, trouvèrent des places et se mirent à regarder. Les patineurs, en vêtements collants, en maillots noirs, en dolmans à brandebourgs garnis de fourrures, se balançaient, planaient, décrivaient des figures, sautaient et tournaient en rond. Un couple de virtuoses — dame et cavalier, des professionnels « hors concours » —, exécutant une prouesse que seul au monde il réussissait, déchaîna des applaudissements soutenus par la musique. Se disputant le record de vitesse, six jeunes gens, de nationalités différentes, penchés, les mains dans le dos, tenant parfois un mouchoir entre les dents, firent six fois le tour du vaste rectangle. Le son d'une cloche se mêla à la musique. Parfois la foule éclatait en cris d'encouragement et en applaudissements.

C'était une foule bariolée que les trois malades, les cousins et leur protégée, découvraient autour d'eux. Des Anglais à casquettes écossaises et aux dents blanches parlaient français à des dames aux parfums pénétrants qui étaient vêtues de pied en cap de laines multicolores, et dont quelques-unes portaient culotte. Des Américains à petites têtes, les cheveux collés, la *shagpipe* au bec, portaient des fourrures dont le poil rude était tourné à l'extérieur. Des Russes barbus et élégants, riches et barbares à voir, et des Hollandais d'un type métissé de Malais, étaient assis parmi un public allemand et suisse, tandis qu'un certain monde indéterminé et qui parlait français, venu des Balkans ou du Levant, un monde aventureux pour lequel Hans Castorp montrait un certain faible, mais que Joachim condamnait comme interlope et sans caractère, était partout répandu. Entre-temps, des enfants prirent part à des concours burlesques, trébuchèrent le long de la patinoire, un pied chaussé d'un ski, l'autre d'un patin, ou bien c'étaient les garçons qui poussaient sur leurs pelles leurs jeunes cavalières. Ils coururent avec des chandelles allumées, le vainqueur étant celui qui gardait sa lumière allumée jusqu'au but; il leur fallait, en courant, franchir des obstacles, ou remplir des arrosoirs de pommes de terre, à l'aide de cuillères en étain. Les grandes personnes jubilaient. On se montrait les plus riches, les plus connus et les plus gracieux d'entre les enfants, la fillette d'un multimillionnaire hollandais, le fils d'un prince prussien et un garçonnet de douze ans qui portait le nom d'une marque de champagne connue dans le monde entier. La pauvre Karen jubilait, elle aussi. De joie, elle frappait des mains, malgré ses doigts crevassés. Elle leur était si reconnaissante !

Les cousins la conduisirent également aux courses de bobsleigh. Leur but n'était très éloigné ni du Berghof ni du domicile de Karen Karstedt, car la piste, descendant de la Schatzalp, se terminait à Dorf, entre les agglomérations du versant ouest. Le petit pavillon de contrôle était dressé là ; on y annonçait par téléphone le départ de chaque traîneau. Entre les remparts de neige glacée, sur les virages de la piste luisant d'un éclat métallique, les châssis plats, chargés d'hommes et de femmes en laine blanche, portant autour de leurs poitrines des écharpes aux couleurs de toutes les nations, descendaient de la hauteur, à intervalles assez longs. On voyait des figures rouges et tendues sur lesquelles la neige tombait. Des chutes, des traîneaux qui dérapaient ou culbutaient et déversaient leurs équipes dans la neige, étaient photographiés par le public. Ici aussi la musique jouait. Les spectateurs étaient assis sur de petites tribunes, ou s'avançaient par l'étroit sentier que l'on avait dégagé à côté de la piste. Des passerelles en bois, qui franchissaient la piste et sous lesquelles passait de temps à autre un bobsleigh rapide, étaient également occupées par des spectateurs. Les cadavres du sanatorium, là, en haut, suivaient le même chemin, ils passaient à toute allure sous le pont, décrivaient les virages en aval, toujours en aval, se dit Hans Castorp, et il en parla également.

Ils emmenèrent Karen Karstedt, un après-midi, au cinéma Bioscope, puisqu'elle jouissait infiniment de tout cela. Dans l'air vicié qui les incommodait tous trois physiquement, parce qu'ils n'étaient habitués qu'à l'atmosphère la plus pure, dans cet air qui pesait à leurs poitrines, et produisait dans leurs têtes un brouillard trouble, une vie multiple trépidait sur l'écran, devant leurs yeux douloureux, saccadée, divertissante et hâtive, dans une agitation frémissante qui ne s'attardait en vibrant que pour repartir aussitôt, accompagnée par une petite musique qui appliquait sa présente division du temps à la fuite d'apparences passées, et qui, malgré ses moyens limités, savait jouer de tous les registres de la solennité, de la pompe, de la passion, de la sauvagerie et d'une sensualité roucoulante. C'était une histoire mouvementée d'amour et de meurtre qu'ils virent se dérouler dans le silence, à la cour d'un despote oriental : des événements précipités, pleins de magnificence et de nudité, pleins de désirs souverains et de furie religieuse dans la servilité, pleins de cruauté, de volupté, de voluptés meurtrières et d'une lenteur évocatrice lorsqu'il s'agissait, par exemple, de faire apprécier la musculature des bras d'un bourreau, bref, inspirés par une connaissance familière des vœux secrets de la civilisation internationale qui assistait à ce spectacle. Settembrini, en homme de jugement, aurait sans doute condamné sévèrement cette représentation si peu humaniste ; avec une ironie cinglante et classique il n'aurait pas manqué de flétrir l'abus que l'on avait fait de la technique pour animer des images qui abaissaient la dignité de l'homme ; c'est à quoi songeait Hans Castorp, et il chuchotait des remarques à l'oreille de son cousin sur ce sujet. En revanche, Mme Stöhr, également présente, et qui était assise pas très loin d'eux, paraissait tout extasiée, sa figure rouge et bornée était convulsée par la jouissance.

D'ailleurs, il en était de même pour tous les visages que l'on regardait. Lorsque la dernière image trépidante d'une scène s'évanouissait, que la lumière s'allumait dans la salle et que le champ des visions apparaissait à la foule comme une toile vide, il ne pouvait même pas y avoir d'applaudissements. Personne n'était là que l'on eût pu récompenser par des acclamations, que l'on eût pu rappeler par admiration pour l'art dont il avait fait preuve. Les acteurs qui s'étaient réunis pour ce spectacle étaient depuis longtemps dispersés à tous les vents. On n'avait vu que les ombres de leur performance, des millions d'images et des déclics les plus brefs en lesquels on avait décomposé leur action en la recueillant, afin de pouvoir la restituer à volonté et aussi souvent qu'on le voudrait, par un déroulement rapide et clignotant, à l'élément de la durée. Le silence de la foule avait quelque chose de veule et de repoussant. Les mains restaient étendues, impuissantes, devant le néant. On se frottait les yeux, on regardait fixement devant soi, on avait honte de la clarté, et l'on avait hâte de retrouver l'obscurité pour regarder à nouveau, pour voir se dérouler les choses qui avaient eu leur temps, transplantées dans un temps nouveau, et renouvelées par le fard de la musique.

Le despote tomba sous le poignard, avec un hurlement de sa bouche ouverte que l'on n'entendit pas. On vit ensuite des images du monde entier : le président de la République française en haut de forme et en grand cordon, répondant du haut d'une voiture découverte à une allocution ; on vit le vice-roi des Indes au mariage d'un radjah ; le Kronprinz allemand dans une cour de caserne de Potsdam. On assista aux allées et venues des habitants d'un village du Nouveau-Mecklembourg, à un combat de coqs à Bornéo, on vit des sauvages nus qui jouaient de la flûte en soufflant du nez, on vit une chasse aux éléphants sauvages, une cérémonie à la cour du roi de Siam, une rue de bordels au Japon, où des geishas étaient assises derrière le treillis de cages de bois. On vit des Samoyèdes emmitouflées parcourir dans leurs traîneaux tirés par des rennes un désert de neige au nord de l'Asie, des pèlerins russes prier à Hébron, un délinquant persan recevoir la bastonnade. On assistait à tout cela. L'espace était anéanti, le temps avait rétrogradé, le « là-bas » et le

« jadis » étaient transformés et enveloppés de musique. Une jeune femme marocaine, vêtue de soie rayée, caparaçonnée de chaînes, d'anneaux et de paillettes, sa poitrine pleine à moitié dénudée, s'approchait soudain de vous, en grandeur naturelle ; ses narines étaient larges, ses yeux pleins d'une vie bestiale, ses traits sans mouvement. Elle riait de ses dents blanches, abritait ses yeux d'une de ses mains dont les ongles semblaient plus clairs que la chair, et, de l'autre, faisait signe au public. Confus, on regardait dans la figure de cette ombre séduisante qui semblait voir et qui ne voyait pas, que les regards n'atteignaient pas du tout, dont les rires et les signes ne visaient en rien le présent, mais étaient chez eux dans le là-bas et dans l'autrefois, de sorte qu'il eût été insensé de lui répondre. Cela mêlait, comme nous l'avons dit, au plaisir un sentiment d'impuissance. Puis le fantôme s'évanouissait. Une clarté vive envahissait l'écran, le mot « Fin » y était projeté, le cycle des représentations était terminé, et en silence on évacuait le théâtre, tandis qu'un nouveau public se pressait au-dehors, qui désirait jouir d'une répétition de ce déroulement.

Encouragés par Mme Stöhr qui se joignit à eux, les cousins, pour l'amour de la pauvre Karen, qui, de reconnaissance, avait joint les mains, allèrent encore au café du casino. Là aussi il y avait de la musique. Un petit orchestre de musiciens en habit rouge jouait sous la direction d'un premier violon tchèque ou hongrois qui, à l'écart de sa bande, était debout au milieu des couples de danseurs et tourmentait son instrument avec d'ardentes torsions du corps. Une animation mondaine régnait autour des tables. On servait des boissons rares. Pour se rafraîchir, les cousins commandèrent pour eux et leur protégée des orangeades, car l'atmosphère était chaude et poussiéreuse, tandis que Mme Stöhr prenait une liqueur sucrée. Elle assura qu'à cette heure-ci l'animation ne battait pas encore son plein. La danse, plus tard dans la soirée, se faisait sensiblement plus vivante. De nombreux pensionnaires des différents sanatoriums, et des malades indépendants des hôtels et du casino, y prenaient part, plus nombreux encore qu'à présent, et plus d'un grand fiévreux avait passé le seuil de l'éternité tout en dansant et avait succombé à l'hémorragie finale en vidant la coupe de la joie de vivre, *in dulci jubilo.* Ce que la profonde ignorance de Mme Stöhr faisait de ce *dulci jubilo* était vraiment extraordinaire ; elle empruntait le premier mot au vocabulaire italien et musical de soft mari, en le prononçant par conséquent *dolce*, et Dieu sait d'où lui venait le second. Les deux cousins happèrent en même temps les brins de paille dans leurs verres lorsque ce latin éclata, mais Mme Stöhr ne se montra nullement déconcertée. Au contraire, tout en montrant avec entêtement ses dents de lièvre, elle s'efforça, par des allusions et des taquineries, de pénétrer la cause des rapports entre les trois jeunes gens qu'elle ne saisissait clairement que du point de vue de la pauvre Karen qui, étant donné sa conduite légère, ne devait pas être fâchée d'être chaperonnée à la fois par deux cavaliers aussi brillants. Le cas lui semblait moins clair, considéré du point de vue des deux cousins, mais malgré toute sa sottise et son ignorance, son intuition féminine l'aida à se faire des choses une idée, d'ailleurs incomplète et triviale. Car elle devina et laissa entendre dans ses taquineries que le seul et véritable cavalier était Hans Castorp, tandis que le jeune Ziemssen se bornait à l'assister et que Hans Castorp, dont elle connaissait le penchant intime pour Mme Chauchat, ne chaperonnait que faute de mieux la lamentable Karstedt, parce que, apparemment, il ne savait pas comment s'approcher de l'autre : conception tout à fait digne de Mme Stöhr et dépourvue de toute profondeur morale, très insuffisante et d'une intuition vulgaire, à laquelle Hans Castorp ne fit que l'honneur d'un regard fatigué et dédaigneux, lorsqu'elle la formula sur un ton de plate raillerie. Car, en effet, les rapports avec la pauvre Karen constituaient pour lui une sorte de succédané et d'expédient confusément opportun, de même que toutes ses entreprises charitables avaient pour lui un sens analogue. Mais en même temps, ces pieuses entreprises avaient leur fin propre, et la satisfaction qu'il éprouvait à faire avaler sa bouillie à l'infirme Mme de Mallinckrodt, à se faire décrire par M. Ferge l'infernal choc à la plèvre, ou à voir la pauvre

Karen frapper de reconnaissance et de gratitude dans ses mains aux bouts couverts d'emplâtres, encore que détournée et indirecte, n'en était pas moins d'une nature spontanée et pure. Elle émanait d'un besoin de renchérir dans un sens opposé à celui que M. Settembrini représentait par son action pédagogique, mais qui valait bien, semblait-il au jeune Hans Castorp, qu'on lui appliquât le *placet experiri*.

La maisonnette où demeurait Karen Karstedt était située non loin du cours d'eau et des rails, au bord du chemin qui menait à Dorf, et les cousins pouvaient donc facilement aller la prendre lorsqu'ils voulaient l'emmener après le petit déjeuner dans leur promenade réglementaire. Lorsqu'ils marchaient ainsi dans la direction de Dorf, pour rejoindre l'avenue principale, ils avaient sous les yeux le petit Schiahorn, puis, à droite, trois pics qui s'appelaient les Tours Vertes, mais que recouvrait une neige éblouissante et ensoleillée, et plus loin, vers la droite, le sommet du Dorfberg. À mi-hauteur de son versant abrupt, on voyait un cimetière, le cimetière de Dorf, entouré d'un mur, d'où l'on devait jouir d'une belle vue, embrassant sans doute le lac, de sorte que l'on pouvait fort bien l'envisager comme un but de promenade. Aussi y montèrent-ils un jour, par une belle matinée. D'ailleurs, toutes les journées étaient belles : calmes et ensoleillées, d'un bleu profond, d'une chaleur fraîche et d'une blancheur scintillante. Les cousins — l'un rouge comme une tuile, l'autre bronzé — marchaient en veston, parce que, sous la brûlure de ce soleil, les pardessus auraient été incommodes, le jeune Ziemssen en costume de sport, avec des caoutchoucs, Hans Castorp chaussé de même, mais en pantalons longs, parce qu'il n'était pas assez enclin aux exercices physiques pour porter des culottes courtes. C'était entre le commencement et le milieu de février de l'année nouvelle. Parfaitement, le millésime avait changé depuis que Hans Castorp était monté ici. C'était une autre année, la suivante. Une grande aiguille de l'horloge universelle avait progressé d'une unité de temps, non pas d'une des plus grandes, non pas d'une de celles qui mesuraient les millénaires (rares étaient ceux qui, vivants aujourd'hui, assisteraient encore à un pareil changement), pas davantage une de celles qui marquent les siècles, ni même les décennies, certes, non. Mais l'aiguille de l'année s'était récemment déplacée, bien que Hans Castorp ne fût pas encore ici depuis une année, à peine depuis un peu plus d'une demi-année, et elle était arrêtée à présent, tout comme les aiguilles de certaines grandes horloges qui n'avancent que toutes les cinq minutes, jusqu'à ce qu'elle dût de nouveau se déplacer. Mais jusque-là, l'aiguille des mois devait encore avancer dix fois, plus de fois qu'elle ne l'avait fait depuis que Hans Castorp était arrivé ici. Il ne comptait plus le mois de février, car entamé, il était aussitôt effacé, de même que changer une pièce c'était, autant dire, la dépenser.

Les trois compagnons se rendirent donc un jour au cimetière du Dorfberg. Pour la fidélité de notre relation, mentionnons encore cette promenade. L'initiative était due à Hans Castorp, et Joachim, s'il avait commencé par faire quelques objections à cause de la pauvre Karen, s'était laissé convaincre et avait reconnu qu'il eût été inutile de jouer à cache-cache avec elle et de vouloir, à la manière de la peureuse Mme Stöhr, la mettre prudemment à l'abri de tout ce qui faisait penser à l'*exitus*. Karen Karstedt n'était pas encore en proie aux illusions dont on s'abuse dans le dernier stade, elle savait à quoi s'en tenir et quelle était la signification de la nécrose des bouts de ses doigts. Elle savait aussi que ses peu pitoyables parents ne voudraient pas entendre parler du luxe d'un transport de son cercueil dans son pays natal, et qu'après l'*exitus* on lui assignerait une modeste petite place là-haut, bref, on pouvait estimer que ce but de promenade du point de vue moral était plus convenable pour elle que beaucoup d'autres, par exemple que le point d'arrivée des bobs, ou le cinéma, sans compter que ce n'était rien de plus qu'un geste opportun de camaraderie que de faire, une fois par hasard, une visite à ceux de là-haut, en admettant que l'on ne voulût pas tout bonnement considérer le cimetière comme une curiosité et comme un terrain neutre de promenade.

À la file indienne, ils montèrent lentement, car le sentier déblayé ne leur permettait que de passer un à un. Ils laissèrent derrière eux et sous eux les villas situées en haut du versant, et, tout en montant, virent de nouveau se déplacer et s'ouvrir le paysage familier qui leur offrait la perspective de sa splendeur hivernale. Il s'étendait vers le nord-est, dans la direction de l'entrée de la vallée, et, comme ils s'y attendaient, la vue s'ouvrit sur le lac dont le disque, entouré de forêts, était gelé et couvert de neige ; et derrière sa rive la plus éloignée, les plans inclinés des montagnes semblaient se rencontrer, par-delà lesquels les sommets inconnus, couverts de neige, s'étageaient devant le bleu du ciel. Ils regardèrent cela, debout dans la neige, devant le portail en pierre qui donnait accès au cimetière, puis ils y entrèrent par la grille en fer qui était fixée au portail et qui n'était qu'appuyée.

Là encore, les sentiers étaient déblayés qui s'étendaient entre les tertres entourés de grillage et capitonnés de neige, entre ces lits bien faits et régulièrement disposés, avec leurs croix de pierre et de métal, leurs petits monuments décorés de médaillons et d'inscriptions. Mais on ne voyait ni n'entendait âme qui vive. Le calme, l'éloignement, le silence du lieu semblaient profonds et intimes à beaucoup d'égards. Un petit ange ou un bambin en pierre, qui avait un bonnet de neige sur sa petite tête, et qui, du doigt, fermait ses lèvres, pouvait bien passer pour son génie, je veux dire : pour le génie de ce silence, à savoir d'un silence que l'on éprouvait réellement comme la contrepartie et l'antipode de la parole, par conséquent comme un mutisme nullement dépourvu de sens ni vide de vie. Pour les deux visiteurs mâles, c'eût été sans doute une occasion de se découvrir s'ils avaient eu des chapeaux, mais ils étaient tête nue, Hans Castorp, lui aussi l'était, et ils se bornèrent donc à marcher en une attitude respectueuse, faisant porter le poids de leurs corps sur la plante de leurs pieds, avec de petites inclinations à droite et à gauche, à la queue leu leu, derrière Karen Karstedt qui les conduisait.

Le cimetière était de forme irrégulière, il s'étendait d'abord comme un étroit rectangle vers le sud, puis se prolongeait dans les deux sens en forme également rectangulaire. Il était évident qu'on avait dû, à plusieurs reprises, l'agrandir, et que l'on y avait annexé des parcelles de champs voisins. Néanmoins, l'enclos semblait de nouveau autant dire complet, le long des murs aussi bien que dans les parties intérieures moins cotées ; à peine pouvait-on voir et dire où l'on y eût encore, en cas de besoin, trouvé place. Les trois visiteurs se promenèrent assez longtemps avec discrétion par les étroits sentiers et passages entre les tombeaux, en s'arrêtant çà et là, pour déchiffrer un nom, une date de naissance et de mort. Les pierres funéraires et les croix étaient sans prétention et témoignaient que l'on ne s'était pas mis en frais. Quant aux inscriptions, les noms étaient d'origines diverses, il y en avait d'anglais, de russes, ou généralement de slaves ; il y en avait aussi d'allemands, de portugais et d'autres encore. Mais les dates témoignaient d'une grande fragilité, l'intervalle qui les séparait les unes des autres était dans l'ensemble d'une brièveté frappante, le nombre des années qui s'étaient écoulées entre la naissance et l'*exitus* s'élevait partout à une vingtaine environ, guère davantage, beaucoup de jeunesse et peu de vertu peuplaient ce camp, un peuple nomade qui était venu ici de toutes les parties du monde et qui avait définitivement accédé à la forme d'existence horizontale.

Par endroits, parmi l'encombrement des monuments, à l'intérieur de la pelouse, vers le milieu, il y avait un petit emplacement plat de longueur d'homme, étal et inoccupé, entre deux tertres autour des stèles desquels étaient suspendues des couronnes artificielles, et, involontairement, les trois visiteurs s'arrêtèrent là. Ils restèrent debout, la demoiselle en avant de ses compagnons, et ils lurent les fragiles inscriptions des pierres. Hans Castorp, dans une attitude d'abandon, les mains croisées devant lui, la bouche ouverte et les yeux somnolents, le jeune Ziemssen au garde-à-vous, et non seulement droit, mais presque incliné un peu en arrière ; sur quoi, les cousins, saisis d'une curiosité simultanée, jetèrent un coup d'œil dérobé sur le visage de Karen Karstedt. Elle s'en aperçut malgré leur discrétion et resta là, confuse et humble, la tête inclinée en avant et un peu oblique ; et elle sourit d'un air affecté, en avançant les lèvres, avec un rapide clignement des yeux.

Nuit de Walpurgis

Sept mois allaient être révolus dans quelques jours, depuis que le jeune Hans Castorp était arrivé ici, tandis que son cousin Joachim, qui en avait déjà cinq lorsque l'autre était arrivé, en avait à présent douze derrière lui — une année en chiffre rond ; rond dans ce sens cosmique que, depuis que la solide petite locomotive l'avait déposé ici, la terre avait parcouru entièrement son orbite solaire et était revenue au point où elle était alors. C'était à l'époque du carnaval, à la veille du mardi gras, et Hans Castorp demanda à l'ancien comment cela se passait.

« Magnifique ! répondit Settembrini, que les cousins avaient une fois de plus rencontré au cours de leur tournée du matin. Splendide ! répondit-il. C'est aussi gai qu'au Prater, vous allez voir, ingénieur. *Et dans la ronde on nous verra, galants cavaliers* », dit-il et continua de médire d'une langue agile, en accompagnant ses taquineries de mouvements appropriés des bras, de la tête et des épaules. « Que voulez-vous ? même dans les asiles d'aliénés ont parfois lieu de ces bals pour les fous et les idiots ; c'est du moins ce qu'on m'a dit. Pourquoi n'y en aurait-il donc pas ici ? Le programme comprend *les danses macabres* les plus variées, vous le pensez bien. Malheureusement, certains des invités de l'année dernière ne pourront plus paraître cette fois-ci, car la fête prend fin dès neuf heures et demie.

— Vous voulez dire ?... Ah ! fameux ! rit Hans Castorp. Vous êtes un farceur... À neuf heures et demie, as-tu entendu, toi ? C'est-à-dire trop tôt pour que “certains” des invités de l'année puissent assister à la fête pendant une petite heure. Hou, c'est macabre ! Il s'agit naturellement de ceux qui, dans l'intervalle, ont dit définitivement adieu à la chair. Tu saisis mon jeu de mots ? Mais je suis quand même curieux de voir cela. Je trouve très bien que nous fêtions ici les fêtes de cette manière, et que nous marquions les étapes selon l'usage, des coupures bien faites pour que l'on ne vive pas dans un pêle-mêle trop désordonné. Ce serait par trop étrange. Nous avons eu Noël et puis nous avons su que c'était le nouvel an, et voici que vient le carnaval. Puis approche le dimanche des Rameaux (fait-on des craquelins ici ?), la semaine sainte, Pâques et la Pentecôte, qui tombe six semaines plus tard, et puis c'est déjà presque la journée la plus longue de l'année, le solstice d'été, comprenez-vous, et l'on s'achemine vers l'automne.

— Halte, halte, halte ! cria Settembrini en levant les yeux au ciel et en appuyant la paume de ses mains contre ses tempes. Taisez-vous, je vous défends de vous déchaîner de cette façon.

— Excusez-moi, je voulais dire, au contraire... D'ailleurs, Behrens, finalement, va se décider à me faire des injections pour me désintoxiquer, car j'ai tout le temps 37,4, 5, 6, et même 7. Il n'y a rien à faire à cela. Je suis et je reste un enfant difficile de la vie. Il est vrai que je ne suis pas ici pour une période très longue, Rhadamante ne m'a jamais fixé un délai précis, mais il dit qu'il serait insensé d'interrompre la cure prématurément, alors que j'ai déjà investi ici une pareille somme de temps. À quoi servirait d'ailleurs qu'il me fixât un terme ? Cela ne signifierait pas grand-chose, car, lorsqu'il dit par exemple : six petits mois, c'est toujours un peu juste, et il faut s'attendre à plus. Je vois cela par l'exemple de mon cousin qui devait être prêt au commencement du mois — prêt dans le sens de guéri —, mais la dernière fois, Behrens lui a encore administré quatre mois jusqu'à sa guérison complète. Bon, et puis qu'est-ce qui viendra après ? Ensuite, nous avons le solstice d'été, disais-je, sans vouloir vous fâcher, et puis l'on va vers l'hiver. Mais pour l'instant, il est vrai que nous n'en sommes encore qu'au carnaval. Et puis, vous entendez bien, je trouve parfait que nous fêtions tout cela en bon ordre comme c'est marqué dans l'almanach. Mme Stöhr disait que chez le concierge on trouvait à acheter des trompettes d'enfant. »

C'était exact. Dès le premier déjeuner du mardi gras, qui survint brusquement, avant que l'on eût pris le temps d'envisager cet événement, le matin, déjà, on entendit dans la salle à manger toute sorte de sons tirés d'instruments à vent qui ronflaient ou cornaient. Au déjeuner déjà, des serpentins furent lancés de la table de Gänser, de Rasmussen et de la Kleefeld, et plusieurs personnes, par exemple Maroussia aux yeux ronds, portaient des bonnets de papier que l'on pouvait également acheter chez le portier boiteux. Mais le soir, une animation de fête se répandit dans la salle et dans les salons, laquelle par la suite… Nous sommes pour le moment seul à savoir à quoi, grâce à l'esprit entreprenant de Hans Castorp, cette soirée de carnaval devait conduire. Mais nous ne nous laissons pas tirer de notre calme réfléchi par cette prescience et nous rendons au Temps l'honneur qui lui revient, et ne précipitons rien, peut-être même traînons-nous les événements en longueur parce que nous partageons la retenue morale du jeune Hans Castorp qui a si longtemps retardé ces événements.

L'après-midi, tout le monde s'était rendu à Davos-Platz, pour voir le mouvement du carnaval dans les rues. Des masques avaient défilé, des pierrots et des arlequins, qui faisaient tourner des crécelles, et entre les piétons et les occupants, également masqués, des traîneaux parés et garnis de grelots, on s'était livré à des batailles de confettis. On se retrouva autour des sept tables, pour le repas du soir, en humeur très joyeuse, résolu à maintenir l'esprit public dans le cercle fermé. Les bonnets de papier, les crécelles et les trompettes du concierge avaient été rapidement écoulés, et le procureur Paravant avait pris l'initiative d'un travestissement plus complet, en revêtant un kimono de dame, et en s'attachant une fausse natte qui, d'après les exclamations qui partirent de tous côtés, devait appartenir à Mme la consule générale Wurmbrand. Il avait encore fait tomber les pointes de sa moustache au moyen d'un fer à friser, de sorte qu'il ressemblait vraiment tout à fait à un Chinois. L'administration n'était pas demeurée en reste d'ingéniosité. Elle avait décoré chacune des sept tables d'un lampion de papier, d'une lune coloriée qui contenait une bougie allumée, de sorte que Settembrini, en entrant dans la salle, passant près de la table de Hans Castorp, cita des vers qui pouvaient se rapporter à cette illumination :

De mille feux tout flambe et luit.
Un club joyeux est réuni,

énonça-t-il avec un sourire fin et sec, en gagnant d'une allure négligente sa place où de petits projectiles allaient l'accueillir, de minces petites boulettes emplies de liquide, qui se brisaient au choc et inondaient de parfum ceux qu'elles atteignaient.

Bref, on était en humeur de fête. Des rires éclataient, des serpentins qui pendaient des lustres, se balançaient dans les courants d'air ; dans la sauce du rôti nageaient des confettis ; bientôt l'on vit la naine passer d'un pas agité en portant le premier seau de glace et la première bouteille de champagne. On mêla le bourgogne et le champagne, ce dont l'avocat Einhuf avait donné le signal, et lorsque vers la fin du repas les lumières s'éteignirent de sorte que les lampions seuls éclairèrent la salle à manger d'un demi-jour bariolé qui faisait penser à une nuit italienne, l'humeur générale fut parfaite, et à la table de Hans Castorp on manifesta une vive satisfaction lorsque Settembrini fit passer un billet (il le remit à Maroussia, qui était sa voisine la plus proche et qui était coiffée d'une casquette de jockey en papier de soie vert), sur lequel il avait écrit au crayon :

Mais songez qu'aujourd'hui le mont est en folie,
Et si tel feu follet s'offrait à vous guider,
Mieux vaudrait, croyez-m'en, ne pas vous y fier…

Le docteur Blumenkohl, qui allait de nouveau très mal, murmura, avec l'expression de physionomie ou des lèvres qui lui était propre, quelques mots d'où l'on pouvait déduire d'où venaient ces vers-là. Hans Castorp, pour sa part, se crut tenu à une réponse qui, à la vérité, n'aurait pu être que très insignifiante. Il chercha d'abord un crayon dans ses poches, mais n'en trouva pas et ne put en obtenir ni de Joachim ni de l'institutrice. Ses yeux veinés de rouge quêtèrent un secours à l'est, dans l'angle de la salle, à gauche en retrait et l'on vit que cette pensée fugitive dégénéra en association d'idées si lointaines qu'il en pâlit et oublia complètement son intention initiale.

Il y avait, d'ailleurs, encore d'autres raisons de pâlir. Mme Chauchat, là, derrière lui, avait fait toilette pour carnaval. Elle portait une robe neuve, de toute façon une robe que Hans Castorp ne l'avait pas encore vue porter, en soie légère et foncée, presque noire, et qui ne brillait que de temps à autre d'un éclat brun, doré et chatoyant, une robe au décolleté rond et discret de jeune fille, qui ne découvrait le cou que jusqu'à l'attache des clavicules, et en arrière les vertèbres de la nuque légèrement saillantes sous les cheveux, lorsqu'elle penchait la tête, mais qui dégageait les bras de Clawdia jusqu'aux épaules, ses bras qui étaient à la fois frêles et pleins, et en même temps frais, devait-on supposer, et dont l'extraordinaire blancheur se détachait sur la soie sombre de la robe d'une manière si saisissante que Hans Castorp, fermant les yeux, murmura en lui-même : « Mon Dieu ! » Il n'avait encore jamais vu cette coupe. Il connaissait des toilettes de bal, des dévoilements admis et solennels, voire réglementaires, qui avaient été beaucoup plus étendus que celui-ci, sans être de loin aussi sensationnels. Il se montra en particulier combien avait été erronée l'ancienne supposition du pauvre Hans Castorp que l'attrait déraisonnable des bras dont il avait fait la connaissance à travers un voile de gaze, n'eût pas été aussi profond sans cette « transfiguration » suggestive, ainsi qu'il s'était dit alors. Erreur ! Fatal égarement ! La nudité entière, soulignée et éblouissante de ces admirables membres d'un organisme malade et empoisonné, était un événement qui apparaissait beaucoup plus impressionnant que la transformation de jadis, une apparition à quoi l'on ne pouvait répondre autrement qu'en baissant la tête et en répétant sans voix : « Mon Dieu ! »

Un peu plus tard arriva encore un billet du contenu suivant :

De compagnie, où trouver mieux ?
Rien que prétendants et pucelles,
Jeunes, galants, audacieux,
Et sémillants espoirs d'icelles !

« Bravo, bravo ! » cria-t-on. On en était déjà au café qui était servi en de petites cafetières en terre brune, voire aux liqueurs, comme Mme Stöhr, par exemple, qui aimait par-dessus tout siroter des spiritueux sucrés. La compagnie commença à s'éparpiller, à circuler. On se rendait visite les uns aux autres, on changeait de tables. Une partie des pensionnaires s'étaient déjà retirés dans les salons, tandis que d'autres restaient assis, continuant à faire honneur aux mélanges de vins. Et voici que Settembrini vint en personne, sa tasse de café à la main, le cure-dents entre les lèvres, et prit place en visiteur au coin de la table, entre Hans Castorp et l'institutrice.

« Montagnes du Hartz, dit-il, pays de cocagne et de misère ! Vous ai-je trop promis, ingénieur ? En voilà une foire ! Mais attendez, nous ne sommes pas encore à bout d'esprit, nous ne sommes pas encore arrivés au comble, sans parler de la fin ! D'après tout ce que l'on entend dire, nous verrons encore d'autres déguisements. Certaines personnes se sont retirées, cela permet d'espérer bien des choses, vous allez voir. »

En effet, de nouveaux travestis firent leur apparition. Des dames en vêtements masculins, d'un comique d'opérette, invraisemblables à cause de leurs formes opulentes, des visages noircis au bouchon, des messieurs vêtus, quant à eux, de robes de femmes, embarrassés dans leurs jupes, comme par exemple l'étudiant Rasmussen qui, dans une toilette noire, parsemée de jais, étalait un décolleté plein de boutons et qu'il éventait au moyen d'un éventail en papier, jusqu'au dos. Un mendiant parut, ployant sur ses genoux, et accroché à sa béquille. Quelqu'un s'était fait un costume de pierrot au moyen de linge blanc et d'un feutre de femme, s'était poudré la figure de sorte que les yeux avaient pris un aspect étrange, et s'était rougi les lèvres d'un rouge de sang. C'était le jeune homme à l'ongle. Un Grec de la table des Russes ordinaires, qui avait de belles jambes, se promenait gravement en caleçons de tricot lilas, avec une mantille, une collerette en papier et une canne, en Grand d'Espagne ou en Prince charmant. Tous ces déguisements avaient été improvisés après le dîner. Mme Stöhr ne put tenir plus longtemps en place. Elle disparut, pour reparaître quelque temps après en femme de ménage, la jupe retroussée et les manches relevées, les rubans de son bonnet en papier noués sous le menton, armée d'un seau et d'un balai qu'elle commença de manier en récurant entre les jambes des pensionnaires assis avec la brosse mouillée.

La vieille Baubo revient toute seule,

récita Settembrini à sa vue et il ajouta le vers suivant, d'une voix claire et plastique. Elle l'entendit, le traita de « coq italien » et l'invita à garder pour lui ses « polissonneries », en le tutoyant au nom de la liberté accordée aux masques ; car encore durant le repas, on avait adopté cette manière de parler. L'Italien s'apprêtait à lui répondre, lorsque du vacarme et des rires, venus du hall, l'interrompirent et attirèrent l'attention dans la salle.

Suivis de pensionnaires qui refluèrent des salons, deux étranges figures firent leur entrée qui venaient sans doute à peine de terminer leur déguisement. L'une était vêtue en diaconesse, mais sa robe noire était, du haut en bas, traversée de bandes blanches cousues, de bandes courtes, rapprochées les unes des autres, et d'autres plus espacées, qui dépassaient les premières, selon la disposition des mesures d'un thermomètre. Elle tenait l'index devant sa bouche pâle et portait à la main droite une feuille de température. L'autre masque était bleu sur bleu : avec des lèvres et des sourcils teints en bleu, la figure et le cou çà et là barbouillés de bleu, un bonnet de laine bleu tiré par-dessus les oreilles, et il était vêtu d'un costume et d'une blouse de lustrine bleue qui étaient faits d'une seule pièce, noués aux chevilles par des rubans et gonflés au milieu du corps jusqu'à former une épaisse panse ronde. On reconnut Mme Iltis et M. Albin. Tous deux portaient des écriteaux en carton, sur lesquels on pouvait lire : « la Sœur Muette » et « Henri le Bleu ». D'une sorte de pas balancé ils firent côte à côte le tour de la salle.

Quel succès ! Les acclamations vibraient. Mme Stöhr, son balai sous le bras, les mains sur les genoux, riait sans mesure et vulgairement, de tout son cœur, en prétextant son rôle de femme de ménage. Seul Settembrini se montrait insensible. Ses lèvres, sous la moustache agréablement troussée, se firent minces, après qu'il eut jeté un bref coup d'œil au couple des masques si applaudis.

Parmi ceux qui étaient revenus des salons, à la suite du Bleu et de la Muette se trouvait également Clawdia Chauchat. Avec Tamara aux cheveux laineux et avec son compagnon de table à la poitrine creuse, un certain Buligin qui était en tenue de soirée, elle passa près de la table de Hans Castorp et se dirigea en obliquant vers la table du jeune Gänser et de la Kleefeld, où elle s'arrêta, les mains dans le dos, riant de ses yeux bridés et bavardant, tandis que ses compagnons continuaient de suivre les fantômes allégoriques et quittèrent la salle à leur suite. Mme Chauchat s'était coiffée d'un bonnet de carnaval — ce n'était même pas un bonnet acheté, mais un de ceux que l'on fait pour les enfants en pliant triangulairement une feuille de papier blanc, et qui d'ailleurs, posé de travers, lui seyait à ravir. Sa robe de soie, d'un brun foncé et doré, dégageait les pieds ; la jupe était d'une coupe ample. Ne disons plus rien des bras. Ils étaient nus jusqu'aux épaules.

« Regarde-la bien ! » Comme de loin Hans Castorp entendit M. Settembrini prononcer ces mots, tandis qu'il accompagnait des yeux la jeune femme qui poursuivit son chemin vers la porte vitrée, et qui sortit de la salle. « C'est Lilith !

— Qui ? » demanda Hans Castorp.

Le littérateur parut ravi. Il répliqua :

« La première femme d'Adam. Prends garde… »

À part eux deux, le docteur Blumenkohl était seul encore assis à l'extrémité de leur table. Les autres pensionnaires, y compris Joachim, avaient passé au salon. Hans Castorp dit :

« Tu es plein de poésie et de vers aujourd'hui. Qu'est-ce que c'est donc encore que cette Lilith ? Adam avait donc été marié deux fois ? Je n'en avais pas la moindre idée.

— La légende hébraïque le veut ainsi. Cette Lilith est devenue un fantôme nocturne, elle est dangereuse, surtout pour les jeunes gens, à cause de ses beaux cheveux.

— Fi, quelle horreur ! Un fantôme nocturne avec de beaux cheveux. Cela, tu ne le supportes pas, hein ? Tu arrives et tu allumes la lumière électrique, comme pour ramener les jeunes gens sur le bon chemin, n'est-ce pas vrai ? » dit Hans Castorp, pris d'une humeur fantasque. Il avait bu beaucoup de vins mélangés.

« Écoutez, ingénieur, laissez cela, ordonna Settembrini, les sourcils froncés. Servez-vous de la forme qui est en usage dans l'Occident civilisé, de la deuxième personne du pluriel ! Vous ne vous doutez même pas des risques que vous courez là.

— Mais pourquoi ça ? C'est carnaval ! C'est admis partout ce soir…

— Oui, pour jouir d'un plaisir immoral. Le "tu" entre étrangers, c'est-à-dire entre personnes qui devraient normalement se dire "vous", est une sauvagerie déplaisante, un jeu avec l'éclat primitif, un jeu libertin qui me fait horreur, parce que, au fond, il est dirigé contre la civilisation et contre l'humanité évoluée, et cela avec insolence et impudeur. Je ne vous ai d'ailleurs pas tutoyé, ne vous figurez pas cela. Je citais simplement un passage d'un chef-d'œuvre de votre littérature nationale. Ce n'était donc qu'un langage poétique que je tenais…

— Moi aussi. Moi aussi, je tiens en quelque sorte un langage poétique, c'est parce que cela me change en ce moment que je parle ainsi. Je ne prétends pas du tout qu'il me soit si naturel et facile de te dire "tu". Tout au contraire, il faut que je fasse un effort sur moi-même, il faut que je me donne une secousse pour le faire, mais cette secousse je me la donne volontiers, je me la donne avec plaisir et de tout cœur…

— De tout cœur ?

— De tout cœur, oui, tu peux m'en croire. Voilà que nous sommes ici depuis pas mal de temps déjà, sept mois si tu veux faire le compte. Étant donné l'usage qui règne ici, ce n'est pas encore énorme, mais pour nos conceptions d'en bas, lorsque j'y repense, c'est un long espace de temps. Or, vois-tu, ce temps nous l'avons passé ensemble parce que la vie nous a réunis ici, et nous nous sommes vus presque chaque jour, et nous avons eu des conversations intéressantes, souvent sur des sujets dont je n'aurais pas compris un traître mot, en bas. Mais ici cela allait très bien ; ici, ils prenaient de l'importance et me touchaient de près, de sorte que, toutes les fois que nous avons discuté, j'y ai toujours apporté toute mon attention. Ou plutôt, lorsque tu m'expliquais les choses en *homo humanus*, car naturellement, dans mon inexpérience, je n'avais pas grand-chose à apporter et je pouvais tout au plus trouver d'un intérêt extraordinaire ce que tu disais. Grâce à toi, j'ai appris et compris bien des choses. Mettons Carducci à part, mais prenons par exemple les rapports de la République et du beau style, ou le Temps et le Progrès de l'Humanité : s'il n'y avait pas de temps, il ne pourrait pas davantage y avoir de progrès de l'Humanité, et le monde ne serait qu'un marais stagnant et une eau croupissante… Que saurais-je de tout cela si tu n'avais pas été ? Je t'appelle tout simplement "tu" et je ne te donne pas d'autre nom, parce que je ne saurais pas comment te parler. Tu es assis là et je te dis simplement "tu", cela suffit. Tu n'es pas n'importe quel homme portant un nom, tu es un représentant, monsieur Settembrini, un ambassadeur en ce lieu, et à mon côté, voilà ce que tu es, confirma Hans Castorp, et du plat de la main il frappa sur la nappe. Et je veux te remercier pour une fois, poursuivit-il en choquant son verre plein de champagne et de bourgogne contre la petite tasse de café de M. Settembrini, comme pour trinquer avec lui à même la table, je veux te remercier de t'être pendant ces sept mois si amicalement occupé de moi, et de m'avoir tendu la main, à moi, jeune *mulus*, assailli par tant d'impressions nouvelles, d'avoir essayé, au cours de mes exercices et de mes expériences, de prendre sur moi une influence corrective, tout à fait *sine pecunia*, tantôt par des anecdotes, tantôt sous des formes abstraites. J'ai le sentiment net que l'instant est venu de te remercier de tout cela, et de te demander pardon d'avoir été un mauvais élève, un "enfant difficile de la vie", comme tu dis. Cela m'a vivement touché lorsque tu as dit ce mot, et chaque fois que j'y pense, je suis touché de nouveau. Un enfant difficile, c'est sans doute ce que j'ai également été pour toi, et pour ta veine pédagogique dont tu nous as parlé dès le premier jour. Naturellement — c'est encore un de ces rapports que j'ai appris à connaître grâce à toi, que le rapport entre l'humanisme et la pédagogie —, et si je prenais le temps de chercher, j'en trouverais plusieurs autres encore. Excuse-moi donc et ne m'en veux pas. À la tienne, monsieur Settembrini, à ta santé ! Je vide mon verre en l'honneur de tes efforts littéraires en vue de l'abolition des souffrances humaines », conclut-il et, se rejetant en arrière, il vida en quelques grandes gorgées son mélange de vins, puis se leva. « À présent nous allons rejoindre les autres.

— Écoutez-moi, ingénieur, quelle mouche vous a piqué ? dit l'Italien, les yeux pleins de surprise, et lui aussi quitta la table. Cela sonne comme un adieu…

— Non, pourquoi un adieu ? » dit Hans Castorp en se dérobant. Il ne se déroba pas seulement au figuré, en paroles, mais encore effectivement en faisant décrire un demi-cercle à son buste, et il se raccrocha à l'institutrice, Mlle Engelhart, qui venait précisément les chercher. Dans le salon de musique, le conseiller en personne préparait un punch de carnaval offert par l'administration, annonça la demoiselle. Ces messieurs devaient venir immédiatement, s'ils voulaient encore en avoir un verre. Ils passèrent donc de l'autre côté.

En effet, le docteur Behrens était là, entouré des pensionnaires qui lui tendaient de petits verres à anse, près de la table ronde du milieu, couverte d'une nappe blanche, et, avec une louche, il puisait une boisson fumante dans un récipient en grès. Lui aussi avait égayé d'une manière un peu carnavalesque sa tenue habituelle, car, outre sa blouse de médecin qu'il portait comme toujours parce que son activité ne connaissait pas de trêve, il s'était coiffé d'une véritable chéchia turque, rouge carmin, avec un gland noir qui lui pendait sur l'oreille, et ces deux pièces réunies constituaient pour lui un travestissement suffisant; elles suffisaient à pousser à l'extrême et à l'étrange son apparence déjà suffisamment caractéristique. La longue blouse blanche exagérait la stature du conseiller; lorsqu'on tenait compte de la courbure de sa nuque, en la supprimant en pensée, pour dresser sa silhouette dans toute sa hauteur, il semblait d'une grandeur presque surnaturelle, avec sa petite tête haute en couleur, à l'expression si étrange. Tout au moins ce visage n'avait-il jamais paru au jeune Hans Castorp aussi étrange qu'aujourd'hui sous cette coiffure cocasse; cette physionomie d'une platitude camarde, bleuâtre et excitée, dans laquelle les yeux bleus larmoyaient sous les sourcils d'un blond presque blanc, et dont la petite moustache claire était retroussée obliquement au-dessus de la bouche arquée et comme cabrée. S'écartant de la vapeur qui s'échappait en tourbillonnant de la coupe, il faisait couler la boisson brune, un punch sucré à l'arack, en un jet courbe, de la louche dans les verres tendus, se répandant dans son jargon comique en discours ininterrompus, de sorte que des salves de rires accompagnaient le service tout autour de la table.

« M. Urian préside », expliqua doucement Settembrini avec un geste de la main vers le docteur, puis il fut entraîné du côté de Hans Castorp. Le docteur Krokovski, lui aussi, était présent. Petit, trapu et décidé, sa blouse de lustrine noire posée sur les épaules, les manches pendantes, ce qui prêtait à ce vêtement un aspect de domino, il tenait son verre à hauteur d'œil, de sa main incurvée, et il bavardait gaiement avec un groupe de travestis des deux sexes. La musique se mit à jouer. La pensionnaire au visage de tapir joua sur son violon, accompagnée au piano par le Mannheimois, le *largo* de Haendel, et ensuite une sonate de Grieg d'un caractère national et mondain. On applaudit avec bienveillance, même aux deux petites tables de bridge que l'on avait dressées, et autour desquelles étaient assis des pensionnaires déguisés ou non déguisés, des bouteilles posées près d'eux dans des seaux de glace. Les portes étaient ouvertes; dans le hall aussi des pensionnaires se tenaient. Un groupe autour de la table ronde, où était posé le punch, regardait le conseiller qui expliquait un jeu de société. Il dessinait, les yeux fermés, debout et penché vers la table, mais la tête rejetée en arrière, pour que tous pussent voir qu'il avait les yeux fermés. Il dessinait au dos d'une carte de visite, un crayon à la main, à l'aveuglette, une figure : c'étaient les contours d'un pourceau, que sa main énorme esquissait sans l'aide des yeux, d'un pourceau vu de profil, un peu sommaire et plus schématique que vivant, mais c'était incontestablement le contour général d'un petit cochon qu'il traçait en des conditions aussi difficiles. C'était un tour de force, et il le réussissait. Les petits yeux fendus se placèrent où il convenait, un peu trop près du groin, mais quand même à peu près à leur place; il n'en alla pas autrement de l'oreille pointue, des petites pattes qui pendaient de la panse arrondie; et, prolongeant la ligne du dos également cintrée, la petite queue tirebouchonnait très gentiment. On cria : « Ah ! » lorsque l'œuvre fut achevée, et tous s'empressèrent dans l'espoir d'égaler le maître. Mais rares étaient ceux qui auraient su dessiner, les yeux ouverts, un petit porc, et encore moins le pouvaient-ils les yeux fermés. Quels avortons ne vit-on pas alors ! Il n'y avait aucune continuité entre les traits. L'œil était placé en dehors de la tête, les pattes à l'intérieur de la panse, qui elle-même restait béante, et la queue s'enroulait quelque part en marge sans aucune relation organique avec la figure principale méconnaissable, en une arabesque indépendante. On riait à gorge déployée; le groupe fit recette. L'attention des tables de bridge fut attirée, et les joueurs s'approchèrent, curieux, tenant leurs cartes en éventail. Les voisins de celui qui tentait l'expérience surveillaient ses paupières, pour se rendre compte s'il ne clignait pas des yeux, ce à quoi le sentiment de leur impuissance avait induit plusieurs personnes; ou bien ils pouffaient et gloussaient, tandis que, aveugle, l'autre multipliait les erreurs, et jubilaient, lorsque, écarquillant les yeux, il regardait son œuvre absurde. Une trompeuse confiance en soi poussait chacun à concourir. La carte, quoi qu'elle fût grande, fut bientôt couverte de dessins de part et d'autre, de sorte que les figures manquées se chevauchaient. Mais le conseiller sacrifia une seconde carte tirée de son portefeuille, sur laquelle le procureur Paravant, après s'être recueilli, tenta de dessiner le petit cochon d'un seul trait, avec ce seul résultat que son insuccès surpassa tous les précédents : le motif décoratif auquel il donna le jour, non seulement ne ressemblait pas à un cochon, mais encore n'avait pas, avec quoi que ce fût, la ressemblance la plus vague. Exclamations, rires et félicitations tumultueuses ! On chercha des menus dans la salle à manger, de sorte que plusieurs personnes, dames et messieurs, purent dessiner en même temps, et chaque concurrent avait ses surveillants et ses spectateurs, dont chacun, à son tour, attendait un crayon. Il y avait trois crayons que l'on s'arrachait. Ils appartenaient aux pensionnaires. Quant au docteur Behrens, après qu'il eut mis en train ce nouveau jeu, il avait disparu avec son second.

Hans Castorp, dans la cohue, regardait par-dessus l'épaule de Joachim un des dessinateurs, en s'accoudant sur cette épaule, tenant son menton des cinq doigts d'une main, et appuyant l'autre main sur la hanche. Il parlait et riait. Lui aussi voulait dessiner, il réclama à haute voix et obtint le crayon, un petit bout de crayon que l'on pouvait à peine tenir entre le pouce et l'index. Il pesta contre ce moignon, le visage aveuglé levé vers le plafond, il pesta à voix haute et maudit l'insuffisance du crayon en dessinant d'une main rapide un monstre effarant sur le carton qu'il finit même par dépasser pour continuer sur la nappe. « Cela ne compte pas », s'écria-t-il au milieu des rires mérités. « Comment peut-on avec un pareil… Va au diable… » Et il jeta le bout de crayon coupable dans la coupe de punch. « Qui a un crayon convenable ? Qui m'en prête un ? Il faut que je dessine encore une fois. Un crayon, un crayon ! Qui en a encore un ? » s'écriait-il, se tournant de tous côtés, l'avant-bras gauche encore appuyé sur la table et agitant en l'air la main droite. Il n'en obtint pas. Alors il se retourna et passa dans la pièce à côté en continuant d'appeler, il alla tout droit vers Clawdia Chauchat qui, il le savait bien, était debout non loin de la portière du petit salon, et qui, de là, avait, en souriant, observé l'agitation autour de la table du punch.

Derrière lui il entendit appeler, en paroles sonores et étrangères : « *Eh Ingegnere! Aspetti! Che cosa fa? Ingegnere! un po di ragione, sa! Ma è matto, questo ragazzo!* » Mais il couvrit cette voix de la sienne, et l'on vit alors M. Settembrini, le bras levé au-dessus de la tête et les doigts écartés — geste usité dans son pays dont il n'est pas facile d'exprimer le sens, et qui était accompagné d'un « Ehh... » prolongé —, quitter le bal du carnaval. Mais Hans Castorp était debout dans la cour pavée, regardait de tout près dans l'épicanthus bleu-gris-vert de ces yeux, au-dessus des pommettes saillantes, et disait :

« N'aurais-tu pas par hasard un crayon? »

Il était d'une pâleur mortelle, aussi pâle qu'autrefois lorsque, barbouillé de sang, il était revenu de sa promenade solitaire à la conférence. Le système des nerfs et vaisseaux qui commandait son visage joua, avec ce résultat que la peau exsangue de ce jeune visage se creusa, que le nez parut pointu et que la partie située sous les yeux prit la couleur plombée d'un cadavre. Mais le nerf sympathique faisait tambouriner le cœur de Hans Castorp de telle façon qu'il ne pouvait même plus être question d'une respiration régulière et que des frissons parcoururent le jeune homme, œuvre des glandes de son corps qui se dressèrent en même temps que les bulbes des poils.

La femme au tricorne en papier le toisa du haut en bas, avec un sourire qui ne trahissait aucune pitié ni aucune inquiétude, en présence de cette figure dévastée. Ce sexe ne connaît ni une telle pitié ni un tel souci devant les ravages de la passion, élément qui, apparemment, lui est beaucoup plus familier qu'à l'homme, lequel, par nature, n'y est nullement à l'aise; et la femme ne le constate jamais chez lui sans une satisfaction narquoise et maligne. Du reste, il ne se souciait sans doute d'éveiller ni la pitié ni l'inquiétude.

« Moi? » répondit la malade aux bras nus, au « tu ».

« Oui, peut-être. » Et il y avait malgré tout dans son sourire et dans sa voix un peu de cette émotion qui se produit lorsque, après de longs rapports muets, la première parole est prononcée — d'une émotion malicieuse, qui fait secrètement entrer tout ce passé dans l'instant présent.

« Tu es très ambitieux… Tu es… plein… plein de zèle », continua-t-elle de railler avec son accent exotique, avec son *r* étranger, avec son *e* étranger et trop ouvert, tandis que sa voix, légèrement voilée, agréablement rauque, portait l'accent sur la deuxième syllabe du mot « ambitieux », ce qui achevait de le faire paraître exotique ; et elle fouilla dans son sac de cuir, y chercha l'objet des yeux et tira de sous un mouchoir qu'elle avait d'abord mis au jour, un petit porte-mine en argent, mince et fragile, un petit article de fantaisie dont on pouvait à peine se servir pour de bon. Le crayon de jadis, le premier, avait été quand même plus maniable et plus véridique.

« *Voilà* », dit-elle, et elle plaça le petit porte-mine sous ses yeux en le tenant par la pointe et en le balançant légèrement entre le pouce et l'index.

Comme elle le lui offrait et le lui refusait en même temps, il fit mine de le prendre, c'est-à-dire leva la main à hauteur du crayon, les doigts prêts à le saisir, mais sans le saisir complètement ; et, du fond de ses yeux couleur de plomb, son regard passait alternativement de l'objet au visage kirghize de Clawdia. Ses lèvres exsangues étaient ouvertes et elles le restèrent, il ne s'en servit pas pour parler lorsqu'il dit :

« Vois-tu, je savais bien que tu en aurais un.

— *Prenez garde, il est un peu fragile*, dit-elle en français, *c'est à visser, tu sais.* »

Et pendant que leurs têtes se penchaient, elle lui montra le mécanisme tout à fait courant du porte-mine, d'où la vis, lorsqu'on la tournait, faisait jaillir une mine mince comme une épingle, probablement dure, et qui devait à peine marquer.

Ils étaient penchés l'un vers l'autre. Comme il était en tenue de soirée, il portait ce soir un col raide et il put y appuyer son menton.

« Menu, mais bienvenu, dit-il, front contre front avec elle, parlant vers le crayon, les lèvres immobiles.

— Oh ! tu as même de l'esprit ? » répondit-elle avec un rire bref, en se redressant et en lui abandonnant le crayon. (D'ailleurs, Dieu seul sait d'où il pouvait tirer de l'esprit, car, de toute évidence, il n'avait plus une seule goutte de sang dans la tête.) « Allons, va, dépêche-toi, dessine, dessine bien et distingue-toi. »

Spirituelle, elle aussi, elle semblait vouloir l'éloigner.

« Non, tu n'as pas encore dessiné. Il faut que tu dessines, toi, dit-il sans prononcer le *f* de faut, et il fit un pas en arrière, comme pour l'entraîner.

— Moi ? » répéta-t-elle de nouveau, avec une surprise qui semblait se rapporter à autre chose que sa proposition. Souriante, légèrement troublée, elle resta d'abord immobile, puis suivit son mouvement de recul qui la magnétisait et fit quelques pas vers la table du punch.

Mais il se trouva que l'intérêt du jeu était épuisé, qu'il était tout près d'expirer. Quelqu'un dessinait encore, mais n'avait plus de spectateurs. Les cartes étaient couvertes de pieds de mouche, chacun avait prouvé son incapacité, la table était presque abandonnée, d'autant plus qu'un revirement s'était produit. Comme on avait remarqué que les médecins étaient partis, quelqu'un proposa tout à coup de danser. Déjà l'on déplaçait la table, on postait des guetteurs aux portes de la salle de correspondance et du salon de musique avec l'ordre d'arrêter le bal par un signe, si par hasard le « Vieux », Krokovski, ou l'infirmière en chef se montraient de nouveau. Un jeune Slave fit courir les doigts sur le clavier du petit piano en noyer ; il jouait avec beaucoup d'expression. Les premiers couples se mirent à tourner au milieu d'un cercle régulier de fauteuils et de chaises, sur lesquels étaient assis des spectateurs.

Hans Castorp, d'un geste de la main, prit congé de la table qui s'éloignait justement. « Dispa*r*rais ! » Du menton il désigna des sièges libres qu'il apercevait dans le petit salon, et un coin abrité à côté des draperies. Il ne dit rien, peut-être parce que la musique lui semblait trop bruyante. Il poussa un siège, un fauteuil au cadre de bois, tendu de peluche, pour Mme Chauchat, vers l'endroit qu'il venait de désigner par son jeu de physionomie, et s'empara lui-même d'un fauteuil d'osier craquant et grésillant, à accoudoirs enroulés ; il y prit place, penché vers elle, les bras tendus sur les accoudoirs, son crayon dans les mains, les pieds sous le siège. Il est vrai que, pour sa part, elle s'était enfoncée trop profondément dans le siège de peluche, ses genoux étaient levés mais elle les croisa néanmoins et balança en l'air son pied ; au-dessus du soulier de vernis noir sa cheville se dessinait sous la soie également noire du bas. Devant eux étaient assises d'autres personnes, elles se levaient pour danser et faisaient place à celles qui étaient fatiguées. C'était un va-et-vient.

« Tu as une robe neuve », dit-il pour avoir le droit de la regarder, et il l'entendit répondre :

« Une robe neuve ? Tu es au courant de mes toilettes ?

— N'ai-je pas raison ?

— Si. Je l'ai fait faire récemment chez Lukacek, à Davos-Dorf. Il travaille beaucoup pour les dames d'ici. Te plaît-elle ?

— Beaucoup », dit-il en l'embrassant encore une fois du regard, avant de baisser les yeux. « Veux-tu danser ? ajouta-t-il.

— Et toi, voudrais-tu ? riposta-t-elle, les sourcils levés, en souriant, et il répondit :

— Je voudrais bien, si tu en avais envie.

— Tu es moins brave que je n'aurais cru », dit-elle, et comme il partait d'un rire moqueur, elle ajouta : « Ton cousin est déjà parti ?

— Oui, c'est mon cousin, confirma-t-il, bien que ce fût superflu. J'ai remarqué tout à l'heure qu'il était parti. Il sera allé se coucher.

— *C'est un jeune homme très étroit, très honnête, très allemand*[1].

— *Étroit ? Honnête ?* répéta-t-il. Je comprends le français mieux que je ne le parle. Tu veux dire qu'il est pédant. Nous tiens-tu pour des pédants, *nous autres Allemands ?*

1. Jusqu'à la fin du chapitre, tout ce qui est en italique est en français dans le texte. Les maladresses d'origine ont été respectées *(N.d.É.)*.

— *Nous causons de votre cousin. Mais c'est vrai, vous êtes un peu bourgeois. Vous aimez l'ordre mieux que la liberté, tout l'Europe le sait.*

— *Aimer... aimer... Qu'est-ce que c'est ? Ça manque de définition, ce mot-là.* L'un la possède, l'autre l'aime, *comme nous disons proverbialement*, affirma Hans Castorp.

« Ces derniers temps, poursuivit-il, j'ai souvent réfléchi à la Liberté. C'est-à-dire : j'ai entendu ce mot si souvent que j'y ai réfléchi. *Je te le dirai en français* ce que j'ai pensé. *Ce que toute l'Europe nomme la liberté est peut-être une chose assez pédante et assez bourgeoise, en comparaison de notre besoin d'ordre — c'est ça !*

— *Tiens ! C'est amusant. C'est ton cousin à qui tu penses en disant des choses étranges comme ça ?*

— *Non, c'est vraiment une bonne âme*, une nature simple et que rien ne menace, *tu sais. Mais il n'est pas bourgeois, il est militaire.*

— *"Que rien ne menace ?"* répéta-t-elle avec effort. *Tu veux dire : une nature tout à fait ferme, sûre d'elle-même ? Mais il est sérieusement malade, ton pauvre cousin.*

— Qui a dit cela ?

— Nous sommes renseignés ici, les uns sur les autres.

— Le docteur Behrens t'a-t-il dit cela ?

— *Peut-être, en me faisant voir ses tableaux.*

— *C'est-à-dire : en faisant ton portrait ?*

— *Pourquoi pas. Tu l'as trouvé réussi, mon portrait ?*

— *Mais oui, extrêmement. Behrens a très exactement rendu ta peau, oh vraiment, très fidèlement. J'aimerais beaucoup être portraitiste, moi aussi, pour avoir l'occasion d'étudier ta peau comme lui.*

— *Parlez allemand, s'il vous plaît !*

— *Oh !* je parle allemand, même en français. *C'est une sorte d'étude artistique et médicale — en un mot : il s'agit de lettres humaines, tu comprends.* Que décides-tu ? Ne veux-tu pas danser ?

— Mais non, c'est enfantin. *En cachette des médecins. Aussitôt que Behrens reviendra, tout le monde va se précipiter sur les chaises. Ce sera fort ridicule.*

— As-tu tant de respect pour lui ?

— Pour qui ? dit-elle, en prononçant le pronom interrogatif avec une brièveté étrangère.

— Pour Behrens.

— *Mais va donc avec ton Behrens !* Tu vois bien qu'il n'y a pas de place, ici, pour danser. *Et puis sur le tapis*… Nous allons regarder danser les autres.

— Oui, c'est ce que nous allons faire », approuva-t-il, et il se mit à regarder, assis près d'elle, avec son visage blême, les yeux bleus au regard pensif de son grand-père, la sauterie des malades déguisés, au salon, devant eux, de l'autre côté de la bibliothèque. La Sœur Muette sautillait avec Henri le Bleu, et Mme Salomon, travestie en danseur, en habit et gilet blanc, avec un plastron saillant, une moustache et un monocle peints, tournait sur de petits souliers vernis à talons hauts qui surprenaient sous le noir pantalon d'homme, avec le pierrot dont les lèvres brillaient d'un rouge de sang dans son visage poudré à blanc, et dont les yeux ressemblaient à ceux d'un lapin albinos. Le Grec, en mantille, agitait ses jambes harmonieuses, gainées de tricot lilas ; Rasmussen en autour décolleté et étincelant de jais noir ; le procureur en kimono, la consule générale Wurmbrand et le jeune Gänser dansaient même à trois en se tenant enlacés ; et quant à Mme Stöhr, elle dansait avec son balai, qu'elle serrait contre son cœur et dont elle caressait les soies comme si ç'avait été la chevelure hérissée d'un homme.

« C'est ce que nous allons faire », répéta Hans Castorp machinalement. Ils parlaient bas, et le piano couvrait leurs voix. « Nous allons rester assis ici et regarder comme en un rêve. C'est comme un rêve pour moi, sais-tu, que nous restions ainsi, *comme un rêve singulièrement profond, car il faut dormir très profondément pour rêver comme cela… Je veux dire : c'est un rêve bien connu, rêvé de tout temps, long, éternel, oui ; être assis près de toi comme à présent, voilà l'éternité.* »

— *Poète !* dit-elle. *Bourgeois, humaniste et poète — voilà l'Allemand au complet, comme il faut !*

— *Je crains que nous ne soyons pas du tout et nullement comme il faut*, répondit-il. *Sous aucun égard. Nous sommes peut-être des enfants difficiles de la vie, tout simplement.*

— *Joli mot. Dis-moi donc... Il n'aurait pas été fort difficile de rêver ce rêve-là plus tôt. C'est un peu tard que monsieur se résoud à adresser la parole à son humble servante.*

— *Pourquoi des paroles ?* dit-il. *Pourquoi parler ? Parler, discourir, c'est une chose bien républicaine, je le concède. Mais je doute que ce soit poétique au même degré. Un de nos pensionnaires, qui est un peu devenu mon ami, M. Settembrini…*

— *Il vient de te lancer quelques paroles.*

— *Eh bien, c'est un grand parleur sans doute, il aime même beaucoup à réciter de beaux vers — mais est-ce un poète, cet homme-là ?*

— *Je regrette sincèrement de n'avoir jamais eu le plaisir de faire la connaissance de ce chevalier.*

— *Je le crois bien.*

— *Ah ! tu le crois ?*

— *Comment ? C'était une phrase tout à fait indifférente, ce que j'ai dit là. Moi, tu le remarques bien, je ne parle guère le français. Pourtant, avec toi, je préfère cette langue à la mienne, car pour moi, parler français, c'est parler sans parler, en quelque manière, sans responsabilité, ou comme nous parlons en rêve. Tu comprends ?*

— *À peu près.*

— *Ça suffit... Parler*, poursuivit Hans Castorp, *pauvre affaire ! Dans l'éternité, on ne parle point. Dans l'éternité, tu sais, on fait comme en dessinant un petit cochon : on penche la tête en arrière et on ferme les yeux.*

— *Pas mal, ça ! Tu es chez toi dans l'éternité, sans aucun doute, tu la connais à fond. Il faut avouer que tu es un petit rêveur assez curieux.*

— *Et puis*, dit Hans Castorp, *si je t'avais parlé plus tôt, il m'aurait fallu te dire "vous".*

— *Eh bien, est-ce que tu as l'intention de me tutoyer pour toujours ?*

— *Mais oui. Je t'ai tutoyée de tout temps et je te tutoierai éternellement.*

— *C'est un peu fort, par exemple. En tout cas tu n'auras pas trop longtemps l'occasion de me dire "tu". Je vais partir.* »

Le mot mit quelque temps à pénétrer dans sa conscience. Puis Hans Castorp sursauta, regardant autour de lui d'un air égaré comme un homme soudain réveillé. Leur conversation s'était poursuivie assez lentement, car Hans Castorp parlait le français lourdement et comme avec une hésitation pensive. Le piano, qui s'était tu un instant, retentit de nouveau, cette fois sous les mains du Mannheimois qui avait relevé le jeune homme slave et avait pris un cahier de musique. Mlle Engelhart était assise à côté de lui et tournait les pages. Le bal s'était éclairci. Un assez grand nombre de pensionnaires semblait avoir pris la position horizontale. Plus personne n'était assis devant eux. Dans la salle de lecture on jouait aux cartes.

« Que vas-tu faire ? demanda Hans Castorp, hagard.

— Je vais partir, répéta-t-elle, souriant de sa stupeur, comme si elle en avait été surprise.

— Pas possible, dit-il. Ce n'est qu'une plaisanterie.

— Pas du tout. C'est tout à fait sérieux. Je pars.

— Quand ?

— Mais demain. *Après dîner.* »

Un vaste cataclysme se produisit en lui. Il dit :

« Où vas-tu ?

— Très loin d'ici.

— Au Daghestan ?

— *Tu n'es pas mal instruit. Peut-être, pour le moment…*

— Es-tu donc guérie ?

— *Quant à ça... non.* Mais Behrens pense que, pour le moment, je ne peux plus faire de grands progrès ici. *C'est pourquoi je vais risquer un petit changement d'air.*

— Tu reviendras donc ?

— Peut-être. Mais quand, je n'en sais rien. *Quant à moi, tu sais, j'aime la liberté avant tout et notamment celle de choisir mon domicile. Tu ne comprends guère ce que c'est : être obsédé d'indépendance. C'est de ma race, peut-être.*

— *Et ton mari au Daghestan te l'accorde, ta liberté ?*

— *C'est la maladie qui me la rend. Me voilà à cet endroit pour la troisième fois. J'ai passé un an ici, cette fois. Possible que je revienne. Mais alors tu seras bien loin depuis longtemps.*

— Crois-tu, Clawdia ?

— *Mon prénom aussi ! Vraiment, tu les prends bien au sérieux, les coutumes du carnaval !*

— Sais-tu donc dans quelle mesure je suis malade ?

— *Oui, non. Comme on sait ces choses, ici. Tu as une petite tache humide là-dedans et un peu de fièvre, n'est-ce pas ?*

— *Trente-sept, 8 ou 9 l'après-midi*, dit Hans Castorp. Et toi ?

— *Oh ! mon cas, tu sais, c'est un peu plus compliqué... pas tout à fait simple.*

— *Il y a quelque chose dans cette branche de lettres humaines, dite la médecine*, dit Hans Castorp, *qu'on appelle : bouchement tuberculeux des vases de lymphe.*

— *Ah ! tu as mouchardé, mon cher, on le voit bien.*

— *Et toi*… Excuse-moi. Permets-moi de te demander quelque chose maintenant, avec insistance, et en allemand. Le jour où je me suis levé de table pour aller à la consultation, il y a six mois, tu t'es retournée, tu t'en souviens ?

— *Quelle question ! Il y a six mois !*

— Savais-tu où j'allais ?

— *Certes, c'était tout à fait par hasard.*

— Tu le savais par Behrens ?

— *Toujours ce Behrens !*

— *Oh ! il a représenté ta peau d'une façon tellement exacte... D'ailleurs, c'est un veuf aux joues ardentes et qui possède un service à café très remarquable. Je crois bien qu'il connaît ton corps, non seulement comme médecin, mais aussi comme adepte d'une autre discipline de lettres humaines.*

— *Tu as décidément raison de dire que tu parles en rêve, mon ami.*

— *Soit... Laisse-moi rêver de nouveau après m'avoir réveillé si cruellement par cette cloche d'alarme de ton départ. Sept mois sous tes yeux... Et à présent, où en réalité j'ai fait ta connaissance, tu me parles de départ !*

— *Je te répète que nous aurions pu causer plus tôt.*

— Tu l'aurais désiré ?

— *Moi ? Tu ne m'échapperas pas, mon petit. Il s'agit de tes intérêts, à toi. Est-ce que tu étais trop timide pour t'approcher d'une femme à qui tu parles en rêve maintenant, ou est-ce qu'il y a quelqu'un qui t'en a empêché ?*

— *Je te l'ai dit. Je ne voulais pas te dire "vous".*

— *Farceur. Réponds donc — ce monsieur beau parleur, cet Italien-là qui a quitté la soirée — qu'est-ce qu'il t'a lancé, tantôt ?*

— *Je n'en ai entendu absolument rien. Je me soucie très peu de ce monsieur, quand mes yeux te voient. Mais tu oublies... Il n'aurait pas été si facile du tout de faire ta connaissance dans le monde. Il y avait encore mon cousin avec qui j'étais lié et qui incline très peu à s'amuser ici : il ne pense à rien qu'à son retour dans les plaines, pour se faire soldat.*

— *Pauvre diable. Il est, en effet, plus malade qu'il ne sait. Ton ami italien, du reste, ne va pas trop bien non plus.*

— *Il le dit lui-même. Mais mon cousin... Est-ce vrai ? Tu m'effraies.*

— *Fort possible qu'il aille mourir, s'il essaie d'être soldat dans les plaines.*

— *Qu'il aille mourir. La mort. Terrible mot, n'est-ce pas ? Mais c'est étrange, il ne m'impressionne pas tellement aujourd'hui, ce mot. C'était une façon de parler bien conventionnelle lorsque je disais : "Tu m'effraies." L'idée de la mort ne m'effraie pas. Elle me laisse bien tranquille. Je n'ai pas pitié — ni de mon bon Joachim, ni de moi-même, en entendant qu'il va peut-être mourir. Si c'est vrai, son état ressemble beaucoup au mien et je ne le trouve pas particulièrement imposant. Il est moribond, et moi je suis amoureux, eh bien ! Tu as parlé à mon cousin à l'atelier de photographie intime, dans l'antichambre, tu te souviens ?*

— *Je me souviens un peu.*

— Dans ce jour-là Behrens a fait ton portrait transparent ?

— Mais oui.

— Mon Dieu. Et l'as-tu sur toi ?

— Non, il est dans ma chambre.

— Ah ! dans ta chambre ? Quant au mien, je l'ai toujours dans mon portefeuille. Veux-tu que je te le fasse voir ?

— Mille remerciements. Ma curiosité n'est pas invincible. Ce sera un aspect très innocent

— Moi, j'ai vu ton portrait extérieur. J'aimerais beaucoup mieux ton portrait intérieur qui est enfermé dans ta chambre... Laisse-moi demander autre chose ! Parfois un monsieur russe qui loge en ville vient te voir. Qui est-ce ? Dans quel but vient-il, cet homme ?

— Tu es joliment fort en espionnage, je l'avoue. Eh bien, je réponds. C'est un compatriote souffrant, un ami. J'ai fait sa connaissance à une autre station balnéaire, il y a quelques années déjà. Nos relations ? Les voilà : nous prenons notre thé ensemble, nous fumons deux ou trois papiros et nous bavardons, nous philosophons, nous parlons de l'homme, de Dieu, de la vie, de la morale, de mille choses. Voilà mon compte rendu. Es-tu satisfait ?

— De la morale aussi ! Et qu'est-ce que vous avez trouvé en fait de morale, par exemple ?

— La morale ? Cela t'intéresse ? Eh bien, il nous semble qu'il faudrait chercher la morale non dans la vertu, c'est-à-dire dans la raison, la discipline, les bonnes mœurs, l'honnêteté — mais plutôt dans le contraire, je veux dire : dans le péché, en s'adonnant au danger, à ce qui est nuisible, à ce qui nous consume. Il nous semble qu'il est plus moral de se perdre et même de se laisser dépérir que de se conserver. Les grands moralistes n'étaient point des vertueux, mais des aventuriers dans le mal, des vicieux, des grands pécheurs qui nous enseignent à nous incliner chrétiennement devant la misère. Tout ça doit te déplaire beaucoup, n'est-ce pas ? »

Il garda le silence. Il était encore assis comme au commencement, les jambes croisées sous le siège qui craquait, penché en avant, vers la jeune femme assise, avec son tricorne en papier, tenant son porte-mine entre les doigts; et avec les yeux bleus de Hans Lorenz Castorp, il regardait d'en bas dans la pièce qui s'était vidée. Dispersés, les pensionnaires! Le piano, dans l'angle du pan coupé, en face d'eux, ne faisait entendre que quelques sons légers et incohérents; le malade de Mannheim jouait d'une main; à son côté, l'institutrice était assise et feuilletait une partition qu'elle avait sur ses genoux. Lorsque la conversation entre Hans Castorp et Clawdia Chauchat expira, le pianiste cessa complètement de jouer et laissa tomber sur ses genoux la main avec laquelle il avait joué, tandis que Mlle Engelhart continuait à regarder ses notes. Les quatre personnes qui étaient seules restées de la fête de carnaval, étaient assises, immobiles. Le silence dura plusieurs minutes. Lentement, sous son poids, les têtes du couple près du piano parurent se courber de plus en plus bas, celle du Mannheimois vers le clavier, celle de Mlle Engelhart vers sa partition. Enfin, tous les deux en même temps, comme s'ils s'étaient secrètement concertés, se levèrent doucement, et sans bruit, en évitant d'une manière contrainte de se retourner vers l'autre angle de la pièce qui était encore occupé, tête basse et les bras tombants et raides, le Mannheimois et l'institutrice s'éloignèrent ensemble, par la salle de correspondance et la salle de lecture.

« *Tout le monde se retire*, dit Mme Chauchat. *C'étaient les derniers; il se fait tard. Eh bien, la fête du carnaval est finie.* »

Et elle leva les bras pour enlever des deux mains le tricorne en papier de sa chevelure rousse, dont la natte était roulée comme une couronne autour de la tête.

« *Vous connaissez les conséquences, monsieur?* »

Mais Hans Castorp fit un signe de dénégation, les yeux clos, sans autrement changer de position. Il répondit :

« *Jamais, Clawdia. Jamais je ne te dirai "vous", jamais de la vie ni de la mort*, si l'on peut ainsi dire. On devrait pouvoir. *Cette forme de s'adresser à une personne, qui est celle de l'Occident cultivé et de la civilisation humanitaire, me semble fort bourgeoise et pédante. Pourquoi, au fond, de la forme? La forme, c'est la pédanterie elle-*

même ! Tout ce que vous avez fixé à l'égard de la morale, toi et ton compatriote souffrant, tu veux sérieusement que ça me surprenne ? Pour quel sot me prends-tu ? Dis donc, qu'est-ce que tu penses de moi ?

— C'est un sujet qui ne donne pas beaucoup à penser. Tu es un petit bonhomme convenable, de bonne famille, d'une tenue appétissante, disciple docile de ses précepteurs et qui retournera bientôt dans les plaines, pour oublier complètement qu'il a jamais parlé en rêve ici et pour aider à rendre son pays grand et puissant par son travail honnête sur le chantier. Voilà ta photographie intime, faite sans appareil. Tu la trouves exacte, j'espère ?

— Il y manque quelques détails que Behrens y a trouvés.

— Ah ! les médecins en trouvent toujours, ils s'y connaissent !

— Tu parles comme M. Settembrini. Et ma fièvre ? D'où vient-elle ?

— Allons donc, c'est un incident sans conséquence qui passera vite.

— Non, Clawdia, tu sais bien que ce que tu dis là n'est pas vrai, et tu le dis sans conviction, j'en suis sûr. La fièvre de mon corps et le battement de mon cœur harassé et le frissonnement de mes membres, c'est le commencement d'un incident, car ce n'est rien d'autre — et son visage pâle aux lèvres tressaillantes s'inclina vers le visage de la femme —, *rien d'autre que mon amour pour toi, oui, cet amour qui m'a saisi à l'instant où mes yeux t'ont vue, ou, plutôt, que j'ai reconnu, quand je t'ai reconnue toi — et c'était lui, évidemment, qui m'a amené à cet endroit…*

— Quelle folie !

— Oh ! l'amour n'est rien, s'il n'est pas de folie, une chose insensée, défendue et une aventure dans le mal. Autrement c'est une banalité agréable, bonne pour en faire de petites chansons paisibles dans les plaines. Mais quant à ce que je t'ai reconnue et que j'ai reconnu mon amour pour toi — oui, c'est vrai, je t'ai déjà connue, anciennement, toi et tes yeux merveilleusement obliques,

et ta bouche et ta voix avec laquelle tu parles —, une fois déjà, lorsque j'étais collégien, je t'ai demandé ton crayon, pour faire enfin ta connaissance mondaine, parce que je t'aimais irraisonnablement, et c'est de là, sans doute, c'est de mon ancien amour pour toi que ces marques me restent que Behrens a trouvées dans mon corps, et qui indiquent que jadis aussi j'étais malade... ».

Ses dents claquèrent. Il avait tiré un pied de dessous son fauteuil craquant, tandis qu'il divaguait, et tout en avançant ce pied, de l'autre genou il touchait déjà le sol, de sorte qu'il s'agenouillait devant elle, la tête penchée et tremblant de tout son corps.

— *Je t'aime*, balbutia-t-il, *je t'ai aimée de tout temps, car tu es le Toi de ma vie, mon rêve, mon sort, mon envie, mon éternel désir…*

— *Allons, donc !* dit-elle. Si tes précepteurs te voyaient ? »

Mais il secoua la tête avec désespoir, la face tournée vers le tapis, et répondit :

« *Je m'en ficherais, je me fiche de tous ces Carducci et de la République éloquente et du progrès humain dans le temps, car je t'aime !* »

Elle lui caressa doucement de sa main les cheveux coupés ras de la nuque.

« *Petit bourgeois !* dit-elle. *Joli bourgeois à la petite tache humide. Est-ce vrai que tu m'aimes tant ?* »

Et, exalté par ce contact, sur les deux genoux à présent, la tête rejetée en arrière et les yeux fermés, il continua de parler :

« *Oh ! l'amour, tu sais... Le corps, l'amour, la mort, ces trois ne font qu'un. Car le corps c'est la maladie et la volupté, et c'est lui qui fait la mort, oui, ils sont charnels tous deux, l'amour et la mort, et voilà leur terreur et leur grande magie ! Mais la mort, tu comprends, c'est d'une part une chose mal famée, impudente qui fait rougir de honte ; et d'autre part c'est une puissance très solennelle et très majestueuse — beaucoup plus haute que la vie riante gagnant de la monnaie et farcissant sa panse —, beaucoup plus vénérable que le progrès qui bavarde par les temps —, parce qu'elle est l'histoire et la noblesse et la pitié et l'éternel et le sacré qui nous fait tirer le chapeau et marcher sur la pointe des pieds... Or, de même le corps, lui aussi, et l'amour du corps, sont une affaire indécente et fâcheuse, et le corps rougit et pâlit à sa surface par frayeur et honte de lui-même. Mais aussi il est une grande gloire adorable, image miraculeuse de la vie organique, sainte merveille de la forme et de la beauté, et l'amour pour lui, pour le corps humain, c'est de même un intérêt extrêmement humanitaire et une puissance plus éducative que toute la pédagogie du monde!... Oh! enchantante beauté organique qui ne se compose ni de peinture à l'huile ni de pierre, mais de matière vivante et corruptible, pleine du secret fébrile de la vie et de la pourriture! Regarde la symétrie merveilleuse de l'édifice humain, les épaules et les hanches et les côtes arrangées par paires, et le nombril au milieu dans la mollesse du ventre, et le sexe obscur entre les cuisses! Regarde les omoplates se remuer sous la peau soyeuse du dos, et l'échine qui descend vers la luxuriance double et fraîche des fesses, et les grandes branches des vases et des nerfs qui passent du tronc aux rameaux par les aisselles, et comme la structure des bras correspond à celle des jambes. Oh! les douces régions de la jointure intérieure du coude et du jarret, avec leur abondance de délicatesses organiques sous leurs coussins de chair! Quelle fête immense de les caresser, ces endroits délicieux du corps humain! Fête à mourir sans plainte après! Oui, mon Dieu, laisse-moi sentir l'odeur de la peau de ta rotule, sous laquelle l'ingénieuse capsule articulaire secrète son huile glissante! Laisse-moi toucher dévotement de ma bouche l'Arteria Femoralis qui bat au fond de la cuisse et qui se divise plus bas en deux artères du tibia! Laisse-moi ressentir l'exhalation de tes pores et tâter ton duvet, image humaine d'eau et d'albumine, destinée pour l'anatomie du tombeau, et laisse-moi périr, mes lèvres aux tiennes!* »

Il n'ouvrit pas les yeux après avoir parlé; il resta tel sans bouger, la tête dans la nuque, les mains, qui tenaient le petit porte-mine en argent, écartées, tremblant et vacillant sur ses genoux. Elle dit :

« *Tu es en effet un galant qui sait solliciter d'une manière profonde, à l'allemande.* »

Et elle le coiffa du bonnet de papier.

« *Adieu, mon prince Carnaval! Vous aurez une mauvaise ligne de fièvre ce soir, je vous le prédis!* »

Ce disant elle glissa de sa chaise, glissa sur le tapis vers la porte, dans l'embrasure de laquelle elle hésita, à demi retournée, levant un de ses bras nus, la main sur la poignée de la porte. Par-dessus l'épaule, elle dit très bas :

« *N'oubliez pas de me rendre mon crayon.* »

Et elle sortit.

CHAPITRE VI

Changements

Qu'est-ce que le temps ? Un mystère ! Sans réalité propre, il est tout-puissant. Il est une condition du monde phénoménal, un mouvement mêlé et lié à l'existence des corps dans l'espace, et à leur mouvement. Mais n'y aurait-il point de temps s'il n'y avait pas de mouvement ? Point de mouvement s'il n'y avait pas de temps ? Interrogez toujours ! Le temps est-il fonction de l'espace ? Ou est-ce le contraire ? Ou sont-ils identiques l'un à l'autre ? Ne vous lassez pas de questionner ! Le temps est actif, il produit. Que produit-il ? Le changement. « À présent » n'est pas « autrefois », « ici » n'est pas « là-bas », car entre les deux il y a mouvement. Mais comme le mouvement par lequel on mesure le temps est circulaire, refermé sur lui-même, c'est un mouvement et un changement que l'on pourrait aussi bien qualifier de repos et d'immobilité ; car l'« alors » se répète sans cesse dans l'« à présent », le « là-bas » dans l'« ici ». Comme, d'autre part, on n'a pu, malgré les efforts les plus désespérés, se représenter un temps fini et un espace limité, on s'est décidé à « penser » le temps et l'espace comme éternels et infinis, apparemment, dans l'espoir d'y réussir, sinon parfaitement, du moins un peu mieux. Mais en postulant ainsi l'éternel et l'infini, n'a-t-on pas logiquement et mathématiquement détruit tout le fini et tout le limité ? Ne l'a-t-on pas relativement réduit à zéro ? Une succession est-elle possible dans l'éternel, et, dans l'infini, une juxtaposition ? Comment mettre d'accord ces hypothèses auxiliaires de l'éternel et de l'infini, avec des concepts comme la distance, le mouvement, le changement, et ne serait-ce que la présence de corps limités dans l'univers ? On peut se le demander.

Hans Castorp se posait ces questions, et d'autres semblables. Son cerveau, dès son arrivée en haut, s'était montré disposé à de telles indiscrétions et à de telles finasseries, et par une jouissance périlleuse, mais immense, chèrement payée depuis lors, il avait peut-être été particulièrement exercé à de telles questions et encouragé aux spéculations téméraires. Il s'interrogeait lui-même, et le bon Joachim, et la vallée couverte depuis des temps immémoriaux d'une neige épaisse, bien que d'aucune de ces instances il ne pût rien attendre qui ressemblât à une réponse — il est difficile de dire de laquelle il pouvait le moins attendre. À lui-même, il ne faisait que poser ces questions, parce qu'il n'y connaissait pas de réponse. Quant à Joachim, il était presque impossible d'éveiller en lui un intérêt pour de pareils objets, car, ainsi que Hans Castorp l'avait dit un soir en français, il ne pensait à nulle autre chose qu'à devenir soldat dans la plaine et poursuivait une lutte acharnée avec cet espoir qui tantôt s'approchait, tantôt se gaussait de lui et s'évanouissait à nouveau dans le lointain, et à cette lutte, il se montrait depuis peu disposé à mettre fin par un coup de force. Oui, le bon, le patient, le régulier Joachim, si complètement imbu des idées de service et de discipline, succombait à des tentations de révolte, il protestait contre « l'échelle Gaffky », ce système d'examen d'après lequel on établissait et on chiffrait au laboratoire dans le sous-sol, ou au « labo », comme on disait d'ordinaire, le degré d'infection d'un patient par les bacilles : selon qu'on découvrait ceux-ci en quelques exemplaires ou bien en quantités innombrables dans le tissu analysé, le numéro de l'échelle Gaffky était plus ou moins élevé, et tout dépendait de ce chiffre. Car, sans erreur possible, il exprimait les chances de guérison avec lesquelles son titulaire pouvait compter ; le nombre de mois ou d'années que l'on devait encore passer ici était aisé à déterminer au moyen de ce chiffre, depuis la petite visite de politesse de six mois jusqu'au verdict « à vie », lequel, si on lui appliquait les mesures ordinaires du temps, pouvait d'ailleurs se réduire à fort peu de chose. C'est donc contre cette échelle Gaffky que Joachim s'insurgea. Il renia ouvertement toute foi en son autorité ; non pas tout à fait ouvertement, non pas précisément à la face des supérieurs, mais devant son cousin et même à table. « J'en ai assez, je ne me laisse pas duper plus longtemps, dit-il à voix haute, et le sang monta à son visage bronzé. Il y a quinze jours, j'avais 2 à l'échelle Gaffky, une bagatelle, les meilleures perspectives, et voici que j'ai 9, que je suis littéralement infesté, et il ne peut plus être question de départ. Que le diable comprenne où j'en suis, ce n'est plus supportable. Tout en haut, à Schatzalp, il y a un homme, un paysan grec, ils l'ont envoyé d'Arcadie, c'est un agent qui l'a envoyé — un cas désespéré, phtisie galopante, l'*exitus* peut se produire d'un jour à l'autre, mais jamais de sa vie notre homme n'a eu de bacilles dans sa salive. Par contre, le gros commandant belge qui est parti bien portant lorsque je suis arrivé, avait été Gaffky numéro 10, cela avait littéralement grouillé chez lui, et pourtant il n'avait eu qu'une toute petite caverne. Je me moque de Gaffky. J'arrête les frais et je rentre chez moi, même si cela doit être ma mort. » Ainsi parla Joachim ; et tous furent péniblement affectés de voir le jeune homme si doux, si posé, dans un tel état de rébellion. Hans Castorp, en entendant Joachim menacer de tout lâcher et de partir pour la plaine, ne put s'empêcher de se souvenir de certaines paroles qu'il avait entendu prononcer en français, de la bouche d'un tiers. Mais il garda le silence. Pouvait-il proposer en exemple à son cousin sa propre patience, comme faisait Mme Stöhr qui exhortait vraiment Joachim à ne pas faire la mauvaise tête d'une manière aussi blasphématoire, mais à se résigner en toute humilité, et à prendre pour modèle la constance dont elle, Caroline, faisait preuve, en persévérant en ces lieux et en s'interdisant avec fermeté de reprendre chez elle, à Cannstatt, son rôle de maîtresse de maison, afin de pouvoir rendre quelque jour à son mari une épouse complètement et définitivement guérie ? Non, Hans Castorp n'osait trop le faire, et d'autant moins que, depuis le carnaval, il se sentait des scrupules à l'égard de Joachim. C'est-à-dire : sa conscience lui disait que Joachim devait voir en certains faits dont ils ne parlaient pas, mais que Joachim connaissait sans nul doute quelque chose de pareil à une trahison, une désertion et une infidélité. Et cela par rapport à deux yeux ronds et bruns, aux accès de rire mal justifié et à un certain parfum d'orange dont il subissait les effets cinq fois par jour, mais devant quoi il baissait sévèrement et pudiquement les yeux vers son assiette… Et même dans la résistance muette que Joachim avait opposée à ses spéculations et à ses divagations sur le « temps », Hans Castorp crut reconnaître un peu de cette rigueur militaire qui contenait un reproche à son égard. Quant à la vallée, à la vallée hivernale, couverte d'une épaisse couche de neige, à laquelle Hans Castorp, dans son excellente chaise longue, posa également ces questions transcendantes, ses pics, ses cimes, ses parois et ses forêts brunes, vertes et rougeâtres restaient immobiles et muets dans la durée, tantôt étincelants dans l'azur profond, tantôt enveloppés de brumes dans le flux silencieux du temps terrestre, tantôt rougeoyant sous le soleil qui les quittait, tantôt d'un éclat adamantin et dur dans la magie du clair de lune ; mais ils étaient toujours sous la neige, depuis six mois immémoriaux et qui pourtant s'étaient évanouis en un clin d'œil, et tous les pensionnaires déclaraient qu'ils ne pouvaient plus voir la neige, qu'elle leur répugnait, que l'été déjà les avait comblés à cet égard, mais que des masses de neige, au jour le jour, des monceaux de neige, des coussins de neige, des pentes de neige, cela surpassait les forces humaines, c'était mortel pour l'esprit et le cœur. Et ils mettaient des lunettes de couleur, vertes, jaunes et rouges, sans doute pour garantir leurs yeux, mais davantage encore pour leur cœur.

Il y aurait vraiment six mois que la vallée et les montagnes seraient sous la neige ? Il y en avait même sept ! Le temps passe tandis que nous contons — *notre* temps à nous, celui que nous consacrons à cette histoire, mais aussi le temps profondément antérieur de Hans Castorp et de ses compagnons de sort, là en haut dans la neige, et il produit des changements. Tout était en train de s'accomplir ainsi que Hans Castorp l'avait, pour l'indignation de

M. Settembrini, prédit en quelques mots rapides le jour du carnaval, en rentrant de Platz : non pas précisément que le solstice d'été eût été déjà tout proche, mais Pâques avait traversé la blanche vallée, avril s'avançait, la perspective de la Pentecôte s'ouvrait ; bientôt le printemps éclaterait, avec la fonte des neiges. Non pas de toutes les neiges : sur les sommets du Sud, dans les crevasses rocheuses de la chaîne du Rätikon, au nord, il en restait toujours, sans parler de celle qui tomberait aussi tous les mois de l'été, mais qui ne resterait pas. Et cependant, la révolution de l'année promettait à coup sûr du nouveau et du décisif avant peu, car depuis cette nuit de carnaval pendant laquelle Hans Castorp avait emprunté un crayon à Mme Chauchat, le lui avait ensuite rendu, et avait, sur le désir qu'il en exprima, reçu en échange quelque chose d'autre, un souvenir qu'il portait dans sa poche, six semaines déjà s'étaient écoulées — deux fois autant que Hans Castorp avait dû primitivement en passer ici.

Six semaines s'écoulèrent en effet depuis le soir où Hans Castorp avait fait la connaissance de Clawdia Chauchat et puis était remonté dans sa chambre avec un tel retard sur le strict Joachim ; six semaines depuis le jour suivant qui avait amené le départ de Mme Chauchat, son départ provisoire pour le Daghestan, très loin, à l'est, au-delà du Caucase. Que ce départ fût de caractère provisoire, que ce ne fût pas un départ pour de bon, que Mme Chauchat eût l'intention de revenir, elle ne savait trop quand, mais qu'elle voulût ou dût revenir un jour, de cela Hans Castorp avait reçu des assurances, directes et verbales, qui lui avaient été données non point lors du dialogue en langue étrangère que nous avons rapporté, mais dans l'intervalle de temps que, pour notre part, nous avons laissé s'écouler sans mot dire, durant lequel nous avons interrompu le cours, lié au temps, de notre récit et pendant lequel nous n'avons laissé régner que lui, la durée pure. De toute façon, le jeune homme avait reçu ces assurances et ces affirmations consolantes avant qu'il ne fût retourné au numéro 34 ; car le lendemain il n'avait plus échangé une parole avec Mme Chauchat, l'avait à peine vue, l'avait aperçue deux fois de loin : au déjeuner, lorsque, en robe de drap bleu et en jaquette de laine blanche, elle était une dernière fois venue à table en faisant claquer la porte et en marchant de son pas gracieusement glissant — le cœur de Hans Castorp avait alors battu dans le gosier, et seule la surveillance sévère que Mlle Engelhart avait exercée sur lui l'avait empêché de cacher sa figure dans ses mains —, et ensuite, à trois heures de l'après-midi, lors de son départ, auquel il n'avait pas, à proprement parler, assisté, mais qu'il avait observé d'une fenêtre du couloir qui donnait vue sur le chemin d'accès au sanatorium.

Cet événement s'était déroulé tout comme Castorp, depuis son séjour ici, l'avait déjà plusieurs fois vu se dérouler : le traîneau ou la voiture s'arrêtait près de la rampe, le cocher et le garçon d'étage chargeaient les bagages, des pensionnaires du sanatorium, les amis de celui qui, guéri ou non, reprenait le chemin du pays plat pour y vivre ou y mourir, ou tout bonnement ceux qui manquaient leur service pour laisser agir sur eux cet événement, se rassemblaient devant le portail : un monsieur de l'administration, en redingote, parfois même les médecins étaient présents, et puis le partant sortait, le visage le plus souvent rayonnant, saluant avec bonne grâce les curieux qui l'entouraient et restaient en arrière, et puissamment stimulé, pour l'instant, par l'aventure… Cette fois-ci donc, ç'avait été Mme Chauchat qui était sortie, souriante, les bras chargés de fleurs, dans un long manteau de voyage, rugueux et garni de fourrure, avec un grand chapeau, escortée par M. Bouliguine, son compatriote à la poitrine creuse, qui faisait avec elle une partie du voyage. Elle aussi semblait pleine d'une animation joyeuse, comme tout partant l'était — par la seule perspective d'un changement d'existence, indépendamment du fait que l'on partait avec l'autorisation du médecin, ou que l'on n'interrompait son séjour que par un dégoût désespéré, à ses risques et périls, et la conscience inquiète. Ses joues avaient rougi, elle bavardait sans arrêt, probablement en russe, tandis qu'on lui enveloppait les genoux d'une couverture de fourrure… Il n'était pas venu que des compatriotes ou des commensaux de Mme Chauchat, mais beaucoup d'autres pensionnaires encore étaient présents :

le docteur Krokovski avait, dans un mâle sourire, découvert ses dents jaunes au milieu de sa barbe, la grand-tante avait offert de la compote à la voyageuse, de la « petite compaute », comme elle avait coutume de dire, c'est-à-dire de la marmelade russe ; l'institutrice s'était trouvée là ; le Mannheimois restait à quelque distance, aux aguets, le regard trouble ; ses yeux affligés avaient glissé le long de la maison où ils avaient découvert Hans Castorp à la fenêtre du corridor et, troublés, s'étaient un instant arrêtés sur lui… Le docteur Behrens ne s'était pas montré ; sans doute, avait-il déjà pris congé de la voyageuse à une autre occasion, et en particulier… Puis, au milieu des signes et des appels de tout cet entourage, les chevaux avaient tiré, et les yeux obliques de Mme Chauchat avaient, à leur tour — tandis que le mouvement du traîneau avait rejeté le haut de son corps sur les coussins —, encore une fois parcouru en souriant la façade du Berghof, et la durée d'une fraction de seconde s'étaient arrêtés sur le visage de Hans Castorp… Ainsi laissé en arrière, il avait couru tout pâle dans sa chambre, sur sa loggia, pour voir encore une fois de là-haut le traîneau qui, dans un tintement de grelots, avait glissé sur le chemin de Dorf : il s'était ensuite jeté sur une chaise et avait tiré de la poche intérieure de sa veste le souvenir, le gage, qui cette fois n'avait pas consisté en quelques copeaux de bois d'un brun rougeâtre, mais bien en une petite plaque au cadre étroit ; plaque de verre que l'on devait tenir devant la lumière pour y découvrir quelque chose : le portrait intérieur de Clawdia qui était sans visage, mais qui révélait l'ossature délicate de son torse enveloppé avec une transparence spectrale des formes de sa chair, ainsi que les organes du creux de sa poitrine…

Combien de fois l'avait-il contemplé et pressé sur ses lèvres durant le temps qui s'était écoulé depuis lors en apportant des changements ! Par exemple, le temps avait apporté l'accoutumance à la vie, en l'absence de Clawdia Chauchat, séparée de lui par l'espace — et cela plus vite qu'on ne l'eût cru : le temps d'ici n'était-il pas d'une nature particulière et spécialement organisé à l'effet de créer l'habitude, ne fût-ce que l'habitude de ne pas s'habituer ? Il n'y avait plus lieu de s'attendre au claquement de la porte au commencement des cinq formidables repas, car il ne se produisait plus ; c'était ailleurs, à une distance énorme, que Mme Chauchat claquait à présent des portes — manifestation de sa nature qui était mêlée et liée à sa maladie, de même que le temps l'est aux corps dans l'espace, sa maladie et rien de plus... Mais si elle était invisible et absente, elle était pourtant à la fois invisible et présente pour l'esprit de Hans Castorp ; elle était le génie de ce lieu, qu'il avait reconnu et possédé en une heure néfaste et d'une criminelle douceur, en une heure à laquelle ne pouvait s'appliquer aucune petite chanson paisible du pays plat, et dont il portait depuis neuf mois la silhouette spectrale sur son cœur si violemment épris.

À cette heure mémorable, ses lèvres tremblantes avaient balbutié, dans une langue étrangère et dans sa langue natale, presque inconsciemment et d'une voix étranglée, bien des choses excessives : des propositions, des offres, des projets et des résolutions insensés auxquels toute approbation avait été à bon droit refusée : il avait voulu accompagner le génie par-delà le Caucase, le suivre, l'attendre au lieu que le libre caprice du génie choisirait comme prochain domicile, pour ne plus jamais se séparer de lui ; il avait fait d'autres propositions aussi irresponsables. C'est que ce que le jeune homme simple avait remporté de cette heure de profonde aventure n'avait été que l'ombre d'un gage et la possibilité qui touchait à la vraisemblance que Mme Chauchat revînt ici pour un quatrième séjour, tôt ou tard, selon que la maladie, qui lui rendait la liberté, en déciderait. Mais que ce fût tôt ou tard, avait-elle encore dit lorsqu'ils avaient pris congé l'un de l'autre, Hans Castorp serait certainement « depuis longtemps parti très loin » ; et le sens dédaigneux de cette prophétie lui eût encore été plus insupportable s'il n'avait pas eu la ressource de se dire que certaines prophéties ne sont pas faites afin qu'elles se réalisent, mais bien afin qu'elles ne se réalisent pas, tout comme si on voulait les conjurer. Des prophètes de cette sorte raillent l'avenir en lui prédisant ce qu'il sera, pour qu'il ait honte de prendre vraiment telle figure. Et si le génie, au cours de la conversation que nous avons rapportée et en dehors d'elle, l'avait appelé un « joli bourgeois au petit endroit humide », ce qui avait été quelque chose comme la traduction de l'expression de Settembrini : « enfant difficile de la vie », on pouvait se demander à juste titre quel élément de ce mélange se montrerait le plus fort : le bourgeois ou l'autre... De plus, le génie n'avait pas pris en considération que lui-même était plusieurs fois parti et revenu, et que Hans Castorp, lui aussi, pourrait revenir au bon moment, bien qu'en réalité il ne persévérait ici que dans le but de ne plus devoir revenir : chez lui, comme chez tant d'autres, c'était la raison de sa présence.

Une des prophéties pour rire de cette soirée de carnaval s'était réalisée : Hans Castorp avait eu une mauvaise courbe de température, elle était montée abruptement et il l'avait inscrite avec une gravité solennelle ; après un léger fléchissement, elle s'était prolongée au niveau d'un haut plateau légèrement ondulé et maintenue constamment au-dessus du niveau des températures auxquelles il était habitué auparavant. C'était une fièvre anormale dont le degré et la persistance, d'après le docteur Behrens, n'étaient pas en rapport avec les symptômes locaux. « Vous êtes encore plus intoxiqué qu'on ne pourrait vous en croire capable, mon petit ami, dit-il. Allons, essayons toujours les injections ! Cela vous fera de l'effet. Dans trois, quatre mois vous serez comme un poisson dans l'eau, si les choses s'arrangent au gré du soussigné. » Ainsi se trouva-t-il que Hans Castorp devait se présenter deux fois par semaine, le mercredi et le samedi, après la promenade matinale, en bas, au « labo », pour qu'on lui fît son injection.

Les deux médecins administraient ce remède à tour de rôle, mais le conseiller le faisait en virtuose, d'un seul coup, en vidant la seringue en même temps qu'il piquait. D'ailleurs, il ne se souciait pas de l'endroit où il piquait, de sorte que la douleur était parfois diabolique et que le point restait longtemps encore dur et brûlant. De plus, l'injection portait atteinte à l'état général de l'organisme, ébranlait le système nerveux comme un tour de force sportif ; et cela témoignait de la puissance de ce remède, laquelle se trahissait aussi par le fait que, sur le moment, il commençait par faire monter la température. C'est ce que le conseiller avait prédit, et c'est ce qui arriva, selon la règle et sans qu'il y eût rien à reprendre à ce phénomène prévu. C'était vite terminé, dès que votre tour était venu ; en un tournemain on avait reçu son contrepoison sous la peau de la cuisse ou du bras. Mais quelquefois, lorsque le conseiller y était justement disposé et que son humeur n'était pas troublée par le tabac, il s'engageait, quand même, à l'occasion de cette injection, une petite conversation, que Hans Castorp s'arrangeait pour diriger à peu près comme suit :

« Je garde toujours un bon souvenir de notre agréable goûter chez vous, docteur, l'année dernière, en automne, que le hasard nous avait valu. Hier encore — ou était-ce plus tôt ? — j'ai rappelé ce souvenir à mon cousin…

— Gaffky 7, dit le conseiller. Dernier résultat. Ce garçon ne veut décidément pas se désintoxiquer. Et avec cela, jamais il ne m'a autant talonné et tiraillé que ces derniers temps avec ses idées de départ, pour aller traîner le sabre, le gamin ! Il me reproche ses cinq petits trimestres, avec des jérémiades comme si c'étaient des siècles qu'il avait passés ici ! Il veut s'en aller, coûte que coûte, vous l'a-t-il dit aussi ? Vous devriez quelque jour le chapitrer sérieusement, de votre propre chef, et avec fermeté. Ce garçon-là se crèvera s'il avale trop tôt votre sympathique brouillard, là-haut, à droite. Ces foudres de guerre ne sont pas forcés d'avoir beaucoup de jugeote, mais vous, le plus posé des deux, le civil, l'homme de culture bourgeoise, vous devriez lui remettre la tête à l'endroit avant qu'il ne fasse des sottises.

— C'est ce que je fais, docteur, répondit Hans Castorp, sans cesser de diriger la conversation. C'est ce que je fais assez souvent quand il se rebiffe ainsi, et je pense qu'il se fera une raison, mais les exemples que l'on a sous les yeux ne sont pas les meilleurs ; c'est là ce qui gâte les choses. Il se produit toujours des départs — des départs pour le pays plat, spontanés et sans véritable justification, et cela a quelque chose de tentateur pour les caractères faibles. Par exemple, récemment. Qui donc est parti récemment ? Une dame de la table des Russes bien, Mme Chauchat. Pour le Daghestan, a-t-on raconté. Mon Dieu, le Daghestan, je ne connais pas le climat, peut-être est-il moins défavorable que chez nous, là-haut, au bord de la mer. Mais c'est quand même le pays plat, à notre sens, encore que, géographiquement, il soit peut-être montagneux, je ne suis pas très ferré là-dessus. Comment vivre là-bas, sans être guéri, lorsque les principes élémentaires vous manquent et que personne ne sait rien de notre règle d'ici, ni comment on reste étendu et prend la température ? D'ailleurs, je crois qu'elle veut revenir, de toute façon ; elle me l'a dit incidemment. Comment en sommes-nous donc arrivés à parler d'elle ? Ah ! oui, ce jour-là, nous vous avons rencontré au jardin, docteur — vous en souvenez-vous ? —, c'est-à-dire, c'est vous qui nous avez rencontrés, car nous étions assis sur un banc, je sais encore lequel, je pourrais vous le désigner exactement, nous étions assis là et nous fumions. Je veux dire : je fumais, car mon cousin, chose bizarre, ne fume pas. Justement, vous fumiez aussi, et nous nous sommes offert l'un à l'autre nos marques préférées, cela me revient justement. Votre Brésil était excellent, mais il faut le traiter comme un jeune poulain, sinon il vous arrive quelque chose comme à vous après vos deux havanes, lorsque vous avez failli danser votre dernière danse, la poitrine houleuse — comme tout a bien fini, on a bien le droit d'en rire. Des Maria Mancini, j'en ai d'ailleurs à nouveau commandé quelques centaines à Brême, je suis décidément très attaché à cette marque, elle m'est sympathique à tous égards. Il est vrai que le port et la douane les font revenir assez cher, et si vous vous avisez de prolonger encore ma cure pour un temps assez long, je suis capable de me convertir à un tabac d'ici — on voit aux vitrines des cigares tout à fait plaisants. Et puis vous nous avez montré vos tableaux, je m'en souviens comme si c'était aujourd'hui et j'en ai éprouvé un grand plaisir. J'étais vraiment dérouté à voir ce que vous osiez tenter avec de la peinture à l'huile ; jamais je n'aurais eu ce courage. N'avons-nous pas vu aussi le portrait de Mme Chauchat, avec la peau rendue d'une façon vraiment magistrale ? Je puis bien le dire : je fus enthousiasmé. À ce moment-là, je ne connaissais pas encore le modèle, ou de vue seulement, et de nom. Depuis, très peu de temps avant son dernier départ, j'ai encore tout juste fait sa connaissance personnelle.

— Qu'est-ce que vous me racontez là ! » répondit le conseiller ; et c'est exactement ce qu'il avait répondu (le rapprochement s'impose) lorsque Hans Castorp lui avait annoncé avant sa première consultation qu'il avait du reste aussi un peu de fièvre. Et il ne dit rien de plus.

« Mais oui, mais oui, j'ai fait sa connaissance, insista Hans Castorp. Je sais d'expérience qu'il n'est pas tellement facile de faire des connaissances ici en haut, mais entre Mme Chauchat et moi cela a fini par se faire et par s'arranger encore en dernière heure, une conversation nous a… »

Hans Castorp aspira l'air entre les dents.

« Pff, fit-il en arrière. C'était sûrement un nerf très important que vous aurez touché par hasard, docteur. Oh ! oui, oui, cela fait un mal infernal. Merci, un peu de massage fait du bien… Oui, une conversation nous a rapprochés.

— Tiens !… Et alors ? » fit le conseiller.

Il posait cette question en hochant la tête avec la mine de quelqu'un qui s'attend à une réponse très élogieuse et qui, de son côté, met, d'avance, dans la question, la confirmation de l'éloge prévu.

— Je suppose que mon français a un peu laissé à désirer, se déroba Hans Castorp. D'où l'aurais-je pris, du reste ? Mais au bon moment il vous passe toute sorte de choses par la tête, et nous nous sommes quand même très convenablement compris.

— Je vous crois. Eh bien », fit le conseiller, réitérant son invite. Et il ajouta de lui-même :

« Mignonne, hein ? »

Hans Castorp, fermant son bouton de col, était debout, les jambes et les coudes écartés, la tête levée vers le plafond.

« Ce n'est après tout rien de nouveau, dit-il. Deux personnes ou même des familles vivent dans une station balnéaire pendant des semaines sous un même toit, à distance. Un jour, ils font la connaissance l'un de l'autre, s'apprécient sincèrement, et voilà qu'il se trouve que l'un des deux est sur le point de partir. J'imagine que de tels regrets se produisent souvent. Et dans ces cas-là, on voudrait tout au moins garder un certain contact, entendre parler l'un de l'autre, que ce soit par correspondance. Mais Mme Chauchat…

— Voui, elle ne veut sans doute pas ? rit le conseiller, jovial.

— Non, elle n'a pas voulu en entendre parler. Ne vous écrit-elle pas non plus, de temps en temps, de ses lieux de séjour ?

— Mais jamais de la vie ! répondit Behrens. Voilà une idée qui ne lui viendrait jamais. D'abord, par paresse ; et puis comment écrirait-elle donc ? Je ne sais pas lire le russe. Je le baragouine à la rigueur, en cas de besoin, mais je ne saurais en lire un traître mot. Et vous non plus, n'est-ce pas ? Bon, et quant au français et à l'allemand, notre petite chatte les miaule sans doute délicieusement, mais quant à écrire, on la trouverait bien embarrassée. L'orthographe, cher ami ! Oui, il faut donc vous faire une raison, mon garçon. Elle revient toujours, de temps en temps. Question de technique, affaire de tempérament, comme je vous l'ai dit. L'un s'en va et doit ensuite revenir, l'autre reste d'affilée un temps assez long pour n'avoir plus jamais besoin de revenir. Mais si votre cousin s'en va — dites-lui bien cela —, il est fort possible que vous soyez encore ici pour assister à son retour solennel…

— Mais, docteur, combien de temps pensez-vous donc que je… ?

— Que vous ? Que lui ! Je pense qu'il ne restera pas en bas aussi longtemps qu'il sera demeuré en haut. C'est ce que, honnêtement, je pense pour ma part, et c'est ce que vous serez bien aimable de lui répéter pour moi. »

C'est en des termes semblables que ces conversations se déroulaient, d'ordinaire, conduites avec rouerie par Hans Castorp, encore que le résultat en eût été minime et incertain. Car, en ce qui concernait le temps qu'il faudrait rester pour assister au retour d'un malade parti prématurément, la réponse avait été ambiguë, et quant à la jeune femme absente, il n'en avait rien donné. Hans Castorp n'apprendrait rien d'elle aussi longtemps que le mystère de l'espace et du temps les séparerait ; elle n'écrirait pas, et ne lui donnerait pas davantage l'occasion de le faire. Pourquoi, du reste, se fût-elle comportée autrement, à bien y réfléchir ? N'avait-ce pas été une idée très bourgeoise et pédante de sa part que de suggérer qu'ils pourraient s'écrire, alors qu'autrefois il avait bien senti qu'il n'était même pas nécessaire ni souhaitable qu'ils se parlassent l'un à l'autre ? Et lui avait-il vraiment « parlé », au sens que donne à ce mot l'Occident civilisé, ce soir de carnaval, à son côté, ou n'avait-il pas plutôt parlé en langue étrangère, comme en rêve, d'une manière aussi peu civilisée que possible ? Pourquoi dès lors écrire, sur du papier à lettre ou sur des cartes postales, comme il en envoyait parfois chez lui, en pays plat, pour rendre compte des résultats variables des consultations ? Clawdia n'avait-elle pas raison de se sentir dispensée d'écrire, en vertu de la liberté que lui accordait la maladie ? Parler, écrire, affaire éminemment humaniste et républicaine, en effet, l'affaire du sieur Brunetto Latini qui avait écrit ce livre sur les vertus et les vices, qui avait éduqué les Florentins, qui leur avait enseigné à parler, et l'art de gouverner leur République selon les règles de la politique…

Cela ramena les pensées de Hans Castorp à Lodovico Settembrini, et il rougit comme il avait rougi autrefois lorsque l'écrivain était entré à l'improviste dans sa chambre de malade, en donnant tout à coup la lumière. Hans Castorp eût sans doute pu lui poser ses questions concernant les mystères transcendants, encore que tout au plus par manière de provocation et de taquinerie, non pas avec l'espoir d'obtenir une réponse de l'humaniste qui n'avait souci que des intérêts terrestres. Mais, depuis la soirée du carnaval et la sortie mouvementée de Settembrini du salon de musique, un certain éloignement s'était produit dans les relations entre Hans Castorp et l'Italien, éloignement qui tenait à la mauvaise conscience de l'un, à la profonde déception pédagogique de l'autre, et qui avait pour conséquence qu'ils s'évitaient mutuellement, et que pendant des semaines entières ils n'échangèrent pas la moindre parole. Hans Castorp était-il encore un « enfant difficile de la vie » aux yeux de M. Settembrini ? Non, car sans doute était-il abandonné par celui qui cherchait la morale dans la Raison et dans la Vertu… Et Hans Castorp boudait M. Settembrini, il fronçait les sourcils et retroussait les lèvres lorsqu'ils se rencontraient, tandis que le regard noir et brillant de l'Italien reposait sur lui avec un reproche muet. Néanmoins, cet entêtement boudeur se dissipa aussitôt, lorsque le littérateur lui adressa la parole, pour la première fois, après plusieurs semaines, encore que ce ne fût qu'en passant et sous forme d'allusions mythologiques si subtiles qu'il fallait une culture occidentale pour les démêler. C'était après le dîner ; ils se rencontrèrent dans l'embrasure de la porte vitrée qui avait cessé de claquer. Ayant rejoint le jeune homme et se disposant, par avance, à se séparer aussitôt de lui, Settembrini dit :

« Eh bien, ingénieur, comment avez-vous trouvé la grenade ? »

Hans Castorp sourit, joyeux et troublé.

« C'est-à-dire… Qu'entendez-vous par là, monsieur Settembrini ? Des grenades ? Mais on n'en a pas servi. Jamais de ma vie, je n'ai… Si, un jour, j'ai bu du sirop de grenadine avec de l'eau de Seltz. C'était par trop douceâtre. »

L'Italien, qui l'avait déjà dépassé, tourna la tête et articula :

« Des dieux et des mortels ont parfois visité le royaume des ombres et trouvé le chemin du retour. Mais les habitants des enfers savent que quiconque goûte aux fruits de leur empire leur reste voué à jamais. »

Et il poursuivit sa route, dans ses éternels pantalons à carreaux clairs et laissa derrière lui Hans Castorp qui devait être « écrasé » par le sens de ces propos, et qui l'était vraiment, bien que, à la fois irrité et amusé par la supposition qu'il pût l'être, il murmurât à part soi :

« Latini, Carducci, Ratzi-Mauzi-Falli[1], fiche-moi la paix ! »

Néanmoins, il se sentait agréablement ému par cette première parole qui lui avait été adressée ; car, malgré le trophée et le souvenir macabre qu'il portait sur son cœur, il était attaché à M. Settembrini, il tenait à son commerce, et la pensée d'être à jamais rejeté et abandonné par lui eût quand même pesé sur son âme plus cruellement que n'eût fait le sentiment de l'élève qu'on eût laissé à l'écart en classe ou de quelqu'un qui eût profité de tous les avantages de la honte, comme M. Albin… Cependant il n'osait pas, quant à lui, adresser la parole à son mentor et celui-ci laissa de nouveau passer des semaines avant de s'approcher et de nouer conversation avec l'élève indocile. Cela eut lieu lorsque, par les vagues marines du Temps, au rythme éternellement monotone, Pâques eut été jeté sur le rivage et fêté au Berghof, scrupuleusement, ainsi que l'on fêtait là-bas toutes les étapes et ruptures, afin d'éviter un pêle-mêle trop désordonné. Au premier déjeuner, chaque pensionnaire trouva à côté de son couvert un petit bouquet de fleurs, au deuxième déjeuner chacun reçut un œuf colorié et, pour le dîner, la table de festin était décorée de petits lièvres en sucre et en chocolat.

« Avez-vous jamais voyagé sur mer, lieutenant, ou vous, ingénieur ? » demanda Settembrini lorsque, après le repas, tenant son cure-dents, il s'approcha dans le hall de la petite table des cousins… Comme la plupart des pensionnaires, ils avaient abrégé aujourd'hui d'un quart d'heure la cure de l'après-midi, pour s'installer ici devant un café et une fine.

« Ces petits lièvres et ces œufs coloriés me font penser à la vie sur un de ces grands paquebots, devant un horizon vide depuis des semaines, dans le désert salin, en des conditions dont le confort parfait ne fait que superficiellement oublier la monstrueuse étrangeté, tandis que dans les régions profondes de la sensibilité, la conscience de cet état étrange continue à vous ronger comme une

1. Noms faussement italiens (une sorte de *tutti quanti*) formés sur des mots allemands qui évoquent pièges à rats et souricières *(N.d.É.)*.

angoisse secrète… Je retrouve ici l'esprit dans lequel, à bord d'une telle arche, on observe pieusement les fêtes de la terre ferme. C'est le fait de gens qui sont en dehors du monde, un souvenir sentimental évoqué d'après le calendrier… Sur le continent, ce serait Pâques aujourd'hui, n'est-ce pas ? Sur le continent on célèbre aujourd'hui l'anniversaire du roi, et nous le faisons aussi, tant bien que mal, nous aussi nous sommes des hommes. N'est-ce pas ainsi ? »

Les cousins l'approuvèrent. En vérité, c'était ainsi. Hans Castorp, touché de ce qu'on lui eût adressé la parole, et éperonné par sa mauvaise conscience, loua cette remarque sur tous les tons, la trouva spirituelle, intéressante, littéraire, et appuya M. Settembrini de toutes ses forces. Certainement et tout à fait comme M. Settembrini l'avait exprimé sous une forme si plastique, le confort à bord d'un grand paquebot faisait oublier les circonstances et leur caractère hasardeux, et, s'il lui était permis de développer cette idée pour son propre compte, il y avait même une certaine frivolité et une provocation dans ce confort accompli, quelque chose de semblable à ce que les anciens avaient appelé « hybris » (pour complaire à son interlocuteur, il alla jusqu'à citer les anciens, ou quelque chose comme : « Je suis le roi de Babylone[1] », bref, une forfaiture). Mais d'autre part, le luxe à bord d'un paquebot intégrait (« intégrait ! ») quand même un aussi grand triomphe de l'esprit et de l'honneur humains. Car, par le fait que l'homme transportait ce luxe et ce confort sur l'écume salée, et les y affirmait hardiment, il posait en quelque sorte son pied sur la nuque des forces élémentaires ; et cela impliquait la victoire de la civilisation humaine sur le chaos, s'il lui était permis de se servir de cette expression.

M. Settembrini l'écouta attentivement, les pieds et les bras croisés, tout en caressant avec grâce, de son curedents, sa moustache retroussée.

« Cela vaut d'être souligné, dit-il. L'homme n'émet aucune affirmation de caractère général tant soit peu sui-

1. Citation d'un vers de Heinrich Heine *(N.d.T)*.

vie sans se trahir tout entier, sans y mettre involontairement tout son Moi, sans y représenter, en quelque sorte par une parabole, le thème fondamental et le problème essentiel de sa vie. C'est ce qui vient de vous arriver, ingénieur. Ce que vous avez dit là venait en effet du fond de votre personnalité, et cela a également exprimé d'une manière poétique la situation momentanée de cette personnalité : c'est encore un état expérimental…

— "*Placet experiri*", dit Hans Castorp en approuvant de la tête et en riant, avec un *c* italien.

— *Sicuro*, s'il s'agit en l'occurrence de la passion respectable de connaître le monde, et non pas de libertinage. Vous avez parlé de "hybris". Vous vous êtes servi de cette expression. Mais l'hybris de la raison contre les puissances occultes est l'humanité la plus haute, et si elle appelle la vengeance des dieux jaloux, *per esempio* lorsque l'arche de luxe échoue et coule à pic, c'est là une fin des plus honorables. L'acte de Prométhée lui aussi était de l'hybris, et sa torture sur le rocher scythe est à nos yeux le plus sacré des martyres. Mais qu'en est-il de cette autre hybris, de la perdition trouvée dans l'expérience perverse faite avec les forces de la déraison et avec les ennemis de l'espèce humaine ? Y a-t-il de l'honneur à cela ? Peut-il y avoir de l'honneur dans une telle conduite ? *Si o no ?* »

Hans Castorp remua la cuiller dans sa petite tasse, bien qu'elle fût vide.

« Ingénieur, ingénieur, dit l'Italien en hochant la tête, et le regard de ses yeux noirs et pensifs devint fixe, ne craignez-vous pas le tourbillon du deuxième cercle de l'enfer qui entraîne et secoue les pécheurs de la chair, les malheureux qui ont sacrifié la raison à la luxure ? *Grandio !* Lorsque je me représente de quelle façon vous culbuterez sous le souffle infernal, je pourrais *retomber raide d'affliction, comme tombe un cadavre*[1]… »

Ils rirent, heureux de l'entendre plaisanter et dire des choses poétiques. Mais Settembrini ajouta :

1. Settembrini cite un vers de *La Divine Comédie (N.d.T.)*.

« Le soir de carnaval, en buvant du vin, vous en souvenez-vous, ingénieur ? vous avez, pour ainsi dire, pris congé de moi. Si, c'était quelque chose de semblable. Eh bien, c'est aujourd'hui mon tour. Tel que vous me voyez ici, messieurs, je suis sur le point de vous dire au revoir. Je quitte cette maison. »

Tous deux manifestèrent la plus vive surprise.

« Pas possible, ce n'est qu'une plaisanterie », s'écria Hans Castorp, comme il s'était écrié déjà en une autre circonstance. Il était presque aussi effrayé que ce jour-là. Mais Settembrini répondit :

« En aucune façon. C'est comme je vous le dis. Et d'ailleurs vous êtes plus ou moins préparé à cette nouvelle. Je vous avais déclaré qu'à l'instant où tout espoir de pouvoir retourner dans un délai plus ou moins fixe dans le monde du travail serait perdu, j'étais résolu à lever ma tente pour m'établir durablement quelque part dans le village. Que voulez-vous ? Cet instant est arrivé. Je ne peux pas guérir ; la cause est entendue. Je peux prolonger mon existence, mais uniquement ici. Le verdict, le verdict définitif est : “à perpétuité” ; le docteur Behrens l'a prononcé avec la bonne humeur qui lui est propre. Bon, je tire mes conclusions. J'ai loué un logement, je suis en train d'y transporter mes modestes biens, les instruments de mon métier littéraire… Ce n'est même pas loin d'ici, à Dorf, nous nous rencontrerons, certainement, je ne vous perdrai pas de vue, mais comme commensal, j'ai l'honneur de prendre congé de vous. »

Telle avait été la communication de Settembrini le dimanche de Pâques. Les cousins s'en étaient montrés extraordinairement émus. Longuement encore, et à plusieurs reprises, ils avaient parlé au littérateur de sa décision : des conditions dans lesquelles il suivrait le traitement de son propre chef, du transport et de la continuation de ce vaste ouvrage encyclopédique dont il avait assumé la charge ; de cette vue d'ensemble de tous les chefs-d'œuvre des belles-lettres, du point de vue des conflits issus de la souffrance et de leur élimination ; enfin de sa future installation dans la maison d'un épicier, d'un « marchand d'épices », comme disait M. Settembrini.

Le marchand d'épices, rapportait-il, avait loué l'étage supérieur à un tailleur pour dames originaire de Bohême qui, de son côté, prenait des sous-locataires… Ces conversations étaient déjà du passé. Le temps avançait et il avait entraîné maints changements. Settembrini, en effet, n'habitait plus le sanatorium international Berghof, mais chez Lukacek, le tailleur pour dames ; cela depuis quelques semaines. Son départ avait eu lieu non pas en traîneau, mais à pied. En un pardessus jaune et court dont le col et les parements étaient bordés de fourrure, et accompagné d'un commissionnaire qui transportait sur une brouette le bagage littéraire et terrestre de l'écrivain ; on l'avait vu s'éloigner en agitant sa canne après que, sous le dernier portail, il eut encore pincé la joue d'une serveuse du dos de ses deux doigts… Avril nous l'avons dit, était déjà pour une bonne part, aux trois quarts, relégué dans l'ombre du passé, que l'on était encore en plein hiver : le matin, dans la chambre, on avait à peine six degrés au-dessus, dehors il faisait froid de neuf degrés au-dessous, l'encre se congelait la nuit lorsqu'on laissait l'encrier sur le balcon, en un bloc de glace, en un morceau de charbon. Mais le printemps approchait, on le sentait ; le jour, lorsque le soleil brillait fort, on en avait déjà, dans l'air, çà et là, comme un léger et très doux pressentiment ; la période de la fonte des neiges était proche, et cela comportait des changements qui s'accomplissaient sans arrêt au Berghof. Rien n'y faisait, ni l'autorité, ni la parole vivante du conseiller qui combattait dans les chambres et dans la salle à manger, à toutes les consultations, à chaque visite et à chaque repas, le préjugé courant de la fonte des neiges.

Étaient-ils donc venus pour faire des sports d'hiver ? Ou avaient-ils besoin de neige, de neige glacée ? Une saison défavorable, la fonte des neiges ? C'était la plus favorable de toutes ! Il était prouvé que c'était à cette époque-là de l'année que la proportion des malades alités dans la vallée était la plus faible. Partout au monde les conditions de climat pour les malades des poumons étaient en cette période plus défavorables que justement ici. Quiconque avait une lueur de bon sens devait attendre et tirer parti de l'effet endurcissant des conditions actuelles de la température. Ensuite, on était d'attaque, immunisé contre tous les climats du monde, à condition que l'on attendît d'être complètement rétabli ; et ainsi de suite… Mais le conseiller avait beau parler, le préjugé de la fonte des neiges était solidement ancré dans les têtes, la station se vidait ; il est bien possible que ce fût l'approche du printemps qui s'agitait dans le corps des hommes et qui rendait inquiets et avides de changement des gens sédentaires… Quoi qu'il en fût, les « faux départs », les « départs », les « départs en coup de tête », se multipliaient, et même au Berghof, jusqu'à devenir inquiétants. C'est ainsi que Mme Salomon, d'Amsterdam, malgré la satisfaction que lui procuraient les examens médicaux et les occasions qui s'offraient ainsi à elle d'étaler sa lingerie de dentelles la plus fine, partit contre toute règle, sans autorisation, non pas qu'elle allât mieux, mais parce qu'elle allait plus mal. Les débuts de son séjour ici remontaient à très loin avant l'arrivée de Hans Castorp : il y avait plus d'un an qu'elle était arrivée, avec une affection légère pour laquelle on lui avait ordonné trois mois. Après quatre mois, on avait considéré que « dans quatre semaines elle serait sûrement rétablie », mais six semaines plus tard il n'avait plus été question de guérison : il fallait, lui avait-on dit, qu'elle restât encore au moins quatre mois. Et cela avait continué ainsi, et après tout, ce n'était pas un bagne ici, ni une mine sibérienne. Mme Salomon était restée et avait montré sa lingerie la plus fine. Mais comme, à la dernière consultation on lui avait, eu égard à la fonte des neiges, accordé un nouveau supplément de cinq mois, à cause d'un sifflement à gauche en haut et d'incontestables fausses notes sous l'épaule gauche, elle avait perdu patience et, tout en protestant et en insultant Dorf et Platz, le fameux bon air, le sanatorium international Berghof et les médecins, elle partit pour retourner chez elle, à Amsterdam, dans sa vallée humide et pleine de courants d'air.

Était-ce raisonnable ? Le docteur Behrens haussa les épaules et leva les bras, puis les laissa retomber bruyamment sur ses cuisses. En automne, au plus tard, dit-il, Mme Salomon serait de retour — et ce serait alors pour toujours. Aurait-il le dernier mot ? Nous le verrons, car nous sommes encore retenus en ce lieu de plaisir pour une période suffisante de temps terrestre. Mais le cas Salomon n'était nullement unique de son espèce. Le temps entraînait des changements, il l'avait toujours fait, mais jamais d'une manière aussi frappante. La salle à manger montrait des lacunes, des vides aux sept tables, à la table des Russes bien comme à la table des Russes ordinaires, aux tables longitudinales comme aux tables transversales. Non pas précisément que l'on eût pu tirer de ce fait des conclusions certaines sur le nombre des pensionnaires de la maison. Comme toujours, il y avait eu aussi des arrivées ; les chambres étaient bien occupées, mais il s'agissait de pensionnaires qui, par leur état avancé, étaient privés de la liberté de leurs mouvements. Dans la salle à manger, disions-nous, plus d'un pensionnaire faisait défaut grâce à une liberté de mouvement d'une autre sorte qui, elle, subsistait encore. Plus d'un manquait même d'une manière particulièrement profonde et creuse, comme le docteur Blumenkohl qui était mort. Sa figure avait de plus en plus pris cette expression de dégoût ; puis il s'était alité pour une longue période et ensuite il était mort, personne n'aurait pu dire exactement quand ; la chose avait été traitée avec tous les égards et la discrétion convenables. Une lacune ! Mme Stöhr était assise à côté de la lacune, et elle en avait peur. C'est pourquoi elle se transporta de l'autre côté de la table, à côté du jeune Ziemssen, à la place de Miss Robinson qui était partie guérie, en face de l'institutrice, voisine de gauche de Hans Castorp, qui était restée ferme à son poste. Pour le moment, elle était seule de ce côté de la table, les trois autres places étaient libres. Rasmussen qui, de jour en jour, était devenu plus abruti et plus fatigué, était couché et passait pour moribond ; et la grand-tante avec sa nièce et Maroussia à l'opulente poitrine étaient parties en voyage — nous disons : « parties en voyage », comme tout le monde disait, parce que leur retour prochain était chose convenue. Dès l'automne, elles reviendraient. Pouvait-on appeler cela un départ ? On serait si près du solstice d'été après que serait passée la Pentecôte qui était toute proche ; et une fois la journée la plus longue de l'année venue, cela diminuerait très rapidement, on irait vers l'hiver ; bref, la grand-tante et Maroussia étaient déjà presque de retour, et c'était heureux, car la rieuse Maroussia n'était nullement guérie ; l'institutrice avait entendu parler de tumeurs tuberculeuses que Maroussia aux yeux bruns portait dans son opulente poitrine et que l'on avait déjà dû opérer à plusieurs reprises. Lorsque l'institutrice en parla, Hans Castorp avait jeté un regard rapide vers Joachim qui avait penché sur son assiette sa figure tachetée.

L'alerte grand-tante avait offert à ses compagnons de table, c'est-à-dire aux cousins, à l'institutrice et à Mme Stöhr, un souper d'adieu au restaurant, un festin où l'on servit du caviar, du champagne et des liqueurs, et durant lequel Joachim s'était montré très calme, n'avait prononcé que quelques mots d'une voix presque blanche, de sorte que la grand-tante, dans son affectueuse familiarité, avait voulu lui donner courage : elle l'avait même tutoyé en négligeant les usages civilisés : « Ça n'a pas d'importance, petit père, ne t'en fais pas, bois, mange et parle, nous reviendrons bientôt, avait-elle dit. Nous allons tous manger, boire et bavarder sans penser aux choses tristes. Dieu fera venir l'automne avant que nous y ayons pensé, juge toi-même s'il y a lieu de te chagriner. »

Le lendemain matin, elle avait distribué comme souvenirs des boîtes bariolées de « petite compaute » à presque tous les habitués de la salle à manger, et ensuite elle avait entrepris le petit voyage avec les jeunes filles.

Et Joachim, qu'en était-il de lui ? Était-il affranchi et soulagé depuis ce départ, ou son âme souffrait-elle de pénibles privations en face de ce côté de la table qui était vide ? Son impatience insolite et subversive, sa menace de faire un « faux départ » si on le menait plus longtemps par le bout du nez, tenaient-elles à l'absence de Maroussia ? Ou fallait-il plutôt ramener le fait que, malgré tout, il n'était pas encore parti, et qu'il prêtait l'oreille à l'éloge du dégel par le directeur, à cet autre fait que Maroussia à l'opulente poitrine n'était pas partie tout de bon, mais seulement pour un petit voyage, et qu'au bout de cinq petites fractions du temps d'ici elle reviendrait ? Il y avait un peu de tout dans sa conduite ; chacune de ses raisons jouait dans la même mesure. Hans Castorp s'en doutait sans qu'il en parlât jamais avec Joachim. Car il s'en abstenait aussi strictement que Joachim évitait de prononcer le nom d'une autre absente qui, elle aussi, était partie pour un petit voyage.

Cependant, à la table de Settembrini, à la place même de l'Italien, qui donc y était assis depuis peu, en compagnie de pensionnaires hollandais dont l'appétit était si formidable que chacun d'entre eux se faisait encore servir outre les cinq services du dîner quotidien et dès avant le potage, trois œufs sur le plat ? C'était Antoine Carlovitch Ferge, le même qui avait couru l'aventure infernale du choc à la plèvre. Oui, M. Ferge avait quitté son lit ; même sans pneumothorax son état s'était amélioré à un tel point qu'il passait la plus grande partie de la journée sur pied et habillé, et avec sa moustache touffue et bonasse, avec sa pomme d'Adam saillante, non moins sympathique, il prenait part aux repas. Les cousins bavardaient quelquefois avec lui dans la salle à manger et dans le hall, et les promenades obligatoires, ils les faisaient aussi en sa compagnie lorsque le hasard le voulait, pleins d'affection pour ce martyr ingénu qui déclarait n'entendre absolument rien aux choses élevées et qui, cela dit, parlait très agréablement de la fabrication du caoutchouc et de lointaines contrées de l'empire russe, la Géorgie, Samara, tandis qu'ils piétinaient dans le brouillard, à travers la bouillie d'eau et de neige.

Car les chemins étaient vraiment à peine praticables, ils étaient en pleine déliquescence, et les brouillards fermentaient. Le conseiller disait, il est vrai, que ce n'était pas du brouillard, mais bien des nuages ; toutefois c'était là jouer sur les mots, de l'avis de Hans Castorp. Le printemps menait un rude combat qui, avec cent rechutes dans l'amertume de l'hiver, se prolongea pendant des mois, jusqu'en juin. En mars déjà, lorsque le soleil luisait, on avait eu peine à supporter la chaleur sur le balcon et sur la chaise longue malgré vêtements légers et parasol, et il y avait des dames qui, dès ce moment, avaient cru à la venue de l'été et dès le petit déjeuner avaient arboré des robes de mousseline. Elles avaient pour excuse, dans une certaine mesure, le caractère particulier du climat, qui favorisait la confusion, par le mélange météorologique des saisons ; mais il y avait aussi dans cette étourderie beaucoup de myopie et de manque d'imagination, cette sottise d'êtres ne vivant que dans le présent, incapables de penser qu'autre chose peut venir — et surtout une grande soif de changements, une impatience qui dévore le temps. Le calendrier disait mars ; c'était le printemps, autant dire l'été, et l'on déballait les robes de mousseline pour se montrer dans ces atours avant que vînt l'automne. Et il venait en quelque sorte. En avril des jours gris, froids et humides, vinrent, dont la pluie incessante se changea en neige, en une neige nouvelle et tourbillonnante. Les doigts gelèrent dans la loggia, les deux couvertures de poil de chameau reprirent leur service, il se fallut de peu que l'on eût recours au sac de fourrure. L'administration se décida à chauffer et tout le monde se plaignait d'être privé de son printemps. Vers la fin du mois il y avait partout une épaisse couche de neige ; mais ensuite vint le föhn, prévu, pressenti par des pensionnaires avertis et sensibles : Mme Stöhr, ainsi que Mlle Lévi au teint d'ivoire, non moins que la veuve Hessenfeld le sentirent unanimement avant même que le moindre petit nuage ne se montrât au-dessus du sommet de la montagne de granit au midi. Mme Hessenfeld aussitôt inclina aux crises de larmes, la Lévi s'alita, et Mme Stöhr, découvrant d'un air têtu ses dents de lièvre, exprimait d'heure en heure la crainte superstitieuse d'une syncope ; car on prétendait que le föhn les favorisait et les provoquait. Une chaleur incroyable régnait, le chauffage s'éteignit, on laissa pendant la nuit la porte du balcon ouverte, et pourtant le matin on avait onze degrés dans la chambre. La neige fondit comme par enchantement, elle devint translucide, poreuse et se troua ; elle s'écroula là où elle était amoncelée, elle semblait se recroqueviller sous terre. C'était partout un suintement, un égouttement, une infiltration, un écoulement et une chute dans la forêt, et les remparts des routes, les tapis pâles des prés disparurent, encore que les masses eussent été par trop copieuses pour qu'elles pussent disparaître rapidement. Il y eut des phénomènes étranges, des surprises printanières au cours des promenades dans la vallée, féeriques, jamais vues. Une étendue du pré était là, à l'arrière-plan se dressait le cône du Schwarzhorn encore tout couvert de neige, avec le glacier de la Scaletta, également couvert de neige épaisse, à droite dans le voisinage, et le terrain aussi avec sa meule de foin quelque part, était encore sous la neige, quoique la couche fût déjà mince et clairsemée, interrompue çà et là par des renflements rugueux et sombres du sol, partout transpercée d'herbe sèche. C'était là tout de même, parut-il aux promeneurs, une couche de neige assez irrégulière, que montrait ce pré : au loin, vers les versants boisés, elle était plus épaisse, mais en avant, sous les yeux de ceux qui l'examinaient, cette herbe hivernale, sèche et décolorée n'était encore qu'éclaboussée, tachetée, fleurie de neige, une neige de fleurs, de petits calices à tiges courtes, blancs, d'un blanc bleuâtre, c'était du crocus, parole d'honneur, jailli par millions du pré où s'infiltrait l'eau, si serré que l'on avait très facilement pu le tenir pour de la neige, dans laquelle il se perdait en effet au loin, sans transition.

Ils rirent de leur erreur, rirent de joie devant ce miracle qui s'était accompli sous leurs yeux, de cette adaptation gracieuse, timide de la vie organique qui, la première, se hasardait de nouveau à surgir. Ils en cueillirent, examinèrent et considérèrent les formes délicates des calices, en ornèrent leurs boutonnières, les emportèrent chez eux, en disposèrent dans leurs verres d'eau, dans leurs chambres, car la rigidité inorganique de la vallée avait duré longtemps — très longtemps, encore qu'elle eût paru courte.

Mais la neige de fleurs fut recouverte de vraie neige, et il n'en alla pas autrement des soldanelles bleues, ni des primevères jaunes ou rouges qui suivirent. Oui, le printemps avait du mal à se frayer un chemin et à triompher de l'hiver d'ici. Dix fois il était repoussé avant qu'il pût prendre pied sur ces hauteurs — jusqu'à la prochaine irruption de l'hiver, avec des tempêtes blanches, un vent glacé et le chauffage central. Au commencement de mai (car voici que le mois de mai était déjà arrivé, tandis que nous parlions des perce-neige), au commencement de mai ce fut véritablement une torture d'écrire dans la loggia, ne fût-ce qu'une carte postale, tant une véritable humidité de novembre vous endolorissait les doigts ; et les cinq arbres et demi à feuilles de la région étaient nus comme les arbres de la plaine en janvier. Pendant des journées entières la pluie durait, elle tomba durant une semaine, et sans les vertus apaisantes du type de chaise longue dont on usait ici, il eût été extrêmement dur de passer, en plein air, tant d'heures de repos dans cette vapeur de nuages, la figure humide et la peau rigide. Mais en réalité c'était à une pluie de printemps que l'on avait affaire, et plus elle durait, plus elle se trahissait comme telle. Presque toute la neige fondait sous elle ; il n'y eut plus de blanc, tout au plus ici et là un gris glacé et sale, et à présent les prés commençaient vraiment à verdir.

Quel doux bienfait pour l'œil, ce vert pâturage après le blanc infini ! Et il y avait encore là un autre vert qui surpassait en délicatesse et en gracieuse mollesse le vert de l'herbe nouvelle. C'étaient les jeunes touffes d'aiguilles des mélèzes. Hans Castorp, dans ses promenades réglementaires, manquait rarement de les caresser de la main et d'en effleurer sa joue, tant elles étaient irrésistiblement caressantes dans leur délicatesse et leur fraîcheur. « On pourrait devenir botaniste, dit le jeune homme à son compagnon, en vérité on pourrait être tenté par cette science, rien que par le plaisir que l'on prend à ce réveil de la nature, après un hiver passé dans nos parages. Dis donc, mais c'est de la gentiane que tu vois là-bas en bas de la pente, et ceci est une sorte de violette jaune que je ne connaissais pas. Mais ici nous avons des renoncules, de la famille des renonculacées, pleines, me semble-t-il, bissexuées d'ailleurs, tu vois là cette quantité d'étamines et un certain nombre d'ovaires, une andrœcie et un gynécée, autant que je m'en souvienne. Je crois décidément que je vais m'acheter un ou deux bouquins de botanique pour m'instruire un peu mieux dans le domaine de la vie et de la science. Que la vie, tout à coup, devient bariolée !

— Ce sera encore plus beau en juin, dit Joachim. La flore de ces prés est, d'ailleurs, célèbre. Mais je ne crois tout de même pas que je l'attendrai. Sans doute tiens-tu cela de Krokovski, de vouloir étudier la botanique ? »

De Krokovski ? Que voulait-il dire ? Ah ! oui, c'était parce que le docteur Krokovski s'était, au cours de sa dernière conférence, posé en botaniste. Car ceux-là se tromperaient à coup sûr qui supposeraient que les changements entraînés par le temps eussent fait cesser jusqu'aux conférences du docteur Krokovski. Tous les quinze jours, il les prononçait, tout comme auparavant, en redingote, sinon chaussé de sandales, qu'il ne portait qu'en été, et qu'il porterait donc bientôt de nouveau, chaque deuxième lundi, dans la salle à manger, comme autrefois lorsque Hans Castorp, barbouillé de sang, était arrivé en retard, en ses derniers jours. Pendant neuf mois, l'analyste avait parlé de l'amour et de la maladie, jamais beaucoup à la fois, par petites doses, en des causeries d'une demi-heure ou de trois quarts d'heure, il déployait ses trésors de savoir et de pensée, et chacun avait l'impression qu'il ne serait jamais forcé de s'arrêter, que cela pourrait continuer ainsi indéfiniment. C'était une sorte de *Mille et Une Nuits* bimensuelle se poursuivant d'une fois à l'autre, et bien faite comme le conte de Shéhérézade, pour contenter un prince curieux et l'empêcher de commettre des actes de violence. Dans son abondance sans bornes, le sujet du docteur Krokovski faisait penser à l'entreprise à laquelle Settembrini avait prêté son concours, à la *Sociologie de la souffrance* ; et l'on pouvait juger de sa variété par ce fait que le conférencier avait même parlé récemment de botanique, exactement : de champignons… D'ailleurs, il avait peut-être un peu changé de sujet ; il était plutôt question à présent de l'amour et de la mort, ce qui donnait lieu à bien des considérations en partie délicatement poétiques, en partie impitoyablement scientifiques. C'est donc dans cet ordre d'idées que le savant en était arrivé, avec son accent traînant à l'orientale, et son *r* lingual, à parler de la botanique, c'est-à-dire des champignons, de ces créatures de l'ombre, opulentes et fantastiques, de nature charnelle, très proches du règne animal. On trouvait dans leur structure des produits de l'assimilation de l'albumine, de la substance glycogène, de l'amidon animal par conséquent. Et le docteur Krokovski avait parlé d'un champignon célèbre depuis l'antiquité classique, à cause de sa forme et des vertus qu'on lui prêtait — une morille dont le nom latin comportait l'épithète de *impudicus*, et dont la forme faisait penser à l'amour, mais dont l'odeur rappelait la mort, car c'était de toute évidence une odeur cadavérique que l'*impudicus* dégageait lorsque le liquide visqueux, verdâtre et glaireux qui portait les spores s'égouttait de sa tête en forme de cloche, mais les ignorants prêtaient à ce champignon une vertu aphrodisiaque.

Allons bon, cela avait été un peu fort pour les dames, avait jugé le procureur Paravant qui, grâce au soutien moral de la propagande du docteur Behrens, tenait tête ici à la fonte des neiges. Et Mme Stöhr aussi, qui tenait bon avec autant de force de caractère, et qui faisait front contre toute tentation d'un faux départ, avait dit à table que Krokovski avait quand même été un peu « obscur » avec son champignon classique. « Obscur », dit la malheureuse, profanant sa maladie par d'aussi formidables lapsus. Mais Hans Castorp s'étonna surtout que Joachim fît allusion au docteur Krokovski et à sa botanique ; car, en somme, il était aussi peu question entre eux de l'analyste que de la personne de Mme Chauchat ou de Maroussia. Ils ne parlaient pas de lui, ils préféraient dédaigner en silence son action et son existence. Mais cette fois-là, Joachim avait nommé l'assistant d'un ton de mauvaise humeur, la même mauvaise humeur avec laquelle il venait de dire qu'il ne se résignerait pas à attendre la flore des pâturages. Le bon Joachim, peu à peu semblait perdre son équilibre ; sa voix vibrait de surexcitation, il ne montrait plus du tout la même douceur et le même esprit réfléchi qu'autrefois. Le parfum d'orange lui manquait-il ? Cette duperie de l'échelle Gaffky le poussait-elle au désespoir ? Ne réussissait-il plus à se mettre d'accord avec lui-même et à décider s'il attendrait l'automne ou s'il prendrait un « faux départ » ?

En réalité c'était à autre chose encore que tenait ce tremblement énervé dans la voix de Joachim et le ton presque sarcastique de son allusion à la conférence botanique de l'autre jour. De cela, Hans Castorp ne savait rien, ou plutôt il ne savait pas que Joachim en savait quelque chose, car lui-même, cet enfant difficile de la vie et de la pédagogie, il ne le savait que trop. Bref, Joachim avait surpris certains détours de son cousin, il l'avait épié et pris en flagrant délit d'une trahison semblable à celle dont il s'était rendu coupable le mardi gras, d'une nouvelle infidélité, aggravée du fait qu'elle était devenue habituelle.

Le rythme éternellement monotone qui passe, l'organisation invariable de la journée normale toujours la même, se ressemblant à elle-même au point qu'on eût pu les confondre et s'embrouiller, toujours identique à elle-même, éternité si immobile que l'on avait peine à comprendre comment elle pouvait entraîner des changements… cet ordre invariable comportait, comme tout le monde s'en souvient, la tournée du docteur Krokovski, entre trois heures et demie et quatre heures de l'après-midi, à travers toutes les chambres, c'est-à-dire par les balcons, de chaise longue en chaise longue. Combien de fois la journée normale du Berghof s'était-elle répétée depuis le jour lointain où Hans Castorp, dans sa position horizontale, s'était irrité de ce que l'assistant l'évitât par un grand détour et ne le prît pas en considération ! Depuis longtemps déjà, de visiteur il était devenu un camarade. Souvent, le docteur Krokovski l'interpellait par ce mot, lors de sa visite de contrôle, et encore que ce terme militaire, dont il prononçait l'*r* avec un accent exotique en ne frappant qu'une seule fois de sa langue le devant du palais, s'accordât très mal avec sa physionomie ; comme Hans Castorp l'avait fait observer à Joachim, il ne convenait cependant pas mal à sa manière énergique, d'une mâle gaieté et qui engageait à une confiance joyeuse, aspect que sa pâleur de brun démentait il est vrai dans une certaine mesure, et qui avait donc quand même un caractère quelque peu équivoque.

« Eh bien, camarade, ça va, ça marche ? » disait le docteur Krokovski en venant de la loggia du couple russe et en s'approchant du chevet de Hans Castorp. Et le malade, si cavalièrement abordé, les mains jointes sur la poitrine, souriait toujours de nouveau, d'un sourire aimable et tourmenté de cette interpellation abominable, en regardant les dents jaunes du docteur qui apparaissaient dans sa barbe noire. « Bien reposé ? poursuivait le docteur Krokovski. La courbe baisse ? Elle monte aujourd'hui ? Allons, ça ne fait rien, ça s'arrangera encore d'ici le mariage. Au revoir ! » Et avec ce mot qui avait également un son abominable, parce qu'il le prononçait comme « à r'voir », il poursuivait déjà son chemin en passant chez Joachim : il ne s'agissait que d'une tournée, d'un rapide coup d'œil de contrôle, et de rien de plus.

Parfois, il est vrai, le docteur Krokovski s'attardait quelque peu, bavardait — massif et large d'épaules, souriant d'un air mâle —, avec le camarade, de la pluie et du beau temps, des arrivées et des départs, de l'état d'esprit du malade, de sa bonne ou de sa mauvaise humeur, de sa situation personnelle aussi, de ses origines et de ses espérances, jusqu'à ce qu'il eût dit : « À r'voir » et continué son chemin. Et Hans Castorp, les mains jointes derrière la tête pour changer, en souriant lui aussi, répondait à tout cela, avec un sentiment pénétrant de répulsion, sans doute, mais il répondait. Ils parlaient à mi-voix ; bien que la paroi de verre ne séparât pas complètement les loges, Joachim ne pouvait rien comprendre de la conversation de l'autre côté, et, du reste, il ne le chercha pas le moins du monde. Il écoutait son cousin se lever de sa chaise longue et entrer avec le docteur Krokovski dans la chambre, sans doute pour lui montrer sa feuille de température ; et la conversation, là-bas, se poursuivait encore un bon moment, à en juger par le retard avec lequel l'assistant pénétrait par le corridor chez Joachim.

De quoi causaient les camarades ? Joachim ne le demandait pas ; mais si quelqu'un d'entre nous ne prenait pas exemple sur lui et posait la question, il y aurait lieu de faire remarquer combien nombreux sont les sujets et les prétextes d'échanges intellectuels entre hommes et camarades dont les conceptions portent une empreinte idéaliste et dont l'un, au gré de sa formation, est arrivé à considérer la matière comme le péché originel de l'esprit, comme une dangereuse végétation de celui-ci, tandis que l'autre, comme médecin, est habitué à enseigner le caractère secondaire de la maladie organique. Combien de vues, nous disons-nous, devaient être échangées et discutées sur la matière considérée comme une dégénérescence de l'immatériel, sur la vie comme impudicité de la matière, sur la maladie, forme dépravée de la vie. On pouvait parler, en prenant prétexte des conférences en cours, de l'amour comme puissance pathogène, de la nature métaphysique de la tare, des taches anciennes et fraîches, des poisons solubles et des philtres d'amour, de l'explication de l'inconscient, des bienfaits de l'analyse psychique, de la transformation du symptôme — qu'en savons-nous ?… nous qui nous bornons à hasarder ces propositions et ces conjectures, la question étant posée de savoir de quoi le docteur Krokovski et le jeune Hans Castorp pouvaient bien s'entretenir.

D'ailleurs, ils ne bavardaient plus, c'était passé, cela n'avait duré que peu de temps, quelques semaines. Ces derniers temps, le docteur Krokovski ne restait guère avec ce patient plus longtemps qu'avec les autres. « Eh bien, camarade ! » et « à r'voir », c'est à quoi se bornait à présent le plus souvent sa visite. Mais, en revanche, Joachim avait fait une autre découverte, celle précisément qu'il ressentait comme une trahison de Hans Castorp. Il l'avait faite tout à fait involontairement, sans que, en sa droiture militaire, il eût le moins du monde tenté de le surprendre : on peut nous en croire ! Un mercredi, il avait tout simplement été, pendant sa première cure de repos, appelé dans le sous-sol, pour se faire peser par le baigneur, et c'est alors qu'il vit la chose. Il descendait l'escalier, l'escalier proprement recouvert de linoléum qui donnait vue sur la porte de la salle de consultations, de côté et d'autre de laquelle étaient situés les deux cabinets de radioscopie, à gauche le cabinet de radioscopie organique, et à droite, après le tournant, le cabinet psychique, situé sur une marche plus bas, avec la carte de visite du docteur Krokovski à la porte. Mais à mi-hauteur de l'escalier Joachim s'arrêta, car Hans Castorp, venant de son injection, quittait justement le cabinet de consultations ; des deux mains il ferma la porte par laquelle il était rapidement sorti, et sans regarder autour de soi, il tourna à droite, vers la porte où la carte de visite était fixée au moyen de punaises, et l'atteignit en quelques pas silencieux. Il frappa, se pencha en frappant et approcha l'oreille du doigt qui frappait. Et comme l'« entrez » barytonal avec l'*r* exotique et le son nasal déformé avait retenti dans la cellule, Joachim vit son cousin disparaître dans la pénombre de la crypte analytique du docteur Krokovski.

Encore quelqu'un

Des journées longues, les plus longues à proprement parler, par rapport au nombre de leurs heures de soleil; car leur durée astronomique ne changeait rien à leur célérité, ni à celle de chacune en particulier, ni à celle de leur fuite monotone. L'équinoxe du printemps était déjà passé depuis trois mois, le solstice d'été était arrivé, mais l'année naturelle, ici, suivait le calendrier avec retard : à présent seulement, ces tout derniers jours, ç'avait été définitivement le printemps, un printemps sans la moindre lourdeur estivale, aromatique, transparent et léger, avec un azur au rayonnement argenté et une flore des prés d'un éclat bigarré.

Hans Castorp retrouva sur les pentes les mêmes fleurs dont Joachim lui avait si aimablement placé quelques derniers spécimens dans sa chambre pour lui souhaiter la bienvenue : des achillées et des campanules; cela signifiait que pour lui l'année avait achevé son cours. Mais quelles n'étaient pas les variétés de vie organique — étoiles, calices et clochettes ou formes irrégulières, emplissant l'air ensoleillé d'un arôme sec — qui surgissaient de l'herbe d'émeraude des pentes et des étendues de pâturages? Des lychnis et des pensées sauvages en quantité, des pâquerettes, des marguerites, des primevères en jaune et en rouge, plus belles et plus grandes que Hans Castorp croyait en avoir jamais vu en pays plat, pour autant qu'il y avait pris garde là en bas; de plus les soldanelles avec leurs clochettes cillantes, bleues, pourpres et roses, une spécialité de cette sphère.

Il cueillit un peu de toutes ces choses gracieuses, emporta chez lui des bouquets entiers, dans une intention sérieuse, et non pas tant pour décorer sa chambre que pour une sévère étude scientifique qu'il s'était proposée. Il s'était procuré un attirail de botaniste, un traité de botanique générale, une pelle maniable pour déterrer les plantes, un herbier, une loupe grossissante ; et avec tout cela, le jeune homme s'occupait dans sa loggia, de nouveau en tenue estivale, un des costumes qu'il avait autrefois apportés avec lui en arrivant ; cela aussi signifiait que l'année avait accompli sa ronde.

Il y avait des fleurs fraîches dans plusieurs verres d'eau, sur les tablettes des meubles de la chambre, sur le petit guéridon, à côté de l'excellente chaise longue. Des fleurs à demi fanées, mais encore pleines de suc se trouvaient éparpillées sur la balustrade du balcon, répandues sur le sol de la loggia, tandis que d'autres, soigneusement aplaties entre des feuilles de buvard qui absorbaient leur humidité, étaient comprimées par des pierres, pour que Hans Castorp pût fixer avec du papier collant ses préparations plates et sèches dans son album. Il était couché, les genoux pliés, et, de plus, l'un croisé sur l'autre, et tandis que le dos du manuel retourné grand ouvert formait sur sa poitrine comme le faîte d'un toit, il tenait la lentille épaisse de la loupe entre ses simples yeux bleus et une fleur dont il avait en partie retranché la corolle avec son couteau de poche, afin de mieux pouvoir étudier le réceptacle, et qui sous la forte loupe se gonflait en une forme bizarre et carnée. Les anthères déversaient là, à l'extrémité de leurs filaments, leur pollen jaune, de l'ovaire surgissait le style cicatrisé, et lorsqu'on en faisait une coupe, on pouvait regarder le canal délicat par où les grains et les utricules de pollen étaient amenés en une excrétion sucrée dans le creux de l'ovaire. Hans Castorp compta, examina et compara ; il étudiait la structure et la position des pétales, du calice et de la corolle, des organes mâles et femelles ; il s'assurait que tout ce qu'il voyait correspondait aux reproductions schématiques ou directes, il constatait avec satisfaction l'exactitude scientifique dans la structure des plantes qu'il connaissait, et essayait ensuite de déterminer, à l'aide du Linné, par section, groupe, espèce, famille et genre, les plantes qu'il n'eût pas su nommer. Comme il avait beaucoup de temps, il fit quelques progrès en fait de méthode botanique en partant de la morphologie comparée. Sous la plante séchée dans l'herbier, il calligraphia le nom latin que la science humaniste lui avait galamment donné, il ajoutait ses caractéristiques et les montrait au bon Joachim qui manifestait de la surprise.

Le soir il contemplait les astres. Il avait été pris d'intérêt pour la révolution de l'année, lui qui pourtant avait déjà passé sur terre quelque vingt ans et ne s'était jamais soucié de ces choses. Si nous-mêmes nous sommes servis d'expression telles que « l'équinoxe de printemps », c'était dans son esprit et en tenant compte de ses habitudes nouvellement acquises. Car tels étaient les termes que depuis quelque temps il aimait à répandre autour de lui, et il étonnait son cousin également par ses connaissances dans ce domaine.

« À présent, le soleil est sur le point d'entrer dans le signe du Cancer, commençait-il au cours d'une promenade. Es-tu au courant ? C'est le premier signe estival du Zodiaque, comprends-tu ? Nous passons à présent par-dessus le Lion et la Vierge vers le point de l'automne, l'un des points équinoxiaux, vers la fin de septembre, lorsque le soleil rejoint de nouveau l'équateur du ciel, comme il en a été récemment en mars, lorsque le soleil est entré dans le signe du Bélier.

— Ça m'a échappé, dit Joachim bougon. Qu'est-ce que tu me racontes là ? Le Bélier ? Le Zodiaque ?

— En effet, le Zodiaque, *zodiacus*. Les antiques constellations : le Scorpion, le Sagittaire, le Capricorne, le Verseau, et ainsi de suite, comment ne s'y intéresserait-on pas ? Elles sont douze, c'est ce que tu dois tout au moins savoir, trois pour chaque saison, les signes ascendants et les signes descendants, l'orbite des constellations que le soleil traverse — grandiose à mon avis ! Figure-toi que dans un temple égyptien on les a trouvées peintes en fresque, un temple consacré à Aphrodite par-dessus le marché, non loin de Thèbes. Les Chaldéens eux aussi les connaissaient déjà, songe un peu, ce vieux peuple de mages. Arabes sémites, très savants en astrologie et en prophétie, ils ont déjà étudié la ceinture céleste où courent les planètes et l'ont divisée en ces douze constellations, la *dodekatemoria* telle qu'elle nous a été transmise. C'était grandiose. C'est ça, l'humanité !

— À présent tu dis "humanité", comme Settembrini.

— Oui, comme lui, ou un peu autrement. Il faut la prendre comme elle est, mais c'est grandiose. Je pense avec beaucoup de sympathie aux Chaldéens, lorsque je suis allongé ainsi et que je regarde les planètes qu'ils connaissaient déjà presque, car ils ne les connaissaient pas toutes, si intelligents qu'ils aient été. Mais celle qu'ils ne connaissaient pas, je ne la vois pas non plus. Uranus n'a été découvert que récemment, à la longue-vue, voici cent vingt ans.

— Récemment ?

— C'est ce que j'appelle récemment, si tu le permets, en comparaison des trois mille années écoulées depuis l'époque chaldéenne. Mais lorsque je suis étendu ainsi et que je regarde les planètes, ces trois mille années deviennent elles aussi un "récemment", et je pense familièrement aux Chaldéens qui les ont vues, eux aussi, et qui y ont entendu quelque chose, et c'est cela l'humanité.

— Bon, ça va bien, tu as des idées grandioses, il me semble ?

— Tu dis grandioses, et je dis familières, ce sera comme tu voudras. Mais lorsque le soleil sera entré dans la constellation de la Balance, dans trois mois environ, les jours auront de nouveau diminué suffisamment pour que le jour et la nuit soient égaux. Ensuite ils diminuent de nouveau jusqu'à Noël, cela tu le sais bien. Mais veux-tu, s'il te plaît, réfléchir à ceci : pendant que le soleil traverse les signes de l'hiver, le Capricorne, le Verseau et les Poissons, les jours augmentent déjà de nouveau. Car voici qu'approche de nouveau le point du printemps, pour la trois millième fois depuis les Chaldéens, et les jours augmentent de nouveau jusqu'à l'année suivante, lorsque revient le commencement de l'été.

— Bien entendu !

— Non, c'est une illusion. En hiver les jours augmentent et lorsque vient le plus long, le 21 juin, au début de l'été, cela diminue déjà de nouveau, ils deviennent plus petits et l'on s'avance vers l'hiver. Tu trouves cela naturel, mais si on le considère autrement que sous ce jour naturel, on peut être saisi d'angoisse sur le moment, et on est prêt à se cramponner à n'importe quoi. Il semble que Till Ulenspiegel ait disposé les choses ainsi pour que, au début de l'hiver, le printemps commence en réalité, et au début de l'été l'automne... On est mené par le bout du nez, entraîné en rond par l'espoir de quelque chose qui est de nouveau un point d'inflexion... On tourne en rond. Car tous ces points d'inflexion dont se compose le cercle sont sans étendue, le point d'inflexion ne peut être mesuré, il n'y a pas durée de direction et l'éternité n'est pas "tout droit, tout droit !" mais "tournez, manèges".

— Arrête !

— Fête du solstice, dit Hans Castorp, le solstice d'été ! Feux de la Saint-Jean et rondes, la main dans la main, autour de la flamme des bûchers ! Je ne l'ai jamais vu, mais il paraît que c'est ainsi que les hommes primitifs fêtent la première nuit d'été avec laquelle commence l'automne, le midi et le sommet de l'année, à partir desquels, elle redescend ; ils dansent et tournent et jubilent. Sur quoi jubilent-ils dans leur simplicité primitive, peux-tu comprendre cela ? Pourquoi sont-ils si joyeux ? Parce que l'on descend à présent vers les ténèbres, ou peut-être parce que l'on avait monté jusqu'à présent et que le tournant est arrivé, l'inévitable point solsticial, le minuit de l'été, le sommet, mélancolique dans son présomptueux excès de force ? Je dis cela comme cela est, avec les mots qui me viennent. C'est un orgueil mélancolique et une mélancolie orgueilleuse qui font jubiler les hommes naturels et danser autour de la flamme ; ils le font positivement par désespoir, si l'on peut dire, en l'honneur du mouvement en rond et du retour éternel sans ligne de direction et où tout se répète.

— Ce n'est pas moi qui le dirais, murmura Joachim, je t'en prie ne me l'impute pas. Mais ce sont vraiment des choses lointaines dont tu t'occupes le soir lorsque tu es étendu.

— Oui, je ne veux pas nier que tu t'occupes plus utilement de ta grammaire russe. Mais dis donc, tu vas prochainement parler cette langue tout à fait couramment. Ce serait naturellement un grand avantage pour toi s'il y avait la guerre, ce dont Dieu nous garde !

— Nous garde ? Tu parles comme un civil. La guerre est nécessaire. Sans guerres le monde ne tarderait pas à pourrir, a dit Moltke.

— Oui, il est vrai qu'il a une tendance à cela. Et cela je peux te l'accorder », reprit Hans Castorp, et il était sur le point de revenir aux Chaldéens qui avaient également fait la guerre et qui avaient conquis Babylone, bien qu'ils fussent sémites et presque des Juifs, lorsque tous deux s'aperçurent que deux promeneurs qui marchaient tout près devant eux tournaient la tête vers eux, ayant entendu leurs voix et troublés dans leur propre conversation.

C'était sur la grande route, entre le casino et l'Hôtel Belvédère, au retour vers Davos-Dorf. La vallée était parée de ses vêtements de fête, de couleurs tendres, claires et gaies. L'air était délicieux. Une symphonie de gais arômes de fleurs des champs emplissait l'atmosphère pure, sèche et ensoleillée.

Ils reconnurent Lodovico Settembrini à côté d'un étranger ; mais il semblait que de son côté il ne les reconnût pas ou qu'il ne désirât pas de rencontre, car il détourna rapidement la tête et s'absorba en gesticulant dans sa conversation avec son compagnon, en essayant même d'avancer plus vite. Il est vrai que lorsque les cousins le saluèrent à sa droite par de gais signes de tête, il feignit la plus grande surprise, avec des « sapristi ! » et des « que diable ! » mais il paraissait à présent vouloir ralentir le pas et laisser les deux autres passer en avant, ce qu'ils ne comprirent pas, parce qu'ils ne voyaient aucune raison à cela. Sincèrement satisfaits de le rencontrer de nouveau après une longue séparation ils s'arrêtèrent près de lui, et lui secouèrent la main, en s'informant de sa santé et tout en considérant dans une attente polie son compagnon. Ils l'obligèrent ainsi à faire ce qu'apparemment il eût préféré éviter, mais ce qui leur semblait la chose la plus naturelle et la plus indiquée du monde, c'est-à-dire à leur présenter ce compagnon. Quand déjà on se remettait en marche, Settembrini désigna donc ces messieurs les uns à l'autre par un geste de présentation et par des paroles gaies, et les engagea à se serrer la main devant sa poitrine.

Il apparut que l'étranger, qui pouvait avoir l'âge de Settembrini, était son voisin : le second sous-locataire du tailleur pour dames Lukacek, un nommé Naphta, autant que le comprirent les jeunes gens. C'était un petit homme maigre, rasé, et d'une laideur si aiguë, on serait presque tenté de dire : si corrosive, que les cousins s'en étonnèrent vraiment. Tout était acéré en lui : le nez courbe qui dominait son visage, la bouche aux lèvres minces et serrées, les verres convexes de ses lunettes, d'ailleurs légèrement construites, qui défendaient ses yeux gris clair, et même le silence qu'il gardait et d'où l'on pouvait conclure que sa parole serait nette et logique. Il était tête nue, ainsi qu'il convenait, et en veston, très élégamment vêtu du reste : son costume de flanelle bleu foncé, à rayures blanches, était de bonne coupe, d'une élégance discrètement adaptée à la mode, ainsi que le constatèrent d'un regard expert d'hommes du monde les cousins qui à leur tour essuyèrent un examen analogue de leur propre personne, mais plus rapide et plus perçant de la part du petit Naphta. Si Lodovico Settembrini n'avait pas su porter sa bure usée et ses pantalons à carreaux avec tant de grâce et de dignité, sa personne eût désagréablement tranché sur cette compagnie distinguée. Mais elle tranchait d'autant moins que les pantalons à carreaux avaient été fraîchement repassés, de sorte qu'au premier regard on aurait pu les tenir pour presque neufs : œuvre de son propriétaire sans nul doute, se dirent les jeunes gens. Mais si l'affreux Naphta était, pour la qualité et le cachet mondain de ses vêtements, plus proche des cousins que de son voisin, non seulement son âge plus avancé le rapprochait de ce dernier plutôt que des jeunes gens, mais autre chose encore qui pouvait se ramener le plus facilement au teint de chacun des deux couples ; les uns étaient bruns et rougis par le soleil, tandis que les autres étaient pâles. Le visage de Joachim s'était bronzé encore davantage dans le courant de l'hiver, et celui de Hans Castorp luisait, tout rose, sous sa raie blonde ; mais sur la pâleur latine de M. Settembrini que soulignait si noblement sa moustache noire, la lumière solaire n'avait exercé aucune action, et son compagnon, bien qu'il eût les cheveux blonds — il était d'ailleurs d'un blond cendré, métallique et incolore, et portait ses cheveux longs et rejetés en arrière —, avait également le teint blanc et mat des races brunes. Deux d'entre les quatre portaient des cannes ; c'étaient Hans Castorp et Settembrini. Car Joachim, pour des raisons militaires, s'en passait, et Naphta, après qu'on l'eut présenté, joignit aussitôt ses mains derrière le dos. Elles étaient petites et frêles, ces mains, de même que ses pieds étaient très gracieux, répondant d'ailleurs à sa stature. On ne pouvait être surpris qu'il eût l'air enrhumé, non plus que d'une certaine façon faible et inefficace qu'il avait de tousser.

Settembrini avait aussitôt surmonté la nuance de gêne ou de mauvaise humeur qu'il avait manifestée en apercevant les jeunes gens. Il montra la meilleure humeur du monde et présenta ses trois compagnons les uns aux autres avec force plaisanteries, en désignant par exemple Naphta comme « *princeps scholasticorum* ». « La joie, dit-il, tenait brillamment séance dans la salle de sa poitrine », comme l'Arétin s'était exprimé, et c'était le mérite du printemps, d'un printemps qui pour sa part l'enchantait. Ces messieurs devaient savoir qu'il reprochait bien des choses à ce monde d'en haut, tant il avait souvent exprimé le souhait de le quitter. Mais, honneur à ce printemps de la haute montagne ! Il était capable de vous réconcilier passagèrement avec toutes les horreurs de cette sphère. Il y manquait tout ce que le printemps de la plaine avait de troublant et d'excitant. Pas de bouillonnement dans la profondeur, pas d'arômes humides, pas de lourdes buées. Mais de la clarté, de la sécheresse, de la gaieté et une grâce amère. Cela répondait à son goût et c'était superbe ! Ils allaient tous quatre en un rang irrégulier, l'un à côté de l'autre, autant que possible, mais tantôt, lorsque les promeneurs qui rentraient passaient auprès d'eux, Settembrini devait se tenir à droite, voire descendre sur la chaussée, tantôt leur alignement se rompait, par le fait que l'un ou l'autre restait en arrière. Naphta par exemple, à gauche, ou Hans Castorp qui avait pris place entre l'humaniste et son cousin Joachim. Naphta poussait des rires brefs, avec une voix assourdie par le rhume qui faisait penser au son d'une assiette fêlée que l'on frappe du doigt. En désignant l'Italien de la tête, il dit avec un accent traînant :

« Écoutez donc le voltairien, le rationaliste. Il loue la nature parce que, même dans les circonstances les plus fécondes, elle ne vous étourdit pas par des vapeurs mystiques, mais garde une sécheresse classique. Comment s'appelait donc l'humidité en latin ?

— *Humor*, s'écria Settembrini par-dessus son épaule gauche. L'humour, dans les considérations sur la nature de notre professeur, consiste en ceci, qu'à l'instar de sainte Catherine de Sienne, il pense aux plaies du Christ lorsqu'il voit des primevères rouges. »

Naphta répondit :

« Ce serait plutôt de l'esprit que de l'humour. Mais cela n'en signifierait pas moins faire passer son esprit dans la nature. Elle en a besoin.

— La nature, dit Settembrini en baissant la voix, non plus par-dessus son épaule, mais comme en descendant le long d'elle, n'a en aucune façon besoin de votre esprit. Elle est elle-même esprit.

— Vous ne vous ennuyez pas avec votre monisme ?

— Ah ! vous convenez donc que c'est à plaisir que vous divisez le monde, que vous séparez Dieu et la nature.

— Cela m'intéresse de vous entendre parler de plaisir à propos de ce à quoi je pense, lorsque je dis passion et esprit.

— Songez que vous, qui employez de si grands mots pour des besoins si frivoles, me traitez parfois de rhéteur.

— Vous persistez à estimer qu'esprit signifie frivolité. Mais s'il est d'origine dualiste, il n'y peut rien. Le dualisme, l'antithèse, c'est le principe moteur, passionné, dialectique et spirituel. Il est vrai que c'est de l'esprit que de voir le monde séparé en deux masses contraires. Tout monisme est ennuyeux. *Solet Aristoteles querere pugnam.*

— Aristote ? Aristote a transporté dans les individus la réalité des idées générales. C'est du panthéisme.

— Faux ! Si vous prêtez aux individus un caractère substantiel, si vous transportez par la pensée l'essence des choses hors du général dans le phénomène individuel, comme l'ont fait Thomas et Bonaventure en bons aristotéliciens, vous avez écarté le monde de toute union avec l'idée la plus haute ; il reste en dehors du divin, et Dieu est transcendant. C'est cela le Moyen Âge classique, monsieur.

— Moyen Âge classique, voilà une exquise combinaison de mots.

— Je vous prie de m'excuser, mais je fais appel à l'idée de classique là où elle est à sa place, c'est-à-dire partout où une idée atteint son sommet. L'Antiquité n'a pas toujours été classique. J'enregistre chez vous une antipathie contre la... liberté des catégories, contre l'absolu. Vous ne voulez pas non plus l'esprit absolu. Vous voulez que l'esprit soit le progrès démocratique.

— J'espère que nous sommes d'accord que l'esprit, si absolu soit-il, ne pourra jamais être l'avocat de la réaction.

— Mais il est toujours l'avocat de la liberté !

— Vous dites : mais ? La liberté est la loi de l'amour humain, elle n'est ni nihilisme, ni ressentiment.

— Choses que vous craignez apparemment. »

Settembrini leva les bras au ciel. La querelle resta en suspens. Joachim, étonné, regardait l'un puis l'autre, tandis que Hans Castorp, les sourcils froncés, tenait les yeux fixés sur le sol. Naphta avait parlé sur un ton coupant et catégorique, bien que c'eût été lui qui avait défendu la liberté la plus large. Surtout sa manière de répondre : « c'est faux », en serrant les lèvres pour prononcer l'*f* et en pinçant ensuite la bouche, était désagréable. Settembrini lui avait donné la réplique tantôt gaiement, tantôt en mettant dans ses paroles une belle chaleur, notamment lorsqu'il lui avait rappelé les conceptions fondamentales qu'ils avaient en commun. À présent, tandis que Naphta se taisait, il commença à expliquer aux cousins l'existence de cet inconnu en répondant au besoin qu'ils pouvaient éprouver de quelques éclaircissements après cette discussion avec Naphta. Celui-ci laissa faire sans le moins du monde s'en occuper. Il enseignait les langues anciennes dans les classes supérieures du Fredericianum, expliqua Settembrini, qui, selon l'usage italien, mit en valeur aussi pompeusement que possible la situation de celui qu'il présentait. Le destin de M. Naphta était semblable au sien propre. Amené ici, voici cinq ans, par son état de santé, il avait dû se convaincre qu'il avait besoin de ce séjour pour un temps très long; il avait quitté son sanatorium et s'était établi chez Lukacek, le tailleur pour dames. L'institut d'éducation de Davos avait été assez avisé pour s'assurer le concours du remarquable latiniste qu'était M. Naphta, ancien élève d'une institution catholique… Bref, Settembrini faisait plutôt grand cas de l'affreux Naphta, bien que, un instant plus tôt, il eût engagé avec lui une discussion abstraite qui allait se poursuivre sans retard.

En effet, Settembrini en vint aussitôt à donner à M. Naphta des explications sur les cousins, ce qui fit apparaître qu'il lui avait déjà parlé d'eux auparavant. C'était donc là le jeune ingénieur « de trois semaines » chez lequel le docteur Behrens avait trouvé un endroit humide, et c'était là, cet espoir de l'armée prussienne, le lieutenant Ziemssen. Et il parla de l'impatience de Joachim, et de ses projets de voyage pour ajouter que l'on ferait incontestablement tort à l'ingénieur, si on ne lui prêtait pas la même impatience de retourner à son travail.

Naphta fit la grimace. Il dit :

« Ces messieurs ont là un tuteur éloquent Je me garde bien de mettre en doute la fidélité avec laquelle il interprète vos pensées et vos désirs. Travail, travail, je vous en prie, tout à l'heure il me traitera d'ennemi du genre humain, d'*inimicus humanae naturae*, si j'ose évoquer des temps où cette fanfare n'aurait pas produit son effet, à savoir des temps où le contraire de son idéal était infiniment plus honoré. Bernard de Clairvaux a enseigné une hiérarchie de la perfection dont M. Settembrini ne se doute même pas. Voulez-vous savoir laquelle ? Son état inférieur, il le place dans “le moulin”, le second aux “champs”, mais le troisième, et le plus louable — écoutez bien, Settembrini ! —, était le “lit de repos”. Le moulin, c’est le symbole de la vie extérieure, pas mal choisi. Le champ désigne l’âme de l’homme laïque que labourent le prêtre et le directeur spirituel. Ce degré est déjà plus digne. Mais au lit…

— Assez ! nous savons, s’écria Settembrini. Messieurs, le voici qui va vous démontrer l’usage et l’utilité de l’alcôve !

— Je ne vous savais pas prude, Lodovico. Lorsqu’on vous voit faire de l’œil aux jeunes filles… Que devient donc l’innocence païenne ? Le lit est le lieu où l’amant se joint à l’aimée, et il est pris comme le symbole de l’éloignement contemplatif du monde et de la créature à l’effet de la communion avec Dieu.

— Pouh, *andate, andate* ! » se défendit l’Italien, presque en pleurant.

On rit. Mais ensuite Settembrini poursuivit avec dignité :

« Ah ! non, je suis un Européen d’Occident. Votre hiérarchie est du pur Orient. L’Orient a horreur de l’action. Lao Tseu enseigne que la fainéantise est plus profitable que toute chose entre le ciel et la terre. Si tous les hommes avaient cessé d’agir, le repos et le bonheur parfait régneraient sur terre. La voilà votre communion !

— Qu’est-ce que vous nous dites là ? Et la mystique occidentale ? Et le quiétisme qui compte Fénelon parmi ses adeptes, et qui enseignait que toute action est une faute, parce que vouloir être actif c’est offenser Dieu qui entend seul agir ? Je cite les propositions de Molinos. Il semble pourtant que la possibilité spirituelle de trouver le salut dans le repos soit universellement répandue dans l’humanité. »

Hans Castorp intervint ici. Avec le courage de l’ingénuité, il se mêla à la conversation et observa en regardant en l’air.

« Éloignement, contemplation ! Ce sont des mots qui signifient quelque chose, qu'on entend volontiers. Nous vivons ici dans un éloignement assez considérable, il faut le dire. Nous sommes étendus à cinq mille pieds d'altitude sur nos chaises longues particulièrement confortables, et nous regardons le monde et la créature, et nous nous faisons toutes sortes d'idées. Si j'y réfléchis et si je m'efforce de dire la vérité, le lit, je veux dire la chaise longue, m'a en dix mois plus avancé et m'a donné plus d'idées que le moulin en pays plat, pendant toutes ces années passées ; c'est indéniable. »

Settembrini le regarda de ses yeux noirs au scintillement attristé.

« Ingénieur, dit-il oppressé, ingénieur ! »

Et il prit Hans Castorp par le bras et le retint un peu, en quelque sorte pour le convaincre derrière le dos de l'autre, dans le privé.

« Combien de fois vous ai-je dit que chacun devrait savoir ce qu'il est et penser comme il lui sied. L'affaire de l'Occidental c'est, en dépit de toutes les propositions du monde, la Raison, l'analyse, l'action et le Progrès, non pas le lit, où se vautre le moine. »

Naphta avait écouté. Il parla en se retournant vers eux :

« Le moine ? Ce sont les moines qui ont cultivé le sol européen ! C'est grâce à eux que l'Allemagne, la France et l'Italie ne sont plus des forêts vierges et des marécages, mais sont couvertes de blé, portent des fruits et produisent du vin. Les moines, monsieur, ont très bien travaillé.

— *Ebbé*, alors…

— Je vous en prie. Le travail du religieux n'était ni un but en soi, c'est-à-dire un narcotique, ni n'a tendu à faire progresser l'univers, ou recherché des avantages commerciaux. C'était un exercice purement ascétique, une partie de la discipline de pénitence, un remède. Il défendait contre la chair, il tuait la sensualité. Il portait par conséquent — permettez-moi de le retenir — un caractère absolument antisocial. C'était l'égoïsme religieux le plus pur de tout mélange.

— Je vous suis très reconnaissant de vos éclaircissements et je suis heureux de voir le bienfait du travail faire ses preuves même contre la volonté de l'homme.

— Oui, contre son intention. Nous ne relevons ici rien de moins que la différence entre l'utile et l'humain.

— Je remarque avant tout avec regret que vous divisez déjà de nouveau le monde en deux principes.

— Je regrette de m'être exposé à votre mécontentement, mais il faut distinguer et ordonner les choses et dégager l'idée d'*Homo Dei* de tous éléments impurs. Vous autres Italiens, vous avez inventé le métier du changeur et les banques ; que Dieu vous le pardonne ! Mais les Anglais ont inventé la doctrine économique de la Société, et cela, le génie de l'homme ne le leur pardonnera jamais.

— Oh ! le génie de l'humanité a également inspiré les grands penseurs économistes de ces îles. Vous vouliez dire quelque chose, ingénieur ? »

Hans Castorp assura que non, mais dit néanmoins — cependant que Naphta comme Settembrini l'écoutaient avec une certaine impatience :

« Vous devez par conséquent vous complaire au métier de mon cousin, monsieur Naphta, et comprendre sa hâte de l'exercer… Je suis, quant à moi, un civil incurable, mon cousin me le reproche assez souvent. Je n'ai même pas fait mon service militaire et je suis vraiment un enfant de la paix ; je suis quelquefois allé jusqu'à songer que j'aurais parfaitement pu devenir ecclésiastique — demandez-le plutôt à mon cousin, je me suis plusieurs fois exprimé dans ce sens. Mais, en tant que je laisse de côté mes préférences personnelles — et peut-être, n'ai-je même pas précisément besoin de m'en écarter si complètement —, j'ai beaucoup de compréhension et de sympathie pour l'état militaire. C'est, il est vrai, un métier diablement sérieux, un métier “ascétique”, si vous voulez — vous vous êtes à l'instant servi de cette expression — et l'on peut toujours s'attendre dans l'exercice de ce métier à avoir affaire à la mort — dont en somme on s'occupe également beaucoup dans l'état de prêtre (de quoi d'autre s'y occuperait-on ?). C'est de là que l'état militaire tient la *bienséance* et la hiérarchie et l'obéissance et l'honneur espagnol si je puis ainsi m'exprimer, et il est assez indifférent que l'on porte un col raide d'uniforme ou une collerette amidonnée ; ce qui importe c'est l'ascétisme, comme vous vous êtes tout à l'heure si justement exprimé... Je ne sais pas si je réussis à vous faire comprendre les pensées que...

— Si, si, dit Naphta, et il jeta un coup d'œil à Settembrini qui tournait sa canne et contemplait le ciel.

— Et c'est pourquoi je pense, poursuivit Hans Castorp, que les penchants de mon cousin Ziemssen doivent vous être sympathiques, d'après tout ce que vous dites. Je ne pense pas du tout ici au "trône et à l'autel" et à de telles combinaisons par quoi beaucoup de gens, tout bonnement attachés à l'ordre et simplement bien pensants, justifient quelquefois la solidarité. Je veux dire ceci que le travail de l'état militaire, c'est-à-dire le service — dans ce cas on parle de service —, se fait sans aucun but de lucre et n'a aucun rapport avec la doctrine économique de la société, comme vous disiez. C'est pourquoi les Anglais n'ont que peu de soldats, quelques-uns pour les Indes et quelques-uns chez eux pour les parades militaires...

— Il est inutile que vous poursuiviez, ingénieur, l'interrompit Settembrini. L'existence militaire — je puis dire cela sans vouloir offenser le lieutenant — est moralement indéfendable, car elle est purement formelle, sans contenu propre. Le type du soldat par excellence est le mercenaire qui se laisse enrôler en faveur de telle ou telle cause. Bref, il y a eu les soldats de la contre-réforme espagnole, le soldat de l'armée révolutionnaire, le soldat napoléonien, le garibaldien, il y a eu le soldat prussien. Laissez-moi parler du soldat lorsque je sais pour quoi il se bat.

— Il n'en est pas moins vrai que le fait de se battre reste une caractéristique évidente de son état, tenons-nous-en là, répliqua Naphta. Il est possible qu'elle ne suffise pas selon vous à rendre cet état "intellectuellement défendable", mais elle le place dans une sphère qui échappe entièrement à l'acceptation bourgeoise de la vie.

— Ce qu'il vous plaît d'appeler « acceptation bourgeoise de la vie », répondit M, Settembrini, du bout de ses lèvres, tandis que les commissures de sa bouche se tendaient sous la moustache troussée et que son cou se dévissait bizarrement, obliquement et par petites secousses, de son col, sera toujours prêt à défendre, sous quelque forme que ce soit, les idées de Raison, de Morale et leur influence légitime sur de jeunes âmes chancelantes. »

Un silence suivit. Les jeunes gens regardèrent devant eux avec embarras. Après quelques pas, Settembrini, qui avait replacé sa tête et son cou dans leur position normale, dit :

« Il ne faut pas vous étonner, ce monsieur et moi, nous nous querellons souvent, mais en toute amitié et sur la base de maintes conceptions communes. »

Ce fut un soulagement ! C'était chevaleresque et humain de la part de M. Settembrini. Mais Joachim, qui avait également de bonnes intentions et qui voulait poursuivre la conversation d'une manière inoffensive, dit quand même, comme si quelque chose l'y poussait, et en quelque sorte contre son vouloir :

« Nous parlions par hasard de la guerre, mon cousin et moi, tout à l'heure, en marchant derrière vous.

— Je l'ai entendu, répondit Naphta. J'avais entendu ce mot et je m'étais retourné. Faisiez-vous de la politique ? Discutiez-vous la situation générale ?

— Oh ! non, rit Hans Castorp. Comment en arriverions-nous là ? À mon cousin que voici, sa profession interdit véritablement de s'occuper de politique, et quant à moi, j'y renonce volontairement, je n'y entends absolument rien. Depuis que je suis ici, je n'ai même pas ouvert un journal... »

Settembrini, comme il l'avait déjà fait autrefois, jugea cette indifférence blâmable. Il se montra parfaitement averti des événements importants et les jugea favorablement, parce que les choses prenaient selon lui un tour profitable à la civilisation. L'atmosphère générale de l'Europe était pénétrée de pensées de paix, de pensées de désarmement. L'idée démocratique était en marche. Il assura qu'il possédait des renseignements confidentiels d'après lesquels les Jeunes Turcs achevaient précisément leurs derniers préparatifs en vue d'un coup d'État. La

Turquie, État national et constitutionnel, quel triomphe de l'humanité !

« Libéralisation de l'Islam, railla Naphta. Parfait ! Le fanatisme éclairé, très bien ! D'ailleurs, ceci vous regarde, et il se tourna vers Joachim. Si Abdul Hamid tombe, c'en est fini de votre influence en Turquie, et l'Angleterre se pose en protecteur... Je vous conseille de prendre tout à fait au sérieux les relations et les informations de notre Settembrini, dit-il aux deux cousins et c'était assez impertinent de sa part, car il paraissait les croire capables de ne pas prendre au sérieux M. Settembrini. Il est bien renseigné sur les questions nationales et révolutionnaires. Dans son pays, on entretient d'excellentes relations avec le comité anglais des Balkans. Mais que deviendront les conventions de Reval, Lodovico, si vos Turcs progressistes réussissent ? Edouard VII ne voudra plus laisser aux Russes l'accès des Dardanelles, et si l'Autriche se résout quand même à une politique active dans les Balkans...

— Elles sont bonnes, vos prophéties de catastrophes, protesta Settembrini. Nicolas aime la paix. On lui doit les conférences de La Haye qui restent des faits moraux de premier ordre.

— Mon Dieu, après son petit échec en Orient, la Russie devait bien s'accorder quelque répit.

— Fi, monsieur ! Vous ne devriez pas vous moquer du désir de perfectionnement social de l'Humanité. Le peuple qui contrarie de tels efforts s'exposera indubitablement au bannissement moral.

— Pourquoi la politique serait-elle faite, sinon pour donner aux uns et aux autres l'occasion de se compromettre moralement ?

— Vous êtes un adepte du pangermanisme ? »

Naphta haussa ses épaules qui n'étaient pas tout à fait de la même hauteur. En sus de sa laideur, sans doute était-il aussi un peu asymétrique.

Il dédaigna de répondre. Settembrini conclut :

« De toute façon, c'est cynique, ce que vous dites là. Dans les généreux efforts que fait la démocratie pour s'imposer sur un plan international, vous ne voulez voir que de la ruse politique…

— Vous voudriez sans doute que j'y visse de l'idéalisme, ou même de la religiosité ? Il s'agit des derniers et faibles restes de l'instinct de conservation dans un système du monde condamné. La catastrophe doit venir, elle vient par tous les chemins et de toutes les manières. Prenez la politique britannique ! Le besoin qu'a l'Angleterre de s'assurer le glacis indien est légitime. Mais les conséquences ? Edouard sait aussi bien que vous et moi que les gouvernants de Pétersbourg doivent prendre une revanche de leur défaite de Mandchourie et qu'ils ont le besoin pressant de détourner la révolution. Et pourtant il oriente vers l'Europe — il le lui faut bien — les tendances de la Russie à l'expansion, éveille des rivalités endormies entre Pétersbourg et Vienne.

— Ah ! Vienne ! vous vous souciez de cet obstacle opposé à la marche du monde, apparemment, parce que vous voyez dans l'empire vermoulu dont elle est la capitale, la momie du Saint Empire germanique !

— Et moi je vous trouve russophile, apparemment par sympathie humaniste pour le césaro-papisme.

— Monsieur, la démocratie a encore plus à attendre du Kremlin que de la Hofburg, et c'est une honte pour le pays de Luther et de Gutenberg…

— De plus, c'est sans doute une sottise. Mais cette sottise elle-même est un instrument de la fatalité…

— Oh ! allez donc, avec votre fatalité. La raison humaine n'a besoin que de vouloir être plus forte que la fatalité, et elle l'est.

— On ne veut jamais que son destin. L'Europe capitaliste veut le sien.

— On croit à la venue de la guerre lorsqu'on ne l'abomine pas assez.

— Votre répugnance est logiquement incomplète aussi longtemps que vous ne la faites pas partir de l'État lui-même.

— L'État national est le principe de ce monde-ci, que vous voudriez identifier avec le diable. Mais faites les nations libres et égales, protégez les petites et les plus faibles de l'oppression, faites la justice, faites des frontières nationales…

— La frontière du Brenner, je sais. La liquidation de l'Autriche. Si seulement je savais comment vous comptez la réaliser sans guerre…

— Et je ne sais vraiment pas quand j'aurais jamais condamné les guerres nationales…

— Ai-je bien entendu ?

— Non, il faut que je confirme les dires de M. Settembrini sur ce point », intervint Hans Castorp dans la discussion qu'il avait suivie tout en marchant, en considérant attentivement, la tête penchée tour à tour vers l'un ou vers l'autre, les interlocuteurs. « Mon cousin et moi, nous avons déjà eu quelquefois l'avantage de nous entretenir de ces choses et d'autres analogues avec M. Settembrini, c'est-à-dire, bien entendu, que nous l'écoutions développer et préciser ses opinions. Et je puis donc vous confirmer (et mon cousin s'en souviendra), que M. Settembrini nous a plus d'une fois parlé avec un grand enthousiasme du principe du mouvement et de la rébellion et de l'amendement du monde, qui en somme n'est pas un principe si absolument pacifique, me semble-t-il, et il nous a dit que ce principe devra faire encore de grands efforts avant d'être partout vainqueur, et avant que se réalise la bienheureuse République universelle. Telles ont été ses paroles, encore qu'elles fussent naturellement beaucoup plus plastiques et plus littéraires que les miennes ; cela va de soi. Mais ce que je sais et ce que j'ai retenu littéralement, parce que, en ma qualité de civil obstiné, cela m'avait véritablement effrayé, c'est qu'il a dit une fois que ce jour ne viendrait pas sur des pattes de colombe, mais sur des ailes d'aigle (ce sont les ailes d'aigle qui m'ont effrayé, si je me souviens bien), et que Vienne devrait être battue, si l'on voulait ouvrir la voie au bonheur. On ne peut donc pas dire que M. Settembrini ait condamné la guerre en général. Ai-je raison, monsieur Settembrini ?

— À peu près, dit l'Italien, brièvement, en balançant sa canne, la tête détournée.

— Grave, sourit vilainement Naphta. Vous voici convaincu de tendances guerrières par votre propre disciple. *Assument pennas ut aquilae.*

— Voltaire lui-même a approuvé la guerre civilisatrice et l'a recommandée à Frédéric II contre les Turcs.

— Au lieu de cela, il s'est allié avec eux, hé, hé ! Et puis la République universelle ! Je néglige de demander ce que deviendra le principe du mouvement et de la rébellion, si le bonheur et l'union sont réalisés. À cet instant la rébellion redeviendrait un crime…

— Vous savez parfaitement, et ces messieurs le savent, qu'il s'agit du progrès de l'Humanité supposé infini…

— Mais tout mouvement est circulaire, dit Hans Castorp. Dans l'espace et dans le temps ; c'est ce qu'enseignent les lois de la conservation de la masse et celles de la périodicité. Mon cousin et moi, nous en parlions à l'instant. Peut-il donc être question de progrès, lorsqu'on est en présence d'un mouvement fermé sans direction continue ? Lorsque je suis étendu le soir et que je regarde le Zodiaque, c'est-à-dire la moitié qui en est visible, et que je pense aux vieux peuples sages…

— Vous feriez mieux de ne pas vous creuser la tête ni de rêver, ingénieur, mais de vous fier résolument aux instincts de votre âge et de votre race qui doivent vous pousser à l'action. Votre formation scientifique, elle aussi, doit vous incliner vers l'idée de progrès. Vous voyez en des périodes indéterminées la vie se développer de l'infusoire jusqu'à l'homme, vous ne pouvez pas douter que des possibilités de perfectionnement encore infinies soient ouvertes à l'homme. Mais si vous vous en tenez aux mathématiques, vous conduisez votre mouvement circulaire de perfection en perfection, et vous vous réconfortez à la doctrine de notre dix-huitième siècle, d'après laquelle l'homme a été bon, heureux et parfait, et n'a été déformé et abîmé que par les erreurs sociales, et afin qu'il devienne de nouveau bon, heureux et parfait, grâce à un travail de révision critique sur la structure de la société, nous ne manquerons pas de…

— M. Settembrini omet d'ajouter, intervint Naphta, que l'idylle rousseauiste est une adaptation maladroite et rationaliste de la doctrine chrétienne de l'état initial de l'homme, ne connaissant ni péché ni société, de son origine divine et de son union avec Dieu, laquelle doit de nouveau se réaliser. Mais la reconstitution du royaume de Dieu après la dissolution de toutes les formes terrestres est située en un point où la terre et le ciel, ou ce qui est accessible et ce qui échappe aux sens, se touchent ; le salut est transcendant, et quant à votre république universelle capitaliste, mon cher docteur, il est bien étrange de vous entendre parler à son propos d'"instinct". L'être instinctif est absolument du côté de ce qui est national, et Dieu lui-même a implanté aux hommes l'instinct naturel qui les a incités à se séparer les uns des autres en États différents. La guerre…

— La guerre, s'écria Settembrini, même la guerre, messieurs, a été déjà forcée à servir le progrès, comme vous devez me le concéder si vous vous rappelez certains événements de votre époque préférée, je veux dire : les croisades. Ces guerres civilisatrices ont favorisé le plus heureusement du monde les rapports économiques et commerciaux des peuples et ont réuni l'humanité occidentale sous le signe d'une idée.

— Vous êtes très tolérant envers l'idée. Je veux donc rectifier vos dires, d'autant plus courtoisement, en vous apprenant que les croisades, en dehors de l'impulsion qu'elles ont donnée au commerce, ont exercé une influence dans un sens rien moins qu'international, mais au contraire ont enseigné aux peuples à se distinguer les uns des autres, et ont favorisé le développement de l'idée d'État national.

— Très exact, pour autant que vous envisagiez les rapports des peuples avec le clergé. Oui, à ce moment le sentiment de l'honneur de l'État national a commencé de se fortifier, à l'encontre de la présomption hiérarchique…

— Et pourtant ce que vous appelez présomption hiérarchique n'est pas autre chose que l'idée d'union des hommes sous le signe de l'esprit.

— Nous connaissons cet esprit et nous n'en avons que faire.

— Il est évident qu'avec votre manie nationale vous avez horreur du cosmopolitisme invincible de l'Église. Si seulement je savais comment vous voulez concilier avec cela votre répugnance à l'endroit de la guerre ! Votre culte de l'État à l'antique doit faire de vous un partisan d'une conception juridique positive, et comme tel…

— Invoquez-vous le droit ? Dans le droit des peuples, monsieur, l'idée de droit naturel et de raison humaine universelle reste peut-être la plus vivante…

— Bah, votre droit des peuples n'est une fois de plus qu'une forme corrompue du *Jus divinum*, qui n'a ni affaire avec la nature ni ne repose sur la révélation…

— Ne discutons pas sur les mots, professeur ! Appelez tranquillement *Jus divinum* ce que je révère comme droit naturel et droit des peuples. L'essentiel est qu'au-dessus des droits positifs des États nationaux s'élève un droit supérieur, généralement valable, qui permet de trancher par des arbitrages des questions d'intérêt contestées.

— Par des tribunaux d'arbitrage ! La belle phrase ! Par un tribunal bourgeois d'arbitrage qui tranche les problèmes de la vie, qui établit la volonté de Dieu et qui détermine l'histoire ! Bon, voilà pour les messages des colombes ! Et que deviennent les ailes de l'aigle ?

— La vertu civique…

— Mon Dieu, la vertu civique ne sait pas ce qu'elle veut ! Les voilà qui combattent la diminution de la natalité, qui exigent que le taux de l'instruction et de la préparation professionnelle des enfants soit réduit. Et cependant, on étouffe dans la foule, et toutes les professions sont tellement débordées que la lutte pour la gamelle est plus terrifiante que toutes les guerres des temps passés. Des stades et des cités-jardins ! Amélioration de la race ! Mais à quoi bon la rendre plus vaillante, si le progrès et la civilisation veulent qu'il n'y ait plus de guerres ? La guerre serait le moyen contre tout cela et pour tout cela. Pour l'amélioration de la race et même contre la crise de la natalité.

— Vous plaisantez. Ce n'est plus sérieux. Notre conversation tourne court et elle le fait au bon moment. Nous sommes arrivés », dit Settembrini et de sa canne il désigna aux cousins la maisonnette, devant la porte de clôture de laquelle ils s'arrêtaient. Elle était située près de l'entrée de Dorf, sur la route, dont ne la séparait qu'un étroit jardinet, et elle était modeste. La vigne vierge aux racines dénudées entourait la porte de la maison et étendait une de ses branches tordues et appuyées au mur, vers la fenêtre du rez-de-chaussée à droite, qui était la vitrine d'une petite épicerie. Le rez-de-chaussée appartenait à l'épicier, déclara Settembrini. Le logement de Naphta se trouvait au premier étage chez le tailleur, et lui-même demeurait sous le toit. C'était un studio paisible.

Témoignant tout à coup d'une amabilité surprenante, Naphta exprima l'espoir que de nouvelles rencontres suivraient celles-ci.

« Venez nous voir, dit-il. Je dirais : Venez me voir si le docteur Settembrini ici présent n'avait des droits plus anciens à votre amitié. Venez dès que vous voudrez, dès que vous aurez envie d'un petit colloque. J'apprécie les échanges d'idées avec la jeunesse. Peut-être ne manqué-je pas, moi non plus, de toute tradition pédagogique… Si notre maître *ex cathedra* (il désigna Settembrini) prétend réserver à l'humanisme bourgeois les dons et la vocation pédagogiques, il faut les contredire. À bientôt donc ! »

Settembrini fit des objections. Il en découvrait de nombreuses. Les jours du lieutenant ici étaient comptés, et l'ingénieur redoublerait de zèle dans l'observation de son régime, pour le rejoindre au plus tôt dans la plaine.

Les jeunes gens donnèrent raison à tous les deux, d'abord à l'un, puis à l'autre. Ils avaient accueilli l'invitation de Naphta par des révérences et, l'instant d'après, ils corroborèrent les réserves de Settembrini par des mouvements de la tête et des épaules. Ainsi, toutes les possibilités demeuraient ouvertes.

« Comment l'a-t-il appelé ? demanda Joachim, lorsqu'ils remontèrent le chemin en lacet qui les conduisait au Berghof.

— J'ai compris : "maître *ex cathedra*", dit Hans Castorp, et je suis justement en train d'y réfléchir. Sans doute est-ce une blague quelconque ; ils se donnent de curieux surnoms. Settembrini a appelé Naphta *princeps scholasticorum*, ce n'est pas mal non plus. Les scolastiques, c'étaient en somme les docteurs du Moyen Âge, des philosophes dogmatiques, si tu veux. Hum ! Du reste, on a parlé plusieurs fois du Moyen Âge, ce qui m'a fait souvenir que Settembrini a dit dès le premier jour que bien des choses lui paraissaient relever du Moyen Âge ici, chez nous. C'est à propos d'Adriatica von Mylendonk qu'il a dit cela, à cause de son nom. Et comment l'as-tu trouvé ?

— Le petit ? Pas bien. Il a dit des choses qui m'ont plu. Les tribunaux d'arbitrage sont naturellement une invention de froussards. Mais lui-même ne me plaît guère, et à quoi sert qu'il dise de bonnes choses, s'il est lui-même un type équivoque ? Et il est équivoque, c'est ce que tu ne peux pas nier. Déjà cette histoire du "lieu de communion" était vraiment équivoque. Et par-dessus le marché il a un nez de Juif, regarde-le bien ! D'ailleurs il n'y a guère que les Sémites pour être aussi malingres. As-tu sérieusement l'intention de rendre visite à cet homme ?

— Naturellement, nous irons le voir, déclara Hans Castorp. Pour ce qui est de son physique, c'est le soldat qui parle en toi. Mais les Chaldéens avaient le même genre de nez, et ils étaient diablement malins, pas seulement en fait de sciences occultes. Naphta, lui aussi, a quelque chose d'un occultiste, il ne m'intéresse pas médiocrement. Je ne veux d'ailleurs pas prétendre que je l'aie pénétré dès aujourd'hui. Mais si nous le rencontrons assez souvent, nous finirons peut-être par le comprendre, et il n'est pas impossible que notre intelligence en général y gagne.

— Ah ! mon ami, tu deviens de plus en plus intelligent, ici, avec ta biologie, avec ta botanique et avec tes points solsticiaux insaisissables. Et dès le premier jour, tu t'es intéressé au Temps. Et pourtant nous sommes ici pour devenir mieux portants et tout à fait bien portants, pour qu'ils puissent enfin nous remettre en liberté et nous renvoyer guéris en pays plat.

— "Sur les montagnes demeure la liberté !" chanta Hans Castorp frivolement. Dis-moi donc ce que c'est que la liberté, continua-t-il en parlant. Naphta et Settembrini, eux aussi, en ont discuté tout à l'heure, et ils n'ont pas réussi à s'entendre. "La liberté est la loi de l'amour des hommes", dit Settembrini, et cela fait penser à son aïeul, le *carbonaro.* Mais si courageux qu'ait été le *carbonaro*, et si courageux que soit notre Settembrini…

— Oui, il est devenu inquiétant lorsqu'on en est arrivé à parler du courage personnel.

— … Je n'en crois pas moins qu'il redoute bien des choses dont le petit Naphta n'a pas peur, comprends-tu, et que sa liberté et son courage sont sujets à caution. Crois-tu qu'il aurait le courage de *se perdre ou même de se laisser dépérir* ?

— Pourquoi commences-tu à parler français ?

— Comme cela… L'atmosphère ici est tellement internationale. Je ne sais pas qui devrait le mieux s'y complaire : Settembrini à cause de sa république bourgeoise, universelle, ou Naphta avec son cosmopolitisme hiérarchique. J'ai fait très attention, comme tu vois, mais je n'ai pas tout compris, j'ai trouvé au contraire que la confusion était grande qui résultait de leurs discours.

— C'est toujours ainsi, tu trouveras toujours que parler et avoir des opinions, cela ne donne lieu qu'à de la confusion. Ne l'ai-je pas dit ? Ce qui importe, ce n'est pas du tout quelles opinions l'on a, mais de savoir si on est un brave homme. Le mieux est de n'avoir pas d'opinion du tout et de faire son service.

— Oui, tu peux dire cela, toi, en lansquenet que tu es, menant une existence purement formaliste. Chez moi, c'est autre chose, je suis civil, je suis en quelque sorte responsable. Et cela m'excite de voir une telle confusion, que l'un prêche la république internationale et abomine en principe la guerre mais soit tellement patriote qu'il réclame à tout prix la frontière du Brenner — tandis que l'autre tient l'État pour l'œuvre de Satan et vante sur tous les tons le rapprochement universel, mais un instant plus tard défend le droit de l'instinct naturel, et se moque des conférences de la paix. Tu dis que nous sommes ici non pas pour devenir plus intelligents, mais pour guérir. On doit pouvoir concilier les deux, mon bon, et, si tu ne le crois pas, tu tombes dans le dualisme, et cela c'est toujours une grande faute, je tiens à te le faire remarquer. »

Du royaume de Dieu et de la délivrance perverse

Hans Castorp déterminait dans sa loge une plante qui, à présent que l'été astronomique avait commencé, et que les jours se faisaient plus courts, végétait en de nombreux endroits : l'achillée ou *aquilegia*, une variété de renonculacées qui poussait en arbrisseau, à longue tige, avec des fleurs bleues, violettes et rouge brun et des feuilles herbiformes assez grandes. La plante poussait çà et là, en quantité, mais surtout dans ce coin paisible où, voici bientôt un an, il l'avait vue pour la première fois ; cette lointaine gorge boisée pleine de la rumeur de son torrent, avec un sentier et un banc où avait pris fin sa promenade d'autrefois, promenade prématurée et peu profitable et où il retournait de temps à autre.

Ce n'était pas du tout si loin lorsqu'on faisait cette promenade d'une manière moins aventureuse qu'il ne l'avait faite en ce temps-là. Lorsqu'on gravissait une partie de la pente au-dessus de la piste des luges de Dorf on atteignait la partie pittoresque du sentier qui, serpentant à travers la forêt, franchissait sur des ponts de bois la piste de bobsleigh venant de Schatzalp, à condition de marcher sans détours, sans chant ni pauses causées par l'épuisement, en une vingtaine de minutes ; et lorsque Joachim était retenu à la maison par les devoirs du service, par une consultation, la radiographie, la prise de sang, l'injection ou l'obligation de se faire peser, Hans Castorp partait, quand il faisait beau, après le second déjeuner, parfois dès après le premier, et quelquefois même il mettait à profit les heures entre le thé et le dîner pour visiter son endroit favori, le même où il avait été pris jadis d'un terrible saignement de nez, pour s'asseoir sur le banc, écouter, la tête penchée, le bruit du torrent, et considérer le paysage, ainsi que cette multitude d'achillées bleues qui fleurissaient de nouveau au fond du vallon.

Ne venait-il que pour cela ? Non, il se tenait là, pour être seul, pour se souvenir, pour récapituler les impressions et les aventures de tant de mois, pour réfléchir à tout cela. Elles étaient nombreuses et diverses, et difficiles à ordonner, ces impressions, car elles lui apparaissaient enchevêtrées et se confondant de beaucoup de façons, de sorte que le plus tangible pouvait être à peine séparé de ce que l'on n'avait que pensé, rêvé ou imaginé. Mais toutes étaient de nature aventureuse, à tel point que son cœur, aisément ému, comme il l'avait été ici dès le premier jour, s'arrêtait et martelait, lorsqu'elles s'emparaient de lui. Ou bien la constatation raisonnée que l'achillée de ce vallon, où, à un moment de vitalité affaiblie, Pribislav lui était jadis apparu en chair et en os, ne fleurissait pas « toujours encore », mais « déjà de nouveau », et que ses « trois semaines » deviendraient sous peu une année entière, suffisait-elle à alarmer d'une manière si étrange son cœur impulsif ?

D'ailleurs, il ne saignait plus du nez sur le banc du torrent, c'était passé, cela. Son acclimatation dont Joachim lui avait dès le début annoncé la difficulté, et qui était en effet apparue difficile, avait fait des progrès. Après onze mois on pouvait la considérer comme terminée et il y avait à peine lieu d'attendre encore du nouveau dans cet ordre d'idées. Les réactions chimiques de son estomac s'étaient régularisées et adaptées, le Maria Mancini avait recouvré toute sa saveur, les nerfs de ses muqueuses sèches depuis longtemps percevaient de nouveau aisément le bouquet de ce produit avantageux qu'il commandait toujours à Brême lorsque ses provisions touchaient à leur fin, bien que des cigares tentateurs s'offrissent aux vitrines de la station internationale. Maria n'assurait-il pas une sorte de liaison, entre lui qui avait été transporté au loin, et le pays plat, la lointaine patrie ? Ces rapports ne se maintenaient-ils et ne se conservaient-ils pas de cette manière plus efficacement que par des cartes postales par exemple qu'il envoyait de temps à autre là-bas, à ses oncles et qui s'étaient espacées d'autant plus que, adoptant les conceptions locales, il s'était mieux approprié la manière prodigue d'en user avec le temps ? C'étaient le plus souvent des cartes postales, parce que plus plaisantes, avec de jolies vues de la vallée sous la neige ou sous ses aspects estivaux, et elles n'offrent que tout juste la place nécessaire pour faire part des derniers diagnostics des médecins, du résultat d'une consultation mensuelle ou générale, dans les termes dans lesquels on formule ces diagnostics à l'usage des parents, c'est-à-dire pour annoncer, par exemple, qu'on avait constaté au moyen des observations tant acoustiques qu'optiques un mieux incontestable, mais que le malade n'était pas encore désintoxiqué et que la légère hausse de température qu'il avait toujours provenait des quelques petits points qui subsistaient encore, mais qui disparaîtraient certainement tout à fait pour peu qu'il patientât afin de n'être pas obligé de revenir plus tard. Il pouvait avoir la certitude que l'on n'attendait pas de lui des travaux épistolaires plus étendus ; ce n'était pas à un milieu humaniste et éloquent qu'il s'adressait ; les réponses qu'il recevait n'étaient guère plus développées. Elles accompagnaient le plus souvent les subsides en espèces qu'on lui faisait parvenir de chez lui, les revenus de son patrimoine qui, dans la monnaie de ce pays, devenaient si considérables qu'il n'avait jamais épuisé ses ressources lorsqu'un nouvel envoi le touchait, et ces réponses consistaient en quelques lignes dactylographiées, signées James Tienappel, avec des souvenirs et des vœux de guérison du grand-oncle, et parfois aussi de Peter le navigateur.

Le conseiller avait cessé depuis quelque temps de lui faire des injections, manda Hans Castorp aux siens. Elles ne profitaient pas à ce jeune malade, elles lui donnaient des maux de tête, lui faisaient perdre l'appétit et du poids, le fatiguaient, avaient commencé par faire monter sa température, et par la suite ne l'avaient pas fait baisser. La fièvre brûlait, sensation subjective de chaleur sèche, sous son teint rosé, rappelant que l'acclimatation, pour ce rejeton de la plaine et de sa météorologie humide, ne consistait quand même qu'en ce qu'il s'habituait à ne pas s'habituer, ce qui était d'ailleurs le cas de Rhadamante lui-même qui avait toujours les joues bleues. « Il y en a beaucoup qui ne s'habituent jamais », avait dit Joachim dès le début, et cela semblait le cas de Hans Castorp. Car le tremblement de la nuque, qui avait commencé à l'importuner peu après son arrivée, n'avait pas non plus cessé, mais se produisait, qu'il marchât ou causât ; même ici, sur les hauteurs, en ce refuge, fleuri de bleu, de son aventureuse songerie, ce tic se produisait si fatalement qu'il s'était presque habitué à appuyer son menton à la manière digne de Hans Lorenz Castorp, non sans être amené à penser incidemment au faux col du vieillard, succédané de la collerette d'apparat, à la courbure or pâle de la cuvette baptismale et à d'autres affinités encore qui le ramenaient de nouveau aux réflexions sur son propre complexe de vie.

Pribislav Hippe ne se montrait plus en chair et en os comme voici onze mois. L'acclimatation de Hans Castorp était achevée, il n'avait plus de visions, son corps immobile n'était plus étendu sur le banc, tandis que son Moi s'attardait en des régions lointaines ; il n'y avait plus de tels incidents. La netteté vivante de ce souvenir, lorsqu'il l'évoquait, se tenait en des limites normales et saines ; et à cette occasion Hans Castorp tirait volontiers de la poche de sa veste le souvenir en verre qu'il conservait dans une enveloppe double, serrée, à son tour, dans son portefeuille : une petite plaque qui, lorsqu'il la tenait horizontalement, miroitait, noire et sans transparence, mais qui, élevée vers la lumière du ciel, s'éclaircissait et trahissait des choses humanistes : l'image transparente du corps humain, la structure des côtes, la forme du cœur, l'arc du diaphragme et les poches du poumon ; de plus, les os du bras et de la clavicule, tout cela entouré de l'enveloppe pâle et embuée de cette chair de laquelle Hans Castorp avait déraisonnablement goûté la semaine du carnaval. Quoi d'étonnant que son cœur impulsif s'arrêtât et précipitât son rythme lorsqu'il considérait ce souvenir, et il continuait ensuite à « tout » récapituler et revivre, appuyé au dossier rudimentaire du banc, les bras croisés, la tête inclinée vers l'épaule, parmi le murmure du torrent, et en face de l'achillée en fleur.

La forme supérieure de la vie organique, celle de l'homme, lui apparaissait comme par certaine nuit de gel et de lumière astrale, lors de ses savantes études, et bien des questions et des distinctions se rattachaient pour le jeune Hans Castorp à cette vue intérieure, questions dont le bon Joachim était dispensé de s'occuper, mais dont il avait commencé à se sentir responsable comme civil, bien qu'elles ne se fussent jamais posées à lui-même là-bas, en pays plat, et qu'il ne les y eût jamais découvertes. Mais ici, où l'on considérait du haut de ce point perdu, à cinq mille pieds d'altitude, le monde et la créature, il y réfléchissait, sans doute aussi parce que son corps était surexcité par des toxines solubles dont la chaleur sèche lui brûlait au visage. Il pensait à ce propos à Settembrini, au « joueur d'orgue de Barbarie » et pédagogue, dont le père avait vu le jour en Grèce, qui voyait la mission suprême de l'homme dans la politique, la rébellion et l'éloquence et consacrait la pique du citoyen sur l'autel de l'Humanité. Il pensait au camarade Krokovski et aux pratiques auxquelles il s'adonnait depuis quelque temps avec le psychanalyste dans la chambre noire. Il réfléchissait à la nature double de l'analyse, se disait combien elle est favorable à l'action et au progrès, combien elle est apparentée à la tombe et à son anatomie suspecte. Il évoquait les images des deux grands-pères, le rebelle et le fidèle, qui étaient vêtus de noir pour des raisons différentes, et il mesurait l'un à l'autre. Il se livrait encore à des considérations sur des complexes aussi vastes que la Forme et la Liberté, l'Esprit et le Corps, l'Honneur et la Honte, le Temps et l'Éternité, et il éprouvait un bref et impétueux vertige, à la pensée que l'achillée fleurissait de nouveau et que l'année se refermait sur elle-même.

Il avait un mot singulier pour ces graves opérations de la pensée en cette retraite pittoresque : il l'appelait « gouverner », se servait de ce mot d'enfant, de cette expression de jeux, pour cette distraction qu'il aimait, bien qu'elle fût liée à de la terreur, à du vertige et à toutes sortes de tumultes de son cœur, et qu'elle augmentât la chaleur de son visage. Mais il ne trouva pas malséant que l'effort qu'exigeait cette activité l'obligeât à appuyer son menton ; car cette attitude correspondait bien à la dignité que lui prêtait intérieurement le fait de « gouverner », en face de la forme humaine qui lui apparaissait.

« *Homo Dei* », c'est ainsi que l'affreux Naphta avait appelé la créature supérieure lorsqu'il prenait sa défense contre la doctrine anglaise de la société. Quoi d'étonnant si Hans Castorp se jugeait tenu, en vertu de sa responsabilité de civil, et dans l'intérêt de son « gouvernement », de faire avec Joachim une visite au petit homme? Settembrini ne s'en montra guère enchanté, Hans Castorp avait assez de finesse et de sensibilité pour s'en rendre nettement compte. La première rencontre déjà avait été désagréable à l'humaniste ; il s'était apparemment efforcé de l'empêcher et avait voulu par prudence pédagogique épargner aux jeunes gens, à lui, Hans Castorp, en particulier — ainsi se disait le rusé enfant terrible — la rencontre avec Naphta, bien que lui-même fréquentât chez ce dernier et discutât avec lui. Ainsi sont faits les éducateurs ! Eux-mêmes s'accordent ce qui est intéressant en estimant qu'ils sont « d'âge » à y tenir tête ; mais ils l'interdisent à la jeunesse et demandent qu'elle ne se sente pas « d'âge » à en faire autant. Heureusement il n'appartenait en aucune façon au joueur d'orgue de Barbarie de défendre quoi que ce soit au jeune Hans Castorp ; il n'avait même pas tenté de le faire. Le disciple n'avait besoin que de cacher son jeu et de feindre la naïveté pour que rien ne l'empêchât de donner aimablement suite à l'invitation du petit Naphta, ce à quoi il n'avait pas manqué ; et Joachim s'était joint à lui, bon gré mal gré, quelques jours après leur première rencontre, un dimanche après-midi après la cure principale.

Il y avait quelques minutes du Berghof jusqu'à la maisonnette décorée de vigne vierge. Ils entrèrent, laissèrent à leur droite la porte d'accès à l'épicerie, gravirent l'étroit escalier qui les conduisit devant la porte de l'étage, à côté du timbre de laquelle ne figurait qu'un écriteau portant le nom de Lukacek, tailleur pour dames. Un jeune garçon leur ouvrit, vêtu d'une sorte de livrée et de molletières, un petit domestique, aux cheveux coupés ras et aux joues rouges. Ils s'informèrent de M. le professeur Naphta, et comme ils n'étaient pas munis de cartes, lui déclinèrent leurs noms qu'il alla annoncer à M. Naphta. (Il ne mentionna pas le titre.) La porte de la chambre située en face de l'entrée était ouverte sur l'atelier de tailleur, où Lukacek, quoique ce fût jour férié, était assis à une table, et cousait, les jambes repliées. Il était pâle et chauve ; sa moustache noire pendait avec une expression amère, sous un nez courbé et trop grand.

« Bonjour, dit Hans Castorp.

— *Grutsi*, répondit le tailleur en dialecte, bien que ce langage suisse ne s'accordât ni avec son nom, ni avec son apparence, et sonnât faux et bizarre.

— Toujours au travail ? poursuivit Hans Castorp en hochant la tête... N'est-ce pas dimanche ?

— Travail urgent, répondit Lukacek, brièvement, et il continuait à coudre.

— C'est sans doute quelque chose de chic, conjectura Hans Castorp ; on en aura besoin d'urgence pour une soirée ou quelque chose d'analogue. »

Le tailleur laissa pendant quelque temps cette question sans réponse, il coupa son fil avec ses dents et en enfila un nouveau. Ensuite, il fit oui de la tête.

« Est-ce que ce sera réussi ? demanda encore Hans Castorp. Y mettez-vous des manches ?

— Oui, des manches, c'est pour une vieille », répondit Lukacek, avec un accent bohémien très marqué. Le retour du petit domestique interrompit cette conversation poursuivie sur le pas de la porte. M. Naphta priait ces messieurs d'entrer, annonça-t-il, et il ouvrit une porte aux jeunes gens, deux ou trois pas vers la droite, tout en soulevant au-dessus d'eux une double draperie. Les visiteurs furent reçus par Naphta qui les attendait, en pantoufles à rubans, debout sur un tapis d'un vert de mousse.

Les deux cousins furent surpris et même éblouis par cette surprise, par le luxe du cabinet de travail éclairé par deux fenêtres qui les avait accueillis. Car l'indigence de la maisonnette, de son escalier, de son corridor lamentable ne faisait pas le moins du monde prévoir cela, et prêtait par contraste à l'élégance de l'intérieur de Naphta un caractère féerique qu'elle n'avait nullement en réalité, et qu'elle n'aurait certainement pas eu aux yeux de Hans Castorp et de Joachim Ziemssen. Quoi qu'il en soit, il était distingué, voire luxueux, et même, en dépit du bureau et des bibliothèques, il ne gardait pas en réalité le caractère d'un cabinet de travail. Il y avait là trop de soie lie-de-vin ou pourpre : les draperies qui cachaient les vilaines portes, et de même le tissu recouvrant le mobilier qui était disposé d'un des côtés étroits, en face de la deuxième porte, devant une tapisserie qui s'étendait sur le mur presque entier. C'étaient des fauteuils aux bras tors et capitonnés, groupés autour d'une table ronde incrustée de métal, derrière laquelle se trouvait un canapé du même style, chargé de coussins en velours de soie. Les bibliothèques occupaient la largeur du mur, à côté des deux portes. Elles étaient, de même que le bureau ou plus exactement que le secrétaire, munies d'un abattant cintré qui avait trouvé place à côté des fenêtres, sculptées en acajou, avec des portes vitrées derrière lesquelles était tendue de la soie verte. Mais dans l'angle, à gauche du groupe de fauteuils, on apercevait une œuvre d'art, une grande sculpture en bois peint posée sur un socle drapé de rouge, quelque chose qui vous effrayait intérieurement, une *pietà*, ingénue et expressive jusqu'au grotesque. La Madone en bonnet, avec des sourcils froncés et une bouche oblique, tordue par sa plainte, l'Homme des douleurs sur ses genoux, une sculpture primitive aux proportions arbitraires, à l'anatomie violemment exagérée et qui témoignait de l'ignorance du sculpteur, le chef hérissé d'épines, le visage et les membres maculés, et dégouttant de sang, de grosses grappes de sang coagulé à la blessure du flanc et aux stigmates des paumes et des pieds. Cette pièce curieuse prêtait à la chambre tendue de soieries un accent particulier. Le papier peint, lui aussi, qui était visible au-dessus des bibliothèques et à côté des fenêtres, avait été apparemment choisi par le sous-locataire : le vert de ses bandes verticales était le même que celui de l'épais tapis qui était étendu sur la carpette rouge clouée au plancher. Le plafond seul restait bas, froid et craquelé. Mais un petit lustre de Venise en descendait. Les fenêtres étaient voilées de stores crème qui touchaient au plancher.

« Nous venons vous relancer pour un petit colloque », dit Hans Castorp tandis que ses yeux se fixaient plutôt sur la pieuse et terrifiante figure de l'angle de la pièce, que sur l'habitant de cette chambre singulière qui constatait avec gratitude que les cousins avaient tenu parole. Il voulut les conduire avec de petits gestes accueillants de sa main droite vers les fauteuils recouverts de soie, mais Hans Castorp, comme magnétisé, alla droit au groupe sculpté et s'arrêta en face de lui, les mains sur les hanches, la tête penchée.

« Qu'est-ce que vous avez donc là ? dit-il doucement. Mais c'est terriblement bien. A-t-on jamais vu une pareille souffrance ? C'est quelque chose d'ancien, naturellement.

— Quatorzième siècle, répondit Naphta. Probablement d'origine rhénane. Cela vous impressionne ?

— Énormément, dit Hans Castorp. Cela ne peut du reste manquer de faire une énorme impression à quiconque le regarde. Je n'aurais jamais supposé que quelque chose pût être à la fois aussi laid — excusez-moi — et aussi beau.

— Les productions d'un monde de l'âme et de l'expression, répondit Naphta, sont toujours laides à force de beauté et belles à force de laideur, c'est la règle. Il s'agit d'une beauté spirituelle, non de la beauté de la chair, qui est absolument stupide. D'ailleurs, elle est aussi abstraite, ajouta-t-il. La beauté de la chair est abstraite. Il n'y a guère que la beauté intérieure qui ait de la réalité, celle de l'expression religieuse.

— Vous avez discerné et déduit cela avec beaucoup de justesse, dit Hans Castorp. Quatorzième ? répéta-t-il. Treize cent et quelques. Oui, c'est le Moyen Âge comme on le trouve dans les livres, je reconnais en quelque sorte l'image que je m'étais faite ces temps derniers du Moyen Âge. Je n'en savais rien, somme toute, car je suis un homme du progrès technique, pour autant que ma personne peut entrer en ligne de compte. Mais ici, sur les hauteurs, l'idée du Moyen Âge m'a traversé l'esprit en plusieurs circonstances. La doctrine économique de la société n'existait pas encore à ce moment-là, voilà qui est clair. Comment donc a pu s'appeler l'artiste ? »

Naphta haussa les épaules.

« Qu'importe ? dit-il. Nous ne devrions pas nous en inquiéter, puisque au temps où cette œuvre a vu le jour, on ne s'en est pas inquiété non plus. Cette œuvre n'a pas pour auteur je ne sais quel monsieur individuel, mais elle est anonyme et créée en commun. Elle remonte d'ailleurs à un Moyen Âge très avancé, époque gothique, *signum mortificationis*. Vous ne trouvez plus là cette tendance à atténuer et à pallier que l'on a montrée à l'époque romane dans les représentations du Crucifié : pas de couronne royale, pas de triomphe majestueux sur le monde et le martyre de la mort. Tout ici décèle franchement la souffrance et la faiblesse de la chair. Seul, en effet, le goût gothique est proprement ascétique et pessimiste. Vous ne connaissez sans doute pas le traité d'Innocent III, *De miseria humanae conditionis*, un morceau plein d'esprit. Il remonte à la fin du douzième siècle, mais c'est cet art-ci seulement qui en donne l'illustration.

— Monsieur Naphta, dit Hans Castorp après un soupir, chacune des paroles que vous soulignez en parlant m'intéresse. *Signum mortificationis*, avez-vous dit. Je me rappellerai cela. Et tout à l'heure vous avez dit quelque chose "d'anonyme et créé en commun" à quoi il me semble qu'il faudrait également réfléchir. Vous avez malheureusement raison de supposer que je ne connais pas l'ouvrage de ce pape (je suppose qu'Innocent III est un pape). Ai-je bien compris ? Avez-vous bien dit que cet écrit était à la fois ascétique et facétieux ? Je dois avouer que je n'avais jamais imaginé que ces choses pouvaient aller ensemble, mais en y pensant je comprends. Naturellement, des considérations sur la misère humaine donnent l'occasion de se livrer à bien des plaisanteries aux dépens de la chair. Peut-on trouver cet ouvrage dans le commerce ? Peut-être en rassemblant tout mon latin, réussirai-je à le lire ?

— Je possède ce livre ; répondit Naphta en désignant de la tête une des bibliothèques. Il est à votre disposition. Mais n'allons-nous pas nous asseoir ? Vous verrez aussi bien la Pietà de ce canapé. Mais voici qu'arrive notre petit goûter… »

C'était le jeune domestique qui apportait le thé, avec un joli panier décoré d'argent où se trouvait un gâteau coupé en tranches. Mais derrière lui, par la porte ouverte, qui était-ce donc qui entrait d'un pas ailé, avec un fin sourire, des « *saperlipopette* » et des « *accidenti* » ? C'était M. Settembrini, domicilié à l'étage au-dessus, qui était descendu dans l'intention de tenir compagnie à ces messieurs. Par sa petite fenêtre, dit-il, il avait vu arriver les cousins, et il avait vite achevé une de ses pages encyclopédiques qui coulait justement de sa plume, pour s'inviter à son tour. Rien n'était plus naturel que sa venue. Son intimité ancienne avec les habitants de Berghof l'autorisait à les rejoindre, et, de plus, ses rapports et son commerce avec Naphta étaient, malgré de profondes divergences d'opinions, de toute évidence, très suivis, de sorte que l'hôte lui souhaita la bienvenue sans gêne ni surprise. Cela n'empêcha pas que Hans Castorp éprouvât nettement une double impression de cette arrivée. D'une part, il lui sembla que Settembrini était survenu pour ne pas les laisser, lui et Joachim (ou tout simplement lui), seuls avec le vilain petit Naphta, et pour créer par sa présence un contrepoids pédagogique ; d'autre part, il était visible qu'il saisissait volontiers cette occasion de quitter un instant sa mansarde pour la chambre tendue de soieries de Naphta et pour prendre un thé bien servi. Il frotta ses mains jaunâtres au dos velu, avant de se servir, et mangea avec un appétit indéniable, sans dissimuler sa satisfaction, les minces rondelles du gâteau veiné de chocolat.

La conversation continua de rouler sur la Pietà, parce que Hans Castorp restait attaché par le regard et la parole à cet objet, tout en se tournant vers M. Settembrini, comme pour le mettre en contact critique avec cette œuvre d'art, bien que la répugnance de l'humaniste pour cet objet se trahît suffisamment par la mine avec laquelle il se retourna vers la sculpture ; car en s'asseyant, il avait tourné le dos à cet angle de la pièce. Trop poli pour dire tout ce qu'il pensait, il se borna à critiquer ses défauts dans les proportions et les formes physiques du groupe, des manquements à la vérité naturelle qui étaient loin de lui sembler touchants, parce qu'ils ne provenaient pas de l'impuissance d'un artiste primitif, mais témoignaient d'une mauvaise volonté, d'un principe foncièrement hostile à la nature — ce que Naphta confirma méchamment. Certes, il ne pouvait être question de maladresse technique. C'était l'esprit qui s'émancipait consciemment de la nature et qui, en refusant de s'y soumettre, proclamait son mystique dédain de la chair. Mais lorsque Settembrini déclara que cette façon de négliger la nature et son étude était peu humaine et commença d'opposer à l'absurde culte de l'informe, auquel s'étaient voués le Moyen Âge et les époques qu'il avait imitées, le patrimoine gréco-latin, le classicisme, la forme, la beauté, la raison et la gaieté naturelle, qui seuls étaient appelés à favoriser la cause de l'homme, Hans Castorp intervint et demanda ce qu'il fallait penser dans ces conditions de Plotin qui avait rougi de son corps — c'était établi — et de Voltaire qui, au nom de la raison, s'était révolté contre le scandaleux tremblement de terre de Lisbonne ? Absurde ? Cela avait été absurde, mais lorsqu'on réfléchissait bien à tout cela, on pouvait, à son avis, conclure que l'absurde pouvait être fort honorable au point de vue de l'esprit, et que l'absurde hostilité de l'art gothique envers la nature avait été, en somme, tout aussi honorable que l'attitude des Plotin et des Voltaire, car elle exprimait le même affranchissement du destin et des faits, le même orgueil indocile qui refusait d'abdiquer devant la force stupide, autrement dit devant la Nature…

Naphta éclata d'un rire qui faisait penser à l'assiette fêlée dont il a déjà été question et qui s'acheva dans un accès de toux. Settembrini dit avec distinction :

« Vous faites tort à notre hôte en montrant tant d'esprit, et vous lui témoignez mal votre reconnaissance pour cette exquise pâtisserie. La reconnaissance est-elle du reste votre affaire ? Ce disant, j'admets que la reconnaissance consiste à ne faire qu'un bon usage des cadeaux que l'on a reçus… »

Comme Hans Castorp rougissait, l'Italien fut assez aimable pour ajouter :

« On vous connaît comme un farceur, ingénieur. Votre manière de railler amicalement le bien ne me fait nullement douter que vous y soyez attaché. Vous savez, bien entendu, que ne peut être qualifié d'honorable que la révolte de l'esprit contre la nature, révolte qui a en vue la dignité et la beauté de l'homme, mais non pas celle qui, si elle ne vise pas à l'abaisser et à le déshonorer, y parvient néanmoins. Vous savez, d'ailleurs, à quelles atrocités inhumaines, à quelle intolérance sanguinaire a donné lieu l'époque à laquelle cette œuvre d'art qui est là derrière moi doit son existence. Je n'ai besoin que de vous rappeler ce type effroyable de juge d'hérétiques, la figure sanglante d'un Conrad de Marbourg, et son infâme fureur de prêtre contre tout ce qui s'opposait au règne du surnaturel. Vous êtes très éloigné de considérer l'épée et le bûcher comme des instruments d'altruisme…

— Par contre, répliqua Naphta, c'est dans un esprit d'altruisme qu'a travaillé la machine grâce à laquelle la Convention a débarrassé le monde des mauvais citoyens. Tous les châtiments de l'Église, même le bûcher, même l'excommunication, ont été entrepris pour sauver l'âme de la damnation éternelle, alors que l'on ne pourrait en dire autant de l'enthousiasme destructeur des Jacobins. Je me permets de faire remarquer que toute justice inquisitoriale et sanglante qui n'est pas issue d'une foi en un au-delà est une bestiale sottise. Et quant à la dégradation de l'homme, son histoire coïncide exactement avec celle de l'avilissement de l'esprit bourgeois. La Renaissance, le siècle des Lumières, la science naturelle et les doctrines économiques du dix-neuvième siècle n'ont négligé d'enseigner rien, absolument rien, qui n'eût été en quelque manière propre à favoriser cette dégradation, à commencer par la nouvelle astronomie, laquelle a fait du centre de l'univers, de la scène illustre où Dieu et Satan se disputaient la créature, une quelconque petite planète, et qui a provisoirement mis fin à la grandiose situation cosmique de l'homme sur laquelle l'astrologie se fondait du reste également.

— Provisoirement ? »

L'expression de M. Settembrini, lorsqu'il posa cette question avait elle-même quelque chose d'un juge d'hérétiques et d'un inquisiteur qui attend que celui qui parle se compromette par des paroles indubitablement coupables.

« Sans doute. Pour quelques centaines d'années, confirma froidement Naphta. Si tous les signes ne sont pas trompeurs, la scolastique va être réhabilitée à cet égard aussi, la procédure est déjà en train. Copernic sera battu par Ptolémée. La thèse héliocentriste se heurte de plus en plus à une résistance de l'esprit dont les entreprises mèneront sans doute au but. Il est probable que la science se verra contrainte par la philosophie à rendre à la terre toute la majesté que lui attribuait le dogme religieux.

— Comment ? Qu'est-ce à dire ? Résistance de l'esprit ? Contraint par la philosophie ? Mener au but ? Quelle espèce de volontarisme s'exprime par votre voix ? Et la science inconditionnelle ? La connaissance pure ? La Vérité, monsieur, qui est si intimement liée à la liberté, et dont les martyrs dont vous voulez faire des insulteurs de la terre resteront au contraire l'éternel ornement de cet astre ? »

M. Settembrini avait une manière énergique d'interroger. Il était assis là, le torse droit, et faisait tomber ses paroles d'homme d'honneur sur le petit M. Naphta, enflant sa voix si puissamment, que l'on entendait bien combien il était certain que la réponse de l'adversaire ne pourrait être qu'un silence confondu. Tout en parlant, il avait tenu entre ses doigts un morceau de gâteau fourré, mais il le déposa sur son assiette, car, après avoir posé de telles questions, il ne voulait plus y mordre.

Naphta répondit avec un calme inquiétant :

« Cher ami, il n'y a pas de connaissance pure. La légitimité de la conception religieuse de la connaissance qui peut se résumer par la parole de saint Augustin : "Je crois afin de connaître", est absolument incontestable. La foi est l'organe de la connaissance ; l'intellect est secondaire. Votre science sans prémisses est un mythe. Il y a toujours une foi, une conception du monde, une idée, bref une volonté, et c'est affaire de la Raison de l'interpréter, de la démontrer, toujours et dans tous les cas. Il s'agit d'aboutir au *Quod erat demonstrandum.* Déjà la conception de la preuve contient, psychologiquement parlant, un élément volontaire très net. Les grands scolastiques du douzième et du treizième siècle étaient d'accord dans leur conviction qu'en philosophie rien ne pouvait être vrai qui était faux devant la théologie. Laissons de côté la théologie, si vous voulez, mais une humanité qui ne reconnaîtrait pas que rien ne peut être vrai dans la science naturelle de ce qui est faux aux yeux du philosophe ne serait pas une humanité. L'argumentation du Saint-Office contre Galilée se réduisait à ceci que ses principes étaient philosophiquement absurdes. Il ne peut y avoir argumentation plus décisive.

— Eh, eh, les arguments de notre pauvre grand Galilée se sont montrés plus solides. Non, parlons sérieusement, *professore* ! Répondez, devant ces deux jeunes gens si attentifs, à cette question : Croyez-vous à une vérité, vérité objective et scientifique, que la loi la plus haute de toute morale nous ordonne de rechercher et dont les triomphes sur l'autorité constituent la glorieuse histoire de l'esprit humain ? »

Hans Castorp et Joachim détournèrent leurs têtes de Settembrini, vers Naphta, le premier plus vite que le second. Naphta répondit :

« Un tel triomphe n'est pas possible, car l'autorité, c'est l'homme, son intérêt, sa dignité, son salut, et entre eux et la vérité, il ne peut y avoir de conflit. Ils se confondent.

— La vérité serait par conséquent…

— Est vrai ce qui convient à l'homme. En lui, toute la nature est concentrée, lui seul a été créé dans toute la nature, et toute la nature n'est faite que pour lui. Il est la mesure des choses, et son salut est le critère de la vérité. Une connaissance théorique qui ne se rapporterait pas pratiquement à l'idée du salut de l'homme est si complètement dépourvue d'intérêt, qu'il faudrait lui dénier toute vérité et se refuser à l'admettre. Les siècles chrétiens étaient complètement d'accord sur l'insignifiance de la science naturelle en ce qui regarde l'homme. Lactance, que Constantin le Grand donna pour précepteur à son fils, demanda même ouvertement quelle béatitude il s'assurerait par le fait de savoir où est la source du Nil ou les sottises que les physiciens répandaient sur le ciel. Répondez-lui donc ! Si l'on a préféré la philosophie platonicienne à toute autre, c'est parce qu'elle n'avait pas pour objet la connaissance de la nature, mais la connaissance de Dieu. Je puis vous donner l'assurance que l'humanité est en train de revenir à ce point de vue et de se rendre compte que la tâche de la science véritable n'est pas de courir après des connaissances funestes, mais d'éliminer systématiquement ce qui est nuisible ou même simplement insignifiant au point de vue de l'idée, en un mot de faire preuve de flair, de mesure, et de savoir choisir. Il est puéril de croire que l'Église a pris la défense des ténèbres contre la lumière. Elle a eu trois fois raison de déclarer coupable une connaissance qui avait la prétention d'être non hypothétique, c'est-à-dire une connaissance qui négligeait de tenir compte de l'élément spirituel et de l'objectif final qui est le salut. Et ce qui a plongé l'homme dans les ténèbres et l'y plongera de plus en plus, c'est au contraire la science naturelle, "sans prémisses" et aphilosophique.

— Vous enseignez là un pragmatisme, répondit Settembrini, que vous n'avez besoin que de transposer sur le plan politique pour vous rendre compte de toute sa nocivité. Est bon, vrai et juste ce qui convient à l'État. Son salut, sa dignité, sa puissance, tel est le critère moral. Bien ! ceci ouvre la porte à tous les crimes, et la vérité humaine, la justice individuelle, la démocratie, tant pis pour elles !

— Je vous convie à user d'un peu de logique, répondit Naphta. Ou bien Ptolémée et la scolastique ont raison, et le monde est limité dans le temps et dans l'espace : s'il en est ainsi, la divinité est transcendante, l'opposition entre Dieu et le monde existe, et l'homme, lui aussi, est un être dualiste. Le problème de son âme consiste dans le conflit entre le physique et le métaphysique, et tout ce qui est social demeure secondaire. Je ne peux tenir pour conséquent que ce genre d'individualisme-ci. Ou bien vos astronomes de la Renaissance ont trouvé la vérité, et l'univers est infini : dans ce cas il n'y a pas de monde transcendant, il n'y a pas de dualisme ; l'au-delà est intégré dans l'ici-bas, l'opposition entre Dieu et la nature disparaît, et comme dans cette hypothèse la personnalité humaine n'est plus le lieu où s'affrontent deux principes ennemis, elle est une et harmonieuse, et par conséquent le conflit intérieur de l'homme tient uniquement au conflit entre les intérêts de l'homme et de la collectivité, et le but de l'État, ce qui est parfaitement païen, devient la règle morale. C'est l'un ou l'autre.

— Je proteste, s'écria Settembrini, le bras allongé en tendant sa tasse de thé vers son hôte. Je proteste contre cette insinuation que l'État moderne signifie l'asservissement diabolique de l'individu. Je proteste pour la troisième fois contre cette alternative vexatoire entre le prussianisme et la réaction gothique, devant laquelle vous prétendez nous placer. La Démocratie n'a pas d'autre sens que celui d'un correctif individualiste de tout absolutisme de l'État. La Vérité et la Justice sont les insignes royaux de la morale individuelle, et en cas de conflit contre l'intérêt de l'État elles peuvent même prendre l'apparence de puissances hostiles à l'État, alors qu'en réalité elles tendent au bien supérieur, disons-le : au bien supraterrestre de l'État. La Renaissance serait l'origine de l'idolâtrie de l'État ! Quelle logique bâtarde ! Les conquêtes — je le dis en insistant sur le sens étymologique —, conquêtes de la Renaissance et du siècle des Lumières, Monsieur, s'appellent la personnalité, les droits de l'homme, la liberté ! »

Les auditeurs respirèrent, soulagés, car ils avaient retenu leur souffle durant la grande réplique de M. Settembrini. Hans Castorp ne put même s'empêcher de frapper de la main sur le bord de la table, encore qu'avec une certaine réserve. « C'est épatant ! » dit-il entre les dents, et Joachim aussi se montra très satisfait, bien que le prussianisme eût été mentionné en termes défavorables. Mais ensuite tous deux se retournèrent vers l'interlocuteur qui venait d'être victorieusement repoussé, et Hans Castorp le fit avec une telle impatience qu'il appuya le coude sur la table et son menton sur le poing, à peu près comme il l'avait fait en dessinant les petits cochons, et qu'il regarda attentivement et de tout près la figure de M. Naphta.

Celui-ci était assis, calme et tranchant, ses mains maigres sur les genoux. Il dit :

« Je cherche à introduire un peu de logique dans notre conversation et vous me répondez par des phrases généreuses. Je ne laissais pas de savoir que la Renaissance avait mis au monde tout ce que l'on appelle libéralisme, individualisme, humanisme bourgeois. Mais tout cela me laisse froid, car la conquête, l'âge héroïque de votre idéal est depuis longtemps passé, cet idéal est mort, ou tout au moins il agonise, et ceux qui lui donneront le coup de grâce sont déjà devant la porte. Vous vous appelez, sauf erreur, un révolutionnaire. Mais si vous croyez que le résultat des révolutions futures sera la Liberté, vous vous trompez. Le principe de la Liberté s'est réalisé et s'est usé en cinq cents ans. Une pédagogie qui, aujourd'hui encore, se présente comme issue du siècle des Lumières et qui voit ses moyens d'éducation dans la critique, dans l'affranchissement et le culte du Moi, dans la destruction de formes de vie ayant un caractère absolu, une telle pédagogie peut encore remporter des succès momentanés, mais son caractère périmé n'est pas douteux aux yeux de tous les esprits avertis. Toutes les associations vraiment éducatrices ont su, depuis toujours, ce qui importait en réalité dans la pédagogie : à savoir l'autorité absolue, une discipline de fer, le sacrifice, le reniement du moi, la violation de la personnalité. En dernier ressort, c'est méconnaître profondément la jeunesse que de croire qu'elle trouve son plaisir dans la Liberté. Son plaisir le plus profond, c'est l'obéissance. »

Joachim se redressa. Hans Castorp rougit. M. Settembrini, agité, tourmentait sa jolie moustache.

« Non, poursuivit Naphta, ce n'est pas l'affranchissement et l'épanouissement du moi qui sont le secret et l'exigence de ce temps. Ce dont il a besoin, ce qu'il demande, ce qu'il aura c'est la Terreur. »

Il avait prononcé ce dernier mot plus bas que les précédents, sans un mouvement du corps ; seuls les verres de ses lunettes avaient lancé un éclair. Ses trois auditeurs avaient tous les trois tressailli, jusqu'à Settembrini qui se ressaisit aussitôt en souriant.

« Est-il permis de s'informer, demanda-t-il, qui ou quoi (vous voyez, je ne fais qu'interroger, je ne sais même pas ce que je dois vous demander), qui ou quoi doit selon vous recourir à cette… — c'est vraiment à contrecœur que je répète ce mot — à cette terreur ? »

Naphta restait assis, calme, tranchant, les yeux miroitants. Il dit :

« Je suis à vos ordres. Je ne crois pas me tromper en supposant que nous sommes d'accord pour admettre un état originel et idéal de l'humanité, un état sans organisation sociale ni recours à la force, une vie en Dieu, où il n'y avait ni domination ni service, ni loi, ni peine, pas d'injustice, pas d'union charnelle, pas de différences de classes, pas de travail, pas de propriété, mais l'égalité, la fraternité, la perfection morale.

— Très bien. Je suis d'accord, déclara Settembrini. Je suis d'accord, sous réserve de l'union charnelle, qui, de toute évidence, a toujours existé puisque l'homme est un vertébré supérieur et n'est pas différent des autres êtres…

— Comme vous voudrez. Je constate notre accord de principe, en ce qui concerne l'état primitif, paradisiaque, indemne de justice, proche de Dieu, état que le péché originel a compromis. Je crois que nous pouvons encore nous tenir compagnie un bout de chemin, en ramenant l'État à un contrat social qui, tenant compte du péché, a été conclu pour protéger l'homme contre l'injustice, et en plaçant là l'origine du pouvoir souverain.

— *Benissimo*, s'écria Settembrini, Contrat social. C'est le siècle des Lumières, c'est Rousseau. Je n'aurais pas cru…

— Je vous en prie. Nos chemins se séparent ici. Du fait que tout pouvoir et toute puissance appartenaient primitivement au peuple, et que celui-ci a transmis son droit de légiférer et tout le pouvoir à l'État, au Prince, votre école conclut avant tout que le peuple a le droit de se soulever contre la royauté. Tandis que nous… »

« Nous ? » se dit Hans Castorp intéressé. Qui sont ces « nous » ? Il faut absolument que je demande plus tard à Settembrini qui Naphta désigne par « nous ».

« Quant à nous, dit Naphta, peut-être non moins révolutionnaires que vous, nous avons, de tous les temps, conclu en premier lieu à la prééminence de l'Église sur l'État laïque. Car si la non-divinité de l'État n'était pas inscrite sur son front, il suffirait de rappeler justement ce fait historique qu'il repose sur la volonté du peuple, et qu'il n'est pas, comme l'Église, d'origine divine, pour établir qu'il est, sinon œuvre du Malin, du moins un moyen de fortune, un remède insuffisant au péché et à la détresse.

— L'État, monsieur..

— Je sais ce que vous pensez de l'État national. "L'amour de la patrie et l'infini désir de gloire passent avant tout le reste." C'est du Virgile. Vous le corrigez par un peu d'individualisme libéral, et c'est la démocratie ; mais ceci ne modifie en rien vos rapports de principe avec l'État. Vous n'êtes pas choqué de ce que son âme est l'argent. Ou prétendriez-vous le contester ? L'Antiquité était capitaliste parce qu'elle était étatiste. Le Moyen Âge chrétien a clairement distingué le capitalisme immanent de l'État laïque. "L'Argent sera le souverain", c'est une prophétie du onzième siècle. Niez-vous qu'elle se soit littéralement réalisée et que la vie en soit devenue démoniaque sans rémission ?

— Cher ami, vous avez la parole. Je suis impatient de faire la connaissance du grand Inconnu qui portera avec lui la Terreur.

— Curiosité plutôt téméraire pour un représentant d'une classe de la société qui est le support d'une Liberté qui a fait périr le monde. Je puis à la rigueur renoncer à vos répliques, car je connais l'idéologie politique de la bourgeoisie. Votre but est l'imperium démocratique, l'auto-exhaussement du principe de l'État national à l'universel, l'État universel. L'empereur de cet empire ? Nous le connaissons. Votre utopie est effroyable — et pourtant en ce point nous nous rencontrons en quelque sorte. Car votre république universelle capitaliste, l'État universel, est la transcendance de l'État laïque, et nous sommes d'accord pour croire qu'à un état originel parfait de l'humanité correspond un état final parfait situé à la même distance que l'horizon. Depuis les jours de Grégoire le Grand, fondateur de l'État de Dieu, l'Église a considéré qu'il était de son devoir de ramener l'homme sous le gouvernement de Dieu. Le pape a prétendu à la souveraineté non pas pour lui-même ; sa dictature en lieu et place de Dieu n'était qu'un moyen d'atteindre le salut final, une forme de transition de l'État païen au royaume céleste. Vous avez déjà parlé à ces jeunes gens des actes sanglants de l'Église, de son intolérance qui châtie — tout à fait à tort, car le zèle religieux, bien entendu, ne peut être pacifiste, et Grégoire a prononcé cette parole : “Maudit soit l’homme dont l’épée épargne le sang.” Que le pouvoir est mauvais, nous le savons. Mais le dualisme du bien et du mal, de l’ici-bas et de l’au-delà, de l’esprit et de la puissance doit être — pour que le royaume vienne — passagèrement suspendu par un principe qui réunisse l’ascèse et le pouvoir. C’est là ce que j’appelle la nécessité de la Terreur.

— Mais qui ? Mais qui donc ?

— Vous le demandez ? L’existence d’une doctrine de la société qui signifie la victoire de l’homme sur l’économisme, et dont les principes et les buts coïncident exactement avec ceux du royaume chrétien de Dieu aurait-elle échappé à votre manchesterianisme ? Les pères de l’Église ont appelé “mien” et “tien” des mots funestes et ont dit que la propriété privée était de l’usurpation et du vol. Ils ont condamné la propriété parce que, d’après le droit naturel et divin, la terre est commune à tous les hommes et que, par conséquent, elle produit aussi ses fruits pour l’usage général de tous. Ils ont enseigné que seule la cupidité, conséquence du péché originel, invoque les droits de la propriété et a créé la propriété privée. Ils ont été assez humains, assez ennemis du négoce pour considérer toute activité économique en général comme danger pour le salut de l’âme, c’est-à-dire pour l’humanité. Ils ont haï l’argent et les affaires d’argent, et ils ont appelé la richesse capitaliste l’aliment de la flamme infernale. Le principe fondamental de la doctrine économique, à savoir que le prix résulte de l’équilibre entre l’offre et la demande, ils l’ont méprisé de tout cœur, et ils ont condamné les actes de ceux qui tirent parti des circonstances, comme une exploitation cynique de la détresse du prochain. Il y a eu une exploitation encore plus criminelle à leurs yeux : celle du temps — le méfait qui consiste à se faire payer une prime pour le simple écoulement du temps, autrement dit, l’intérêt, et à abuser ainsi pour son propre avantage et aux dépens de son prochain, d’une institution divine, valable pour tous, le temps.

— *Benissimo*, s’écria Hans Castorp qui, dans son enthousiasme, se servit de la formule d’approbation de

Settembrini. Le temps, une institution divine valable pour tous… C'est capital…

— En effet, poursuivit Naphta. Ces esprits humains ont jugé répugnante la pensée d'un accroissement automatique de l'argent ; ils ont qualifié d'usure toutes les affaires de placement et de spéculation, et ils ont déclaré que tout riche était ou bien un voleur ou l'héritier d'un voleur. Ils sont allés plus loin. Ils ont considéré, comme Thomas d'Aquin, le commerce en général, l'affaire purement commerciale, l'achat et la revente à profit, sans transformation, amélioration de l'objet de ces opérations, comme un métier honteux. Ils n'inclinaient pas à faire grand cas du travail comme tel, car ce n'est qu'une affaire morale, non pas religieuse, il se fait au service de la vie, non pas au service de Dieu. Et dès lors qu'il ne devait s'agir que de la vie et de l'économie, ils ont exigé qu'une activité productive fût la condition de tout avantage économique et la mesure de l'honorabilité. Étaient estimables à leurs yeux le paysan, l'artisan, mais non pas le commerçant, ni l'industriel. Car ils ont voulu que la production s'adaptât au besoin et ils ont eu horreur de la production en grandes quantités. Or donc, tous ces principes et cette échelle des valeurs économiques sont ressuscités après des siècles dans le mouvement moderne du communisme. L'accord est complet jusque dans la revendication de souveraineté que formule le travail international contre le règne international du commerce et de la spéculation, le prolétariat mondial qui oppose à présent l'humanité et les critères du règne de Dieu à la pourriture bourgeoise et capitaliste. La dictature du prolétariat, cette condition du salut politique et économique de ce temps, n'a pas le sens d'une domination pour la domination et en toute éternité, mais celui d'une suspension momentanée du conflit entre l'esprit et le pouvoir, sous le signe de la croix, le sens d'une victoire sur le monde terrestre par le moyen de la domination du monde, le sens de la transition, de la transcendance, le sens du règne. Le prolétariat a repris l'œuvre de Grégoire le Grand, son zèle pieux s'est renouvelé en lui, et pas plus que le saint il ne pourra empêcher sa main de verser le sang. Son devoir est d'instituer la terreur pour le salut du monde, pour atteindre ce qui fut le but du Sauveur, la vie en Dieu, sans État ni classes. »

Tel fut le discours tranchant de Naphta. La petite compagnie garda le silence. Les jeunes gens regardèrent Settembrini. C'était à lui qu'il appartenait de réagir. Il dit :

« Étonnant ! Certes, j'avoue que je suis bouleversé, je ne m'attendais pas à cela. *Roma locuta.* Et comment ! Et comment a-t-elle parlé ! Sous nos yeux, elle a exécuté un hiératique saut périlleux : s'il y a une contradiction dans cette épithète, elle l'a "provisoirement suspendue". Ah ! oui. Je répète : c'est étonnant. Pensez-vous, professeur, que des objections puissent venir à l'esprit, des objections simplement du point de vue de la logique ? Vous vous êtes efforcé tout à l'heure de nous faire comprendre un individualisme chrétien reposant sur la dualité de Dieu et du Monde, et de nous prouver sa prééminence sur toute morale déterminée par la politique ? Quelques minutes plus tard, vous poussez le socialisme jusqu'à la dictature et à la terreur. Comment faites-vous rimer cela ?

— Des contradictions, dit Naphta, peuvent rimer. Il n'y a guère que le médiocre et les demi-mesures qui ne riment jamais. Votre individualisme, comme je me suis déjà permis de vous le faire remarquer tout à l'heure, est un compromis, une concession. Il corrige votre morale païenne de l'État par un peu de christianisme, par un peu de "droit de l'individu", par un peu de prétendue liberté, c'est tout. Un individualisme, par contre, qui part de l'importance cosmique, de l'importance astrologique de l'âme de l'individu, qui entend l'humain non pas comme un conflit entre le Moi et la société, mais comme le conflit entre le Moi et Dieu, entre la chair et l'esprit, un tel individualisme s'accorde fort bien avec la communauté la plus étroite.

— Il est anonyme et collectif », dit Hans Castorp.

Settembrini le regarda avec de grands yeux.

« Taisez-vous, ingénieur, commanda-t-il avec une sévérité qu'il fallait mettre sur le compte de sa nervosité et de la tension de son esprit. Instruisez-vous, mais ne produisez pas. C'est une réponse, dit-il en se retournant vers Naphta. Elle me console mal, mais c'en est une. Envisageons toutes les conséquences... Avec l'industrie, le communisme chrétien renie la technique, la machine, le Progrès. Avec ce que vous appelez la forme commerciale, l'argent et les affaires d'argent auxquels l'Antiquité a accordé un rang bien supérieur à ceux de l'agriculture et de l'artisanat, il nie la Liberté. Car il est clair, il saute aux yeux que par là, de même qu'au Moyen Âge, tous les rapports privés et publics se trouveront paralysés, même — j'ai peine à le dire — la personnalité. Si le sol est seul à nourrir, lui seul accorde la Liberté. Les artisans et les paysans, si honorables qu'ils puissent être, s'ils ne possèdent pas de sol, sont les serfs de celui qui en possède. En effet, jusque tard dans le Moyen Âge, la grande masse, même dans les villes, se composait de serfs. Vous avez au cours de votre conversation donné à entendre bien des choses sur la dignité humaine. Et cependant vous défendez une morale économique à laquelle sont liés l'asservissement et la dégradation de la personnalité.

— On pourrait discuter sur la dignité et la dégradation, répliqua Naphta. Mais pour commencer, je me sentirais satisfait si ces conjonctures vous amenaient à envisager la liberté non pas tant comme un beau geste que comme un problème. Vous constatez que la morale économique chrétienne dans sa beauté humaine entraîne le servage. Je constate au contraire que la cause de la liberté, la cause des villes, comme on peut dire d'une manière plus concrète, si morale et élevée qu'elle doive être, est historiquement liée à une dégénérescence profondément inhumaine de la morale économique, à toutes les horreurs du commerce et des spéculations modernes, au règne satanique de l'argent, des affaires.

— Je constate que vous ne battez pas en retraite, mais que vous vous avouez clairement et sans équivoque possible partisan de la réaction la plus noire.

— Le premier pas vers la liberté et l'humanité véritables consisterait à s'affranchir de ce tremblement de peur devant l'idée de "réaction".

— Bon, suffit, déclara Settembrini d'une voix qui tremblait légèrement, en repoussant sa tasse et son assiette qui étaient du reste vides, et en se levant de son sofa tendu de soie. Cela suffit pour aujourd'hui, c'est assez pour un jour, il me semble. Professeur, nous vous remercions de votre savoureux goûter et de cette conversation très spirituelle. Mes amis du Berghof que voici doivent aller à leur cure, et je voudrais, avant qu'ils ne s'en aillent, leur montrer ma tanière là-haut. Venez, Messieurs ! *Addio padre !* »

À présent il était allé jusqu'à appeler Naphta « *padre* ». Hans Castorp en prit note en fronçant les sourcils. On laissa Settembrini organiser le départ et disposer des cousins, sans demander si Naphta ne voudrait pas se joindre à eux. Les jeunes gens prirent congé, remercièrent leur hôte et furent invités à revenir. Ils s'en furent avec l'Italien, non sans que Hans Castorp eût emprunté l'ouvrage *De miseria humanae conditionis*, un volume relié, vétuste et poussiéreux. Le peu amène Lukacek était toujours assis à sa table, travaillant à la robe à manches destinée à la « vieille » lorsqu'ils passèrent devant la porte pour gagner la mansarde par l'escalier qui tenait presque de l'échelle. En réalité, ce n'était d'ailleurs nullement un étage. C'était tout simplement les combles avec les poutres nues, immédiatement sous les bardeaux, avec l'atmosphère d'été d'un grenier, son odeur de bois chaud. Mais ce grenier contenait deux mansardes, et le capitaliste républicain les habitait, elles servaient de studio et de chambre à coucher au bel esprit, collaborateur de la *Sociologie de la souffrance*. Il les montra gaiement à ses jeunes amis, les appela son compartiment isolé et intime, afin de leur suggérer les mots exacts dont ils pourraient se servir en faisant son éloge, ce qu'ils firent en effet d'un commun accord. C'était tout à fait charmant, dirent-ils tous deux, c'était discret et intime, tout juste comme il l'avait dit. Ils jetèrent un coup d'œil dans la petite chambre à coucher où un petit tapis fait de morceaux mis bout à bout servait de descente de lit, puis ils examinèrent le cabinet de travail qui n'était pas moins sommairement aménagé, mais qui faisait en même temps parade d'un ordre presque froid. Des chaises lourdes et anciennes, au nombre de quatre, avec des sièges en paille, étaient disposées symétriquement de côté et d'autre de la porte, et le canapé, lui aussi, était appuyé contre le mur, de sorte que la table ronde, couverte d'un tapis vert, sur laquelle était placée en guise d'ornement, ou pour un rafraîchissement à coup sûr inoffensif, une carafe d'eau surmontée d'un verre, se trouvait isolée au milieu de la pièce. Des livres reliés ou brochés étaient appuyés obliquement les uns contre les autres sur une petite étagère, et près de la lucarne ouverte se dressait, haut sur pied, un pupitre d'une construction légère, avec, devant lui, un petit tapis de feutre, juste assez large pour qu'on pût s'y tenir debout. Hans Castorp prit place un instant, à titre d'essai, à l'établi sur lequel M. Settembrini étudiait les belles-lettres selon un dessein encyclopédique et au point de vue des souffrances humaines ; il appuya son coude sur le plan incliné et déclara que c'était discret et sympathique. C'est ainsi, dit-il, que le père de Lodovico avait dû se tenir à Padoue devant son pupitre avec son nez si fin et long, et il apprit qu'en effet c'était le pupitre du défunt savant qu'il avait sous les yeux, que les chaises de paille, la table et même la carafe d'eau provenaient de lui, voire que les chaises de paille avaient encore appartenu au grand-père *carbonaro* et avaient meublé à Milan son cabinet d'avocat. C'était impressionnant. La physionomie des chaises prenait quelque chose de politique et de révolutionnaire aux yeux des jeunes gens, et Joachim quitta la sienne sur laquelle il était assis, sans se douter de rien, les jambes croisées, pour la considérer avec méfiance, et ne s'y rassit plus. Quant à Hans Castorp, debout au pupitre de Settembrini aîné, il songeait au fils qui y travaillait à présent, en confondant dans les belles-lettres la politique du grand-père avec l'humanisme du père. Puis tous trois repartirent. L'écrivain avait proposé de raccompagner les cousins.

Ils se turent pendant un bout de chemin, mais leur silence même concernait Naphta, et Hans Castorp pouvait attendre : il était sûr que M. Settembrini en viendrait à parler de son compagnon, et même qu'il les avait accompagnés à cet effet. Il ne se trompait pas. Après un soupir qui lui servit d'élan, l'Italien commença :

« Messieurs, je voudrais vous mettre en garde. »

Comme il fit une pause, Hans Castorp demanda très naturellement avec une surprise feinte : « Contre quoi ? » Il aurait pu tout au moins demander : « Contre qui ? » Mais il préféra cette forme impersonnelle, pour témoigner de toute son innocence, bien que Joachim lui-même eût parfaitement compris.

« Contre la personnalité dont vous venez d'être les hôtes, répondit Settembrini, et dont je vous ai fait faire, bien malgré moi, la connaissance. Vous savez que le hasard l'a voulu. Je n'ai pu m'en dispenser ; mais j'en porte la responsabilité et elle me pèse. Mon devoir est de préserver tout au moins votre jeunesse des dangers spirituels que vous courez dans vos rapports avec cet homme, et de vous prier, par ailleurs, de maintenir en de sages limites les relations que vous aurez avec lui. Sa forme est logique, mais sa nature est confusion.

— C'est vrai, en effet, dit Hans Castorp, je ne me suis pas précisément senti à l'aise avec Naphta ; ses paroles avaient parfois quelque chose d'un peu étrange. On aurait presque dit à un moment donné qu'il prétendait vraiment affirmer que le soleil tourne autour de la terre. » Mais, en somme, comment auraient-ils pu, eux, les cousins, penser qu'il dût être imprudent d'entrer en rapports avec un ami de M. Settembrini ? Ne venait-il pas de dire que c'était par son intermédiaire qu'ils avaient connu Naphta ? Ne l'avaient-ils pas rencontré en sa compagnie, ne se promenait-il pas avec M. Naphta et n'allait-il pas sans façon prendre le thé chez lui ? Tout cela ne prouvait-il pas que…

« Certes, ingénieur, certes. La voix de M. Settembrini était douce et résignée, bien qu'elle trahît un léger tremblement. On peut m'objecter cela, et c'est pourquoi vous me l'objectez. Bien, je vous rends volontiers compte de mon attitude. Je vis sous le même toit que ce monsieur, il est difficile de ne pas le rencontrer, un mot entraîne l'autre, on fait connaissance. M. Naphta est un homme de tête, c'est rare. C'est une nature discursive, je le suis aussi. Me condamne qui voudra, mais je fais usage de la possibilité qui m'est offerte de croiser le fer de l'idée avec un adversaire de force égale. Je n'ai personne ni près ni loin… Bref, cela est vrai : je vais chez lui, il entre chez moi, nous nous promenons ensemble. Nous discutons. Nous nous querellons jusqu'au sang, presque chaque jour, mais j'avoue que le charme de nos relations tient précisément à l'antinomie de nos pensées. J'ai besoin de friction, les convictions ne vivent pas lorsqu'elles n'ont pas l'occasion de combattre, et je suis pour ma part solidement établi dans les miennes. Mais comment pourriez-vous dire la même chose des vôtres, vous, lieutenant, ou vous, ingénieur ? Vous n'êtes pas cuirassé contre les mirages intellectuels, vous risquez de mettre à mal votre esprit et votre âme sous l'influence de ces finasseries mi-fanatiques mi-sournoises.

— Certes oui », dit Hans Castorp ; sans doute, son cousin et lui étaient des natures plus ou moins menacées. C'était l'histoire des enfants terribles de la vie, il comprenait. Mais on pouvait opposer à cela Pétrarque avec sa devise, M. Settembrini savait ce qu'il voulait dire, et de toute façon c'était intéressant d'entendre ce que M. Naphta débitait : il fallait être juste, ce qu'il disait du temps communiste pour l'écoulement duquel personne ne devait toucher de prime avait été remarquable, et lui, Hans Castorp, s'était encore vivement intéressé à certaines remarques sur la pédagogie que sans doute il n'eût jamais entendues sans Naphta…

M. Settembrini pinça les lèvres, et Hans Castorp se hâta d'ajouter que, lui-même, il s'abstenait, bien entendu, de prendre parti et qu'il avait simplement trouvé intéressant ce que Naphta avait dit de la nature de la jeunesse. « Mais expliquez-nous donc une chose, poursuivit-il. Ce M. Naphta — je dis : ce monsieur pour indiquer que je ne sympathise pas nécessairement avec lui, qu'au contraire j'observe à son égard une stricte réserve mentale…

— En quoi vous faites bien, s'écria Settembrini, reconnaissant.

— Ce M. Naphta nous a donc dit une foule de choses contre l'argent, l'âme de l'État comme il s'exprime, et contre la propriété privée qui serait du vol, bref contre la richesse capitaliste, dont il a dit, je crois, qu'elle alimentait le feu du purgatoire — c'est bien ainsi, me semble-t-il, qu'il s'est exprimé — et il a loué sur tous les tons la condamnation de l'usure par le Moyen Âge. Et pendant ce temps lui-même… Excusez-moi, mais il me semble qu'il doit… C'est une surprise véritable, lorsqu'on entre chez lui. Toute cette soie…

— Oui, oui, sourit Settembrini, la tendance de ses goûts est très caractéristique.

— … Les beaux meubles anciens, se rappela Hans Castorp, la Pietà du quatorzième siècle… le lustre vénitien… le petit chasseur en livrée… et le gâteau au chocolat à volonté… Il faut tout de même que pour sa personne…

— M. Naphta, répondit Settembrini, est pour sa personne aussi peu capitaliste que moi.

— Mais, demanda Hans Castorp, Car la réponse que vous m'avez faite comporte un “mais”, monsieur Settembrini.

— Eh bien, ces gens-là ne laissent jamais mourir les leurs de faim.

— Qui ? “ces gens-là” ?

— Ces pères.

— Pères ? Pères ?

— Mais, ingénieur, je veux dire : les jésuites. »

Il y eut une pause. Les cousins manifestèrent la plus vive surprise. Hans Castorp s'écria :

« Que diable, sacré nom de nom de… Cet homme est un jésuite ?

— Vous l'avez deviné, dit M. Settembrini finement.

— Non, non, jamais de ma vie je n'aurais… Qui pourrait songer à cela ? C'est pour cela que vous lui avez donné le titre de “*padre*” ?

— C'était une petite exagération de politesse, repartit Settembrini. M. Naphta n'est pas père. La faute en est à la maladie si pour le moment il n'a pas encore atteint ce grade. Mais il a fait son noviciat et il a prononcé les premiers vœux. La maladie l'a obligé à interrompre ses études théologiques. Ensuite, il a fait encore quelques années de service dans une maison de l'ordre, c'est-à-dire comme surveillant, préfet des études, maître des novices. Cela convenait à ses penchants pédagogiques. Et c'est encore ce penchant qu'il suit en enseignant le latin, ici, au Fredericianum. Il est ici depuis cinq ans. Il n'est plus certain qu'il puisse quitter cet endroit. Mais il est membre de l'ordre et si même il n'y était attaché que par un lien encore plus lâche, il ne manquerait de rien. Je vous ai dit que pour sa personne, il était pauvre, je veux dire qu'il ne possède rien. Naturellement, c'est la règle ! Mais l'ordre dispose de richesses immenses et a soin des siens, comme vous le voyez.

— Sacré… tonnerre, murmura Hans Castorp. Et moi qui n'ai pas même su ni même imaginé qu'une chose pareille pût encore sérieusement exister ! Un jésuite ! Ah ! c'est cela ?… Mais dites-moi donc une chose : s'il est si bien pourvu et soigné par ces gens-là, pourquoi diable demeure-t-il… ? Je ne veux certainement pas médire de votre logement, monsieur Settembrini. Vous êtes très bien installé chez Lukacek, c'est si intime, si sympathique. Mais je veux dire que si Naphta a un si gros sac, pour me servir d'un terme vulgaire, pourquoi n'habite-t-il pas un autre appartement faisant meilleure figure, avec une entrée convenable et de grandes pièces dans une maison distinguée ? Cela a vraiment quelque chose de mystérieux et d'aventureux, la manière dont il est installé dans ce trou avec toutes ces soieries. »

Settembrini haussa les épaules.

« Ce doivent être des considérations de tact et de goût qui ont déterminé son choix. Je pense qu'il satisfait sa conscience anticapitaliste en habitant une chambre de pauvre, et qu'il trouve une compensation dans la manière dont il l'habite. La discrétion, elle aussi, doit être en jeu. On n'affiche pas sur tous les murs avec quel soin le diable pourvoit à vos besoins. On adopte une façade assez discrète derrière laquelle on s'abandonne librement à son goût d'ecclésiastique pour les soieries…

— Très étrange, dit Hans Castorp. Absolument nouveau et très captivant pour moi, je l'avoue. Non, nous vous devons vraiment beaucoup de gratitude, monsieur Settembrim, pour nous avoir fait faire sa connaissance. Voulez-vous m'en croire que nous retournerons encore souvent chez lui. C'est entendu. De telles relations élargissent l'horizon d'une manière inattendue et donnent vue sur un monde dont on ne soupçonnait même pas l'existence. Un vrai jésuite ! Et lorsque je dis vrai cela me fait penser à ce qui me traverse l'esprit et à ce que je voulais encore vous demander : est-ce bien régulier ? Je sais bien que vous pensez que rien n'est régulier avec quelqu'un qui doit ses ressources au diable. Mais ce que je voulais dire, c'était poser la question suivante : est-il donc en règle en tant que jésuite (c'est cela qui me passe par la tête) ? Il a débité des choses — vous savez ce que je veux dire — sur le communisme moderne et sur le zèle pieux du prolétariat qui ne reculera pas devant le sang, bref des choses, je n'en dis rien de plus, mais votre grand-père, avec sa pique de citoyen, eût été auprès de tout cela un agneau innocent, passez-moi l'expression. Est-ce donc possible, cela ? A-t-il reçu l'agrément de ses supérieurs ? Cela s'accorde-t-il avec la doctrine romaine en faveur de laquelle l'ordre doit intriguer dans le monde entier ? N'est-ce pas — le mot m'échappe — hérétique, irrégulier, incorrect ? Je pense à cela à propos de Naphta et j'aimerais bien savoir ce que vous en croyez. »

Settembrini sourit.

« Très simple. M. Naphta est, en effet, et tout d'abord jésuite, il l'est vraiment et complètement. Mais en second lieu il est un homme d'esprit — sinon je ne chercherais pas sa compagnie — et, comme tel, il tend à de nouvelles combinaisons, adaptations, accommodations et variations conformes à l'époque. Vous m'avez vu très surpris par ses théories. Il ne s'était jamais confié à moi aussi complètement. Je me suis servi de l'excitant que constituait en quelque manière votre présence, pour le pousser à dire en somme son dernier mot. C'était assez baroque et assez atroce…

— Oui, oui. Mais pourquoi n'est-il pas devenu père ? et n'avait-il pas l'âge de le devenir ?

— Ne vous ai-je pas dit que c'était la maladie qui l'en avait provisoirement empêché ?

— Bien, mais ne croyez-vous pas que, s'il est premièrement un jésuite, et deuxièmement un homme d'esprit avec des combinaisons, que cette deuxième qualité complémentaire provient de la maladie ?

— Qu'entendez-vous par là ?

— Non, non, monsieur Settembrini. Je veux dire tout simplement : il a une tache humide et cela l'a empêché de devenir père. Mais ses combinaisons l'en auraient sans doute elles aussi empêché, et par conséquent les combinaisons et la tache humide sont en quelque sorte du même ordre. Il est, à sa manière, quelque chose comme un enfant terrible de la vie, un *joli jésuite* avec une *petite tache humide.* »

Ils avaient atteint le sanatorium. Sur la plate-forme devant la maison, ils s'arrêtèrent encore une fois avant de se séparer, formèrent un petit groupe tandis que quelques pensionnaires qui flânaient autour du portail les regardaient causer. M. Settembrini dit :

« Encore une fois, mes jeunes amis, je vous mets en garde. Je ne puis vous empêcher de cultiver une connaissance que vous avez faite si votre curiosité vous y incite. Mais cuirassez de méfiance votre cœur et votre esprit, ne manquez jamais d'opposer une résistance critique à cet homme. Je vous le définirai d'un mot. C'est un voluptueux ! »

Les visages des cousins changèrent d'expression. Puis Hans Castorp demanda :

« Un quoi ? Permettez, n'appartient-il pas à un ordre ? Autant que je sache, certains vœux doivent être prononcés, et de plus il est si malingre et un tel gringalet…

— Vous parlez en étourdi, ingénieur, répondit M. Settembrini. Cela n'a rien à voir avec la constitution chétive, et, en ce qui concerne les serments, il y a des dispenses. J'ai parlé dans un sens plus large et plus spirituel pour lequel je m'attendais à trouver précisément chez vous une certaine compréhension. Vous rappelez-vous encore le jour où je suis allé vous voir dans votre chambre ? Il y a terriblement longtemps de cela. Vous vous acquittiez précisément de votre période de lit obligatoire après avoir été admis.

— Bien entendu. Vous êtes entré au crépuscule et vous avez allumé la lumière. Je m'en souviens comme…

— Bon, ce jour-là, nous en sommes arrivés à parler, comme, Dieu merci, cela se produit encore quelquefois, de sujets plus relevés. Je crois même que nous avons parlé de la mort et de la vie, de la majesté de la mort, pour autant qu'elle est une condition et un complément de la vie, et de l'aspect grimaçant qu'elle prend lorsque l'esprit commet l'affreux tort de l'isoler en tant que principe. Messieurs... », poursuivit Settembrini, en se rapprochant des jeunes gens, le pouce et le majeur de la main gauche tendus vers eux comme une fourchette, pour concentrer leur attention et levant d'un geste d'admonestation l'index de la main droite « ... rappelez-vous que l'esprit est souverain, que sa volonté est libre, qu'il détermine l'univers moral ! Si, dualiste, il isole la mort, celle-ci, par cette volonté de son esprit, devient en réalité *actu*, vous me comprenez, une puissance en soi opposée à la vie, un principe hostile, la grande séduction, et son empire est celui de la volupté. Vous me demandez : pourquoi de la volupté ? Je vous réponds : parce qu'elle délie et affranchit, parce qu'elle est l'affranchissement, non pas l'affranchissement du mal, mais l'affranchissement pervers. Elle dissout les mœurs et la morale, elle affranchit de la discipline et de la tenue, elle libère en vue de la jouissance. Si je vous mets en garde contre cet homme dont je ne vous ai fait faire la connaissance qu'à contrecœur, si je vous exhorte à ceindre trois fois vos cœurs de critique dans vos rapports et vos discussions avec lui, c'est parce que toutes ses pensées sont de nature voluptueuse, parce qu'elles sont placées sous la protection de la mort, une puissance des plus dévergondées, comme je vous l'ai dit autrefois, ingénieur — je me rappelle parfaitement mon expression, je me rappelle toujours les expressions précises et fortes que j'ai trouvé l'occasion de formuler —, une puissance dirigée contre la civilisation, le progrès, le travail et la vie, et contre le souffle méphitique de laquelle c'est le plus noble devoir de l'éducateur de protéger les jeunes âmes. »

On ne pouvait mieux parler que M. Settembrini, plus clairement, ni plus élégamment. Hans Castorp et Joachim Ziemssen le remercièrent beaucoup de ce qu'il leur avait fait entendre, prirent congé de lui et gravirent la rampe du portail du Berghof, tandis que M. Settembrini retournait à son pupitre d'humaniste, un étage au-dessus de la cellule tendue de soie de Naphta.

C'est le cours de la première visite des cousins chez Naphta que nous avons rapporté ici. Depuis lors, deux ou trois autres visites l'avaient suivie, dont une en l'absence de M. Settembrini ; et celles-ci aussi alimentaient les réflexions du jeune Hans Castorp lorsque la forme supérieure nommée *Homo Dei* apparaissait à son œil intérieur, qu'il était assis dans le lieu fleuri de bleu de sa retraite et qu'il « gouvernait ».

Colère bleue et surprise pénible

Ainsi arriva le mois d'août et, parmi ses premiers jours, l'anniversaire de l'arrivée de notre héros était heureusement passé inaperçu. C'était heureux qu'il fût passé : le jeune Hans Castorp l'avait vu approcher avec une certaine inquiétude. Telle était, d'ailleurs, la règle. On n'aimait pas beaucoup les anniversaires d'arrivée ; ni les pensionnaires d'un an, ni les malades de plusieurs années n'en avaient cure, et tandis que, par ailleurs, on ne négligeait pas le moindre prétexte pour célébrer les fêtes et boire à la santé les uns des autres, tandis que l'on multipliait les occasions de réjouissance générale marquant le rythme et la pulsation de l'année à l'aide de toutes sortes de prétextes personnels et privés, et que les anniversaires de naissance, les examens généraux, les départs autorisés ou non, et d'autres événements encore étaient fêtés au restaurant par des festins au champagne, cet anniversaire-ci était voué au silence, on glissait sur lui, on oubliait même d'y prendre garde, et l'on pouvait se dire avec confiance que les autres ne s'en souviendraient pas du tout si exactement. On tenait sans doute aux divisions du temps ; on observait le calendrier, la succession des jours, leur retour apparent. Mais mesurer et compter le temps qui, pour chaque individu, était lié à l'espace, ici en haut, compter par conséquent le temps personnel et individuel, c'était là affaire des débutants et des hôtes de passage ; les anciens s'en tenaient à cet égard à l'absence de toute mesure, à l'éternité imperceptible, au jour qui était toujours le même, et chacun par délicatesse supposait chez l'autre un désir qu'il éprouvait lui-même. On eût jugé tout à fait maladroit et brutal de dire à quelqu'un qu'il était là juste depuis trois ans : de telles choses n'arrivaient pas. Mme Stöhr elle-même, quelques défauts qu'elle pût avoir par ailleurs, avait sur ce point de l'éducation et du tact ; jamais elle n'aurait commis une telle bévue. Sa maladie, l'état fiévreux de son corps s'alliaient, sans doute, à une profonde ignorance. Récemment encore, à table, elle avait parlé de « l'affectation » des pointes de ses poumons, et lorsque la conversation avait porté sur des événements historiques, elle avait déclaré que les dates historiques n'avaient jamais été son « anneau de Polycrate », ce qui avait sidéré un instant ses voisins. Mais il eût été inimaginable qu'elle rappelât en février l'anniversaire de sa venue au jeune Ziemssen, bien qu'elle y eût probablement pensé. Car sa malheureuse tête était naturellement pleine de dates et de choses inutiles, et elle aimait à faire les comptes des autres ; mais l'usage la muselait.

Il en fut donc ainsi le jour de Hans Castorp. Sans doute, à table, avait-elle essayé une fois de cligner des yeux d'une manière significative, mais comme elle avait rencontré un visage sans regard, elle s'était hâtée de battre en retraite. Joachim, lui aussi, avait gardé le silence bien qu'il se souvînt sans doute du jour où il avait cherché à la gare de Dorf son cousin qui venait lui rendre visite. Mais Joachim, naturellement peu enclin à parler, beaucoup moins bavard en tout cas que Hans Castorp ne s'était montré ici, sans parler des humanistes et jacasseurs de leur entourage, Joachim donc avait observé ces temps derniers un mutisme particulier et frappant. Il ne s'exprimait plus que par monosyllabes, mais un travail se faisait derrière son masque. Il était clair que pour lui d'autres images étaient liées à celle de la gare de Dorf, que l'image de l'arrivée et de l'attente… Il entretenait une correspondance active avec le pays plat. Des décisions mûrissaient en lui. Il faisait des préparatifs qui approchaient de leur terme.

Le mois de juillet avait été chaud et clair. Mais au commencement du mois nouveau, le temps se fit mauvais, une humidité froide régna, une pluie mêlée de neige puis de la neige sans erreur possible, et ce temps dura, coupé de quelques belles journées d'été, jusque par-delà la fin du mois, jusqu'en plein septembre. Au début, les chambres gardèrent encore la chaleur de la période d'été qui avait précédé ; on y avait dix degrés, ce qui passait pour confortable. Mais bientôt il fit de plus en plus froid et l'on fut heureux de voir tomber la neige qui couvrit la vallée, car la chute de la neige — la chute de la neige, la baisse de température à elle seule n'y eût pas suffi — décida l'administration à chauffer, d'abord la salle à manger, puis également les chambres, et lorsque, venant de sa cure et débarrassé de ses deux couvertures, on quittait la loggia, on pouvait tâter de ses mains humides et raides les radiateurs vivants, dont l'haleine sèche à la vérité accusait encore la rougeur des joues.

Était-ce l'hiver, cela ? Les sens n'échappaient pas à cette impression, et l'on se plaignait que l'on eût été « volé de son été », bien que l'on s'en fût, somme toute, dépouillé soi-même, aidé par des circonstances naturelles et artificielles, par un gaspillage intérieur et extérieur du temps. La raison disait qu'on aurait encore de belles journées d'automne ; peut-être même se suivraient-elles en série et seraient d'une splendeur si chaude que ce ne serait pas leur faire trop d'honneur que de leur accorder ce nom — à condition de faire abstraction de l'orbite du soleil déjà plus allongée et de sa disparition plus rapide. Mais l'action, sur l'état d'âme, de l'aspect de ce paysage d'hiver était plus forte que toutes les consolations. On se postait devant la porte fermée de son balcon et on considérait avec répugnance ces tourbillons : c'était Joachim qui se tenait ainsi ; d'une voix oppressée il dit :

« Est-ce que ça va recommencer à présent ? »

Hans Castorp, derrière lui, dans la chambre, répondit :

« Ce serait un peu trop tôt, cela ne peut être définitif, mais il est vrai que cela vous a un aspect effroyablement définitif. Si l'hiver consiste en de l'obscurité, de la neige, du froid et des radiateurs chauds, c'est de nouveau l'hiver, il n'y a pas moyen de le nier. Et si l'on considère que nous sortons à peine de l'hiver, que la fonte des neiges est à peine passée — de toute façon il semble n'est-ce pas que nous venions tout juste d'avoir le printemps —, on peut se sentir momentanément écœuré, j'en conviens. C'est dangereux pour l'optimisme chez l'homme : laisse-moi t'expliquer ce que je veux dire. Je veux dire ceci, que tout le monde est normalement organisé de telle façon qu'il répond aux besoins de l'homme et convient à sa joie de vivre, c'est ce qu'il faut admettre. Je ne veux pas aller jusqu'à dire que l'ordre naturel, par exemple, disons-le tout de suite, la grandeur de la terre, le temps qu'elle met à tourner sur elle-même et autour du soleil, le rythme cosmique, si tu veux, soient calculés sur nos besoins : ce serait impertinent et niais, ce serait de la téléologie, comme disent les philosophes. Mais il y a tout simplement ceci que notre besoin et les faits naturels généraux et fondamentaux s'accordent, Dieu merci — je dis : Dieu merci, parce que c'est vraiment une occasion de louer Dieu —, et lorsqu'en pays plat l'été ou l'hiver arrivent, l'été ou l'hiver précédents sont passés tout juste depuis un temps assez long pour que l'été ou l'hiver nous soient à nouveau les bienvenus, et c'est à quoi tient notre plaisir de vivre. Mais, ici, sur nos sommets, cet ordre et cet accord sont troublés, premièrement parce que, ici, il n'y a pas du tout de saisons véritables, comme tu en as toi-même un jour fait la remarque, mais rien que des jours d'hiver *pêle-mêle* et sens dessus dessous, ensuite parce que ce n'est pas du tout du temps qui passe ici, de sorte que l'hiver suivant lorsqu'il revient n'est pas du tout nouveau, mais est toujours le même ; et c'est là ce qui explique le déplaisir avec lequel tu regardes par la fenêtre.

— Merci, dit Joachim, et maintenant que tu l'as expliqué, tu es, je crois, si satisfait que, par-dessus le marché, tu es content de la chose elle-même, quoiqu'elle… Eh bien non, dit encore Joachim, j'en ai assez, dit-il, c'est une cochonnerie. Toute cette histoire est une formidable et dégoûtante cochonnerie, et si pour ton compte… Moi je… »

Et d'un pas rapide il quitta la chambre, fit même claquer la porte, et si tous les signes n'étaient pas trompeurs, des larmes étaient montées à ses beaux yeux doux.

L'autre, gêné, demeura en arrière. Il n'avait pas pris au sérieux certaines décisions de son cousin aussi longtemps que celui-ci s'était répandu en menaces verbales. Mais à présent que quelque chose couvait secrètement sous les traits de Joachim, et qu'il se conduisait comme il venait de le faire à l'instant, Hans Castorp prenait peur parce qu'il comprenait que ce militaire était homme à passer aux actes, il avait peur jusqu'à en pâlir, pour tous deux, pour lui-même et pour l'autre. « Fort possible qu'il aille mourir », pensa-t-il, et comme c'était là, à coup sûr, un savoir de troisième main, le tourment d'un soupçon ancien et jamais apaisé s'y mêla, tandis qu'il pensait encore : « Est-il possible qu'il me laisse seul ici, moi qui ne suis venu que pour lui rendre visite ? Pour ajouter : ce serait fou et effrayant, ce serait tellement fou et effrayant que je sens ma figure se glacer et mon cœur faire des siennes, car si je reste seul ici — et c'est ce qui arrivera s'il s'en va, il est tout simplement exclu que je parte avec lui — s'il en est ainsi — mais voici que mon cœur s'arrête complètement —, c'est pour toujours et à jamais, car je ne retrouverai jamais plus à moi seul le chemin de la plaine… »

Telles furent les réflexions effrayantes de Hans Castorp. Dans le courant du même après-midi il devait acquérir une certitude sur le cours des choses à venir : Joachim s'ouvrit de son dessein, les dès tombèrent, il y eut combat et décision.

Après le thé ils descendirent dans le souterrain éclairé, pour l'examen mensuel. On était au début de septembre. En entrant dans l'atmosphère sèche de la salle de consultations, ils trouvèrent le docteur Krokovski, assis à sa place devant le secrétaire, tandis que le conseiller, le visage très bleu, les bras croisés, était appuyé au mur, tenant d'une main le stéthoscope duquel il se tapotait l'épaule. Il bâilla vers le plafond :

« Bonjour, les enfants », dit-il d'une voix fatiguée, et il manifesta de diverses façons encore une humeur assez déprimée, de la mélancolie, une résignation totale.

Sans doute, avait-il fumé ! Mais il avait eu aussi des ennuis bien réels dont les cousins avaient entendu parler, des incidents de sanatorium d'un genre suffisamment connu : une jeune fille, nommée Ammy Nölting, qui, entrée pour la première fois l'automne précédent, et renvoyée après neuf mois, en août, comme guérie, était revenue avant la fin de septembre parce qu'elle « ne s'était pas sentie bien » chez elle, qui en février avait été à nouveau jugée complètement rétablie et avait été rendue au pays plat, mais qui depuis la mi-juillet avait repris sa place à la table de Mme Iltis ; cette Ammy, donc, avait été surprise à une heure du matin avec un malade nommé Polypraxios, le même Grec qui, le soir de carnaval, avait fait sensation par l'élégance de ses jambes, un jeune chimiste dont le père possédait au Pirée une usine de produits colorants ; elle avait été surprise dans sa chambre par une amie égarée par la jalousie, laquelle avait pénétré dans ladite chambre par le même chemin que Polypraxios, c'est-à-dire en passant par le balcon, et qui, déchirée par la douleur et la colère, à cette découverte, avait poussé des cris effrayants, avait tout mis en branle, de sorte que cette affaire s'était ébruitée. Behrens avait dû les renvoyer tous trois, l'Athénien, la Nölting et l'amie, et il venait de discuter cette désagréable affaire avec son assistant, dont Ammy, ainsi que la rivale, avaient du reste suivi le traitement particulier. Durant l'examen, il continua de parler de cette affaire sur un ton de mélancolie et de résignation ; car il était un virtuose si accompli de l'auscultation qu'il était capable d'explorer l'intérieur d'un homme, tout en parlant d'autre chose et en dictant à son assistant ce qu'il avait constaté.

« Oui, oui, gentlemen, cette sacrée *libido*, dit-il. Vous, ces choses-là vous amusent encore, naturellement. Vésiculaire. Mais un chef d'établissement comme moi peut en avoir plein la lampe, oui, c'est ce que vous pouvez... Assourdi... Ah ! oui, vous pouvez m'en croire. Que voulez-vous que j'y fasse, si la phtisie est inséparable d'une certaine concupiscence ? Légère rugosité. Ce n'est pas moi qui en ai disposé ainsi, mais avant de s'être avisé de rien, on est là comme un tenancier de cabanons. Souffle court sous l'épaule gauche. Nous avons bien l'analyse, nous avons la confession, merci bien, bon appétit ! Plus cette bande de râleurs se confie, plus elle devient libertine. Moi, je préconise les mathématiques. Mieux ici, le bruit a disparu. S'occuper de mathématiques, dis-je, c'est le meilleur remède contre la concupiscence. Le procureur Paravant qui a été fortement tenté, s'est jeté dessus, il en est arrivé maintenant à la quadrature du cercle et cela le soulage beaucoup. Mais la plupart sont trop bêtes ou trop paresseux pour cela — que Dieu leur pardonne ! Vésiculaire. Voyez-vous, je sais parfaitement que les jeunes gens se détraquent et tournent mal assez facilement ici, et autrefois j'ai essayé d'intervenir contre la débauche. Mais dans ces cas-là, il m'est parfois arrivé qu'un frère ou un fiancé quelconque m'ait demandé en face en quoi cela pouvait bien me regarder. Depuis, je ne suis plus que médecin. Léger râle à droite, en haut. »

Il en avait fini avec Joachim, il glissa son stéthoscope dans la poche de sa blouse et frotta ses deux yeux de son énorme main gauche, comme il avait coutume de faire lorsqu'il « n'y était plus » et qu'il devenait mélancolique. À moitié machinalement et tout en bâillant, entre-temps, il récita sa petite leçon :

« Allons, Ziemssen, toujours gai ! C'est vrai que tout ne se passe pas encore exactement comme c'est écrit dans le livre de physiologie. Ça cloche encore ici et là ; et avec Gaffky vous n'avez pas encore complètement réglé vos petites affaires, vous avez même progressé récemment d'un numéro dans l'échelle, c'est 6 cette fois-ci. Mais il n'y a pas de quoi vous frapper. Lorsque vous êtes arrivé ici, vous étiez plus malade, je peux vous le mettre par écrit, et si vous restez encore cinq ou six petits meis, savez-vous qu'on disait autrefois : meis, et non pas : mois ? C'est beaucoup plus gentil. J'ai décidé de ne plus jamais dire que meis…

— Monsieur le Conseiller… », commença Joachim Il était debout, le torse nu, dans une attitude rigide, la poitrine saillante, les talons joints, et son visage était aussi tacheté que le jour où Hans Castorp, en certaine circonstance, avait remarqué pour la première fois que c'était ainsi que le visage bronzé de son cousin pâlissait.

« Si vous faites, poursuivit Behrens, en précipitant son élan, si vous faites encore la moitié d'une bonne petite année votre service vous êtes un homme fait, vous pouvez prendre Constantinople d'assaut, vous marcherez si bien qu'on vous fera généralissime dans les Marches… »

Dieu sait ce qu'il aurait encore radoté dans son état de moindre résistance si la tenue imperturbable de Joachim, sa volonté évidente de parler, et de parler avec courage, ne lui avaient pas fait perdre le fil.

« Monsieur le Conseiller, dit le jeune homme, je me permets de vous informer que j'ai décidé de partir.

— Allons donc ! Vous voulez devenir voyageur ? Je croyais que vous vouliez un jour, lorsque vous serez guéri, vous faire soldat.

— Non, il faut que je parte maintenant, monsieur le Conseiller. Il faut que je fasse mon service.

— Quoique je vous dise que dans six mois je vous autoriserai sans faute à partir, mais qu'avant six mois je ne peux vous rendre votre liberté ? »

La tenue de Joachim devenait de plus en plus militaire. Il rentra l'estomac et dit, brièvement, d'une voix étouffée :

« Je suis ici depuis plus d'un an et demi, monsieur le Conseiller. Je ne saurais attendre plus longtemps. Monsieur le Conseiller a dit primitivement : trois mois. Ensuite ma cure a été prolongée, chaque fois de trois ou de six mois, et je ne suis toujours pas bien portant.

— Est-ce ma faute ?

— Non, monsieur le Conseiller. Mais je ne peux pas attendre plus longtemps. Si je ne veux pas manquer le moment opportun, je ne peux pas attendre ici d'être complètement guéri. Il faut que je descende dès à présent. J'ai encore besoin d'un peu de temps pour m'équiper et faire d'autres préparatifs.

— Vous agissez d'accord avec votre famille ?

— Ma mère est d'accord. Tout est convenu. J'entre le 1er octobre comme aspirant au 76e.

— À vos risques et périls ? demanda Behrens, et il regarda de ses yeux injectés de sang.

— À vos ordres, monsieur le Conseiller, répondit Joachim, dont les lèvres tressaillirent.

— Allons, ça va bien, Ziemssen. »

Le conseiller changea d'expression, son attitude se détendit et il rendit la main à tous les égards.

« Ça va bien, Ziemssen. Rompez. Partez et bon voyage ! Je vois que vous savez ce que vous voulez, vous prenez la chose sur vous, c'est donc effectivement votre affaire, et non pas la mienne, à partir du moment où vous en prenez la responsabilité. Chacun pour soi. Vous voyagez sans garantie, je ne réponds de rien. Mais, Dieu nous garde, cela peut très bien marcher. C'est un métier en plein air que vous allez exercer. Il est parfaitement possible qu'il vous convienne et que vous vous tiriez d'affaire.

— Parfaitement, monsieur le Conseiller.

— Allons, et vous, le civil, vous voulez sans doute faire partie du pèlerinage, jeune homme ? »

C'était Hans Castorp qui devait répondre. Il était là, aussi pâle qu'il y avait un an, lors de la consultation, à la suite de laquelle il était resté ici. Il était immobile comme ce jour-là, et de nouveau on voyait distinctement le battement de son cœur contre les côtes. Il dit :

« Je voudrais faire dépendre cela de votre jugement, docteur.

— De mon jugement ? Bien. »

Behrens le tira à lui par le bras, frappa et ausculta. Il ne dicta pas. Cela alla assez vite. Lorsqu'il eut fini, il dit :

« Vous pouvez partir. »

Hans Castorp bégaya :

« C'est-à-dire… comment ? Suis-je donc bien portant ?

— Oui, vous êtes bien portant. La tache à gauche, en haut, ce n'est plus la peine d'en parler. Votre température n'en dépend pas. D'où elle provient, c'est ce que je ne peux pas vous dire. J'admets qu'elle ne signifie pas grand-chose. Si cela vous plaît, vous pouvez partir.

— Mais… docteur… Je pense que pour l'instant vous ne parlez pas tout à fait sérieusement ?

— Pas sérieusement ? Comment donc ? Que vous figurez-vous donc ? Que pensez-vous de moi, en somme, c'est ce que je voudrais bien savoir. Pour qui me prenez-vous ? Pour un marchand de soupe ? »

C'était un accès de colère furieuse. La couleur bleue du visage du conseiller avait tourné au violet, par l'afflux d'un sang enflammé, le pli de sa lèvre s'était accentué sous la petite moustache, de telle sorte que les canines supérieures saillaient ; il avançait la tête comme un taureau, ses yeux larmoyaient, humides et sanguinolents.

« Je vous en prie, cria-t-il. D'abord je ne suis pas du tout tenancier. Je suis un employé ici. Je suis médecin. Je ne suis que médecin, vous m'entendez ? Je ne suis pas un entremetteur ? Je ne suis pas un *signor Amoroso* du Toledo dans la belle Napoli, vous m'entendez bien. ? Je suis un serviteur de l'humanité souffrante ! Et si vous vous êtes fait une autre idée de ma personne, vous pouvez aller tous les deux au diable, vous pouvez aller vous faire pendre où vous voudrez, à votre choix. Bon voyage ! »

À grands pas allongés il quitta la chambre, par la porte qui donnait dans la salle de radioscopie, et la fit claquer derrière lui.

Cherchant conseil, les cousins se tournèrent vers le docteur Krokovski, mais ce dernier était plongé et perdu dans ses paperasses. Ils se dépêchèrent donc de se rhabiller. Dans l'escalier, Hans Castorp dit :

« Mais c'était effrayant, cela. L'avais-tu déjà vu dans cet état ?

— Non, jamais dans cet état. Ce sont des accès de folie césarienne. La seule chose à faire, c'est de les subir sans perdre son sang-froid. Naturellement, il était déjà surexcité par l'affaire de Polypraxios et de la Nölting. Mais as-tu remarqué, poursuivit Joachim — et l'on se rendait compte que la joie d'avoir eu gain de cause montait en lui et lui oppressait la poitrine —, as-tu remarqué comme il s'est dégonflé et a capitulé lorsqu'il a compris que je parlais sérieusement ? Il suffit de se montrer énergique et de ne pas se laisser endormir. À présent j'ai en quelque sorte une permission, il a dit lui-même que je me tirerais peut-être d'affaire, et dans huit jours c'est pour nous le départ ; dans trois semaines je serai en uniforme », rectifia-t-il en laissant Hans Castorp hors de cause, et en limitant son optimisme joyeux à sa propre personne.

Hans Castorp garda le silence. Il ne dit plus rien de la « permission » de Joachim, ni de la sienne propre, dont on eût pu parler également. Il se prépara pour la cure de repos, mit le thermomètre dans la bouche ; en quelques mouvements rapides et sûrs, avec une maîtrise accomplie, conformément à la pratique consacrée dont personne n'avait la moindre notion en pays plat, il s'enroula dans les deux couvertures en poil de chameau, puis il resta immobile, rouleau impeccable, sur son excellente chaise longue, dans l'humidité froide de cet après-midi de l'automne commençant.

Les nuages de pluie étaient bas, le drapeau de fantaisie, au jardin, avait été amené, des restes de neige étaient accrochés aux branches du sapin. De la salle de repos d'en bas, où avait retenti il y a longtemps pour la première fois la voix de M. Albin, un léger bruit de conversations monta vers l'oreille du jeune homme qui faisait son service, et dont les doigts et le visage devinrent rapidement raides de froid et d'humidité. Il en avait l'habitude et il savait gré à ce genre de vie, le seul qu'il pût encore imaginer, de l'avantage qu'il accordait d'être étendu ainsi à l'abri et de pouvoir songer à tout.

C'était chose résolue, Joachim partirait. Rhadamante lui avait donné congé, non pas selon le rite, non pas comme s'il était bien portant, mais en l'approuvant à moitié, en rendant hommage à sa vaillance. Il descendrait par le chemin de fer à voie étroite jusqu'à Landquart, et puis à Romanshorn et ensuite par-delà le lac profond et vaste que le cavalier du poème franchissait sur sa monture, et à travers toute l'Allemagne s'en retournerait chez lui. Il vivrait là-bas dans le monde du pays plat, au milieu d'hommes qui n'avaient aucune idée de la manière dont il fallait vivre, qui ne savaient rien du thermomètre, de l'art de s'empaqueter, du sac de fourrure, des trois promenades quotidiennes, de… Il était difficile de dire, il était difficile d'énumérer tout ce dont ils ne savaient rien en bas, mais l'idée que Joachim, après avoir vécu en haut pendant plus d'un an et demi, devait vivre parmi les ignorants, cette idée qui ne concernait que Joachim, et qui ne le concernait, lui, Hans Castorp, que de très loin, et en quelque sorte à titre d'hypothèse, le troublait tellement qu'il ferma les yeux et fit de la main un geste de défense. « Impossible, impossible ! » murmura-t-il.

Dès lors que c'était impossible, continuerait-il donc de vivre ici, seul et sans Joachim ? Oui. Combien de temps ? Jusqu'à ce que Behrens le renvoyât comme guéri, et cela sérieusement, non pas comme aujourd'hui. Mais premièrement c'était là une date que l'on ne pouvait prévoir qu'en faisant, comme Joachim l'avait fait un jour, le geste de l'incalculable, et deuxièmement cette chose impossible deviendrait-elle dès lors plus possible ? Le contraire plutôt était vrai. Et il fallait en convenir loyalement ; une main lui était tendue, à présent que l'impossible n'était peut-être pas encore aussi impossible qu'il le deviendrait plus tard. Un soutien s'offrait à lui et un guide, grâce au départ en coup de tête de Joachim, pour le ramener au pays plat que, de lui-même, il risquait de ne jamais plus retrouver, de toute éternité. La pédagogie humaniste l'exhorterait instamment à saisir cette main et à accepter ce guide si la pédagogie humaniste apprenait cette occasion. Mais M. Settembrini n'était qu'un représentant de choses et de puissances intéressantes qui toutefois n'étaient pas seules à exister, qui n'étaient pas absolues, et il en était de même de Joachim. Il était militaire, lui. Il partait presque à l'instant où Maroussia à la poitrine opulente allait revenir (tout le monde savait en effet qu'elle devait rentrer le 1er octobre), tandis qu'à lui, au civil Hans Castorp, le départ semblait, au fond et en bref, impossible parce qu'il devait attendre Clawdia Chauchat, du retour de laquelle on ne savait encore absolument rien. « Ce n'est pas ma manière de voir », avait dit Joachim lorsque Rhadamante lui avait parlé de désertion, ce qui, sans conteste, n'avait été à l'égard de Joachim que sottises et radotages du conseiller obnubilé. Mais pour lui, le civil, il en allait quand même autrement. Pour lui (oui, sans aucun doute, il en était ainsi !) et c'était pour dégager cette considération décisive du vague de ses sentiments, qu'il s'était étendu aujourd'hui dans ce froid humide. Pour lui c'eût été vraiment une désertion que de saisir l'occasion et de partir en coup de tête, ou presque en coup de tête, pour le pays plat, une désertion en présence des responsabilités qui lui étaient apparues tandis qu'il contemplait l'image de cet être supérieur nommé *Homo Dei*, une trahison à l'égard des devoirs de son « gouvernement », accablants et irritants, surpassant ses forces, mais enchanteurs et aventureux, auxquels il se vouait ici, dans sa loge et dans le vallon fleuri de bleu.

Il tira le thermomètre de sa bouche, aussi violemment qu'il l'avait fait un autre jour déjà, après s'être servi pour la première fois du gracieux instrument que l'infirmière en chef lui avait vendu et il le regarda avec la même avidité. Le mercure avait sensiblement monté, il marquait 37,8, presque 9.

Hans Castorp rejeta les couvertures, sauta sur pied, fit quelques pas rapides dans la chambre, jusqu'à la porte du couloir, et revint. Puis, de nouveau en position horizontale, il appela doucement Joachim et s'informa de sa température.

« Je ne la prends plus, répondit Joachim.

— Eh bien, j'en ai moi, du *tempus* », dit Hans Castorp mettant ce mot, à la suite de Mme Stöhr, au même genre qu'autobus. Sur quoi Joachim garda le silence, derrière sa paroi de verre.

Plus tard il ne dit rien non plus, ni ce jour, ni le suivant : il ne s'informa pas des projets du cousin et de ses décisions qui, étant donné la rapidité du délai, devaient se révéler d'elles-mêmes : par des actes ou par l'abstention de certains actes ; et ce fut de cette seconde manière qu'il les apprit. Il semblait avoir opté pour le quiétisme, d'après lequel agir c'est offenser Dieu qui s'en réserve seul le privilège. Quoi qu'il en fût, ces jours-ci, l'activité de Hans Castorp s'était réduite à une visite chez Behrens, à un entretien que Joachim connaissait et dont il était possible de calculer sur ses cinq doigts le cours et le résultat. Son cousin avait dû déclarer qu'il se permettrait d'accorder plus de poids aux nombreuses exhortations anciennes du conseiller à attendre la guérison complète, pour n'être pas obligé de revenir, qu'à une parole inconsidérée, prononcée en une minute de mauvaise humeur ; il avait 37,8, il ne pouvait pas se considérer comme libéré en bonne forme, et s'il ne fallait pas interpréter la parole prononcée l'autre jour par le conseiller comme une relégation que lui qui parlait n'avait pas le sentiment d'avoir encourue, il avait décidé, après mûre réflexion et en désaccord conscient avec son cousin, il avait décidé de demeurer encore ici, et d'attendre sa désintoxication complète. Sur quoi le conseiller avait dû répondre : « Parfait » et « Sans rancune ! » et : cela, c'était parler raison, et : il avait tout de suite vu que Hans Castorp avait plus de talent pour la maladie que ce galopin et ce traîneur de sabre. Et ainsi de suite.

Tel devait avoir été le cours de la conversation d'après les conjectures approximatives de Joachim. Il ne dit donc rien, mais se borna à constater en silence que Hans Castorp ne se joignait pas à ses préparatifs de voyage. D'ailleurs, le bon Joachim était bien assez absorbé par ses propres soucis. Il ne pouvait vraiment pas s'occuper davantage du sort de son cousin. Une tempête agitait sa poitrine, on le pense bien. Heureux encore qu'il ne prît plus sa température et qu'il eût cassé son instrument en le laissant tomber, prétendait-il ; s'il l'avait prise, il aurait eu peut-être des surprises troublantes, surexcité, tantôt brûlant d'une ardeur sombre, tantôt pâle de joie et d'impatience comme il l'était. Il ne pouvait plus rester étendu ; toute la journée, Hans Castorp l'entendait aller et venir dans sa chambre. À toute heure, quatre fois par jour, cependant qu'au Berghof régnait la position horizontale. Un an et demi ! Et à présent descendre au pays plat chez soi, vraiment au régiment, encore qu'avec une demi-permission ! Ce n'était pas une bagatelle, à aucun point de vue, Hans Castorp le sentait en entendant son cousin aller et venir sans repos. Il avait vécu ici dix-huit mois, parcouru le cercle complet de l'année, et puis encore une fois la moitié, s'était profondément accoutumé, attaché à cet ordre, à cette règle de vie inaltérable qu'il avait observée pendant sept fois soixante-dix jours, en toute saison, et voici qu'il rentrait chez lui, à l'étranger, chez les ignorants ! Quelles difficultés d'acclimatation devaient le menacer là-bas ! Et pouvait-on s'étonner que la grande agitation de Joachim ne fût pas seulement faite de joie, mais aussi d'angoisse, de la souffrance d'une séparation de choses si profondément habituelles ! Sans même parler de Maroussia.

Mais la joie l'emportait. Le cœur et la bouche du bon Joachim en débordaient. Il ne parlait que de lui-même, il se désintéressait de l'avenir de son cousin. Il disait combien tout serait neuf et frais, la vie, lui-même, le temps, chaque jour, chaque heure. Il aurait de nouveau un temps stable, de lentes et importantes années de jeunesse. Il parla de sa mère, tante par alliance de Hans Castorp, qui avait des yeux aussi doux et noirs que Joachim, de sa mère qu'il n'avait pas vue durant tout ce séjour à la montagne, parce que, l'attendant de mois en mois, de semestre en semestre, elle ne s'était jamais résolue à rendre visite à son fils. Il parlait avec un sourire enthousiaste du serment au drapeau qu'il allait bientôt prêter — c'était en présence du drapeau, à l'étendard lui-même que dans les circonstances les plus solennelles, on prêtait ce serment. « Allons donc ! dit Hans Castorp, sérieusement ? À une hampe de bois ? Au morceau de tissu ? » Oui, en effet ! Et, dans l'artillerie, à la pièce, en manière de symbole. « En voilà des mœurs romantiques, observa le civil, sentimentales et fanatiques, pourrait-on dire. » Sur quoi Joachim, fier et heureux, hocha la tête avec approbation.

Il s'absorbait dans les préparatifs : il régla sa dernière note à l'administration et commença à faire ses bagages dès la veille de la date qu'il s'était fixée lui-même. Il emballa les vêtements d'été et d'hiver et fit coudre par le portier d'étage le sac de fourrure et les couvertures en poil de chameau dans de la toile de sac : peut-être pourrait-il s'en servir aux grandes manœuvres. Il commença à faire ses adieux. Il fit des visites d'adieu à Naphta et à Settembrini — seul, car son cousin ne se joignit pas à lui et ne s'informa pas davantage des appréciations que Settembrini avait formulées sur le départ prochain de Joachim et sur le fait qu'il n'était pas question du départ de Hans Castorp. Qu'il eût dit : « tiens, tiens ! » ou : « pas possible ! » ou les deux à la fois, ou : « *poveretto* », peu lui importait.

Puis vint l'avant-veille du départ, le jour où Joachim s'acquitta pour la dernière fois de tout, de chaque cure, de chaque promenade, et où il prit congé des médecins et de l'infirmière en chef. Et le jour lui-même arriva les yeux brûlants et les mains froides, Joachim vint au petit déjeuner, car il n'avait pas fermé l'œil de la nuit, il mangea du reste à peine et lorsque la naine annonça que les bagages étaient chargés, il sauta de sa chaise pour prendre congé de ses compagnons de table. Mme Stöhr, en lui disant adieu, versa des larmes, les larmes faciles et sans amertume de l'ignorante, mais derrière le dos de Joachim, par un signe de tête à l'institutrice, et en balançant avec une grimace sa main aux doigts écartés, elle exprima par un jeu de physionomie des plus vulgaires ses doutes sur la légitimité du départ et sur les chances de salut de Joachim. Hans Castorp la vit, qui vidait sa tasse debout pour suivre incontinent son cousin. Il fallait encore distribuer des pourboires et répondre dans le vestibule au compliment officiel du représentant de l'administration. Comme toujours, des pensionnaires étaient présents pour assister au départ : Mme Iltis, avec son « stérilet », Mlle Lévi au teint d'ivoire, Popof, le dépravé, avec sa fiancée. Ils firent des signes avec leurs mouchoirs lorsque la voiture, freinée à la roue de derrière, dévala la rampe. On avait offert des roses à Joachim. Il était coiffé d'un chapeau. Hans Castorp, pas.

La matinée était splendide, c'était la première journée de soleil après tant de mauvais temps. Le Schiahorn, les Tours Vertes, la cime du Dorfberg se dessinaient, repères inchangés, sur l'azur, et les yeux de Joachim reposaient sur eux. Presque dommage, dit Hans Castorp, que le temps soit devenu si beau justement pour le départ. Il y avait de la méchanceté là-dedans et une impression finale assez réconfortante facilitait la séparation. Sur quoi Joachim observa qu'il n'avait nul besoin qu'elle lui fût facilitée, et que c'était là un temps parfait pour faire son instruction, il en aurait aussi bien besoin en bas. Ils ne parlèrent plus guère. Il est vrai qu'il n'y avait plus grand-chose à dire, vu les circonstances. Et, de plus, le portier boiteux était assis devant eux sur le siège, à côté du cocher.

Haut perchés, secoués sur les coussins durs du cabriolet, ils avaient franchi le cours d'eau, la voie étroite, et suivaient la route irrégulièrement bordée de maisons et parallèle aux rails, puis ils s'arrêtèrent sur la place pierreuse devant la gare de Dorf, qui n'était guère qu'une sorte de hangar. Hans Castorp reconnut tout avec effroi. Depuis son arrivée, voici treize mois, à la nuit tombante, il n'avait pas revu la gare. « Mais c'est ici que je suis arrivé », dit-il, fort inutilement, et Joachim répondit simplement : « Oui, c'est ici », et il paya le cocher.

L'actif boiteux s'occupa de tout, du billet, des bagages. Ils étaient debout l'un près de l'autre sur le quai, près du train en miniature, à côté du petit compartiment capitonné de gris, où Joachim avait réservé sa place par son manteau, son plaid roulé et ses roses. « Eh bien, va donc prêter ton serment romantique ! » dit Hans Castorp, et Joachim répondit : « On n'y manquera pas ! » Quoi de plus ? Ils se chargèrent l'un l'autre des dernières salutations, pour ceux d'en bas, pour ceux d'en haut. Puis Hans Castorp ne fit plus que tracer avec sa canne des dessins sur l'asphalte. Lorsqu'on cria : « En voiture ! », il sursauta, regarda Joachim, et celui-ci le regarda. Ils se donnèrent la main, Hans Castorp eut un sourire vague ; les yeux de l'autre étaient graves et le regardaient avec une insistance triste. « Hans ! » dit-il. Grand Dieu ! y avait-il jamais eu au monde une chose aussi pénible ? Il appelait Hans Castorp par son prénom. Il ne lui disait pas « Toi » ou « Dis donc », comme ils avaient toujours fait, mais voici que, rompant avec toutes leurs habitudes de raideur et de réserve, il l'appelait avec une exubérance troublante par son prénom ! « Hans ! » disait-il, et avec une appréhension pressante il serrait la main de son cousin, qui ne pouvait pas ne pas se rendre compte que la nuque de Joachim, énervé par l'insomnie et fiévreux de partir, tremblait comme il lui arrivait à lui lorsqu'il « gouvernait », « Hans, dit-il d'un ton pressant, suis-moi bientôt ! ». Puis il sauta sur le marchepied. La portière se ferma, il y eut un coup de sifflet, les wagons s'entre-heurtèrent, la petite locomotive tira, le train partit. Par la portière, le voyageur agitait son chapeau ; l'autre, resté en arrière, agitait la main. Seul, le cœur remué, il demeura encore un long moment. Puis il remonta lentement le chemin par lequel Joachim, voici longtemps, l'avait conduit au Berghof.

Assaut repoussé

La roue tournait. L'aiguille avançait. L'orchis et l'achillée avaient achevé leur fleuraison, l'œillet sauvage, lui aussi. Les étoiles, d'un bleu si profond, de la gentiane, le colchique pâle et vénéneux apparaissaient de nouveau dans l'herbe humide, et au-dessus des forêts s'allumait une lueur rougeâtre. L'équinoxe d'automne était passé, la Toussaint était en vue, et pour les consommateurs de temps les plus exercés approchaient déjà l'Avent, la journée la plus brève, et la fête de Noël. Mais de belles journées d'octobre se suivaient encore, des journées comme celle où les cousins avaient vu les tableaux à l'huile du conseiller.

Depuis le départ de Joachim, Hans Castorp n'était plus assis à la table de la Stöhr, à celle que le docteur Blumenkohl avait quittée pour mourir et où Maroussia étouffait autrefois dans son mouchoir parfumé à l'orange une gaieté sans raison. De nouveaux pensionnaires étaient assis là, absolument inconnus. Mais notre ami qui avait accompli le deuxième mois de sa deuxième année, s'était vu attribuer par l'administration une nouvelle place, à une table voisine, placée en travers de l'autre, plus près de la porte de gauche de la véranda, entre son ancienne table et la table des Russes bien, bref, à la table de Settembrini. Oui, c'est à l'ancienne place de l'humaniste que Hans Castorp était maintenant assis, de nouveau à l'extrémité de la table, en face de la place du médecin, laquelle, à chacune des sept tables, restait réservée au conseiller et à son assistant.

À ce haut bout de la table, à gauche de la place d'honneur du médecin, un Mexicain bossu, le photographe amateur, était assis sur plusieurs coussins. Son expression était celle d'un sourd, par suite de son isolement linguistique, et à côté de lui était placée la vieille demoiselle transylvanienne qui, ainsi que Settembrini l'avait déjà déploré, accaparait tout le monde par des propos sur son beau-frère, bien que personne ne sût ni ne voulût rien savoir de cet individu. Une petite canne au pommeau d'argent de Toula, posée en travers, derrière sa nuque, canne dont elle se servait également dans ses promenades de service, on la voyait à certaines heures de la journée bomber sa poitrine plate, le long de la balustrade de son balcon, par des exercices respiratoires. Un Tchèque était assis en face d'elle, que l'on appelait M. Wenzel, parce que personne ne savait prononcer son nom de famille. M. Settembrini en son temps s'était parfois efforcé de prononcer la suite variée de consonnes dont se composait ce nom — certes pas pour de bon, mais pour faire gaiement la preuve de son impuissance distinguée de Latin devant ce fouillis sauvage de sons. Bien qu'il fût gras comme une marmotte et qu'il se distinguât par un appétit remarquable même chez les gens d'ici, le Tchèque annonçait depuis quatre ans qu'il allait mourir. Pendant la réunion du soir il jouait parfois sur une mandoline décorée de rubans les chansons de son pays et parlait de ses plantations de betteraves à sucre où travaillaient de jolies filles. Dans le voisinage plus proche de Hans Castorp venaient ensuite, des deux côtés de la table, les époux Magnus, brasseurs à Halle. Une atmosphère de mélancolie enveloppait ce couple, parce que tous deux perdaient des substances dont l'assimilation est essentielle, M. Magnus faisait du sucre, Mme Magnus, de l'albumine. La pâle Mme Magnus en particulier semblait n'avoir pas le moindre espoir, une vacuité de l'esprit se dégageait d'elle comme une haleine de cave, et presque plus expressément encore que l'inculte Mme Stöhr, elle représentait cette synthèse de la maladie et de la bêtise qui avait moralement choqué Hans Castorp, blâmé pour cela par M. Settembrini. M. Magnus était d'un esprit plus éveillé et plus volubile, encore qu'il ne le fût que de la manière qui avait excité l'impatience littéraire de Settembrini. De plus, il était coléreux et se disputait souvent avec M. Wenzel sur des sujets politiques ou autres. Car les aspirations nationales du Bohémien l'irritaient, et le Tchèque, par surcroît, se proclamait partisan de l'antialcoolisme et jugeait avec une sévérité de rigoriste la profession du brasseur, tandis que celui-ci, la tête rouge, défendait les propriétés incontestablement hygiéniques de la boisson à laquelle ses intérêts étaient si intimement liés. En de telles circonstances M. Settembrini était intervenu autrefois avec un humour conciliant. Mais Hans Castorp, à sa place, se sentait moins adroit et ne pouvait revendiquer assez d'autorité pour le remplacer.

Il n'avait de relations personnelles qu'avec deux de ses voisins de table : A. C. Ferge, de Pétersbourg, son voisin de gauche, était l'un, le brave souffre-douleur qui, sous la touffe de sa moustache rouge brun parlait de la fabrication des caoutchoucs et de contrées lointaines, du cercle polaire, de l'hiver éternel au cap Nord, et qui faisait parfois une petite promenade en compagnie de Hans Castorp. Mais l'autre, qui se joignait à eux en tiers aussi souvent que possible, et qui avait sa place au bout supérieur de la table, à côté du bossu mexicain, était le Mannheimois au cheveu rare et aux dents gâtées nommé Wehsal, Ferdinand Wehsal, commerçant de son métier, de qui les yeux avaient toujours été suspendus avec un désir si trouble à la gracieuse personne de Mme Chauchat et qui, depuis carnaval, recherchait l'amitié de Hans Castorp.

Il le faisait avec ténacité et humilité, avec un dévouement servile, qui avait pour l'intéressé quelque chose de répugnant et d'effrayant parce qu'il en comprenait le sens ambigu, mais auxquels il s'efforçait de répondre d'une manière humaine. Le regard calme (car il savait que le moindre froncement de sourcils suffisait à effrayer le malheureux qui reculait et se faisait petit), il supportait les manières serviles de Wehsal qui saisissait chaque occasion de s'incliner devant lui et de lui faire des grâces, tolérait même que celui-ci portât parfois en promenade son pardessus — il le portait sur le bras avec une certaine ferveur —, supportait enfin la conversation du Mannheimois dont les propos étaient tristes. Wehsal se plaisait à poser des questions comme celle de savoir s'il était raisonnable de déclarer son amour à une femme que l'on aimait, mais qui ne voulait rien entendre de vous. « La déclaration sans espoir, qu'en pensaient ces messieurs ? » Lui, pour sa part, en faisait le plus grand cas, il affirmait qu'une félicité indicible y était liée. Si, en effet, l'acte de l'aveu éveillait de la répugnance et comportait beaucoup d'humiliation, il vous rapprochait quand même pour un moment de l'objet de votre amour, il introduisait celui-ci dans la confidence, dans l'élément de votre propre passion, et encore que tout fût terminé, la perte éternelle n'était pas payée trop cher par le bonheur désespéré d'un instant ; car l'aveu est une violence faite, et plus est grande la répugnance qu'on lui oppose, plus il procure de jouissance. Ici une ombre passa sur le visage de Hans Castorp, qui fit reculer Wehsal ; ce nuage, à la vérité, tenait plutôt à la présence du bon Ferge auquel, comme il le soulignait souvent, tous les objets élevés et difficiles étaient absolument étrangers, qu'à la pruderie et à l'austérité de notre héros. Comme nous nous efforçons toujours de ne le montrer ni pire ni meilleur qu'il n'est, nous tenons à préciser que le pauvre Wehsal insista un soir en tête à tête avec lui et en termes discrets pour que Hans Castorp lui confiât quelques détails des événements et des expériences de certaine nuit de carnaval, que Hans Castorp donna suite à cette prière avec une tranquille bienveillance sans que, le lecteur peut nous en croire, ce dialogue à voix basse eût rien comporté de libertin ni de vil. Néanmoins, nous avons des raisons de le laisser de côté et de nous taire devant nos lecteurs, et nous nous bornons à ajouter que Wehsal, à partir de ce jour, porta le pardessus de l'aimable Hans Castorp avec un dévouement redoublé.

Tenons-nous-en là, en ce qui concerne les nouveaux compagnons de table de Hans. La place à sa droite était libre, elle n'avait été occupée que passagèrement pendant quelques jours, par un visiteur tel qu'il l'avait été lui-même, par un parent, par un invité et un messager du pays plat, comme on pouvait le dire, en un mot, par l'oncle de Hans, James Tienappel.

C'était une véritable aventure qu'un représentant et un envoyé de son pays fût tout à coup assis à côté de lui portant encore dans le tissu de son costume anglais l'atmosphère de l'ancien, du révolu, de la vie passée, d'un monde extérieur profondément enfoui. Mais les choses avaient dû en arriver là. Depuis longtemps, Hans Castorp avait compté en silence sur une telle offensive du pays plat et il avait même très justement prévu quelle personne serait chargée de cette reconnaissance, ce qui n'avait pas été très difficile à prévoir, car Peter le navigateur n'entrait guère en ligne de compte, et il était établi que pour le grand-oncle Tienappel lui-même, dix chevaux ne suffiraient pas à le traîner en ces contrées dont la pression atmosphérique lui inspirait toutes les craintes. Non, ce serait James qui serait chargé de s'enquérir de l'absent ; Hans Castorp l'avait même attendu plus tôt. Mais depuis que Joachim était rentré seul et qu'il avait dû rendre des comptes dans le cercle de la famille, le moment de l'attaque était venu, et Hans Castorp ne manifesta donc pas la moindre surprise lorsque, tout juste quatorze jours après le départ de Joachim, le concierge lui remit un télégramme qu'il ouvrit sans se douter de rien et qui contenait la nouvelle de l'arrivée toute prochaine de James Tienappel. Celui-ci avait affaire en Suisse et s'était décidé par la même occasion à tenter une petite excursion jusqu'à l'altitude de Hans. Il annonçait son arrivée pour le surlendemain.

« Bon », pensa Hans Castorp. « Parfait », se dit-il. Et il ajouta même intérieurement quelque chose comme : « Je t'en prie ! »

« Si tu te doutais ! » dit-il en pensant à l'arrivant. Bref, il accueillit la nouvelle avec un grand calme, la transmit d'ailleurs au docteur Behrens et à l'administration, fit réserver une chambre — celle de Joachim était encore disponible —, et le surlendemain, vers l'heure à laquelle lui-même était arrivé, c'est-à-dire vers huit heures du soir (il faisait déjà nuit), il partit dans le même cabriolet que celui avec lequel il avait accompagné Joachim pour la gare de Dorf, afin de chercher le messager du pays plat qui venait voir où en était la situation.

Le teint rubicond, sans chapeau, en veston, il se tenait sur le quai, lorsque le train entra en gare, devant la portière de son parent, qu'il invita à descendre. Le consul Tienappel — James était vice-consul, et suppléait aussi très honorablement le vieux dans ses fonctions officielles —, frileusement enveloppé dans son pardessus d'hiver (en effet, la soirée d'octobre était très fraîche, et il s'en fallait de peu que l'on parlât d'un temps clair de gel, même vers le matin il allait sûrement geler...) descendit de son compartiment, se montra joyeusement surpris et le manifesta sous les formes un peu minces et très civilisées de l'Allemand du Nord-Ouest, salua son neveu en insistant sur la satisfaction qu'il éprouvait à lui trouver si bonne mine, fut dispensé par le portier boiteux du souci de ses bagages et escalada avec Hans Castorp le siège haut et dur du véhicule. Sous un ciel plein d'étoiles ils se mirent en route, et Hans Castorp, la tête rejetée en arrière, l'index en l'air, commentait pour son oncle-cousin les sphères célestes, décrivait par la parole et le geste telle ou telle constellation scintillante, et appelait les planètes par leurs noms, tandis que l'autre, plus attentif à la personne de son compagnon qu'à l'univers stellaire, se disait à part soi que tout cela était malgré tout bien possible et qu'il n'était pas nécessairement fou de parler maintenant et si vite des étoiles, alors que l'on aurait pu s'entretenir de tant d'autres sujets plus urgents. Depuis quand connaissait-il donc si bien ces sphères lointaines ? demanda-t-il à Hans Castorp ; sur quoi celui-ci répondit qu'il s'était acquis ce savoir pendant les soirées de sa cure de repos, sur le balcon, au printemps, en été, en automne et en hiver. — Comment, la nuit, on était étendu sur le balcon ? — Eh ! oui. Et le consul non plus n'y manquerait pas. Il n'aurait pas d'autre ressource.

« Certainement, bien entendu ! » dit James Tienappel, avec amabilité, et il se sentit un peu intimidé. Son frère de lait parlait avec un calme uniforme. Sans chapeau, sans pardessus, il se tenait là dans la fraîcheur presque glacée de ce soir d'automne. « Tu n'as donc pas du tout froid ? » lui demanda James, car lui-même tremblait sous le drap épais de son manteau, et son langage avait à la fois quelque chose de précipité et de paralysé qui trahissait que ses dents avaient tendance à claquer. « Nous n'avons pas froid ici », répondit Hans Castorp, tranquille et bref.

Le consul n'en finissait pas de le regarder en dessous. Hans Castorp ne s'informa ni des parents, ni des amis de là-bas. Il accueillit en remerciant avec calme les salutations que James lui transmit, même celles de Joachim qui était déjà au régiment et qui rayonnait de bonheur et de fierté. Il ne s'informa pas autrement des événements du pays. Inquiété par il ne savait quoi, sans qu'il eût pu dire si cela émanait de son neveu, ou si cela tenait à son propre état physique, James regardait autour de lui, sans distinguer grand-chose du paysage de la haute vallée, et il aspira profondément l'air, qu'il déclara excellent tout en l'expirant. Certainement, répondit l'autre, ce n'était pas pour rien qu'il était aussi célèbre. Cet air avait des vertus puissantes. Bien qu'il accélérât la combustion générale, le corps y assimilait de l'albumine. Cet air était capable de guérir les maladies que tout homme portait en soi à l'état latent, mais il commençait par favoriser sensiblement leur éclosion, et, par une impulsion organique générale, il en provoquait en quelque sorte la joyeuse explosion. « Comment cela, joyeuse ? » Mais certainement ! N'avait-il pas remarqué que l'explosion d'une maladie avait quelque chose de plaisant, qu'elle constituait en quelque sorte une fête du corps ? « Oui, bien entendu », se hâta de répondre l'oncle, dont la mâchoire inférieure s'affaissait, et il annonça qu'il pourrait rester huit jours, c'est-à-dire une semaine ; sept jours par conséquent, peut-être six seulement. Comme il constatait que, grâce à un séjour qui s'était du reste prolongé au-delà de toute attente, Hans Castorp s'était parfaitement et remarquablement rétabli, il supposait que son neveu se joindrait à lui et rentrerait en même temps.

« Eh ! eh ! comme tu y vas », dit Hans Castorp.

L'oncle James parlait absolument comme les gens d'en bas. Il n'avait qu'à regarder un peu autour de lui, qu'à s'acclimater un peu, et ses idées changeraient d'elles-mêmes. Il s'agissait d'obtenir une guérison définitive ; le définitif : c'était ce qui importait, et récemment encore, Behrens lui avait administré six mois. Sur ce, l'oncle l'appela : « Mon petit », et lui demanda s'il était fou. « Tu es donc complètement marteau ? » demanda-t-il. Voici que ce séjour de vacances avait duré une année et quart, et il envisageait encore une demi-année ? Au nom de Dieu tout-puissant, avait-on donc tout ce temps devant soi ? Mais Hans Castorp rit tranquillement et brièvement, la tête levée vers les étoiles. Oui, le temps ! Sur ce point justement, sur le temps humain, James devrait commencer par rectifier les conceptions qu'il avait apportées avec lui, avant d'avoir droit à la parole. Dans l'intérêt de Hans, il dirait dès demain un mot sérieux au docteur, promit Tienappel. « Fais-le, dit Hans Castorp. Il te plaira. C'est un caractère intéressant, à la fois énergique et mélancolique. » Puis il désigna les lumières du sanatorium Schatzalp et parla incidemment des cadavres que l'on transportait par la piste de bobsleigh.

Ces messieurs dînèrent ensemble au restaurant du Berghof, après que Hans Castorp eut conduit son hôte dans la chambre de Joachim pour qu'il pût faire un brin de toilette. La chambre avait été désinfectée à l'H_2CO, dit Hans Castorp, aussi sérieusement que si, au lieu d'un départ en coup de tête, il y avait eu non un *exodus*, mais un *exitus*. Et comme l'oncle s'informait du sens de cette expression : « Jargon, dit le neveu, expression locale, dit-il. Joachim a déserté, il a déserté pour rejoindre le drapeau, ces choses-là existent. Mais dépêche, pour que tu puisses encore manger chaud. » Et ils prirent donc place dans le restaurant confortable et chauffé, à une table surélevée. La naine les servit avec empressement et James fit venir une bouteille de bourgogne qui fut servie dans un panier. Ils entrechoquèrent leurs verres et la douce ardeur du vin les pénétra. Le cadet parla de la vie d'ici, dans la suite des saisons, de certains événements de la salle à manger, du pneumothorax, dont il expliqua le processus en citant le cas du bon Ferge, et en s'étendant sur la nature mauvaise du choc à la plèvre, sans omettre les trois syncopes différentes dans lesquelles M. Ferge prétendait être tombé, l'hallucination de l'odorat qui dans son choc avait joué un rôle, et le rire dont il avait éclaté en s'évanouissant. Il faisait tous les frais de la conversation. James mangea et but beaucoup, comme il en avait l'habitude, avec un appétit que le changement d'air et le voyage avaient encore aiguisé. Néanmoins, il s'interrompait parfois, restait assis, la bouche pleine, en oubliant de mâcher, le couteau et la fourchette posés en angle obtus sur son assiette, et considérait Hans Castorp, sans se détourner, apparemment sans s'en rendre compte, et sans que celui-ci parût le remarquer. Des veines gonflées se dessinaient sur les tempes du consul Tienappel, couvertes de minces cheveux blonds.

Il ne fut pas question des événements de chez eux, ni de choses personnelles et familiales, ni de la ville, ni des affaires, ni de la maison Tunder et Wilms : chantier, fabrique de machines et forge qui attendaient toujours l'entrée du jeune stagiaire, ce qui, naturellement, était si loin d'être son unique souci que l'on pouvait se demander si même elle l'attendait encore. James Tienappel avait, sans doute, fait allusion à tous ces sujets durant leur course en voiture et plus tard encore, mais ils avaient été écartés et gisaient morts, après s'être heurtés à l'indifférence tranquille, résolue et naturelle de Hans Castorp, à un quelque chose en lui d'intangible et de distant, qui faisait penser à son insensibilité à l'égard de la fraîcheur de la soirée d'automne et à cette parole : « Nous n'avons pas froid ici. » Et c'était pourquoi, peut-être, son oncle, parfois, le considérait si fixement. Il fut question aussi de la supérieure, des médecins, et des conférences du docteur Krokovski. Il se trouvait que James pouvait assister à l'une d'entre elles s'il restait huit jours. Qui avait dit au neveu que l'oncle serait disposé à assister à la conférence? Personne. Mais il tenait pour acquis, avec une assurance si placide, que c'était chose entendue, que la seule pensée de ne pas y assister dut forcément apparaître à l'autre comme une impossibilité, et que l'oncle s'efforça d'écarter tout soupçon à ce sujet par un : « certainement, bien entendu ! » empressé. Tel était l'effet de cette puissance confusément perçue mais impérieuse qui inclinait inconsciemment M. Tienappel à regarder à ce moment son neveu, la bouche ouverte, car la voie respiratoire du nez s'était obstruée, bien que le consul ne se sût pas enrhumé. Il écoutait son parent parler de la maladie qui constituait ici l'intérêt professionnel de tous, et des dispositions que l'on pouvait avoir pour elle. Il fut mis au courant du propre cas de Hans Castorp, sans gravité, mais lent à guérir, de l'effet que produisaient les bacilles sur les cellules des conduits respiratoires, sur les alvéoles du poumon, de la formation de tubercules et de la sécrétion des toxines, de la décomposition des cellules et de la caséation au sujet de laquelle la question était de savoir si elle s'arrêterait à une pétrification calcaire et par une cicatrisation conjonctive ou si elle se développerait en foyers plus étendus, si elle creuserait des cavernes de plus en plus profondes et si elle détruirait l'organe. Il entendit parler de la forme furieusement accélérée et galopante de ce processus qui en quelques mois, voire en quelques semaines, conduisait à l'*exitus*, entendit parler de la pneumotomie, opération que le conseiller exécutait d'une façon magistrale, de la résection du poumon que l'on pratiquerait demain ou prochainement sur une grande malade nouvellement arrivée : une Écossaise autrefois charmante qui avait été atteinte de la *gangraena pulmonum*, de la gangrène pulmonaire, de sorte qu'une pourriture d'un noir verdâtre l'envahissait et qu'elle respirait toute la journée de l'acide phénique vaporisé, pour ne pas perdre la raison par dégoût d'elle-même — et tout à coup il arriva que le consul, sans s'y attendre et à sa plus grande confusion, éclata de rire. Il partit à pouffer, se reprit et se domina presque avec effroi, toussa et s'efforça de dissimuler de toute manière cette velléité absurde, rassuré, en même temps qu'inquiété à nouveau en constatant que Hans Castorp ne s'occupait pas le moins du monde d'un incident qui ne pouvait pas lui avoir échappé, mais le négligeait avec une inattention qui n'était due ni au tact, ni à des égards de politesse, mais qui semblait être de l'indifférence pure, une tolérance déterminée par une insensibilité inquiétante, comme si, depuis longtemps, il avait désappris l'étonnement en présence de tels incidents. Mais, soit que le consul voulût prêter après coup à son accès d'hilarité une apparence de raison et de justification, soit à quelque autre propos, il entama tout à coup une conversation, « entre hommes », et, les veines des tempes gonflées, commença à parler d'une certaine chanteuse de cabaret, une vraie enragée, qui faisait justement fureur dans le quartier Saint-Paul, et dont les charmes et le tempérament qu'il dépeignit à son neveu tenaient en haleine le monde masculin de la république hambourgeoise. Sa langue s'empâtait, durant ces histoires, mais il n'avait pas besoin de s'en inquiéter, car la tolérance impassible de son voisin s'étendait apparemment à ce phénomène aussi. Cependant, peu à peu, il finit par sentir si nettement l'immense fatigue du voyage, que, vers dix heures et demie, il proposa de monter et qu'à part soi, il ne fut que médiocrement satisfait de rencontrer encore dans le hall le docteur Krokovski de qui il avait été question à plusieurs reprises, qui avait lu le journal à la porte d'un des salons et à qui son neveu le présenta. En réponse aux paroles énergiques et alertes que le docteur lui adressa, le consul ne sut presque répondre que : « Certainement, bien entendu ! » et il se sentit heureux lorsque Hans Castorp, ayant annoncé qu'il viendrait le prendre le lendemain matin à huit heures pour le petit déjeuner, eut quitté par le balcon la chambre désinfectée de Joachim, pour la sienne propre, et qu'avec son habituel cigare du soir, il put se laisser tomber dans le lit du déserteur. Il s'en fallut de peu qu'il allumât encore un incendie, car à deux reprises il s'endormit, son cigare allumé entre les lèvres.

James Tienappel, que Hans Castorp appelait tantôt « oncle James », tantôt « James » tout court, était un monsieur haut sur jambes, d'une quarantaine d'années, vêtu de tissu anglais et d'un linge d'une fraîcheur de pétales, avec des cheveux clairsemés d'un jaune canari, des yeux bleus placés l'un très près de l'autre, une moustache couleur paille, taillée et en partie rasée, et des mains parfaitement soignées. Époux et père depuis quelques années, sans qu'il eût dû quitter pour cela la villa spacieuse du chemin de Harvestehud, marié à une jeune fille de son monde qui était aussi civilisée et fine que lui, qui parlait le même langage léger, rapide et d'une politesse aussi aiguisée que lui-même, il était là-bas un homme d'affaires très énergique, circonspect et froidement réaliste, malgré toute son élégance ; mais dans un milieu où d'autres mœurs régnaient, en voyage, par exemple en Allemagne du Sud, son caractère prenait quelque chose de prévenant et de précipité, une complaisance polie et empressée à se renier soi-même qui ne témoignait de rien moins que d'un manque de foi en sa propre culture, mais plutôt de la conscience qu'il avait de ses limites ainsi que du désir qu'il éprouvait de dissimuler son particularisme aristocratique et de ne rien laisser paraître de sa surprise, même au milieu de formes d'existence qu'il trouvait incroyables. « Naturellement, certainement, bien entendu », s'empressait-il de dire, pour que personne ne s'avisât de penser qu'il était fin, mais borné. Venu ici avec une mission, il est vrai, précise et concrète, à savoir avec l'intention et la charge de redresser énergiquement la situation, de « dégeler » son jeune parent attardé, comme il s'exprimait lui-même intérieurement, et de le ramener au bercail, il avait quand même conscience d'opérer sur un terrain étranger ; et, dès le premier instant, il avait senti qu'un monde et une sphère particuliers, avec ses usages établis, l'accueillaient ici, qui non seulement ne cédaient pas devant sa propre assurance, mais qui le dominaient à tel point que son énergie d'homme d'affaires entrait immédiatement en conflit avec sa bonne éducation, en un conflit des plus graves, car dans cette sphère nouvelle une force pesait sur lui qui véritablement l'oppressait.

C'est là justement ce que Hans Castorp avait prévu lorsqu'il avait intérieurement répondu au télégramme du consul par un : « Je t'en prie », mais il ne faut pas croire qu'il eût consciemment tiré parti contre son oncle de la force de résistance du monde qui l'entourait. Pour en agir ainsi, il s'était depuis trop longtemps fondu dans ce milieu, et ce ne fut pas lui qui se servit de cette force contre l'agresseur, mais le contraire eut lieu, de sorte que tout s'accomplit avec la simplicité la plus naturelle, à partir de l'instant où un premier pressentiment de la vanité de son entreprise émanant de la personne de son neveu eut vaguement touché le consul jusqu'à l'issue de l'aventure, que Hans Castorp ne put, il est vrai, s'empêcher d'accompagner d'un sourire mélancolique.

Le premier matin, après le petit déjeuner, au cours duquel l'habitué avait présenté le nouveau venu à sa table, Tienappel apprit de la bouche du docteur Behrens qui, grand et haut en couleur, suivi de son assistant pâle, était entré dans la salle, en ramant des mains, pour la parcourir avec son « Bien reposé ? » de pure rhétorique matinale, il apprit, disions-nous, non seulement que ç'avait été une excellente idée à lui de venir tenir un peu compagnie à son neveu solitaire, mais encore qu'il avait bien fait dans son intérêt personnel parce que, de toute évidence, il était totalement anémique. — Anémique, lui, Tienappel ? « Allons donc, et comment ! » dit Behrens, et de l'index il abaissa la paupière inférieure du consul. « Au plus haut degré ! » dit-il. Monsieur l'oncle se montrerait tout à fait avisé en s'installant confortablement pour quelques semaines, tout de son long, sur son balcon et en prenant à tous points de vue son neveu pour exemple. Dans son état le plus malin était de se comporter comme si l'on était atteint d'une légère *tuberculosis pulmonum*, qui d'ailleurs existait chez tout le monde. « Certainement, bien entendu ! » dit vite le consul et il regarda encore un moment la bouche ouverte et avec un empressement poli le docteur qui s'éloignait, la nuque saillante, avec des mouvements de nageoires, cependant que son neveu restait auprès de lui, paisible et blasé. Puis ils firent la promenade prescrite jusqu'au banc du ruisseau, et ensuite James Tienappel prit sa première heure de repos, guidé par Hans Castorp qui, en sus du plaid dont l'oncle était muni, lui prêta une de ses couvertures en poil de chameau — lui-même, en raison de ce beau temps d'automne, avait assez d'une seule couverture — et en lui enseignant fidèlement, mouvement par mouvement, l'art traditionnel de s'enrouler. Même après que le consul fut déjà soigneusement enroulé et lissé en momie, il défit encore une fois le tout, pour lui faire répéter de son propre chef toute la procédure, le professeur se bornant à corriger les erreurs, et il lui enseigna en outre à fixer l'ombrelle de toile à la chaise longue et à l'orienter par rapport au soleil.

Le consul faisait des plaisanteries. L'esprit du pays plat était encore fort en lui, et il se moquait de tout ce qu'il apprenait, de même qu'il s'était moqué de la promenade réglementaire après le petit déjeuner. Mais, lorsqu'il vit le sourire placide et incompréhensif par lequel son neveu accueillait ces plaisanteries, sourire où se peignait toute l'assurance close de cette sphère morale particulière, il eut peur, il eut peur pour son énergie d'homme d'affaires, et décida de provoquer le plus tôt possible la conversation décisive avec le conseiller sur le cas de son neveu, dès l'après-midi même, tant qu'il pourrait encore la mener à bien avec les forces et l'esprit apportés d'en bas. Car il sentait que ceux-ci fondaient, que l'esprit du lieu concluait avec sa bonne éducation une alliance dangereuse contre lui.

Il sentait encore que le docteur Behrens lui avait conseillé fort inutilement de se soumettre à cause de son anémie aux usages des malades : cela allait de soi, on ne pouvait, semblait-il, imaginer aucune possibilité différente, et un homme bien élevé comme lui ne pouvait dès le début discerner dans quelle mesure le calme et l'assurance imperturbables de Hans Castorp créaient seulement cette apparence, ou dans quelle mesure cette impossibilité existait réellement en soi. Rien ne pouvait être plus naturel que de faire suivre la première cure de repos du deuxième déjeuner plus copieux, duquel la promenade jusqu'à Platz découlait de toute évidence, après quoi Hans Castorp emballait de nouveau son oncle. Il l'emballait, c'était le mot. Et au soleil d'automne, sur une chaise longue dont le confort était absolument incontestable, voire digne d'être célébré, il le laissait étendu tel que lui-même était étendu, jusqu'à ce que la vibration du gong invitât à un déjeuner en commun qui fut de premier ordre, et tellement copieux que la cure générale qui suivait en devenait moins une obligation extérieure qu'une nécessité intime à quoi on se pliait par conviction personnelle. Cela continua ainsi jusqu'au formidable souper et jusqu'à la réunion du soir dans le salon autour des instruments optiques. Il n'y avait absolument rien à objecter à un emploi du temps qui s'imposait avec une logique si persuasive, et qui n'aurait offert aucune prise aux objections quand même les facultés critiques du consul n'eussent pas été diminuées par un état qu'il ne voulait pas précisément appeler un malaise, mais qui se composait de fatigue et d'excitation combinées avec des impressions de chaleur et de froid.

Pour provoquer l'entretien avec le conseiller que James Tienappel désirait avec impatience, on avait emprunté la voie hiérarchique. Hans Castorp avait adressé la demande au baigneur, et celui-ci l'avait transmise à la supérieure, dont le consul Tienappel fit la connaissance singulière dans la circonstance suivante : elle parut sur son balcon où elle le trouva étendu et où, par l'étrangeté de sa conduite, elle mit à une lourde épreuve la politesse du consul, gisant sans défense sous ses couvertures enroulées.

Sa Seigneurie, apprit-il, était invitée à bien vouloir patienter quelques jours, le conseiller était occupé : opérations, consultations générales… L'humanité souffrante passait avant, d'après les principes chrétiens, et comme il était supposé bien portant, il fallait bien qu'il s'habituât à n'être pas ici le numéro 1, mais à rester à son rang et à attendre son tour. Autre chose, s'il comptait solliciter une consultation, ce qui ne lui paraîtrait pas, à elle, Adriatica, autrement surprenant, il n'était besoin que de le regarder, comme ceci, dans les yeux ! Ils étaient troubles, incertains, et tel qu'elle le voyait étendu devant elle, il apparaissait bien que tout n'était pas absolument en ordre chez lui, que tout n'était pas très net. Mais qu'il n'aille pas se méprendre sur le sens de ses paroles ! S'agissait-il donc, conclut-elle, d'une demande de consultation ou d'une conversation de caractère personnel ? Bien entendu, d'un entretien personnel, assura l'homme allongé. Dans ce cas, il devait attendre jusqu'à ce qu'on prît jour avec lui. Le conseiller n'avait que rarement du temps à consacrer à des conversations personnelles.

Bref, tout alla autrement que James l'avait imaginé ; et cette conversation avec la supérieure ébranla sensiblement son équilibre. Trop civilisé pour dire impoliment à son cousin, dont le calme inébranlable témoignait de ce qu'il était en plein accord avec les procédés d'usage ici, combien cette femme lui paraissait effroyable, il ne hasarda que prudemment la remarque que la supérieure était sans doute une dame très originale, ce que Hans Castorp admit à moitié, après avoir jeté en l'air un regard vaguement interrogateur ; à son tour il demanda si la Mylendonk avait vendu un thermomètre à son oncle.

« Non. À moi ? C'est sa branche, ça ? » répondit l'oncle.

Mais le pire était, comme on pouvait le lire distinctement sur le visage de son neveu, qu'il n'eût même pas été étonné si ce qu'il présumait était effectivement arrivé. « Nous n'avons pas froid, ici », pouvait-on lire sur ce visage. Mais le consul avait froid, il avait sans cesse froid, bien que la tête lui brûlât, et il se dit que si, effectivement, la supérieure lui avait offert un thermomètre, il l'aurait certainement refusé, mais qu'il aurait sans doute eu tort, parce que, en homme civilisé, on ne pouvait se servir du thermomètre d'une autre personne, par exemple de celui de son neveu.

Ainsi passèrent quelques jours, quatre ou cinq. La vie du messager marchait sur des roulettes — sur des rails que l'on avait posés à son intention, et desquels il semblait impossible de s'écarter. Le consul faisait des expériences, recevait des impressions que nous ne voulons pas épier plus longtemps. Un jour, dans la chambre de Hans Castorp, il prit sur la commode une petite plaque de verre noir qui, parmi d'autres objets personnels par quoi son habitant avait décoré son *home* propret, reposait sur un petit chevalet sculpté et qui, exposée à la lumière, se trouva être un négatif photographique. « Qu'est-ce que c'est donc que cela ? » demanda l'oncle en le considérant… La question était justifiée. Le portrait était sans tête, c'était le squelette d'un torse humain, dans une enveloppe nébuleuse de chair — un torse féminin d'ailleurs, comme on pouvait le voir. « Ça ? Un souvenir ! », répondit Hans Castorp. Sur quoi l'oncle dit : « Pardon », replaça la plaque sur le chevalet et s'en écarta vite. Ce n'est là qu'un exemple de ses expériences et impressions durant ces quatre ou cinq jours. Il assista également à une conférence du docteur Krokovski, parce qu'on ne pouvait pas même songer à s'en dispenser. Quant à l'entretien particulier avec le docteur Behrens qu'il avait sollicité, il reçut satisfaction le sixième jour. On le convoqua et il descendit après le petit déjeuner dans le souterrain, décidé à échanger avec cet homme quelques paroles fermes sur son neveu et sur le temps qu'il perdait ici.

Lorsqu'il remonta, il demanda d'une voix amenuisée :

« A-t-on jamais entendu chose pareille ? »

Mais il était clair que Hans Castorp avait déjà entendu chose pareille, que même ceci ne lui faisait ni froid ni chaud ; le consul coupa donc court, et aux questions sans impatience que son neveu lui posait, ne répondit que par : « Rien, rien ! » mais manifesta à partir de cet instant une nouvelle habitude, celle de regarder obliquement vers en haut, les sourcils froncés et les lèvres pointues, puis de tourner brusquement la tête et de fixer son regard dans la direction opposée… La conversation avec Behrens avait-elle suivi, elle aussi, un cours différent de celui que le consul avait prévu ? Avait-il, à la longue, été question, non seulement de Hans Castorp, mais aussi de lui-même, James Tienappel, de sorte que la conversation avait perdu son caractère d'entretien personnel ? L'attitude du consul le faisait supposer. Il se montrait très dispos, il bavardait beaucoup, riait sans raison et donnait du poing une bourrade dans la hanche de son neveu en s'écriant : « Ma vieille branche. » Entre-temps, son regard se fixait brusquement ici et là. Mais ses yeux suivaient aussi des directions plus précises à table comme aux promenades réglementaires, et lors de la réunion du soir.

Au début, le consul n'avait pas accordé d'attention particulière à une certaine Mme Redisch, épouse d'un industriel polonais qui était assise à la table de Mme Salomon, pour l'instant absente, et de l'écolier vorace à lunettes ; et en effet, ce n'était qu'une dame de salle de cure pareille aux autres, d'ailleurs une brune courtaude et opulente, pas des plus jeunes, déjà un peu grisonnante, mais avec un double menton gracieux, et des yeux noirs et vifs. En aucune façon, elle n'aurait pu se mesurer sous le rapport de l'éducation avec l'épouse du consul Tienappel, là-bas, au pays plat. Mais le dimanche soir, dans le hall, le consul avait, grâce à une robe noire à paillettes, décolletée, découvert que Mme Redisch avait des seins, des seins de femme d'un blanc mat, très comprimés, et dont la séparation était visible très bas, et cette découverte avait ébranlé et enthousiasmé cet homme raffiné et d'âge mûr jusqu'au tréfonds de l'âme, comme si c'était là chose absolument neuve, insoupçonnée et inouïe. Il chercha et fit la connaissance de Mme Redisch, s'entretint longuement avec elle, d'abord debout, ensuite assis, et alla se coucher en fredonnant. Le lendemain, Mme Redisch ne portait plus de toilette noire à paillettes, mais une robe montante ; le consul n'en savait pas moins ce qu'il savait, et il demeura fidèle à ses impressions. Il tentait de rencontrer la dame aux promenades réglementaires pour marcher à côté d'elle, en bavardant, tourné vers elle d'une manière particulièrement charmante et seyante. Il buvait à sa santé à table, à quoi elle répondait en faisant briller dans un sourire les capsules d'or qui recouvraient plusieurs de ses dents, et, au cours d'une conversation avec son neveu, il déclara qu'elle était vraiment « une femme divine », après quoi il se remit à fredonner. Tout cela, Hans Castorp le subissait avec une indulgence paisible et comme s'il devait en être ainsi. Mais cela ne semblait guère consolider l'autorité de son parent et aîné et cela s'accordait assez mal avec la mission du consul.

Le repas, durant lequel Mme Redisch le salua de son verre levé — et cela à deux reprises, d'abord au poisson et ensuite au sorbet —, était le même que le docteur Behrens prit à la table de Hans Castorp et de son invité. (À tour de rôle il prenait en effet ses repas à chacune des sept tables, et partout un couvert lui était réservé à l'extrémité de la table.) Ses mains énormes jointes sur son assiette, il était assis avec sa moustache retroussée, entre M. Wehsal et le bossu mexicain auquel il parlait l'espagnol — car il possédait toutes les langues, même le turc et le hongrois — et il regarda de ses yeux bleus larmoyants, injectés de sang, le consul Tienappel saluer de son verre de bordeaux Mme Redisch, par-dessus la table. Plus tard, dans le cours du repas, le conseiller prononça une petite conférence, encouragé à cela par James qui, par-dessus toute la longueur de la table, posa à l'improviste la question suivante : Que devenait l'homme lorsqu'il se décomposait ? Le conseiller, dit-il, avait naturellement étudié tout ce qui concernait le corps, le corps était sa spécialité, il était en quelque sorte le prince du corps, si l'on pouvait s'exprimer ainsi, et il devait donc raconter ce qui se passait lorsque le corps se décomposait.

« Avant tout, votre ventre éclate, répondit le conseiller, en s'appuyant sur les coudes, penché sur ses mains jointes. Vous êtes là sur vos copeaux et sur votre sciure, et les gaz, comprenez-vous, montent, ils vous gonflent, comme de vilains garnements font avec les grenouilles qu'ils remplissent d'air. Pour finir, vous êtes un vrai ballon, et puis votre ventre ne supporte plus la pression et il crève. Patatras ! Vous vous allégez sensiblement, vous faites comme Judas lorsqu'il tomba de sa branche, vous vous videz. Voui, et après cela vous redevenez tout à fait comme il faut. Si l'on vous accordait une permission, vous pourriez retourner voir vos parents survivants sans les choquer particulièrement. On appelle cela avoir cessé d'empester. Si ensuite on se rend à l'air libre, on est quand même encore un type tout à fait convenable, comme les citoyens de Palerme qui sont pendus dans les couloirs souterrains des capucins de Porta Nuova. Secs et élégants, ils sont pendus là et jouissent de l'estime générale. L'important c'est d'avoir cessé d'empester.

— Bien entendu ! dit le consul. Je vous remercie infiniment. » Et le lendemain matin il avait disparu.

Il n'était plus là, parti par le tout premier train pour la plaine, naturellement non sans avoir tout réglé. Qui aurait pu supposer le contraire ? Il avait réglé sa note, avait versé son dû pour la consultation qui avait eu lieu ; en toute discrétion, sans en souffler un traître mot à son parent, il avait préparé ses deux valises — sans doute cela s'était-il fait le soir, ou vers le matin, à une heure encore nocturne — et lorsque Hans Castorp, vers le moment du premier déjeuner, pénétra dans la chambre de son oncle, il la trouva vide.

Les mains sur les hanches, il dit : « Tiens, tiens ! » Il arriva alors qu'un sourire mélancolique se dessina sur ses traits. « Ah oui ? » dit-il, et il hocha la tête. Ici quelqu'un avait levé le pied. En coup de tête, dans une hâte silencieuse, comme s'il devait profiter d'un instant de résolution et surtout ne pas manquer cet instant, il avait jeté ses affaires dans la valise et était parti : seul, non pas accompagné, non pas après avoir rempli son honorable mission, mais trop heureux encore d'en réchapper sain et sauf : bourgeois fuyant vers le drapeau du pays plat. Allons, bon voyage, oncle James !

Hans Castorp ne laissa voir à personne qu'il n'avait rien su du départ imminent de son parent et visiteur, surtout pas au boiteux qui avait accompagné le consul jusqu'à la gare. Il reçut une carte postale du lac de Constance qui l'informait que James avait été, par un télégramme, rappelé de toute urgence et pour affaires dans la plaine. Il n'avait pas voulu déranger son neveu. Un mensonge de pure forme. Bon séjour, à l'avenir ! « Était-ce une raillerie ? En ce cas, c'était une moquerie assez forcée », jugea Hans Castorp, car l'oncle n'avait certainement pas pensé à plaisanter lorsqu'il était parti précipitamment, mais il avait constaté en lui-même, il avait pensé, blême de terreur, que si, dès maintenant, après un séjour d'une semaine, il retournait au pays plat, il aurait pendant quelque temps là-bas l'impression qu'il était faux, peu naturel, et interdit de ne pas faire après le premier déjeuner une promenade réglementaire, et de ne pas s'allonger horizontalement en plein air, enveloppé de couvertures selon le rite, mais de se rendre au lieu de cela à son bureau. Et cette constatation effrayante avait été la raison immédiate de sa fuite.

Ainsi s'acheva la tentative faite par le pays plat pour s'emparer de nouveau de Hans Castorp qui s'en était évadé. Le jeune homme ne se dissimula pas que l'échec complet qu'il avait prévu était d'une importance décisive pour ses rapports avec les gens de là-bas. Cela signifiait que le pays plat renonçait à lui en haussant les épaules ; mais pour lui cela signifiait la liberté parfaite qui peu à peu avait cessé de faire frémir son cœur.

Operationes spirituales

Léon Naphta était originaire d'un petit bourg, dans le voisinage de la frontière de Galicie et de Volhynie. Son père dont il parlait avec estime — il paraissait conscient d'être suffisamment éloigné de son ancien milieu pour pouvoir le juger avec bienveillance — avait été *schohet*, boucher rituel — et combien ce métier avait été différent de celui qu'exerçait le boucher chrétien qui était un commerçant et un artisan ! Il n'en était pas de même du père de Léon. Celui-ci était fonctionnaire, un fonctionnaire qui relevait du sacerdoce. Élu par le rabbin pour ses pieuses aptitudes, autorisé par lui à abattre le bétail d'après la loi de Moïse et conformément aux préceptes du Talmud, Elie Naphta, dont les yeux bleus avaient eu, à en croire le portrait que traçait de lui son fils, un rayonnement d'étoiles, et avaient été tout chargés d'une sereine spiritualité, avait en lui-même dans tout son être quelque chose de sacerdotal qui rappelait qu'aux temps anciens, abattre le bétail avait été l'emploi du prêtre. Lorsque Léon, ou Leib, comme on l'avait appelé dans son enfance, avait vu son père remplir ses fonctions rituelles, avec le secours d'un formidable aide, jeune homme de type juif, mais véritable athlète, à côté duquel le frêle Elie, avec sa barbe blonde, paraissait encore plus fragile et plus délicat, lorsqu'il l'avait vu brandir contre l'animal ligoté et bâillonné, mais non pas étourdi, son grand coutelas consacré, et lui porter une entaille profonde dans la région de la vertèbre cervicale, tandis que l'aide recueillait le sang fumant qui jaillissait, en des écuelles aussitôt pleines, le jeune garçon avait considéré ce spectacle de ce regard d'enfant qui par-delà les apparences sensibles pénètre jusqu'à l'essentiel, d'un regard qui était bien celui du fils d'Elie aux yeux étoilés. Il savait que les bouchers chrétiens étaient tenus d'étourdir leurs bêtes d'un coup de massue ou de hache avant de les tuer, et que cette prescription leur avait été faite afin d'éviter aux animaux un traitement trop cruel ; tandis que son père, bien qu'il fût tellement plus délicat et plus sage que ces rustauds, bien qu'il eût des yeux étoilés comme aucun d'entre eux, agissait selon la loi, en portant à la créature non étourdie le coup qui l'égorgeait, et en la laissant perdre son sang jusqu'à ce qu'elle s'écroulât. Le jeune Leib avait le sentiment que la méthode de ces lourdauds de *goyim* était déterminée par une sorte de bonté nonchalante et profane qui ne rendait pas à cet acte sacré un honneur égal à celui dont témoignait la cruauté solennelle dont usait son père, et l'idée de piété s'était liée chez lui à celle de cruauté, de même que, dans son imagination, l'aspect et l'odeur du sang qui jaillissait étaient liés à l'idée de ce qui est sacré. Car il voyait bien que son père n'avait pas choisi ce métier sanglant par le même goût brutal qui y avait incliné de jeunes et vigoureux chrétiens, voire son propre aide juif, mais pour des raisons spirituelles — malgré sa fragilité physique, et en quelque sorte, dans le sens de ses yeux étoilés.

En effet, Elie Naphta avait été un rêveur et un penseur, non seulement un explorateur de la Thora, mais encore un critique des Écritures, dont il discutait des principes avec le rabbin en se querellant assez souvent avec lui. Dans sa contrée — et non pas seulement chez ses coreligionnaires —, il avait passé pour un être d'une espèce particulière, pour quelqu'un qui en savait plus long que les autres — en partie par dévotion, mais d'autre part d'une manière qui pouvait n'être pas tout à fait régulière et qui, de toute façon, ne correspondait pas à l'ordre établi. Il y avait en lui quelque chose d'irrégulier propre aux sectaires, quelque chose d'un confident de Dieu, d'un *Baal-Schem* ou d'un *Zaddik*, c'est-à-dire d'un thaumaturge, d'autant plus qu'il avait, en effet, guéri un jour une femme d'une éruption, qu'une autre fois il avait guéri un jeune garçon de convulsions, et cela par du sang et des versets. Mais précisément cette auréole d'une piété quelque peu téméraire, dans laquelle l'odeur du sang jouait un rôle, avait causé sa perte. Car, à l'occasion d'un mouvement populaire et d'une panique furieuse provoquée par le meurtre inexpliqué de deux enfants de chrétiens, Elie avait péri d'une mort effrayante : on l'avait trouvé crucifié avec des clous à la porte de sa maison incendiée, après quoi sa femme, bien qu'elle fût phtisique et alitée, avait quitté le pays, avec son fils Leib et ses quatre cadets, tous criant et gémissant, les bras levés.

Non entièrement dépourvue de ressources grâce à la prévoyance d'Elie, la famille éprouvée avait trouvé asile dans une petite ville du Vorarlberg, où Mme Naphta avait obtenu, dans une filature de coton, un emploi, dont elle s'acquitta aussi longtemps que ses forces le lui permirent, cependant que les aînés de ses enfants allaient à l'école primaire. Mais, si les disciplines intellectuelles de cette école suffisaient au tempérament et aux besoins des frères et sœurs de Léon, cela ne fut guère le cas de l'aîné. De sa mère, il tenait le germe de la phtisie, mais de son père, outre la petite taille, il avait hérité une intelligence exceptionnelle, des dons intellectuels qui ne tardèrent pas à s'allier à des instincts plus ambitieux, à la nostalgie poignante de formes de vie plus aristocratiques, et qui lui inspirèrent un besoin passionné de s'élever au-dessus de ses origines. En dehors de l'école, l'adolescent de quatorze ou quinze ans avait formé son esprit, impatiemment et sans suite, à l'aide de livres qu'il avait su se procurer, et dont il avait alimenté son intelligence. Il pensait et formulait des choses qui amenaient sa mère maladive à courber la tête entre les épaules et à lever ses deux mains maigres. Par sa manière, par ses réponses, il attira durant l'enseignement religieux l'attention du rabbin du canton, un homme pieux et savant qui fit de lui son élève particulier et qui satisfit son besoin de forme par un enseignement hébreu et classique, ses besoins de logique en l'initiant aux mathématiques. Mais la sollicitude du brave homme devait être mal récompensée ; il ne tarda pas à se rendre compte qu'il avait réchauffé un serpent dans son sein. On ne s'accorda plus, il y eut entre le maître et l'élève des frictions religieuses et philosophiques qui s'aggravèrent de plus en plus ; et l'honnête docteur eut beaucoup à souffrir de la rébellion intellectuelle, du penchant à la critique et au scepticisme, de l'esprit de contradiction, de la dialectique tranchante du jeune Léon. Il s'ajouta à cela que l'ingéniosité et l'esprit séditieux de Léon avaient fini par prendre un caractère révolutionnaire : la connaissance qu'il avait faite du fils d'un membre socialiste du

Reichstag, et de ce démagogue lui-même, avait orienté son esprit vers la politique, avait dirigé sa passion de logicien dans un sens hostile à la société. Il prononçait des paroles qui faisaient se dresser les cheveux sur la tête du bon tamuldiste, féru de loyalisme, et qui achevèrent de mettre fin à l'entente entre le maître et l'élève. Bref, les choses en étaient arrivées au point où Naphta avait été maudit et à jamais banni de son cabinet de travail, et cela précisément à l'époque où sa mère, Rachel Naphta, était mourante.

C'est en ce temps aussi, peu après le décès de sa mère, que Léon avait fait la connaissance du père Unterpertinger. Le jeune homme, âgé de seize ans, était assis, solitaire, sur un banc du parc du Margaretenkopf, une éminence à l'ouest de la petite ville, au bord de l'Ill, d'où l'on jouissait d'une vue étendue et claire sur la vallée du Rhin. Il était assis là, perdu en des pensées amères et tristes sur son destin, sur son avenir, lorsqu'un professeur de l'institution jésuite « l'Étoile matutine » qui se promenait dans le parc, prit place à côté de lui, posa son chapeau, croisa les jambes sous sa soutane de prêtre séculier, et après avoir lu quelque temps son bréviaire, engagea une conversation qui se poursuivit avec beaucoup d'animation et qui devait décider du destin de Léon. Le jésuite, un homme d'expérience, d'une excellente éducation, pédagogue par passion, connaisseur et pêcheur d'hommes, écouta avec attention les premières phrases sarcastiques et clairement articulées par lesquelles le misérable jeune juif répondait à ses questions. Une spiritualité aiguë et tourmentée se dégageait du jeune Naphta, et, en pénétrant plus avant, le jésuite se heurta à une science et à une élégance de pensée que l'apparence négligée du jeune homme faisait paraître d'autant plus surprenantes. On parla de Karl Marx, dont Léon Naphta avait étudié *Le Capital* dans une édition populaire, et de là on passa à Hegel, qu'il avait assez lu ou sur lequel il avait assez lu pour formuler quelques remarques frappantes. Soit par une tendance générale au paradoxe, soit dans une intention de politesse, il appela Hegel un penseur « catholique » ; et lorsque le père, en souriant, lui demanda sur quoi il pouvait bien fonder pareil jugement, puisque Hegel, en sa qualité de philosophe prussien de l'État, devait être considéré comme essentiellement et spécifiquement protestant, il répondit que justement ce mot, « philosophe de l'État », confirmait qu'au sens religieux, sinon, naturellement, au sens dogmatique et ecclésiastique, il était fondé à parler du catholicisme de Hegel. Car (Naphta affectionnait tout particulièrement cette conjonction, elle prenait quelque chose de triomphant et d'impitoyable dans sa bouche, et ses yeux scintillaient, derrière les verres de ses lunettes, chaque fois qu'il pouvait l'insérer dans une phrase), car le concept de la politique était psychologiquement lié au concept du catholicisme, ils formaient une catégorie qui embrassait tout ce qu'il y avait d'objectif, d'actif, de réalisable, d'agissant et d'efficace. À cette catégorie, s'opposait la sphère piétiste, protestante, issue du mysticisme. C'est dans le jésuitisme, ajouta-t-il, que la nature pédagogique et politique du catholicisme se traduisait à l'évidence ; cet ordre avait en effet toujours considéré l'art de la politique et l'éducation comme ses domaines propres. Et il cita encore Goethe qui, plongeant ses racines dans le piétisme et incontestablement protestant, avait eu un côté nettement catholique, grâce à son réalisme et à sa doctrine de l'action. Il avait défendu la pratique de la confession, et, en tant qu'éducateur, s'était presque montré jésuite.

Que Naphta eût dit ces choses parce qu'il y croyait, parce qu'il les trouvait spirituelles, ou qu'il voulût plaire à son interlocuteur, en sa qualité de pauvre hère qui doit flatter et qui calcule avec précision ce qui peut le servir ou le desservir, toujours est-il que le père s'était intéressé moins à la sincérité de ces paroles qu'à l'intelligence qu'elles trahissaient, et la conversation s'était poursuivie. Le jésuite n'avait pas tardé à apprendre les conditions de l'existence personnelle de Léon, et la rencontre avait pris fin sur l'invitation adressée par Unterpertinger à Léon de venir le voir à l'institution.

C'est ainsi que Naphta avait pu mettre le pied sur le territoire de la *Stella Matutina* dont l'atmosphère scientifique et le niveau social élevé avaient depuis longtemps excité son imagination et sa nostalgie. Bien plus : grâce à cette tournure des choses il s'était assuré un nouveau maître et protecteur, mieux disposé que le précédent à encourager et à apprécier sa nature, un maître dont la bonté naturellement froide tenait à son expérience de la vie, et dans le milieu duquel il éprouvait le plus vif désir de pénétrer. À l'instar de beaucoup de juifs spirituels, Naphta était d'instinct à la fois révolutionnaire et aristocrate ; socialiste, et en même temps possédé par le rêve d'accéder à des formes d'existence nobles et distinguées, exclusives et ordonnées. La première parole que lui avait arrachée la présence d'un théologien catholique, bien qu'elle se fût présentée comme une pure analyse comparée, avait consisté en une déclaration d'amour pour l'Église romaine qu'il estimait comme une puissance à la fois noble et spirituelle, c'est-à-dire antimatérielle, antiréelle, hostile au monde, et, par conséquent révolutionnaire. Et cet hommage était sincère et partait du fond de son être, car, ainsi qu'il l'expliqua lui-même, le judaïsme, grâce à son orientation vers le terrestre et l'objectif, grâce à son socialisme et à son esprit politique, était infiniment plus proche de la sphère catholique, lui était infiniment plus apparenté que le protestantisme, dans sa subjectivité mystique et individualiste, de sorte que la conversion d'un juif à la religion catholique constituait une évolution spirituelle beaucoup plus aisée que celle d'un protestant.

Brouillé avec le pasteur de sa communauté religieuse primitive, orphelin et abandonné, en outre impatient de respirer un air plus pur, de connaître des formes d'existence auxquelles ses dons lui donnaient droit, Naphta, qui avait depuis longtemps atteint la majorité légale, était si impatiemment prêt à franchir le seuil de la nouvelle confession que son initiateur se vit dispensé de la peine de gagner ce cerveau exceptionnel à sa religion. Avant même qu'il reçût le sacrement du baptême, Léon avait, à l'instigation du père, trouvé dans la *Stella* un asile provisoire, sa nourriture matérielle et spirituelle. Il s'y était transporté en abandonnant avec la plus grande tranquillité d'âme et avec l'insensibilité de l'aristocrate de l'esprit, ses frères cadets à l'assistance publique et au sort que justifiaient leurs dons médiocres.

Le domaine de l'institution était étendu, de même que ses bâtiments qui pouvaient accueillir quatre cents internes. Il comprenait des forêts et des pâturages, une demi-douzaine de terrains de jeux, des fermes, des étables pour des centaines de têtes de bétail. L'institution était à la fois un pensionnat, une propriété modèle, une académie sportive, une pépinière de savants et un temple des muses. Car on y jouait sans cesse des pièces de théâtre et on y faisait de la musique. La vie y était à la fois seigneuriale et claustrale. Par la discipline et par l'élégance qui y régnaient, par sa gaieté discrète, par sa spiritualité, par son organisation minutieuse, par la précision de l'emploi du temps, elle flattait les instincts les plus profonds de Léon. Il était infiniment heureux. Il prenait ses excellents repas dans un vaste réfectoire, où le silence était la règle, de même que dans les couloirs de l'institution, et au milieu duquel un jeune préfet, assis devant un haut pupitre, faisait la lecture à haute voix. Son zèle à l'étude était ardent, et, malgré sa faiblesse, il faisait tous ses efforts pour tenir sa place, l'après-midi, dans les jeux sportifs. La piété avec laquelle il écoutait chaque matin la première messe et prenait part le dimanche à la grand-messe, devait réjouir les pères-pédagogues. Sa tenue et ses manières ne les satisfaisaient pas moins. Les jours de fête, l'après-midi, après avoir goûté de gâteaux et de vin, il allait se promener en uniforme gris et vert, avec un col montant, des pantalons rayés et une casquette.

Une reconnaissance émerveillée le pénétrait en présence des égards dont il jouissait en ce qui touchait son origine, son christianisme récent, sa situation personnelle en général. Personne ne semblait savoir qu'il bénéficiait d'une bourse dans l'établissement. Les règles de la maison détournaient l'attention de ses camarades de ce fait qu'il n'avait pas de famille, pas de foyer. Il n'était permis à personne de recevoir des envois de victuailles ou de friandises. Ceux qui arrivaient malgré cela étaient répartis entre tous, et Léon lui aussi en recevait sa part. Le cosmopolitisme de l'institution empêchait que la race du jeune juif apparût d'une manière frappante. Il y avait là de jeunes étrangers, des Américains du Sud, Portugais qui paraissaient plus « juifs » que lui, et ainsi la notion s'en perdait. Le prince éthiopien qui avait été reçu en même temps que Naphta avait même un type de Maure crépu, mais néanmoins très distingué.

Dans la classe de rhétorique, Léon exprima le désir d'étudier la théologie pour appartenir un jour à l'ordre s'il en était digne. Dès lors, on avait transféré sa bourse du deuxième pensionnat, dont le régime était plus modeste, dans le « premier ». Il était maintenant servi à table par des domestiques, et sa chambre touchait d'un côté à celle d'un comte silésien von Harbuval et Chamaré, de l'autre à celle d'un marquis di Rangoni Santa Croce, de Modène. Il réussit brillamment ses examens et, fidèle à sa décision, quitta l'institution pour le noviciat du Tisis voisin, pour une vie d'humilité serviable, de discipline muette et d'entraînement religieux qui lui procurait des plaisirs de l'esprit empreints des conceptions fanatiques d'autrefois.

Cependant sa santé en souffrit ; elle souffrit moins directement de la dureté du noviciat qui ne laissait pas d'accorder des répits au corps, qu'en raison de sa vie intérieure. Malgré leur sagacité et leur ingéniosité, les procédés pédagogiques dont il était l'objet contrariaient ses dispositions personnelles et les stimulaient en même temps. Au cours des opérations spirituelles auxquelles il consacrait ses jours et encore une partie de ses nuits, durant tous ces examens, ces exercices et ces méditations, par un esprit de chicane malicieux et passionné, il s'empêtrait dans mille difficultés, contradictions et contestations. Il était le désespoir — en même temps que la grande espérance — de ses directeurs spirituels à qui il faisait tous les jours ressentir tous les feux de l'enfer par sa fureur dialectique et par son manque d'ingénuité. « *Ad haec quid tu ?* » demanda-t-il, derrière ses verres de lunettes scintillants. Et il ne restait au père, pris de court, d'autre ressource que de l'exhorter à la prière, pour qu'il gagnât la paix du cœur : « *Ut in aliquem gradum quietis in anima perveniat.* » Mais cette « paix » consistait, lorsqu'on l'obtenait, en un émoussement complet de la vie personnelle, elle vous réduisait à n'être plus qu'un simple instrument ; c'était la paix du cimetière dont le frère Naphta pouvait étudier les signes extérieurs inquiétants dans mainte physionomie au regard creux dans son entourage et à laquelle il ne réussirait, lui, à atteindre, qu'au prix de la ruine corporelle.

La haute tenue intellectuelle de ses supérieurs se traduisait dans le fait que ces réserves et ces objections ne faisaient pas tort à l'estime dont il jouissait auprès d'eux. Le père provincial lui-même le convoqua à la fin de sa deuxième année de noviciat, s'entretint avec lui, consentit à l'accueillir au sein de l'ordre ; et le jeune scolastique, qui avait reçu quatre ordinations inférieures, et fait également les vœux « simples », et qui désormais appartenait définitivement à la société, se rendit au collège de Falkenbourg, en Hollande, pour commencer ses études de théologie.

Il avait alors vingt ans, et trois ans plus tard, sous l'influence d'un climat dangereux et de ses efforts intellectuels, son mal héréditaire avait fait de tels progrès qu'il n'eût pu persévérer qu'au péril de sa vie. Une hémorragie alarma ses supérieurs et, après que, plusieurs semaines, il eut flotté entre vie et mort, ils le renvoyèrent, à peine rétabli, dans ses foyers. Dans la même institution dont il avait été l'élève, il trouva un emploi comme préfet, surveillant des élèves internes et professeur d'humanités et de philosophie. Ce stage était d'ailleurs dans la règle, mais d'ordinaire on retournait après quelques années de service au collège pour continuer ses sept années d'études théologiques et les terminer. Cela ne fut pas accordé au frère Naphta. Il continua d'être malade ; le médecin et les supérieurs jugèrent que le service en ce lieu, en plein air, avec les élèves et des occupations agricoles, lui convenait provisoirement. Il reçut bien le premier degré supérieur et gagna le droit de chanter l'épître à l'office solennel du dimanche, droit que d'ailleurs il n'exerça pas, d'abord parce qu'il n'avait pas le moindre sens musical, et en second lieu parce que la fragilité extrême de sa voix le rendait tout à fait inapte à chanter. Il n'alla pas au-delà du sous-diaconat, et n'atteignit ni au diaconat ni à l'ordination de prêtre ; et comme l'hémorragie se renouvela, que la fièvre ne voulait pas prendre fin, il dut faire aux frais de l'ordre une cure prolongée ; il avait élu domicile à Davos et ce séjour touchait déjà à sa septième année. À peine était-ce encore une cure. C'était devenu une condition indispensable à la sauvegarde de sa vie, nécessité rendue moins pénible par son activité de professeur de latin au lycée des malades…

Ces choses et d'autres détails plus amples et plus précis, Hans Castorp les apprit, au cours de leurs conversations, de la bouche de Naphta lui-même, lorsqu'il lui rendait visite, dans sa cellule tendue de soie, seul ou bien en compagnie de ses voisins de table Ferge et Wehsal, qu'il avait présentés à Naphta ; ou c'était lorsqu'il le rencontrait durant sa promenade et s'en retournait en sa compagnie vers Dorf, qu'il les apprenait au petit hasard, par bribes ou sous forme de récits cohérents, et, non seulement, il les trouvait pour sa part fort curieuses, mais encore il incitait Ferge et Wehsal à les trouver telles, ce à quoi ils ne manquaient pas : le premier, il est vrai, en spécifiant que toutes les choses élevées lui étaient étrangères — car seule l'aventure du choc à la plèvre l'avait entraîné au-delà des contingences humaines les plus humbles —, le deuxième, par contre, avec une sympathie visible pour la carrière fortunée d'un homme parti de très bas, et à laquelle la maladie qu'ils avaient en commun avait posé un obstacle pour en arrêter l'essor démesuré.

Hans Castorp pour sa part regrettait cette interruption, et il pensait avec orgueil et appréhension à son Joachim, l'homme d'honneur qui, par un effort héroïque, avait déchiré les rets résistants du verbiage de Rhadamante et qui s'était enfui vers son drapeau à la hampe duquel Hans Castorp imaginait qu'il devait se cramponner à présent, levant trois doigts de sa main droite pour prêter le serment de fidélité. Naphta avait, lui aussi, fait serment à un drapeau, lui aussi s'était mis sous sa protection, comme lui-même s'exprimait lorsqu'il renseignait Hans Castorp sur la règle de son ordre ; mais, apparemment, avec ses idées et ses combinaisons particulières il lui était moins fidèle que Joachim au sien. Cependant, Hans Castorp, lorsqu'il prêtait l'oreille, lui, civil et enfant de la paix au ci-devant ou futur jésuite, il se sentait confirmé dans son opinion que chacun des deux devait avoir de la sympathie pour l'état et le métier de l'autre, et le ressentir comme apparenté au sien propre. Car c'étaient des castes militaires ; l'une comme l'autre, et cela à maints égards : sous le rapport de l'ascétisme aussi bien que de la hiérarchie, de l'obéissance et de l'honneur espagnol. Ce dernier surtout régnait dans l'ordre de Naphta, lequel était d'ailleurs d'origine espagnole et dont la règle des exercices spirituels, une sorte de contrepartie de celui que Frédéric de Prusse avait par la suite imposé à son infanterie, avait été primitivement rédigée en langue espagnole, ce qui amenait Naphta à se servir fréquemment d'expressions espagnoles dans ses récits et ses communications. C'est ainsi qu'il parlait de *dos banderas*, des deux oriflammes, autour desquelles les armées s'assemblaient en vue de la grande bataille : celle de l'Enfer et celle de l'Église, l'une dans la région de Jérusalem où commandait Jésus, le *capitan general* de tous les justes, l'autre dans la plaine de Babylone dont Lucifer était le *caudillo* ou le chef de bande…

L'institution de l'« Etoile matutine » n'avait-elle pas été une véritable école de cadets, dont les élèves, groupés par « divisions », avaient été tenus d'observer vaillamment une bienséance mi-ecclésiastique, mi-militaire, une combinaison de « faux col amidonné » et de « collerette espagnole », si l'on pouvait s'exprimer ainsi ? L'idée d'honneur et de noblesse qui jouait un rôle si brillant dans le métier de Joachim, avec quelle netteté, pensait Hans Castorp, n'apparaissait-elle pas dans celui dans lequel Naphta avait malheureusement, à cause de sa maladie, fait une carrière si courte ! Si on l'en croyait, cet ordre ne se composait que d'officiers extrêmement ambitieux qui n'étaient animés que de la seule pensée de se distinguer dans le service. (*Insignes esse* disait-on en latin.) D'après la doctrine et la règle du fondateur et premier général, de Loyola l'Espagnol, ils rendaient plus de services, de plus magnifiques services que tous ceux qui n'agissaient que par bon sens. Bien plus, ils accomplissaient leur œuvre, *ex supererogatione*, au-delà de leur devoir, non pas seulement en résistant à la rébellion de la chair (*rebellio carnis*), ce qui n'était en somme rien de plus que le fait de tout homme sain et de bon sens mais en combattant les tendances à la sensualité, à l'amour-propre et à l'amour de la vie, même en des choses qui étaient permises au vulgaire. Car agir en combattant l'ennemi, *agere contra*, attaquer par conséquent, était plus honorable que se borner à se défendre (*resistere*). Affaiblir et briser l'ennemi, disait le règlement de service de campagne ; et son auteur, Loyola l'Espagnol, était, une fois de plus, complètement d'accord avec le *capitan general* de Joachim, Frédéric de Prusse et sa règle de guerre : « Attaquer ! attaquer ! Foncer sur l'ennemi ! *Attaquez donc toujours !* »

Mais ce qui était surtout commun à l'univers de Naphta et à celui de Joachim, c'était leur sentiment à l'égard du sang versé et leur axiome qu'il ne fallait pas s'en abstenir : c'est en cela surtout que comme mondes, comme ordres et comme états ils s'accordaient strictement, et pour un enfant de la paix il était très intéressant d'entendre Naphta parler des types de moines guerriers du Moyen Âge, qui, ascètes jusqu'à l'épuisement et cependant avides de conquêtes spirituelles, n'avaient pas épargné le sang pour avancer l'avènement de l'État théocratique, celui du règne du surnaturel sur la terre ; de templiers combatifs qui avaient jugé plus méritoire la mort dans la bataille contre les mécréants que la mort dans leur lit, et qui avaient estimé qu'être tué ou tuer pour l'amour de Jésus-Christ n'était pas un crime, mais la gloire suprême. Il était heureux que Settembrini n'entendît pas ces discours ! Le joueur d'orgue de Barbarie n'aurait pas manqué d'y couper court en embouchant la trompette de la paix ; il y avait bien dans son propre programme la guerre sainte, nationale et civilisatrice, contre Vienne, qu'il acceptait, et Naphta reprenait équitablement cette passion et cette défaillance de l'adversaire par le sarcasme et le mépris. Du moins, toutes les fois que l'Italien s'échauffait à exprimer de pareils sentiments. Naphta affichait un cosmopolitisme chrétien, disait tantôt que tous les pays étaient sa patrie, tantôt qu'aucun d'entre eux ne l'était, et répétait d'un ton tranchant la parole d'un général de l'ordre, nommé Nickel, d'après lequel l'amour de la patrie était « une peste et la mort certaine de l'amour chrétien ».

Bien entendu, c'était au nom de l'ascétisme que Naphta traitait le patriotisme de peste, car que n'entendait-il pas sous ce mot ? Qu'y avait-il qui ne contrariait pas, à son avis, l'ascétisme et le royaume de Dieu ? Non seulement l'attachement à la famille et au pays, mais encore à la santé et à la vie : c'est précisément cet attachement qu'il reprochait à l'humaniste lorsque celui-ci prêchait la paix et le bonheur ; il l'accusait en le querellant d'aimer la chair, d'*amor carnalis*, d'aimer les commodités personnelles, *amor commodorum corporis*, et il lui déclarait en pleine figure que c'était une irréligion de philistin que d'accorder la moindre importance à la vie et à la santé. Cela avait été dit au cours de la grande controverse sur la santé et la maladie qui s'engagea, un jour, déjà très près de Noël, durant l'aller et retour d'une promenade dans la neige jusqu'à Platz, au sujet de ces divergences, à laquelle tous prirent part : Settembrini, Naphta, Hans Castorp, Ferge et Wehsal, tous légèrement fiévreux, à la fois étourdis et excités à force de marcher et de causer dans le froid glacial des altitudes ; tous, ils étaient secoués de frissons ; que leur rôle fût actif comme celui de Naphta et de Settembrini, ou passif et se limitât à de brèves interventions, tous y prenaient part avec un zèle si ardent que, oubliant tout, ils s'arrêtaient souvent, formant un groupe profondément absorbé qui gesticulait, parlait à tort et à travers, et obstruait le passage sans s'occuper des étrangers qui devaient les contourner à moins qu'ils ne s'arrêtassent également et prêtassent une oreille surprise à ces divagations à perte de vue.

La discussion avait eu pour point de départ Karen Karstedt, la pauvre Karen aux bouts de doigts sanguinolents qui était morte récemment. Hans Castorp n'avait rien appris de l'aggravation subite de son état, ni de son *exitus* ; sinon, il aurait assisté en camarade à son enterrement, d'autant plus qu'il avouait son goût pour les obsèques en général. Mais la discrétion d'usage avait fait qu'il apprit trop tard le départ de Karen et qu'elle était déjà entrée dans le jardin du *bambino* au bonnet de neige posé de travers pour prendre une position définitivement horizontale. *Requiem æternam*… Il dédia à sa mémoire quelques paroles amicales, ce qui amena Settembrini à s'exprimer en termes railleurs sur l'activité charitable de Hans, sur ses visites chez Leila Gerngross, chez l'industrieux Rotbein, chez Mme Zimmermann la « trop pleine », au présomptueux fils de *Tous-les-deux* et à la malheureuse Nathalie von Mallinckrodt ; et à se moquer encore des fleurs coûteuses par lesquelles l'ingénieur avait rendu hommage à toute cette bande misérable autant que ridicule. Hans Castorp, là-dessus, avait fait remarquer que les bénéficiaires de ses attentions, à l'exception provisoire de Mme de Mallinckrodt et du jeune Teddy, étaient effectivement décédés, sur quoi M. Settembrini demanda si par hasard cela les rendait plus respectables. Mais n'y avait-il pas pourtant quelque chose, riposta Hans Castorp, que l'on appelait le respect chrétien devant la détresse ? Et avant que Settembrini eût pu le rappeler à l'ordre, Naphta commença à parler de pieux excès de la charité qu'avait connus le Moyen Âge, de cas étonnants de fanatisme et d'exaltation dans les soins donnés aux malades : des filles de rois avaient baisé les plaies puantes de lépreux, s'étaient volontairement exposées à la contagion de la lèpre, avaient appelé leurs roses les ulcères qui se formaient sur leur corps, avaient bu l'eau où s'étaient lavés des malades purulents et avaient déclaré ensuite que rien ne leur avait jamais semblé meilleur.

Settembrini fit semblant d'avoir envie de vomir. C'était moins de ce qu'il y avait de physiquement répugnant dans ces images et ces représentations qui lui retournait l'estomac, que le monstrueux égarement dont témoignait une telle conception de la charité active. Il se redressa en une attitude de dignité tranquille en parlant de formes modernes de la charité humanitaire, de la victoire remportée sur les maladies contagieuses et en opposant l'hygiène, les réformes sociales et les hauts faits de la science médicale à toutes ces horreurs.

Mais ces choses honorables et bourgeoises, répondit Naphta, n'auraient été que de peu d'utilité aux siècles qu'il venait d'évoquer ; elles auraient servi aussi peu aux malades et aux misérables qu'aux bien-portants et aux heureux qui s'étaient montrés charitables, moins par pitié que pour le salut de leur âme. Car une réforme sociale couronnée de succès aurait privé les uns d'un moyen de se justifier, les autres, de leur état sacré. C'est pourquoi le maintien de la pauvreté et de la maladie était dans l'intérêt des deux parties, et cette conception restait valable aussi longtemps qu'il était possible de s'en tenir au point de vue purement religieux.

Un point de vue crasseux, déclara Settembrini, et une conception d'une telle niaiserie qu'il hésitait à s'abaisser à la combattre. Car l'idée de la pauvreté sacrée, de même que ce que l'ingénieur avait répété de très peu personnel sur le « respect chrétien du malheur », était de la blague, était pure illusion, intuition fallacieuse, lapsus psychologique. La pitié que l'homme bien portant témoignait au malade, et qu'il poussait jusqu'au respect, parce qu'il ne pouvait pas imaginer comment il aurait pu supporter le cas échéant de telles souffrances, cette pitié était très exagérée, elle n'était pas du tout due au malade, et elle était le résultat d'une erreur de raisonnement et d'imagination, dans la mesure même où l'homme bien portant prêtait au malade sa propre manière de vivre, et s'imaginait que le malade était en quelque sorte un homme bien portant qui devait supporter les tortures d'un malade — ce qui est une profonde méprise. Le malade, en effet, était un malade, avec le caractère particulier et la sensibilité modifiée qu'impliquait la maladie ; celle-ci altère l'homme de façon qu'il s'adapte à elle ; il y a là des phénomènes de sensibilité atrophiée, des états d'inconscience, des étourdissements bienfaisants, toutes sortes de subterfuges et d'expédients spirituels et moraux dont le bien-portant, dans sa naïveté, oublie de tenir compte. Le meilleur exemple en était donné par toute cette racaille de poitrinaires qu'on voyait ici, avec leur légèreté, leur bêtise et leur débauche, avec leur manque d'empressement à récupérer la santé. Bref, si l'homme bien portant, qui faisait montre de cette pitié respectueuse, était lui-même malade et non plus bien portant, il se rendrait compte que la maladie est en effet un état particulier, mais nullement un état honorable, et qu'il l'a prise beaucoup trop au sérieux.

Ici, Antoine Carlovitch Ferge protesta et prit la défense du choc à la plèvre contre les diffamations et les manques d'égards. Comment ? Qu'est-ce à dire ? Pris trop au sérieux, son choc à la plèvre ? Merci bien, à la bonne heure ! Sa pomme d'Adam vaillante et sa moustache joviale montaient et descendaient, et il se révoltait de ce qu'on dédaignât ce qu'il avait subi. Il n'était qu'un homme simple, représentant d'une compagnie d'assurances, et toutes les choses élevées lui étaient étrangères ; cette conversation dépassait déjà de beaucoup son horizon. Mais si M. Settembrini voulait par hasard impliquer le choc à la plèvre dans ce qu'il avait dit — cet enfer de chatouillement, avec cette puanteur sulfureuse et les trois syncopes de couleurs différentes —, il était obligé de protester et de dire mille fois merci. Car dans ce cas-là il n'avait pas été question le moins du monde de sensibilité diminuée, d'étourdissements charitables ni d'erreurs d'imagination, mais c'était la plus grande et la plus dégoûtante saloperie sous le soleil, et quiconque n'en avait pas fait l'expérience comme lui, ne pouvait d'une telle infamie avoir la moindre…

« Mais oui, mais oui, dit Settembrini. L'accident de M. Ferge devient de plus en plus grandiose à mesure que le temps passe, et il finit par le porter autour de la tête comme une auréole. » Quant à lui, Settembrini, il faisait peu de cas des malades qui prétendaient avoir droit à l'admiration. Lui-même était malade, et pas légèrement ; mais, sans qu'il y mît la moindre affectation, il était plutôt tenté d'en avoir honte. D'ailleurs, il parlait d'une manière impersonnelle, philosophique, et ce qu'il avait fait observer sur les différences entre la nature et les sensations du malade et de l'homme bien portant était parfaitement fondé, il suffisait à ces messieurs de penser aux maladies mentales, aux hallucinations par exemple. Si un de ses compagnons actuels, l'ingénieur par exemple, ou M. Wehsal, devait apercevoir ce soir dans le crépuscule feu monsieur son père dans un angle de la chambre qui le regarderait et lui parlerait, ce serait là pour la personne en question une véritable énormité, un élément bouleversant et troublant au suprême degré qui le ferait douter de ses sens, de sa raison, et le déciderait à évacuer aussitôt sa chambre et à se faire soigner les nerfs. N'avait-il pas raison ? Mais la plaisanterie consistait justement en ce que cela ne pouvait en aucune façon arriver à ces messieurs puisqu'ils étaient sains d'esprit. Si pareille chose leur arrivait, ils ne seraient plus sains, mais malades, et ne réagiraient plus en hommes bien portants, c'est-à-dire par l'effroi et en prenant la fuite, mais ils accepteraient cette apparition comme si elle était tout à fait normale et ils engageraient une conversation avec elle, comme c'était précisément le cas des hallucinés. Et croire que l'hallucination constituait pour ceux-ci un sujet d'épouvante saine, c'était justement l'erreur d'imagination que commettait le non-malade.

M. Settembrini parlait d'une manière bien comique et plastique du père défunt dans le coin de la chambre. Tous furent forcés de rire, y compris Ferge, bien qu'il se sentît blessé par le dédain que l'on montrait pour son aventure infernale. L'humaniste, de son côté, tira parti de cette animation pour commenter et motiver plus longuement le peu de cas qu'il faisait des hallucinés et, en général, de tous les *pazzi*. Ces gens, dit-il, se permettaient trop de choses, et souvent, il ne tiendrait qu'à eux de contenir leur démence comme lui-même avait pu l'observer pendant des visites qu'il avait faites dans des asiles d'aliénés. Car lorsqu'un médecin ou un étranger paraissait sur le seuil, l'halluciné arrêtait le plus souvent ses grimaces, ses discours et ses gesticulations, et se tenait convenablement aussi longtemps qu'il se savait observé pour se laisser ensuite aller de nouveau. La démence signifiait donc incontestablement dans beaucoup de cas un laisser-aller, en ce sens qu'elle servait à des natures faibles de refuge et d'abri contre un grand chagrin ou contre un coup du sort que de tels hommes ne se jugeraient pas capables de supporter en toute lucidité. Mais tout le monde pourrait en dire autant, et lui-même, Settembrini, avait déjà ramené, tout au moins passagèrement, à la raison, bien des fous par son seul regard, et en opposant à ces divagations une attitude impitoyablement logique.

Naphta eut un rire sarcastique, tandis que Hans Castorp protesta qu'il croyait à la lettre ce que M. Settembrini lui avait dit. Lorsqu'il se figurait comment celui-ci avait dû sourire sous sa moustache et avait dû regarder dans les yeux du faible d'esprit, avec une raison aussi inflexible, il comprenait bien que le pauvre diable avait dû rassembler ses sens et faire honneur à la clarté, encore que, naturellement, il dût avoir éprouvé la venue de M. Settembrini comme un dérangement assez mal venu. Mais Naphta, lui aussi, avait visité des asiles d'aliénés et il se souvenait d'être passé par le pavillon des agités, où des scènes et des images s'étaient présentées à lui, devant lesquelles, mon Dieu, le regard raisonnable et l'influence salutaire de M. Settembrini n'auraient sans doute servi de rien : des scènes dignes de Dante, des images grotesques de l'angoisse et du tourment ; des fous accroupis tout nus dans leur bain, prenant toutes les poses de l'angoisse, de l'épouvante et de la stupeur, quelques-uns criant leur douleur, d'autres, les bras levés et bouche bée, poussant des rires où tous les éléments de l'enfer s'étaient mêlés…

« Ah, ah ! » dit M. Ferge, et il prit la liberté de rappeler son propre rire qui lui avait échappé lorsqu'il était tombé en syncope.

En bref, la pédagogie impitoyable de M. Settembrini aurait dû plier bagages devant les visions du pavillon des agités ; devant elle, le frisson d'un recueillement religieux aurait quand même été une réaction plus humaine que ces prétentions moralisatrices de la raison que notre lumineux chevalier du soleil et vicaire de Salomon se plaisait ici à opposer à la démence.

Hans Castorp n'eut pas le temps de s'occuper des titres que Naphta venait de nouveau de décerner à M. Settembrini. Il se proposa d'y revenir à la première occasion. Mais pour le moment la conversation se poursuivait, absorbait toute son attention. Car Naphta commentait précisément avec sévérité les tendances générales qui déterminaient l'humaniste à rendre par principe tous les honneurs à la santé et à diminuer et déshonorer autant que possible la maladie, point de vue qui témoignait naturellement d'un désintéressement remarquable et presque louable, puisque M. Settembrini était lui-même malade. Mais son attitude, que sa dignité exceptionnelle n'empêchait pas de reposer sur l'erreur, résultait d'une estime et d'une déférence à l'égard du corps qui n'auraient été justifiées que si le corps s'était encore trouvé dans son état originel, plus proche de Dieu, au lieu de se trouver dans un état de dégradation, *in statu degradationis*. Car, créé immortel, il avait été voué, par suite de la corruption de la nature par le péché originel, à la perversité et au dégoût ; il était mortel et périssable, il n'était rien de plus qu'une prison de l'âme, propre tout au plus à éveiller le sentiment de la honte et de la confusion, *pudoris et confusionis sensum*, comme disait saint Ignace.

C'est ce sentiment, s'écria Hans Castorp, que l'humaniste Plotin avait notoirement exprimé. Mais M. Settembrini, rejetant le bras par-dessus la tête et hors de l'articulation scapulaire, l'engagea à ne pas confondre les points de vue et à se borner plutôt à écouter.

Cependant Naphta expliquait le respect que le Moyen Âge chrétien avait témoigné à la misère du corps, par l'approbation religieuse qu'il avait accordée à la souffrance de la chair. Car les ulcères du corps ne rendaient pas seulement évidente sa déchéance, mais encore ils correspondaient à la vénéneuse perversité de l'âme d'une manière édifiante et satisfaisante pour l'esprit, tandis que la beauté du corps était un phénomène trompeur et offensant pour la conscience, phénomène que l'on faisait bien de repousser en s'humiliant profondément devant l'infirmité. *Quis me liberabit de corpore mortis hujus ?* Qui me délivrera du corps de cette mort ? C'était la voix même de l'esprit qui était, à jamais, la voix de l'humanité véritable.

Non, c'était une voix nocturne, d'après l'opinion que M. Settembrini avança avec émotion, la voix d'un monde auquel le soleil de la vertu et de l'humanité n'était pas encore apparu. Certes, il avait gardé, bien qu'intoxiqué quant à sa personne physique, un esprit assez sain et non pestiféré pour faire pièce au clérical Naphta sur le problème du corps et pour se moquer agréablement de l'âme. Il poussait la présomption jusqu'à célébrer le corps de l'homme comme le véritable temple de Dieu, sur quoi Naphta déclara que ce tissu n'était pas autre chose que le voile tendu entre nous et l'éternité, ce qui eut pour effet que Settembrini lui interdit définitivement de se servir du mot « humanité » ; et ainsi de suite…

Avec des visages figés par le froid, tête nue, marchant dans leurs caoutchoucs, tantôt sur la couche de neige dure, crissante et couverte de cendres, qui surélevait le trottoir, tantôt labourant des pieds la neige compacte et molle de la chaussée — Settembrini vêtu d'un paletot d'hiver dont le col et les revers de castor semblaient galeux à force d'être usés mais qu'il portait avec élégance, Naphta dans une pelisse noire, complètement fermée, tombant jusqu'aux pieds, et qui, entièrement doublée de fourrure, n'en laissait rien apparaître —, ils discutaient de ces principes avec l'ardeur la plus passionnée, et il arrivait souvent qu'ils ne s'adressassent pas l'un à l'autre, mais à Hans Castorp, auquel l'orateur exposait son point de vue, en ne désignant son adversaire que de la tête ou du pouce. Il marchait entre les deux adversaires, tournant la tête d'un côté, puis de l'autre, approuvait tantôt celui-ci, tantôt celui-là ; ou, s'arrêtant, le haut du corps obliquement rejeté en arrière et gesticulant avec sa main gantée de chevreau il faisait une remarque personnelle, bien entendu tout à fait insuffisante, tandis que Ferge et Wehsal tournaient autour des trois autres, tantôt les devançant, tantôt restant en arrière, ou marchaient sur le même rang jusqu'à ce que des passants brisassent leur alignement.

Sous l'influence de ces remarques, la conversation glissa vers des sujets plus concrets, et porta rapidement tour à tour et en éveillant l'intérêt croissant de tous, sur les problèmes de l'incinération, du châtiment corporel, de la torture et de la peine de mort. Ce fut Ferdinand Wehsal qui mit sur le tapis le châtiment corporel et cette idée s'accordait avec sa tête, parut-il à Hans Castorp. On ne fut pas surpris que M. Settembrini se répandît en paroles élevées et invoquât la dignité humaine contre ce procédé aussi blâmable en pédagogie qu'en droit pénal ; on ne fut pas davantage surpris, mais néanmoins ahuri par tant de sinistre audace, quand Naphta se prononça en faveur de la bastonnade. Selon lui, il était absurde de divaguer à ce propos sur la dignité humaine, car la véritable dignité tient de l'esprit, non pas de la chair ; et, comme l'âme humaine n'était que trop facilement encline à tirer du corps toute sa joie de vivre, les souffrances qu'on lui infligeait étaient un moyen très recommandable de lui gâter le plaisir des sens, et de la rejeter en quelque sorte de la chair vers l'esprit, pour que celui-ci reprît son pouvoir sur elle. C'était un reproche parfaitement absurde que de considérer le châtiment corporel comme particulièrement humiliant. Sainte Élisabeth avait été flagellée jusqu'au sang par son confesseur, Conrad de Marbourg ; selon la légende, « son âme en avait été ravie jusqu'au troisième chœur » ; et elle-même avait frappé de verges une pauvre vieille qui avait trop sommeil pour se confesser. Était-il possible que l'on se permît d'appeler inhumaines ou barbares les flagellations auxquelles s'étaient livrés les membres de certains ordres et sectes, et d'une façon générale les personnes sentant profondément, afin de fortifier en eux le principe de l'esprit ? L'idée que l'interdiction par la loi des châtiments corporels dans les pays qui se jugeaient avancés constituait un véritable progrès était une conviction qui, pour être inébranlable, n'en paraissait que plus comique.

Il fallait du moins admettre ceci, dit Hans Castorp, que dans cette opposition entre la chair et l'esprit, la chair incarnait sans aucun doute le principe mauvais et diabolique — ha, ha, incarnait, puisque la chair faisait naturellement partie de la nature — naturellement de la nature, pas mal non plus ! — et que la nature, dans son opposition à l'esprit, à la raison, était décidément mauvaise, mystiquement mauvaise, pouvait-on dire, si l'on se hasardait à faire cette observation en s'appuyant sur sa culture et sur ses connaissances. Ce point de vue admis, il n'était que logique de traiter le corps en conséquence, c'est-à-dire de lui appliquer les moyens de châtiment que l'on pouvait également désigner comme mystiquement mauvais, si l'on se risquait encore une fois à une remarque personnelle. Et peut-être, si M. Settembrini avait eu à son côté sainte Élisabeth, lorsque la faiblesse de son corps l'avait empêché de se rendre au congrès progressiste de Barcelone…

On rit ; et, comme l'humaniste voulut protester, Hans Castorp parla vite des coups que lui-même avait reçus autrefois : au lycée qu'il avait fréquenté, cette peine était encore plus ou moins en usage dans les classes inférieures, on avait eu des houssines, et, encore que les maîtres, pour certaines considérations sociales, n'eussent pas porté la main sur lui, il avait cependant reçu un jour une volée de coups d'un condisciple plus fort que lui, d'un grand voyou, avec la canne flexible, sur le haut des cuisses et sur ses mollets vêtus seulement de bas, et cela lui avait fait un mal affreux, infâme, inoubliable, véritablement mystique ; avec des sanglots d'une ferveur honteuse, les larmes avaient coulé de colère et de désespoir, et Hans Castorp avait lu par la suite que dans les maisons de réclusion les pires bandits et les assassins les plus robustes pleurnichaient comme de petits enfants lorsqu'on leur administrait la bastonnade.

Tandis que M. Settembrini cachait sa figure de ses deux mains qui étaient gantées d'un cuir très râpé, Naphta demanda avec un sang-froid d'homme d'État comment l'on aurait pu dompter des criminels récalcitrants, sinon au moyen du chevalet et du bâton qui étaient donc tout à fait à leur place et répondaient au style d'une maison de réclusion ; une maison de réclusion humanitaire était une transaction esthétique, un compromis, et M. Settembrini, bien qu'il fût un orateur amoureux de belles phrases, n'entendait, au fond, rien à la beauté. Quant à la pédagogie, si l'on en croyait Naphta, la conception de dignité humaine de ceux qui voulaient en exclure les châtiments corporels prenait son point de départ dans l'individualisme libéral de l'époque bourgeoise et humanitaire, dans un absolutisme éclairé du Moi qui était sur le point de s'éteindre et de faire place à des idées sociales nouvelles et moins douillettes, à des idées d'assouplissement et de soumission, de contrainte et d'obéissance qui n'allaient pas sans une cruauté sacrée et qui amèneraient même à envisager d'un regard nouveau le châtiment de notre cadavre.

D'où l'expression : *Perinde ac cadaver*, railla Settembrini, et comme Naphta fit observer que, dès lors que Dieu livrait pour le punir notre corps à la honte abominable de la pourriture, ce ne devait être pas un crime de lèse-majesté que d'administrer au même corps une volée de coups, et on en arriva subitement à parler de l'incinération.

Settembrini la célébra. Il était possible de remédier à cette honte, dit-il joyeusement. Des considérations utilitaires en même temps que des mobiles idéalistes avaient déterminé l'humanité à y remédier. Et il déclara qu'il prenait part aux préparatifs d'un congrès international pour l'incinération qui se tiendrait probablement en Suède. On projetait d'exposer un crématoire modèle, construit d'après toutes les expériences faites jusqu'à présent ainsi qu'un columbarium, et l'on pouvait en attendre des effets encourageants et étendus. Quel procédé suranné et baroque que l'enterrement, étant donné les conditions de la vie moderne ! L'extension des villes ! Le refoulement des cimetières — ces lieux de repos, disait l'étymologie ! — vers la périphérie ! Le prix des terrains ! Le caractère prosaïque des obsèques causé par la nécessité de se servir des moyens de transport modernes ! Sur toutes ces choses, Settembrini excellait à faire des observations sensées. Il plaisanta la figure du veuf accablé qui allait chaque jour en pèlerinage sur la tombe de sa chère morte pour s'entretenir avec elle sur les lieux. Pour une telle idylle, il fallait avant tout disposer du bien le plus précieux de la vie, à savoir du temps en quantité surabondante, et, d'ailleurs, les opérations en série d'un cimetière central moderne ne manqueraient pas de le guérir de cette sensiblerie traditionnelle. La destruction du cadavre par le feu, quelle notion pure, hygiénique et digne, voire héroïque, c'était là ! Au lieu de le livrer à une lamentable décomposition et à l'assimilation par des organismes inférieurs. Le sentiment lui-même trouvait plus aisément son compte dans ce nouveau procédé qui répond à ce besoin humain de durer. Car ce qui était détruit par le feu, c'étaient les parties changeantes du corps, qui même de son vivant étaient renouvelées par la nutrition; par contre celles qui prenaient le moins part à ce courant et qui accompagnaient l'homme presque sans se modifier à travers son existence d'adulte étaient aussi celles qui persistent dans le feu, elles formaient les cendres, et, en les recueillant, les survivants gardaient la partie impérissable du défunt.

« Très joli, dit Naphta, oh! c'était très, très joli. La partie impérissable de l'homme, les cendres. »

Naphta, rétorqua l'orateur, prétendait bien entendu, maintenir l'humanité dans son attitude irrationaliste à l'égard des faits biologiques, il maintenait la conception religieuse primitive pour laquelle la mort était un fantôme effrayant faisant naître des frissons si mystérieux qu'il était interdit de diriger sur ce phénomène le regard de la claire raison. Quelle barbarie! L'épouvante devant la mort remontait à des époques très basses de la civilisation où la mort violente avait été la règle, et le caractère effrayant qu'avait en effet celle-ci était longtemps demeuré lié, dans le sentiment de l'homme, à l'idée de mort en général. Mais, de plus en plus, grâce au développement de la science générale de l'hygiène et grâce aux progrès de la sécurité personnelle, la mort naturelle devenait la norme, et pour le travailleur moderne la pensée d'un repos éternel après un affaiblissement normal de ses forces n'avait plus rien d'effrayant, mais apparaissait au contraire comme normale et souhaitable. Non, la mort n'était ni un fantôme ni un mystère; c'était un phénomène simple, rationnel, physiologiquement nécessaire et souhaitable, et c'eût été frustrer la vie que de s'attarder plus que de raison à contempler la mort. C'est pourquoi on avait projeté de compléter ce crématoire modèle et le columbarium, c'est-à-dire en quelque sorte la salle de la mort, par une salle de vie, où l'architecture, la peinture, la sculpture, la musique et la poésie s'allieraient pour détourner les sens du survivant de l'expérience de la mort, d'une douleur obtuse et d'un deuil inactif, vers les bienfaits de la Vie…

« Le plus tôt possible, railla Naphta. Pour qu'il ne pousse pas trop loin le culte de la mort, pour qu'il n'aille pas trop loin dans son respect devant un fait aussi simple, sans lequel il n'y aurait, il est vrai, ni architecture, ni peinture, ni sculpture, ni musique, ni même poésie.

— Il déserte pour joindre le drapeau, dit Hans Castorp songeur.

— L'inintelligibilité de votre remarque, ingénieur, lui répondit Settembrini, laisse cependant transparaître son caractère blâmable. Il faut que l'expérience de la mort soit en dernier ressort l'expérience de la vie, sinon, ce n'est qu'une histoire de revenants.

— Placera-t-on dans la salle de vie des symboles obscènes comme sur les sarcophages anciens ? demanda Hans Castorp avec tout son sérieux.

— De toute façon, les sens y seraient comblés, assura Naphta. En marbre et en peinture, le goût classique étalerait le corps, ce corps pétri de péchés que l'on sauvait de la pourriture, ce qui n'avait rien de surprenant, puisque, à force de tendresse pour lui, on ne voulait même plus le laisser fustiger… »

Ici, Wehsal intervint et amena la conversation sur les tortures ; et cela lui seyait particulièrement. Que pensaient ces messieurs de la « question » ? Lui, Ferdinand, n'avait jamais négligé, au cours de ses voyages d'affaires, les occasions de visiter en des centres de culture ancienne ces endroits discrets où l'on avait pratiqué cette manière d'explorer les consciences. C'est ainsi qu'il connaissait les chambres de torture de Nuremberg, de Ratisbonne, car, dans l'intérêt de sa formation intellectuelle, il les avait visitées et étudiées de près. En effet, pour l'amour de l'âme, on avait porté là des atteintes assez peu délicates au corps, de toutes sortes de manières ingénieuses. La poire enfoncée dans la bouche ouverte, la fameuse poire, qui n'était déjà pas une friandise, et puis le silence avait régné, un silence des mieux remplis…

« *Porcheria* », murmura Settembrini.

Ferge dit que tout hommage rendu à la poire et au silence bien rempli, on n'avait quand même rien su inventer de plus dégoûtant que de vous tâter la plèvre.

Et l'on avait fait cela pour le guérir !

« L'âme endurcie, la justice offensée ne justifient pas moins une suppression passagère de la miséricorde. En outre, la torture n'avait été qu'un résultat du progrès rationaliste… »

Visiblement, Naphta divaguait !

Mais non, il ne s'égarait pas ! M. Settembrini était un bel esprit, et l'histoire de la procédure au Moyen Âge n'était sans doute pas pour l'instant entièrement présente à son souvenir. Elle s'était en effet progressivement rationalisée, et cela de telle sorte que Dieu avait été peu à peu exclu de la jurisprudence, et remplacé par des notions de pure raison. Le jugement de Dieu était tombé en désuétude, parce qu'on avait dû se rendre compte que le plus fort était vainqueur même lorsqu'il avait tort. Des gens de l'espèce de M. Settembrini, des sceptiques, des critiques, avaient fait cette observation et avaient obtenu que l'inquisition qui ne comptait pas sur l'intervention de Dieu en faveur de la vérité, mais qui tendait à obtenir de l'accusé l'aveu de la vérité, fût substituée à l'ancienne manière naïve d'exercer la justice. Pas de condamnation sans aveu ! Aujourd'hui encore, il suffisait d'écouter la voix publique : cet instinct était profondément enraciné ; si serré que fût l'enchaînement des preuves, la condamnation était jugée illégale lorsque l'aveu faisait défaut. Comment l'obtenir ? Comment déterminer la vérité, par-delà toutes les apparences, par-delà de simples soupçons ? Comment pénétrer dans le cerveau, dans le cœur d'un homme qui la dissimulait, qui refusait de la livrer ? Lorsque l'esprit était récalcitrant, il ne restait que la ressource de s'adresser au corps que l'on pouvait toujours atteindre. La torture, comme moyen d'obtenir l'aveu indispensable, était exigée par la raison. Mais c'était M. Settembrini qui avait réclamé et introduit le recours à l'aveu, et par conséquent il était également l'auteur de la torture.

L'humaniste pria ces messieurs de n'en rien croire. C'étaient là des plaisanteries diaboliques. Si tout s'était passé comme M. Naphta le prétendait, si vraiment la raison avait inventé cette chose effroyable, cela prouvait tout au plus combien elle avait toujours besoin d'être soutenue et éclairée, et combien peu les adorateurs de l'instinct naturel avaient raison de craindre que tout ne se passât jamais trop raisonnablement sur terre. Mais son honorable contradicteur s'était certainement égaré. Cette justice abominable ne pouvait avoir été inspirée par la vertu, pour la bonne raison que son fonds avait été la croyance en l'enfer. On n'avait qu'à regarder les musées et les chambres de torture, pour être convaincu que ces manières de pincer, d'étirer, de visser et de roussir étaient apparemment issues d'une imagination puérile et aveuglée, du désir d'imiter pieusement ce qui se pratiquait dans les lieux du châtiment éternel, dans l'au-delà. Du reste, on avait même cru aider le malfaiteur ! On avait admis que sa propre âme en peine aspirait à l'aveu et que seule la chair, comme principe du mal, s'opposait à son vouloir. De sorte que l'on avait même cru lui rendre un service charitable en brisant sa chair par la torture. Égarement d'ascètes…

Les anciens Romains n'avaient-ils pas commis la même erreur ?

« Les Romains ? *Ma che !* »

Et pourtant, eux aussi auraient connu la torture comme forme de procès.

Impasse logique… Hans Castorp s'efforça de glisser en jetant de son propre chef, et comme si ce pouvait être son affaire de diriger une telle conversation, le problème de la peine de mort dans le débat. La torture avait été supprimée, bien que les juges d'instruction eussent toujours leurs moyens de mater les accusés. Mais la peine de mort semblait immortelle, il ne semblait pas que l'on pût s'en passer. Les peuples les plus civilisés la conservaient. Les Français avaient fait de très mauvaises expériences avec leurs déportations. On ne savait vraiment pas ce que l'on devait pratiquement faire de certaines créatures anthropoïdes, hormis les raccourcir d'une tête.

Ce n'étaient pas des « créatures anthropoïdes », rectifia M. Settembrini. C'étaient des hommes comme lui, l'ingénieur, et Settembrini lui-même ; simplement, ils manquaient de volonté, et ils étaient les victimes d'une société mal organisée. Et il parla d'un grand criminel, plusieurs fois assassin, qui relevait du type que les avocats généraux ont, dans leurs réquisitoires, l'habitude de qualifier de « bestial », de « bête à visage humain ». Or cet homme avait couvert le mur de sa cellule de vers. Et ces vers n'étaient nullement mauvais ; ils étaient même meilleurs que ceux qu'il arrivait à des avocats généraux de rimer.

Cela jetait un jour singulier sur l'art, répondit Naphta. Mais en dehors de cela, ce n'était nullement digne d'attention.

Hans Castorp avait cru que M. Naphta se déclarerait partisan de la peine de mort.

Naphta, dit-il, était sans doute tout aussi révolutionnaire que Settembrini, mais il l'était dans un sens conservateur. C'était un révolutionnaire de la conservation.

Mais l'univers, sourit M. Settembrini, très sûr de lui, passerait à l'ordre du jour, par-dessus cette révolution de la réaction anti-humaine. M. Naphta préférait suspecter l'art que reconnaître qu'il pouvait restituer la dignité de l'homme jusqu'au plus réprouvé d'entre les hommes. Il était impossible de gagner une jeunesse en quête de lumière à un tel fanatisme. Une ligue internationale dont le but était la suppression de la peine de mort dans tous les pays civilisés venait de se former. M. Settembrini avait l'honneur d'en être membre. On n'avait pas encore choisi l'endroit où se tiendrait le prochain congrès, mais l'humanité pouvait avoir la certitude que les orateurs qui s'y feraient entendre seraient cuirassés d'arguments. Et il invoqua les arguments, parmi lesquels celui de la possibilité, qui subsistait toujours, d'une erreur judiciaire et donc d'un assassinat légal ; comme l'espoir subsistait toujours que le criminel s'amendât. Il cita même : « La vengeance m'appartient » et déclara aussi que l'État, si l'amélioration de l'homme lui importe plus que la violence, ne pouvait pas rendre le mal par le mal, et rejetait l'idée de « châtiment » après que, sur la base d'un déterminisme scientifique, il avait combattu celle de culpabilité.

Après quoi la « jeunesse en quête de lumière » vit Naphta successivement tordre le cou à chacun de ces arguments. Il se gaussa de la crainte de verser le sang et du respect pour la vie humaine que manifestait le philanthrope. Il affirma que le respect de la vie individuelle ne relevait que des époques bourgeoises les plus plates et les plus philistines, mais que, en des circonstances tant soit peu passionnées, pour peu qu'une seule idée qui dominait celle de sécurité, une seule idée impersonnelle, et par conséquent superindividuelle fût en jeu — et c'était là le seul état digne de l'homme et par conséquent normal dans un sens plus élevé —, la vie individuelle serait non seulement sacrifiée sans hésitation à la visée supérieure, mais encore exposée volontairement et sans hésitation par l'individu lui-même. La philanthropie de monsieur son adversaire, dit-il, tendait à enlever à la vie tous ses accents pesants et mortellement sérieux ; elle tendait à châtrer la vie, même par le déterminisme de sa prétendue science. Or, la vérité était que, non seulement le concept de la culpabilité ne pouvait être aboli par le déterminisme, mais encore qu'il n'en apparaissait que plus lourd et plus effrayant.

Ce n'était pas mal. Désirait-il par hasard que la victime infortunée de la société se sentît sérieusement coupable, et marchât de son plein gré vers l'échafaud ?

Mais, sans aucun doute ! Le criminel était pénétré de sa faute comme il était pénétré de soi-même. Car il était tel qu'il était, et il ne pouvait ni ne voulait être différent, et c'était là justement sa faute. M. Naphta transportait la culpabilité et le mérite du domaine empirique dans le domaine métaphysique. Il est vrai que l'acte était déterminé, il n'y avait pas pour lui de libre arbitre, mais il y en avait un pour l'être. L'homme était et restait ce qu'il avait voulu être jusqu'à son anéantissement. Il avait tué au prix de sa vie. Qu'il mourût, puisqu'il expiait par là la jouissance la plus profonde.

« La jouissance la plus profonde ?

— La plus profonde. »

L'autre pinça les lèvres. Hans Castorp toussota. Wehsal laissait pendre de travers sa mâchoire inférieure. M. Ferge soupira. Settembrini observa avec finesse :

« On le voit bien, il y a une manière de généraliser une question qui donne au sujet une nuance personnelle. Vous auriez envie de tuer ?

— Cela ne vous regarde pas. Mais si je l'avais fait, je rirais à la face d'une ignorance humanitaire qui serait disposée à me nourrir de lentilles jusqu'à la fin naturelle de mes jours. Cela n'a aucun sens que l'assassin survive à l'assassiné. Ils auront participé, comme deux êtres ne le font qu'en une autre circonstance unique et analogue, l'un subissant, l'autre agissant, à un mystère qui les lie à jamais. Leurs destins sont inséparables. »

Settembrini avoua froidement que l'organe lui faisait défaut pour un tel mysticisme de la mort et du meurtre, et qu'il ne le regrettait pas. Il n'avait rien à objecter aux dons religieux de M. Naphta, lesquels surpassaient incontestablement les siens, mais il constatait qu'il ne l'enviait pas. Un besoin insurmontable de propreté l'écartait d'une sphère, où ce respect du malheur dont une jeunesse en quête d'expérience avait parlé tout à l'heure régnait apparemment non seulement sous le rapport physique, mais encore sous le rapport moral, bref, d'une sphère où la vertu, la raison et la santé ne comptaient pour rien, mais où les vices et la maladie jouissaient de la plus haute considération.

Naphta confirma qu'en effet la vertu et la santé n'étaient pas des états religieux. On avait beaucoup gagné, dit-il, lorsqu'on avait clairement établi que la religion n'avait absolument rien de commun avec la raison et la morale. Car, ajouta-t-il, elle n'avait rien à voir avec la vie. La vie reposait sur des conditions et des catégories qui ressortissaient tantôt à la doctrine de la connaissance, tantôt au domaine moral. Les premières s'appelaient le temps, l'espace, la causalité ; les secondes, morale et raison. Toutes ces choses étaient non seulement étrangères et indifférentes à l'être religieux, mais encore lui étaient hostiles ; car c'étaient justement elles qui formaient la vie, la prétendue santé, c'est-à-dire la manière d'être philistine et bourgeoise par excellence, dont l'univers religieux était précisément le contraire absolu, voire absolument génial. Lui, Naphta, ne voulait d'ailleurs pas dénier d'une façon absolue à la sphère de la vie la possibilité de donner naissance au génie. Il existait une manière d'être bourgeoise non dépourvue de triviale grandeur, une majesté philistine que l'on pouvait juger digne de respect, à condition de se souvenir que, dans sa dignité carrée et massive, les mains dans le dos et la poitrine bombée, elle était l'irréligion incarnée.

Hans Gastorp leva l'index comme à l'école. Il ne voulait heurter aucune opinion, dit-il, mais il était apparemment question ici du progrès, du progrès humain, et par conséquent, jusqu'à un certain point, de la politique et de la république oratoire, et de la civilisation de l'Occident civilisé ; et il voulait simplement dire que la différence ou, si M. Naphta y tenait absolument, l'opposition entre la vie et la religion, devait être ramenée à l'opposition entre le temps et l'éternité. Car le progrès n'avait lieu que dans le temps ; dans l'éternité, il n'y avait pas de progrès, non plus que de politique et d'éloquence. On y appuyait en quelque sorte la tête sur l'épaule de Dieu et l'on fermait les yeux. Et c'était là la différence entre la religion et la morale, confusément exprimée.

Sa manière naïve de s'exprimer, dit Settembrini, était moins inquiétante que sa crainte de heurter les opinions d'autrui et que sa tendance à faire des concessions au diable.

Allons donc ! il y avait belle lurette qu'ils avaient discouru sur le diable, M. Settembrini et lui, dit Hans Castorp. « *O satana, o ribellione !* » À quel diable aurait-il donc fait ces concessions ? À celui de la rébellion, du travail et de la critique, ou bien à l'autre ? On était vraiment en péril mortel : un diable à droite, un diable à gauche ; comment diable s'y prendre pour passer ?

Ce n'était pas la bonne manière, dit Naphta, de caractériser la situation telle que M. Settembrini voulait la voir. Ce qui était décisif dans sa conception de l'univers, c'est qu'il faisait de Dieu et de Satan deux personnes et deux principes distincts, et qu'il plaçait « la vie », exactement à la manière du Moyen Âge, entre eux comme enjeu de leurs luttes. Mais, en réalité, ils ne formaient qu'un et s'opposaient de concert à la vie, à la vie bourgeoise, à l'éthique, à la raison, à la Vertu — comme le principe religieux qu'ils représentaient ensemble.

« Qu'est-ce que c'est que ce fatras écœurant ? — *che guazzabuglio proprio stomachevole*, s'écria Settembrini. Le mal et le bien, la sainteté et le crime, tout cela mélangé ! Sans jugement, sans volonté ! Sans le pouvoir de réprouver ce qui est réprouvé ! M. Naphta savait-il ce qu'il niait en confondant Dieu et le Diable en présence de cette jeunesse, et en niant le principe moral au nom de cette dualité abominable ? Il niait la *valeur*, toute échelle de valeurs, c'était effrayant à dire. Ainsi donc, il n'y avait ni bien ni mal, il n'y avait que l'univers sans ordre moral. Il n'y avait pas davantage d'individu dans sa dignité critique, il n'y avait que cette communauté absorbant et nivelant tout, l'anéantissement mystique en elle ! L'individu… »

Que M. Settembrini se prît une fois de plus pour un individualiste, quelle chose exquise ! Mais pour l'être, il fallait connaître la différence entre la moralité et la félicité, ce qui n'était nullement le cas chez monsieur notre moniste et illuminé. Là où la vie était stupidement considérée comme une fin en soi et là où l'on ne s'inquiétait pas du tout d'un sens et d'une fin qui la dépasseraient, régnait une éthique sociale, une morale de vertébrés, mais non pas l'individualisme, lequel ne trouvait sa place que dans le seul domaine religieux et mystique, dans le prétendu « univers sans ordre moral ». Qu'était-elle et que voulait-elle donc, la morale de M. Settembrini ? Elle était liée à la vie, partant uniquement utile, partant non héroïque à un degré pitoyable. Elle n'existait que pour que l'on devînt vieux et heureux, riche et bien portant par elle, un point c'était tout. Et cette plate doctrine de la raison et du travail, on la tenait pour une éthique ! Quant à lui, Naphta, il se permettait à nouveau de la qualifier de conception bourgeoisement mesquine de la vie.

Settembrini l'engagea à se modérer, mais sa propre voix vibrait de passion, lorsqu'il déclara insupportable que M. Naphta parlât sans cesse de la « conception bourgeoise de la vie », Dieu sait pourquoi, sur un ton d'aristocrate dédaigneux, comme si le contraire — et l'on savait ce qu'était le *contraire* de la vie — avait été par hasard plus distingué !

Nouvelles reparties, nouvelles boutades ! À présent ils en étaient arrivés à la noblesse, à la question de l'aristocratie. Hans Castorp, échauffé et épuisé par le froid et par la multitude des problèmes, incertain même en ce qui touchait l'intelligibilité ou le caractère hasardé et fiévreux de ses propres expressions, confessa, les lèvres ankylosées, qu'il s'était depuis toujours représenté la Mort avec une collerette espagnole amidonnée ou tout au moins en petite tenue, avec un faux col à pointes rabattues, la Vie, par contre, avec un simple petit col droit... Mais lui-même s'effraya de ce qu'il entrait, dans ses dires, de rêves et d'ivresse les faisant déplacés dans une conversation ; et il assura que ce n'était pas cela qu'il avait voulu dire. Mais n'en allait-il pas ainsi qu'il y avait des gens, certaines gens que l'on ne pouvait pas se représenter comme morts, et cela justement parce qu'ils étaient absolument quelconques ? Ce qui voulait dire : ils paraissaient tellement faits pour la vie qu'il vous semblait qu'ils ne pourraient jamais mourir, qu'ils n'étaient pas dignes de recevoir la consécration de la mort.

M. Settembrini exprima l'espoir qu'il ne se trompait pas en supposant que Hans Castorp ne disait ces choses que pour qu'on le contredît. Le jeune homme le trouverait toujours disposé à le secourir quand il était en proie à de pareilles tentations. « Faites pour la vie », disait-il ? Et il se servait de ce mot dans un sens péjoratif ! « Digne de vivre ! » C'est cette expression qu'il ferait bien de substituer à l'autre et ses idées s'enchaîneraient alors dans un ordre véridique et beau. « Digne de vivre », et aussitôt, par l'association la plus naturelle et la plus légitime, l'idée d'« agréable à vivre » surgirait, si étroitement apparentée à l'autre terme que l'on pourrait dire que, seul, ce qui était véritablement digne de vivre était aussi véritablement aimable. Or, ces deux qualités réunies, la courtoisie et la dignité, formaient ce que l'on appelait la noblesse.

Hans Castorp trouva cela charmant et tout à fait intéressant. M. Settembrini, dit-il, l'avait aisément conquis par sa théorie plastique. Car on pouvait dire ce que l'on voulait — et certaines choses pouvaient être avancées, par exemple que la maladie était une forme d'existence supérieure et qu'elle avait quelque chose de solennel —, une chose était certaine, à savoir que la maladie accentuait l'élément corporel, qu'elle ramenait l'homme complètement à son corps, et que, par conséquent, elle nuisait à la dignité de l'homme jusqu'à l'anéantir en le réduisant au seul corps. La maladie était par conséquent inhumaine.

« La maladie est parfaitement humaine, reprit aussitôt Naphta ; car être homme, c'est être malade. » En effet, l'homme est essentiellement malade, c'était le fait qu'il était malade qui justement faisait de lui un homme, et quiconque voulait le guérir, l'entraîner à faire la paix avec la nature, « à retourner à la nature » (alors qu'en réalité il n'avait jamais été naturel), tout ce qui s'exhibait aujourd'hui en fait de prophètes régénérateurs, végétariens, naturistes, nudistes et ainsi de suite, toute espèce de Rousseau par conséquent ne cherchait pas autre chose que de le déshumaniser et de le rapprocher de l'animal. L'humanité ? La noblesse ? C'était l'esprit qui distinguait l'homme — cet être éminemment détaché de la nature, et qui s'y sentait nettement opposé — de toute autre forme de vie organique. C'était donc à l'esprit, à la maladie, que tenait la dignité de l'homme, sa noblesse. « Bref, il est d'autant plus homme qu'il est plus malade, et le génie de la maladie est plus humain que le génie de la santé. » Il était surprenant que quelqu'un qui jouait au philanthrope fermât les yeux sur de telles vérités fondamentales de l'humanité. M. Settembrini ne jurait que par le progrès. Comme si le progrès, pour autant qu'il existait, n'était pas uniquement dû à la maladie, c'est-à-dire au génie qui n'était pas autre chose que la maladie. Comme si tous les hommes bien portants n'avaient pas toujours vécu sur les conquêtes de la maladie. Il y avait eu des hommes qui avaient consciemment et volontairement pénétré dans la maladie et la folie, pour conquérir à l'humanité des connaissances qui allaient devenir de la santé après avoir été conquises par la démence, et dont la possession et l'usage, après ce sacrifice héroïque, ne seraient pas plus longtemps subordonnés à la maladie et à la démence. C'était là la véritable crucifixion… »

« Hé, hé, pensa Hans Castorp, le voilà bien mon jésuite fantaisiste avec ses combinaisons et son interprétation de la crucifixion. On voit fort bien pourquoi tu n'es pas devenu père, joli jésuite à la petite tache humide. Eh bien, rugis donc, lion », s'adressa-t-il intérieurement à Settembrini. Et celui-ci « rugit » en déclarant que tout ce que Naphta venait de soutenir n'était que mirage, bavardage et confusion. « Dites-le donc, cria-t-il à son adversaire, dites-le donc sous votre responsabilité d'éducateur, dites franchement devant cette jeunesse qui se forme que l'esprit est maladie. En vérité, vous les encouragerez ainsi à l'esprit, vous les gagnerez à la foi ! Déclarez d'autre part que la maladie et la mort sont nobles, mais que la santé et la vie sont vulgaires — c'est la méthode la plus sûre pour encourager l'élève à servir l'humanité ! *Davvero, è criminoso !* » Et en preux chevalier il prit la défense de la noblesse, de la santé et de la vie, de celle que donnait la nature, et qui n'avait pas besoin de s'inquiéter de manquer d'esprit. La forme ! proclamait-il, et Naphta disait alors avec emphase : le *logos* ! Mais l'autre qui ne voulait rien savoir du *logos* disait « la raison », tandis que l'homme du *logos* défendait « la passion ». Tout cela était confus. « L'objet » disait l'un, et l'autre : « le Moi ». Enfin il fut même question de « l'art » d'un côté et de « la critique » de l'autre et toujours de nouveau de la « nature » et de « l'esprit », et de savoir lequel des deux était le principe le plus noble, et du « problème de l'aristocratie ». Et cependant rien ne s'ordonnait ni ne s'éclaircissait, car non seulement tout s'opposait, mais encore tout se confondait, et non seulement les interlocuteurs se contredisaient l'un l'autre, mais encore ils se contredisaient eux-mêmes. Settembrini avait bien souvent fait l'éloge de la critique, alors qu'à présent il représentait le contraire, à savoir l'art, comme le principe noble ; et tandis que Naphta s'était plus d'une fois posé comme le défenseur de « l'instinct naturel » contre Settembrini qui avait traité la nature de « force stupide », comme un fait brutal et un destin aveugle, devant laquelle la raison et l'orgueil humain n'avaient pas le droit d'abdiquer, il se tournait maintenant du côté de l'esprit et de la « maladie », en quoi l'on pouvait trouver de la noblesse et de l'humanité, tandis que l'autre se posait en avocat de la nature et de sa saine noblesse, sans se souvenir de la nécessité de s'en affranchir. La discussion sur l'objet et le moi n'était pas moins embrouillée ; c'était ici que la confusion, qui d'ailleurs était partout la même, devenait tout à fait irrémédiable, et cela au point que plus personne ne savait lequel des deux était, en réalité, l'homme pieux et lequel l'homme libre. Naphta interdisait à Settembrini, en termes sévères, de se nommer un « individualiste », car il niait la contradiction entre Dieu et la nature, il n'entendait par le problème de l'homme, par le conflit de la personnalité, que celui des intérêts particuliers et des intérêts généraux, et il s'était ainsi posé sur le terrain d'une morale bourgeoise, liée à la vie, et ayant la vie pour but, il tendait sans héroïsme aucun à l'utilitaire, et découvrait dans la raison d'État la loi morale ; tandis que lui, Naphta, sachant parfaitement que le problème de l'homme reposait sur le conflit entre le réel et le surnaturel, représentait le véritable individualisme, l'individualisme mystique, et était en réalité l'homme de la liberté et du moi. Mais s'il était ainsi, pensait Hans Castorp, qu'en était-il « de l'anonymat et de la communauté », pour ne citer à titre d'exemple qu'une seule contradiction ? Qu'en était-il d'autre part des points importants qu'il avait touchés dans son entretien avec le père Unterpertinger sur le catholicisme du philosophe Hegel, sur le lien intime entre les concepts de « politique » et de « catholicisme » et sur la catégorie de l'objectif qu'ils formaient ensemble ? L'art de la politique et l'éducation n'avaient-ils pas été le domaine particulier de l'activité de l'ordre de Naphta ? Et quelle éducation ! M. Settembrini était certainement un pédagogue zélé, zélé jusqu'à en être importun ; mais, sous le rapport de l'objectivité ascétique et dédaigneuse du moi, ses principes ne pouvaient en aucune façon rivaliser avec ceux de Naphta. Ordre absolu ! Discipline de fer ! coercition ! obéissance ! terreur ! Cela pouvait avoir son côté honorable, mais cela ne tenait que peu de compte de la dignité de l'individu. C'était le règlement militaire de Frédéric de Prusse et de Loyola l'Espagnol, pieux et austère jusqu'au sang ; à propos de quoi l'on arrivait à se demander comment, en somme, Naphta pouvait aboutir à cet absolu sanguinaire puisqu'il avait avoué ne croire à aucune connaissance pure et à aucune science sans hypothèse, bref, ne pas croire à la vérité, à la vérité objective, scientifique que, selon Lodovico Settembrini, la loi suprême de toute morale humaine était de découvrir. C'était pieux et austère de la part de M. Settembrini, tandis qu'il semblait que Naphta se laissât nonchalamment aller jusqu'à ramener la vérité à l'homme et à la réduire à ce qui lui convenait le mieux ! N'était-ce pas une conception bourgeoise et un utilitarisme de Philistin de faire dépendre ainsi la vérité de l'intérêt de l'homme ? Ce n'était pas là, à y regarder de près, une objectivité de fer, il y avait là-dedans plus de liberté et de subjectivisme que Léon Naphta ne l'eût voulu, encore que ce fût de la « politique » dans un sens assez semblable à la formule de M. Settembrini, selon laquelle « la liberté était la loi de l'amour du prochain ». Cela revenait apparemment à lier la liberté à l'homme tout comme le faisait Naphta. C'était décidément se montrer plus dévot que libre, mais que devenait cette différence lorsqu'on adoptait pareilles définitions ? Ah ! ce monsieur Settembrini. Ce n'était pas en vain qu'il était un littérateur, c'est-à-dire le petit-fils d'un homme politique et le fils d'un humaniste. Il se préoccupait généreusement de critique et des beautés de l'émancipation, et croisait les jeunes filles dans la rue en fredonnant, tandis que le tranchant petit Naphta était lié par des vœux sévères. Et, pourtant, celui-ci était presque un libertin, à force d'indépendance, et cet autre un enragé de la vertu, si l'on voulait. M. Settembrini avait peur de l'esprit absolu et voulait à tout prix identifier l'esprit avec le progrès démocratique, épouvanté par le libertinage religieux du militaire Naphta qui mélangeait Dieu et le Diable, la sainteté et le crime, le génie et la maladie et qui ne connaissait pas de jugement de valeur, pas de jugement de la raison, pas de volonté. Qui donc était libre, qui donc était pieux, qu'était-ce qui déterminait le véritable état et la véritable position de l'homme ? Était-ce l'anéantissement dans la communauté qui absorbait et nivelait tout qu'il fallait préférer, ou bien le « sujet critique » chez lequel la légèreté et l'austérité vertueuse du bourgeois entraient en conflit ? Hélas ! les principes et les motifs s'opposaient constamment, les contradictions intimes s'accumulaient et notre pékin devait prendre la responsabilité si difficile, non seulement de décider entre les contraires, mais encore de les tenir nettement séparés, comme des préparations, de sorte que la tentation devenait grande de se jeter la tête la première dans l'univers moralement désordonné de Naphta. C'était l'entrecroisement et l'enchevêtrement général, la grande confusion, et Hans Castorp croyait voir que les adversaires auraient été moins acharnés si, durant leur querelle, cette confusion n'avait pesé sur leur âme.

On était monté ensemble jusqu'au Berghof, puis les trois pensionnaires avaient raccompagné les externes jusque devant leur maisonnette, et on resta encore longtemps debout dans la neige, tandis que Naphta et Settembrini se querellaient en bons pédagogues, comme Hans Castorp le savait bien, pour contribuer à la formation d'une jeunesse en quête de lumières. Pour M. Ferge c'était là des sujets beaucoup trop élevés, comme il donna plusieurs fois à entendre et Wehsal manifestait peu d'intérêt, depuis qu'il n'était plus question de bastonnade et de torture. Hans Castorp, la tête penchée, creusait la neige avec sa canne et réfléchissait à la grande confusion.

Enfin on se sépara. On ne pouvait pas rester éternellement debout, et l'entretien se prolongeait au-delà de toute limite. Les trois pensionnaires du Berghof s'en retournèrent chez eux, et les deux pédagogues rivaux durent rentrer ensemble dans leur maisonnette, l'un pour gagner sa cellule tendue de soie, l'autre sa chambrette d'humaniste, avec son pupitre et sa carafe d'eau. Mais Hans Castorp s'en fut sur sa loge de balcon, les oreilles pleines du brouhaha et du cliquetis d'armes des deux milices qui, s'avançant de Jérusalem et de Babylone sous les *dos banderas*, se rencontraient en une mêlée confuse.

Neige

Cinq fois par jour les occupants des sept tables exprimaient un mécontentement unanime du temps qu'il faisait cet hiver. On jugeait qu'il ne remplissait que très insuffisamment ses devoirs d'hiver de la haute montagne, qu'il ne fournissait pas les ressources météorologiques auxquelles cette sphère devait sa réputation dans la mesure garantie par le prospectus, à laquelle les anciens étaient habitués et que les nouveaux s'étaient attendus à trouver. On enregistrait de graves défaillances du soleil, du rayonnement solaire, de ce facteur important de guérison et sans le concours duquel la guérison se trouvait inévitablement retardée… Et quoi que M. Settembrini pût penser de la sincérité avec laquelle les hôtes de la montagne travaillaient à leur rétablissement et souhaitaient leur retour au pays plat, de toute façon ils réclamaient leur dû, ils voulaient en avoir pour leur argent, pour celui que payaient leurs parents et leurs époux, et ils murmuraient dans les conversations à table, en ascenseur et dans le hall. Aussi la direction générale comprenait-elle parfaitement qu'il lui incombait de remédier à cette situation et de la compenser par d'autres avantages. On fit l'acquisition d'un nouvel appareil de « soleil artificiel », parce que les deux appareils que l'on possédait déjà ne suffisaient plus aux demandes de ceux qui voulaient se faire bronzer par l'électricité, ce qui seyait bien aux jeunes filles et aux femmes, et prêtait aux hommes, malgré leur existence horizontale, un aspect magnifique de sportifs conquérants. Même, cette apparence donnait des avantages réels ; les femmes, bien que pleinement renseignées sur l'origine technique et le caractère factice de cette virilité, étaient assez sottes ou rusées, assez entichées d'illusion, pour se laisser enivrer et séduire par ce mirage. « Mon Dieu », disait Mme Schönfeld — une malade rousse, aux yeux rouges et qui venait de Berlin —, « Mon Dieu », disait-elle le soir, dans le hall, à un cavalier aux jambes longues et à la poitrine creuse qui, sur sa carte de visite, libellée en français, se donnait pour un « *Aviateur diplômé et enseigne de la marine allemande* », qui était pourvu du pneumothorax, et qui endossait d'ailleurs son smoking pour le déjeuner et l'enlevait le soir, en assurant que tel était l'usage dans la marine — « Mon Dieu ! disait-elle, en regardant goulûment l'enseigne, comme vous êtes admirablement bruni par le soleil artificiel ! On dirait un chasseur d'aigles, ce lascar ! — Prenez garde à vous, ondine, chuchota-t-il à son oreille, dans l'ascenseur (et elle en eut la chair de poule), vous me payerez vos regards séducteurs ! » Et par les balcons, par-delà les parois de verre mat le lascar et chasseur d'aigles rejoignait l'ondine.

Néanmoins il s'en fallait de beaucoup que le soleil artificiel fût considéré comme une compensation véritable à la carence de l'astre. Deux ou trois belles journées de soleil par mois — des journées qui rayonnaient il est vrai d'un profond bleu de velours, derrière les cimes blanches, avec un scintillement de diamant et une exquise brûlure dans la nuque des hommes, en dissipant la grisaille du brouillard et son voile épais —, deux ou trois journées depuis des semaines, c'était trop peu pour l'état d'âme de gens dont le destin justifiait l'exceptionnel besoin de réconfort et qui comptaient en leur for intérieur sur un pacte qui, en échange du renoncement aux plaisirs et aux tourments de l'humanité du pays plat, leur garantissait une vie sans doute inerte, mais tout à fait facile et agréable, insoucieuse jusqu'à la suppression du temps et favorisée sous tous les rapports. Il n'était guère utile au conseiller de rappeler combien, même dans ces conditions, la vie au Berghof était loin de rappeler le séjour dans une mine sibérienne, et par quels avantages l'air de ces sommets, rare et léger comme il l'était, de l'éther pur pour ainsi dire, pauvre en éléments terrestres, en éléments mauvais ou bons, préservait ses hôtes, même en l'absence du soleil, de la fumée et des exhalaisons de la plaine. La mauvaise humeur se répandait et les protestations se multipliaient, les menaces de départ en coup de tête étaient à l'ordre du jour, et il arrivait qu'elles se réalisassent, malgré l'exemple du retour récent et affligeant de Mme Salomon dont le cas n'avait primitivement pas été grave, encore qu'il s'améliorât lentement, mais qui, à la suite du séjour que la malade avait de son propre chef fait dans les courants d'air de l'humide Amsterdam, était devenu incurable.

Au lieu du soleil, on eut de la neige, de la neige en quantité, des masses de neige si formidables que, de sa vie, Hans Castorp n'en avait vu autant. L'hiver dernier n'avait pourtant pas laissé à désirer à cet égard, mais son rendement avait été faible par rapport à celle du nouvel hiver. Par sa quantité monstrueuse, démesurée, elle contribuait à vous faire prendre conscience du caractère périlleux et excentrique de cette région. Il neigeait au jour le jour et pendant des nuits entières : une neige fine, sans tourbillons, mais il neigeait. Les rares sentiers praticables semblaient des chemins creux encaissés entre des murailles de neige plus hautes qu'un homme de côté et d'autre, avec des plaques d'albâtre qui étaient agréables à voir, scintillantes, cristallines et granuleuses et qui servaient aux pensionnaires du Berghof à se transmettre par l'écrit et par le dessin toutes sortes de nouvelles, de plaisanteries et d'allusions piquantes. Mais même entre ces remparts on marchait encore sur une épaisseur de neige assez considérable, bien que l'on eût creusé profondément, et l'on s'en rendait compte aux endroits mouvants et aux trous où le pied enfonçait tout à coup, enfonçait facilement jusqu'au genou : il fallait prendre garde de ne pas se briser une jambe. Les bancs avaient disparu, engloutis. Un morceau de dossier émergeait encore ici ou là de cette tombe blanche. En bas, dans le village, le niveau des rues était si étrangement modifié que les boutiques au rez-de-chaussée des maisons étaient devenues des caves où l'on descendait du trottoir par des marches taillées dans la neige.

Et il continuait de neiger sur les masses amoncelées, au jour le jour par un froid moyen — dix à quinze degrés au-dessous de zéro — qui ne vous pénétrait pas jusqu'à la moelle ; on le sentait peu, comme s'il n'avait fait que cinq, ou même deux degrés, l'absence de vent et la sécheresse de l'air l'atténuaient. Il faisait très sombre le matin ; on déjeunait à la lumière artificielle des lustres en forme de lune, dans la salle aux voûtes gaiement coloriées. Dehors était le néant gris, le monde plongé dans une ouate blafarde qui se pressait contre les vitres, comme emballé dans la vapeur des neiges et dans le brouillard. Invisible, la montagne ; tout au plus distinguait-on de temps en temps quelque chose des sapins les plus proches ; ils étaient là, chargés de neige, se perdaient rapidement dans la brume ; et, de temps à autre, un pin, se déchargeant de son excès de poids, répandait dans la grisaille une poussière blanche. Vers dix heures, le soleil paraissait comme une fumée vaguement éclairée au-dessus de la montagne ; c'était une vie pâle et fantomatique, un reflet blafard du monde sensible dans le néant du paysage méconnaissable. Mais tout restait dissous dans une délicatesse et une pâleur spectrales, exempt de toute ligne que l'œil aurait pu suivre avec certitude ; les contours des cimes se perdaient, s'embrumaient, s'en allaient en fumée. Les étendues de neige éclairées d'un jour pâle qui s'étageaient les unes derrière les autres, conduisaient le regard vers l'informe. Et il arrivait alors qu'un nuage éclairé, semblable à une fumée, flottât longuement sans changer de forme devant une paroi rocheuse.

Vers midi, le soleil, perçant à moitié la brume, s'efforçait de dissoudre le brouillard dans l'azur. Mais il était loin d'y réussir quoique l'on perçût momentanément un soupçon de bleu de ciel, et que ce peu de lumière suffît à faire scintiller de reflets adamantins le paysage déformé par cette aventure de neige. Vers cette heure-là il cessait généralement de neiger, tout comme pour permettre une vue d'ensemble du résultat obtenu, et les rares journées intermittentes de soleil, quand le tourbillon faisait relâche et que l'incendie tout proche du ciel s'efforçait de fondre l'exquise et pure surface de la neige nouvelle, semblaient elles aussi poursuivre le même but. L'aspect du monde était féerique, puéril et comique. Les coussins épais, floconneux, comme fraîchement battus, qui reposaient sur les branches des arbres, les bosses du sol sous lesquelles se dissimulaient des arbres rampants ou des saillies rocheuses, l'aspect accroupi, englouti, comiquement travesti du paysage produisait un monde de gnomes, ridicule à voir et comme tiré d'un recueil de contes de fées. Mais si la scène proche où l'on se déplaçait péniblement prenait un aspect fantastique et cocasse, c'étaient des impressions de grandeur et de sainteté qu'éveillait le fond plus lointain : l'architecture étagée des Alpes couvertes de neige.

L'après-midi, entre deux et quatre heures, Hans Castorp était couché dans sa loge de balcon et, bien empaqueté, la nuque appuyée sur le dossier de son excellente chaise longue, ni trop haut ni trop bas, il regardait par-dessus la balustrade capitonnée, la forêt et la montagne. La forêt de sapins, d'un vert noir, couverte de neige, escaladait les pentes ; entre les arbres, le sol était partout capitonné de neige. Au-dessus s'élevait la crête rocheuse, d'un gris blanchâtre, avec d'immenses étendues de neige, qu'interrompaient çà et là quelques rocs plus sombres et des pics qui se perdaient mollement dans les nuées. Il neigeait doucement. Tout se brouillait de plus en plus. Le regard, se mouvant dans un néant ouaté, inclinait facilement au sommeil. Un frisson accompagnait l'assoupissement, mais ensuite il n'y avait pas de sommeil plus pur que ce sommeil dans le froid glacé, dont aucune réminiscence inconsciente du fardeau de la vie n'effleurait le repos sans rêves, parce que la respiration de l'air rare, inconsistant et sans odeur ne pesait pas plus à l'organisme que la non-respiration du mort. Lorsqu'on le réveillait, la montagne avait complètement disparu dans le brouillard de la neige et il ne s'en dégageait plus de temps en temps, pour quelques minutes, que des fragments, une cime, une arête rocheuse, qui se voilaient presque aussitôt. Ce jeu silencieux de fantômes était des plus divertissants. Il fallait s'appliquer à une attention très aiguë pour surprendre cette fantasmagorie de voiles dans ses transformations secrètes. Sauvage et grande, dégagée du brouillard se découvrait une chaîne rocheuse dont on ne voyait ni le sommet ni le pied. Mais pour peu qu'on la quittât un instant des yeux elle s'était évanouie.

Des tempêtes de neige se déchaînaient parfois, qui empêchaient absolument que l'on se tînt sur la galerie parce que la neige tourbillonnante envahissait le balcon lui-même, en recouvrant tout, le plancher et les meubles, d'une couche épaisse. Car il y avait aussi des tempêtes dans cette haute vallée entourée de montagnes. Cette atmosphère si inconsistante était agitée par des remous, elle s'emplissait d'un tel grouillement de flocons que l'on ne voyait plus à un pas devant soi. Des rafales d'une force à vous couper le souffle imprimaient à la neige un mouvement sauvage, tourbillonnant et oblique, elles la chassaient de bas en haut, du fond de la vallée vers le ciel, la faisaient mousser en une folle sarabande ; ce n'était plus une chute de neige, c'était un chaos d'obscurité noire, un monstrueux désordre, outrance phénoménale d'une région en dehors de la zone modérée et où seul le nivereau, qui surgissait tout à coup par bandes entières, pouvait s'orienter.

Mais Hans Castorp aimait cette vie dans la neige. Il trouvait qu'elle s'apparentait à beaucoup d'égards à la vie des grèves maritimes : la monotonie sempiternelle du paysage était commune aux deux sphères ; la neige, cette poussière de neige profonde, floconneuse et immaculée, jouait ici le même rôle qu'en bas le sable d'une blancheur jaunâtre ; leur contact ne salissait pas ; on faisait tomber de ses chaussures et de ses vêtements cette poussière blanche et froide, comme là, en bas, la poudre de pierre et de coquillage du fond de la mer, sans qu'elle laissât une trace ; et la marche dans la neige était pénible comme une promenade à travers les dunes, à moins que l'ardeur du soleil eût superficiellement fondu la surface, et que la nuit l'eût durcie. On y marchait alors plus légèrement et plus agréablement que sur un parquet, aussi légèrement et aussi agréablement que sur le sable lisse, ferme, aspergé et élastique de la lisière de la mer.

Mais cette année c'étaient des chutes massives qui limitaient pour tous, à l'exception des skieurs, les possibilités de se mouvoir à l'air libre. Les tranche-neige travaillaient ; mais ils avaient du mal à dégager les sentiers les plus fréquentés et la grande route de la station, de sorte que les rares chemins qui restaient praticables et qui débouchaient aussitôt dans une impasse, étaient très fréquentés par des gens bien portants et des malades, par des indigènes et des pensionnaires des hôtels internationaux. Or, les lugeurs butaient dans les jambes des piétons, des dames et des messieurs qui rejetés en arrière, les pieds en avant, poussant des cris d'avertissement dont le ton témoignait combien ils étaient pénétrés de l'importance de leur entreprise, glissaient sur leurs petits traîneaux d'enfant le long des pentes, en s'emmêlant et en chavirant, pour remonter, aussitôt arrivés en bas, en traînant à la corde leur jouet à la mode.

De ces promenades Hans Castorp était plus que rassasié. Il avait deux désirs : le plus fort était d'être seul avec ses pensées et ses rêveries, dont sa loge de balcon lui aurait peut-être, encore que d'une façon superficielle, permis l'accomplissement. Quant à l'autre, lié au premier, c'était le besoin de prendre un contact plus intime et plus libre avec la montagne dévastée par la neige pour laquelle il s'était pris de sympathie, et ce vœu ne pouvait s'accomplir aussi longtemps qu'il était celui d'un piéton désarmé et sans ailes ; car il se serait aussitôt enfoncé jusqu'à la poitrine dans cette blancheur s'il avait essayé de pousser au-delà des sentiers usuels, creusés à la pelle, et dont il avait de toutes parts tôt fait d'atteindre le terme.

Hans Castorp décida donc un jour de s'acheter des skis, durant ce second hiver qu'il passait ici, et d'apprendre à s'en servir, dans la mesure où l'exigeait le besoin réel qu'il éprouvait. Il n'était pas un sportif ; il ne l'avait jamais été, faute de dispositions physiques ; du reste, il ne faisait pas semblant de l'être, comme c'était le cas de nombreux pensionnaires du Berghof, qui, pour se conformer aux usages du lieu et à la mode, se déguisaient sottement — les femmes notamment, Hermine Kleefeld, par exemple, qui, bien que la gêne respiratoire fît constamment bleuir la pointe de son nez et ses lèvres, aimait à paraître au lunch en pantalons de laine, et s'étendait dans cet attirail, après le repas, les genoux écartés, dans un fauteuil d'osier du hall, d'une manière assez inconvenante. Si Hans Castorp avait sollicité l'autorisation du conseiller pour son projet extravagant, il se serait à coup sûr heurté à un refus. Le sport était absolument interdit à la communauté des malades, au Berghof comme partout ailleurs, dans les établissements du même ordre ; car l'atmosphère qui en apparence pénétrait si facilement dans les poumons, imposait aux muscles du cœur des efforts suffisants ; et, en ce qui concernait Hans Castorp, sa remarque nonchalante sur « l'habitude de ne pas s'habituer » était restée pleinement valable pour lui, et la tendance fiévreuse que Rhadamante attribuait à une tache humide persistait obstinément. Sinon, qu'eût-il encore cherché ici ? Son désir et son projet étaient donc contradictoires et déplacés. Mais il fallait tâcher de le comprendre. Ce qui le poussait, ce n'était pas l'ambition d'égaler les fats de la vie au grand air, ni les sportifs par coquetterie qui auraient, si la mode l'avait voulu, apporté le même zèle prétentieux à jouer aux cartes dans une chambre étouffante. Il se sentait d'une manière absolue membre d'une autre communauté beaucoup moins libre que le petit peuple des touristes ; et, d'un point de vue plus large et plus nouveau encore, en vertu d'une certaine dignité distante et imposant la retenue, il avait le sentiment que ce n'était pas son affaire de s'ébattre à la légère comme ces gens-là, et de se rouler dans la neige comme un fou. Il ne projetait pas d'escapades, il avait bien l'intention de garder la mesure, et Rhadamante eût parfaitement pu le lui permettre. Mais comme le jeune homme prévoyait qu'on le lui défendrait quand même au nom du règlement général, Hans Castorp décida d'agir à l'insu du conseiller.

Lorsque l'occasion s'en offrit, il fit part à M. Settembrini de son projet. M. Settembrini faillit l'embrasser de joie. « Mais oui, mais oui, naturellement, ingénieur, faites cela pour l'amour de Dieu ! Ne consultez personne et faites-le ; c'est votre ange gardien qui vous a soufflé cela ! Faites-le tout de suite, avant que vous n'en ayez perdu la salutaire envie. Je vais avec vous, je vous accompagne dans le magasin, et, séance tenante, nous allons acheter ensemble ces ustensiles bénis ! J'aimerais, moi aussi, vous accompagner en montagne, courir avec vous, des skis ailés aux pieds, comme Mercure, mais cela ne m'est pas permis…

Eh ! permis ! je le ferais bien, quand même cela ne me serait “pas permis”, mais je ne le peux pas, je suis un homme perdu. Vous, par contre… cela ne vous fera pas de mal, pas le moindre mal, si vous êtes raisonnable, et si vous n’allez pas trop fort. Allons, et même si cela vous faisait un peu de mal, c’est quand même votre bon ange qui… Je n’en dis pas davantage. Quelle excellente idée ! Vous êtes ici depuis deux ans, et vous êtes encore capable d’une telle idée ! Ah ! non, votre fond est bon, il n’y a pas de raison de douter de vous. Bravo, bravo ! Vous faites un pied de nez à votre prince des ombres, là-haut. Vous achetez ces skis, vous les faites envoyer chez moi ou chez Lukacek, ou chez mon marchand d’épices, en bas, dans notre maisonnette. Vous venez les chercher là-bas, pour vous exercer, et vous glissez sur la surface des neiges… »

Ainsi fit-il. Sous les yeux de M. Settembrini qui se posa en connaisseur difficile, bien qu’il n’eût aucune notion des sports, Hans Castorp fit, dans une maison spécialisée de la grande rue, l’emplette d’une paire de jolis skis de bois de frêne, vernis en brun clair, avec de magnifiques courroies et des pointes recourbées. Il acheta également des bâtons à pointes de fer et à disques, et ne se laissa pas dissuader de tout emporter lui-même sur son épaule jusque chez Settembrini, où l’on eut tôt fait de s’entendre avec l’épicier sur les conditions du dépôt de cet équipement. Déjà renseigné, pour avoir souvent observé les skieurs, Hans Castorp commença seul, loin du grouillement des terrains d’exercices, à faire tant bien que mal son apprentissage sur une pente presque dégagée, non loin du sanatorium Berghof et, de temps à autre, M. Settembrini le regardait faire, d’une certaine distance, appuyé sur sa canne, croisant gracieusement les jambes, saluant par des bravos les progrès du jeune homme. Tout allait bien, lorsque Hans Castorp, descendant le tournant de la route déblayée vers Dorf pour déposer ses skis chez l’épicier, rencontra un jour le conseiller. Behrens ne le reconnut pas, quoique l’on fût en plein jour et que le débutant faillît buter contre lui. Le docteur s’enveloppa dans un nuage de fumée de cigare et passa.

Hans Castorp apprit que l'on acquiert rapidement une pratique dont on éprouve le besoin profond. Il ne prétendait pas devenir un virtuose. Ce dont il avait besoin, il l'eût appris en l'espace de quelques jours sans s'échauffer ni s'essouffler. Il avait soin de joindre les pieds comme il faut et de laisser des traces parallèles, il apprit comment au départ l'on se sert du bâton, pour se diriger, il apprit à franchir d'un seul élan, les bras levés, de menus obstacles, de petites éminences, soulevé et replongeant comme un bateau sur une mer agitée, et à partir de son vingtième essai il ne tombait plus lorsque, en pleine course, il freinait à la Télémark, une jambe tendue en avant, et ployant le genou de l'autre. Peu à peu il étendait le nombre de ses exercices. Un jour, M. Settembrini le vit disparaître dans un brouillard blanchâtre, lui lança entre ses mains creuses un conseil de prudence, puis rentra satisfait en son cœur de pédagogue.

Il faisait beau dans cette montagne, sous le signe de l'hiver, il y faisait beau non pas d'une manière douce et agréable, mais de même que le désert sauvage de la mer du Nord est beau par un vigoureux vent d'ouest. Il n'y avait pas, il est vrai, de fracas de tonnerre ; au contraire, un silence de mort régnait, mais qui éveillait des sentiments tout à fait voisins du recueillement. Les longues semelles flexibles de Hans Castorp le portaient dans beaucoup de directions : le long du versant gauche vers Clavadel, ou à droite en passant devant Frauenkirch et Glaris, derrière lesquels l'ombre du massif de l'Amselfluh se dessinait dans le brouillard ; également dans la vallée de Dischma, ou derrière le Berghof, en montant dans la direction du Seehorn boisé, dont la cime neigeuse s'élevait seule au-dessus de la limite des arbres, et de la forêt de Drusatscha, derrière laquelle on apercevait la silhouette pâle de la chaîne du Rätikon couverte d'une neige épaisse. Il se faisait transporter avec ses patins de bois par le funiculaire jusqu'à Schatzalp et se promenait paisiblement là-haut, exalté à deux mille mètres de hauteur, sur les plans inclinés et miroitants d'une neige poudroyante qui, par temps clair, offrait une vue étendue et sublime sur le paysage de ses aventures.

Il se réjouissait de sa conquête qui remédiait à son impuissance et qui surmontait presque tous les obstacles. Elle l'entourait de la solitude désirée, de la solitude la plus profonde que l'on pût imaginer, d'une solitude qui remplissait le cœur d'un éloignement distant des hommes. Il y avait là, par exemple, d'un côté, une gorge avec des sapins, dans le brouillard de la neige, et de l'autre côté montait une pente rocheuse, avec des masses de neige formidables, cyclopéennes, voûtées et bossuées, qui formaient des cavernes et des calottes. Le silence, lorsqu'il s'arrêtait pour ne pas s'entendre lui-même, était absolu et parfait, une absence de sens ouatée, inusitée, jamais rencontrée, et n'existant nulle part ailleurs. Nul souffle n'effleurait les arbres, ne fût-ce que le plus légèrement du monde, il n'y avait pas un murmure, pas une voix d'oiseau. C'était le silence primordial que Hans Castorp épiait lorsqu'il restait debout ainsi, appuyé sur son bâton, la tête inclinée sur l'épaule, la bouche ouverte ; et doucement, sans arrêt, la neige continuait de tomber, de tomber tranquillement, sans un bruit.

Non, ce monde, en son silence insondable, n'avait rien d'hospitalier ; il admettait le visiteur à ses risques et périls, il ne l'accueillait pas, en somme, il tolérait son intrusion, sa présence d'une manière peu rassurante, sans répondre de rien, et c'était l'impression d'une menace muette et élémentaire, non pas même d'une hostilité, mais d'une indifférence meurtrière qui s'en dégageait. L'enfant de la civilisation, étranger de formation et par ses origines à cette nature sauvage, est plus sensible à sa grandeur que son rude fils, qui a dû compter avec elle dès son enfance et qui vit avec elle sur un pied de familiarité banale et calme. Ce dernier connaît à peine la crainte religieuse avec laquelle l'autre, fronçant les sourcils, affronte la nature, crainte qui influe sur tous ses rapports intimes avec elle, et entretient constamment dans son âme une sorte de bouleversement religieux et une émotion inquiète. Hans Castorp, dans son chandail en poil de chameau à longues manches, dans ses bandes molletières et sur ses skis de luxe, se sentait fort téméraire d'épier ainsi ce silence originel de la nature sauvage et silencieusement meurtrière de l'hiver, et l'impression de soulagement qu'il éprouvait, lorsque, sur le chemin du retour, les premières habitations humaines reparaissaient à travers l'atmosphère voilée, lui faisait prendre conscience de son état d'esprit précédent et l'instruisait de ce que, des heures durant, une terreur secrète et sacrée avait dominé son cœur. À Sylt, en pantalons blancs, assuré, élégant et respectueux, il était resté au bord des formidables brisants comme devant une cage de lion derrière les barreaux de laquelle la bête féroce montre sa gueule béante aux terribles crocs. Puis il s'était baigné tandis qu'un gardien prévenait du danger par un appel de sa trompe ceux qui témérairement essayaient de franchir la première vague, de s'approcher de la tempête menaçante ; et le dernier déferlement de la cataracte vous touchait encore la nuque comme un coup de patte de fauve. Le jeune homme avait connu là-bas le bonheur enthousiaste de légers contacts amoureux avec des puissances dont l'étreinte l'eût détruit. Mais ce qu'il n'avait pas éprouvé, c'était la velléité de pousser ce contact enivrant avec la nature meurtrière jusqu'à la limite de l'étreinte complète, c'était le désir de se hasarder, faible mortel, encore qu'armé et suffisamment pourvu par la civilisation, si avant dans l'énorme et le terrible, ou tout au moins d'éviter si longtemps de le fuir que, dans cette aventure, il risquait de frôler l'instant critique, l'instant où toute limite serait dépassée et où il ne s'agirait plus d'écume et d'un léger coup de patte, mais de la vague elle-même, de la gueule, de la mer.

En un mot : Hans Castorp montrait du courage là-haut, s'il faut entendre par courage devant les éléments non pas un sang-froid obtus en leur présence, mais un don conscient de soi-même et une victoire remportée par la sympathie pour eux, sur la peur de la mort. Sympathie ? En effet, Hans Castorp éprouvait, en son étroite poitrine civilisée, de la sympathie pour les éléments ; et à cette sympathie tenait la nouvelle conscience qu'il avait prise de sa propre dignité, à considérer la tourbe des lugeurs, ainsi que le sentiment qu'une solitude plus profonde et plus grande, moins confortable que le balcon de son hôtel était convenable et désirable pour lui. Du haut de son balcon il avait contemplé les sommets plongés dans le brouillard, la danse de la tempête de neige, et il avait eu honte jusqu'au fond de l'âme de rester un spectateur abrité derrière le rempart du confort. C'est pourquoi — et non point par prétention de sportif, ni par allégresse physique et spontanée — il avait appris à faire du ski. S'il ne se sentait pas en sûreté là-haut, dans la grandeur et le silence de mort de ce paysage — et cet enfant de la civilisation ne s'y sentait en effet pas du tout à l'aise —, son esprit et ses sens avaient déjà auparavant fait connaissance de l'énorme et de l'étrange. Un entretien avec Naphta et Settembrini n'était guère plus rassurant ; il conduisait également hors des sentiers battus et vers les périls les plus graves ; et si l'on pouvait parler d'une sympathie de Hans Castorp pour la grande sauvagerie de l'hiver, c'est parce qu'il éprouvait, en dépit de sa pieuse terreur, que ce paysage était le décor le plus convenable pour mûrir les complexes de sa pensée, que c'était là un séjour indiqué pour quelqu'un qui, sans trop savoir comment il en était arrivé là, était accablé de la charge de « gouverner » des pensées qui concernaient l'état et la position de l'*Homo Dei*.

Il n'y avait personne ici pour prévenir l'imprudent du danger en soufflant dans son cor, à moins que M. Settembrini eût été cet homme lorsque, dans le cornet de ses mains creuses, il avait appelé Hans Castorp qui s'éloignait. Mais le jeune homme était plein de sympathie et de courage, il ne se souciait pas plus de l'appel derrière lui qu'il ne s'était soucié de celui qui avait retenti à ses oreilles certain soir de carnaval : « *Eh ingegnere, un po di ragione, sa !* » « Encore toi, *Satana*-pédagogue, avec ta *ragione* et ta *ribellione*, pensa-t-il. D'ailleurs, je t'aime bien. Tu as beau être un hâbleur et un joueur d'orgue de Barbarie, tu es plein de bonnes intentions, des meilleures intentions, et je t'aime mieux que le petit jésuite et terroriste tranchant, le tortionnaire et flagellant Espagnol avec ses lunettes à éclairs, bien qu'il ait presque toujours raison lorsque vous vous querellez — lorsque vous vous disputez en pédagogues ma pauvre âme, comme Dieu et le diable faisaient de l'homme au Moyen Âge. »

Les jambes poudrées de neige, il gravissait, appuyé sur ses cannes, quelque blanche hauteur dont les étendues, pareilles à des draps, montaient par terrasses, de plus en plus hautes, conduisant on ne savait où ; il semblait qu'elles ne menaient nulle part ; leur partie supérieure se perdait dans le ciel qui était aussi blanc et brumeux qu'elles et dont on ne savait pas où il commençait ; aucune cime, aucune crête n'était visible, c'était un néant brumeux vers quoi Hans Castorp avançait, et comme, derrière lui, aussi, le monde, la vallée habitée par les hommes ne tarda pas à se refermer également à sa vue, comme aucun son ne lui parvenait plus de là, sa solitude, son isolement devinrent, avant qu'il s'en fût douté, aussi profonds qu'il avait pu le désirer, profonds jusqu'à l'effroi qui est la condition préalable du courage. *Praeterit figura hujus mundi*, se dit-il à lui-même, en un latin qui n'était pas d'un esprit humaniste. Cette expression lui venait de Naphta. Il s'arrêta et se retourna. On ne voyait plus rien nulle part, le vide était total, hormis quelques minuscules flocons de neige, qui de la blancheur des altitudes descendaient vers la blancheur de la terre, et le silence alentour était grandiose et impassible. Tandis que son regard se heurtait de toute part au vide blanc qui l'aveuglait, il sentit son cœur battre, agité par la montée, ce muscle du cœur dont il avait entrevu, avec une audace peut-être criminelle, la force animale et le mécanisme, parmi les éclairs crépitants du cabinet de radioscopie. Et une sorte d'émotion le saisit, une sympathie simple et fervente pour son cœur, le cœur de l'homme qui bat, si seul sur ces hauteurs, dans le vide glacé, avec sa question et son énigme.

Il s'avançait, de plus en plus haut, vers le ciel. Parfois il enfonçait la partie supérieure de son bâton à pointe dans la neige et voyait une lueur bleue jaillir de la profondeur du trou, et poursuivre le bâton lorsqu'il le retirait. Cela l'amusait ; il pouvait rester longtemps arrêté, ne se lassant pas de reproduire ce petit phénomène optique. C'était une étrange et délicate lumière des montagnes et des profondeurs, d'un bleu verdâtre, claire comme la glace, et pourtant ombreuse et mystérieusement attirante. Elle le faisait penser à la couleur et à la lumière de certains yeux, de deux yeux bridés, ceux de son destin, et que M. Settembrini avait, du point de vue humaniste, qualifiés de fentes tartares et d'« yeux de loup des steppes », de deux yeux qu'il avait contemplés autrefois, et qu'il avait inéluctablement retrouvés, des yeux de Hippe et de Clawdia Chauchat. « Volontiers, dit-il à mi-voix dans le silence. Mais ne me le casse pas : *Il est à visser, tu sais*. » Et, en pensée, il entendait derrière lui d'éloquentes exhortations à être raisonnable.

Sur sa droite, à une certaine distance, la forêt se perdait dans le brouillard. Il se tourna dans cette direction pour avoir un but terrestre devant les yeux, au lieu d'une transcendance blanchâtre, et tout à coup il glissa sans avoir le moins du monde vu venir une déclivité du sol. L'aveuglante monotonie l'empêcha de rien reconnaître de la forme du terrain. On ne voyait rien ; tout se fondait sous les yeux. Des obstacles tout à fait imprévus le soulevaient. Il s'abandonnait à la pente, sans distinguer à l'œil son degré d'inclinaison.

Le bois qui l'avait attiré, était situé au-delà de la gorge où il venait de descendre sans s'en rendre compte. Son fond, couvert d'une neige molle, s'inclinait du côté de la montagne, comme il s'en rendit compte lorsqu'il la suivit un instant dans cette direction. Il descendait. Les pentes de part et d'autre s'élevaient de plus en plus, comme un chemin creux, le pli du terrain semblait le conduire au sein de la montagne. Puis les pointes de son véhicule se redressèrent de nouveau ; le terrain remontait, bientôt il n'y eut plus de paroi latérale à gravir ; la course sans chemin de Hans Castorp conduisait de nouveau, par une étendue ouverte de montagnes, vers le ciel.

Il vit la forêt de sapins d'un côté, derrière et sous lui, il prit cette direction, et atteignit en une descente rapide les sapins chargés de neige qui, disposés en forme de coin, s'avançaient comme une avant-garde de la forêt, disparaissant plus bas dans le brouillard, dans l'étendue libre. Sous leurs branches, il fuma une cigarette en se reposant, l'âme toujours un peu oppressée, tendu et angoissé par le silence trop profond, par cette solitude aventureuse, mais fier de les avoir conquis par son courage, conscient des droits que sa dignité lui donnait sur ce paysage.

C'était l'après-midi, vers les trois heures. Aussitôt après le repas il s'était mis en route, décidé à manquer une partie de la grande cure de repos et le goûter, et dans l'intention d'être de retour avant la tombée de la nuit. Il se sentit heureux à la pensée qu'il avait encore devant lui plusieurs heures pour vagabonder librement à travers ces sites grandioses. Il avait un peu de chocolat dans la poche de ses *breeches*, et un petit flacon de porto dans la poche de sa veste.

Il pouvait à peine distinguer où en était le soleil, tant le brouillard était épais autour de lui. En arrière, du côté de la vallée, venant de l'angle montagneux que l'on ne voyait plus, les nuages s'obscurcirent, le brouillard de plus en plus bas paraissait s'avancer. Il semblait que ce fût de la neige, que l'on dût s'attendre à plus de neige encore, pour répondre à quelque besoin urgent, que l'on dût s'attendre à une vraie tempête de neige. Et, en effet, les petits flocons silencieux tombaient déjà plus abondants.

Hans Castorp s'avança pour en recueillir quelques-uns sur sa manche et, naturaliste amateur, il les considéra d'un œil exercé. Ils semblaient de minuscules lambeaux informes, mais il avait eu assez souvent leurs pareils sous son excellente loupe, et il savait parfaitement de quels précieux et précis petits joyaux ils se composaient, des bijoux, des étoiles, des agrafes de diamants, comme le joaillier le plus appliqué n'eût pas su en composer de plus riches et de plus minutieusement sertis ; cette légère et floconneuse poudre blanche dont les masses pesaient sur la forêt, couvraient l'étendue et par-dessus laquelle se portaient ses raquettes de bois, était, à la vérité, très différente sur la grève de la mer dans son pays du sable auquel elle faisait penser. On savait, en effet, que ce n'était pas de grains de pierre qu'elle se composait, mais de myriades de parcelles d'eau, concentrées en une multitude uniforme et cristalline, de parcelles de la substance inorganique qui faisait surgir le plasma vital, le corps des plantes et de l'homme — et parmi ces myriades d'étoiles magiques, dans leur impénétrable splendeur sacrée, invisible et nullement destinée au regard humain, aucune n'était semblable à l'autre ; une ardeur infinie d'inventeur dans la transformation et le développement raffiné d'un seul et même thème fondamental, de l'hexagone à côtés et à angles égaux, régnait là ; mais en eux-mêmes, chacun de ces froids produits était d'une uniformité absolue et d'une régularité glaciale, et c'était même là ce qu'il y avait d'inquiétant, d'antiorganisme et d'hostile à la vie ; ils étaient trop réguliers, la substance organisée ne l'était jamais au même degré, la vie répugnait à une précision si exacte qu'elle jugeait mortelle, c'était le mystère même de la mort et Hans Castorp croyait comprendre pourquoi des constructeurs de temples de l'antiquité avaient exprès, et en secret, prévu certaines infractions à la symétrie dans la disposition de leurs colonnades.

Il prit son élan, glissa sur ses skis, descendit le long de la lisière de la forêt, sur l'épaisse couche de neige de la pente, vers le brouillard, se laissa entraîner, montant et glissant, et continua d'errer sans but et sans hâte, à travers l'étendue morte, qui, avec ses terrains ondulés, avec sa végétation sèche qui se composait des taches d'arbres de pins, avec son horizon limité par de douces éminences, ressemblait si étrangement à un paysage de dunes. Hans Castorp hochait la tête avec satisfaction lorsqu'il s'arrêtait et se repaissait de cette ressemblance ; et la chaleur de son visage, son envie de frissonner, l'étrange et enivrant mélange d'excitation et de fatigue qu'il éprouvait, il les supportait avec sympathie, parce que tout cela le faisait penser intimement à des impressions familières que lui avait également dispensées l'air marin, qui fouettait les nerfs et qui, lui aussi, était saturé d'éléments soporifiques. Il prenait avec satisfaction conscience de son indépendance ailée, de son libre vagabondage. Il n'y avait devant lui aucun chemin qu'il eût été obligé de suivre, il n'y en avait pas davantage derrière lui pour le ramener là d'où il était venu. Il y avait eu, au début, des poteaux, des bâtons, des jalons plantés dans la neige, mais Hans Castorp n'avait pas tardé à se libérer intentionnellement de cette tutelle, parce que tout cela le faisait penser à l'homme à la trompette, et ne lui semblait pas correspondre à ses rapports intimes avec la grande solitude sauvage de l'hiver.

Derrière des éminences rocheuses couvertes de neige entre lesquelles il passa, tournant tantôt à droite, tantôt à gauche, s'étendaient un plan incliné, puis un plan horizontal et puis ce fut la haute montagne dont les gorges et les défilés, mollement capitonnés, paraissaient accessibles et tentants. Oui, la tentation des lointains et des altitudes, des solitudes se répétant indéfiniment, était forte dans le cœur de Hans Castorp, et au risque de s'attarder, il pénétrait toujours plus avant dans le silence sauvage, dans l'étrange, dans la sphère périlleuse, sans se soucier de ce que, entre-temps, sa tension et son angoisse intérieures se fussent changées en une véritable peur à l'aspect de l'obscurité prématurée et croissante du ciel, qui étendait comme des voiles gris sur la contrée. Cette peur lui fit comprendre que, jusqu'à ce moment, il s'était secrètement efforcé de perdre même le sens de l'orientation, et d'oublier dans quelle direction étaient situés la vallée et le bourg, et il y avait réussi aussi complètement qu'il avait pu le souhaiter. Du reste, il pouvait se dire que, s'il rebroussait chemin aussitôt et que, s'il descendait toujours à val, il atteindrait rapidement la vallée, sinon exactement le Berghof. En ce cas, il arriverait trop tôt, n'aurait pas employé tout son temps, tandis que, si la tempête de neige le surprenait, il était en effet probable qu'il ne retrouverait plus le chemin du retour. Mais il se refusait à prendre prématurément la fuite, de quelque poids que pesât sur lui la peur, sa crainte sincère des éléments. Ce n'était guère là agir en sportif; car le sportif engage la lutte avec les éléments, aussi longtemps qu'il s'en sent le maître; il reste prudent, et c'est être sage que de céder. Mais ce qui se passait dans l'âme de Hans Castorp, on ne pouvait le désigner que d'un mot : défi ! Et quoique ce mot implique des sentiments blâmables, même si — ou surtout si — la velléité criminelle qu'il désigne est liée à une peur sincère, on peut cependant comprendre, pour peu que l'on réfléchisse humainement, qu'au tréfonds de l'âme d'un jeune homme et d'un homme qui a vécu pendant des années à la façon de notre héros, bien des choses s'amassent et s'accumulent, qui, un jour ou l'autre, font explosion en un : « Allons donc ! » ou en un : « Viens-y donc ! » spontanés, pleins d'une impatience exaspérée, bref, se traduisent par un défi ou un refus opposé à la prudence raisonnable. Et c'est donc ainsi qu'il y alla carrément, sur ses longues pantoufles, qu'il glissa encore le long de cette pente, et remonta sur le coteau suivant où se dressait, à quelque distance, un chalet de bois, un fenil ou une marcairie, au toit chargé de fragments de rocher, tourné vers la montagne suivante, dont le dos était hérissé de sapins, et derrière lequel de hautes cimes s'échafaudaient dans une brume confuse. Devant lui, la paroi parsemée de quelques groupes d'arbres se dressait roide ; mais, en obliquant vers la droite, on pouvait la contourner à moitié par une pente modérée, pour passer derrière elle et voir ce qui viendrait après. C'est donc à cette exploration que Hans Castorp commença par s'appliquer, après que, devant la plate-forme du chalet, il fut encore descendu dans un ravin plus profond dont la pente s'inclinait de droite à gauche.

Il venait à peine de reprendre la montée, lorsque — ainsi qu'on avait pu le prévoir — la tourmente de neige et la tempête éclatèrent de la plus belle manière ; bref, la tempête de neige était là qui avait depuis longtemps menacé, si l'on peut parler de « menace » à propos de ces éléments aveugles et ignorants, qui ne tendent nullement à nous anéantir, ce qui par comparaison eût été relativement réconfortant, mais auxquels les conséquences de leur action étaient indifférentes de la manière la plus exorbitante.

« Hé, là-bas, pensa Hans Castorp, et il s'arrêta lorsque le premier coup de vent passa à travers l'épais tourbillon de neige et l'atteignit. En voilà un souffle, il vous glace la moelle. »

Et en effet ce vent était d'une espèce tout à fait détestable : le froid effrayant qui régnait — environ vingt degrés au-dessous de zéro — n'était insensible et ne paraissait doux que lorsque l'air dépourvu d'humidité était calme et immobile comme d'habitude ; mais aussitôt qu'un coup de vent l'agitait, il vous entaillait la chair comme à coups de couteau, et lorsqu'il en était comme à présent — car le premier coup de vent qui avait balayé la neige n'avait été qu'un précurseur —, sept fourrures n'auraient pas suffi à mettre vos os à l'abri d'une épouvante mortelle et glaciale ; or, Hans Castorp ne portait pas sept fourrures, mais un seul chandail de laine qui, en d'autres circonstances, lui avait parfaitement suffi et qui lui avait même pesé au moindre rayon de soleil. D'ailleurs, la bourrasque le battait de côté et dans le dos, de sorte qu'il n'était pas recommandable de retourner et de le recevoir en pleine figure ; et comme cette considération se mêlait à son obstination et au « allons donc ! » résolu de son âme, le fol jeune homme continuait toujours d'avancer entre les sapins clairsemés, afin de parvenir de l'autre côté de la montagne qu'il avait entrepris de gravir.

Mais ce n'était pas un plaisir, car l'on ne distinguait rien de la danse des flocons qui, sans qu'on les vît tomber, emplissaient tout l'espace de leur multitude tourbillonnante et dense ; les vagues glacées qui la traversaient faisaient brûler les oreilles d'une douleur aiguë, paralysaient les membres et engourdissaient les mains, de sorte que l'on ne savait plus si l'on tenait encore son bâton ferré, ou non. La neige, par-derrière, pénétrait sous son collet, fondait le long de son dos, se posait sur ses épaules, et couvrait son flanc droit. Il lui semblait qu'il allait se figer ici en un bonhomme de neige, son bâton raide à la main. Sa situation était insupportable, malgré les conditions relativement favorables : pour peu qu'il se retournât, ce serait pis ; et pourtant le chemin du retour apparaissait comme une tâche difficile, qu'il eût mieux valu entreprendre sans tarder.

Il s'arrêta donc, haussa les épaules avec colère, et retourna ses skis. Le vent contraire lui coupa aussitôt la respiration, de sorte qu'il exécuta encore une fois ce demi-tour compliqué, pour reprendre haleine avant d'affronter à nouveau, mieux préparé, l'ennemi impassible. La tête baissée et en ménageant prudemment son souffle, il réussit à se mettre en marche dans la direction opposée, surpris, bien qu'il se fût attendu au pire, par la difficulté de la marche, qui tenait avant tout à ce qu'il était aveuglé et n'arrivait pas à souffler. À tout moment, il était contraint de s'arrêter, premièrement pour reprendre haleine à l'abri de l'ouragan, ensuite parce que, la tête baissée et les yeux clignotants, il ne voyait rien dans cette obscurité blanche, et devait prendre garde de ne pas se heurter à des arbres, de ne pas s'enfoncer à travers les obstacles. Les flocons lui volaient en quantité à la figure, et y fondaient, de sorte que sa peau se glaçait. Ils volaient dans sa bouche où ils fondaient avec un goût faiblement aqueux, ils volaient contre ses paupières qui se fermaient convulsivement, ils inondaient ses yeux et lui coupaient la vue, qui, du reste, ne lui eût servi de rien, parce que le champ visuel était voilé d'un rideau si épais, et que toute cette aveuglante blancheur paralysait de toute manière le sens de la vue. C'était dans le néant blanc et tourbillonnant qu'il regardait, lorsqu'il se forçait à voir. De temps à autre seulement des fantômes du monde phénoménal en émergeaient : un buisson de pins nains, la vague silhouette du fenil auprès duquel il venait de passer.

Il le laissa derrière lui, et s'efforça de trouver le chemin du retour, par-delà le coteau où se dressait le chalet. Mais il n'y avait pas de chemin. Garder une orientation, l'orientation approximative de la maison et de la vallée, était davantage une question de chance que d'intelligence, parce que, si l'on réussissait à voir la main devant ses yeux, on ne voyait même pas jusqu'aux pointes de ses skis ; et quand même on les aurait mieux vues il n'en aurait pas moins été extrêmement difficile de progresser, en raison de tant d'obstacles : la figure pleine de neige, le vent adverse qui vous coupait le souffle, qui vous empêchait d'aspirer comme d'expirer, et vous obligeait à tout moment à vous détourner pour reprendre haleine. On se demande qui serait parvenu à avancer ainsi. Quant à Hans Castorp — et il n'en eût pas été différemment d'un autre, plus fort que lui —, il s'arrêtait, il haletait, clignotait en exprimant l'eau de ses cils, il tapotait pour faire tomber la cuirasse de neige qui s'était étendue sur lui, et avait le sentiment que c'était une présomption insensée de prétendre avancer en de telles conditions.

Hans Castorp avançait quand même, c'est-à-dire il se déplaçait Mais se déplaçait-il utilement, se déplaçait-il dans la bonne direction, et n'eût-il pas été moins hasardeux pour lui de rester où il était (mais cela semblait tout aussi impraticable), c'est ce qu'on pouvait se demander. La vraisemblance théorique inclinait dans le sens contraire, et, d'un point de vue pratique, il sembla bientôt à Hans Castorp que ce n'était pas le bon chemin qu'il suivait, à savoir : le coteau plat que, montant du ravin, il avait gagné à grand-peine, et qu'il s'agissait avant tout de gravir à nouveau. La partie plate avait été trop courte, il montait déjà de nouveau. Apparemment l'ouragan qui venait du sud-ouest de la région de l'entrée de la vallée, l'avait détourné de son chemin par sa furieuse pression contraire. C'était une fausse avance qui depuis quelque temps déjà l'épuisait. À l'aveuglette, enveloppé d'une nuit tourbillonnante et blanche, il pénétrait à grand-peine plus avant dans cette menace indifférente.

« Tu parles ! » dit-il entre ses dents, et il s'arrêta. Il ne s'exprima pas d'une façon plus pathétique, bien qu'il eût un instant le sentiment qu'une main de glace s'étendait vers son cœur qui sursauta et battit ensuite contre ses côtes, à coups aussi rapides que le jour où Rhadamante avait découvert chez lui une tache humide. Car il comprenait qu'il n'avait pas le droit de prononcer de grands mots et de faire de grands gestes, puisque c'était lui-même qui avait lancé le défi, et que tout ce que la situation avait d'inquiétant ne venait que de lui. « Pas mal », dit-il, et il sentit que ses traits, les muscles qui commandaient l'expression de son visage n'obéissaient plus à l'âme et n'étaient plus capables de rien exprimer, ni crainte, ni colère, ni mépris, car ils étaient gelés. « Et alors ? » Descendre par ici, obliquement, et suivre cette saillie, tout droit, exactement contre le vent. « C'est plus vite dit que fait », poursuivit-il, haletant et à mots entrecoupés, mais en réalité parlant à mi-voix, tout en se remettant en marche. « Pourtant il faut que quelque chose se fasse, je ne peux pas m'asseoir et attendre, sinon, je serai bientôt recouvert par ces masses hexagonales et uniformes, et Settembrini, s'il arrivait avec son petit cor pour me chercher, me trouverait accroupi ici, les yeux vitreux, un bonnet de neige posé de travers sur la tête… » Il remarqua qu'il se parlait à lui-même, et d'une manière assez étrange. Il se l'interdit donc, mais recommença, bien que ses lèvres fussent si lourdes qu'il renonçait à s'en servir, et parlait sans consonnes labiales, ce qui lui rappela une situation déjà ancienne et une circonstance où il en avait été de même. « Tais-toi, et tâche d'avancer », dit-il, et il ajouta : « Il me semble que tu radotes, et que tu n'as plus le cerveau très clair, c'est grave à tous les égards. »

Mais que ce fût grave au point de vue des chances qu'il avait d'en réchapper, c'était là une simple constatation critique, venant comme d'une personne étrangère, désintéressée encore que préoccupée. Pour sa part naturelle, il était fort enclin à s'abandonner à cette confusion qui voulait prendre possession de lui avec la fatigue croissante, mais il prenait conscience de cette tendance et s'attardait à méditer sur elle. « C'est la conscience altérée de quelqu'un qui se trouve pris dans une tempête de neige et qui ne retrouve plus son chemin, pensait-il tout en peinant, et il prononçait des phrases décousues, hors d'haleine, en évitant par discrétion des expressions plus claires. Les gens qui en entendent parler ensuite s'imaginent que c'est effroyable, mais oublient que la maladie — et mon état est en quelque sorte une maladie — dresse son homme de façon à pouvoir s'entendre avec lui. Il y a des phénomènes de sensibilité diminuée, des étourdissements bienfaisants, des expédients naturels, oui parfaitement… Mais il faut les combattre, car ils sont à double face, ils sont équivoques au suprême degré ; veut-on les apprécier, tout dépend du point de vue. Ils sont profitables et bienfaisants lorsque le chemin est à jamais perdu, mais ils sont très malfaisants et dangereux pour peu qu'il soit encore question de retrouver son chemin, comme chez moi qui ne songe pas, qui, dans mon cœur aux battements tumultueux, ne songe nullement à me laisser recouvrir par cette cristallométrie stupide et régulière… »

En effet, il était déjà sensiblement éprouvé et combattait un commencement de confusion dans ses perceptions, d'une manière elle-même confuse et fiévreuse. Il ne s'effraya pas, comme il eût dû, en homme bien portant, s'effrayer lorsqu'il s'aperçut qu'il avait de nouveau dévié de sa voie plane, cette fois apparemment dans le sens de la pente du coteau. Car il se laissa glisser, ayant le vent obliquement contre lui, et bien que pour le moment mieux eût valu ne pas se laisser aller, cela lui semblait plus commode. « Ça ira, pensa-t-il. Je reprendrai la bonne direction un peu plus bas. » Et c'est ce qu'il fit, ou crut faire, ou ne le crut pas lui-même ; ou (ce qui est encore plus inquiétant), il commençait à lui être indifférent de le faire ou de ne pas le faire. Tel était l'effet des absences d'esprit équivoques qu'il ne combattait que mollement. Ce mélange de fatigue et d'émotion qui formait l'état ordinaire et familier d'un hôte dont l'acclimatation consistait à ne pas s'habituer s'était si nettement déclaré qu'il ne pouvait plus être question de lutter par la réflexion contre ces absences. Pris de vertige, il tremblait d'ivresse et d'excitation à peu près comme il l'avait fait après son entretien avec Naphta et Settembrini, mais infiniment plus fort ; et ainsi lui arriva-t-il de justifier sa paresse, dans la résistance qu'il opposait à ces absences somnolentes, par des réminiscences de certaines discussions et que, malgré sa révolte méprisante contre l'idée de se laisser recouvrir par ces masses uniformes et hexagonales, il balbutiait quelque chose en lui-même, dont le sens et le non-sens était le suivant : le sentiment du devoir qui l'engageait à combattre ces pertes de connaissance suspectes n'était pas de la pure éthique, c'était une mesquine conception bourgeoise de l'existence et le fait d'un philistin irréligieux. Le désir et la tentation de s'étendre et de se reposer assiégeaient son esprit sous la forme suivante : il se disait que c'était comme pendant une tempête de sable dans le désert où les Arabes se jetaient sur leur face et tiraient le burnous par-dessus la tête. Seul, le fait qu'il n'avait pas de burnous et que l'on ne pouvait pas bien tirer un chandail de laine pardessus sa tête lui semblait une objection valable à une telle conduite, bien qu'il ne fût pas un enfant et que par beaucoup de récits il sût assez exactement comment l'on est gelé à mort.

Après un départ d'une vitesse moyenne sur un terrain plutôt plat, il montait de nouveau, et la pente était assez raide. Il se pouvait qu'il ne fît pas fausse route, car le chemin qui menait à la vallée devait lui aussi monter par endroits, et quant au vent, il avait sans doute tourné capricieusement, car Hans Castorp l'avait de nouveau dans le dos, et il y trouvait un avantage. Était-ce la tempête qui le courbait en avant ou était-ce ce plan déclive voilé par un crépuscule de neige, blanc et tendre, qui exerçait une attraction sur son corps ? On n'aurait besoin que de lui céder, de s'abandonner à cette attirance, et la tentation était grande, aussi grande, dangereuse, typique, qu'elle passait pour être ; mais cette notion n'enlevait rien à sa force vivante et effective. Cette attirance se targuait de droits particuliers, elle ne voulait pas se laisser ranger parmi les données générales de l'expérience, elle ne voulait pas s'y reconnaître, elle se déclarait unique et incomparable dans son insistance — sans pouvoir nier, il est vrai, qu'elle était une inspiration émanant d'un certain côté, une suggestion venant d'un être en vêtements d'un noir espagnol, avec une collerette ronde et plissée d'une blancheur de neige, image à laquelle se rattachaient toutes sortes d'impressions sombres, jésuitiques, tranchantes et hostiles à l'humanité, toutes sortes de souvenirs de torture et de bastonnade, choses dont M. Settembrini avait horreur, mais par quoi il ne faisait que se rendre ridicule, avec sa rengaine d'orgue de Barbarie et sa *ragione*…

Mais Hans Castorp se comporta vaillamment et résista à la tentation de se laisser aller. Il ne voyait rien, il luttait et avançait ; utilement ou non, il peinait pour sa part et se déplaçait au mépris des liens qui lui pesaient et dont la tempête glacée chargeait de plus en plus ses membres. Comme la montée devenait trop raide, il tourna de côté, mais sans trop s'en rendre compte, et suivit ainsi pendant quelque temps la pente. Ouvrir ses paupières convulsées était un effort dont il avait éprouvé l'inutilité, ce qui n'encourageait guère à le renouveler. Néanmoins, il voyait de temps en temps quelque chose : des pins qui se rapprochaient, un ruisseau ou un fossé dont la noirceur se dessinait entre les rebords de neige qui la surplombaient ; et lorsque, pour changer, il descendit de nouveau une pente, affrontant d'ailleurs une fois de plus le vent, il aperçut en avant de lui, à quelque distance, flottant librement, en quelque sorte balayée par des voiles confus, l'ombre d'une bâtisse humaine.

Aspect bien venu et consolant ! Il avait vaillamment peiné malgré tous les obstacles, jusqu'à ce qu'il eût revu des constructions de main d'homme qui l'avertissaient que la vallée habitée devait être proche. Peut-être y avait-il des hommes là-bas, peut-être pourrait-on entrer chez eux, sous leur toit attendre la fin de la tourmente, et en cas de besoin se procurer un compagnon ou un guide, si l'obscurité naturelle était tombée dans l'intervalle. Il marcha vers cette chose presque chimérique et qui souvent manquait de disparaître dans l'obscurité de l'heure. Il dut encore fournir une ascension épuisante contre le vent, pour l'atteindre, et se convainquit, arrivé là, avec des sentiments de révolte, d'étonnement, d'effroi et de vertige, que c'était la hutte bien connue, le fenil au toit chargé de pierres que, par toutes sortes de détours et au prix des plus vaillants efforts, il avait regagné.

Que diable ! De lourds jurons tombèrent des lèvres raidies de Hans Castorp qui omettait les labiales. Pour s'orienter, il tourna autour de la hutte, en s'aidant de son bâton, et constata qu'il l'avait de nouveau atteinte par-derrière et que par conséquent, durant une bonne heure, selon son estimation, il s'était livré à la plus pure et à la plus inutile sottise. Mais c'est ainsi que cela se passait, c'est ainsi que l'on pouvait le lire dans les livres. On tournait en rond, on s'échinait, en s'imaginant avancer, cependant que l'on décrivait en réalité quelques vastes et stupides détours qui vous ramenaient au point donné comme la trompeuse orbite de l'année. C'est ainsi que l'on s'égarait, c'est ainsi que l'on ne se retrouvait pas. Hans Castorp reconnut le phénomène traditionnel avec une certaine satisfaction, encore qu'avec effroi. Il se frappa les cuisses, de colère et de satisfaction, parce que l'expérience s'était reproduite si ponctuellement dans son propre cas particulier, individuel et présent.

Le chalet désert était inaccessible, la porte était fermée, on ne pouvait y entrer d'aucun côté. Hans Castorp résolut néanmoins d'y demeurer provisoirement, car le rebord du toit donnait l'illusion d'un certain abri, et la hutte elle-même, du côté orienté vers la montagne où Hans Castorp se réfugia, offrait réellement une certaine protection contre la tempête lorsqu'on appuyait son épaule contre le mur grossièrement charpenté, car, par suite de la longueur des skis, il n'était pas possible de s'adosser. Accoté de biais il restait debout, après qu'il eut enfoncé son bâton à côté de lui dans la neige, les mains dans les poches, le col de son chandail de laine relevé, se tenant en équilibre sur la jambe avancée, il laissa, les yeux clos, reposer sa tête qui lui tournait sur le mur de rondins, ne regardant que de temps à autre par-dessus son épaule par-delà le ravin, vers la paroi rocheuse, de l'autre côté, qui apparaissait parfois confusément à travers le voile de neige.

Sa situation était relativement confortable. « Au besoin je pourrais rester ainsi toute la nuit, se dit-il, pourvu que je change de temps à autre de pied, que je me couche en quelque sorte sur l'autre côté, et naturellement que je me donne un peu de mouvement dans l'intervalle, ce qui est indispensable. J'ai beau être extérieurement engourdi, j'ai quand même accumulé de la chaleur intérieure grâce au mouvement que je me suis donné, et mon excursion n'a donc pas été complètement inutile, encore que je me sois perdu et que j'aie tourné tout autour de la hutte... "Perdu", de quelle expression me suis-je donc servi ? Elle n'est pas du tout nécessaire, elle ne correspond pas à ce qui m'est arrivé, je m'en suis servi tout à fait arbitrairement parce que je n'ai pas encore la tête très claire ; et c'est pourtant, d'une certaine façon, le mot qui convient, me semble-t-il... Il est heureux encore que je puisse supporter cela, car cette tourmente, cet ouragan de neige, ce tourbillon chaotique peuvent parfaitement durer jusqu'à demain matin, et même s'il ne dure que jusqu'à la tombée de la nuit, ce serait assez grave, car la nuit, le danger de se perdre est aussi grand que dans la tempête de neige... Il devrait déjà faire nuit, vers six heures, tant il me semble avoir gâché de temps en tournoyant. Quelle heure est-il donc ? »

Et il chercha sa montre, bien qu'avec ses doigts raides et morts il ne lui fût nullement facile de déterrer dans ses vêtements sa montre en or, à couvercle et à monogramme, qui faisait tic-tac, vivante et fidèle à sa tâche, ici, dans cette solitude désolée, semblable en cela à son cœur, au cœur humain si touchant dans la chaleur organique de son thorax.

Il était quatre heures et demie. Que diable, il était presque la même heure lorsque la tempête avait commencé. Devait-il croire qu'il n'avait erré que pendant un quart d'heure ?

« Le temps m'a paru long, pensa-t-il. C'est ennuyeux de se perdre, semble-t-il. Mais à cinq heures ou à cinq heures et demie, il fait complètement nuit ; c'est un fait. La tempête cessera-t-elle auparavant, assez tôt pour m'éviter de me perdre à nouveau ? Sur ce, je pourrais prendre une gorgée de porto pour me redonner des forces. »

Il avait emporté cette boisson pour dilettantes, uniquement parce qu'on la trouvait au Berghof en des flacons plats, et parce qu'on la vendait aux excursionnistes, sans que l'on eût, il est vrai, pensé à ceux qui, contre la règle, s'égareraient dans la montagne, par la neige et le froid, et qui attendraient la nuit dans de telles conditions. Si son esprit avait été plus lucide, il aurait dû se dire que, au point de vue des chances de retour, c'était presque ce qu'il eût pu prendre de plus mauvais.

Et de fait il se le dit, après avoir pris quelques gorgées qui produisirent un effet tout semblable à celui qu'avait produit la bière de Kulmbach, le soir de son arrivée, lorsque, tout en tenant des discours désordonnés sur des sauces de poisson et autres sujets semblables, il avait choqué Settembrini, M. Lodovico, le pédagogue, qui par son regard exhortait à la raison les fous qui se laissaient aller, et dont Hans Castorp entendait précisément l'agréable appel de cor à travers les airs, signe que l'éloquent éducateur s'approchait à marches forcées pour tirer de cette folle situation l'élève préféré, l'enfant difficile de la vie, et pour le ramener… Ce qui naturellement était absurde et ne provenait que de la bière de Kulmbach qu'il avait bue par mégarde. Car, premièrement, M. Settembrini n'avait pas du tout de cor, il n'avait que son orgue de Barbarie appuyé sur une jambe de bois, et dont il accompagnait le jeu en levant vers les maisons ses yeux humanistes ; et, deuxièmement, il ne savait et ne remarquait absolument rien de ce qui se passait, puisqu'il ne se trouvait plus au sanatorium Berghof, mais chez Lukacek, le tailleur pour dames, dans sa petite mansarde à la carafe d'eau, au-dessus de la cellule de soie de Naphta, et n'avait pas plus le droit ni le moyen d'intervenir qu'autrefois, la nuit de carnaval, lorsque Hans Castorp s'était trouvé dans une position aussi folle et aussi grave, quand il avait rendu à la malade Clawdia Chauchat son crayon, son porte-mine, de Pribislav Hippe… Qu'en était-il du reste de sa « position » ? Pour être dans une position, il fallait être « posé » quelque part, et non pas debout, pour que ce mot prît son sens juste et propre, au lieu d'un sens purement métaphorique. La position horizontale, telle était la situation qui convenait à un membre aussi ancien de la société des gens d'en haut. N'était-il pas habitué à être étendu en plein air, par la neige et le froid, la nuit comme le jour ? Et il s'apprêtait à se laisser choir, lorsque sa conscience le pénétra, le saisit en quelque sorte au collet, et le maintint sur pied, de ce que les balbutiements de sa pensée sur la « position » devaient être également mis sur le compte de la bière de Kulmbach, qu'ils ne provenaient que de son envie impersonnelle, passant pour typiquement dangereuse, de s'étendre et de dormir, laquelle était sur le point de le séduire par des sophismes et des jeux de mots.

« J'ai commis là une maladresse, reconnut-il. Le porto n'était pas indiqué, ces quelques gorgées m'ont excessivement alourdi la tête, elle me tombe pour ainsi dire sur la poitrine et mes pensées ne sont plus que divagations et plaisanteries douteuses auxquelles je ne dois pas me fier. Non seulement les pensées qui me traversent l'esprit sont douteuses, mais encore les remarques critiques que je fais sur elles, c'est cela le malheur. “Son crayon”, c'est-à-dire “son crayon à elle”, et non pas le sien à lui, on ne dit “son” que parce que crayon est au masculin, tout le reste n'est que plaisanterie. Je ne sais même pas pourquoi je m'arrête à cela. Alors que, par exemple, je devrais m'inquiéter beaucoup plus du fait que ma jambe gauche sur laquelle je m'appuie, rappelle d'une manière frappante la jambe de bois de l'orgue de Barbarie de Settembrini qu'il pousse toujours devant soi du genou, sur le pavé, lorsqu'il s'approche de la fenêtre et qu'il tend son chapeau de velours pour que la fillette là-haut y jette une pièce. Et, en même temps, je me sens en quelque sorte attiré par des mains immatérielles vers la neige, pour m'y coucher. Il n'y a que le mouvement qui puisse remédier à cela. Il faut que je me donne du mouvement pour me punir d'avoir bu de la bière de Kulmbach et pour assouplir ma jambe de bois. »

D'un mouvement d'épaule il se détacha du mur. Mais à peine se fut-il éloigné du fenil, à peine eut-il fait un pas en avant, que le vent l'assaillit comme un coup de faux, et le repoussa vers l'abri du mur. Sans doute était-ce là le séjour auquel il était réduit et dont il devait provisoirement se satisfaire ; et il avait la faculté de s'appuyer, pour changer, sur l'épaule gauche, en se tenant sur sa jambe droite ; tout en agitant un peu l'autre pour la ranimer. Par un temps pareil, se dit-il, on reste chez soi. On peut s'accorder un peu de changement, mais il ne faut pas prétendre à du nouveau, il ne faut pas s'exposer au vent, Tiens-toi tranquille et laisse pendre ta tête, puisqu'elle est si lourde. Le mur est bon, les poutres sont en bois, une certaine chaleur semble même s'en dégager, pour autant qu'il peut, ici, être question de chaleur ; une discrète chaleur naturelle ; peut-être n'est-ce que de l'imagination, peut-être est-ce subjectif... Ah ! tous ces arbres ! Oh ! ce vivant climat des hommes vivants ! Quel parfum !...

C'était un parc qui était situé en dessous de lui, sous le balcon sur lequel il était sans doute debout, un vaste parc d'une luxuriance verdoyante, des arbres à feuilles, des ormes, des platanes, des hêtres, des érables et des bouleaux, légèrement dégradés dans la coloration de leurs feuillages frais, lustrés, et dont les cimes étaient agitées d'un léger murmure. Un air délicieux, humide, embaumé par les arbres soufflait. Une chaude buée de pluie passa, mais la pluie était éclairée par transparence. On voyait très haut dans le ciel l'air rempli d'un égouttement luisant d'eau. Comme c'était beau ! Oh ! souffle du sol natal et plénitude du pays bas, après une privation si longue ! L'air était plein de chants d'oiseaux, plein de sifflements flûtés, de gazouillements, de roucoulements et de sanglots d'une douce et gracile ferveur, sans que le moindre oiseau fût visible. Hans Castorp sourit, respirant avec reconnaissance. Mais tout cependant se faisait encore plus beau. Un arc-en-ciel se tendit obliquement par-dessus le paysage, complet et net, une pure splendeur, d'un éclat humide, avec toutes ses couleurs qui, onctueuses comme de l'huile, coulaient sur la verdure épaisse et luisante. C'était comme de la musique, comme un son de harpes mêlées à des flûtes et des violons. Le bleu et le violet, surtout, coulaient merveilleusement. Tout s'y fondait, s'y perdait magiquement, se métamorphosait, toujours plus beau et plus nouveau. C'était comme ce jour, voici bien des années, que Hans Castorp avait été admis à entendre un chanteur fameux dans le monde entier, un ténor italien dont le gosier avait répandu sur les cœurs des hommes le réconfort d'un art plein de grâce. Il avait attaqué sur une note aiguë qui avait été belle dès le commencement. Mais peu à peu, d'instant en instant, cette harmonie passionnée s'était élargie, s'était dilatée et épanouie, s'était éclairée d'une lumière de plus en plus rayonnante. Un à un, des voiles que d'abord on n'avait pas perçus étaient en quelque sorte tombés ; il y en avait encore un qui, se figurait-on, allait finir par découvrir la lumière suprême et la plus pure, et puis un tout dernier voile encore, et puis un autre, suprême, qui laissa paraître une telle profusion d'éclat et de splendeur baignée de larmes, qu'une sourde rumeur de ravissement, ayant résonné comme une objection ou une contradiction, s'était élevée de la foule, et que lui-même, le jeune Hans Castorp, avait été secoué de sanglots. Il en était ainsi à présent de son paysage qui se métamorphosait, qui se transfigurait progressivement. L'azur envahissait tout… Les voiles limpides de la pluie tombaient : une mer apparaissait, une mer, c'était la mer du Sud, d'un bleu profond et saturé, scintillante de lueurs d'argent, une baie merveilleuse, ouverte d'un côté en une buée légère, à moitié cernée de chaînes de montagnes d'un bleu de plus en plus mat, parsemée d'îles, où des palmiers surgissaient, ou sur lesquelles on voyait luire de petites maisons blanches parmi les bois de cyprès. Oh ! oh ! assez ! C'était tout à fait immérité. Qu'était-ce donc que cette béatitude de lumière, de profonde pureté du ciel, de fraîcheur d'eau ensoleillée ? Hans Castorp n'avait jamais vu cela, n'avait jamais rien vu de semblable. Il avait à peine tâté légèrement du Midi, à l'occasion de brefs voyages de vacances. Il connaissait la mer farouche, la mer blafarde, et y était attaché par des sentiments puérils et vagues, mais il n'avait jamais été jusqu'à la Méditerranée, jusqu'à Naples, jusqu'en Sicile ou jusqu'en Grèce, par exemple. Néanmoins, il se *souvenait.* Oui, chose étrange, il revoyait, il reconnaissait tout cela. « Mais oui, c'est bien cela ! » s'écria une voix en lui, comme s'il avait porté depuis toujours et sans le savoir ce bienheureux azur ensoleillé, comme en se le cachant à soi-même. Et ce « depuis toujours » était vaste, infiniment vaste, comme la mer ouverte à sa gauche là où le ciel la teintait en une nuance d'un violet tendre.

L'horizon était haut, l'étendue semblait monter, ce qui provenait de ce que Hans voyait le golfe d'en haut, d'une certaine altitude. Les montagnes s'avançaient en promontoires, couronnées de forêts, entrant dans la mer, elles reculaient en demi-cercle, du milieu du paysage qu'il apercevait jusqu'à l'endroit où il était assis, et plus loin ; c'était sur une côte rocheuse qu'il était assis, sur des marches de pierre chauffées par le soleil. Devant lui le rivage descendait, moussu et pierreux, en blocs étagés, couvert de broussailles, vers la grève basse, où les galets formaient entre les roseaux des baies bleuâtres, de petits ports et de petits lacs. Et cette contrée ensoleillée, et ces hautes rives à l'accès facile, et ces bassins riants, entourés de falaises, de même que la mer au large, jusqu'aux îles où des barques allaient et venaient, tout était peuplé. Des hommes, des enfants du soleil et de la mer s'y mouvaient et s'y reposaient, gais et raisonnables, une belle et jeune humanité, si agréable à contempler qu'à leur vue le cœur de Hans Castorp se dilatait douloureusement et avec amour.

Des jeunes gens, des adolescents s'ébattaient avec des chevaux, couraient, la main aux rênes, à côté des animaux qui hennissaient et rejetaient la tête, tiraient sur les longues guides des chevaux rétifs, ou bien, les montant sans selle, battant des talons nus les flancs de leurs montures, les poussaient dans la mer, cependant que les muscles de leur dos jouaient au soleil sous leur peau bronzée et que les appels qu'ils échangeaient, ou adressaient à leurs bêtes, avaient, sans que l'on sût pourquoi, comme une sonorité magique. Au bord d'une des baies où la rive se réfléchissait comme dans un lac des montagnes, et qui pénétrait très avant dans la terre, des jeunes filles dansaient. L'une d'entre elles, dont les cheveux ramassés au-dessus de la nuque en un nœud avaient un charme particulier, était assise, les pieds dans un creux du terrain, et jouait sur une flûte de pâtre, les yeux fixés par-dessus ses doigts mobiles sur ses compagnes qui, en de longs vêtements flottants, isolées, les bras ouverts et souriantes, ou par couples, les tempes gracieusement rapprochées, dansaient, tandis que, dans le dos de celle qui jouait de la flûte, derrière ce dos blanc, long, délicat et que les mouvements de ses bras faisaient onduler, d'autres sœurs étaient assises, ou se tenaient enlacées, et regardaient tout en causant paisiblement. Plus loin, de jeunes hommes s'exerçaient à tirer à l'arc. C'était une vision heureuse et amicale que de voir les aînés enseigner aux adolescents maladroits aux chevelures bouclées la manière de tendre la corde en appuyant sur la flèche, de les voir viser avec leurs élèves, les soutenir lorsque le choc en retour de la flèche vibrante les faisait chanceler en riant. D'autres pêchaient à la ligne. Ils étaient étendus sur le ventre, sur les rochers plats du rivage, et trempaient leur ligne dans la mer, bavardant paisiblement, la tête tournée vers leur voisin qui, le corps allongé en une position oblique, lançait très loin son appât. D'autres encore étaient occupés à pousser une barque haute dans la mer, avec ses mâts et ses vergues, tirant, poussant et s'arc-boutant. Des enfants jouaient et poussaient des cris de joie entre les brise-lames. Une jeune femme, étendue tout de son long, regardant en arrière, d'une main relevait sa robe fleurie entre les seins, en étendant l'autre au-dessus d'elle vers un fruit entouré de feuilles qu'un homme aux hanches étroites, debout à son chevet, lui offrait et lui refusait, jouant de son bras tendu. Les uns étaient adossés à des niches rocheuses, d'autres hésitaient au bord du bain en croisant les bras, les mains sur les épaules, en éprouvant de la pointe du pied la fraîcheur de l'eau. Des couples se promenaient le long du rivage, et près de l'oreille de la jeune fille était la bouche de celui qui la conduisait familièrement. Des chèvres à longs poils sautaient de roche en roche, gardées par un jeune pâtre qui était debout sur une éminence, une main sur la hanche, s'appuyant de l'autre sur un long bâton, un petit chapeau au bord relevé en arrière, posé sur ses boucles brunes.

« Mais c'est ravissant ! pensa Hans Castorp, c'est tout à fait réjouissant et captivant ! Comme ils sont jolis, bien portants, intelligents et heureux ! Mais quoi ! Ils ne sont pas seulement beaux, mais ils sont encore intelligents et intérieurement aimables. C'est là ce qui me touche et ce qui me rend presque amoureux ; l'esprit et le sens immanent à leur être, voudrais-je dire. L'esprit dans lequel ils sont réunis et vivent ensemble ! » Il entendait par là cette grande affabilité ; et les égards égaux pour tous que se témoignaient ces hommes du soleil dans leur commerce : un respect léger et voilé d'un sourire qu'ils se témoignaient les uns aux autres, presque insensiblement, et pourtant en vertu d'une idée qui s'était faite chair, d'un lien de l'esprit qui, manifestement, les reliait tous ; une dignité et une sévérité même, mais toute résolue en gaieté et qui les guidait dans leurs actes et leurs abstentions comme une influence spirituelle et inexprimable d'une gravité nullement sombre et d'une piété raisonnable, encore qu'elle ne manquât pas de toute solennité cérémonieuse. Car là-bas, sur une pierre ronde et moussue, était assise une jeune mère qui avait dégrafé sur une épaule sa robe brune et qui étanchait la soif de son enfant. Et quiconque passait auprès d'elle la saluait d'une manière particulière qui résumait tout ce qui restait si expressivement inexprimé dans la conduite générale de ces hommes : les jeunes gens, en se tournant vers la mère et en croisant légèrement, rapidement et comme pour la forme, les bras sur leur poitrine et en inclinant la tête avec un sourire, les jeunes filles par une génuflexion ébauchée, semblable au geste de celui qui s'incline devant le maître-autel. Mais en même temps ils lui faisaient de cordiaux, de joyeux et vifs signes de tête, et ce mélange de dévotion formaliste et d'amitié enjouée, en même temps que la lente douceur avec laquelle la mère, qui facilitait la tétée de son petit en appuyant de l'index sur son sein, levait les yeux, et remerciait d'un sourire celle qui lui rendait hommage, achevèrent de ravir Hans Castorp. Il ne se lassait pas de regarder et il se demandait néanmoins avec angoisse s'il avait le droit de regarder, si le fait d'épier ce bonheur ensoleillé et civilisé n'était pas répréhensible, pour lui qui se sentait dénué de noblesse, laid et balourd.

Il semblait qu'il n'y avait pas à hésiter. Un bel éphèbe, dont la longue chevelure rejetée d'un côté avançait légèrement sur le front et retombait sur la tempe, se tenait, exactement au-dessous de son siège, les bras croisés sur la poitrine, à l'écart de ses compagnons, ni triste ni boudeur, mais tout simplement à l'écart des autres. L'adolescent l'aperçut, leva le regard vers lui, et ses yeux passèrent du guetteur aux images de la grève, et revinrent à lui, épiant le guetteur. Mais, tout à coup, il regarda par-dessus sa tête dans le lointain, et aussitôt le sourire de courtoisie fraternelle et aimable qui était commun à tous disparut de son beau visage à moitié puéril, aux lignes sévères ; sans qu'il eût froncé les sourcils, une gravité apparut sur sa figure, une gravité de pierre sans expression, insondable, quelque chose de fermé et de mortel qui saisit Hans Castorp, à peine rassuré, d'une frayeur pâle, non sans qu'il pressentît obscurément sa signification.

Lui aussi tourna la tête… De puissantes colonnes sans socles, faites de blocs cylindriques dans les fentes desquels perçait de la mousse, se dressaient derrière lui, les colonnes du portique d'un temple sur les marches duquel il était assis. Le cœur gros il se leva, gravit les marches par le côté et s'engagea sous un portique profond, poursuivit sa marche par une voie dallée, qui lui donna aussitôt accès sur un nouveau parvis. Il le traversa, et voici qu'il avait devant lui le temple, énorme, verdâtre et rongé par le temps, avec un socle de gradins roides et un fronton large qui reposait sur les chapiteaux de colonnes puissantes, presque trapues, mais s'amincissant vers le haut, et de leur assemblage saillait parfois un bloc arrondi. Avec peine, en s'aidant de ses mains et en soupirant, car son cœur se serrait de plus en plus, Hans Castorp escalada les hauts gradins et gagna la forêt de colonnes. Celle-ci était très profonde, il s'y promena comme entre les troncs de la forêt de hêtres, en évitant à dessein le milieu. Mais il y revenait toujours, et il se trouva, à l'endroit où les rangées de colonnes s'écartaient, en face d'un groupe de statues, de deux figures de femmes en pierre, sur un socle, la mère et la fille, semblait-il : l'une, assise, plus âgée, plus digne, très clémente et divine, mais les sourcils plaintifs, au-dessus de ses yeux vides et sans pupille, dans une tunique plissée, ses cheveux ondulés de matrone couverts d'un voile ; l'autre, debout, enlacée maternellement par la première, avec un visage rond de jeune fille, les bras et les mains joints et cachés dans les plis de son péplos.

Tandis que Hans Castorp considérait le groupe, son cœur, pour des raisons obscures, se faisait plus lourd, plus angoissé, plus chargé de pressentiments. Il osait à peine — et il le fallait pourtant — contourner ces figures pour franchir derrière elles la deuxième double rangée de colonnes : la porte de bronze du sanctuaire était ouverte et les genoux du malheureux vacillèrent devant le spectacle que découvrit son regard. Deux femmes aux cheveux gris, à demi nues, aux poils hirsutes, aux seins pendants et aux tétines aussi longues que des doigts, s'y livraient, entre les flammes des brasiers, à d'effrayantes occupations. Au-dessus d'un bassin elles déchiraient un petit enfant, le déchiraient de leurs mains en un silence sauvage — Hans Castorp voyait les fins cheveux blonds tachés de sang — et en dévoraient les morceaux en faisant craquer les petits os friables dans leurs bouches, tandis que le sang coulait de leurs affreuses lèvres. Un frisson glacé immobilisa Hans Castorp. Il voulut couvrir ses yeux de ses mains, mais n'y réussit pas. Il voulut s'enfuir et ne le put pas. Mais voici qu'elles l'avaient aperçu tout en poursuivant leur abominable besogne ; elles agitèrent derrière lui leurs poings sanglants et l'injurièrent sans voix, avec la pire grossièreté, en termes obscènes, usant du dialecte parlé au pays de Hans Castorp. Il se sentit mal, plus mal que jamais. Désespérément il voulait s'arracher à cet endroit, et tel qu'en faisant cet effort il était tombé accoté à la colonne, tel il se retrouva ayant encore dans l'oreille cet affreux chuchotement criard, agrippé à son fenil dans la neige, couché sur un bras, la tête appuyée, les pieds chaussés de skis étendus devant lui.

Ce n'était cependant pas encore un véritable réveil ; il clignota seulement, soulagé d'être débarrassé de ces atroces mégères, mais il ne distinguait pas clairement — ni ne s'en souciait beaucoup — s'il était appuyé à une colonne de temple ou à un fenil, et son rêve se poursuivait en quelque sorte, non plus en images, mais en pensées d'une manière non moins osée et bizarre.

« Il me semblait bien que c'était un rêve, radotait-il en lui-même. Rêve tout à fait charmant et effroyable. Au fond, je le savais tout le temps et je me suis tout fabriqué moi-même, le parc et la belle humidité, et ce qui est venu ensuite, le beau comme le laid, je le savais presque d'avance. Mais comment peut-on savoir et se fabriquer une chose pareille, enchantement et épouvante ? Où ai-je pris ce beau golfe couvert d'îlots et ensuite l'enceinte du temple vers laquelle m'ont dirigé les regards de cet agréable jeune homme qui était seul ? On ne rêve pas seulement avec sa propre âme, me paraît-il, mais on rêve de façon anonyme et commune, encore qu'à sa propre manière. La grande âme dont tu n'es qu'une parcelle rêve à travers toi, à ta manière, de choses qu'en secret elle rêve perpétuellement — de sa jeunesse, de son espérance, de son bonheur, de sa paix… et de sa scène sanglante. Me voici appuyé à ma colonne, et j'ai encore dans mon corps les vrais vestiges de mon rêve, le frisson glacial qui m'a parcouru devant la cène sanglante, et aussi la joie du cœur, la joie que j'ai éprouvée devant le bonheur et les pieux usages de l'humanité blanche. Il me revient, je l'affirme, il me revient de droit d'être étendu ici et de rêver de telles choses. J'ai beaucoup appris chez les gens d'ici sur la déraison et la raison. Je me suis perdu avec Naphta et Settembrini dans les montagnes les plus dangereuses. Je sais tout de l'homme. J'ai scruté sa chair et son sang, j'ai restitué à la malade Clawdia le crayon de Pribislav Hippe. Mais quiconque connaît le corps, connaît la vie, connaît la mort. Et ce n'est pas là tout, c'est tout au plus un commencement, si l'on se place au point de vue pédagogique. Il faut y ajouter l'autre aspect, l'envers. Car tout l'intérêt que l'on éprouve pour la mort et la maladie n'est qu'une forme de l'intérêt que l'on éprouve pour la vie, comme le prouve du reste la faculté humaniste de médecine qui s'adresse en un latin si courtois à la vie et à sa maladie, et qui n'est qu'une variété de cette unique, de cette grande et pressante préoccupation que je veux appeler en toute sympathie par son nom : c'est l'enfant terrible de la vie, c'est l'homme, son état et sa position... Je le connais assez bien, j'ai beaucoup appris chez ceux d'en haut, je suis monté très haut au-dessus du pays plat, au point d'en avoir presque perdu le souffle ; mais du pied de ma colonne j'ai une vue qui ne me semble pas mauvaise... J'ai rêvé de l'état de l'homme et de sa communauté polie, intelligente et respectueuse, derrière laquelle se déroule dans le temple l'affreuse cène sanglante. Combien ils étaient courtois et charmants les uns à l'égard des autres, les hommes du soleil, avec, dans le fond, cette atroce chose ! Ils en tirent une conclusion fine et fort galante. Je veux en mon âme rester avec eux et non pas avec Naphta, du reste pas davantage avec Settembrini ; tous deux sont des bavards. L'un est sensuel et pervers et l'autre n'embouche jamais que le petit cor de la Raison et s'imagine pouvoir y ramener même les fous ; quel manque de goût ! C'est de l'esprit primaire et de l'éthique pure, c'est de l'irréligion, voilà qui est entendu. Mais je ne veux pas non plus me ranger au parti du petit Naphta, à sa religion qui n'est qu'un *guazzabuglio* de Dieu et du Diable, du Bien et du Mal, tout juste bon pour que l'individu s'y précipite la tête la première, afin de sombrer mystiquement dans l'universel. Ah, ces deux pédagogues ! Leurs querelles et leurs désaccords ne sont eux-mêmes qu'un *guazzabuglio* et un confus fracas de bataille dont ne se laisse pas étourdir quiconque a le cerveau libre et le cœur pieux. Et ce problème de l'aristocratie, avec leur noblesse ! Vie ou mort, maladie, santé, esprit et nature. Sont-ce là des contraires ? Je demande : sont-ce là des problèmes ? Non, ce ne sont pas des problèmes, et le problème de leur noblesse n'en est pas un. La déraison de la mort relève de la vie, sinon la vie ne serait pas vie, et la position de l'*Homo Dei* est au milieu, avec la déraison et la raison, de même que sa position est entre la communauté mystique et l'individualisme inconsistant. Voilà ce que j'aperçois de ma colonne. Dans cette position, il lui faut avoir avec lui-même des rapports raffinés, galants et aimablement respectueux, car lui seul est noble, mais les contraires ne le sont pas. L'homme est maître des contradictions, elles existent grâce à lui et, par conséquent, il est plus noble qu'elles. Plus noble que la mort, trop noble pour elle, et c'est la liberté de son cerveau. Plus noble que la vie, trop noble pour elle, et c'est la piété dans son cœur. Voilà que j'ai rimé un songe poétique sur l'homme. Je veux m'en souvenir. Je veux être bon. Je ne veux accorder à la mort aucun pouvoir sur mes pensées ! Car c'est en cela que consistent la bonté et la charité, et en rien d'autre. La mort est une grande puissance. On se découvre et l'on marche d'un pas rythmé, sur la pointe des pieds, lorsqu'on l'approche. Elle porte la collerette de cérémonie du passé et on s'habille sévèrement et tout de noir, en son honneur. La raison est sotte en face de la Mort, car elle n'est rien que Vertu, tandis que la Mort est la liberté, la déraison, l'absence de forme et la volupté, dit mon rêve, non pas l'amour… La Mort et l'amour, c'est une mauvaise rime, de mauvais goût, une rime fausse ! L'amour affronte la Mort ; lui seul, non pas la vertu, est plus fort qu'elle. Lui seul (pas la vertu) inspire de bonnes pensées. La forme, elle aussi, n'est faite que d'amour et de bonté : la forme et la civilisation d'une communauté intelligente et amicale, et d'un bel État humain — avec le sous-entendu discret de la cène sanglante. Oh, voilà qui est rêvé avec clarté et bien “gouverné” ! Je veux y penser. Je veux garder dans mon cœur ma foi en la Mort, mais je veux clairement me souvenir que la fidélité à la mort et au passé n’est que vice, volupté sombre et antihumaine lorsqu’elle commande à notre pensée et à notre conduite. *L’homme ne doit pas laisser la Mort régner sur ses pensées au nom de la bonté et de l’amour.* L’ayant pensé, je m’éveille… Car j’ai suivi mon rêve jusqu’au but. Depuis longtemps, je cherchais cette parole : à l’endroit où Hippe m’est apparu, dans ma loge et partout. Mes recherches m’ont entraîné ensuite dans les montagnes couvertes de neige. Mais voici que je la tiens. Mon rêve me l’a clairement révélée, de sorte que je la sais à jamais. Oui, j’en suis ravi et comme réchauffé. Mon cœur bat fort et sait pourquoi. Il ne bat pas seulement pour des raisons physiques, il ne bat pas comme les ongles d’un cadavre continuent à pousser, il bat humainement, et vraiment il se sent heureux. C’est un philtre, cette parole de rêve, meilleur que le porto et que l’ale, cela me coule à travers les veines comme l’amour et la vie, pour que je m’arrache à mon sommeil et à mon rêve, dont je sais naturellement qu’ils mettent en grave péril ma jeune vie… Ouverts ! Les yeux ouverts ! Ce sont tes membres, à toi, ces pieds-là dans la neige ! Rassemble-les, et debout ! Tiens… Il fait beau ! »

Elle était terriblement malaisée, la délivrance des liens qui l’enserraient et qui cherchaient à le maintenir à terre ; mais l’élan qu’il avait pris était plus fort. Hans Castorp se jeta sur un coude, tendit énergiquement les genoux, tira, s’appuya et se redressa. Il piétina la neige avec ses planches, se frappa les côtes des bras, et secoua les épaules en jetant des regards agités et tendus ici et là, et vers le ciel, où un bleu pâle se montrait entre les voiles minces des nuages gris-bleu qui glissaient doucement et qui découvraient l’étroite faucille de la lune. Léger crépuscule. Pas de tempête, pas de neige ! La paroi rocheuse de l’autre côté, avec son dos hérissé de sapins, était visible, pleinement et clairement, elle reposait en paix. L’ombre montait jusqu’à mi-hauteur ; l’autre moitié était délicatement éclairée de rose. Que se passait-il donc, et comment se comportait le monde ? Était-ce le matin ? Et Hans

Castorp avait-il passé la nuit dans la neige, sans mourir de froid comme on pouvait le lire dans les livres ? Aucun de ses membres n'était mort, aucun ne se cassait avec un bruit sec, tandis qu'il piétinait, se secouait et battait autour de lui, à quoi il s'occupait tout en s'efforçant de réfléchir à sa situation. Ses oreilles, les bouts de ses doigts, ses orteils étaient sans doute engourdis, rien de plus que ce qui lui était déjà souvent arrivé en hiver, lorsqu'il restait étendu dans sa loge. Il réussit à tirer sa montre. Elle marchait. Elle ne s'était pas arrêtée comme elle avait coutume de faire lorsqu'il oubliait de la remonter. Elle ne marquait pas encore cinq heures, même de loin. Il s'en fallait de douze ou treize minutes. Étonnant ! Était-il donc possible qu'il ne fût resté étendu, ici, dans la neige, que dix minutes, ou un peu plus, et qu'il eût inventé pour lui-même tant d'images heureuses et effrayantes et tant de pensées téméraires, cependant que le tumulte hexagonal se dissipait aussi vite qu'il était survenu ? Et puis il avait eu une chance incontestable, au point de vue du retour. Car, à deux reprises, ses songes et ses fables avaient pris une tournure telle qu'il avait sursauté, ranimé du coup, d'abord d'effroi, ensuite de joie. Il semblait que la vie eût de bonnes intentions à l'endroit de son enfant gâté et égaré.

Quoi qu'il en soit, et que l'on fût au matin ou dans l'après-midi (mais sans nul doute, on en était toujours au début de la soirée), il n'y avait rien dans les circonstances ni dans son état personnel qui eût pu empêcher Hans Castorp de rentrer chez lui ; et c'est ce qu'il fit. D'un élan magnifique, en quelque sorte à vol d'oiseau, il descendit vers la vallée où les lumières brûlaient déjà lorsqu'il arriva, bien que les restes d'un jour conservé par la neige lui eussent pleinement suffi. Il descendit par le Brehmenbuhl, le long du Mattenwald, et fut arrivé vers cinq heures et demie à Dorf où il déposa son attirail sportif chez l'épicier, se reposa dans la cellule mansardée de M. Settembrini et lui rendit compte de la tempête de neige par laquelle il s'était laissé surprendre. L'humaniste se montra fort alarmé. Il lança la main par-dessus sa tête, gronda énergiquement l'imprudent qui avait couru un tel danger et alluma séance tenante la lampe à alcool qui faisait entendre de petites explosions, pour préparer du café au jeune homme épuisé, un café dont la force n'empêcha pas Hans Castorp de s'endormir sur sa chaise.

L'atmosphère très civilisée du Berghof l'entourait une heure plus tard de son souffle caressant. À dîner, il montra un bel appétit. Ce qu'il avait rêvé commençait à pâlir. Le soir même il ne comprenait plus très bien ce qu'il avait pensé.

En soldat et en brave

Hans Castorp ne cessa de recevoir de brèves nouvelles de son cousin, d'abord bonnes, exubérantes, puis moins favorables, enfin des nouvelles qui dissimulaient mal quelque chose de très triste. La série des cartes postales commença par le message joyeux qui rapportait l'arrivée de Joachim au régiment et la cérémonie romantique au cours de laquelle, comme Hans Castorp s'exprima sur la carte postale qu'il envoya en réponse à son cousin, il avait fait serment de pauvreté, de chasteté et d'obéissance. Puis cela continua gaiement : les étapes d'une carrière facile et favorisée, aplanie par un attachement passionné au métier et par la sympathie des chefs, étaient retracées, suivies de salutations et de souhaits. Comme Joachim avait étudié pendant quelques semestres à l'université, on l'avait dispensé des cours à l'école de guerre et exempté du service d'aspirant. Promu sous-officier pour le nouvel an, il envoya une photographie qui le montrait avec ses galons. Chacun de ses rapports succincts rayonnait du ravissement qu'il éprouvait à subir l'esprit d'une discipline de fer durcie par le sentiment de l'honneur, mais qui tenait compte quand même, avec un rude humour de la faiblesse humaine. Il y avait des anecdotes sur la conduite romantique et embrouillée qu'avait à son égard son sergent, un vieux soldat hargneux et fanatique qui voyait malgré tout dans ce jeune et faillible subordonné le chef sacro-saint de demain (en effet Joachim était déjà admis au mess des officiers). C'était cocasse et féroce. Puis il fut question de l'admission à l'examen d'officier. Au commencement d'avril Joachim était nommé lieutenant.

Il n'y avait pas, de toute apparence, d'homme plus heureux, il n'y en avait pas dont la nature et les désirs auraient pu tirer une satisfaction plus pure de cette forme d'existence. Avec une sorte de volupté pudique il racontait comment dans sa splendeur toute neuve, il avait pour la première fois passé devant l'hôtel de ville, et avait, d'un signe de la main, mis au repos le factionnaire qui s'était immobilisé pour lui rendre les honneurs. Il parla des petits désagréments et des satisfactions du service, de camarades étonnants et sympathiques, de la fidélité malicieuse de son ordonnance, d'incidents comiques pendant l'exercice et à l'heure de l'instruction, de revues et de repas de corps. Incidemment il était aussi question d'événements mondains, de visites, de dîners, de bals. Mais jamais de sa santé.

Il en fut de la sorte jusqu'au début de l'été. Il annonça alors qu'il était alité, que, malheureusement, il avait dû se porter malade : grippe, affaire de quelques jours. Au début de juillet il reprit son service, mais vers le milieu du mois il était de nouveau « flapi », se plaignit amèrement de sa « poisse » et trahit sa crainte de ne pouvoir être à son poste pour les grandes manœuvres, au commencement d'août, qu'il avait attendues avec une impatience joyeuse. Sottises que tout cela ! En juillet, il était parfaitement bien portant, le resta pendant des semaines, jusqu'à ce qu'une consultation s'imposât, que les maudites oscillations de sa température avaient rendue nécessaire et dont tout allait dépendre. Sur le résultat de cette consultation Hans Castorp resta longtemps sans nouvelles, et lorsqu'il en reçut ce ne fut pas Joachim qui écrivit — soit qu'il ne fût pas en état de le faire, soit qu'il eût honte —, mais ce fut sa mère, Mme Ziemssen, qui envoya un télégramme. Elle annonça que Joachim avait pris un congé de quelques semaines, jugé indispensable par les médecins. Haute montagne recommandée, départ immédiat prescrit, prière réserver deux chambres. Réponse payée. Signé : tante Louise.

C'est à la fin de juillet que Hans Castorp parcourut cette dépêche sur sa loge de balcon, la lut et la relut encore. Il hocha légèrement la tête, et non pas seulement la tête mais tout le haut du corps et dit entre ses dents : « Tiens, tiens, tiens !!! Pas possible, pas possible, pas possible ! Joachim revient. » Une joie soudaine le pénétra. Mais presque aussitôt il se calma et pensa : « Hum, hum, grave nouvelle. On pourrait même dire : jolie surprise ! Diable, cela a été vite ! Déjà mûr pour le pays ? La mère vient avec lui. (Il dit : "la mère", non pas "tante Louise" ; son sentiment des parentés s'était insensiblement atténué, de sorte qu'il se sentait presque un étranger.) C'est une circonstance aggravante. Et tout juste avant les grandes manœuvres auxquelles ce cher garçon brûlait de prendre part ! Hum, hum ! Il y a dans tout cela une forte dose de vilenie, et d'une vilenie sarcastique ; c'est là un fait anti-idéaliste. Le corps triomphe, il veut autre chose que l'âme et il s'impose pour la confusion des gens présomptueux qui enseignent qu'il est soumis à l'âme. Il semble qu'ils ne sachent pas ce qu'ils disent, car s'ils avaient raison, cela jetterait un jour douteux sur l'âme dans un cas comme celui-ci. *Sapienti sat*, je sais ce que je veux dire. Car la question que je soulève, c'est justement de savoir dans quelle mesure c'est une erreur de les opposer l'un à l'autre, dans quelle mesure ils sont au contraire d'accord et jouent une partie concertée. Mais voilà une idée qui, heureusement pour les présomptueux, ne leur viendra pas. Mon bon Joachim, qui voudrait rien te reprocher à toi et à ton zèle excessif ? Tu es loyal, mais à quoi sert la loyauté si le corps et l'âme se sont mis d'accord ? Serait-il possible que tu n'aies pas oublié certains parfums rafraîchissants, une gorge opulente et un rire sans raison qui t'attendent à la table de la Stöhr ?... Joachim revient, se dit-il de nouveau, et il tressaillit de joie. Il arrive en un mauvais état, sans doute, mais nous serons de nouveau à deux, et je ne serai plus ici tout à fait livré à moi-même. Voilà qui est bien. Il est vrai que tout ne sera pas exactement comme autrefois. Sa chambre n'est-elle pas occupée ? Mrs. Mac Donald tousse sourdement et naturellement elle tient à la main la photographie de son jeune fils, ou l'a posée devant elle sur sa petite table. Mais c'est le stade final, et si la chambre n'est pas déjà réservée. On pourra du reste en retenir provisoirement une autre. Le 28 est libre, sauf erreur. Je vais tout de suite aller à l'administration, et notamment chez Behrens. En voilà une nouvelle, triste à certains points de vue, épatante à d'autres, mais en tout cas une nouvelle formidable ! Je vais tout juste attendre encore le camarade "Je vous salue", qui doit passer tout à l'heure, car il est déjà trois heures et demie. Je vais lui demander s'il estime que même dans ce cas le phénomène physique doit être considéré comme secondaire… »

Avant l'heure du thé, il se rendit au bureau de l'administration. Ladite chambre, qui donnait sur le même corridor que la sienne, était disponible et l'on trouverait également à caser Mme Ziemssen. Il se hâta d'aller chez Behrens. Il le trouva au « labo », un cigare à la main, tenant de l'autre une éprouvette d'un contenu de couleur douteuse.

« Docteur, savez-vous ? commença Hans Castorp.

— Oui, qu'on ne décolère pas, répondit le pneumotomiste. Voilà ce Rosenheim d'Utrecht, dit-il, et de son cigare il désigna l'éprouvette. Gaffky 10. Et voici que Schmitz, le directeur d'usine, vient criailler et se plaindre parce que Rosenheim a expectoré en se promenant, avec Gaffky 10. Je dois le secouer. Mais si je lui lave la tête, il se met dans tous ses états, car il est follement susceptible et il occupe trois chambres avec toute sa famille ; je ne peux pas le mettre à la porte, sinon j'aurai affaire à la direction générale. Vous voyez dans quels conflits on se trouve impliqué à tout moment, on a beau vouloir suivre son chemin, en paix et sans reproche.

— Bête d'histoire ! dit Hans Castorp avec la compréhension de l'habitué et de l'ancien. Je connais ces messieurs. Schmitz est à cheval sur les convenances, tandis que Rosenheim se néglige plutôt. Mais peut-être y a-t-il entre eux des points de friction ailleurs que sur le seul terrain de l'hygiène, il me semble tout au moins. Schmitz et Rosenheim sont tous deux amis de Doña Perez, de Barcelone, de la table de la Kleefeld. C'est là qu'il faut sans doute chercher l'origine de cette querelle. Je vous conseillerais de rappeler d'une manière générale les prescriptions qui sont en cause et pour le reste de fermer l'œil.

— Naturellement que je le ferme. Je ne fais que cela ; à force de le fermer, j'en ai presque un blépharospasme. Mais qu'est-ce que vous me voulez, vous ? »

Et Hans Castorp déballa sa nouvelle à la fois triste et épatante.

Ce n'est pas que le conseiller s'en soit montré surpris. Il ne l'aurait été dans aucun cas, mais il ne le fut pas du tout en l'occurrence parce que Hans Castorp, interrogé à ce sujet ou de son propre chef, l'avait tenu au courant de la santé de Joachim et avait informé Behrens dès le mois de mai que son cousin gardait le lit.

« Tiens, tiens, dit Behrens. Allons bon ! Qu'est-ce que je vous avais dit ? Qu'est-ce que je vous avais dit, textuellement, non pas dix, mais cent fois ? Vous voilà servi ! Pendant neuf mois il a eu son bon plaisir et son paradis ! Mais dans un paradis qui n'est pas désintoxiqué, il n'y a point de salut ; c'est ce que notre évadé n'a pas voulu croire quand le vieux Behrens le lui disait. Mais il faut toujours en croire le vieux Behrens, sinon on est fichu et on vient trop tard à résipiscence. Le voilà qui a obtenu le grade de lieutenant, c'est vrai, rien à dire. Mais à quoi cela lui sert-il ? Dieu regarde au fond des cœurs, il ne s'occupe ni du rang ni de l'état, nous sommes tous devant lui dans notre nudité, le général comme le simple soldat… » Il commença à s'embrouiller, se frotta les yeux de sa main énorme dont les doigts tenaient le cigare, et pria Hans Castorp de ne pas le retenir longtemps cette fois-ci. Un logis pour Ziemssen devait être facile à trouver, et lorsque le cousin arriverait il chargeait Hans Castorp de le fourrer au lit sans retard. Quant à lui, Behrens, il ne reprochait jamais rien à personne, il ouvrait paternellement ses bras et il était prêt à tuer le veau gras pour le fils prodigue.

Hans Castorp envoya une dépêche. Il raconta à droite et à gauche que son cousin allait revenir, et tous ceux qui connaissaient Joachim en étaient attristés et heureux, l'un et l'autre sincèrement, car le caractère loyal et chevaleresque de Joachim lui avait gagné la sympathie générale, et le jugement ou le sentiment inexprimé de nombreux malades était qu'il avait été le meilleur d'entre eux tous. Nous ne visons personne en particulier, mais nous croyons que plus d'un éprouva une certaine satisfaction en apprenant que Joachim devait revenir de l'état militaire à la position horizontale, et que malgré toute sa correction il allait de nouveau être des « nôtres ». On sait que Mme Stöhr avait prévu cela dès le début. Elle se trouva confirmée, dans le scepticisme vulgaire qu'elle avait manifesté lors du départ de Joachim pour le pays plat, et elle ne dédaigna pas de s'en vanter. « Mauvais, mauvais ! » fit-elle. Elle s'était tout de suite rendu compte que cela allait mal et elle voulait espérer que Ziemssen n'eût pas, dans son entêtement, attigé son affaire (« attigé », dit-elle dans sa vulgarité sans bornes). Mieux valait donc, quand même, rester au bercail, comme elle avait fait, bien qu'elle aussi eût ses intérêts en pays plat, à Cannstatt : un mari et deux enfants. Mais elle savait se dominer… Ni Joachim ni Mme Ziemssen ne donnèrent plus de leurs nouvelles. Hans Castorp resta dans l'ignorance de l'heure et du jour de leur arrivée. Pour la même raison il ne les attendit pas à la gare, mais trois jours après l'expédition du télégramme de Hans, ils se trouvèrent tout simplement là, et le lieutenant Joachim parut avec un rire excité à côté de la chaise longue réglementaire de son cousin.

À ce moment, la cure de repos du soir avait déjà commencé. Le même train les avait amenés, par lequel Hans Castorp était arrivé ici, il y avait des années qui ne furent ni brèves ni longues, mais privées de durée, très riches en événements, et néanmoins nulles et inconsistantes, et la saison elle aussi était la même, c'était même exactement la même : un des tout premiers jours d'août. Donc Joachim entra joyeusement — oui, pour l'instant il montrait une agitation incontestablement joyeuse — chez Hans Castorp, ou plus exactement il passa de la chambre, qu'il avait parcourue au pas gymnastique, sur le balcon, et salua son cousin en riant, le souffle court, saccadé et assourdi. Il avait de nouveau accompli le lointain voyage, à travers les pays divers, par-dessus le lac semblable à une mer, et puis en montant par d'étroits sentiers, et voici qu'il était là, comme s'il n'était jamais parti, salué par son parent qui s'était à moitié redressé de la position horizontale à grands renforts de « *hallo* » et de « pas possible ». Son teint était coloré, soit par la vie en plein air qu'il avait menée, soit des conséquences du voyage. Directement, sans même s'enquérir d'abord de sa chambre, il était accouru au numéro 34, pour saluer le compagnon de ses jours anciens, lesquels étaient redevenus présents, cependant que sa mère était occupée à faire un peu de toilette. Ils comptaient dîner dans dix minutes, naturellement au restaurant, Hans Castorp pourrait bien encore manger avec eux, ou tout au moins boire un doigt de vin. Et Joachim entraîna son cousin au numéro 28 où il se passa ce qui était arrivé le soir de la venue de Hans, mais c'était l'opposé : Joachim, bavardant fiévreusement, se lava les mains dans le lavabo étincelant, et Hans Castorp le regarda, étonné du reste, et en quelque sorte déçu de voir son cousin en civil. Son état militaire ne se trahissait en rien dans sa tenue. Il se l'était tout le temps représenté comme officier en uniforme, et voici qu'il était là, dans son complet gris uni, comme n'importe qui. Joachim rit et le trouva naïf. Ah non, son uniforme, il l'avait laissé là-bas. Hans Castorp devait savoir que l'uniforme était une chose à part. On n'entrait pas n'importe où en uniforme. « Ah voilà ! Merci du renseignement », dit Hans Castorp. Mais Joachim ne paraissait pas avoir conscience du sens offensant que l'on pouvait donner à son explication. Il s'informa des personnes et des événements au Berghof, non seulement sans la moindre présomption, mais encore avec l'attendrissement et la sollicitude de quelqu'un qui revient. Puis Mme Ziemssen parut par la porte de communication, salua son neveu de la manière que beaucoup de personnes affectent en de telles circonstances, c'est-à-dire comme si elle était joyeusement surprise de le trouver ici, avec une expression qui du reste était assombrie par une sorte de mélancolie, par la fatigue et un chagrin muet qui se rapportait apparemment à Joachim, ils descendirent.

Louise Ziemssen avait les mêmes beaux yeux noirs que Joachim. Ses cheveux, également noirs, mais déjà sensiblement mêlés de fils blancs, étaient maintenus par un filet presque invisible, et cela s'accordait avec toute sa manière d'être, qui était réfléchie, mesurée avec grâce, discrète avec douceur, et qui, malgré une évidente simplicité d'esprit, lui prêtait une dignité agréable. Il était clair — et Hans Castorp ne s'en étonna pas du reste — qu'elle ne comprenait pas la gaieté de Joachim, sa respiration accélérée et sa parole précipitée, phénomènes qui contredisaient sans doute l'attitude qu'il avait eue là-bas et qui étaient en effet mal appropriés à sa situation ; et elle en était en quelque sorte choquée… Ce retour lui paraissait triste, et elle croyait devoir y conformer sa tenue. Elle ne pouvait pas se faire aux impressions de Joachim, aux sensations tumultueuses du retour qui emportaient momentanément dans une vague d'ivresse tout ce qui s'y opposait, et que le fait de respirer de nouveau cet air, notre air incomparablement léger, inconsistant et échauffant d'en haut, exaltait encore sans doute. Ces sensations étaient pour elle impénétrables. « Mon pauvre petit », pensait-elle, tout en regardant le pauvre petit s'abandonner avec son cousin à une joie débordante, réveiller mille souvenirs, poser mille questions, et rire des réponses qu'on lui faisait, en se rejetant au fond de son siège. Plusieurs fois elle dit : « Mais voyons, mes enfants ! » Et ce qu'elle finit par dire devait être joyeux, mais avait un accent de surprise et presque de blâme : « Joachim, vraiment, il y a longtemps que je ne t'ai plus vu ainsi. On dirait que nous devions revenir ici pour que tu sois de nouveau comme le jour de ta promotion. » Sur quoi, il est vrai, la gaieté de Joachim tourna court. Sa bonne humeur tomba, il reprit conscience de son état, se tut, ne toucha pas à l'entremets, bien que ce fût un soufflé au chocolat des plus appétissants, avec de la crème fouettée (au contraire Hans Castorp lui faisait honneur quoiqu'une heure à peine se fût écoulée depuis la fin de son substantiel dîner), et finit par ne plus du tout lever les yeux, apparemment parce qu'il y avait des larmes.

Telle n'avait certainement pas été l'intention de Mme Ziemssen. C'était plutôt par égard pour les convenances qu'elle avait voulu obtenir un peu de sérieux et de modération, ignorant que tout ce qui est moyen et mesuré était étranger à ce lieu, et que l'on n'y pouvait choisir qu'entre deux extrêmes. Lorsqu'elle vit son fils accablé de la sorte, elle faillit elle-même fondre en larmes, et elle sut gré à son neveu des efforts qu'il fit pour remonter son fils, profondément attristé. En ce qui touchait les pensionnaires, disait-il, Joachim trouverait beaucoup de changement et pas mal de nouveau, mais pour le reste, les choses avaient suivi durant son absence leur cours ordinaire. Il y avait longtemps que la grand-tante, avec sa compagnie, était de retour. Ces dames étaient assises comme toujours à la table de Mme Stöhr. Maroussia riait beaucoup et de tout son cœur.

Joachim garda le silence. Mais ces paroles rappelèrent à Mme Ziemssen certaine rencontre et des salutations qu'elle devait transmettre avant de l'oublier : la rencontre avec une dame, assez sympathique encore qu'elle voyageât seule, et que la ligne de ses sourcils fût un peu trop régulière. Ils l'avaient rencontrée à Munich, où l'on avait passé un jour entre deux trajets nocturnes et, au restaurant, elle s'était approchée de leur table, pour saluer Joachim. Une ancienne voisine de sanatorium… Et elle demanda à Joachim de lui rappeler le nom de la dame… ?

« Mme Chauchat, dit doucement Joachim. Elle séjournait, pour le moment, dans une station balnéaire de l'Allgäu et elle se proposait de passer l'automne en Espagne. Pour l'hiver, elle reviendrait sans doute ici. Elle les avait chargés de son meilleur souvenir. »

Hans Castorp n'était plus un enfant, il dominait les nerfs vasculaires, qui auraient pu faire pâlir ou rougir son visage. Il dit :

« Ah ! c'était elle ? Tiens, elle est donc revenue du fond de son Caucase ? Et elle veut aller en Espagne ? »

La dame avait cité un endroit dans les Pyrénées.

« Une jolie femme, ou tout au moins charmante. Une voix agréable, des mouvements agréables. Mais des manières libres et négligées, dit Mme Ziemssen. Elle nous a accostés tout simplement, comme de vieux amis, elle nous a questionnés, elle a bavardé avec nous, bien que Joachim, m'a-t-il dit, n'ait en somme jamais fait sa connaissance. Bizarre !

— C'est l'Orient et c'est la maladie, répondit Hans Castorp. Il ne fallait pas appliquer à ces choses-là les mesures de la civilisation humaniste ; ce serait une erreur. Justement Mme Chauchat avait l'intention de se rendre en Espagne ! Hum, l'Espagne était dans la direction opposée, aussi loin de la moyenne humaniste, non pas du côté nonchalant, mais du côté rigide ; ce n'était pas absence de forme, mais excès de forme, la mort considérée comme forme, non pas la dissolution de la mort, mais l'austérité de la mort, noire, distinguée et sanglante, l'Inquisition, la collerette empesée, Loyola, l'Escurial… Il serait intéressant de savoir comment Mme Chauchat se plairait en Espagne. Sans doute y perdrait-elle l'habitude de claquer des portes, et peut-être verrait-on s'y établir un certain équilibre humain entre les deux camps anti-humanistes. Mais lorsque l'Orient allait en Espagne il pouvait également en résulter un terrorisme farouche… »

Non, il n'avait ni rougi ni pâli, mais l'impression que ces nouvelles inattendues de Mme Chauchat lui avaient produite se traduisit en paroles qui ne pouvaient appeler d'autre réponse qu'un silence gêné. Joachim était moins effrayé. Il se souvenait des subtilités extravagantes de son cousin. Mais la plus grande stupéfaction se peignit dans les yeux de Mme Ziemssen ; elle ne se comporta pas autrement que si Hans Castorp avait prononcé des paroles de la plus grossière inconvenance, et après un silence pénible, elle se leva de table avec des mots destinés à mettre fin à cette situation gênante. Avant qu'ils ne se séparassent, Hans Castorp leur fit part des instructions du conseiller : Joachim devait de toute façon rester au lit demain jusqu'à ce qu'on l'eût ausculté. Pour la suite, on verrait. Puis les trois parents s'étendirent chacun de leur côté dans leurs chambres ouvertes sur la fraîcheur de cette nuit d'été en haute montagne, chacun avec ses pensées, Hans Castorp tout à la perspective du retour de Mme Chauchat qu'il pouvait espérer dans un délai de six mois.

Et ce pauvre Joachim était donc rentré dans son « pays » pour une petite cure complémentaire que l'on avait jugée opportune. Cette expression de « cure complémentaire » était apparemment le mot d'ordre donné en pays plat et l'on s'en servit également ici. Le conseiller Behrens lui-même adopta l'expression quoiqu'il commençât à administrer à Joachim, dès le premier jour, quatre semaines de repos au lit : elles étaient nécessaires pour obvier au plus grave, pour l'aider à s'acclimater et pour régulariser quelque peu les sautes de sa température. Il sut, par ailleurs, éviter d'assigner une durée précise à la petite cure complémentaire. Mme Ziemssen, raisonnable, sensée, ne se berçant nullement d'espérances exagérées, proposa — en l'absence de Joachim — l'automne, le mois d'octobre par exemple, comme date éventuelle de départ, et Behrens l'approuva ; du moins, il déclara qu'à ce moment-là on serait certainement plus avancé qu'aujourd'hui. D'ailleurs, il lui produisit une impression excellente. Il était fort galant, disait « chère madame », en la regardant loyalement de ses yeux larmoyants et injectés de sang, et usait si bien du langage imagé des étudiants allemands que, malgré toute sa tristesse, elle finissait par en rire. « Il est entre les meilleures mains », dit-elle, et repartit pour Hambourg huit jours après son arrivée puisqu'il ne pouvait être sérieusement question de soins à donner et d'autant plus que Joachim avait là un parent pour lui tenir compagnie.

« Réjouis-toi : c'est pour l'automne, dit Hans Castorp lorsqu'il se fut assis au numéro 28, au chevet de son cousin. Le vieux s'est quand même engagé jusqu'à un certain point. Tu peux t'en tenir là et y compter. Octobre, c'est le bon moment. Beaucoup de gens à ce moment-là vont en Espagne et toi, tu retournes auprès de ta *bandera*, pour te distinguer brillamment. »

Son occupation quotidienne était de consoler Joachim surtout d'avoir manqué en venant ici le grand jeu militaire qui commençait en ces jours d'août, car c'était là surtout ce dont il ne s'accommodait pas ; et il manifestait véritablement du mépris pour cette maudite faiblesse à laquelle il avait succombé au dernier moment.

« *Rebellio carnis*, dit Hans Castorp. Que veux-tu y faire ? Le plus vaillant officier n'y peut rien, et même saint Antoine en a su quelque chose. Mon Dieu, il y a chaque année des manœuvres, et puis tu connais notre temps d'ici. Ce n'est pas du temps du tout; tu n'as pas été absent assez longtemps pour ne pas en retrouver rapidement le rythme — et en un tournemain ta petite cure complémentaire sera passée. »

Néanmoins le sens du temps avait été renouvelé trop sensiblement chez Joachim par son séjour en pays plat pour qu'il n'eût pas quand même eu peur de ces quatre semaines qui l'attendaient. Mais on l'aidait de toutes parts à les franchir; la sympathie que, de tous côtés, l'on témoignait à son caractère si digne, se traduisit par des visites venant de près et de loin. Settembrini vint, compatit, se montra charmant, et comme il avait toujours appelé Joachim lieutenant, il lui donna le titre de *capitano*. Naphta, lui aussi, rendit visite au malade, et toutes les vieilles connaissances de la maison parurent peu à peu, en profitant d'un petit quart d'heure de liberté, entre les heures de service, pour s'asseoir au bord de son lit, répéter l'expression « petite cure complémentaire » et se faire raconter ses aventures : les dames Stöhr, Iltis et Kleefeld, les MM. Ferge, Wehsal et d'autres encore. Certains lui apportèrent même des fleurs. Lorsque les quatre semaines furent écoulées, il se leva parce que sa fièvre avait suffisamment baissé pour qu'il pût aller et venir, et il reprit sa place dans la salle à manger, à côté de son cousin, entre Hans Castorp et l'épouse du brasseur Mme Magnus, en face de M. Magnus, à l'angle de la table et à la place même que l'oncle James et plus tard Mme Ziemssen avaient occupée quelque temps.

Ainsi les jeunes gens vécurent-ils de nouveau côte à côte, comme autrefois; même, pour que la situation antérieure ressuscitât encore plus complètement, Joachim reprit possession de son ancienne chambre, après que Mrs. Mac Donald eut, le portrait de son petit garçon dans les mains, rendu le dernier soupir — son ancienne chambre, à côté de celle de Hans Castorp, bien entendu, après qu'elle eut été consciencieusement désinfectée avec du H_2CO. En réalité, et au point de vue sentimental, il en allait toutefois ainsi que c'était désormais Joachim qui vivait aux côtés de Hans Castorp et non plus Hans Castorp auprès de son cousin. C'était le premier qui était maintenant l'habitant sédentaire dont Joachim ne faisait que partager l'existence, momentanément et en visiteur. Car Joachim s'efforçait avec une fermeté rigide de garder en vue le délai fixé pour octobre, bien que certaines parties de son système nerveux central ne se résignassent pas à suivre une conduite conforme à la norme humaniste et que sa peau restât brûlante et sèche.

Ils reprirent également leurs visites chez Settembrini et chez Naphta, ainsi que leurs promenades avec ces deux hommes liés par leur antagonisme, lorsque A. C. Ferge et Ferdinand Wehsal y prenaient part, ce qui était souvent le cas, ils étaient six ; et ces adversaires dans le domaine de l'esprit poursuivaient alors leurs joutes incessantes dont nous ne saurions rendre compte d'une manière explicite sans nous perdre dans un dédale désespérant — exactement comme ils le faisaient eux-mêmes tous les jours, devant un public assez nombreux, encore que Hans Castorp tendît à considérer sa pauvre âme comme le principal enjeu de leurs débats dialectiques. Il avait appris par Naphta que Settembrini était franc-maçon — ce qui lui avait fait une impression non moins vive que la confidence de l'Italien sur les accointances de Naphta avec les jésuites et l'origine de ses ressources. De nouveau il éprouva de la surprise en apprenant qu'il existait vraiment encore des choses aussi fantastiques, et avec insistance il interrogea le terroriste sur l'origine de la nature de cette curieuse institution qui célébrerait dans quelques années son deux centième anniversaire. Si Settembrini parlait de la nature intellectuelle de Naphta derrière le dos de son voisin, en mettant pathétiquement en garde contre elle, comme contre quelque chose de diabolique, Naphta, dans le dos de l'autre, se moquait, par contre, cordialement et sans emphase, de la sphère que l'autre représentait, en donnant à entendre que tout cela était bien suranné et arriéré : ce libéralisme bourgeois de l'avant-veille, qui n'était pas autre chose qu'un pitoyable fantôme de l'esprit, mais qui s'abandonnait encore à l'illusion bouffonne d'être animé d'une vie révolutionnaire. Il disait : « Que voulez-vous, son grand-père était *carbonaro*, ce qui veut dire : charbonnier. C'est de lui qu'il tient cette foi de charbonnier en la Raison, la Liberté, le Progrès de l'Humanité, et toute cette malle pleine d'idéologies de vertus bourgeoises et classiques, toutes rongées par les mites ! Voyez-vous, ce qui trouble le monde c'est la disproportion entre la rapidité de l'esprit et la balourdise, la lenteur, l'incroyable paresse et force d'inertie de la matière. Il faut convenir de ce que cette disproportion pourrait servir d'excuse à un esprit qui se désintéresse du réel, car il est dans la règle que les ferments qui provoquent en réalité les révolutions lui répugnent depuis longtemps. En effet, l'esprit mort répugne davantage à l'esprit vivant que des basaltes qui, tout au moins, n'ont pas la prétention d'être de l'esprit de la vie. De tels basaltes, vestiges de réalités anciennes que l'esprit a laissées si loin derrière lui qu'il se refuse à y lier encore le concept du réel, se conservent par inertie, et par leur persistance pesante et morte empêchent malheureusement les idées arriérées de se rendre compte à quel point elles le sont. Je m'exprime d'une façon générale, mais vous appliquez vous-même ces généralités à certain libéralisme humanitaire qui croit toujours se trouver dans une situation héroïque face au despotisme et à l'autorité. Cela sans parler des catastrophes, hélas ! par lesquelles il voudrait prouver qu'il vit, de ces triomphes attardés et tapageurs qu'il prépare et qu'il rêve de pouvoir fêter un jour. À la seule pensée de tout cela, l'esprit vivant pourrait mourir d'ennui, s'il ne savait pas qu'à la vérité c'est lui seul qui l'emportera, et qui profitera de catastrophes pareilles, lui qui allie des éléments du passé aux éléments les plus futurs de l'avenir en vue d'une véritable révolution… Comment va votre cousin, Hans Castorp ? Vous savez que j'ai beaucoup de sympathie pour lui.

— Merci, monsieur Naphta. Je crois que tout le monde a de la sympathie pour lui, c'est un si brave garçon. M. Settembrini, lui aussi, l'aime bien, encore que, naturellement, il doive désapprouver un certain terrorisme exalté qu'implique le métier de Joachim. Mais vous m'apprenez qu'il est un frère de la Loge ? Voyez-moi ça ! Cela me rend songeur, je l'avoue, cela éclaire sa personne d'un jour nouveau, et m'explique bien des choses. Place-t-il, à l'occasion, ses pieds en angle droit, et donne-t-il des poignées de main d'une certaine manière ? Je n'ai rien remarqué de tel…

— Je pense que notre bon frère trois points, doit avoir dépassé le stade de tels enfantillages. Je présume que le cérémonial des loges a dû s'adapter assez difficilement à la sécheresse de l'esprit bourgeois de ce temps. On aurait honte du rituel d'autrefois, comme d'un charlatanisme déplacé, pas tout à fait à tort, car, en définitive, il serait vraiment malséant de travestir en Mystère le républicanisme athée. Je ne sais pas par quelles apparitions terrifiantes on a mis à l'épreuve la constance de M. Settembrini, si on l'a conduit, les yeux bandés, par toutes sortes de couloirs et si on l'a fait attendre sous des voûtes sombres, avant que se soit ouverte devant lui la loge, pleine de lumières et de reflets. Si on l'a catéchisé solennellement, et qu'en présence d'une tête de mort et de trois lumières, on a menacé d'épées sa poitrine nue ? Il faut que vous le lui demandiez, à lui-même, mais je crains que vous ne le trouviez peu loquace, car, quand même tout cela se serait déroulé d'une façon plus bourgeoise, il n'en a pas moins dû faire serment de silence.

— Faire serment ? De silence ? Tout de même !

— Certainement. De silence et d'obéissance.

— D'obéissance aussi ? Écoutez, professeur, il me semble alors qu'il n'aurait plus aucune raison de se montrer choqué du terrorisme et de l'exaltation que comporte le métier de mon cousin. Silence et obéissance ! Jamais je n'aurais cru qu'un homme aussi libéral que Settembrini pourrait se soumettre à des conditions et à des serments aussi espagnols. Je flaire véritablement quelque chose de militaire et de jésuitique dans la franc-maçonnerie.

— Vous flairez juste, répondit Naphta. Votre baguette magique tressaute et frappe un coup. L'idée d'association est en général inséparable de l'idée d'absolu. Par conséquent, elle est terroriste, c'est-à-dire antilibérale. Elle décharge la conscience individuelle et, au nom du but absolu, sanctifie tous les moyens, même les plus sanglants, même le crime. On a des raisons de supposer que dans les loges maçonniques l'union des frères était symboliquement scellée par le sang. Une union n'est jamais contemplative, elle est toujours, et par sa nature même, organisatrice dans un sens absolu. Vous ignoriez, sans doute, que le fondateur de l'ordre des Illuminés, qui a failli se confondre pendant quelque temps avec la franc-maçonnerie, était un ancien membre de la Compagnie de Jésus ?

— J'avoue que je n'en savais rien…

— Adam Weishaupt a organisé son association secrète et humanitaire exactement d'après le modèle de l'ordre des jésuites. Lui-même était franc-maçon, et les frères les plus respectés de la loge de ce temps étaient des illuminés. Je parle de la deuxième moitié du dix-huitième siècle que Settembrini n'hésitera pas à vous caractériser comme une époque de décadence de sa ghilde. Mais en réalité ç'a été l'époque de sa plus haute floraison, comme du reste celle de toutes les associations secrètes, le temps où la franc-maçonnerie fut réellement animée d'une vie supérieure, d'une vie dont par la suite des hommes de l'espèce de notre philanthrope l'ont de nouveau expurgée. Notre ami eût-il vécu à cette époque, il l'eût taxée de jésuitisme et d'obscurantisme.

— Et était-ce justifié ?

— Oui, si vous voulez. La libre pensée triviale avait ses raisons d'en juger ainsi. C'était le temps où nos pères s'efforcèrent d'animer l'association d'une vie catholique et hiérarchique, et où a prospéré, à Clermont, en France, une loge de jésuites-maçons. C'est en outre le temps où l'esprit des Rose-Croix a pénétré dans les loges, une confrérie très singulière, dont vous pouvez vous rappeler qu'elle a joint des desseins purement rationalistes, progressistes, politiques et sociaux, à un culte singulier des sciences secrètes de l'Orient, de la sagesse hindoue et arabe et de la magie naturelle. La réforme et le redressement de beaucoup de loges maçonniques se sont alors accomplis dans le sens de l'observance stricte, dans un sens nettement irrationaliste et mystérieux, magique et alchimique, auquel les grades écossais de la maçonnerie doivent leur existence. Des grades de chevaliers que l'on a ajoutés à l'ancienne hiérarchie militaire d'apprentis, de compagnons et de maîtres, des grades de grands maîtres d'un caractère presque sacerdotal et tout pénétrés des mystères des Rose-Croix. Il s'agit là d'un retour à certains ordres spirituels de chevaliers du Moyen Âge, celui des templiers en particulier, vous savez, ceux qui prêtaient au patriarche de Jérusalem un serment de pauvreté, de chasteté et d'obéissance. Aujourd'hui encore un grand maître de la hiérarchie maçonnique porte le titre de "grand-duc de Jérusalem".

— Tout cela est nouveau pour moi, monsieur Naphta ! Vous me faites découvrir les ficelles de notre bon Settembrini… "Grand-duc de Jérusalem" n'est pas mal. Vous devriez, à l'occasion, l'appeler ainsi en manière de plaisanterie. Il vous a appelé l'autre jour "*doctor angelicus*". Cela vaut une revanche.

— Oh ! il y a une quantité d'autres titres, également significatifs, pour les grands maîtres et templiers de la stricte observance. Nous avons là un Maître parfait, un chevalier de l'Orient, un Grand Prêtre, et le trente et unième grade s'intitule même : Prince auguste du mystère royal. Remarquez que tous ces noms trahissent des rapports avec le mysticisme oriental. La réapparition du templier elle-même ne signifie pas autre chose que la reprise de pareils rapports, l'irruption de ferments irrationnels dans un univers d'idées progressistes, raisonnables et utilitaires. La franc-maçonnerie y a gagné un nouveau charme et un éclat nouveau qui expliquent le succès qu'elle a eu en ce temps. Elle a attiré tous les éléments qui étaient las du rationalisme du siècle, de son libéralisme humanitaire, éclairé et déblayé, et qui étaient avides de philtres plus puissants. Le succès de l'ordre fut tel que les philistins se plaignirent de ce qu'il détournait les hommes du bonheur conjugal et de la dignité féminine.

— Allons, professeur, s'il en est ainsi, je comprends que M. Settembrini ne se rappelle pas volontiers cette époque de floraison de son ordre.

— Non, il ne se souvient pas volontiers qu'il y a eu des temps où son ordre s'était attiré toute l'antipathie que le libéralisme, l'athéisme, la raison encyclopédique vouent d'ordinaire au complexe Église, catholicisme, moine,

Moyen Âge. Vous avez entendu que l'on a taxé les francs-maçons d'obscurantisme…

— Pourquoi ? Je voudrais que vous me disiez comment cela a pu arriver.

— Je vais vous le dire. L'observance stricte signifiait un approfondissement et un élargissement des traditions de l'ordre, tout en situant son origine historique dans le monde des mystères, dans les prétendues ténèbres du Moyen Âge. Les grands maîtres des loges étaient des initiés de la *physica mystica*, ils étaient en possession d'une science magique de la nature, c'étaient en somme surtout de grands alchimistes…

— Il faut maintenant que je fasse un grand effort pour me rappeler ce que signifie au juste le mot “alchimie”. L'alchimie, n'est-ce pas faire de l'or, la pierre philosophale, *aurum potabile*… ?

— Sans doute, au sens populaire. Mais dans un langage un peu plus savant, ce mot signifie purification, transmutation, élaboration, transsubstantiation en une forme plus élevée, amélioration, par conséquent, le *Lapis philosophorum*, le produit androgyne du soufre et du mercure, la *res bina*, la *prima materia* bisexuée n'était rien de plus, rien de moins que le principe de la transmutation, du développement vers une forme supérieure, par des influences extérieures — une pédagogie magique, si vous voulez. »

Hans Castorp garda le silence. Clignotant des paupières, il regardait en l'air.

« La crypte surtout, poursuivit Naphta, était un symbole de transmutation alchimiste.

— Le tombeau ?

— Oui, le lieu de la décomposition. Elle est le principe fondamental de tout hermétisme. Le tombeau n'est pas autre chose que le vase, la cornue de cristal précieusement conservée où la matière est poussée jusqu'à sa dernière métamorphose, jusqu'à sa suprême purification.

— Hermétisme est bien dit, monsieur Naphta, Hermétique, cela me plaît. C'est un véritable mot de magie, avec des associations d'idées indéterminées et lointaines. Excusez-moi, mais il faut toujours que je pense à nos bocaux de conserve que notre gouvernante de Hambourg — elle s'appelle Schalleen, sans madame ni mademoiselle, Schalleen tout court — conserve dans son garde-manger, par rangées, sur les rayons, des bocaux hermétiquement fermés. Ils sont là, alignés, pendant des mois et des années, et lorsqu'on en ouvre un, au fur et à mesure des besoins, le contenu en est tout à fait frais et intact ; les mois, les années n'ont rien pu leur faire, on peut en manger tel quel. Il est vrai que ce n'est là ni de la chimie ni de la purification, c'est simplement de la conservation, d'où le nom de conserve. Mais ce qu'il y a de magique là-dedans, c'est que cette conserve ait échappé au temps ; elle en a été hermétiquement séparée, le temps est passé à côté d'elle, elle n'a pas eu de temps, elle est restée en dehors de lui sur son rayon. Allons, voilà pour les bocaux de conserve ! Je n'en ai pas tiré grand-chose. Veuillez m'excuser. Je crois que vous vouliez me renseigner plus exactement.

— À condition que vous le désiriez. Il faut que l'apprenti soit avide de savoir et impavide, pour parler dans le style de notre sujet. Le tombeau a toujours été le symbole principal du pacte d'alliance. L'apprenti, le blanc-bec qui désire être admis au savoir, doit prouver son courage devant les terreurs de la tombe. L'usage de l'ordre veut qu'à titre d'épreuve, il y soit conduit et qu'il y demeure, pour en sortir ensuite, guidé par la main d'un frère inconnu. D'où ce labyrinthe de couloirs et de voûtes sombres que le novice devait traverser, l'étoffe noire dont était tendue la loge de l'observance stricte, le culte du cercueil qui jouait un rôle si important dans le cérémonial de la consécration de la réunion. Le chemin du mystère et de la purification était environné de dangers. Il conduisait à travers des angoisses, à travers le royaume de la pourriture, et l'apprenti, le néophyte c'est la jeunesse avide des miracles de la vie, impatiente de se voir douée d'une vie surnaturelle, guidée par des hommes masqués qui ne sont que des ombres du mystère.

— Je vous remercie beaucoup, professeur Naphta. C'est parfait ! C'est donc cela, la pédagogie hermétique. Il ne peut y avoir aucun mal à ce que je sois renseigné sur ces choses-là.

— D'autant moins qu'il s'agit là d'une introduction aux choses ultimes, à la confession absolue du transcendant, c'est-à-dire au but. L'observance maçonnique alchimiste a, durant les décennies suivantes, conduit beaucoup d'esprits nobles et inquiets à ce but — je n'ai pas besoin de vous le nommer, car il ne peut pas vous avoir échappé que les hauts grades écossais ne sont qu'un équivalent de la hiérarchie sacrée, que la sagesse alchimiste du maître franc-maçon s'accomplit dans le mystère de la métamorphose, et que les directives secrètes que la loge a données à ses adeptes se retrouvent aussi nettement dans l'initiation ecclésiastique, de même que les jeux symboliques du cérémonial maçonnique se retrouvent dans le symbolisme liturgique et architectural de notre sainte Église catholique.

— Ah ! voilà.

— Pardon, ce n'est pas tout. Je me suis déjà permis d'observer : c'est une simple interprétation historique que de faire remonter les origines des loges à l'honorable corporation des maçons. Du moins l'observance stricte a-t-elle donné à la franc-maçonnerie des fondements humains beaucoup plus profonds. Le rite des loges a en commun avec les mystères de notre Église certains rapports avec les solennités occultes et les excès sacrés propres à l'humanité la plus reculée… Je songe, en ce qui concerne l'Église, aux agapes, et à la sainte cène, à la manducation de la chair et du sang, à quoi correspondent à la loge…

— Un instant, un instant, si vous voulez bien me permettre une remarque. Dans cette existence d'une communauté fermée qui est celle de mon cousin, il y a de même des agapes. Il m'en a souvent parlé dans ses lettres. Naturellement, sauf qu'on s'y soûle un peu, tout s'y passe très correctement, on ne va même pas aussi loin qu'aux banquets d'étudiants…

— … à quoi correspondent à la loge le culte du tombeau et du cercueil sur lequel j'ai tout à l'heure attiré votre attention. Dans les deux cas, nous sommes en présence d'un symbolisme des choses ultimes et suprêmes, d'éléments d'une religiosité primitive et orgiaque, de sacrifices nocturnes et effrénés en l'honneur de la mort et du devenir, de la métamorphose et de la résurrection… Vous vous rappelez que les mystères d'Isis, de même que ceux d'Éleusis, étaient célébrés de nuit et dans d'obscures cavernes. Or, il y a eu et il y a encore beaucoup de réminiscences égyptiennes dans la maçonnerie, et beaucoup de sociétés secrètes se sont appelées des alliances éleusines. Il y a eu là des fêtes des loges, des fêtes des mystères éleusins et aphrodisiens où la femme finissait quand même par intervenir, des fêtes des roses auxquelles faisaient allusion les trois roses bleues du tablier de maçon, et qui, semble-t-il, devaient s'achever en bacchanales.

— Mais voyons donc, qu'entends-je, professeur Naphta ? Et tout cela, c'est de la franc-maçonnerie ? Et c'est à tout cela que notre ami Settembrini, un esprit si clair…

— Vous vous montreriez injuste envers lui ! Non, Settembrini ne sait plus rien de tout cela. Ne vous ai-je pas dit que la loge a été débarrassée, par ses semblables, de tous les éléments d'une vie supérieure ? Elle s'est humanisée, modernisée, grand Dieu ! Elle est revenue des égarements de ce genre à l'Utilité, à la Raison et au Progrès, à la lutte contre les princes et les calotins, bref à une conception sociale du bonheur. On s'y entretient de nouveau de la nature, de la vertu, de la mesure et de la patrie. Je suppose que l'on y parle même de ses affaires. Bref, c'est la mesquinerie bourgeoise sous forme d'un cercle…

— Dommage ! Dommage pour les fêtes des roses ! Je demanderai à Settembrini s'il n'en sait vraiment rien.

— L'honnête chevalier de l'équerre ! railla Naphta. Songez qu'il ne lui a pas été facile de se faire admettre dans le chantier du Temple de l'Humanité, car il est pauvre comme un rat d'église, et l'on n'y exige pas tellement une culture supérieure, une culture humaniste s'il vous plaît, qu'une fortune suffisante pour pouvoir payer les droits d'entrée et les cotisations annuelles qui ne sont pas négligeables. De la culture et de la fortune, voilà le bourgeois. Vous tenez là les fondements de la République libérale universelle !

— En effet, rit Hans Castorp, les voici en évidence sous nos yeux.

— Néanmoins, ajouta Naphta après un silence, je voudrais vous conseiller de ne pas prendre trop à la légère cet homme et sa cause, je voudrais même vous engager, puisque nous sommes en train d'en parler, à vous tenir sur vos gardes. Le démodé n'est pas encore l'équivalent de l'innocent. Pour être borné, on n'est pas nécessairement inoffensif. Ces gens ont mis beaucoup d'eau dans leur vin qui fut jadis généreux, mais l'idée d'alliance elle-même demeure assez forte pour supporter d'être diluée ; elle conserve des vestiges d'un mystère fécond, et l'on peut aussi peu douter que les loges ont leurs mains dans le jeu du monde que l'on peut hésiter à croire que derrière cet aimable M. Settembrini se dissimulent des puissances dont il est l'affilié et l'émissaire…

— L'émissaire ?

— Oui, un faiseur de prosélytes, un pêcheur d'âmes. »

« Et quelle espèce d'émissaire es-tu donc, toi ? » songea Hans Castorp. À haute voix, il dit :

« Je vous remercie, professeur Naphta. Je vous suis sincèrement obligé de votre conseil. Savez-vous ce que je vais faire ? Je vais monter encore un étage pour autant qu'il peut encore être question d'étage à cette hauteur, et je vais tâter le pouls à ce frère maçon déguisé. Il faut qu'un apprenti soit avide de savoir et impavide. Naturellement, il faut aussi qu'il soit prudent… Avec les émissaires, il est évident que la prudence est de mise. »

Il pouvait sans crainte continuer de s'instruire auprès de Settembrini, car celui-ci n'avait rien à reprocher à M. Naphta sous le rapport de la discrétion et n'avait du reste pas semblé particulièrement soucieux de faire un mystère de ses rapports avec cette compagnie harmonieuse. La *Rivista della Massoneria Italiana* était ouverte sur sa table. Hans Castorp n'y avait simplement pas pris garde jusqu'à ce moment. Et lorsque, éclairé par Naphta, il eut dirigé la conversation vers l'art royal, comme si les rapports de Settembrini avec la franc-maçonnerie n'avaient jamais fait l'ombre d'un doute, il ne s'était heurté qu'à un semblant de réserve. Sans doute, y avait-il des points sur lesquels le littérateur ne se livrait pas, et au sujet desquels il gardait les lèvres closes avec une certaine ostentation. Apparemment il était lié par ces serments terroristes dont Naphta avait parlé : cachotteries qui ne s'étendaient qu'aux usages extérieurs et à sa propre position au sein de cette étrange organisation. Mais pour le reste, il en parlait même d'abondance et traçait au curieux un tableau important de l'étendue de sa ligue qui était représentée presque dans le monde entier par vingt mille loges et cent cinquante grandes loges, et qui s'étendait même jusqu'à des civilisations comme celle de Haïti et à la République nègre de Libéria. Il citait aussi toutes sortes de grands noms dont les porteurs avaient été des francs-maçons, ou l'étaient présentement. Il nomma Voltaire, Lafayette et Napoléon, Franklin et Washington, Mazzini et Garibaldi, et, au nombre des vivants, le roi d'Angleterre lui-même ; il énuméra en outre nombre d'hommes qui avaient la charge des affaires publiques d'États européens, membres de gouvernements et de parlements.

Hans Castorp manifesta son respect, mais aucun étonnement. Il en était de même dans les associations d'étudiants, dit-il. Celles-ci aussi vous rapprochaient pour la vie, et savaient caser leurs adhérents ; et même, lorsqu'on n'avait pas été membre d'une association, on réussissait difficilement dans les administrations. Aussi, n'était-ce pas très avisé de la part de M. Settembrini de faire à ces premiers rôles un mérite de leurs accointances avec la loge ; car il fallait admettre, au contraire, que, si tant de postes importants avaient été occupés par des francs-maçons, cela ne prouvait en somme que la puissance de la loge qui certainement avait sa main dans le jeu universel plus que M. Settembrini ne voulait l'avouer franchement.

Settembrini sourit. Il s'éventa même avec le cahier de la *Massoneria* qu'il tenait à la main. On pensait sans doute lui tendre un piège ? demanda-t-il. Peut-être voulait-on l'entraîner à des confidences imprudentes sur la nature politique, sur l'esprit essentiellement politique de la loge ? « Rouerie inutile, ingénieur ! Nous admettons la politique sans réserve, ouvertement. Nous faisons peu de cas de la haine que quelques sots — ils sont installés dans votre pays, ingénieur, presque nulle part ailleurs — vouent à ce mot et à ce titre. Le philanthrope ne peut même pas admettre de différence entre la politique et la non-politique. Il n'y a pas de non-politique, tout est politique.

— Un point c'est tout ?

— Je sais bien qu'il y a des gens qui jugent bon d'attirer l'attention sur la nature primitivement apolitique de la franc-maçonnerie. Mais ces gens jouent avec les mots et tracent des frontières qu'il est grand temps de reconnaître comme imaginaires et stupides. Premièrement, les loges espagnoles, tout au moins, ont eu dès l'origine une orientation politique…

— Je pense bien.

— Vous pensez très peu de chose, ingénieur. Ne vous imaginez pas pouvoir penser beaucoup de choses par vous-même. Mais efforcez-vous plutôt d'assimiler et d'utiliser — je vous en prie dans votre intérêt comme dans l'intérêt de votre pays et de l'Europe — ce que je suis en train de vous inculquer en second lieu. *Secundo*, en effet, l'idée maçonnique n'a jamais été apolitique, en aucun temps, elle n'a pas pu l'être, et si elle a cru l'être, elle s'est trompée sur sa propre nature. Que sommes-nous ? Des maçons et des manœuvres qui travaillent à une construction. Tous se fixent un but unique, la meilleure part du tout, c'est la loi fondamentale de la fraternité. Quelle est cette meilleure part ? Qu'est-ce que cet édifice ? L'édifice social méthodiquement construit, le perfectionnement de l'humanité, la nouvelle Jérusalem. Que viennent faire là-dedans la politique et la non-politique ? Le problème social, le problème de la vie en société est lui-même politique, entièrement politique, uniquement politique. Quiconque se consacre à ce problème — et celui qui s'y déroberait ne mériterait pas le nom d'homme — relève de la politique, de la politique intérieure comme de la politique extérieure, et comprend que l'art du franc-maçon est l'art de gouverner…

— De gouverner…

— … que la franc-maçonnerie des illuminés a connu le grade de régent…

— Très bien, monsieur Settembrini. L'art de gouverner, le grade de régent, voilà qui me plaît. Mais dites-moi une chose : êtes-vous chrétien, vous tous, dans votre loge ?

— *Perché ?*

— Excusez-moi, je veux poser la question autrement, sous une forme plus générale et plus simple. Croyez-vous en Dieu ?

— Je vous répondrai : pourquoi me posez-vous cette question ?

— Je n'ai pas voulu vous tenter tout à l'heure, mais il y a une histoire biblique, où quelqu'un tente le Seigneur en lui présentant une pièce de monnaie romaine, et reçoit cette réponse qu'il faut rendre à César ce qui est à César et à Dieu ce qui est à Dieu. Il me semble que cette manière de distinguer nous donne la différence entre la politique et la non-politique. S'il y a un Dieu, on doit pouvoir faire cette différence. Les francs-maçons croient-ils en Dieu ?

— Je me suis engagé à vous répondre. Vous parlez d'une unité que l'on s'efforce de créer, mais qui, au grand regret des hommes de bonne volonté, n'existe pas encore. La ligue universelle des francs-maçons n'existe pas. Si elle est réalisée — et je répète que l'on travaille avec une application silencieuse à cette grande œuvre, sa confession religieuse sera, elle aussi, sans nul doute, unifiée, et elle sera conçue dans les termes suivants : « *Écrasez l'infâme !* »

— D'une façon obligatoire ? Mais ce serait de l'intolérance !

— Je doute que vous soyez capable de discuter le problème de la tolérance, ingénieur. Mais tâchez de vous rappeler que la tolérance devient un crime lorsqu'on en fait preuve à l'égard du mal.

— Dieu serait donc le mal ?

— La métaphysique est le mal. Car elle n'est bonne à rien qu'à endormir l'activité que nous devons consacrer à la construction du temple de la société. Aussi le Grand Orient de France a-t-il depuis longtemps donné l'exemple en effaçant le nom de Dieu de tous ses actes. Nous, les Italiens, avons suivi l'exemple…

— Comme c'est catholique !

— Vous dites ?

— Je trouve cela catholique à outrance que de rayer Dieu !

— Que voulez-vous dire par là ?

— Rien de particulièrement intéressant, monsieur Settembrini. Ne faites pas attention à mon bavardage. J'ai eu un instant l'impression que l'athéisme était énormément catholique et que l'on ne biffât Dieu que pour pouvoir être d'autant mieux catholique. »

Si M. Settembrini resta coi après ces mots, ce ne fut évidemment que par méthode pédagogique. Il répondit après un silence convenable :

« Ingénieur, loin de moi le désir de vous tromper ou de vous blesser dans votre protestantisme. Nous avons parlé de tolérance… Il est superflu de souligner que j'éprouve à l'endroit du protestantisme plus que de la tolérance, une profonde admiration pour son rôle historique d'opposant contre l'étranglement de la conscience. L'invention de la typographie et la Réforme sont et demeurent les mérites les plus éminents de l'Europe centrale dans la cause de l'Humanité. C'est hors de doute. Mais, après ce que vous venez de dire, je ne doute pas que vous me compreniez exactement, si je vous fais observer que ce n'est là qu'un aspect de la question et qu'il y en a un second. Le protestantisme comporte des éléments… La personnalité de votre réformateur elle-même comportait des éléments… Je pense à des éléments de quiétisme et de contemplation hypnotique qui ne sont pas européens, qui sont étrangers et hostiles à la loi de la vie sur ce continent actif. Regardez-le donc bien, ce Luther ! Considérez les portraits que nous avons de lui, ceux de sa jeunesse et les autres, ceux de sa maturité ! Quel est donc ce crâne ? Que signifient ces pommettes, et cette étrange position des yeux ? Mon ami, c'est l'Asie ! Je ne serais pas surpris, je ne serais pas du tout surpris si un élément wando-slavo-sarmate se trouvait être en jeu, et si la personnalité, d'ailleurs formidable — qui songerait à le nier ? — de cet homme signifiait qu'un des plateaux si dangereusement équilibrés de votre pays avait été fatalement surchargé d'un poids formidable : le plateau oriental, qui jusqu'à nos jours fait voltiger vers le ciel le plateau occidental… »

De son pupitre d'humaniste, près de la lucarne, devant lequel il était jusqu'à présent resté debout, M. Settembrini s'était approché de la table ronde avec la carafe d'eau, s'était approché de son élève qui était assis sur le canapé appuyé contre le mur, sans s'adosser, les coudes sur les genoux et le menton posé sur sa main.

« *Caro*, dit M. Settembrini. *Caro amico !* Il faudra prendre des décisions, des décisions d'une portée inappréciable pour le bonheur et l'avenir de l'Europe, et il appartiendra à votre pays de les prendre. Elles devront s'accomplir dans son âme. Placé entre l'Est et l'Ouest, il devra choisir définitivement et en pleine conscience entre les deux sphères qui se disputent sa nature, il devra se décider. Vous êtes jeune, vous prendrez part à cette décision, vous serez appelé à l'influencer. Bénissons donc le destin qui vous a guidé en ces contrées effroyables, mais qui en même temps me donne l'occasion d'exercer une influence sur votre jeunesse malléable, par ma parole qui n'est pas tout à fait inexperte ni tout à fait impuissante, et de vous faire sentir les responsabilités que vous portez, que votre pays porte aux yeux de la civilisation… »

Hans Castorp était assis, le menton dans son poing. Il regardait dehors, par la lucarne, et dans ses yeux bleus et simples on pouvait lire la résistance de sa pensée. Il garda le silence.

« Vous vous taisez, dit M. Settembrini, ému. Vous et votre pays, vous laissez planer sur ces choses un silence réticent, un silence si opaque qu'il ne permet de porter aucun jugement sur sa profondeur. Vous n'aimez pas la parole, ou vous ne savez pas vous en servir, ou vous la tenez sacrée d'une manière peu communicative, et le monde articulé ne sait ni n'apprend où il en est avec vous. Mon ami, c'est dangereux. La langue, c'est la civilisation même… Toute parole, même la plus contradictoire, est une obligation… Mais le mutisme isole. On soupçonne que vous tenterez de briser votre solitude par des actes. Vous ferez marcher votre cousin Giacomo (M. Settembrini, pour plus de commodité, avait coutume d'appeler Joachim "Giacomo"), vous ferez avancer votre cousin Giacomo hors de votre silence et "il en abattra deux à grands coups, et les autres s'enfuiront".

Comme Hans Castorp se mit à rire, M. Settembrini, lui aussi, sourit, satisfait tout au moins momentanément de l'effet produit par ses paroles plastiques.

« Bon, rions ! dit-il. Vous me trouverez toujours disposé à la gaieté, "le rire est un rayonnement de l'âme", dit un penseur grec. Aussi avons-nous dévié de notre sujet vers des choses qui, je vous l'accorde, sont liées aux difficultés auxquelles se heurtent nos travaux préparatoires en vue d'une ligue universelle maçonnique, à des difficultés que l'Europe protestante notamment nous oppose… »

M. Settembrini continua de parler avec chaleur de l'idée de cette ligue universelle qui était née en Hongrie et dont la réalisation, qu'il y avait lieu d'espérer, était destinée à conférer à la franc-maçonnerie un pouvoir qui déciderait du sort de l'univers. Il montra en passant des lettres qu'il avait reçues de hauts dignitaires étrangers de la ligue sur cette question, une lettre autographe du grand maître suisse, le frère Quartier la Tente, du trente-troisième grade, et il commenta le projet que l'on avait de faire de l'espéranto la langue universelle de la ligue. Son zèle s'éleva dans la sphère de la haute politique, il fit le tour de l'Europe, et pesa les chances de la pensée révolutionnaire républicaine dans son propre pays, en Espagne, au Portugal. Il prétendit également entretenir une correspondance avec des personnes placées à la tête de la grande loge de ce royaume. Là-bas les choses approchaient sans aucun doute d'une période décisive. Que Hans Castorp pensât à lui si, très prochainement, les événements s'y précipitaient ! Hans Castorp promit de le faire.

Il convient d'observer que ces causeries maçonniques qui s'étaient déroulées entre l'élève et chacun des deux mentors, séparément, s'étaient produites encore dans la période précédant le retour de Joachim. La discussion à laquelle nous arrivons maintenant eut lieu après son retour et en sa présence, neuf semaines après son arrivée, au début d'octobre, et Hans Castorp garda le souvenir de cette réunion sous un soleil d'automne devant le casino de Platz, avec des boissons rafraîchissantes sur la table, parce que Joachim lui inspira ce jour-là un souci secret, par des apparences et des symptômes qui d'habitude ne sont pas un objet de souci, à savoir par des maux de gorge et de l'enrouement, d'inoffensives gênes par conséquent, mais qui apparurent au jeune Castorp sous un jour quelque peu singulier, à la lumière, peut-on dire, qu'il croyait remarquer tout au fond des yeux de Joachim, de ces yeux qui avaient toujours été doux et grands, mais qui ce jour-là, et pas avant, s'étaient agrandis et approfondis d'une certaine manière indéfinissable, avec une expression rêveuse et — il faut ajouter ce mot étrange — *menaçante*, s'ajoutant à cette silencieuse luminosité intérieure déjà mentionnée et qui n'avait pas précisément déplu à Hans Castorp — bien au contraire elle lui plaisait même beaucoup, mais lui causait néanmoins de l'appréhension. Bref, il n'est pas possible de parler de ces impressions d'une manière autre que confuse, en se conformant à leur caractère.

En ce qui concerne la conversation, la controverse — naturellement une controverse entre Naphta et Settembrini —, elle était une chose à part, et ne ressemblait que d'assez loin à leurs entretiens particuliers avec Hans Castorp sur la franc-maçonnerie. En dehors des cousins, Ferge et Wehsal y assistaient également, et tous étaient grandement intéressés, bien que tous ne fussent pas à la hauteur du sujet ; M. Ferge souligna expressément qu'il ne l'était pas. Mais une discussion qui est menée comme si la vie en était l'enjeu, en même temps qu'avec esprit et brio, comme s'il ne s'agissait pas de la vie, mais d'un concours élégant — tel était le caractère de toutes les discussions entre Settembrini et Naphta —, une pareille discussion est intéressante en soi, même pour ceux qui n'y entendent pas grand-chose et qui n'en mesurent que confusément la portée. Même des auditeurs tout à fait étrangers, assis par hasard dans le voisinage, prêtaient l'oreille au débat, les sourcils levés, captivés par la passion et par la grâce du dialogue.

Cela se passait, comme il a été dit, devant le casino, l'après-midi, après le thé. Les quatre pensionnaires du Berghof y avaient rencontré Settembrini, et par hasard Naphta s'était joint à eux. Ils étaient tous assis autour d'une petite table de fer devant des apéritifs à l'eau, anis et vermouth. Naphta, qui prenait ici son goûter, s'était fait servir du vin et des pâtisseries, ce qui était apparemment une réminiscence de son noviciat, Joachim humectait souvent sa gorge malade de citronnade, qu'il buvait très forte et très acide, parce que cela contractait les tissus et le soulageait. Quant à Settembrini, il buvait tout simplement de l'eau sucrée, mais il la buvait au moyen d'une paille, avec une grâce appétissante, comme s'il avait dégusté le plus précieux rafraîchissement, il plaisanta :

« Qu'entends-je, ingénieur ? Quelle est la rumeur qui est parvenue à mes oreilles ? Votre Béatrice va revenir ? Votre guide à travers les neuf sphères tournantes du paradis ? Allons, je veux espérer que, malgré cela, vous ne dédaignerez pas complètement la main amicale de votre Virgile ! Notre écclésiaste que voici vous confirmera que l'univers du *Medioevo* n'est pas complet s'il manque au mysticisme franciscain le pôle contraire de la connaissance thomiste. » On rit de tant de plaisante pédanterie, et l'on regarda Hans Castorp, qui, riant lui aussi, leva son verre de vermouth à la santé de « son Virgile ». Mais on aura peine à croire quel inépuisable conflit d'idées devait découler, durant l'heure suivante, des propos, inoffensifs encore que recherchés, de M. Settembrini. Car Naphta, en quelque sorte provoqué, passa aussitôt à l'attaque, et s'en prit au poète latin que Settembrini adorait notoirement, jusqu'à le placer au-dessus d'Homère, tandis que Naphta avait déjà plus d'une fois manifesté le dédain le plus tranché à son égard comme à l'égard de la poésie latine en général, et saisit à nouveau avec malice et promptitude l'occasion qui s'offrait. Ç'avait été un préjugé du grand Dante, dit-il, d'entourer de tant de solennité ce médiocre versificateur, et de lui accorder dans son poème un rôle si élevé, encore que Lodovico prêtât sans doute à ce rôle une signification par trop maçonnique. Qu'avait-il donc eu de particulier, ce lauréat-courtisan, et ce lécheur de bottes de la maison Julienne, ce littérateur de métropole et ce rhéteur d'apparat, dépourvu de la moindre étincelle créatrice, dont l'âme, s'il en avait possédé une, eût certainement été de deuxième main, et qui n'avait pas du tout été un poète, mais un Français en perruque poudrée de l'époque d'Auguste.

M. Settembrini ne douta pas que son honorable contradicteur possédât des moyens de concilier son mépris de la période romaine de haute civilisation avec ses fonctions de professeur de latin. Mais il lui semblait nécessaire d'attirer l'attention de M. Naphta sur la contradiction plus grave où il s'engageait par de tels jugements, car ils le mettaient en désaccord avec ses siècles préférés, lesquels non seulement n'avaient pas méprisé Virgile, mais encore avaient rendu justice assez ingénument à sa grandeur en faisant de lui un magicien et un sage.

C'est bien vainement, répliqua Naphta, que M. Settembrini appelait à son secours l'ingénuité de cette jeune et victorieuse époque qui avait prouvé sa force créatrice jusque dans la « démonisation » de ce qu'elle surmontait. D'ailleurs, les docteurs de la jeune Église ne s'étaient pas lassés de mettre en garde contre les mensonges des philosophes et des poètes de l'Antiquité et en particulier contre la souillure de l'éloquence voluptueuse de Virgile. Et de nos jours, où une ère s'achevait de nouveau, et où une aube prolétarienne poignait, l'heure était vraiment favorable pour partager leurs sentiments ! M. Lodovico pouvait être persuadé — pour trancher la question — que lui, Naphta, se livrait à sa profession privée à quoi il avait été fait allusion, avec toute la *reservatio mentalis* convenable. Ce n'est pas sans ironie qu'il participait à un système d'éducation classique et oratoire auquel le plus grand optimiste ne pouvait promettre plus que quelques dizaines d'années d'existence.

« Vous les avez étudiés, s'écria Settembrini, vous les avez étudiés à la sueur de votre front, ces vieux poètes et philosophes, vous avez essayé de vous approprier leur précieux héritage, de même que vous avez utilisé le matériel de constructions antiques pour vos maisons de prière. Car vous avez bien senti que vous ne seriez pas capables de produire une nouvelle forme d'art par les propres forces de votre âme prolétarienne, et vous avez espéré battre l'Antiquité avec ses propres armes. Il en sera ainsi de nouveau, il en sera ainsi toujours ! Votre jeunesse inculte devra se mettre à l'école de ce que vous voudriez vous persuader à vous-mêmes et à d'autres de dédaigner ; car sans culture vous ne pourriez vous imposer à l'humanité, et il n'y a qu'une seule culture : celle que vous appelez la culture bourgeoise et qui est la culture humaine ! Et vous osez chiffrer par décennies le temps qui reste à vivre aux humanités ? » La politesse seule empêchait M. Settembrini de partir d'un rire aussi insouciant que moqueur. Une Europe qui savait administrer son patrimoine éternel passerait en toute tranquillité d'âme à l'ordre du jour de la raison classique — au mépris des apocalypses prolétariennes qu'il plaisait à certains d'imaginer.

Mais c'est justement de cet ordre du jour, répondit Naphta d'un ton mordant, que M. Settembrini ne semblait pas très bien informé. Car la question que son contradicteur trouvait bon de tenir pour tranchée d'avance, était précisément à l'ordre du jour, celle de savoir si la tradition méditerranéenne, classique et humaniste, était une affaire de l'humanité entière et par conséquent chose humaine et éternelle, ou si elle n'avait été qu'un état d'esprit et l'accessoire d'une époque, de l'époque bourgeoise et libérale, et si elle allait mourir avec elle. Il appartenait à l'Histoire d'en décider, mais, en attendant, M. Settembrini ferait bien de ne pas se laisser bercer dans la certitude illusoire que cette décision pourrait être favorable à son conservatisme latin.

C'était une insolence particulière du petit Naphta d'appeler M. Settembrini, le serviteur déclaré du Progrès, un « conservateur ». Tous l'éprouvèrent, et avec une amertume particulière celui que cette flèche venait d'atteindre et qui tournait sa moustache retroussée, tout en cherchant une réplique, laissant ainsi à son ennemi le temps de se livrer à de nouvelles incursions contre l'idéal de la culture classique, contre l'esprit littéraire et rhétoricien de l'école et de la pédagogie européenne, contre son souci d'un formalisme grammatical qui n'était qu'un accessoire de la domination de la classe bourgeoise, mais qui était depuis longtemps pour le peuple un objet de risée. Oui, l'on ne se doutait pas à quel point le peuple se moquait de nos titres de docteur et de tout notre mandarinat universitaire et de l'école primaire obligatoire, de cet instrument de la dictature bourgeoise des classes, dont on usait dans l'illusion que l'instruction du peuple était la culture scientifique délayée. Le peuple savait depuis longtemps où chercher, ailleurs que dans ces pénitenciers officiels, la culture et l'éducation dont il avait besoin dans sa lutte contre le règne vermoulu de la bourgeoisie, et les moineaux sifflaient sur les toits que notre type d'école, tel qu'il est issu de l'école monastique du Moyen Âge, constituait un anachronisme et une vieillerie ridicule, que personne au monde ne devait plus sa culture proprement dite à l'école, et qu'un enseignement libre et accessible à tous par des conférences publiques, par des expositions et par le cinéma était infiniment supérieur à tout enseignement scolaire.

Dans le mélange de révolution et d'obscurantisme que Naphta servait à ses auditeurs, lui répondit Settembrini, la part obscurantiste prédominait d'une manière peu appétissante. La satisfaction qu'il éprouvait à trouver Naphta aussi soucieux d'instruire le peuple était quelque peu compromise par sa crainte que ne prédominât chez lui une tendance instinctive à plonger le peuple et le monde dans les ténèbres de l'analphabétisme.

Naphta sourit. L'analphabétisme ? On se figurait sans doute avoir prononcé là un mot vraiment effrayant, on était persuadé avoir montré la tête de la Gorgone, persuadé que tout le monde en pâlirait comme il sied. Lui, Naphta, regrettait de devoir ménager à son contradicteur une déception en lui apprenant que la terreur des humanistes devant l'idée d'analphabétisme l'égayait tout bonnement. Il fallait être un littérateur de la Renaissance, un homme du *Seicento*, un Mariniste, un bouffon de l'*estilo culto* pour attribuer aux disciplines de la lecture et de l'écriture une importance pédagogique aussi exagérée, au point de se figurer que partout où cette connaissance ferait défaut régneraient les ténèbres de l'esprit. M. Settembrini se rappelait-il que le plus grand poète du Moyen Âge, Wolfram von Eschenbach, avait été un illettré ? À cette époque, il eût passé pour honteux en Allemagne d'envoyer à l'école un garçon qui ne voulait pas devenir prêtre, et ce dédain aristocratique et populaire des arts littéraires avait toujours été un témoignage de noblesse véritable, tandis que le littérateur, ce vrai fils de l'humanisme et de la bourgeoisie, savait sans doute lire et écrire, ce que ne savaient pas ou ce que savaient mal le gentilhomme, le guerrier et le peuple, mais, en dehors de cela, il ne savait rien ni n'entendait rien à rien au monde, il n'était qu'un farceur, qui administrait la parole et qui abandonnait la vie aux honnêtes gens, et c'était sans doute pourquoi il gonflait la politique elle-même de rhétorique et de belle littérature, ce qui, en langage de parti, s'appelait radicalisme et démocratie. Et ainsi de suite, et ainsi de suite…

Sur quoi M. Settembrini revint à l'attaque.

« C'est avec une trop grande témérité, s'écria-t-il, que son adversaire étalait son goût pour la barbarie fervente de certaines époques, en raillant l'amour de la forme littéraire, sans laquelle, en effet, nulle humanité n'aurait été ni possible ni imaginable, non certes, au grand jamais ! Noblesse ? Seul un ennemi du genre humain pouvait baptiser de ce nom l'absence du verbe, le matérialisme brutal et muet. Seul était noble un certain luxe, la *generosità*, qui consistait à accorder à la forme une valeur humaine propre, indépendante de son contenu, le culte de la parole comme d'un art pour l'art — cet héritage de la civilisation gréco-latine —, que les humanistes, les *uomini letterati* avaient, tout ou moins, rendu au monde latin, ce culte qui avait été la source de tout idéalisme plus large et substantiel, même de l'idéalisme politique.

« Parfaitement, monsieur ! Ce que vous voudriez avilir en séparant la parole de la vie n'est pas autre chose qu'une unité supérieure dans le diadème de la beauté ; et de quel côté se trouvera la jeunesse généreuse dans la bataille entre la Littérature et la Barbarie, voilà une question qui ne me cause nulle inquiétude. »

Hans Castorp qui n'avait accordé à la conversation qu'une attention à moitié distraite parce que la personne du guerrier en présence, représentant de la vraie noblesse, ou plus exactement l'expression nouvelle de ses yeux l'occupaient, sursauta parce qu'il se sentit interpellé et mis en cause par les dernières paroles de M. Settembrini, mais il fit ensuite une tête comme le jour où Settembrini avait voulu solennellement l'obliger à choisir entre l'Orient et l'Occident, c'est-à-dire une figure récalcitrante, pleine de réserves mentales — et garda le silence. Ils réduisaient tout à l'absurde, ces deux-là, comme c'était sans doute indispensable lorsqu'on voulait se disputer, et ils se querellaient avec acharnement autour d'alternatives extrêmes alors qu'il lui semblait bien que quelque part, entre ces exagérations, entre cet humanisme éloquent et cette barbarie illettrée devait se trouver quelque chose que l'on pouvait aborder dans un esprit conciliant comme purement *humain*. Mais il n'exprima pas sa pensée, pour ne pas irriter les deux esprits, et, plein de réticences, il les laissa s'enferrer de plus en plus et s'aider mutuellement dans leur hostilité, aller de cent en mille, à partir du moment où Settembrini avait déclenché la discussion par sa petite plaisanterie sur le Latin Virgile.

Il défendait toujours la parole, il la brandissait, il la faisait triompher. Il se posa en gardien du génie littéraire, glorifia l'histoire des lettres, à partir de l'instant où pour la première fois un homme, pour donner de la durée à son savoir et à sa manière de sentir, avait tracé des mots sur une pierre. Il parla du dieu égyptien Thot, qui n'avait fait qu'un avec l'Hermès Trismégiste de l'hellénisme, et qui avait été vénéré comme l'inventeur de l'écriture, comme le protecteur des bibliothèques et l'animateur de tous les efforts de l'esprit. En paroles il ploya le genou devant ce Trismégiste, Hermès l'humaniste, le maître de la palestre, à qui l'humanité devait le don précieux du verbe, celui de la rhétorique discursive, et il amena ainsi Hans Castorp à faire la remarque suivante : ce dieu natif d'Égypte avait donc sans doute été un politicien et avait joué en grand le même rôle que le sieur Brunetto Latini qui avait fait plus particulièrement l'éducation des Florentins et qui leur avait enseigné l'art de la parole, ainsi que celui de gouverner la République d'après les règles de la politique — sur quoi Naphta répondit que M. Settembrini truquait un peu, et qu'il avait fait de Thot-Trismégiste un portrait par trop flatté. Car cela avait été plutôt une divinité simiesque consacrée à la lune et aux âmes, un babouin surmonté d'un croissant, et, sous le nom d'Hermès, avant tout un dieu de la mort et des morts : le dompteur et le conducteur des âmes que les dernières périodes de l'Antiquité avaient déjà transformé en un magicien, et dont le Moyen Âge cabaliste avait fait le père de l'alchimie hermétique.

Dans la pensée de Hans et dans le chantier de son imagination tout allait sens dessus dessous. Il y avait la Mort drapée de son manteau bleu, et elle était un rhéteur humaniste ; lorsqu'on considérait de plus près le dieu pédagogue de la littérature et l'ami des hommes, on trouvait un singe accroupi qui portait sur son front les signes de la nuit et de la magie… Il faisait des signes de dénégation, et abritait ensuite ses yeux des mains. Mais dans les ténèbres où il s'était réfugié dans son désarroi, la voix de Settembrini retentissait, qui continuait de célébrer la littérature. Non seulement la grandeur contemplative, mais la grandeur active elle aussi, s'écria-t-il, y avait toujours été liée ; et il nomma Alexandre, César, Napoléon, il cita Frédéric de Prusse et d'autres héros, même Lassalle et Moltke. Il ne se laissa pas détourner de son raisonnement lorsque Naphta voulut l'entraîner en Chine où régnait l'idolâtrie la plus bouffonne de l'alphabet, où l'on devenait généralissime parce que l'on savait tracer à l'encre de Chine quarante mille hiéroglyphes, ce qui eût tout à fait répondu à l'état d'esprit d'un humaniste. Eh ! Naphta savait parfaitement qu'il ne s'agissait pas de dessiner à l'encre de Chine, mais de la littérature considérée comme impulsion donnée au monde, de son esprit (pauvre railleur !) lequel était l'esprit tout court, le miracle de la fusion de l'analyse et de la forme. C'était cet esprit qui éveillait l'intelligence à tout ce qui est humain, qui s'efforçait de combattre les préjugés stupides et de les anéantir, qui purifiait, anoblissait et amendait le genre humain. En créant l'extrême raffinement moral et la sensibilité la plus subtile, il initiait les hommes, loin de les fanatiser, au doute, à la justice, à la tolérance. L'effet purificateur et sanctificateur de la littérature, la destruction des passions par la connaissance et par la parole, la littérature considérée comme un acheminement vers la compréhension, vers le pardon et vers l'amour, la puissance libératrice du langage, l'esprit littéraire comme le phénomène le plus noble de l'esprit humain en général, le littérateur comme homme parfait, comme saint… C'est sur ce ton d'exaltation, en cantique de louange, que monta l'apologie de M. Settembrini. Mais, hélas ! son contradicteur non plus n'était pas tombé sur la tête ; il sut interrompre la salutation angélique par des objections caustiques et brillantes, en optant pour le parti de la conservation et de la vie, contre l'esprit de la décomposition qui se dissimulait derrière cette duplicité séraphique. La fusion miraculeuse, qui avait arraché des trémolos à M. Settembrini, n'était pas autre chose qu'un leurre et un mirage, car la force que l'esprit littéraire se targuait de concilier avec le principe de l'examen et de la discrimination n'était qu'une forme apparente et mensongère, n'était pas une forme authentique, naturelle, et qui avait grandi normalement, n'était pas une forme vivante. Le prétendu réformateur du monde avait sans doute sur les lèvres les mots de purification et de sanctification, mais en réalité cela aboutissait à une émasculation de la vie ainsi anémiée ; plus encore : l'esprit, le zèle du théoricien profanaient la vie, et quiconque voulait détruire les passions voulait le néant pur, pur en effet, puisque pur est le seul adjectif que l'on puisse à la rigueur encore adjoindre au néant. Mais c'est en cela justement que M. Settembrini, le littérateur, montrait bien ce qu'il était, c'est-à-dire un homme du progrès, du libéralisme et de la révolution bourgeoise. Car le progrès était du pur nihilisme, et le citoyen libéral était proprement l'homme du néant et du démon, et même il niait Dieu, l'absolu au sens conservateur et positif, en prêtant serment à l'absolu opposé et démoniaque, et en se croyant encore un modèle de piété avec son pacifisme meurtrier. Mais il n'était rien moins que pieux, il était au contraire coupable de haute trahison envers la vie, et méritait d'être traduit devant le tribunal de son Inquisition et de sa Sainte-Vehme, etc.

C'est par de pareilles pointes que Naphta réussit à donner au chant d'apothéose une tournure diabolique et à se représenter lui-même comme l'incarnation de l'amour austère et de l'esprit conservateur, de sorte qu'il redevenait purement et simplement impossible de distinguer où était Dieu et où le Diable, où la Mort, et où la Vie. On nous croira sur parole : son contradicteur était de taille à lui répondre, et cette réponse, qui fut remarquable, lui en valut une autre, non moins bonne, après quoi cela continua encore un bon moment, et l'entretien dévia vers un ordre de problèmes dont il a déjà été question plus haut. Mais Hans Castorp n'écouta pas plus avant, parce que Joachim avait dit entre-temps qu'il avait l'impression très nette d'avoir pris froid et qu'il ne savait pas trop quelle conduite il adopterait, puisque les refroidissements n'étaient pas « *reçus* » ici. Les duellistes n'avaient prêté aucune attention à cette parole, mais Hans Castorp, comme nous l'avons montré, veillait d'un œil soucieux sur son cousin, et il se retira avec Joachim au beau milieu d'une réplique ; on allait voir si le reste du public, composé de Ferge et de Wehsal, donnerait une impulsion pédagogique suffisante à la suite du débat.

En cours de route, il tomba d'accord avec Joachim qu'en matière de refroidissements et de maux de gorge il fallait emprunter la voie hiérarchique, c'est-à-dire charger le baigneur de prévenir la supérieure, à la suite de quoi l'on finirait quand même par faire quelque chose pour le malade. Ainsi firent-ils, et ils firent bien. À la porte de Joachim, alors que Hans Castorp se trouvait par hasard dans la chambre de son cousin, elle s'informa de sa voix criarde des désirs et des plaintes du jeune officier. « Maux de gorge, enrouement ? répéta-t-elle, jeune homme, quelles frasques vous permettez-vous là ? » Et elle entreprit de regarder le malade d'un œil pénétrant, sans que leurs yeux se rencontrassent jamais, ce en quoi Joachim était d'ailleurs parfaitement innocent : c'était le regard de la supérieure qui se dérobait obstinément. Mais pourquoi tentait-elle toujours de nouveau cette entreprise, alors que l'expérience lui avait montré qu'il ne lui était pas donné de la réussir ? À l'aide d'une sorte de chausse-pied en métal, qu'elle tira de la poche de sa ceinture, elle inspecta le gosier du patient, tandis que Hans Castorp, pour l'éclairer, avait approché la veilleuse de la table de nuit. Tout en examinant, haussée sur la pointe des pieds, la luette de Joachim, elle l'interrogeait :

« Dites donc, mon maître et seigneur, avez-vous jamais avalé de travers ? »

Que pouvait-on répondre à cela ? Durant l'examen, il n'y avait même pas moyen du tout de répondre. Mais, lors même qu'elle eut fini, on restait fort embarrassé. Naturellement, dans la vie, il avait avalé de travers, une ou deux fois, en mangeant et en buvant ; mais c'était le sort de tous les hommes et ce n'était sans doute pas cela qu'elle avait voulu dire par sa question. Il dit : Comment cela ? Il ne se souvenait pas que cela lui fût arrivé récemment.

« Allons, bon ! » fit-elle. Ce n'était qu'une idée qui lui avait passé par la tête. Il avait donc pris froid, dit-elle, à la surprise des cousins, puisque le mot « refroidissement » était, d'habitude, interdit dans la maison. Pour examiner sa gorge de plus près, on ferait peut-être bien d'avoir recours au laryngoscope du conseiller. En partant, elle laissa du formaminte, ainsi qu'une bande et un carré de gutta-percha pour faire des compresses pendant la nuit ; et Joachim usa de l'un et de l'autre, prétendit même être sensiblement soulagé grâce à ces applications, et continua donc à les pratiquer d'autant plus que son enrouement ne voulait pas céder au traitement, qu'il devint même plus sensible les jours suivants, bien que les maux de gorge disparussent parfois presque complètement.

D'ailleurs, son refroidissement avait été purement imaginaire. Le diagnostic se trouva exactement conforme au résultat des examens du conseiller, qui avait retenu le vaillant Joachim pour une petite cure complémentaire, avant qu'il pût de nouveau courir sous les drapeaux. Le terme d'octobre avait passé en toute discrétion. Personne ne perdit un mot à son sujet, ni le conseiller ni les cousins entre eux : silencieux et les yeux baissés, ils franchirent cette date. D'après ce que Behrens dicta lors de la consultation mensuelle à son assistant, l'expert en psychologie, et d'après ce que montrait la plaque photographique, il était trop clair que tout départ n'eût été qu'un coup de tête alors qu'il s'agissait cette fois-ci de persévérer avec une discipline de fer dans le service qu'il s'était imposé jusqu'à ce qu'il eût définitivement acquis une solidité à toute épreuve ; ce n'est qu'alors qu'il pourrait reprendre son service en pays plat et tenir son serment d'officier.

Tel était le mot d'ordre sur lequel on prétendait en silence être parfaitement d'accord. Mais en réalité aucun d'entre eux n'était tout à fait sûr que l'autre crût vraiment à cette explication et lorsqu'ils baissaient les yeux l'un devant l'autre, c'était en raison de ce doute, et cela n'arrivait pas sans que leurs yeux se fussent auparavant rencontrés. Or, cela advenait souvent depuis certain entretien sur la littérature, pendant lequel Hans Castorp avait pour la première fois distingué cette lueur nouvelle au fond des yeux de Joachim, ainsi que leur expression singulièrement « menaçante ». Cela arrivait surtout à table : par exemple, lorsque Joachim, toujours enroué, avalait brusquement et violemment de travers, et avait peine à reprendre haleine. C'est alors, et tandis que Joachim haletait derrière sa serviette et que Mme Magnus, sa voisine, selon une vieille pratique lui frappait le dos, que leurs yeux se rencontraient d'une manière qui troublait et effrayait Hans Castorp plus que l'incident lui-même, qui pouvait naturellement arriver à n'importe qui ; et ensuite Joachim fermait les siens et, la figure enfouie dans sa serviette, quittait la table et la salle à manger pour finir de tousser dehors.

Souriant, bien qu'encore légèrement pâle, il revenait au bout de dix minutes, avec, sur les lèvres un mot d'excuse, à cause du dérangement qu'il avait causé aux autres ; comme auparavant, il prenait part au formidable repas et ensuite on oubliait même de revenir, ne fût-ce que par une remarque, sur cet incident banal. Mais lorsque, quelques jours plus tard — cette fois ce n'était plus à dîner, mais lors du déjeuner également copieux —, le même fait se produisit, d'ailleurs sans que des yeux se fussent rencontrés, du moins ceux des cousins, car Hans Castorp, penché sur son assiette, continuait de manger avec une indifférence apparente, il fallut quand même, le repas fini, prononcer quelques mots à ce sujet, et Joachim pesta contre cette sacrée mégère, la Mylendonk, qui par sa question saugrenue lui avait mis la puce à l'oreille, lui avait suggéré cela, que le diable m'emporte cette sorcière ! Oui, c'était apparemment de la suggestion, dit Hans Castorp, c'était amusant de le constater au milieu du désagrément que l'on en éprouvait. Et Joachim, maintenant qu'il avait appelé la chose par son nom, se défendit dorénavant avec succès contre cette sorcellerie, se surveilla à table et n'avala pas de travers plus souvent que des gens non ensorcelés : cela ne se reproduisit que neuf ou dix jours plus tard, à quoi il n'y avait en somme rien à redire.

Cependant, il fut convoqué chez Rhadamante en dehors des heures et de son tour habituels. La supérieure l'avait dénoncé et sans doute n'avait-elle pas eu tort. Car, dès lors qu'il y avait un laryngoscope dans la maison, cet enrouement persistant qui à certaines heures dégénérait en une véritable aphonie, et aussi ces maux de gorge qui reparaissaient dès que Joachim négligeait d'assouplir son gosier par des moyens qui activaient la salive, paraissaient des raisons suffisantes de tirer de l'armoire cet instrument ingénieusement combiné, sans compter que, si Joachim n'avalait plus de travers qu'à intervalles normaux, il n'en était ainsi que grâce aux précautions qu'il prenait en mangeant, de sorte qu'aux repas il était presque régulièrement en retard sur les voisins.

Le conseiller donc mira, refléta et regarda profondément et longtemps dans le gosier de Joachim, après quoi le malade, à la prière expresse de Hans Castorp, se rendit aussitôt dans la loge de celui-ci pour rendre compte de la visite. Cela avait été très pénible et l'avait beaucoup chatouillé, rapporta-t-il en un demi-murmure, parce que c'était justement la cure de repos principale et que le silence était de rigueur ; et pour finir, Behrens avait bafouillé toutes sortes de choses sur un état d'irritation et avait dit qu'il faudrait procéder chaque jour à des badigeonnages. Dès le lendemain il commencerait de cautériser, le temps de préparer le médicament. Donc, de l'irritation et des cautérisations. Hans Castorp, la tête pleine d'associations d'idées qui allaient loin et qui se rapportaient à des personnes très éloignées, comme au concierge boiteux et à cette dame qui s'était tenue l'oreille pendant toute la semaine et que l'on avait pu complètement rassurer, avait encore des questions sur les lèvres, mais ne se décida pas à les énoncer, et résolut de les poser au conseiller entre quatre yeux. En attendant, il se borna à exprimer devant Joachim sa satisfaction de ce que ce petit désagrément fût maintenant soumis à un contrôle et que le conseiller eût pris l'affaire en main. C'était un chic type, et il ne manquerait pas d'arranger les choses. Sur quoi Joachim approuva de la tête sans regarder l'autre, lui tourna le dos et passa dans sa loge.

Qu'arrivait-il à l'honnête Joachim ? Ces derniers jours son regard était devenu incertain et timide. Récemment encore, la supérieure Mylendonk s'était heurtée, dans sa tentative de le pénétrer, à son regard doux et sombre ; mais, si elle s'était avisée de tenter à nouveau sa chance, on n'aurait vraiment pas su dire comment la chose se serait passée. Quoi qu'il en fût, il évitait de telles rencontres, et lorsqu'elles se produisaient quand même (car Hans Castorp le regardait souvent), on ne se sentait pas mieux à l'aise. Oppressé, Hans Castorp resta dans son compartiment, agité par la tentation d'interroger aussitôt le patron. Mais ce n'était pas possible, car Joachim l'aurait entendu se lever, et il fallait donc remettre ce projet et rejoindre Behrens dans le courant de l'après-midi.

Mais il n'y réussit pas. C'était très étrange ! Il ne réussit absolument pas à atteindre le conseiller, ni le soir même, ni pendant les deux journées suivantes. Naturellement, Joachim le gênait un peu, puisqu'il ne devait s'apercevoir de rien, mais cela ne suffisait pas à expliquer pourquoi Hans Castorp ne pouvait amener cette rencontre et ne trouvait pas moyen de mettre la main sur Rhadamante. Hans Castorp le cherchait et s'informait de lui dans toute la maison, on l'envoyait où il serait certain de le rencontrer, mais il ne le trouvait jamais. Behrens assista à un repas, mais se trouva assis très loin, à la table des Russes ordinaires, et s'esquiva avant le dessert. Plusieurs fois Hans Castorp crut le tenir par un bouton, il le vit dans l'escalier et dans les couloirs, causant avec Krokovski, avec la supérieure, et avec un malade, et le guetta. Mais à peine avait-il détourné les yeux, que Behrens n'était plus là.

Le quatrième jour seulement, il atteignit son but. Du haut de son balcon, il vit au jardin celui qu'il poursuivait, occupé à donner des instructions au jardinier. Il se débarrassa rapidement de sa couverture et descendit en courant. La nuque ronde, le conseiller ramait vers son appartement. Hans Castorp se mit au trot et se permit d'appeler, mais ne fut pas entendu. Enfin, hors d'haleine, il parvint à arrêter son homme.

« Qu'est-ce que vous venez chercher ici ? l'apostropha le conseiller, les yeux larmoyants. Dois-je vous faire remettre un exemplaire spécial du règlement de la maison ? Autant que je sache, c'est la cure de repos. Ni votre courbe ni votre plaque ne vous donnent un droit particulier de jouer au grand seigneur. Il faudrait faire installer ici un épouvantail qui menacerait d'embrocher les gens qui prennent des libertés au jardin entre deux et quatre ! Que voulez-vous, en somme ?

— Monsieur le Conseiller, il faut absolument que je vous parle un instant !

— Je m'aperçois que vous vous êtes mis cela en tête depuis quelque temps déjà. Vous me poursuivez exactement comme si j'étais la femme de vos rêves. Que me voulez-vous ?

— Ce n'est qu'au sujet de mon cousin, monsieur le Conseiller, excusez-moi ! On le badigeonne à présent… Je suis persuadé que tout est pour le mieux ainsi. Cela est sans doute inoffensif ? C'est ce que je voulais tout bonnement me permettre de vous demander.

— Vous voulez toujours que tout soit inoffensif, Castorp, vous êtes ainsi fait. Vous êtes très capable de vous occuper même des choses qui ne soient pas absolument inoffensives, mais vous les traitez comme si elles l'étaient, et vous croyez par là complaire à Dieu et aux hommes. Vous êtes une sorte de froussard et d'hypocrite, mon garçon et lorsque votre cousin vous traite de pékin, c'est encore un fameux euphémisme.

— Tout cela est possible, monsieur le Conseiller. Naturellement, les faiblesses de mon caractère sont évidentes.

Mais c'est justement parce qu'elles sont pour l'instant hors de cause, que je voulais vous demander depuis trois jours déjà, simplement ceci…

— … que je vous dore la pilule. Vous voulez m'importuner et m'ennuyer, pour que je vous encourage dans votre damnée hypocrisie, et pour que vous puissiez dormir en toute innocence, pendant que d'autres gens veillent au grain.

— Mais, monsieur le Conseiller, vous êtes très sévère avec moi. Je voulais, au contraire…

— Oui, la sévérité n'est justement pas votre affaire. Votre cousin est un type bien différent, d'une autre trempe que vous. Lui sait à quoi s'en tenir. Il le sait, mais il se tait, vous m'entendez. Il ne s'accroche pas aux basques des gens pour se faire débiter des fadaises et des propos réconfortants. Lui, savait ce qu'il faisait et ce qu'il risquait, et c'est un gaillard qui s'entend à garder de la tenue et à la fermer, ce qui est un art viril, mais ce qui n'est malheureusement pas l'affaire d'aimables phénomènes bipèdes tels que vous. Mais je vous le dis, Castorp, si vous faites ici des scènes et si vous poussez des cris et si vous vous abandonnez à vos sentiments de civil, je vous mets à la porte. Car ici les hommes veulent rester entre eux, vous me comprenez. »

Hans Castorp garda le silence. Lui aussi se tachetait à présent, lorsqu'il changeait de couleur. Il était trop bronzé pour pâlir tout à fait. Enfin il dit, les lèvres tremblantes :

« Je vous remercie beaucoup, monsieur le Conseiller. Je suis d'ailleurs fixé maintenant, car je suppose que vous ne me parleriez pas si… — comment dire ? — si solennellement, si le cas de Joachim n'était pas sérieux. Du reste, je n'incline pas du tout aux scènes et aux hauts cris, vous me jugez mal. Et s'il s'agit de se montrer discret, je saurai tenir ma place, c'est ce que je crois pouvoir vous affirmer.

— Vous aimez sans doute bien votre cousin, Hans Castorp ? demanda le conseiller en saisissant tout à coup la main du jeune homme, et en le regardant, d'en dessous, de ses yeux bleus et larmoyants, aux cils blanchâtres…

— Que voulez-vous que je vous dise, monsieur le Conseiller ? Un si proche parent, un si bon ami, et mon camarade, ici. »

Hans Castorp eut un bref sanglot et posa un pied sur la pointe, en tournant le talon vers l'extérieur.

Le conseiller se hâta de lâcher sa main.

« Allons, alors soyez gentil avec lui pendant ces six ou huit semaines, dit-il. Abandonnez-vous à votre goût naturel pour l'inoffensif, c'est sans doute ce qui lui sera le plus agréable. Et puis je suis là, moi aussi, je suis là pour arranger la chose aussi élégamment et aussi confortablement que possible.

— Larynx, n'est-ce pas ? dit Hans Castorp en faisant un signe de tête au conseiller.

— *Laryngea*, confirma Behrens. Destruction rapide. Et la muqueuse du pharynx, elle aussi, est en bien vilain état. Il est possible que les cris de commandement au régiment aient créé là un *locus minoris resistentiae*. Mais il faut toujours que nous nous attendions à de telles diversions. Peu de chances, mon garçon ; à la vérité, aucune. Mais naturellement on essaiera tout ce qui est utile et coûteux.

— La mère…, dit Hans Castorp.

— Plus tard, plus tard. Cela ne presse pas encore. Faites avec tact et goût, en sorte qu'elle soit mise au courant par étapes. Et maintenant, fichez-moi le camp à votre poste. Sinon, il s'en apercevrait. Et cela doit lui être pénible de sentir qu'on parle ainsi de lui derrière son dos. »

Chaque jour Joachim allait se faire badigeonner. C'était un bel automne. En pantalons de flanelle blanche, sous la veste bleue, il arrivait souvent en retard aux repas, en revenant de son traitement, correct et martial, saluait brièvement, d'une façon aimable et virile, en s'excusant de son inexactitude et prenait place pour son repas qu'on lui préparait maintenant à part, parce qu'il n'aurait plus réussi à suivre les menus ordinaires sans risquer d'avaler de travers ; on lui servait des potages, des hachis et de la bouillie. Les voisins de table eurent bientôt compris la situation. Ils répondaient à son salut avec une politesse et un empressement marqués en l'appelant « lieutenant ». En son absence, ils interrogeaient Hans Castorp, et des autres tables aussi, on venait et on l'interrogeait. Mme Stöhr vint en se tordant les mains et se lamenta trivialement. Mais Hans Castorp ne répondit que par monosyllabes, reconnut le sérieux de l'incident, mais nia jusqu'à un certain point son extrême gravité, le fit pour l'honneur, dans le sentiment qu'il n'avait pas le droit d'abandonner Joachim prématurément.

Ils se promenaient ensemble, ils franchissaient trois fois par jour la distance prescrite, à laquelle le conseiller avait très précisément limité Joachim, pour qu'il évitât une dépense inutile de forces. À gauche de son cousin, marchait Hans Castorp. Autrefois ils avaient marché ainsi ou bien autrement, comme cela se trouvait, mais à présent Hans Castorp se tenait de préférence à sa gauche. Ils ne parlaient pas beaucoup, ils prononçaient les paroles que la journée normale du Berghof amenait sur leurs lèvres, et rien de plus. Sur le sujet qui était en suspens entre eux, il n'y avait rien à dire, surtout entre gens enclins à la pudeur et qui ne s'appellent par leurs prénoms qu'en des circonstances extrêmes. Pourtant, le besoin de s'épancher se levait par instants, prêt à déborder, dans la poitrine de civil de Hans Castorp. Mais c'était impossible. Ce qui avait afflué douloureusement et tumultueusement retombait et il restait muet.

Joachim marchait à côté de lui, la tête baissée. Il regardait à terre comme s'il considérait le sol. C'était si étrange : le voici qui marchait ici, net et correct, il saluait les passants à sa manière chevaleresque, il gardait de la tenue et de la bienséance comme toujours — et il appartenait à la terre. Mon Dieu, nous lui appartenons tous, tôt ou tard. Mais si jeune et avec une si bonne et joyeuse volonté de servir sous le drapeau, c'est quand même amer de lui appartenir à si bref délai ; plus amer et plus incompréhensible pour un Hans Castorp qui sait, et qui marche à côté de lui, que pour l'homme de la terre lui-même, dont le savoir réticent et discret est en somme d'une nature très académique, n'a au fond pour lui qu'une réalité très affaiblie et semble être moins son affaire que celle des autres. En effet, notre mort est plus encore affaire des survivants que de nous-mêmes ; que nous nous en souvenions ou non pour le moment, cette parole d'un sage malicieux est en tout cas valable pour l'âme : aussi longtemps que nous sommes, la mort n'est pas, et lorsque la mort est, nous ne sommes pas; par conséquent, il n'y a entre la mort et nous aucun rapport réel; elle est une chose qui ne nous regarde absolument pas, qui regarde tout au plus le monde et la nature, et c'est en effet pourquoi tous les êtres l'envisagent avec un grand calme, une indifférence, une irresponsabilité et une innocence égoïstes. Hans Castorp trouva beaucoup de cette innocence et de cet égoïsme dans la manière d'être de Joachim durant ces semaines, et il comprit que son cousin *savait* sans doute, mais qu'il ne lui était pas pour cela difficile d'observer sur ce savoir un silence convenable, parce que ses rapports intérieurs avec cette connaissance étaient encore lointains et théoriques, ou que, pour autant qu'ils entraient pratiquement en ligne de compte, ils étaient réglés et déterminés par une notion saine de la destinée, état d'esprit qui admettait aussi peu de commenter ce savoir que tant d'autres fonctions inconvenantes dont la vie a conscience et qui la conditionnent, mais qui ne l'empêchent pas d'observer les bienséances.

Ils marchaient ainsi et gardaient le silence sur maintes choses naturelles, mais auxquelles il eût été malséant de toucher. Même les plaintes de Joachim, proférées d'abord avec animation et colère, sur son regret de manquer les manœuvres et le service militaire en général, s'étaient tues. Mais pourquoi, au lieu de cela, et malgré toute son innocence, l'expression d'une timidité trouble reparaissait-elle dans ses yeux doux, cette incertitude qui eût sans doute donné la victoire à la supérieure si elle avait renouvelé sa tentative? Était-ce parce qu'il savait que ses joues se creusaient et que ses yeux grandissaient? Car c'est ce qui se produisait à vue d'œil, durant ces semaines, bien plus encore que cela avait été le cas lors de son retour du pays plat, et son teint brun devenait de jour en jour d'un jaune plus blafard. Comme s'il avait conçu des raisons d'avoir honte et de se mépriser lui-même, dans un milieu qui, à l'instar de M. Albin, ne se souciait pas d'autre chose que de jouir des avantages infinis de la honte. Devant quoi et devant qui se baissait et se dérobait son regard autrefois si franc ? Comme elle est étrange, cette pudeur devant la vie de la créature qui se réfugie dans une cachette pour crever, persuadée qu'elle ne peut attendre de la nature extérieure aucun respect ni aucune pitié devant sa douleur et sa mort, persuadée avec raison, puisque les troupes d'oiseaux migrateurs, non seulement n'honorent pas leurs compagnons malades, mais les expédient avec colère et mépris à coups de bec. Telle est la nature à l'ordinaire ; mais une pitié et un amour profondément humains gonflaient le cœur de Hans Castorp lorsqu'il voyait cette pudeur instinctive dans les yeux du pauvre Joachim. Il marchait à sa gauche, il le faisait expressément ; et comme Joachim commençait à tenir mal sur ses jambes, il le soutenait lorsqu'il s'agissait par exemple de monter la petite pente d'un pré, en surmontant pour cela sa raideur naturelle et en posant pour cela son bras sur lui ; et même, il omettait de retirer son bras des épaules de Joachim jusqu'à ce que celui-ci les secouât avec un peu d'irritation et dît :

« Dis donc, si tu laissais ça ? On dirait que nous sommes deux ivrognes à nous voir marcher ! »

Mais vint un instant où le regard trouble de Joachim apparut à Hans Castorp sous un autre jour, et ce fut lorsque Joachim reçut l'ordre de garder le lit, au début de novembre ; la neige était épaisse. En effet, à ce moment-là, il lui était devenu trop difficile d'absorber même des hachis et des bouillies, parce qu'il avalait de travers, une bouchée sur deux. Le passage à une nourriture exclusivement liquide était indiqué, et en même temps Behrens ordonna un repos continu au lit, pour épargner les forces du malade. C'était donc la veille du jour où Joachim se mit au lit, le dernier soir où il était sur pied que Hans le trouva… le trouva en conversation avec Maroussia qui riait sans raison, Maroussia au petit mouchoir à l'orange et à la poitrine extérieurement si bien conformée. C'était après le dîner, durant la réunion du soir, dans le hall. Hans Castorp s'était arrêté au salon de musique et sortit pour chercher Joachim ; il le trouva en face de la cheminée en faïence, à côté du siège de Maroussia. C'était dans un fauteuil à bascule qu'elle était assise ; de la main gauche posée sur le dossier, Joachim le tenait incliné en arrière, de sorte que Maroussia, de sa position couchée, avec ses yeux bruns et ronds, regardait son visage qu'il penchait sur elle tout en parlant doucement et à mots entrecoupés, tandis qu'elle haussait les épaules en souriant de temps à autre et avec une animation dédaigneuse.

Hans Castorp s'empressa de faire un pas en arrière, non sans avoir observé que d'autres pensionnaires encore suivaient la scène, comme cela se fait, d'un œil amusé, inaperçus de Joachim, ou tout au moins sans qu'il voulût y prendre garde. Ce spectacle : Joachim se confiant sans réserve à cette Maroussia à la poitrine opulente, à la table de laquelle il avait été assis si longtemps sans échanger une seule parole avec elle, devant la personne et l'existence de qui il avait baissé les yeux avec une expression sévère à la fois raisonnable et honnête, bien que sa figure pâlît et se tachetât lorsqu'il était question d'elle, bouleversa Hans Castorp plus que tous les signes d'affaiblissement qu'il avait observés ces semaines dernières chez son cousin. « Oui, il est perdu », pensa-t-il, et il s'assit en silence au salon de musique pour laisser à Joachim le temps de ce qu'il s'accordait encore ce dernier soir.

À partir de là, Joachim prit définitivement la position horizontale, et Hans Castorp l'annonça à Louise Ziemssen, lui écrivit sur son excellente chaise longue qu'il devait ajouter maintenant à ses précédentes communications occasionnelles que Joachim s'était alité, et que, sans qu'il en eût rien dit, l'on pouvait lire dans ses yeux le désir que sa mère fût auprès de lui, et que le docteur Behrens appuyait expressément ce désir inexprimé. Cela aussi, il l'ajouta délicatement et clairement. Et ce ne fut donc pas miracle que Mme Ziemssen eût recours aux moyens de communication les plus rapides pour rejoindre son fils : trois jours après le départ de cette lettre, alarmante malgré tous les ménagements, elle arriva ; Hans Castorp la chercha en traîneau à la station de Dorf, par une tempête de neige, et, debout sur le quai, apprêta son visage avant que le petit train n'arrivât, pour ne pas effrayer tout de suite la mère, mais pour que celle-ci ne lût pas davantage dans son premier regard une gaieté trompeuse.

Combien de fois de telles rencontres devaient-elles déjà avoir eu lieu, combien de fois s'était-on élancé les uns vers les autres, et celui qui descendait du train avait-il épié avec angoisse et insistance les regards de celui qui l'accueillait ! Mme Ziemssen donnait l'impression d'être venue à pied de Hambourg jusqu'à Davos. La figure échauffée, elle serra la main de Hans Castorp contre sa poitrine, regardant autour d'elle comme avec crainte, et posa des questions pressées et en quelque sorte secrètes, qu'il éluda en la remerciant d'être venue si vite : c'était fameux, et comme Joachim serait heureux ! Oui, il était malheureusement recouché jusqu'à nouvel ordre, c'était à cause de la nourriture liquide qui naturellement ne laissait pas d'influencer l'état de ses forces. Mais en cas de besoin il y avait encore d'autres ressources, par exemple l'alimentation artificielle. D'ailleurs, elle en jugerait elle-même.

Elle en jugea ; et, debout à côté d'elle, Hans Castorp à son tour se rendit compte. Jusqu'à cet instant les changements qui s'étaient accomplis pendant ces dernières semaines sur Joachim n'avaient pas été, pour lui, si apparents ; les jeunes gens n'ont jamais un œil pour de telles choses. Mais à présent, à côté de la mère venue du dehors, il le considérait en quelque sorte avec ses yeux à elle, comme s'il ne l'avait pas vu depuis longtemps, et il reconnut clairement et nettement ce que, sans aucun doute, elle aussi reconnaissait, mais ce que, de tous les trois, Joachim savait certainement le mieux, c'est-à-dire qu'il était un moribond. Il tenait la main de Mme Ziemssen dans la sienne, qui était aussi jaune et émaciée que sa figure dont, par suite de l'amaigrissement général, les oreilles — cette légère contrariété de ses bonnes années — se détachaient plus sensiblement qu'autrefois, en l'enlaidissant fâcheusement ; mais hormis ce défaut, sa face semblait plutôt virilement embellie, malgré l'empreinte de la souffrance, grâce à l'expression de sérieux et de sévérité, voire aussi de fierté qu'elle portait, bien que ses lèvres surmontées de la petite moustache noire parussent par trop pleines en regard des ombres des joues creuses. Deux plis s'étaient creusés dans la peau jaunâtre de son front, entre les yeux qui, bien que profondément enfoncés dans les orbites osseuses, étaient plus beaux et plus grands que jamais, et dans lesquels Hans Castorp pouvait regarder sans déplaisir. Car, depuis que Joachim était couché, tout trouble, toute inquiétude et toute incertitude en avaient disparu, et seule cette lueur aperçue autrefois était visible dans ses profondeurs sereines et obscures ; il est vrai qu'y paraissait aussi cette « menace ». Il ne sourit pas, en tenant la main de sa mère et en lui chuchotant un bonjour et en lui souhaitant la bienvenue. Il n'avait pas davantage souri lorsqu'elle était entrée, et cette immobilité figée de sa mine disait tout.

Louise Ziemssen était une femme courageuse. Elle ne se laissa pas aller à sa douleur à la vue de son vaillant enfant. Stoïque, se contenant, comme le filet à peine visible contenait ses cheveux, flegmatiquement et énergiquement — comme on l'était dans son pays, avions-nous dit —, elle assuma le soin de Joachim, comme éperonnée par son aspect à une combativité maternelle et animée de cette foi que, s'il y avait encore quelque chose à sauver, sa force et sa vigilance seules y réussiraient. Ce ne fut certainement pas pour sa propre commodité, mais par goût pour les convenances qu'elle consentit quelques jours plus tard à ce que l'on fît également venir une infirmière auprès du grand malade. C'était sœur Bertha, en réalité Alfreda Schildknecht, qui parut avec sa valise noire au chevet de Joachim ; mais ni le jour ni la nuit l'énergie jalouse de Mme Ziemssen ne lui laissa grand-chose à faire, et sœur Bertha avait beaucoup de temps pour rester à l'affût, dans le corridor, le cordon de son binocle derrière l'oreille.

La diaconesse protestante était une âme prosaïque. Seule dans la chambre avec Hans Castorp et avec le malade qui ne dormait nullement, mais reposait sur le dos, les yeux ouverts, elle était capable de dire :

« Non, vraiment je n'aurais jamais rêvé qu'un jour je serais encore appelée à soigner un de ces messieurs jusqu'à sa mort. »

Hans Castorp, effrayé, lui montra le poing avec une expression sauvage, mais elle comprit à peine ce qu'il voulait, bien éloignée, et avec raison, de la pensée qu'il convenait d'avoir des égards pour Joachim, et d'un esprit beaucoup trop objectif pour supposer que quelqu'un, et à plus forte raison le principal intéressé, pût se bercer d'illusions sur le caractère et l'issue de ce cas. « Tenez, disait-elle, en versant de l'eau de Cologne sur un mouchoir et en le tenant sous le nez de Joachim, donnez-vous encore un peu de bon temps, lieutenant. »

Et en effet c'eût été alors peu raisonnable de vouloir en conter au bon Joachim, à moins que ce fût pour exercer sur lui une influence tonifiante comme Mme Ziemssen l'entendait lorsqu'elle parlait d'une voix forte et émue de sa guérison. Car deux choses étaient claires, et l'on ne pouvait s'y tromper : premièrement, que Joachim allait à la mort, en toute conscience, et deuxièmement qu'il le faisait en paix avec lui-même et satisfait de lui. Ce n'est que la dernière semaine, à la fin de novembre, lorsque la faiblesse du cœur devint sensible, qu'il s'oublia pendant des heures entières, entouré d'un voile d'espérances consolantes quant à son état. Il parlait alors de son retour prochain au régiment et de la part qu'il prendrait aux grandes manœuvres, dont il croyait qu'elles se poursuivaient encore. C'est précisément à ce moment-là que le conseiller Behrens renonça à donner de l'espoir aux proches et déclara que la fin n'était plus qu'une question d'heures.

C'est un phénomène aussi mélancolique que fatal que cette illusion oublieuse et crédule en laquelle tombent même les âmes viriles durant la période où le processus destructeur approche en réalité de sa fin, phénomène impersonnel, normal et plus fort que toute conscience individuelle, au même point que la tentation du sommeil qui séduit l'homme qui va mourir de froid, ou que l'erreur de l'égaré qui tourne en rond en revenant sur ses propres pas. Hans Castorp que le chagrin et le déchirement de son cœur n'empêchaient pas de considérer ce phénomène avec objectivité, y rattachait des considérations, gauchement exprimées encore que lucides, dans ses entretiens avec

Naphta et Settembrini, lorsqu'il leur rendait compte de l'état de son parent, et il s'attira le blâme de ce dernier en disant que la conception courante d'après laquelle la crédulité philosophique et la confiance dans le bien étaient un témoignage de santé, tandis que le pessimisme et la sévérité à l'endroit du monde seraient un signe de maladie, reposait apparemment sur une erreur ; sinon, l'état final et désespéré ne pourrait favoriser un optimisme inquiétant auprès duquel l'humeur sombre qui l'avait précédé apparaissait comme une manifestation de vie saine et vigoureuse. Dieu merci, il put en même temps apprendre à ces amis compatissants que Rhadamante laissait subsister un espoir au sein même de cette situation désespérée, en prophétisant malgré la jeunesse de Joachim, un *exitus* doux et sans souffrances.

« Une idyllique affaire de cœur, chère madame », disait-il en tenant la main de Louise Ziemssen dans ses deux énormes pattes en forme de pelles et en la regardant d'en dessous avec des yeux larmoyants et injectés de sang.

« Cela me fait plaisir, cela me fait infiniment plaisir que cela prenne un cours cordial, si je puis dire, et qu'il n'ait pas besoin d'attendre l'œdème de la langue et d'autres vilaines choses ; ainsi bien du tintouin lui sera épargné. Le cœur cède rapidement, tant mieux pour lui, tant mieux pour nous, nous pouvons faire tout notre devoir avec la seringue de camphre, sans beaucoup de risque de l'exposer encore à des complications prolongées. Il dormira beaucoup en dernier lieu et il fera des rêves agréables, c'est ce que je crois pouvoir vous promettre, et si, en tout dernier lieu, il ne devait pas justement dormir, il aura quand même un trépas court et sans douleurs, ça lui sera égal, croyez-m'en. Au fond, il en est presque toujours ainsi. Je connais la mort, je suis un de ses vieux employés ; croyez-m'en : on la surestime. Je puis vous le dire : ce n'est presque rien du tout. Car tout ce qui, dans certaines circonstances, *précède* cet instant en fait de tracasseries, on ne peut pas très bien considérer que cela fait partie de la mort ; c'est tout ce qu'il y a de plus vivant et qui peut conduire à la vie et à la guérison. Mais de la mort, personne qui en reviendrait ne saurait rien vous dire qui en vaille la peine, car on ne la vit pas. Nous sortons des ténèbres et nous rentrons dans les ténèbres. Entre ces deux instants il y a des choses vécues, mais nous ne vivons ni le commencement ni la fin, ni la naissance ni la mort, elles n'ont pas de caractère subjectif, en tant qu'événements elles ne relèvent que du domaine de l'objectif. Voilà ce qu'il en est. »

Telle était la manière de réconforter du conseiller. Espérons qu'elle fit quelque bien à la raisonnable Mme Ziemssen. Et ses assurances se confirmèrent en effet assez complètement. Joachim, affaibli, dormit pendant de longues heures, durant ses derniers jours, il rêva aussi à ce qu'il lui était agréable de rêver, c'est-à-dire, supposons-nous, qu'il vit dans ses songes le pays plat et la vie militaire ; et lorsqu'il s'éveillait et qu'on lui demandait comment il se sentait, il répondait toujours, quoique indistinctement, qu'il se sentait bien et heureux, quoiqu'il n'eût presque plus de pouls et qu'il finît par ne plus sentir la piqûre de la seringue d'injection : son corps était insensible, on aurait pu le brûler et le pincer que cela n'aurait déjà plus concerné le bon Joachim.

Malgré cela, depuis l'arrivée de sa mère, de grands changements s'étaient encore accomplis chez lui. Comme il lui était devenu pénible de se raser et qu'il avait cessé de le faire depuis huit ou dix jours, mais que sa barbe était très forte, sa figure cireuse aux yeux doux était maintenant encadrée d'un collier de barbe noire, d'une barbe de guerrier, comme les soldats la laissent pousser en campagne et qui, de l'avis de tous, lui prêtait d'ailleurs une beauté virile. Oui, Joachim, de jeune homme, était soudain devenu un homme mûr, à cause de cette barbe et sans doute pas seulement à cause d'elle. Il vivait vite comme un mécanisme d'horloge qui se défend, il franchissait au galop les âges qu'il ne lui était pas accordé d'atteindre dans le temps, et durant les dernières vingt-quatre heures il devint un vieillard. La faiblesse de son cœur causait une enflure de la face, qui donna à Hans Castorp l'impression que la mort devait être tout au moins un effort très pénible, encore que Joachim, grâce à bien des obscurcissements et des éclipses de la conscience, ne parût pas s'en apercevoir. Mais cette enflure atteignait surtout les lèvres, et le desséchement ou l'énervement de l'intérieur de la bouche contribuait visiblement à faire marmotter Joachim comme un vieillard ; il s'irritait de cette gêne. S'il n'y avait pas eu cela, disait-il en balbutiant, tout eût été pour le mieux, mais c'était un fichu embêtement.

Ce qu'il entendait en disant que « tout irait pour le mieux » n'était pas tout à fait clair. La tendance de son état à l'équivoque apparaissait d'une manière frappante ; plus d'une fois il proféra des choses à double sens. Il paraissait savoir et ne pas savoir, et déclara une fois, apparemment secoué par un frisson d'anéantissement, en hochant la tête et avec une certaine contrition, que « jamais il n'avait été aussi mal en point ».

Puis son attitude devint distante, sévère, inabordable, même incivile ; il ne se laissait plus atteindre par aucune fiction ni aucun palliatif, il n'y répondait plus, il regardait devant lui d'un air absent. Surtout après que le jeune pasteur, que Louise Ziemssen avait fait appeler, et qui, au regret de Hans Castorp, ne portait pas de rabat amidonné mais un simple petit collet, eut prié avec lui, son attitude prit une empreinte officielle et il n'exprima plus de désirs que sous forme d'ordres brefs.

À six heures de l'après-midi il fut pris d'une manie bizarre : avec la main droite, dont son petit bracelet cerclait le poignet, il passa plusieurs fois dans la région de la hanche en la levant un peu et en la ramenant vers lui sur la couverture d'un geste qui raclait ou ratissait, comme s'il attirait ou recueillait quelque chose.

À sept heures il mourut. Alfreda Schildknecht se trouvait dans le couloir, la mère et le cousin étaient seuls présents. Il s'était affaissé dans son lit et il ordonna brièvement qu'on le soulevât. Tandis que Mme Ziemssen, enlaçant du bras les épaules de son fils, se conformait à cet ordre, il dit avec une certaine hâte qu'il devait immédiatement rédiger et remettre une demande de prolongation de son congé, et tandis qu'il disait cela le « bref trépas » s'accomplit, observé par Hans Castorp avec recueillement à la lumière de la petite lampe de chevet voilée de rouge. Son œil tourna, l'inconsciente tension de ses traits disparut, l'enflure pénible des lèvres s'évanouit à vue d'œil, et le muet visage de notre Joachim retrouva la beauté d'une jeunesse virile. C'était fini.

Comme Louise Ziemssen s'était détournée en sanglotant, ce fut Hans Castorp qui, de la pointe de l'annulaire, abaissa les paupières de celui qui n'avait plus ni souffle ni mouvements, et ce fut lui qui joignit doucement ses mains sur la couverture. Puis lui aussi se leva et pleura, laissa couler sur ses joues les larmes qui avaient tellement brûlé l'officier de marine anglais, ce liquide clair qui coule partout dans le monde si abondamment, si amèrement et à toute heure, au point qu'on a donné à la vallée terrestre un nom poétique qui rappelle ce produit alcalin et salé des glandes que le bouleversement nerveux d'une douleur qui nous transperce, de la douleur physique comme de la douleur morale, arrache à notre corps. Il savait que ce liquide contenait également un peu de mucine et d'albumine.

Le conseiller vint, prévenu par sœur Bertha. Une demi-heure plus tôt il s'était encore trouvé là et avait donné au mourant une injection de camphre ; il n'avait manqué que l'instant du « bref trépas »…

« Voui, en voilà un pour qui ça y est », dit-il simplement en se redressant et en détachant son stéthoscope de la poitrine silencieuse de Joachim. Et il serra les mains des deux parents en leur faisant un signe de tête. Ensuite, il resta encore un instant avec eux, considérant le visage immobile de Joachim, encadré d'une barbe de guerrier.

« Grand fou, grand risque-tout, dit-il par-dessus l'épaule de celui qui reposait. Il a voulu forcer les choses, vous comprenez ; naturellement, son service là-bas n'a été que contrainte et violence, il a fait son service dans la fièvre, quand même et malgré tout ! Le champ d'honneur, vous comprenez, il a pris la clef du champ d'honneur, le déserteur. Mais l'honneur a été la mort pour lui, et la mort — vous pouvez à volonté retourner les choses — a certainement dit maintenant : “J'ai bien l'honneur !” Grand fou, va, grand écervelé ! » Et il s'en fut, grand et courbé, avec sa nuque saillante.

Le transport de Joachim dans sa ville natale était chose décidée, et la maison du Berghof s'occupait de tout ce qui était nécessaire et de ce qui paraissait convenable et de mise. La mère et le cousin n'eurent à s'inquiéter de rien. Le lendemain, dans sa chemise de soie à manchettes, parmi les fleurs répandues sur la couverture, reposant dans une clarté mate et neigeuse, Joachim était devenu encore plus beau qu'aussitôt après le trépas. Toute trace d'effort avait maintenant disparu de sa figure ; refroidie, elle avait pris sa forme silencieuse la plus pure. Ses cheveux noirs et légèrement bouclés tombaient sur un front immobile et jaunâtre qui paraissait pétri dans une matière noble et délicate, entre la cire et le marbre, et dans la barbe, également crépue, les lèvres ondulaient, pleines et fières. Un casque antique eût convenu à cette tête, comme le firent remarquer plusieurs visiteurs qui vinrent prendre congé.

Mme Stöhr pleura avec enthousiasme à la vue de ce qu'était devenu celui qui fut Joachim.

« Un héros, un héros ! » s'écria-t-elle plusieurs fois, et elle déclara qu'il fallait absolument jouer à ses obsèques la symphonie « érotique » de Beethoven.

« Taisez-vous donc ! » siffla Settembrini à son côté.

Il se trouvait dans la chambre en même temps qu'elle et était visiblement ému. Des deux mains il désigna Joachim aux visiteurs présents en les conviant à la contrition. « *Un giovanotto tanto simpatico, tanto stimabile* », s'écria-t-il à plusieurs reprises.

Naphta ne put s'abstenir, tout en conservant son attitude recueillie et sans regarder l'Italien, de dire d'une voix basse et mordante :

« Je suis heureux de voir que, en dehors de la Liberté et du Progrès, vous avez aussi du sens pour les choses sérieuses. »

Settembrini encaissa. Peut-être avait-il conscience d'une supériorité de la position de Naphta sur la sienne, supériorité provisoire qui tenait aux événements ; peut-être était-ce cette supériorité momentanée de l'adversaire qu'il avait tenté d'équilibrer par la vivacité de ses regrets et qui lui fit garder le silence lors même que Léon Naphta, tirant parti des avantages passagers de sa position, observait d'un ton coupant et sentencieux :

« L'erreur de la littérature consiste à croire que seul l'esprit rend convenable. C'est plutôt le contraire qui est vrai. Il n'y a de convenance que là où il n'y a point d'esprit. »

« Allons, pensa Hans Castorp, voilà encore un oracle bien dans le style de la Pythie ! Si l'on serre les lèvres après l'avoir formulé, cela peut intimider sur le moment... »

Dans l'après-midi vint le cercueil de plomb. Un homme qui était arrivé en même temps donna à entendre que c'était son rôle à lui seul de placer Joachim dans ce somptueux récipient décoré d'anneaux et de têtes de lion. C'était un parent de l'entrepreneur de pompes funèbres auquel on avait fait appel, vêtu de noir dans une sorte de redingote courte, et qui portait à sa main plébéienne une alliance dont le cercle jaune était en quelque sorte creusé dans la chair et en était presque recouvert. On était tenté d'admettre qu'une odeur de cadavre se dégageait de son habit de gala, ce qui n'était qu'un préjugé. Néanmoins cet homme émit la prétention du spécialiste que tout son travail devait s'accomplir derrière les coulisses et qu'il ne convenait d'exposer aux regards des survivants que des tableaux pieux et édifiants, ce qui éveilla la méfiance de Hans Castorp et ne répondit nullement à ses intentions. Il engagea sans doute Mme Ziemssen à se retirer, mais ne se laissa pas expulser à coups de compliments. Il resta et prêta main-forte. Il empoigna le corps sous les épaules et aida à le porter du lit dans le cercueil, sur le drap et sur le coussin galonné duquel la dépouille de Joachim fut étendue, haute et solennelle, entre des flambeaux que la maison Berghof avait fournis.

Mais le lendemain un phénomène se produisit qui décida Hans Castorp à se séparer et à se détacher intérieurement de la forme, à abandonner décidément le champ au professionnel, au piètre gardien de la piété. En effet, Joachim dont l'expression avait été jusqu'à présent si grave et si loyale, avait commencé de sourire dans sa barbe de guerrier, et Hans Castorp ne se dissimula pas que ce sourire avait une tendance à dégénérer : il inspirait au témoin une hâte soudaine. Et, mon Dieu, il fut en somme heureux quand on vint le chercher, que le cercueil dut être fermé et vissé. Surmontant ses habitudes de raideur innée, Hans Castorp effleura délicatement des lèvres, en signe d'adieu, le front glacé de son Joachim d'autrefois, et malgré toute sa méfiance à l'égard de l'homme de la coulisse il quitta docilement la chambre avec Louise Ziemssen.

Nous laissons tomber le rideau, pour l'avant-dernière fois. Mais tandis qu'il s'abaisse, nous allons encore, en notre esprit, avec Hans Castorp qui est resté sur la haute montagne, regarder au loin, en prêtant l'oreille, vers un humide cimetière du pays plat, où une épée scintille et s'abaisse, où des commandements retentissent et où une triple décharge — trois saluts héroïques — crépite au-dessus du tombeau de soldat de Joachim Ziemssen.

CHAPITRE VII

Promenade sur la grève

Peut-on raconter le temps en lui-même, comme tel et en soi ? Non, en vérité, ce serait une folle entreprise. Un récit, où il serait dit : « Le temps passait, il s'écoulait, le temps suivait son cours » et ainsi de suite, jamais un homme sain d'esprit ne le tiendrait pour une narration. Ce serait à peu près comme si l'on avait l'idée stupide de tenir pendant une heure une seule et même note, ou un seul accord, et si l'on voulait faire passer cela pour de la musique. Car la narration ressemble à la musique en ce qu'elle « accomplit » le temps, qu'elle « l'emplit convenablement », qu'elle le « divise », qu'elle fait en sorte qu'« il s'y passe quelque chose » — pour citer, avec la piété mélancolique que l'on voue aux paroles de défunts, des expressions familières à feu Joachim, des paroles qui ont retenti il y a fort longtemps — et nous ne sommes pas certains que le lecteur se rende clairement compte depuis combien de temps. Le temps est l'élément de la narration comme il est l'élément de la vie : il y est indissolublement lié, comme aux corps dans l'espace. Le temps est aussi l'élément de la musique, laquelle mesure et divise le temps, le rend à la fois précieux et divertissant, en quoi, comme il a été dit, elle s'apparente à la narration, qui, elle aussi (et d'une tout autre façon que la présence immédiate et éclatante de l'œuvre plastique, qui n'est liée au temps qu'en tant que corps), n'est qu'une succession, est incapable de se présenter autrement que comme un déroulement, et a besoin de recourir au temps, même si elle essayait d'être tout entière présente en un instant donné.

Ce sont là des choses évidentes. Mais il n'est pas moins clair qu'il y a une différence entre la narration et la musique. La durée musicale n'est qu'un fragment du temps humain et terrestre où elle se déverse pour l'anoblir et l'exalter indiciblement. Au contraire, la narration comporte deux espèces de temps : en premier lieu son temps propre, la durée musicale et effective qui détermine son écoulement et son existence ; en second lieu le temps de son contenu, qui se présente en une perspective d'aspect si différent que le temps imaginaire du récit peut ou bien coïncider presque complètement avec sa durée musicale, ou bien en être infiniment éloigné. Un morceau de musique intitulé : « Valse des cinq minutes » dure cinq minutes. C'est en cela et en rien d'autre que consiste son rapport avec le temps. Mais un récit dont l'action durerait cinq minutes pourrait, quant à lui, s'étendre sur une période mille fois plus longue, pourvu que ces cinq minutes fussent remplies avec une conscience exceptionnelle ; et il pourrait néanmoins sembler très court, quoique, par rapport à sa durée imaginaire, il fût très long. D'autre part, il est possible que la durée des événements relatés dépasse à l'infini la durée propre du récit qui les présente en raccourci, nous disons « raccourci », pour indiquer un élément illusoire, ou pour nous exprimer tout à fait clairement, un élément morbide qui se manifeste en ce que le récit se sert d'un charme hermétique et d'une perspective exagérée, rappelant certains cas anormaux et de toute évidence orientés vers le surnaturel, de l'expérience réelle. On possède des journaux de fumeurs d'opium qui témoignent que, sous l'empire du stupéfiant, ils ont, pendant la brève période du transport, vécu des rêves qui s'étendaient sur dix, sur trente, sur soixante années, ou qui même dépassaient toutes les limites possibles d'une expérience humaine du temps, des rêves, par conséquent, dont la durée imaginaire dépassait leur propre durée, et où s'accomplissait un raccourci incroyable de l'expérience du temps, une accélération des images telle que l'on eût cru, comme s'exprime un mangeur de hachisch, que l'on avait retiré du cerveau enivré « quelque chose comme le ressort d'une montre cassée ».

C'est un peu à la manière de ces rêves artificiels que le récit peut traiter le temps. Mais comme il peut le « traiter », il est clair que le temps, qui est l'élément du récit, peut également devenir son objet. Si ce serait trop dire que d'affirmer que l'on puisse « raconter le temps », ce n'est pas, malgré tout, une entreprise aussi absurde qu'il nous avait semblé de prime abord que de vouloir évoquer le temps dans un récit, de sorte que l'on pourrait attribuer un double sens qui tiendrait singulièrement du rêve, au qualificatif de « roman du temps ». C'est un fait que nous ne venons de soulever la question de savoir s'il est possible de raconter le temps, que pour avouer que c'était bien là notre dessein dans l'histoire en cours. Et si nous nous sommes demandé en passant si les auditeurs réunis autour de nous se rendent encore clairement compte combien de temps s'est écoulé jusqu'à l'heure présente, depuis que l'honnête Joachim — décédé depuis — a jeté dans la conversation telle remarque sur la musique et sur le temps, laquelle témoigne du reste d'une certaine progression de son être vers l'alchimie, puisque des remarques de ce genre ne répondaient pas, en somme, à sa nature, nous n'aurions nullement été fâché d'apprendre que, sur le moment, on n'était pas précisément au clair là-dessus. Nous n'en aurions pas été fâché, nous en aurions même été satisfait, pour cette simple raison que nous avons naturellement intérêt à ce que l'on partage les sentiments de notre héros, et que celui-ci, Hans Castorp, n'était plus du tout fixé sur ce point, ne l'était plus depuis longtemps. Cela fait partie de son roman, de ce « roman d'un temps », qu'on l'entende dans un sens ou dans l'autre.

Combien de temps Joachim avait-il en somme vécu avec Hans Castorp jusqu'à son départ en coup de tête ? Combien de temps avait-il vécu avec lui en tout et pour tout ? Quand, pour s'en tenir au calendrier, avait eu lieu ce premier départ en coup de tête ? Combien de temps Joachim avait-il été absent ? Quand était-il revenu ? Combien de temps Hans Castorp lui-même avait-il séjourné ici, jusqu'à ce que Joachim revînt, puis sortît du temps ? Combien de temps, pour laisser de côté Joachim, Mme Chauchat avait-elle été non-présente ? Depuis combien de temps était-elle de nouveau là (car elle était de nouveau là), et combien de temps terrestre Hans Castorp avait-il vécu au Berghof jusqu'à ce qu'elle fût revenue ? À toutes ces questions — en supposant qu'on les lui eût posées, ce que personne ne faisait du reste, et ce que lui-même ne faisait pas davantage parce qu'il appréhendait sans doute de se les poser —, Hans Castorp n'aurait su répondre qu'en tambourinant du bout des doigts sur son front, il n'aurait su le dire au juste, phénomène aussi inquiétant que certaine incapacité de dire à M. Settembrini son propre âge, qu'il avait ressentie dès le premier soir de son arrivée ; voire, aggravation de cette impuissance, car à présent il ne savait décidément plus du tout quel âge il avait.

Cela peut sembler étrange, mais cela est si loin d'être inouï ou invraisemblable, que, dans certaines conditions, cela pourrait arriver à chacun d'entre nous. Rien, ces conditions se réalisant, ne pourrait nous empêcher de perdre toute conscience du cours du temps, et par conséquent de notre âge. Ce phénomène est possible puisque nous ne possédons aucun organe intérieur pour percevoir le temps, puisque nous sommes donc incapables, d'un point de vue absolu, de déterminer le temps, par nous-mêmes et sans l'aide de repères extérieurs, avec une précision même approximative. Des mineurs ensevelis, privés de toute possibilité d'observer la succession du jour et de la nuit, ont évalué, lorsqu'on eut réussi à les sauver, à trois jours le temps qu'ils avaient passé dans l'obscurité, entre l'espérance et le désespoir. Or, ils étaient restés ensevelis dix jours. On pourrait croire que dans leur angoisse, le temps aurait dû leur sembler long. Mais il s'était réduit à moins d'un tiers de sa durée objective. Il semble donc qu'en des conditions extraordinaires, l'impuissance humaine tende plutôt à vivre le temps en raccourci qu'à l'évaluer trop largement.

Sans doute, personne ne conteste que Hans Castorp n'eût éprouvé, s'il l'avait voulu, aucune difficulté réelle à échapper par un calcul à cette incertitude, de même que le lecteur le pourrait faire sans peine si la confusion répugne à son esprit sain. En ce qui concerne Hans Castorp, il ne s'y sentait peut-être pas non plus particulièrement à l'aise, mais il ne se souciait pas de faire le moindre effort pour se dégager de cette confusion, ni pour mesurer la durée de son séjour. Ce qui l'en empêchait, c'était une inquiétude de sa conscience, bien que ce fût évidemment la pire inconscience que de ne pas prendre garde au temps.

Nous ne savons pas s'il faut faire valoir pour sa défense que les circonstances favorisaient tout particulièrement son manque de bonne volonté, pour ne pas parler franchement de sa mauvaise volonté. Lorsque Mme Chauchat fut de retour (tout autrement que Hans Castorp l'avait imaginé, mais de cela il sera question plus loin), l'Avent était une fois de plus passé, et la journée la plus courte, le commencement de l'hiver, par conséquent, astronomiquement parlant, était tout proche. Mais en réalité, si l'on négligeait les divisions théoriques et si l'on ne tenait compte que de la neige et du froid, on avait de nouveau eu l'hiver, depuis un temps incalculable ; même, cet hiver n'avait été que passagèrement interrompu par de brûlantes journées d'été, avec un azur d'une profondeur si exagérée qu'il touchait au noir, par des journées d'été comme il s'en produisait en plein hiver, pour peu que l'on oubliât la neige, car, en somme, il tombait aussi de la neige pendant tous les mois d'été. Combien de fois Hans Castorp s'était-il entretenu avec feu Joachim de cette grande confusion qui mélangeait les saisons, qui les confondait, qui privait l'année de ses divisions et la faisait paraître brève avec lenteur, ou longue dans sa rapidité, de sorte que, selon une parole que Joachim avait prononcée voici fort longtemps avec dégoût, il ne pouvait plus du tout être question de temps. Ce qui en réalité était mélangé et confondu dans cette grande confusion, c'étaient les impressions ou les consciences successives d'un « encore » ou d'un « déjà de nouveau », et cette expérience compliquée était une véritable sorcellerie par laquelle Hans Castorp avait été séduit, au détriment de son moral, dès la première journée passée ici, à savoir durant ces cinq formidables repas, dans la salle à manger peinte en couleurs gaies, où il avait été pris d'un premier vertige de ce genre — relativement inoffensif.

Depuis lors, cette illusion des sens et de l'esprit avait pris des proportions plus grandes. Le temps, même lorsque la sensation subjective en est affaiblie ou abolie, a une réalité objective dans la mesure où il est actif, où il produit des changements. C'est une question pour penseurs professionnels — et ce n'est que par présomption juvénile que Hans Castorp s'était un jour risqué à se la poser — de savoir si la boîte de conserve hermétique rangée sur son rayon est en dehors du temps. Mais nous savons que le temps accomplit son œuvre même sur le dormeur. Un médecin certifie le cas d'une jeune fille de douze ans qui s'endormit un jour et demeura endormie pendant treize ans : elle ne resta pas une fillette de douze ans ; mais se réveilla jeune femme, s'étant développée dans l'intervalle. Comment pourrait-il en aller autrement ? Le mort est mort et il est passé de la vie à l'éternité ; il a beaucoup de temps, c'est-à-dire qu'il n'en a pas du tout, personnellement parlant. Cela n'empêche pas que ses ongles et ses cheveux poussent encore et qu'en somme… Mais nous ne voulons pas rappeler l'expression cavalière dont Joachim s'était servi un jour à ce propos et dont Hans Castorp, en homme du pays plat, s'était alors formalisé. Ses cheveux et ses ongles à lui aussi poussaient, ils poussaient vite, semblait-il, car il était souvent installé, enveloppé de la serviette blanche, dans un des fauteuils du coiffeur de la grand-rue de Dorf et se faisait couper les cheveux, parce que des franges s'étaient une fois de plus formées autour de ses oreilles. En somme, il était toujours installé là, ou, plutôt, lorsqu'il y était assis, bavardant avec le garçon adroit et empressé qui faisait son œuvre après que le temps avait accompli la sienne — ou encore lorsqu'il était debout près de la porte du balcon et raccourcissait ses ongles au moyen des petits ciseaux et des limes tirées de son joli nécessaire de velours —, il se sentait tout à coup pris, avec une sorte d'effroi auquel se mêlait un singulier plaisir, de certain vertige, d'un vertige qui mêlait l'étourdissement à l'illusion, d'une impuissance à distinguer l'« encore » et le « de nouveau », dont le mélange et la coïncidence produisent le « toujours » et l'« à jamais » situés en dehors du temps.

Nous avons souvent assuré que nous ne voulions pas le rendre meilleur, mais pas davantage pire qu'il n'est, et nous n'allons donc pas dissimuler qu'il s'efforçait souvent de racheter sa complaisance blâmable à l'égard de certaines tentations mystiques, provoquées même consciemment et intentionnellement par des efforts en sens contraire. Il pouvait rester assis, sa montre à la main, sa montre en or, plate et lisse, dont il avait levé le couvercle au monogramme gravé, et regarder son cadran de porcelaine, orné de deux rangées de chiffres arabes en noir et en rouge, sur lequel les deux aiguilles en or finement et somptueusement ciselées s'écartaient l'une de l'autre, et où la mince aiguille des secondes faisait son tour, avec un tic-tac affairé, dans sa petite sphère particulière. La petite aiguille suivait son chemin en trottinant, sans s'occuper des chiffres qu'elle atteignait, touchait, dépassait, dépassait de beaucoup, approchait et atteignait de nouveau. Elle était insensible aux buts, aux divisions, aux jalons. Elle aurait dû s'arrêter un instant à soixante, ou tout au moins signaler en quelque manière que quelque chose venait d'y prendre fin. Mais à la manière dont elle se hâtait de franchir ce chiffre, pas autrement que le moindre trait non chiffré, on reconnaissait que tout le chiffrage et les subdivisions n'étaient qu'inscrits en surcharge, et qu'elle ne faisait que marcher, marcher toujours… Hans Castorp remettait donc sa montre dans sa poche, et abandonnait le temps à son propre sort.

Comment rendre sensible à d'honnêtes esprits du pays plat ces transformations qui s'opéraient dans l'économie intime du jeune aventurier ? L'échelle de ces identités vertigineuses grandissait. Si, avec un peu de complaisance, il n'était pas facile de détacher le présent d'un hier, d'un avant-hier, ou d'un avant-avant-hier qui avaient ressemblé au jour présent comme un œuf ressemble à un autre œuf, on pouvait être d'autant plus tenté et plus capable de confondre son présent actuel avec le présent d'un mois ou d'une année révolus, et de laisser se perdre les uns et les autres dans un « toujours ». Mais pour autant que l'on prenait distinctement conscience du « encore », du « de nouveau » et du futur, on pouvait être tenté d'élargir le sens des termes relatifs du « hier » et du « demain », par quoi l'« aujourd'hui » s'affirme et écarte le passé et l'avenir, et tenté d'appliquer ces mots à des périodes plus longues. Il ne serait pas difficile de concevoir des êtres, habitant par exemple des planètes plus petites que la nôtre, qui administreraient un temps en miniature, et pour la vie « brève » desquels le trottinement agile de notre aiguille des secondes aurait toute la lenteur compassée de l'heure qui avance. Mais on pourrait également se représenter des êtres à l'espace desquels serait lié un temps d'une étendue formidable, de sorte que les conceptions du « à l'instant » ou du « peu s'en faut », du « hier » et du « demain » prendraient dans leur existence une importance infiniment élargie. Ce serait là, disons-nous, non seulement possible ; mais, du point de vue d'un relativisme tolérant et selon le proverbe : « À chaque pays ses usages », cela devrait être tenu pour légitime, normal et respectable. Mais que penser d'un fils de la terre — et qui, par surcroît, est à un âge pour lequel un jour, une semaine complète, un mois, un semestre devraient encore jouer un rôle important, et apportent dans la vie tant de changements et de progrès —, que penser d'un fils de la terre qui, un jour, prendrait l'habitude vicieuse, ou céderait tout au moins de temps à autre au plaisir de dire « hier » et « demain », au lieu de « voici un an » ou « l'année prochaine » ? Il n'est pas douteux qu'il y aurait lieu de parler, en l'occurrence, d'« égarement et de confusion » et que la plus vive inquiétude s'en trouverait justifiée.

Il y a sur terre des concours de circonstances, des ambiances ou paysages (si l'on peut parler de « paysage » dans le cas qui nous occupe), dans lesquels une telle confusion et un tel effacement des distances dans le temps et dans l'espace se produisent en quelque sorte naturellement et à juste titre, en progressant jusqu'à une indifférence vertigineuse, de sorte qu'un plongeon dans cette magie peut être admis, tout au moins pendant les heures de vacances. Nous voulons parler de la promenade au bord de la mer — un état dont Hans Castorp ne se souvenait pas sans la plus vive sympathie, comme nous savons déjà qu'il retrouvait volontiers et avec reconnaissance dans la vie sur la neige le souvenir des dunes de chez lui. Nous espérons que l'expérience et les souvenirs du lecteur nous serviront à nous faire comprendre, quand nous évoquerons cette merveilleuse solitude. L'on marche et l'on marche... Jamais l'on ne rentrera à temps d'une telle promenade, car on a perdu le temps et il vous a perdu. Ô mer, nous sommes assis loin de toi et tout en contant, nous tournons vers toi nos pensées, notre amour, en t'invoquant nommément et à voix haute. Tu dois être présente dans notre récit, comme tu l'as toujours été et comme tu le seras toujours en secret... Désert sibilant, tendu de gris pâle, plein d'humidité amère, dont un goût salin reste à nos lèvres. Nous marchons, sur un sol légèrement élastique, parsemé d'algues et de petits coquillages, les oreilles enveloppées de vent, de ce grand vent, vaste et doux, qui parcourt l'espace librement, sans frein ni malice, et qui étourdit doucement notre cerveau, nous marchons, nous marchons et nous voyons les langues d'écume de la mer, prise dans un mouvement de flux et de reflux, s'étendre pour lécher nos pieds. Le ressac bouillonne, vague sur vague, se heurte avec un son clair et assourdi, et bruit comme une soie sur la grève plate, ici comme là-bas, et plus loin, sur les bancs de sable, et cette rumeur confuse, remplissant tout, et qui bourdonne doucement, ferme notre oreille à toute autre voix du monde. On se suffit profondément à soi-même, on oublie consciemment... Fermons les yeux, à l'abri pour l'éternité ! Mais non, voyez, là-bas, dans l'étendue gris-vert et écumeuse qui se perd en de puissants raccourcis jusqu'à l'horizon, voyez, une voile ! Là-bas ? Quel là-bas est-ce ? À quelle distance ? Proche ou lointain ? On ne le sait pas. On ne sait quel vertige trouble notre jugement. Pour dire quelle distance sépare ce bateau de la rive, il faudrait savoir quelle est sa taille. Petit et proche, ou grand et lointain ? Notre regard est incertain, car nous n'avons pas d'organe ni de sens qui nous renseigne sur l'espace... Nous marchons, nous marchons. Depuis combien de temps ? Jusqu'où ?

Qu'en savons-nous ? Rien ne change notre pas, « là-bas » est pareil à « ici », « tout à l'heure » est semblable à « maintenant » et à « ensuite » : le temps se noie dans la monotonie infinie de l'espace, le mouvement d'un point à l'autre n'est plus un mouvement, il n'y a pas de temps.

Les docteurs du Moyen Âge prétendaient que le temps était une illusion, que son écoulement qui fait succéder l'effet à la cause ne tenait qu'à la nature de nos sens, et que le véritable état des choses était un présent immuable. S'était-il promené au bord de la mer, le docteur qui, le premier, conçut cette pensée, goûtant sur ses lèvres la légère amertume de l'éternité ? Quoi qu'il en soit, nous répétons que c'est d'une exceptionnelle école buissonnière que nous parlons ici, d'un effet du loisir, qui pénètre le moral d'un homme aussi vite que le repos dans le sable chaud rend la santé au corps. Exercer la critique sur les moyens et les formes de la connaissance humaine, mettre en question leur validité serait un parti pris absurde, méprisable et haineux, si jamais un autre sens était lié à une telle attitude que le désir d'assigner à la raison des limites qu'elle ne saurait franchir sans se rendre coupable de négliger sa fonction. Nous ne pouvons que témoigner de la reconnaissance à un homme comme M. Settembrini d'avoir présenté au jeune homme dont le destin nous préoccupe et qu'il avait interpellé à l'occasion comme un « enfant terrible de la vie », d'avoir présenté à Hans Castorp, disons-nous — et avec une énergie toute pédagogique —, la métaphysique comme « le mal », et nous honorons le mieux la mémoire d'un mort qui nous est cher en disant que le sens, la fin et le but du principe critique ne peut et ne doit être qu'une seule chose, à savoir l'idée du devoir, et le devoir de vivre. Plus encore : si la sagesse légiférante a tracé par la critique des limites à la raison, elle a aussi planté sur ses frontières mêmes le drapeau de la vie, et elle a proclamé que c'est le devoir militaire de l'homme de faire son service sous ce drapeau. Faudrait-il excuser le jeune Hans Castorp, et admettre qu'il avait été confirmé dans son administration vicieuse du temps et dans son jeu dangereux avec l'éternité, par le fait que ce que certain hâbleur mélancolique avait appelé « l'excès de zèle » de son cousin, le militaire, avait entraîné un *exitus letalis* ?

Mynheer Peeperkorn

Mynheer Peeperkorn, un Hollandais d'un certain âge, était depuis quelque temps l'hôte de la maison du Berghof qui, avec quelque raison, portait sur son enseigne l'épithète « internationale ». La nationalité légèrement colorée de Peeperkorn — car c'était un Hollandais colonial, un habitant de Java, un planteur de café — ne suffirait pas à nous décider à l'introduire, lui, Pieter Peeperkorn (c'est ainsi qu'il s'appelait, c'est ainsi qu'il se désignait lui-même : « Maintenant Pieter Peeperkorn va se délecter d'eau-de-vie », avait-il coutume de dire), ne suffirait pas, disons-nous, à nous décider à l'introduire dans notre histoire en ouvrier de la onzième heure… Car, grand Dieu ! quelle variété de teints et de nuances la société de l'excellente institution, dont le conseiller docteur Behrens assurait la direction médicale avec sa faconde polyglotte, n'offrait-elle pas déjà ? Ce n'était pas assez que, récemment, une princesse égyptienne eût séjourné ici — celle-là même qui avait jadis offert au conseiller un remarquable service à café et des cigarettes au sphinx —, un personnage sensationnel aux doigts garnis de bagues et jaunis par la nicotine, aux cheveux coupés court et qui, en dehors des principaux repas auxquels elle assistait en toilette parisienne, se promenait en costume masculin et en pantalons repassés. Elle se souciait d'ailleurs fort peu du monde masculin et ne témoignait une faveur à la fois paresseuse et violente qu'à une Juive roumaine qui s'appelait tout bonnement Mme Landauer, bien que le procureur Paravant négligeât les mathématiques pour l'amour de Son Altesse, et dans son ardeur amoureuse, eût été bien près de tourner au bouffon. Ce n'était donc pas assez, disons-nous, de sa présence personnelle, car il se trouvait même dans sa petite suite un eunuque nègre, un homme faible et souffreteux, mais qui, malgré ce défaut fondamental volontiers raillé par Caroline Stöhr, semblait tenir à la vie plus que personne et se montrait inconsolable de l'image qu'offrait la plaque de son intérieur lorsqu'on eut radiographié son corps noir.

Comparé à de telles figures, Mynheer Peeperkorn pouvait sembler presque incolore. Et, bien que ce chapitre de notre récit pourrait porter, comme un précédent chapitre, le titre « Encore quelqu'un », ce n'est pas une raison de redouter qu'un nouveau fauteur de confusion spirituelle et pédagogique n'entre ici en scène. Non, Mynheer Peeperkorn n'était nullement homme à introduire dans le monde un trouble intellectuel. C'était un tout autre homme ainsi que nous allons le voir. Que sa personne ait néanmoins causé chez notre héros un état de trouble extrême, c'est ce que l'on comprendra, quand on saura ce qui suit :

Mynheer Peeperkorn arriva à la gare de Dorf par le même train du soir que Mme Chauchat, et il rejoignit par le même traîneau qu'elle le Berghof où il dîna au restaurant en sa compagnie. Ce n'était pas seulement une arrivée simultanée, c'était une arrivée en commun, et cette communauté, qui s'affirmait, par exemple, dans le fait que Mynheer se vit désigner sa place à la table des « Russes bien », à côté de la jeune femme et en face de la place du docteur, à l'endroit où le professeur Popof s'était autrefois livré à des démonstrations équivoques, cette communauté justement troubla le bon Hans Castorp, qui n'avait rien prévu de tel. Le conseiller lui avait annoncé à sa manière le jour et l'heure du retour de Clawdia. « Allons, Castorp, mon vieux, avait-il dit. La patience et la fidélité sont récompensées. Après-demain la petite chatte se glissera de nouveau parmi nous, on me l'annonce par télégramme. » Mais que Mme Chauchat ne dût pas venir seule, c'est ce dont il n'avait rien laissé entendre, peut-être parce que lui-même n'avait pas su qu'elle et Peeperkorn arriveraient ensemble, en couple. Du moins feignit-il la surprise lorsque, le jour de cette arrivée commune, Hans Castorp lui demanda, en quelque sorte, des comptes.

« Comment pourrais-je vous dire où elle a encore pêché ce numéro-là ? déclara-t-il. Une rencontre de voyage dans les Pyrénées, je suppose. Voui, il faudra bien vous en accommoder, vous, le Céladon déçu, rien à faire. Inséparables, comprenez-vous ! Il semble qu'ils fassent bourse commune. L'homme est immensément riche, d'après ce que j'entends dire. Roi du café retiré, vous savez, un valet de chambre malais, un train de vie tout à fait magnifique. D'ailleurs, il ne vient certainement pas pour son plaisir, car outre une polyblennie d'origine alcoolique, il semble que nous soyons en présence d'une fièvre contractée sous les tropiques, d'une fièvre intermittente, comprenez-vous : ça traîne terriblement. Il faudra que vous le preniez en patience.

— Je vous en prie, je vous en prie », dit Hans Castorp de haut. « Et toi ? pensa-t-il. Comment te sens-tu ? Tu n'es pas non plus tout à fait désintéressé, quand on songe à autrefois (et si tous les signes ne trompent pas), espèce de veuf aux joues bleues, avec ta peinture à l'huile si réaliste. Tu as l'air de te gausser de moi, me semble-t-il, et pourtant nous sommes des compagnons de malheur, en quelque sorte, par rapport à Peeperkorn. »

« Type curieux, décidément, une physionomie originale, dit-il avec un geste qui dessinait le personnage. Vigoureux et malingre, telle est l'impression qu'il produit, telle est du moins l'impression que j'ai eue de lui, au petit déjeuner. Vigoureux et en même temps malingre, c'est par ces adjectifs, me semble-t-il, qu'il faut le caractériser, bien que d'habitude ils se contredisent. Il est sans doute grand et large et se carre volontiers, les mains dans les poches verticales de ses pantalons — elles ont été coupées verticalement, ai-je remarqué, non pas latéralement, comme c'est le cas chez vous et moi, et d'une manière générale dans les classes supérieures de la société — et lorsqu'il est là, debout, et parle du palais, avec son accent hollandais, il a incontestablement quelque chose de très vigoureux. Mais sa barbe est clairsemée, elle est longue et clairsemée au point que l'on croit pouvoir en compter les poils, et ses yeux sont petits et pâles, presque incolores, je n'y peux rien, et il a beau essayer toujours de les écarquiller, ce qui lui a valu les rides du front si marquées qui montent d'abord le long de ses tempes, puis traversent horizontalement son front — son haut front rouge, vous savez, autour duquel ses cheveux blancs sont longs, mais rares —, ses yeux restent quand même petits et pâles, il a beau les écarquiller... Et son gilet montant lui donne un air d'ecclésiastique bien que la redingote soit à carreaux. Telle est l'impression que j'ai eue ce matin.

— Je vois que vous l'avez pris en point de mire, répondit Behrens, et que vous avez bien observé notre homme dans ses particularités, ce que je trouve raisonnable, car il faudra bien que vous vous accommodiez de son existence.

— Oui, c'est ce que nous ferons sans doute », dit Hans Castorp.

Nous lui avons laissé le soin de tracer une image approximative de ce nouveau pensionnaire si inattendu, et il ne s'est pas trop mal tiré d'affaire. Il est même probable que nous n'aurions pas fait sensiblement mieux. Il est vrai que son poste d'observation avait été des plus favorables : nous savons que, durant l'absence de Clawdia, il avait été placé dans le proche voisinage de la table des « Russes bien », et comme la sienne était parallèle à celle-ci — avec cette seule différence que l'autre était un peu plus près de la porte de la véranda — et que Hans Castorp, de même que Peeperkorn, occupait les côtés étroits situés vers l'intérieur de la salle, ils étaient en quelque sorte placés l'un à côté de l'autre, Hans Castorp un peu en retrait du Hollandais, ce qui facilitait une inspection discrète, tandis qu'il voyait Mme Chauchat de trois quarts. Il conviendrait peut-être de compléter son intelligente esquisse en ajoutant que la lèvre supérieure de Peeperkorn était rasée, que son nez était grand et charnu, que sa bouche était également grande, et avait des lèvres irrégulières, comme déchirées. De plus, ses mains étaient sans doute assez larges, mais pourvues de longs ongles pointus, et il s'en servait tout en parlant — car il parlait sans arrêt, sans que Hans Castorp saisît nettement le sens de ses paroles —, faisant des gestes recherchés, qui tenaient l'attention en suspens, les gestes délicatement nuancés, raffinés, précis et civilisés d'un chef d'orchestre, pliant l'index pour former un cercle avec le pouce, ou la main plate — large, mais aux ongles pointus —, étendue, protectrice, apaisante et réclamant l'attention, pour aussitôt décevoir cette attention souriante qu'il avait obtenue par l'inintelligibilité de paroles si puissamment préparées, ou, sinon vraiment la décevoir, du moins pour la changer en un joyeux étonnement. Car la force, la délicatesse et l'importance significative de cette préparation compensaient largement les paroles qui faisaient défaut ; cette gesticulation satisfaisait par elle-même, divertissait, voire comblait les auditeurs. Parfois même cette parole n'était pas du tout prononcée. Il posait doucement sa main sur l'avant-bras de son voisin de gauche, un jeune savant bulgare, ou sur celui de Mme Chauchat, à sa droite, levait ensuite cette main, obliquement, en réclamant le silence et l'attention pour ce qu'il s'apprêtait à dire, et, les sourcils froncés, de façon que les rides qui formaient un angle droit entre son front et les coins extérieurs de ses yeux se creusaient comme sur un masque, il regardait sur la nappe, devant celui qu'il avait ainsi appréhendé, tandis que ses grandes lèvres déchirées semblaient sur le point de formuler des choses de la plus haute importance. Mais au bout d'un instant il rendait son souffle, renonçait à parler, et d'un signe semblait commander « Repos » ; sans avoir rien proféré, il retournait à son café qu'il s'était fait servir exceptionnellement fort, dans son propre filtre à café.

Lorsqu'il l'avait bu, il procédait comme suit. De la main il rabattait la conversation, obtenait le silence ainsi que le chef d'orchestre apaise le désordre des instruments que l'on accorde, et rassemble son monde par un geste impérieux et raffiné avant d'attaquer l'ouverture. Sa grande tête entourée de mèches blanches, avec ses yeux pâles, les formidables rides du front, sa longue barbe et sa bouche dénudée et douloureuse, produisait évidemment un effet tel que tout le monde se soumettait à son geste. Tous se taisaient, le regardaient en souriant, attendaient, et, ici et là, quelqu'un lui faisait un signe de tête avec un sourire encourageant. Il disait à voix basse :

« Mesdames et messieurs… Bien. Tout va bien. Ré-glé ! Voulez-vous cependant envisager et ne pas perdre de vue un seul instant que… Mais sur ce point, motus. Ce qu'il m'incombe d'exprimer est moins cela, que, avant toute chose et en premier lieu ceci que nous avons le devoir, que la plus inviolable… — je le répète, et je mets tout l'accent sur cette expression — que l'exigence la plus inviolable se pose qui… Non, non, mesdames et messieurs, ce n'est pas ainsi ! Il n'en est pas ainsi de… Quelle erreur ce serait de votre part de penser que je… Ré-*glé* !, mesdames et messieurs ! Parfaitement ré-glé. Je nous sais d'accord sur tout cela, et donc au fait ! »

Il n'avait rien dit ; mais sa tête apparaissait si incontestablement significative, son jeu de physionomie et de gestes était si résolu, si insistant et si expressif, que tous, et même Hans Castorp qui écoutait, crurent avoir entendu des choses infiniment importantes ; tout en se rendant compte qu'aucune communication réelle ne leur avait été faite, ils n'avaient cependant le sentiment d'aucun vide. Nous nous demandons quelle eût été l'impression d'un sourd. Peut-être se serait-il désolé, parce qu'il aurait jugé à tort de la teneur du discours d'après l'expression de l'orateur et se serait figuré que son infirmité lui avait fait perdre un bien précieux. De tels gens inclinent à la méfiance et à l'amertume. En revanche, un jeune Chinois, à l'autre extrémité de la table, qui ne comprenait que très peu l'allemand, et qui n'avait rien compris, mais qui avait entendu et vu, témoigna sa satisfaction joyeuse par l'exclamation : « *Very well !* » et alla jusqu'à applaudir.

Et Mynheer Peeperkorn en arriva « au fait ». Il se redressa, il dilata sa large poitrine, il boutonna sa redingote à carreaux sur son gilet fermé, et sa tête blanche était royale. Il fit signe à une servante — c'était la naine — et bien qu'elle fût très occupée, elle obéit aussitôt à son geste autoritaire, et se présenta, le pot à lait et la cafetière à la main, à côté de sa chaise. Elle non plus ne put s'empêcher de lui faire, en souriant de sa grande figure vieillotte, un signe encourageant, suggestionnée par son regard pâle sous les formidables rides, par sa main levée, dont l'index s'unissait en un cercle avec le pouce, tandis que les trois autres doigts se dressaient dominés par les lances pointues des ongles.

« Mon enfant, dit-il, parfait ! Tout est parfait jusqu'ici. Vous êtes petite. Qu'est-ce que cela me fait ? Au contraire ! J'y vois un avantage. Je rends grâce à Dieu que vous soyez comme vous êtes, et grâce à votre petite taille si caractéristique... Laissons cela ! Ce que je désire de vous est également petit, petit et caractéristique. Avant tout, comment vous appelez-vous ? »

Elle bégaya en souriant et dit ensuite que son nom était Émérentia.

« Parfait ! » s'écria Peeperkorn en se rejetant contre le dossier de sa chaise et en allongeant le bras vers la naine. Il s'exclama ainsi avec un accent comme s'il eût voulu dire : « Que voulez-vous donc ? Tout est pour le mieux ! » « Mon enfant, poursuivit-il, très sérieusement et presque avec sévérité, cela surpasse toutes mes espérances. Émérentia ! Vous le prononcez avec modestie, mais ce nom, rapproché de votre personne... Bref, cela ouvre les plus belles perspectives. Cela vaut la peine que l'on s'y attache et que l'on y suspende son cœur... Sous sa forme diminutive — vous m'entendez, mon enfant —, sous sa forme caressante, on pourrait dire Rentia. Emmy également serait réchauffant, pour l'instant je m'en tiens sans hésitation à Emmy. Donc, Emmy, mon enfant, écoute bien : un peu de pain, ma chère. Halte ! Arrête ! Qu'aucun malentendu ne s'insinue entre nous. Je vois dans ton visage relativement grand que ce danger... Du pain, Rentinette, mais pas du pain cuit, nous en avons ici des quantités sous toutes sortes de formes. Du pain brûlé, mon ange. Du pain du bon Dieu, du pain transparent, ma petite forme caressante, afin de nous délecter. Je ne suis pas très certain que le sens de ce mot... Je proposerais d'y substituer : pour ranimer notre cœur, si nous ne courions pas à nouveau le danger que l'on donne au sens frivole... Réglé, Rentia, réglé et liquidé. C'est bien plutôt au sens du devoir et d'une obligation sacrée. À celui, par exemple, de la dette morale qui m'incombe de témoigner à ta petitesse caractéristique... Un genièvre, ma chère. Pour me délecter, voulais-je dire. Du Schiedam, ma petite Émérentia. Hâte-toi et apporte-le-moi.

— Un genièvre d'origine », répéta la naine, qui tourna sur elle-même dans l'intention de se débarrasser de son pot et de sa cafetière, qu'elle déposa sur la table de Hans Castorp, à côté de son couvert à lui, parce qu'elle ne voulait visiblement pas importuner M. Peeperkorn. Elle s'empressa, et la commande fut aussitôt exécutée. Le verre était si plein que le « pain » coulait de toutes parts et mouillait l'assiette. Peeperkorn prit le verre entre l'index et le majeur et l'éleva au jour. « Ainsi donc, déclara-t-il, Pieter Peeperkorn se délecte d'eau-de-vie ! » et il avala son alcool de grain, après l'avoir un instant mâché. « Maintenant je vous regarde tous d'un œil réconforté. » Et il prit sur la nappe la main de Mme Chauchat, la porta à ses lèvres, puis la posa, en laissant encore un instant sa main sur celle de la jeune femme.

Un homme singulier, une personnalité imposante encore que difficile à pénétrer… La société du Berghof s'intéressait vivement à lui. On disait qu'il s'était récemment retiré du commerce des denrées coloniales et qu'il avait mis sa fortune au sec. On parlait de son splendide hôtel à La Haye et de sa villa à Scheveningue. Mme Stöhr l'appelait un « magnard d'argent » (un « magnat », terrible femme !) et faisait à ce propos allusion à un collier de perles que Mme Chauchat portait depuis son retour avec sa robe du soir, et qui, de l'avis de Caroline, pouvait difficilement être considéré comme un témoignage de la galanterie de son époux de Transcaucasie, mais provenait certainement de la « bourse de voyage commune ». En même temps, elle clignait des yeux, désignait d'un mouvement de tête Hans Castorp et faisait une moue comique en raillant sans égards son infortune, car ni la maladie ni la souffrance ne l'avaient affinée. Il garda de la tenue. Il rectifia même le lapsus de la bonne dame, non sans esprit. La langue lui avait fourché, dit-il. Magnat, non pas magnard. Mais l'expression n'était pas trop mal choisie, car apparemment Peeperkorn possédait en effet quelque chose comme un pouvoir… magnétique. Il répondit de même avec une indifférence assez bien feinte à Mlle Engelhart l'institutrice, lorsque, rougissant faiblement, souriant de travers et sans le regarder, elle lui demanda si le nouveau pensionnaire lui plaisait. Mynheer Peeperkorn était une « personnalité estompée », dit-il, une personnalité sans doute, mais « plutôt estompée ». L'exactitude de cette appréciation témoignait de son objectivité et par conséquent de son calme. Elle fit perdre l'avantage à l'institutrice. Quant à Ferdinand Wehsal et à son allusion grimaçante aux circonstances inattendues dans lesquelles Mme Chauchat était revenue, Hans Castorp lui prouva qu'il est des regards dont la signification sans équivoque ne le cède en rien aux paroles les plus nettement articulées. « Lamentable personnage ! » dit le regard dont il mesura le Mannheimois, cela, sans qu'il fût possible de se méprendre le moins du monde sur sa signification, et Wehsal reconnut ce regard, l'encaissa, approuva même de la tête en montrant ses dents gâtées ; mais à partir de cet incident il renonça quand même à porter au cours de leurs promenades avec Naphta, Settembrini et Ferge, le pardessus de Hans Castorp.

Mon Dieu, Hans Castorp pouvait le porter lui-même, il préférait même qu'il en fût ainsi, et ce n'était que par amabilité qu'il l'avait de temps à autre abandonné à ce pauvre diable. Mais personne de nous ne s'y est trompé : en réalité Hans Castorp avait été durement touché par ces événements si imprévus qui ruinaient tous ses préparatifs intimes en vue du moment où il allait revoir l'objet de son aventure de carnaval. Plus exactement, ils rendaient ces préparatifs inutiles, et c'était là le plus humiliant.

Les intentions de Hans Castorp avaient été les plus délicates et les plus sensées ; il avait été loin de tout emportement balourd. Il n'avait pas songé, par exemple, à aller attendre Clawdia à la gare, et c'était une chance encore qu'il eût tout d'abord écarté cette pensée ! Mais la question s'était posée d'une façon tout à fait générale de savoir si une femme, à qui la maladie accordait une liberté si large, voudrait croire à la réalité des événements fantastiques d'une lointaine nuit de rêve, de mascarade et de conversation en langue étrangère, et si elle désirerait qu'on la lui rappelât. Non, pas d'indiscrétion, pas de prétentions maladroites ! Même en admettant que ses rapports avec la malade aux yeux bridés eussent dépassé de loin les bornes de la raison et de la civilisation occidentale, il n'en convenait pas moins d'observer pour la forme les règles de la civilisation la plus accomplie, et, pour l'instant, de feindre jusqu'à l'oubli. Un salut d'homme du monde, d'une table à l'autre, pour commencer ; rien de plus ! Plus tard, lorsque l'occasion s'en présenterait, une visite mondaine, pour s'informer d'un ton léger de l'état de la malade, depuis l'autre jour… Et ils se seraient retrouvés véritablement, à leur heure ; et ce serait comme une récompense accordée pour cette maîtrise de soi chevaleresque.

Mais, comme il a été dit, cette délicatesse apparaissait nulle et caduque, par le fait que tout caractère volontaire, et partant tout mérite, lui étaient enlevés. La présence de Mynheer Peeperkorn excluait par trop complètement toute possibilité tactique de se départir d'une extrême réserve. Le soir de l'arrivée, Hans Castorp avait vu de sa loge le traîneau monter au pas le tournant de la route, et dans ce traîneau, sur le siège duquel était juché le domestique malais, petit homme jaune, avec un col de fourrure à son pardessus et coiffé d'un melon, il y avait l'étranger, le chapeau sur la tête, et à côté de lui Clawdia. Cette nuit-là, Hans Castorp n'avait guère dormi. Le matin il n'avait pas eu de peine à apprendre le nom de ce troublant compagnon et, par-dessus le marché, la nouvelle que tous deux avaient occupé au premier étage des appartements luxueux et contigus. Puis était venu le premier déjeuner, et à son poste de bonne heure, très pâle, il avait attendu que la porte vitrée se fermât avec fracas. Mais le cliquetis ne s'était pas produit. L'entrée de Clawdia s'était faite en silence, car derrière elle Mynheer Peeperkorn avait refermé la porte. Grand, large d'épaules, le front haut, sa tête puissante entourée des flammes blanches de sa chevelure, il avait emboîté le pas à sa compagne de voyage qui, de son habituelle démarche féline, en avançant la tête, s'était approchée de sa table. Oui, c'était bien elle, inchangée ! Contrairement à son dessein et oubliant tout, Hans Castorp l'embrassa d'un regard qui trahissait l'insomnie. C'était bien sa chevelure d'un blond roussâtre, nullement frisée avec art, mais roulée en une simple natte autour de la tête, c'étaient ses « yeux de loup des steppes », la courbe de sa nuque, ses lèvres qui semblaient plus pleines qu'elles n'étaient, par suite de la saillie des pommettes qui déterminait une flexion gracieuse des joues… Clawdia ! pensa-t-il en frémissant, et il regarda le compagnon inattendu, non sans rejeter la tête, signe de défi railleur devant la grandiose apparition de ce masque, non sans s'efforcer de tout cœur à se moquer de l'assurance du propriétaire actuel que certain passé rendait assez douteux : ou plutôt un passé certain, moins vague que tels tableaux peints par un amateur et qui avaient réussi à l'inquiéter lui-même… Mme Chauchat avait aussi conservé sa manière de faire, en souriant, face à la salle, avant de s'asseoir, de se présenter en quelque sorte à la compagnie, et Peeperkorn la secondait en laissant s'accomplir la petite cérémonie, debout derrière elle, pour prendre place, ensuite, à son bout de table, à côté de Clawdia.

Il n'avait plus été question de salut d'homme du monde, d'une table à l'autre. Lors de la « présentation », les yeux de Clawdia avaient glissé sur la personne de Hans Castorp comme sur tout l'endroit où il se trouvait, pour se perdre au fond de la salle ; lors de la rencontre suivante dans la salle à manger il n'en avait pas été autrement ; et après chaque repas qui passait sans que leurs yeux se fussent rencontrés autrement qu'avec une indifférence aveugle et distraite de la part de Mme Chauchat, il devenait d'autant plus impossible de placer le salut d'homme du monde. Durant la brève union du soir, les compagnons de voyage se tinrent dans le petit salon : ils étaient assis l'un à côté de l'autre sur le sopha, au milieu de leurs voisins de table, et Peeperkorn, dont le visage grandiose, très rouge, se détachait de la blancheur flamboyante de ses cheveux et de sa barbe, vidait la bouteille de vin rouge qu'il s'était fait servir à dîner. Car à chacun des principaux repas il buvait une bouteille, voire une bouteille et demie ou même deux de vin rouge, sans parler du « pain » par lequel il commençait son petit déjeuner. Cet homme princier avait apparemment un besoin extraordinaire de se réconforter. Ce réconfort, il se l'accordait également sous forme d'un café très corsé qu'il buvait plusieurs fois par jour, non seulement le matin, de bonne heure, mais également l'après-midi. Il le buvait dans une grande tasse, aussi bien après le repas que pendant, en même temps que le vin. L'un et l'autre, apprit Hans Castorp, étaient bons contre la fièvre, sans parler de leur effet délectable, excellents contre sa fièvre intermittente qui, dès le second jour, le retint pour plusieurs heures dans sa chambre et au lit. C'était une fièvre quarte, dit le conseiller, parce que le Hollandais en était pris à peu près tous les quatre jours : c'était d'abord un claquement des dents, puis une ardeur brûlante suivie de transpiration. Et son mal avait encore pour effet la dilatation de la rate.

Vingt et un

Ainsi passait le temps : ce furent des semaines, au moins trois ou quatre semaines, si nous les évaluons, car nous ne pouvons en aucune façon nous fier au jugement et au sens que Hans Castorp avait du temps. Elles glissaient sans apporter de nouveaux changements, elles attisaient chez notre héros une colère, devenue habituelle, contre certains événements imprévus qui lui avaient imposé une réserve méritoire; contre le fait qu'il se nommait lui-même Pieter Peeperkorn lorsqu'il absorbait un doigt d'eau-de-vie; contre l'existence gênante de cet homme princier, imposant et indistinct, gênante en effet, et d'une manière autrement agressive que celle de M. Settembrini ne l'avait jamais été. Des rides de mécontentement et d'irritation se dessinaient verticalement entre les sourcils de Hans Castorp, et sous ces plis, il considérait cinq fois par jour la jeune femme, malgré tout, heureux de pouvoir la regarder, et plein de mépris pour la présence toute-puissante de quelqu'un qui ne soupçonnait pas combien équivoque était le passé de sa compagne.

Mais un soir, comme il arrivait parfois sans raison particulière, la réunion du soir dans le hall et les salons avait pris une tournure plus animée que d'ordinaire. On avait fait de la musique — des airs tziganes, exécutés avec brio par un étudiant hongrois —, après quoi le conseiller Behrens, qui s'était également montré avec le docteur Krokovski pour un petit quart d'heure, avait obligé un des pensionnaires à jouer au piano la mélodie du « Chœur des pèlerins », tandis que lui-même passait sur les registres aigus du clavier une brosse, parodiant ainsi le violon. Cela fit rire. Au milieu de vifs applaudissements, hochant la tête avec bienveillance, comme surpris de sa propre gaieté, le conseiller quitta le salon. Mais la réunion se prolongea, on continua de faire de la musique, sans qu'elle exigeât une attention trop concentrée, on s'installa pour une partie de dominos ou de bridge, on commanda des boissons ; les uns se divertissaient à l'aide des jouets optiques, d'autres plaisantaient ci et là. Les habitués de la table des « Russes bien » s'étaient, eux aussi, mêlés aux groupes du hall et du salon de musique. On vit Mynheer Peeperkorn paraître en plusieurs endroits, on ne pouvait pas ne pas le voir, sa tête majestueuse dominait son entourage, triomphait par sa force royale et imposante, et, si ceux qui l'entouraient n'avaient été attirés d'abord que par sa réputation de richesse, c'était sa personnalité qui, seule, les retenait. Ils étaient là souriants, l'approuvaient de la tête, l'encourageaient, oublieux d'eux-mêmes. Fascinés par son œil pâle sous les formidables plis du front, tenus en suspens par l'insistance des gestes raffinés de ses ongles oblongs, et sans le moins du monde éprouver une déception devant l'inintelligibilité, l'incohérence, la gratuité de ce qui suivait.

Si, dans cette circonstance, nous nous mettons en quête de Hans Castorp, nous le trouverons dans le salon de lecture et de correspondance où jadis (ce jadis est vague ; le conteur, le héros et le lecteur ne sont plus tout à fait au clair sur son degré d'éloignement) des confidences importantes lui furent faites sur l'organisation du progrès de l'Humanité. On était plus tranquille ici. Quelques personnes seulement s'y trouvaient avec lui. Un malade écrivait sous une suspension électrique, à l'un des bureaux doubles. Une dame, qui portait deux lorgnons sur le nez, feuilletait, près de la bibliothèque, un volume illustré. Hans Castorp se tenait assis à proximité du passage ouvert qui conduisait au salon de musique, le dos tourné à la portière, un journal en mains, sur le siège qui se trouvait là, une chaise Renaissance recouverte de peluche, si l'on tient à ces détails, avec un dossier haut et droit, sans accoudoirs. Le jeune homme tenait son journal comme on le tient pour lire, mais il ne lisait pas; la tête baissée, il écoutait au contraire la musique qui arrivait jusqu'à lui à travers le bruit des conversations, tandis que ses sourcils sombres témoignaient que cela aussi, il ne le faisait que d'une oreille distraite et que ses pensées suivaient des voies moins musicales. Elles suivaient les chemins épineux de la déception que lui avaient causée des événements qui se raillaient d'un jeune homme patient au bout d'une longue attente, des chemins pleins de révoltes amères; parfois il était sur le point de jeter son journal sur cette chaise malcommode qui se trouvait là par hasard, de franchir cette porte et la porte du hall, et de quitter cette réunion manquée pour la solitude glaciale de son balcon, pour une solitude à deux : lui et Maria Mancini.

« Et votre cousin, monsieur? » demanda derrière lui, au-dessus de sa tête, une voix. C'était une voix enchanteresse pour son oreille, laquelle était prédestinée à trouver infiniment agréable ce timbre voilé et un peu rauque. C'était l'idée même de la jouissance poussée jusqu'à sa limite extrême, c'était la voix qui avait dit il y avait longtemps : « Volontiers, mais ne le casse pas! » C'était une voix irrésistible, une voix fatale, et s'il ne se trompait pas, elle s'était informée de Joachim.

Il laissa lentement tomber son journal et leva un peu le visage, de sorte que sa tête ne se trouva appuyée plus haut que sur la vertèbre cervicale posée sur le dossier roide. Il ferma même un peu les yeux, mais les rouvrit aussitôt pour les lever obliquement vers en haut, dans la direction qui était donnée à son regard par la position de sa tête, n'importe où, dans le vide. Le brave garçon! On eût dit que son expression était presque celle d'un voyant et d'un somnambule. Il souhaita qu'elle lui posât encore une fois la question, mais il n'en fut rien. Il n'était donc même pas sûr qu'elle fût encore debout derrière lui lorsque, après un temps assez long, avec un regard étrange, et à mi-voix, il répondit :

« Il est mort. Il a fait du service dans la plaine, et il est mort. »

Lui-même remarqua que la première parole prononcée entre eux et qui portait un accent était le mot « mort ». Il remarqua en même temps que, faute d'être familiarisée avec sa langue, elle choisissait des expressions trop légères pour ses condoléances lorsqu'elle dit derrière et par-dessus lui :

« Hélas ! Comme c'est dommage ! Tout à fait mort et enterré ? Depuis quand ?

— Depuis quelque temps déjà. Sa mère l'a emporté avec elle. Une barbe de guerrier avait poussé à son menton. On a tiré trois salves d'honneur au-dessus de sa tombe.

— Il les avait bien méritées. Il a toujours été un brave. Il était plus brave que beaucoup d'autres, que certains autres.

— Oui, il était brave. Rhadamante a toujours parlé de son excès de zèle. Mais son corps ne voulait rien savoir. *Rebellio carnis*, disent les jésuites. Il était toujours très porté vers les choses du corps, en tout bien, tout honneur. Mais son corps qui avait laissé le déshonneur pénétrer en lui s'est moqué de son excès de zèle. Il est d'ailleurs plus moral de se perdre soi-même que de se préserver.

— Je vois bien que nous sommes encore un propre à rien philosophe. Rhadamante, qui est-ce ?

— Behrens. Settembrini l'appelle ainsi.

— C'est cet Italien qui… ? Je ne l'aimais pas. Il n'était pas assez humain (la voix prononçait le mot "humain" d'un accent traînant, nonchalant et avec une sorte de paresse rêveuse). Il était orgueilleux. Il n'est plus là ? Je suis sotte. Je ne sais pas ce que c'est : Rhadamante ?

— Quelque chose d'humaniste. Settembrini n'habite plus ici. Nous avons longuement philosophé, ces temps derniers, lui, Naphta et moi.

— Qui est Naphta ?

— Son antagoniste.

— S'il est son antagoniste, je voudrais faire sa connaissance. Mais ne vous avais-je pas dit que votre cousin mourrait s'il essayait d'être soldat dans la plaine ?

— Oui, tu le savais.

— Qu'est-ce qui vous prend ? »

Silence prolongé. Il ne rétracta rien. Il attendit, la vertèbre appuyée contre le dossier raide, avec un regard de voyant, que la voix se fit de nouveau entendre, se demandant de nouveau si elle était encore derrière lui, craignant que la musique confuse qui venait de la pièce voisine n'eût couvert le bruit de ses pas qui s'éloignaient. Enfin il entendit de nouveau :

« Et monsieur n'est même pas allé à l'enterrement de son cousin ? »

Il répondit :

« Non, je lui ai dit adieu ici, avant qu'on ne l'ait bouclé, parce qu'il commençait à sourire. Tu ne peux pas imaginer combien son front était froid.

— Encore ? Quelle manière de parler à une femme que l'on connaît à peine ?

— Dois-je parler en humaniste ou en être humain ? (Malgré lui, il prononça, à son tour, ce mot d'une manière traînante et somnolente, à peu près comme quelqu'un qui s'étire et qui bâille.)

— *Quelle blague !* Vous êtes tout le temps resté ici ?

— Oui. J'ai attendu.

— Quoi ?

— Quoi ? Mais toi ! »

Un rire éclata au-dessus de sa tête, poussé en même temps que le mot « fou ! ».

« Moi ? On ne t'aura pas laissé partir.

— Si, Behrens m'aurait un jour laissé partir, dans un accès de colère, mais ce n'eût été qu'un faux départ. Car outre les vieilles cicatrices d'autrefois, de mon temps de collège, tu sais, il y a là, la tache fraîche que Behrens a découverte et qui me donne de la fièvre.

— Toujours de la fièvre ?

— Oui, toujours. Presque toujours. Par intermittence. Mais ce n'est pas de la fièvre intermittente.

— *Des allusions ?* »

Il garda le silence. Il fronça les sourcils d'un air sombre au-dessus de son regard de voyant. Au bout d'un instant, il demanda :

« Et où as-tu été, toi ? »

Une main frappa le dossier du siège.

« *Mais c'est un sauvage!* Où j'ai été? Partout. À Moscou. (La voix dit "Mooscou", avec un accent traînant analogue à celui qu'elle avait eu en prononçant le mot "humain"), à Bakou, dans des stations thermales allemandes, en Espagne…

— Oh! en Espagne, comment était-ce?

— Comme ci, comme ça. On voyage mal. Les gens sont des demi-nègres. La Castille est très sèche et dure. Le Kremlin est plus beau que ce château ou ce cloître, là-bas, au pied de la montagne…

— L'Escurial?

— Oui, le château de Philippe. Un château inhumain. J'ai de beaucoup préféré la danse populaire en Catalogne, la *sardana*, accompagnée de la cornemuse. J'ai moi-même dansé. Tout le monde se donnait la main et l'on danse en rond. Toute la place est pleine de monde. *C'est charmant*. C'est humain. Je me suis acheté un petit bonnet bleu, comme tous les hommes et garçons du peuple en portent, c'est déjà presque un fez : la *boïna.* Je la porte pour ma cure de repos et à d'autres occasions. Monsieur jugera si elle me va bien.

— Quel monsieur?

— Celui qui est assis sur cette chaise.

— Je pensais : Mynheer Peeperkorn.

— Il en a déjà jugé. Il dit qu'elle me va à ravir.

— Il a dit cela? Il a fini par dire cela? Il a terminé la phrase de façon qu'on ait pu le comprendre?

— Ah! il paraît que nous sommes de mauvaise humeur. Nous voudrions être méchant, mordant, nous essayons de nous moquer de gens qui sont plus grands et meilleurs et plus humains que nous-même, y compris notre… *ami bavard de la Méditerranée, notre maître grand parleur*… Mais je ne permettrai pas qu'à propos de mes amis…

— As-tu encore mon portrait intérieur? » interrompit-il avec un accent mélancolique.

Elle rit.

« Il faudra que je cherche un jour.

— Je porte le tien sur moi. Et j'ai un petit chevalet sur ma commode où, pendant la nuit… »

Il n'eut pas le temps d'achever sa phrase. Peeperkorn était debout devant lui. Le Hollandais avait cherché sa compagne de voyage ; il était entré par la portière, et il était posté devant la chaise de celui avec lequel il l'avait vue bavarder. Il était là comme une tour, si près des pieds de Hans Castorp que celui-ci comprit qu'en dépit de son somnambulisme il s'agissait à présent de se lever et d'être poli. Il eut du mal à se lever de sa chaise, entre eux deux ; il dut se lever en faisant un pas de côté, de sorte que les personnages du drame se trouvèrent à former un triangle, la chaise placée au milieu d'eux.

Mme Chauchat satisfit aux convenances de l'Occident civilisé en présentant ces messieurs l'un à l'autre. Un ami d'autrefois, dit-elle, en parlant de Hans Castorp, un ami d'un précédent séjour. L'existence de M. Peeperkorn n'appelait aucun commentaire. Elle le nomma, et le Hollandais — son œil pâle dirigé sur le jeune homme, sous l'arabesque des plis pensifs de son front et de ses tempes d'idole — tendit sa main dont le large dos était taché de son.

« Une main de capitaine, pensa Hans Castorp, si l'on omet les ongles pointus. » Pour la première fois, il subissait l'effet immédiat de la vigoureuse personnalité de Peeperkorn. « Personnalité » ; on pensait toujours à ce mot en sa présence ; on savait tout à coup ce que c'était qu'une personnalité, lorsqu'on le voyait, oui, bien plus, on était convaincu qu'une personnalité ne pouvait pas avoir une apparence différente. Et ce sexagénaire large d'épaules, au visage rouge et aux mèches blanches, avec cette bouche douloureuse et déchirée et cette barbe qui pendait, longue et étroite sur le gilet fermé d'ecclésiastique, écrasait sous son poids le frêle jeune homme. D'ailleurs, Peeperkorn était la gentillesse même.

« Monsieur, dit-il. Absolument. Non, permettez-moi, absolument ! Je fais ce soir votre connaissance, la connaissance d'un jeune homme qui inspire confiance, je le fais en toute conscience, monsieur, je suis absolument au fait. Vous me plaisez. Je… s'il vous plaît ! Réglé ! Vous me revenez. »

Il n'y avait rien à objecter. Ses gestes élaborés étaient par trop péremptoires. Hans Castorp lui plaisait. Et

Peeperkorn tira de cela des conclusions qu'il exprima par des allusions et que la bouche de sa compagne de voyage précisa charitablement.

« Mon enfant, dit-il, tout va bien. Mais qu'en pensez-vous… ? Je vous prie de ne pas vous méprendre. La vie est courte, notre capacité de répondre a ses exigences… Il en est ainsi que… Ce sont des faits, mon enfant. Des lois. Des intangibles. Bref, mon enfant, bref, c'est parfait. »

Il fit durer son geste expressif qui invitait à prendre une décision, déclinant toute responsabilité pour le cas où, malgré sa proposition, une faute grave serait commise.

Mme Chauchat était apparemment exercée à discerner le sens de ses désirs. Elle dit :

« Pourquoi pas ? Nous pourrions peut-être rester ensemble encore un peu, jouer à un jeu et boire une bouteille de vin. Qu'attendez-vous ? se tourna-t-elle vers Hans Castorp. Remuez-vous ! Nous n'allons pas rester à nous trois. Il faut que nous trouvions de la compagnie. Qui y a-t-il encore au salon ? Invitez qui vous trouverez ! Cherchez quelques amis sur les balcons. Nous convierons le docteur Ting-Fou de notre table. »

Peeperkorn se frotta les mains.

« Absolument, dit-il, excellent, parfait ! Dépêchez-vous, jeune homme ! Obéissez ! Nous formerons un cercle. Nous jouerons, nous mangerons et nous boirons. Nous sentirons que nous… Absolument, jeune homme ! »

Hans Castorp monta en ascenseur au deuxième étage. Il frappa à la porte d'A. C. Ferge, lequel, de son côté, alla chercher Ferdinand Wehsal et M. Albin, sur la chaise longue, dans la salle de repos d'en bas. On avait encore trouvé dans le hall le procureur Paravant et les époux Magnus, au salon, Mme Stöhr et Hermine Kleefeld. On dressa une vaste table de jeu sous le lustre du milieu, et on l'entoura de chaises et de guéridons. Mynheer saluait chacun des invités qui se présentait d'un regard pâle et courtois, sous l'arabesque de son front attentif et plissé. On s'installa au nombre de douze — Hans Castorp entre l'hôte majestueux et Clawdia Chauchat —, on chercha des cartes et des jetons (car on s'était mis d'accord pour faire une partie de vingt-et-un), et à sa manière imposante Peeperkorn commanda à la naine que l'on avait appelée, du vin blanc, un chablis de 1906, trois bouteilles pour commencer, ainsi que quelques sucreries, tout ce qu'il y aurait moyen de trouver en fait de fruits secs et de fruits confits. La manière dont il se frotta les mains en accueillant ces bonnes choses que l'on servit témoigna de sa vive satisfaction, et par l'incohérence imposante de ses propos il tentait d'exprimer ses sensations, à quoi il réussissait parfaitement dans ce sens qu'il faisait éprouver à tous l'ascendant de sa personnalité. Il posait les deux mains sur les avant-bras de ses voisins, levait son index pointu et réclamait et obtenait avec un succès complet l'attention de tous pour la splendide couleur dorée du vin dans les coupes, pour le sucre que suaient les raisins de Malaga, pour une sorte de petits bretzels salés et parsemés de grains de pavot qu'il appela divins en étouffant dans le germe, par un geste péremptoire et élaboré, toute contradiction qui aurait pu s'élever contre sa parole énergique. Ce fut lui qui, le premier, prit la banque ; mais bientôt il la céda à M. Albin parce que, à tout prendre, ce souci nuisait au plaisir qu'il goûtait à s'épancher librement.

La chance, visiblement, lui importait peu. On jouait pour rien, à son avis. Sur sa proposition on avait fixé l'enjeu minimum à cinquante centimes, mais c'était beaucoup pour la plupart des joueurs. Le procureur Paravant, ainsi que Mme Stöhr, rougissaient et pâlissaient tour à tour, et celle-ci surtout était en proie à de terribles luttes intérieures lorsque la question se posait de savoir si à dix-huit elle achèterait encore. Elle poussait des cris aigus lorsque M. Albin, avec un calme d'habitué, lui jetait une carte qui, d'emblée, faisait crouler ses calculs audacieux, et Peeperkorn en riait cordialement.

« Criez, criez, madame, disait-il. C'est un son perçant, plein de vie et qui vient du fond de… Buvez, délectez à nouveau votre cœur… »

Et il lui versait du vin, il en versait encore à son voisin et à lui-même, il commandait trois autres bouteilles et buvait à la santé de Wehsal et de la calamiteuse Mme Magnus parce que l'un et l'autre semblaient avoir un besoin particulier d'être ragaillardis. Rapidement, le vin, en effet merveilleux, colora les visages, à l'exception de celui du docteur Ting-Fou qui restait invariablement jaune avec des pupilles de rat d'un noir de jais, et qui, avec une chance insolente, risquait des mises très élevées. Les autres ne voulaient pas demeurer en reste. Le procureur Paravant, le regard noyé, provoqua le destin en mettant dix francs sur une carte d'ouverture qui ne promettait que médiocrement, surenchérit en pâlissant et gagna le double de sa mise, parce que M. Albin, se fiant à tort à un as qu'il tenait, avait fait doubler tous les enjeux. C'étaient là des émotions qui ne se bornaient pas à la personne de celui qui se les procurait. Tout le cercle y prenait part, et même M. Albin qui rivalisait de froide circonspection avec les croupiers du casino de Monte-Carlo dont il prétendait être un habitué, ne maîtrisait qu'à grand-peine sa fièvre. Hans Castorp, lui aussi, jouait gros jeu ; de même, la Kleefeld et Mme Chauchat. On passa aux « tours », on joua au « chemin de fer », à « Ma tante, ta tante », et à la dangereuse « Différence ». Jubilations et explosions de désespoir, éclats de colère et crises de rire hystériques, provoqués par l'excitation que la chance fantasque exerçait sur les nerfs, se succédaient, et les uns et les autres étaient authentiques, sérieux, ils n'auraient pas été différents s'il s'était agi d'événements de la vie réelle.

Néanmoins ce n'était pas seulement le jeu, pas principalement le jeu, qui déterminait chez tous cette tension de l'âme, cette ardeur des visages, cette dilatation des yeux brillants ou ce que l'on aurait pu appeler l'effort que faisait la petite société, son état de tension douloureuse, de concentration extrême. En réalité, tout cela tenait à l'influence d'une nature de chef qui se trouvait parmi l'assistance, à la « personnalité » qui était parmi eux, à celle de Mynheer Peeperkorn qui tenait la direction dans sa main aux gestes magnifiques et qui faisait subir à tous la fascination de l'heure par le spectacle du grand jeu de sa physionomie, par son regard pâle sous les plis monumentaux de son front, par la parole et l'insistance de mimique. Que disait-il ? Ce n'étaient que des choses très confuses, et qui devenaient plus indistinctes à mesure qu'il avait bu davantage. Mais on était suspendu à ses lèvres, on regardait fixement, en souriant, les sourcils levés, le cercle que formaient son pouce et son index, et au-dessus duquel les autres doigts se dressaient comme des lances, tandis qu'un travail expressif se faisait dans son visage princier, et, sans résister, on se soumettait à une servitude sentimentale qui dépassait de beaucoup la mesure de passion dont ces gens se seraient d'ordinaire cru capables. Cette servitude dépassait les forces de certains. Tout au moins Mme Magnus se trouva-t-elle mal. Elle faillit s'évanouir, mais refusa obstinément de regagner sa chambre, et se contenta de s'allonger sur la chaise longue où on lui plaça une serviette mouillée sur le front et d'où elle revint pour rejoindre le cercle, après avoir pris quelque repos.

Peeperkorn prétendit expliquer sa défaillance par une alimentation insuffisante. En paroles d'une incohérence significative, l'index levé, il abonda dans ce sens. Il fallait manger, manger convenablement pour pouvoir se défendre, c'est ce qu'il donna à entendre, et il commanda de quoi restaurer ses invités, une collation, de la viande, des sandwiches, de la langue fumée, de la poitrine d'oie, du rôti, du saucisson, et du jambon, des plats et des plats de bonnes choses qui, garnis de coquilles de beurre, de radis et de persil, ressemblaient à des parterres de fleurs. Mais bien qu'on leur fît honneur (en dépit du dîner que l'on venait de faire et dont la solidité était hors de doute), Mynheer Peeperkorn déclara après quelques bouchées que ce n'étaient là que « bagatelles », et cela avec une colère qui témoignait combien les sautes de sa nature de maître étaient imprévisibles et inquiétantes. Même, il prit le mors aux dents lorsque quelqu'un s'avisa de défendre la collation. Sa tête puissante s'enfla et il frappa du poing sur la table en déclarant que tout cela n'était que de la « foutaise », sur quoi l'on se tut avec gêne, puisque, en somme, l'hôte et donateur avait après tout le droit de juger ce qu'il offrait.

D'ailleurs, si étrange qu'elle pût sembler, cette colère convenait parfaitement à la physionomie de M. Peeperkorn, ainsi que Hans Castorp dut le reconnaître. Elle ne le défigurait nullement, ne le diminuait pas, faisait de l'effet, dans son étrangeté que personne n'osait même en son for intérieur mettre en rapport avec les quantités de vin que l'on avait bues ; il parut si grand et si princier que tous courbèrent la tête et que chacun se garda de reprendre, ne fût-ce qu'une bouchée, des plats de viande. Ce fut Mme Chauchat qui apaisa son compagnon de voyage. Elle caressa sa large main de capitaine qui, après le coup de poing, était restée étendue sur la table, et lui dit d'une voix câline que l'on pouvait parfaitement commander autre chose, un plat chaud, s'il le voulait, et s'il y avait encore moyen d'obtenir cela du chef.

« Mon enfant, dit-il. Bien. »

Et sans effort, en gardant toute sa dignité, il trouva une transition de sa folle colère à un état plus modéré, en baisant la main de Clawdia. Il désirait des omelettes pour lui et les siens, pour chacun une bonne omelette aux herbes afin que l'on pût suffire aux exigences de l'heure. Et en même temps que la commande, il envoya à la cuisine un billet de cent francs pour décider le personnel à se remettre au travail malgré l'heure tardive.

Il avait d'ailleurs complètement recouvré sa bonne humeur lorsque l'omelette fumante parut, servie sur plusieurs plats, jaune serin et mouchetée de vert, dégageant dans la pièce une odeur chaude et doucereuse d'œufs et de beurre. On fit honneur au plat, en même temps que Peeperkorn et sous sa surveillance, car, par des paroles incohérentes et des gestes autoritaires, il contraignait chacun à jouir avec attention, voire avec ferveur, de ce don de Dieu. Il fit verser du gin hollandais, une tournée complète, et les obligea tous à absorber avec un recueillement attentif ce liquide clair qui dégageait un arôme sain de blé, avec un léger rappel de genièvre.

Hans Castorp fumait. Mme Chauchat, elle aussi, grillait des cigarettes à bout en carton qu'elle tirait d'un étui de laque russe, orné d'une troïka, que, pour sa commodité, elle avait posé sur la table, et Peeperkorn ne blâmait pas ses voisins de se livrer à ce plaisir, mais lui-même ne fumait pas, ne fumait jamais. S'il se faisait bien comprendre, la consommation du tabac relevait, selon lui, des jouissances trop raffinées auxquelles on ne pouvait s'adonner qu'aux dépens de la majesté des dons simples de la vie, de ces dons et de ces exigences auxquels notre sensibilité réussissait à peine à suffire.

« Jeune homme, disait-il à Hans Castorp, en le fascinant de son regard pâle et de son geste élaboré, jeune homme, la simplicité, le sacré ! Bon, vous me comprenez. Une bouteille de vin, un plat d'œufs fumants, un alcool de blé pur et transparent, si nous accomplissons cela et si nous en jouissons une bonne fois, si nous l'épuisons, nous satisfaisons vraiment au... Absolument, monsieur. Réglé ! J'ai connu des gens, des hommes et des femmes, des cocaïnomanes, des fumeurs de hachisch, des morphinomanes. Bien, cher ami, parfait ! Nous ne devons juger personne. Mais ces gens-là avaient absolument failli à ce qui est simple, grand, à ce qui est issu de Dieu... Réglé, mon ami ! Condamné, maudit ! Ils n'y avaient en rien satisfait. Oui, jeune homme, comment était donc votre nom ? Bon, je l'ai su, je l'ai oublié... Ce n'est pas dans la cocaïne, ce n'est pas dans l'opium, ce n'est pas dans le vice que consiste le vice. Le péché qui ne peut être pardonné, c'est... »

Il s'interrompit. Grand et large, tourné vers son voisin, il demeura en un silence puissamment expressif qui vous forçait à comprendre, l'index dressé, avec sa bouche déchiquetée sous la lèvre supérieure glabre et rouge, légèrement blessée par un coup de rasoir. Les plis mobiles de son front dénudé, entouré de flammes blanches, étaient douloureusement froncés ; ses petits yeux pâles étaient dilatés par quelque chose comme de l'effroi — sembla-t-il à Hans Castorp —, à la pensée du crime, de ce grand péché, de cette défaillance impardonnable à laquelle il avait fait allusion et dont il enjoignait en silence à l'interlocuteur de sonder l'horreur, avec toute la puissance de fascination qui émanait de sa nature de souverain... Un effroi abstrait, pensa Hans Castorp, mais aussi quelque chose comme une terreur personnelle qui le concernait lui-même, cet homme princier. Une crainte par conséquent, non pas une crainte mesquine et petite, mais quelque chose comme une terreur panique, semblait à cet instant surgir du fond de son être et Hans Castorp était trop porté au respect — malgré toutes les raisons qu'il pouvait avoir de nourrir encore envers le majestueux compagnon de voyage de Mme Chauchat des sentiments hostiles — pour ne pas être ébranlé par une telle observation.

Il baissa les yeux et hocha la tête, pour donner à son auguste voisin la satisfaction d'avoir été compris.

« C'est très vrai, dit-il. Cela peut être un péché et un signe d'insuffisance, de se complaire aux raffinements, sans avoir suffi aux dons simples et naturels de la vie qui sont grands et sacrés. Telle est votre opinion, si je vous ai bien compris, Mynheer Peeperkorn, et bien que cette idée ne me soit pas encore venue à moi-même, je puis vous approuver avec conviction du moment que vous attirez mon attention sur ce point. D'ailleurs, il doit arriver assez rarement que l'on rende tout leur dû à ces avantages sains et simples de la vie. La plupart des hommes sont certainement trop négligents, trop distraits, trop peu consciencieux et trop usés intérieurement pour s'y adonner pleinement. Sans doute en est-il ainsi. »

Le formidable Hollandais parut très satisfait.

« Jeune homme, dit-il, parfait ! Voulez-vous me permettre — pas un mot de plus. Je vous prie de boire avec moi, de vider votre verre, en entrelaçant nos bras. Ceci ne veut pas dire que je vous propose de nous tutoyer fraternellement… C'est-à-dire : j'étais sur le point de le faire ; mais je réfléchis que ce serait un peu précipité. Très probablement, je vous en donnerai la permission dans un temps très… Comptez-y. Mais si vous désirez et persistez à… »

Hans Castorp se déclara d'accord avec l'ajournement que Peeperkorn venait de suggérer.

« Bien, mon ami, bien, camarade. Insuffisance, bien ! Bien et effrayant ! Pas assez consciencieux, très bien. Les dons, pas bien ! Les exigences. Les exigences sacrées de la vie qui est femme, à l'endroit de l'honneur et de la force. »

Hans Castorp dut soudain se rendre à l'évidence que Peeperkorn était complètement ivre. Mais son ivresse elle-même n'était ni vile ni humiliante, ce n'était pas un état déshonorant, elle se confondait avec la majesté de sa nature en un phénomène grandiose et qui commandait le respect. Bacchus, lui aussi, songea Hans Castorp, s'est appuyé dans son ivresse sur ses compagnons enthousiastes sans rien perdre de sa nature divine, et, somme toute, ce qui importait, c'était de savoir qui était ivre, une personnalité ou un tisserand. Il se garda jusqu'au plus secret de lui-même de manquer le moins du monde de respect à cet écrasant compagnon de voyage dont les gestes s'étaient relâchés et dont la langue balbutiait.

« Mon frère que je tutoie, dit Peeperkorn, rejetant en arrière son corps puissant, en proie à une ivresse libre et fière, le bras étendu à plat sur la table qu'il frappait légèrement de son poing mollement rassemblé, que je tutoierai, dans un avenir prochain… un prochain avenir, lorsque la réflexion… Bien. Réglé. La vie, jeune homme, est une femme étendue, avec des seins rapprochés et gonflés, avec un grand ventre lisse et mou entre les hanches saillantes, avec des bras minces, des cuisses rebondies et des yeux mi-clos, qui dans sa provocation magnifique et moqueuse exige notre ferveur la plus haute, toute la tension de notre plaisir de mâle qui lui tient tête ou qui est fichu — fichu, jeune homme, comprenez-vous ce que cela veut dire ? La défaite du sentiment devant la vie, c'est l'insuffisance pour laquelle il n'y a pas de grâce, pas de pitié et pas de dignité, mais qui est impitoyablement et sardoniquement maudite, réglée, jeune homme, et vomie… La honte et le déshonneur sont des mots pâles pour cette ruine et cette faillite, par cet effrayant ridicule. C'est la fin, le désespoir infernal, le crépuscule du monde… »

Tout en parlant, le Hollandais avait rejeté son corps puissant de plus en plus en arrière, tandis que sa tête royale s'inclinait vers sa poitrine comme s'il allait s'endormir. Mais au dernier mot il prit un élan et laissa tomber d'un coup lourd son poing relâché, sur la table, de sorte que le frêle Hans Castorp, rendu nerveux par le jeu et le vin, sursauta et considéra le maître avec un respect effrayé. « Crépuscule du monde », comme ces mots lui seyaient ! Hans Castorp n'avait pas souvenir de les avoir jamais entendu prononcer ailleurs que pendant la leçon de religion et ce n'était pas par hasard, pensa-t-il, car à quel homme parmi ceux qu'il connaissait ce mot foudroyant aurait-il pu convenir, lequel était à l'échelle de cette parole ?

Le petit Naphta aurait pu sans doute s'en servir à l'occasion. Mais c'eût été de l'usurpation et du bavardage, tandis que dans la bouche de Peeperkorn ce mot foudroyant prenait toute sa puissance écrasante, vibrante du son des trompettes, bref toute sa grandeur biblique.

« Mon Dieu, c'est une personnalité ! éprouva-t-il pour la centième fois. Je suis tombé sur une personnalité, et c'est le compagnon de voyage de Clawdia ! » Lui-même, assez obnubilé, faisait tourner sur la table son verre de vin sur lui-même, l'autre main dans la poche de son veston, en clignant de l'œil à cause de la fumée de la cigarette qu'il tenait du coin des lèvres. N'aurait-il pas dû garder le silence après qu'une personnalité autorisée eut prononcé des paroles foudroyantes ? À quoi bon faire encore entendre sa voix sèche ? Mais, habitué à la discussion par ses éducateurs démocratiques — tous deux, de nature démocratique, bien que l'un se défendît de l'être —, il se laissa entraîner à un de ses commentaires ingénus. Il dit :

« Vos remarques, Mynheer Peeperkorn (quelle expression était-ce là : “vos remarques” ! Fait-on des remarques sur la fin du monde ?), vos remarques ramènent mes pensées à cette conclusion sur quoi nous étions tout à l'heure tombés d'accord à propos du vice, à savoir que c'est une offense faite aux dons simples et comme vous dites, sacrés de la vie, ou comme je préférerais dire, aux dons classiques, aux dons de “grand format”, en quelque sorte, de leur préférer les dons tardifs et raffinés, les raffinements auxquels on “s'adonne”, comme l'un de nous s'est exprimé tout à l'heure, tandis qu'on se “voue” aux autres ou qu'on leur “sacrifie”. Mais c'est ici qu'il me semble également trouver l'excuse — pardonnez-moi, je suis une nature qui incline à l'excuse, bien que l'excuse manque de format comme je le sens très nettement —, l'excuse donc du vice, et justement dans la mesure où il provient d'une insuffisance, comme vous dites. Vous avez dit, sur la terreur de l'insuffisance, des choses d'un tel format que vous m'en voyez sincèrement frappé. Mais je crois que l'homme vicieux, loin d'être insensible à ces terreurs, leur rend pleinement justice, en ce que la défaillance de sa sensibilité devant les dons classiques de la vie le pousse au vice, ce qui n'est pas et n'a pas besoin d'être une offense à la vie, puisque cet état peut aussi bien être considéré comme un hommage rendu à la vie, en ceci, notamment, que les raffinements constituent, somme toute, des moyens d'ivresse et d'exaltation, des *stimulantia*, comme on dit, des soutiens et des réconforts de la sensibilité, en sorte que la vie est malgré tout leur but et leur sens, l'amour de la sensibilité, le besoin de remédier à l'insuffisance de cette… je veux dire… »

Que racontait-il là ? N'était-ce pas assez d'impertinence démocratique de dire « l'un de nous », alors qu'il s'agissait d'une personnalité et de lui ? Puisait-il le courage de se montrer aussi insolent dans certains faits du passé qui jetaient un jour douteux sur certains droits de propriété ? Quelle mouche l'avait piqué pour qu'il décidât par surcroît de s'engager dans une analyse également impertinente du « vice » ? Il pouvait tâcher à présent de se tirer d'affaire ; car il était clair qu'il avait provoqué un orage.

Tandis que son invité parlait, Mynheer Peeperkorn était demeuré dans sa position adossée, la tête penchée, de sorte que l'on aurait pu douter si les paroles de Hans Castorp parvenaient à sa conscience. Mais, peu à peu, tandis que le jeune homme se troublait, il commença à se redresser, de plus en plus haut, dans toute sa grandeur, en même temps que sa tête majestueuse s'enflait en rougissant, que les arabesques de son front se levaient et se tendaient et que ses petits yeux se dilataient, chargés d'une pâle menace. Un accès de colère, auprès duquel celui qu'il avait eu tout à l'heure n'avait été qu'un léger mouvement d'humeur, se dessinait. La lèvre inférieure de Mynheer Peeperkorn se serrait avec une expression de terrible courroux contre la lèvre supérieure, de telle sorte que les commissures des lèvres s'abaissèrent et que le menton fut poussé en avant, et lentement son bras droit se leva de la table jusqu'à hauteur de sa tête et au-delà, faisant le poing, prenant un élan grandiose pour détruire d'un seul coup ce bavard démocrate qui, épouvanté et en même temps aventureusement réjoui par cette image d'une colère royale et expressive qui se déployait devant lui, avait peine à cacher sa crainte et son désir de prendre la fuite. Il dit, le devançant en toute hâte :

« Naturellement, je me suis très mal exprimé. Tout cela est une question d'échelle, rien de plus. On ne peut pas appeler vice ce qui a des proportions. Le vice n'a jamais d'envergure. Les raffinements n'en ont pas. Mais de tout temps l'homme, avide de grands sentiments, a disposé d'un moyen de s'enivrer et de s'enthousiasmer qui lui-même est un des dons classiques de la vie, qui porte le caractère du simple et de la sainteté, un remède de grand format, si je puis ainsi dire, le vin, un présent divin aux hommes comme l'ont déjà dit les anciens peuples humanistes, l'invention philanthropique d'un dieu auquel est en quelque sorte liée la civilisation, permettez-moi de le rappeler. Car, ne dit-on pas que c'est grâce à l'art de planter la vigne et de presser le raisin que l'homme est sorti de son état de sauvagerie, a conquis la civilisation ? Et, aujourd'hui encore, les peuples chez lesquels pousse le vin ne passent ou ne se tiennent-ils pas pour plus civilisés, que ceux qui n'en ont point, les Cimmériens, ce qui mérite certainement d'être relevé ? Car cela signifie que la civilisation n'est nullement affaire de raison et de clairvoyance ou d'élocution, mais bien plutôt d'enthousiasme, d'ivresse et de sentiment de délectation. N'est-ce pas votre avis sur ce point, si vous me permettez de vous poser la question ? »

Un malin, ce Hans Castorp ! Ou, comme M. Settembrmi l'avait exprimé avec une finesse d'écrivain, un « plaisantin ». Imprudent et même impertinent dans ses rapports avec des personnalités, mais non moins adroit lorsqu'il s'agissait de se tirer du pétrin ! Voici que tout d'abord et dans la situation la plus brûlante, et forcé d'improviser, il avait réussi à sauver l'honneur de la boisson avec beaucoup d'élégance, après quoi, tout incidemment, il avait parlé de la civilisation, dont en effet l'attitude effrayante et primitive de Peeperkorn ne témoignait plus guère ; et, enfin, il avait combattu cette attitude et l'avait fait apparaître déplacée en posant une question à celui qui l'avait assumée d'une façon aussi grandiose, une question à laquelle il était impossible de répondre le poing levé. Le Hollandais mitigea en effet son attitude d'antédiluvienne colère ; peu à peu son bras se rapprocha de la table, sa tête désenfla ; « tu as de la chance », pouvait-on lire dans son visage qui n'était plus menaçant que conditionnellement et rétrospectivement ; l'orage se dissipait, et, par surcroît, Mme Chauchat se mêla à la conversation en attirant l'attention de son compagnon de voyage sur la compagnie qui avait perdu son entrain.

« Cher ami, vous négligez vos invités, dit-elle en français. Vous vous consacrez trop exclusivement à ce monsieur, avec qui vous avez sans doute des affaires importantes à régler. Mais pendant ce temps le jeu a presque cessé et je crains que l'on ne s'ennuie. Voulez-vous que nous levions la séance ? »

Peeperkorn se retourna aussitôt vers la tablée. C'était exact : la démoralisation, la léthargie, le marasme avaient gagné du terrain, les invités s'occupaient de choses et d'autres comme des écoliers sans surveillance. Plusieurs étaient sur le point de s'endormir. Peeperkorn reprit aussitôt les rênes qu'il avait abandonnées.

« Mesdames et messieurs », s'écria-t-il, l'index levé — et ce doigt pointu était comme une épée qui donnait un signal ou comme un drapeau, et son appel, pareil au : « Que me suive qui n'est pas un lâche ! » du chef qui arrête une déroute. Aussi l'intervention de sa personnalité les ranima-t-elle aussitôt. On se redressa, les visages fatigués se ranimèrent et l'on répondit en hochant la tête, en souriant au regard pâle de l'hôte puissant sous le dessin de son front d'idole. Il les fascina tous et les exhorta de nouveau à faire leur service en joignant la pointe de l'index et celle du pouce et en dressant les autres doigts avec leurs longs ongles. Il étendit sa main de capitaine, d'un geste protecteur, et comme pour endiguer un flot, et de ses lèvres à la déchirure douloureuse s'échappèrent des paroles dont la confusion saccadée exerça, grâce à l'appui de sa personnalité, l'influence la plus puissante sur les esprits.

« Mesdames et messieurs. Bien ! La chair, mesdames et messieurs, il en est ainsi que… Réglé. Non, permettez-moi. "Faible", c'est là ce qu'on peut lire dans l'Écriture. "Faible", c'est-à-dire : qui incline à se dérober aux exigences… Mais je fais appel à vous. Bref, et bel et bien, mesdames et messieurs, je fais appel. Vous me direz : le sommeil. Bien, mesdames et messieurs, parfait, excellent. J'aime et j'honore le sommeil. Je vénère sa volupté profonde, douce et délectable. Le sommeil est du nombre — comment disiez-vous, jeune homme ? — des dons classiques de la vie, du premier, du tout premier… Je vous en prie, mesdames et messieurs, du meilleur… Mais rappelez-vous : Gethsémani. "Il prit avec lui Pierre et les deux fils de Zébédée. Et leur dit : Demeurez ici et veillez avec moi." Vous rappelez-vous ? "Et il vint chez eux et les trouva endormis et dit à Pierre : Ne pouvez-vous donc pas veiller une heure avec moi ?" Intense, mesdames et messieurs, saisissant, émouvant ! "Et vint, mais les trouva endormis, et leurs yeux étaient pleins de sommeil. Et il leur dit : Hélas ! voulez-vous donc dormir et reposer ? Voyez, l'heure est venue…" Mesdames et messieurs, bouleversant, déchirant ! »

En effet, tous étaient saisis et troublés jusqu'au fond de l'âme. Il avait joint les mains devant sa poitrine, sur sa barbe étroite, et avait baissé obliquement la tête. Son regard pâle s'était presque brisé, en même temps que cette solitaire et mortelle tristesse lui était montée aux lèvres. Mme Stöhr sanglota, Mme Magnus poussa un profond soupir. Le procureur Paravant se vit obligé, en qualité de représentant, et en quelque sorte de délégué de la société, d'adresser à voix basse quelques paroles à l'honorable hôte, pour l'assurer de l'empressement de tous. Il devait y avoir une erreur. On était frais et alerte, gai, joyeux et à lui de tout cœur. C'était une soirée de fête si belle, si extraordinaire, tous le comprenaient et l'éprouvaient, et personne ne songeait provisoirement à faire usage de ce bien de la vie qu'est le sommeil. Mynheer Peeperkorn pouvait compter sur ses invités, sur chacun d'entre eux.

« Parfait, excellent », s'écria Peeperkorn, et il se redressa. Ses mains se séparèrent et montèrent en s'ouvrant, étendues et droites, les paumes tournées vers l'extérieur comme pour une prière païenne. Sa physionomie grandiose qui, il y avait un instant, était animée d'une douleur gothique, fleurissait, opulente et gaie ; une petite fossette de sybarite se dessina même sur sa joue. « L'heure est venue… » Et il se fit donner la carte, ajusta son lorgnon d'écaille dont l'arc barrait son front et commanda du champagne, trois bouteilles de Mumm et Cie, *Cordon rouge, très sec.* De plus, les *petits fours*, de délicieuses petites friandises en forme de cône, glacées au sucre colorié, faites de la pâte la plus délicate, fourrées de crème au chocolat et à la pistache, servies sur de petites serviettes de papier dentelé. Mme Stöhr s'en léchait les doigts. M. Albin délivra avec une négligence de connaisseur le premier bouchon de sa cage de fil de fer, retira le bouchon de la forme d'un champignon, de son col décoré, avec un claquement de pistolet d'enfant, et le fit sauter au plafond, après quoi, selon la tradition élégante, il enveloppa la bouteille d'une serviette pour verser le vin. La noble écume mouilla la nappe du guéridon. On fit tinter les coupes et l'on vida d'un trait le premier verre, on s'électrisa l'estomac de ce picotement glacé et parfumé. Les yeux scintillaient. On avait interrompu le jeu sans que l'on eût jugé nécessaire de ranger les cartes et l'argent. La compagnie s'abandonnait à une délicieuse paresse en poursuivant un bavardage sans suite dont les éléments étaient fournis à chacun par un état de sensibilité accrue, propos qui, à leur état primitif, avaient annoncé une beauté suprême, mais qui, en cherchant leur expression, dégénéraient en une sorte de galimatias fragmentaire et pesant, mi-indiscret et mi-intelligible, qui eût choqué tout homme de sang-froid qui serait survenu, mais que les intéressés subissaient sans peine parce que tous se laissaient bercer par le même état d'irresponsabilité. Mme Magnus elle-même avait les oreilles rouges et assura qu'elle sentait la vie monter en elle, ce qui ne parut pas réjouir M. Magnus. Hermine Kleefeld s'adossait à l'épaule de M. Albin en lui tendant sa coupe pour qu'il lui versât à boire. Peeperkorn, dirigeant la bacchanale avec ses gestes pointus, veillait au ravitaillement et au renouvellement des réserves. Après le champagne, il fit venir du café, du moka double, qu'il accompagna de nouveau de « pain » et de liqueurs douces, *apricot brandy*, chartreuse, crème de vanille et marasquin pour les dames. On servit ensuite des filets de poisson marinés et de la bière, enfin du thé, aussi bien du thé chinois que de la camomille, pour ceux qui ne préférèrent pas s'en tenir au champagne et aux liqueurs, ou revenir à un vin sérieux, comme Mynheer lui-même qui, après minuit, était revenu avec Mme Chauchat et Hans Castorp à un vin rouge suisse d'un genre naïf et pétillant, dont il vidait avec une soif véritable un gobelet après l'autre.

À une heure, la séance durait encore, prolongée en partie par une ivresse de plomb, en partie par le plaisir singulier de perdre ainsi le repos nocturne, en partie par l'effet de la personnalité de Peeperkorn, ou encore pour ne pas suivre l'exemple de saint Pierre et des siens, personne ne voulant se rendre coupable d'une pareille faiblesse. À parler d'une manière générale, les femmes paraissaient moins menacées à cet égard. Car, tandis que les hommes, rouges ou blêmes, étendaient les jambes et gonflaient leurs joues en buvant de plus en plus rarement, d'une manière toute machinale, les femmes se montraient plus énergiques. Hermine Kleefeld, ses coudes nus appuyés sur le plat de la table, les joues dans les mains, montrait en riant à Ting-Fou, qui gloussait, la blancheur de ses dents, tandis que Mme Stöhr, le menton serré contre la gorge, flirtait par-dessus l'épaule en s'efforçant de ramener le procureur à la vie. Avec Mme Magnus on en était arrivé à ce qu'elle avait pris place sur les genoux de M. Albin et qu'elle lui tirait les lobes des deux oreilles, ce qui semblait plutôt soulager M. Magnus. Antoine Carlovitch Ferge fut invité à raconter l'histoire du choc à la plèvre, mais il bafouillait au point qu'il n'y réussit pas, et avoua honnêtement son impuissance, qui décida les autres à se remettre à boire. Wehsal versa tout à coup des larmes amères, venues d'une profondeur de sa détresse, où sa parole n'était pas capable de donner accès à ses semblables, mais on le remit moralement sur pied au moyen de café et de cognac ; c'est alors que par ses gémissements, par son menton plissé et frémissant d'où dégouttaient les larmes, il éveilla l'intérêt de Peeperkorn qui, l'index dressé et fronçant l'arabesque de ses sourcils, attira l'attention générale sur l'état de Wehsal.

« Voilà qui est..., dit-il. Voilà qui est tout de même... Non, permettez-moi : sacré ! Essuie-lui le menton, mon enfant. Prends ma serviette ! Ou plutôt non, laisse-le. Lui-même y renonce. Mesdames et messieurs... Sacré ! Sacré dans tous les sens, au sens chrétien comme au sens païen. Un phénomène de tout premier... Du plus grand... Non, non... »

Les paroles explicatives par lesquelles il accompagna son intervention, avec force gestes précis quoique légèrement burlesques, étaient toutes accordées sur ce « voilà qui est tout de même... ». Il avait une manière à lui de joindre en un cercle son index plié et son pouce, de les tenir au-dessus de son oreille et de détourner sa tête, obliquement et avec ironie, qui éveillait des sentiments semblables à ceux qu'éveillerait un prêtre vénérable d'un culte étranger qui, troussant sa robe sacerdotale, se mettrait à danser avec une grâce bizarre devant l'autel des sacrifices. Puis, largement assis dans une attitude grandiose, étreignant la chaise voisine, il les forçait tous, à leur surprise, à s'enfoncer avec lui dans une évocation vivante et saisissante du matin, d'un matin d'hiver glacé et sombre, lorsque la lumière jaunâtre de notre lampe de chevet se reflète, dans la vitre de la fenêtre parmi des branchages dépouillés qui se dressent, dehors, dans un brouillard glacé et matinal, dur comme le croassement de corbeau. À force d'allusions, il réussit à rendre si forte cette froide apparition du jour que tous frissonnèrent, d'autant plus qu'il évoqua aussi l'eau glacée que l'on faisait couler de bon matin de l'éponge sur la nuque, et qu'il appela lustrale. Ce n'était qu'une digression, un apologue qui enseignait l'attention aux choses de la vie, un impromptu fantastique, qu'il délaissa aussitôt pour revenir avec une insistance sentimentale vers cette heure nocturne qui s'écoulait dans une atmosphère de fête. Il se montra épris de tout son entourage féminin, sans choix ni préférence et sans accorder la moindre attention à la personne. Il fit à la naine des propositions telles que le visage trop grand et vieillot de cette créature infirme se creusa de plis grimaçants. Il dit à Mme Stöhr des amabilités d'un calibre tel que cette femme, naturellement vulgaire, fit jouer ses épaules encore plus que d'habitude, et poussa ses airs affectés jusqu'à la folie. Il pria Hermine Kleefeld de lui donner un baiser sur sa grande bouche déchirée et coqueta même avec l'infortunée Mme Magnus, tout cela en dépit de son dévouement tendre à l'égard de sa compagne de voyage dont il portait souvent avec une ferveur galante la main à ses lèvres. « Le vin, disait-il. Les femmes… C'est… quand même… Permettez-moi… Le crépuscule du monde… Gethsémani… »

Vers deux heures, la nouvelle courut que « le vieux » — c'est-à-dire le docteur Behrens — approchait en marche forcée des salons. Une panique éclata aussitôt chez les pensionnaires fatigués. Des chaises et des seaux à glace tombèrent. On prit la fuite par la bibliothèque. Peeperkorn, saisi d'une colère royale en voyant se dissoudre si brusquement sa fête de la vie, frappa du poing et traita les fuyards d'esclaves peureux, mais Hans Castorp et Mme Chauchat réussirent pourtant à l'adoucir dans une certaine mesure par la réflexion que cette réception qui avait duré environ six heures devait, malgré tout, prendre fin. Il prêta également l'oreille à un rappel de la sainte délectation du sommeil et consentit à se laisser mener au lit.

« Soutiens-moi, mon enfant ! soutiens-moi de ton côté, jeune homme ! » dit-il à Mme Chauchat et à Hans Castorp. Ils soutinrent donc son corps pesant lorsqu'il se leva de sa chaise, lui offrirent leurs bras, et suspendu à l'un et à l'autre, il marcha à grands pas, sa tête puissante inclinée sur une de ses épaules et poussant de côté tantôt l'un, tantôt l'autre de ses guides par les oscillations de son pas, il se mit en route pour prendre du repos. Sans doute était-ce au fond un luxe royal qu'il s'accordait en se faisant guider et soutenir de la sorte. Sans doute, s'il l'avait fallu, aurait-il pu marcher seul. Mais il dédaignait cet effort qui aurait pu tout au plus signifier qu'il entendait dissimuler au public son ivresse, alors que non seulement il n'en rougissait pas, mais encore s'y complaisait avec une grandeur magnifique, et se divertissait royalement à pousser en titubant, à droite et à gauche, ses guides serviables. Lui-même dit tout en marchant :

« Mes enfants… Sottises… Naturellement, on n'est pas du tout… Si cet instant… Vous devriez voir… Ridicule…

— Ridicule ! confirma Hans Castorp. Bien entendu ! On rend au don classique de la vie ce qui lui revient en titubant sans vergogne en son honneur. Mais sérieusement… Moi aussi, je tiens quelque chose, mais malgré ma prétendue ivresse, j'ai clairement conscience d'avoir l'honneur exceptionnel de conduire au lit une personnalité marquante. Si faible est sur moi l'effet de l'ivresse, sur moi qui pourtant, sous le rapport du format, ne saurais supporter une comparaison…

— C'est bon, petit bavard ! » dit Peeperkorn, et en titubant il le poussa contre la rampe de l'escalier, tout en entraînant avec lui Mme Chauchat.

De toute évidence, le bruit de l'approche du conseiller n'avait été qu'une fausse alerte. Peut-être la naine fatiguée l'avait-elle répandu pour mettre fin à la réunion. Dans ces conditions, Peeperkorn s'arrêta et voulut revenir sur ses pas pour continuer à boire. Mais de part et d'autre on l'en dissuada et il se laissa donc entraîner.

Le valet de chambre malais, ce petit homme à cravate blanche et chaussé de soie noire, attendait son maître dans le corridor, devant la porte de l'appartement, et l'accueillit avec un salut en posant une main sur sa poitrine.

« Embrassez-vous, ordonna Peeperkorn. Pour finir, embrasse cette femme ravissante sur le front, dit-il à Hans Castorp. Vous n'y verrez pas d'inconvénient et vous lui rendrez son baiser. Faites-le à ma santé et avec ma permission », dit-il.

Mais Hans Castorp s'y refusa.

« Non, sire, dit-il. Excusez-moi, cela ne va pas. »

Peeperkorn, appuyé sur son domestique, fronça l'arabesque de ses sourcils et voulut savoir pourquoi cela n'allait pas.

« Parce que je ne peux pas échanger de baisers sur le front avec votre compagne de voyage, dit Hans Castorp. Je vous souhaite une bonne nuit ! Non, ce serait à tout point de vue une pure sottise ! »

Et comme Mme Chauchat, elle aussi, se dirigeait vers la porte de sa chambre, Peeperkorn laissa s'éloigner le jeune homme récalcitrant, en le suivant toutefois encore des yeux pendant un moment, par-dessus sa propre épaule et celle du Malais, les sourcils froncés, surpris de cette insubordination que sa nature de souverain n'était pas habituée à rencontrer.

Mynheer Peeperkorn *(suite)*

Mynheer Peeperkorn résida au sanatorium Berghof durant tout cet hiver — durant les mois d'hiver qui restaient — et jusqu'au printemps, de sorte que l'on finit par faire ensemble une excursion très mémorable — Settembrini et Naphta, eux aussi, y prirent part — dans la vallée de Fluela, jusqu'à la cascade. « De sorte que l'on finit par faire ? » Il ne resta donc pas plus longtemps ? — Non, pas plus longtemps. Il partit donc ? — Oui et non. — Oui et non. Ne faites pas le mystérieux, s'il vous plaît. Nous saurons bien garder notre calme. Le lieutenant Ziemssen lui aussi est décédé, sans parler de tant d'autres danseurs de la mort, moins honorables. Peeperkorn l'indistinct fut donc emporté par sa fièvre maligne ? — Non, pas par la fièvre, mais pourquoi tant d'impatience ? C'est une condition de la vie et de la narration que tout ne s'y passe pas à la fois, et il conviendrait tout de même de respecter les formes de la connaissance humaine que nous devons à Dieu ! Rendons du moins au temps les honneurs que la nature de notre histoire nous permet de lui rendre ! C'est d'ailleurs bien peu de chose, nous allons de plus en plus clopin-clopant ou, si c'est là une image trop auditive, nous filons tout doucement. Une petite aiguille mesure notre temps. Elle trottine comme si elle mesurait les secondes alors qu'elle indique Dieu seul sait quoi, chaque fois que, froidement et sans arrêt, elle franchit son point culminant. Il y a des années que nous sommes en haut — voilà qui est certain — nous avons le vertige, nous faisons un songe artificiel sans opium ni hachisch, le tribunal des mœurs nous condamnera, et cependant nous opposons à dessein à cette terrible obnubilation beaucoup de lucidité et d'acuité logique. Ce n'est pas par hasard, on voudra le reconnaître, que nous nous sommes entourés de cerveaux comme Naphta et Settembrini, au lieu de n'en être réduits qu'à des Peeperkorn indistincts, et ceci nous amène, il est vrai, à une comparaison qui, à beaucoup d'égards, et particulièrement sous le rapport de l'échelle, tourne à l'avantage de ce personnage tardivement survenu. Hans Castorp en convenait à part lui, lorsqu'il était étendu dans sa loge, et lorsqu'il devait s'avouer que les deux éducateurs trop articulés qui avaient partagé entre eux sa pauvre âme se rapetissaient en présence de Pieter Peeperkorn, de sorte qu'il était tenté de les qualifier, comme avait fait celui-ci avec une condescendance railleuse, de « petits bavards », et qu'il jugea très heureux que la pédagogie hermétique le mît encore en contact avec une personnalité aussi marquée.

C'était une question à part qui ne troublait pas Hans Castorp dans ses jugements de valeur, que cette personnalité eût surgi en qualité de compagnon de voyage de Clawdia Chauchat et qu'elle fût par conséquent un formidable obstacle. Nous le répétons, il ne se laissa pas détourner de son estime sincère et de sa sympathie parfois un peu hardie pour un homme d'envergure, pour cette simple raison que celui-ci faisait bourse commune avec la femme à laquelle Hans Castorp avait emprunté un crayon la nuit de carnaval. Ce n'était pas dans sa manière, et ce disant, nous admettons parfaitement que plus d'un ou plus d'une des personnes de notre auditoire seront choqués par un tel manque de tempérament et préféreraient qu'il eût haï et évité Peeperkorn, et que dans son for intérieur il n'eût parlé de lui que comme d'un vieil imbécile et d'un ivrogne radoteur, au lieu de lui rendre visite lorsqu'il était en proie à ses fièvres erratiques, de s'asseoir au bord de son lit, de bavarder avec lui — ce mot, naturellement, ne s'appliquait qu'aux paroles de Hans Castorp, non pas aux grandioses effusions de Peeperkorn — et de s'exposer à l'action de cette personnalité avec la curiosité d'un voyageur qui veut s'instruire. Il agissait ainsi, et nous le rapportons, indifférent au risque que quelqu'un se souvienne à ce propos de Ferdinand Wehsal, qui avait porté le pardessus de Hans Castorp. Mais ce souvenir ne prouve rien. Notre héros n'était pas un Wehsal. Les profondeurs de la détresse n'étaient pas son fait. En somme, il n'était pas un héros, c'est-à-dire que la femme ne déterminait pas ses rapports avec le sexe masculin. Fidèle à notre principe de ne le faire ni meilleur ni pire qu'il n'était, nous constatons qu'il refusait tout simplement — non pas consciemment et expressément, mais tout naïvement — de se laisser détourner par des influences romanesques de la justice qu'il entendait rendre à son propre sexe, et du sens qu'il avait des avantages qu'il tirerait de ce commerce pour sa culture. Cela peut déplaire aux femmes. Nous croyons savoir que Mme Chauchat s'en irrita malgré elle. Telle ou telle remarque pointue qu'elle laissa échapper et que nous ne manquerons pas de signaler le faisait supposer, mais peut-être était-ce justement cette qualité qui faisait de lui un sujet si propice aux disputes des pédagogues.

Pieter Peeperkorn était souvent malade. On ne s'étonnera pas d'apprendre qu'il l'avait été le lendemain de cette première soirée consacrée aux cartes et au champagne. Presque tous les autres invités de cette réunion prolongée et fatigante étaient mal en point, sans excepter Hans Castorp qui avait un violent mal de tête, mais qui ne se laissa pas détourner de rendre visite à son hôte de la veille. Il se fit annoncer à Peeperkorn par le Malais qu'il trouva dans le corridor du premier étage et on l'invita à entrer.

Il pénétra dans la chambre à coucher du Hollandais par un salon qui le séparait du salon de Mme Chauchat, et il trouva qu'elle se distinguait du type moyen des chambres du Berghof par ses dimensions et par l'élégance de son confort. Il y avait là des fauteuils recouverts de soie et des tables aux pieds torses ; un épais tapis couvrait le parquet, et les lits n'étaient pas davantage de l'espèce des habituels lits mortuaires, ils étaient même magnifiques : en merisier poli avec des ornements de cuivre, ils avaient un ciel de lit commun, sans rideaux ; ce n'était qu'un petit baldaquin qui les unissait en les protégeant.

Peeperkorn était étendu dans l'un des deux lits, il y avait des livres, des lettres et des journaux sur sa courtepointe de soie rouge et il lisait le *Telegraaf* à l'aide de son lorgnon. Sur la chaise, auprès de lui, était posé un plateau de café et, à côté de produits pharmaceutiques, une bouteille de vin rouge à moitié vide — c'était le vin naïf et pétillant d'hier soir — se trouvait sur la petite table de nuit. À la discrète surprise de Hans Castorp, le Hollandais portait non pas une chemise blanche, mais une chemise de laine à manches longues, sans col rabattu, découpée autour du cou et boutonnée aux poignets, qui adhérait aux larges épaules et à la puissante poitrine du vieillard. La magnificence de sa tête sur le coussin était encore accrue, exaltée au-delà de la sphère bourgeoise par cette tenue qui prêtait à sa figure un caractère mi-populaire et ouvrier, mi-éternel et sculptural.

« Absolument, jeune homme, dit-il en saisissant son lorgnon d'écaille par son arc et en le déposant. Je vous en prie… Pas du tout. Au contraire ! »

Et Hans Castorp s'assit près de lui et dissimula sa surprise compatissante (mais n'était-ce pas plutôt une véritable admiration à quoi l'équité le forçait ?) sous un bavardage amical et animé que Peeperkorn secondait avec une incohérence grandiose et une gesticulation insistante. Le Hollandais n'avait pas bonne mine, il semblait jaune, très souffrant et atteint. Vers le matin il avait eu un violent accès de fièvre et la fatigue qui en résultait se combinait avec les suites de l'ivresse.

« Hier soir nous sommes allés un peu fort, dit-il. Non, permettez… Trop fort ! Vous êtes encore… Bien, ça n'a pas d'importance… Mais à mon âge et dans un état aussi menaçant… Mon enfant, se tourna-t-il avec une sévérité tendre, mais résolue vers Mme Chauchat qui entrait précisément, venant du salon, tout va bien, mais je vous répète qu'il eût mieux valu prendre garde, que l'on aurait dû m'empêcher... »

Quelque chose comme un orage de colère royale s'annonçait dans ses traits et dans sa voix. Mais il suffisait de se représenter la tempête qui aurait éclaté si on avait sérieusement prétendu l'empêcher de boire pour mesurer toute la déraison et l'injustice de son reproche. Mais de telles inconséquences faisaient sans doute partie de la grandeur. Aussi sa compagne de voyage n'y fit-elle nulle attention en saluant Hans Castorp qui s'était levé, sans du reste lui tendre la main, mais en l'invitant par un sourire et des signes de tête à rester assis, à ne se laisser « en aucune façon » déranger dans son tête-à-tête avec Mynheer Peeperkorn... Elle s'occupa de toutes sortes de choses dans la chambre, donna au valet de chambre l'ordre d'emporter le plateau du déjeuner, disparut un instant, et reparut sur la pointe des pieds pour prendre un instant part à la conversation, et même, si nous voulons rendre l'impression vague de Hans Castorp, pour la surveiller un peu. Naturellement ! Elle avait pu revenir au Berghof en compagnie d'une personnalité de grand format. Mais dès lors que celui qui l'avait si longtemps attendue ici, témoignait, d'homme à homme, tout le respect dû à cette personnalité, elle manifestait de l'inquiétude et même un peu d'aigreur avec ses « surtout » et ses « en aucune façon ». Hans Castorp en sourit tout en se penchant sur ses genoux pour dissimuler son sourire, et en même temps il brûlait de joie intérieure.

Peeperkorn lui versa un verre de vin, de la bouteille posée sur la table de nuit. Dans de telles conditions, dit le Hollandais, le mieux était de reprendre les choses au point où on les avait interrompues la nuit dernière, et ce vin pétillant remplissait absolument l'office de l'eau de Seltz. Il but à la santé de Hans Castorp, et celui-ci, tout en buvant, regardait la main de capitaine, tachée de son et aux ongles pointus, serrée aux poignets par le bouton de la chemise de laine, lever le verre, les lèvres larges et déchirées en toucher le bord, et le vin couler le long de ce gosier d'ouvrier ou de statue qui montait et descendait. Ensuite, ils s'entretinrent encore du médicament qui était placé sur la table de nuit, de ce jus brun dont Peeperkorn avala une cuillerée entière que Mme Chauchat lui tendit après le lui avoir rappelé. C'était un fébrifuge, qui contenait surtout de la quinine. Peeperkorn le fit goûter à son visiteur pour qu'il appréciât le goût caractéristique, d'une saveur amère, de cette préparation, et il fit l'éloge de la quinine, qui était bienfaisante non seulement parce qu'elle détruisait les germes et exerçait une influence salutaire sur la chaleur naturelle mais qui devait encore être appréciée comme tonique ; elle réduisait l'élimination de l'albumine, elle favorisait l'alimentation, bref c'était une boisson délectable, un véritable médicament qui réveillait, fortifiait et ranimait, d'ailleurs également un stupéfiant : on pouvait facilement prendre une petite paille, dit-il, en plaisantant d'une façon grandiose, comme hier, des doigts et du chef, semblable de nouveau à un prêtre païen qui danserait.

Oui, une matière magnifique, cette écorce antifébrile. Il n'y avait du reste pas encore trois siècles que la pharmacologie de notre continent en avait pris connaissance, et il n'y avait pas encore cent ans que la chimie avait découvert l'alcaloïde auquel tenaient ses vertus, à savoir la quinine — découvert, et jusqu'à un certain point analysé. Car la chimie ne pouvait pas prétendre qu'elle eût parfaitement élucidé la constitution de ce médicament, ni qu'elle fût capable de la produire artificiellement. Notre pharmacologie faisait du reste bien de ne pas trop présumer de sa science, car il en allait de même dans beaucoup de domaines : elle savait certaines choses du dynamisme, des effets produits par les corps, mais la question de savoir à quoi il fallait exactement ramener ces effets l'embarrassait assez souvent. Le jeune homme n'avait qu'à étudier la toxicologie : sur les propriétés élémentaires qui déterminaient les effets de ce que l'on appelait les toxiques, personne ne saurait le renseigner ! Il y avait là par exemple les venins des serpents sur lesquels on ne savait rien, sinon que ces sécrétions animales étaient tout simplement des combinaisons de l'albumine, qu'ils se composaient de différents albuminoïdes, lesquels ne produisaient leur effet foudroyant que du fait d'un dosage déterminé, c'est-à-dire, en fait, absolument indéterminé. Dans la circulation du sang ils produisaient des effets dont on ne pouvait que s'étonner, puisque l'on n'était pas accoutumé à rapprocher l'albumine du poison. Mais les matières étaient ainsi faites que toutes contenaient à la fois la vie et la mort. Toutes étaient à la fois des remèdes et des poisons, la médication et la toxicologie étaient une seule et même chose, on guérissait par des poisons et ce que l'on tenait pour une force vitale, pouvait dans certaines conditions tuer par un spasme unique, en l'espace d'une seconde.

Il parla avec beaucoup d'insistance et avec une cohérence exceptionnelle des poisons et des antitoxines, et Hans Castorp l'écoutait, penché, en hochant la tête, moins absorbé par le contenu de ces discours qui semblaient tenir à cœur à M. Peeperkorn qu'à étudier en silence des manifestations de sa personnalité, lesquelles en dernier ressort, étaient aussi inexplicables que les effets du venin des serpents. Le dynamisme, c'était l'important dans le monde de la matière, tout n'était que dynamisme, disait Peeperkorn, le reste était conditionné par lui. La quinine, elle aussi, était un médicament-poison plus puissant que tout autre. Quatre grammes de quinine vous rendaient sourd, vous donnaient le vertige, vous coupaient la respiration, vous troublaient la vue comme de l'atropine, vous enivraient comme de l'alcool, et les ouvriers qui travaillaient dans les usines de quinine avaient des yeux enflammés, des lèvres enflées, et souffraient d'éruptions. Et il commença à parler du cinchone, du quinquina des forêts vierges des cordillères, où se trouvait la patrie de cet arbre, à trois mille mètres d'altitude, et d'où l'on avait rapporté son écorce en Espagne, à une époque si tardive, sous le nom de « poudre des pères jésuites », cette écorce dont les indigènes de l'Amérique du Sud connaissent depuis longtemps les vertus. Il décrivit les formidables plantations de cinchone que le gouvernement hollandais possédait à Java et d'où chaque année des millions de livres de ces écorces rougeâtres et semblables à de la cannelle étaient embarquées pour Amsterdam et pour Londres. Les écorces et, en général, le tissu des plantes sylvestres, de l'épiderme jusqu'au cambium, possédaient d'extraordinaires vertus dynamiques, pour le bien comme pour le mal. Les peuples de couleur étaient très supérieurs aux nôtres sous le rapport de la connaissance des drogues. Sur plusieurs îles, à l'est de la Nouvelle-Guinée, les jeunes gens se préparaient un philtre d'amour au moyen de l'écorce d'un certain arbre qui était probablement un arbre vénéneux comme l'*antiaris toxicaria* de Java, lequel, pareillement au mancenillier, empoisonnait par son exhalaison l'air autour de lui et étourdissait mortellement les hommes et les animaux. Ils broyaient donc l'écorce de cet arbre, mélangeaient la poudre ainsi obtenue avec des rognures de noix de coco, enroulaient ce mélange dans une feuille, et le faisaient cuire. Durant son sommeil, ils aspergeaient de ce liquide la cruelle qu'ils courtisaient, et elle s'éprenait aussitôt de celui qui l'avait aspergée. Parfois c'était l'écorce de la racine qui possédait le pouvoir, comme c'était le cas d'une liane de l'archipel malais, nommée *strychnos tieuté*, au moyen de laquelle les indigènes préparaient, en y ajoutant du venin de serpent, l'*upas radcha*, une drogue qui, introduite dans la circulation du sang, par exemple au moyen d'une flèche, amenait instantanément la mort, sans que personne sût dire au jeune Hans Castorp comment cela se produisait. On savait uniquement que, sous le rapport du dynamisme, l'upas était voisin de la strychnine, et Peeperkorn qui avait achevé de se redresser dans son lit et qui portait, de temps à autre, de sa main un peu tremblante de capitaine, son verre de vin à ses lèvres déchirées, pour boire d'un air altéré de grandes gorgées, parla du *strychnos* de la côte du Coromandel, dont les baies orange — la noix vomique — contenaient l'alcaloïde le plus dynamique, la strychnine, parla à voix basse et les sourcils levés, de ces branches cendrées, de ce feuillage extraordinairement brillant et des fleurs d'un jaune verdâtre de cet arbre, de sorte que le jeune Hans Castorp eut sous les yeux une image à la fois triste et hystériquement bariolée, et qu'en somme il se sentit un peu mal à l'aise.

Mme Chauchat intervint alors dans la conversation, en faisant remarquer que cela fatiguait Peeperkorn et lui donnerait de nouveau de la fièvre. Quelque regret qu'elle eût d'interrompre l'entrevue, elle devait prier Hans

Castorp de s'en tenir là pour aujourd'hui. Il obéit naturellement, mais souvent encore, après un accès de fièvre quarte, durant les mois qui suivirent, il s'assit au chevet de cet homme princier, tandis que Mme Chauchat, surveillant discrètement l'entretien ou y prenant part, allait et venait ; et même les jours où Peeperkorn n'avait pas de fièvre, Hans Castorp passait : maintes heures avec lui et sa compagne de voyage parée de perles. Car, lorsque le Hollandais n'était pas alité, il manquait rarement de réunir après le dîner un petit choix variable de pensionnaires du Berghof, pour le jeu, le vin et toutes sortes d'autres choses délectables soit au salon, soit au restaurant, et Hans Castorp avait sa place d'habitué entre la nonchalante jeune femme et l'homme magnifique. On faisait également ensemble des promenades à l'extérieur, auxquelles prirent part MM. Ferge et Wehsal et par la suite Settembrini et Naphta, les adversaires en esprit que l'on n'avait pu manquer de rencontrer et que Hans Castorp se sentit véritablement heureux de pouvoir présenter à Peeperkorn, ainsi qu'à Clawdia Chauchat, sans se soucier le moins du monde de savoir si cette présentation et ces rapports seraient agréables, ou non, aux deux antagonistes, et dans la conviction secrète qu'ils avaient besoin d'un objet pédagogique et qu'ils préféreraient faire bon accueil à ses compagnons indésirables que renoncer à débattre devant lui leurs controverses.

En effet, il ne se trompait pas dans le sentiment que les membres de son cercle bigarré d'amis s'habitueraient tout au moins à ne pas s'habituer les uns aux autres : il y avait, bien entendu, entre eux des tensions, des incompatibilités, et même une hostilité tacite, et nous nous étonnons nous-même que notre insignifiant héros ait su les grouper autour de lui. Nous vous l'expliquons par une sorte d'affabilité enjouée et vivante qui lui faisait tout trouver « intéressant », et que l'on pourrait appeler un caractère liant dans ce sens que non seulement elle le liait aux personnes et aux personnalités les plus diverses, mais encore qu'elle les liait dans une certaine mesure entre elles.

Singuliers entrelacs de rapports mutuels ! Nous sommes tenté de faire apparaître un instant leurs fils embrouillés tels que Hans Castorp lui-même, durant ces promenades, les considérait d'un œil rusé et bienveillant. Il y avait là le malheureux Wehsal, qui brûlait de désir pour Mme Chauchat, et adulait bassement Peeperkorn et Hans Castorp, l'un à cause de sa souveraineté présente, l'autre en raison du passé. Il y avait là de son côté Clawdia Chauchat, la malade et la voyageuse à la démarche nonchalante et gracieuse, la serve de Peeperkorn, et cela certainement par conviction bien qu'elle fût quelque peu inquiète et secrètement agacée de voir le chevalier d'une lointaine nuit de carnaval sur un tel pied d'intimité avec son maître et seigneur. Cette irritation ne faisait-elle pas penser à celle qui se manifestait dans ses rapports avec Settembrini ? Avec ce beau parleur et cet humaniste qu'elle ne pouvait pas souffrir et qu'elle jugeait présompteux et inhumain ? Avec l'ami et l'éducateur du jeune Hans Castorp à qui elle eût volontiers demandé quelles avaient été les paroles qu'il avait lancées avec dédain, dans cet idiome méditerranéen qu'elle comprenait aussi peu que lui sa langue à elle, au jeune Allemand si convenable, à ce joli petit bourgeois de bonne famille à la tache humide, lorsqu'il avait été autrefois sur le point de se rapprocher d'elle. Hans Castorp, amoureux, comme on a coutume de dire, « pardessus les oreilles », non au sens badin de cette expression, mais ainsi que l'on aime lorsque cet amour est défendu et insensé et qu'il n'y a pas moyen de chanter à ce propos de paisibles chansonnettes du pays plat, tristement amoureux par conséquent et par là même dépendant, soumis, souffrant et servant, était cependant homme à conserver jusque dans l'esclavage assez de malice pour se rendre parfaitement compte de la valeur que son dévouement pouvait, malgré tout, garder aux yeux de la malade aux pas glissants et aux yeux enchanteurs de Tartare : une valeur sur laquelle l'attitude de M. Settembrini à son égard pouvait attirer l'attention de Mme Chauchat, cette attitude qui ne confirmait que trop ouvertement ses soupçons parce qu'elle était en effet aussi distante que pouvait le permettre la politesse humaniste. Mais le pire, ou, aux yeux de Hans Castorp, l'avantage c'était que ses relations avec Naphta — elle en avait beaucoup attendu — ne lui offraient guère de compensation. Sans doute, ne se heurtait-elle pas ici à la fin de non-recevoir que M. Lodovico lui opposait, et les conditions étaient plus favorables à la conversation : ils s'entretenaient quelquefois à part, Clawdia et le petit homme tranchant, de livres, de problèmes de philosophie politique qu'ils s'accordaient à traiter dans un esprit extrémiste. Mais une certaine réserve aristocratique dans la prévenance que lui témoignait le parvenu comme font tous les parvenus, ne fut pas sans lui être sensible. Le terrorisme espagnol de Naphta s'accordait au fond assez mal avec l'humanité vagabonde et nonchalante de Mme Chauchat. Et il s'ajoutait à cela un élément encore plus subtil, une hostilité légère et à peine perceptible à son égard qu'avec un flair féminin elle sentait émaner des deux adversaires, de Settembrini comme de Naphta (de même que son chevalier de carnaval la sentait parfaitement), et qui tenait aux rapports que tous deux avaient avec lui, Hans Castorp. C'était la mauvaise humeur de l'éducateur à l'endroit de la femme, élément troublant et gênant, cette hostilité secrète et originelle qui les rapprochait parce que leur discorde était neutralisée par leurs sentiments communs de pédagogues.

N'entrait-il pas également un peu de cette hostilité dans l'attitude que les deux dialecticiens adoptaient à l'égard de Pieter Peeperkorn ? Hans Castorp croyait le remarquer, peut-être parce qu'il l'avait malicieusement prévu, et qu'en somme il avait été assez impatient de réunir le bègue magnifique et ses deux « conseillers de gouvernement », comme il s'exprimait parfois en plaisantant, et d'étudier l'effet de cette confrontation. Mynheer était moins magnifique au-dehors que dans la maison. Le large chapeau de feutre qu'il enfonçait sur son front et qui couvrait ses longues mèches blanches, les larges dessins de son front, rapetissait ses traits, les recroquevillait en quelque sorte, et enlevait même de la majesté à son nez qui rougissait. En outre, il était plus imposant lorsqu'il restait immobile que lorsqu'il marchait : il avait l'habitude de porter à chacun de ses pas courts, tout le poids de son corps et jusqu'à sa tête, du côté du pied qu'il portait en avant, ce qui faisait penser à un bon vieillard plutôt qu'à un roi. Enfin, il ne marchait pas dressé de toute sa hauteur, mais affaissé sur lui-même. Néanmoins il dominait d'une bonne tête tant M. Lodovico que le petit Naphta, et ce fait n'était pas le seul par quoi sa présence pesait sur l'existence des deux politiciens, aussi fort que Hans Castorp l'avait prévu.

C'était une pression, une diminution, un préjudice venant de la comparaison qui s'imposait — sensibles à l'observateur malicieux, mais certainement également sensibles aux intéressés, tant aux deux hommes chétifs et trop articulés qu'au bègue magnifique. Peeperkorn traitait Naphta et Settembrini avec une politesse et une attention extrêmes, avec un respect que Hans Castorp aurait qualifié d'ironique si le sentiment très net que cette attitude ne se conciliait pas avec l'idée d'un homme de grand format ne l'en avait pas empêché. Les rois ne connaissent pas l'ironie, pas même au sens d'un procédé de rhétorique direct et classique, encore bien moins dans un sens plus compliqué. Et c'était donc plutôt une raillerie à la fois subtile et magnifique qui, sous une apparence de sérieux un peu exagéré, caractérisait la conduite du Hollandais à l'endroit des amis de Hans. « Oui, oui, disait-il par exemple, en les menaçant du doigt, détournant la tête avec des lèvres qui souriaient d'un air moqueur. Ce sont… ce sont… Mesdames et Messieurs, j'attire votre attention… *Cerebrum*, cérébral, vous m'entendez ! Non… non, parfait, extraordinaire, c'est, il apparaît quand même… » Ils se vengeaient en échangeant des regards qui, après s'être rencontrés, se levaient désespérément au ciel, et qui cherchaient les yeux de Hans Castorp. Mais celui-ci se dérobait.

Il arrivait que M. Settembrini demandât directement des comptes à son élève et manifestât ainsi son inquiétude de pédagogue.

« Mais, au nom de Dieu, ingénieur, ce n'est qu'un stupide vieillard ! Que lui trouvez-vous d'extraordinaire ? Peut-il vous servir en quoi que ce soit ? Je ne comprends plus. Tout serait clair — sans être particulièrement louable — si vous le tolériez simplement, si vous ne cherchiez par son intermédiaire que la compagnie de celle qui est momentanément sa maîtresse. Mais il est impossible de ne pas se rendre compte que vous vous occupez de lui presque plus que d'elle. Je vous en prie, aidez-moi à comprendre… »

Hans Castorp se mit à rire.

« Absolument, dit-il. Parfait. Il se trouve que… Permettez-moi… Bien ! (Et il s'efforça d'imiter les gestes de Peeperkorn.) Oui, oui, dit-il encore. Vous trouvez cela stupide, monsieur Settembrini, et de toute façon, c'est peu clair, ce qui, à vos yeux, est certainement pire que stupide. Ah ! la bêtise ! Il y a tant d'espèces différentes de bêtise ! Et l'intelligence n'en est pas la meilleure… Hé, hé, il me semble que voilà une formule bien tournée, j'ai fait un *mot*. Comment vous plaît-il ?

— Beaucoup. J'attends avec impatience votre premier recueil d'aphorismes. Peut-être est-il encore temps de vous prier de tenir compte de certaines considérations auxquelles nous nous sommes un jour livrés sur le danger que le paradoxe présente pour l'homme.

— Je n'y manquerai pas, monsieur Settembrini. Je n'y manquerai certes pas. Non, je ne fais pas du tout la chasse aux paradoxes, avec ce *mot* que j'ai trouvé. Je voulais simplement vous montrer quelles difficultés l'on éprouve à discerner la bêtise et l'intelligence. C'est si difficile à distinguer, cela se confond… Je le sais bien, vous haïssez le *guazzabuglio* mystique et vous êtes pour la valeur, pour le jugement de valeur, en quoi je vous donne tout à fait raison. Mais distinguer la bêtise de l'intelligence, c'est quelquefois un parfait mystère et on doit malgré tout avoir le droit de s'occuper de mystères, en admettant que ce soit avec le désir sincère de les pénétrer dans la mesure du possible. Je vais vous poser une question ; je vais vous demander : Pouvez-vous nier qu'il nous mette tous dans sa poche, tous, autant que nous sommes ? Je m'exprime vulgairement, et pourtant, autant que je puisse m'en rendre compte, vous ne pouvez pas le nier. Il nous met tous dans sa poche et il tient de quelque part, je ne sais d'où, le droit de se moquer de nous. D'où ? Comment ? Pourquoi ? Naturellement pas grâce à son intelligence. Je vous accorde qu'il peut à peine être question d'intelligence. C'est un homme de confusion et de sensibilité, la sensibilité est pour ainsi dire sa marotte… excusez cette expression triviale. Je veux dire : ce n'est pas à force d'intelligence qu'il nous met dans sa poche, ce n'est pas pour des raisons qui relèvent de l'esprit, vous protesteriez et, en effet, ce n'est pas cela. Mais ce n'est pas davantage pour des raisons physiques. Ce n'est pas à cause de ses épaules de capitaine, ni d'une force musculaire et brutale, ni parce qu'il pourrait abattre chacun de nous d'un coup de poing. Il ne pense pas du tout à ce qu'il en serait capable et lorsqu'il lui arrive d'y penser, il suffit de quelques paroles civilisées pour le calmer… Ce n'est donc pas pour des raisons physiques. Et pourtant, sans aucun doute, le corps joue un rôle dans tout cela, non pas au sens de la force musculaire, mais dans un autre sens, dans un sens mystique — la chose devient mystique dans la mesure où le corps y joue un rôle — et l'élément physique se change en élément spirituel, ou inversement, en sorte qu'on ne les distingue plus l'un de l'autre, qu'on ne distingue plus la bêtise de l'intelligence, mais l'effet est là, le dynamisme — et il nous met dans sa poche. Et nous ne disposons que d'un mot pour exprimer cela, nous disons : personnalité. C'est sans doute avec raison que l'on se sert de ce mot, nous sommes tous des personnalités, morales et juridiques, ou ce que vous voudrez. Mais ce n'est pas cela que je veux dire. Je veux parler d'un mystère qui est au-delà de l'intelligence et de la bêtise, et dont il doit être permis de se préoccuper, soit pour le pénétrer dans la mesure du possible, soit encore pour notre édification. Et si vous êtes pour les valeurs positives, la personnalité est, en définitive, une valeur possible, plus positive que la bêtise et l'intelligence, positive au premier chef, positive d'une façon absolue, comme la vie, bref, c'est une valeur de la vie, et elle est vraiment faite pour que l'on s'y intéresse particulièrement. Voilà ce que j'ai cru devoir dire au sujet de la bêtise. »

Depuis quelque temps, Hans Castorp ne se troublait ni ne s'embrouillait plus au cours de tels épanchements et il ne restait plus en plan. Il menait sa réplique à terme, laissait tomber sa voix, mettait un point final et allait son chemin comme un homme, bien qu'il rougît encore et qu'en secret il redoutât un peu le silence qui suivrait ses paroles et durant lequel on lui laissait le temps d'en avoir honte. M. Settembrini fit durer ce silence ; puis il dit :

« Vous niez de faire la chasse aux paradoxes. Mais vous savez parfaitement qu'il ne me plaît pas davantage de vous voir à la chasse aux mystères. En faisant de la personnalité un mystère, vous courez le risque d'incliner à l'idolâtrie. Vous vénérez un masque. Vous voyez une mystique où il n'y a que mystification. Nous sommes en présence d'une de ces formes creuses et trompeuses par quoi le démon du corps et de la physionomie se plaît parfois à nous berner. Vous n'avez jamais fréquenté dans des milieux de comédiens ? Vous ne connaissez pas ces têtes de mimes qui réunissent les traits de Jules César, de Goethe et de Beethoven, et dont les heureux possesseurs, dès qu'ils ouvrent la bouche, se révèlent les plus lamentables hères qui soient sous le soleil ?

— Bien ! Un jeu de la nature, dit Hans Castorp. Mais ce n'est pas seulement un jeu de la nature, ce n'est pas qu'une duperie. Car, dès lors que ces hommes sont des acteurs, il faut qu'ils aient du talent, et le talent est supérieur à l'intelligence et à la bêtise, lui aussi est une valeur de la vie. Mynheer Peeperkorn, lui aussi, a du talent, quoi que vous en disiez, et grâce à son talent, il nous met tous dans sa poche. Placez dans un angle d'une pièce M. Naphta, et faites-lui prononcer une conférence qui soit du plus haut intérêt, sur Grégoire le Grand et sur le règne de Dieu. Dans l'autre angle de la pièce se trouve Peeperkorn, avec sa bouche étrange et ses sourcils froncés qui ne dit que : "Absolument… permettez ! Réglé !" Vous verrez bien : les gens feront cercle autour de Peeperkorn, tous, sans exception, et Naphta restera tout seul avec son intelligence et son royaume de Dieu, quoiqu'il s'exprime avec une netteté telle que cela vous pénètre jusqu'à la moelle.

— Vous n'avez pas honte d'adorer ainsi le succès ? demanda M. Settembrini. *Mundus vult decipi*. Je ne demande pas que l'on s'assemble autour de M. Naphta. C'est un esprit pernicieux fait pour nous égarer. Mais je suis tenté de prendre parti pour lui en présence de la scène imaginaire que vous décrivez, et que vous semblez approuver d'une manière blâmable. Vous pouvez mépriser la clarté, la précision, la logique, le langage humain et articulé. Vous pouvez leur préférer je ne sais quel galimatias de charlatanisme intuitif — et vous êtes un homme perdu…

— Mais je vous assure qu'il sait parler d'une manière très cohérente lorsqu'il s'anime, dit Hans Castorp. Il m'a parlé récemment de drogues dynamiques et d'arbres vénéneux asiatiques. C'était si intéressant que cela en devenait sinistre, et, d'autre part, c'était moins intéressant en soi qu'en raison de l'effet produit par sa personnalité. C'est ce qui le rendait à la fois intéressant et sinistre…

— Naturellement, nous connaissons votre faible pour les choses asiatiques. C'est vrai, je ne peux pas vous servir des miracles de ce genre », répondit M. Settembrini avec tant d'amertume que Hans Castorp se hâta de déclarer que les avantages qu'il devait à l'enseignement de M. Settembrini étaient d'un tout autre ordre et qu'il ne venait à l'esprit de personne de se livrer à des comparaisons qui feraient tort à l'une et à l'autre des parties. Mais l'Italien fit mine de dédaigner cette politesse. Il poursuivit :

« De toute façon, vous me permettrez, ingénieur, d'admirer votre objectivité et votre quiétude d'esprit. Elle frise le grotesque, vous en conviendrez. Car les choses, telles qu'elles se présentent… Ce lourdaud, somme toute, vous a pris votre Béatrice… J'appelle les choses par leur nom… Et vous ? C'est sans précédent.

— Différences de tempérament, monsieur Settembrini. Différences de race quant à la galanterie chevaleresque et à l'ardeur du sang. Naturellement, vous, en homme du Midi, vous auriez recours au poison et au poignard, ou en tout état de cause, vous donneriez à l'aventure un caractère mondain et passionné, bref, vous agiriez en coq. Ce serait certainement très viril, très viril et galant. Mais chez moi c'est tout différent. Je ne suis pas viril au point de ne voir dans le rival que le mâle amoureux de la même femme, je ne le suis peut-être pas du tout, mais il est certain que je ne le suis pas de cette manière que j'appelle malgré moi "mondaine" je ne sais trop pourquoi. Je me demande en mon cœur si je n'ai rien à lui reprocher. M'a-t-il fait sciemment un tort quelconque? Or, une offense doit être faite avec intention, sinon elle n'est plus une offense. Et quant au "tort", il faudrait que je m'en prenne à *elle.* Or, je n'en ai pas le droit, je n'en ai pas le droit, d'une façon générale, et particulièrement en ce qui regarde Peeperkorn. Car, premièrement, il est une personnalité, ce qui compte pour les femmes, et deuxièmement il n'est pas un civil comme moi, mais une sorte de militaire comme mon cousin, c'est-à-dire qu'il a un *point d'honneur*, une marotte, c'est le sentiment, la vie… Je dis des sottises, mais je préfère bafouiller un peu et n'exprimer qu'à moitié des choses difficiles que de sortir toujours les mêmes lieux communs impeccables et traditionnels. Peut-être est-ce aussi quelque chose comme un trait militaire dans mon caractère, si je puis ainsi dire…

— Dites-le, dites-le, approuva M. Settembrini. Ce serait en tout cas là un trait de caractère qu'il faudrait louer. Le courage de se connaître et de s'exprimer, c'est la littérature, c'est l'humanisme. »

Sur ces paroles ils se séparèrent en des termes passables. M. Settembrini avait donné à la fin du débat un tour conciliant et avait d'excellentes raisons de le faire. Sa position, en effet, n'était pas inattaquable et il n'eût pas été prudent de sa part de pousser trop loin la sévérité. Une conversation qui portait sur la jalousie était un terrain un peu glissant pour lui. À un moment donné, il aurait dû répondre que, du point de vue de sa veine pédagogique, ses rapports avec l'homme n'étaient pas non plus d'un ordre purement social, et que dès lors le souverain Peeperkorn marchait sur ses brisées au même titre que Naphta et Mme Chauchat. Et, en définitive, il ne pouvait espérer soustraire son élève à l'influence et à la supériorité naturelle d'une personnalité à laquelle il pouvait échapper aussi peu que son partenaire dans ces joutes intellectuelles.

Ils s'en tiraient le mieux lorsque la conversation portait sur des sujets élevés, lorsqu'ils discutaient et retenaient l'attention des promeneurs par un de leurs débats à la fois élégants et passionnés, académiques, mais menés sur un ton comme s'il s'agissait de questions d'une actualité brûlante et d'une importance vitale, débats dont ils faisaient presque seuls tous les frais, car, tant qu'ils duraient, le « grand format » présent était en quelque sorte neutralisé, parce qu'il ne pouvait y prendre part que par des exclamations de surprise, des froncements de sourcils et des incohérences obscures et moqueuses. Mais même dans ces conditions il exerçait une pression, jetait son ombre sur la discussion, de sorte qu'elle paraissait perdre de son éclat ; il l'altérait, lui opposait quelque chose, d'une manière sensible à tous et peut-être inconsciente, ou consciente seulement jusqu'à un certain degré ; manière qui ne favorisait aucune des deux causes et qui faisait perdre à la querelle son importance capitale et même — nous hésitons à le dire — qui la faisait paraître vaine. Ou bien : la subtile controverse poursuivie à outrance se rapportait secrètement, d'une manière souterraine et indéterminée, au « format » qui marchait à leur côté et son magnétisme en affaiblissait la portée. On ne saurait caractériser autrement ce phénomène mystérieux et fort désagréable pour les deux adversaires. Il en résultait que, si Pieter Peeperkorn n'avait pas été là, on eût été forcé de prendre parti d'une manière beaucoup plus nette — en se rangeant, par exemple, du côté de Léon Naphta qui défendait le caractère révolutionnaire de l'Église contre la thèse de M. Settembrini, lequel ne voulait voir dans cette puissance historique que la protectrice des forces obscures du conservatisme, et qui prétendait que toutes les tendances favorables à la vie et à l'avenir, toutes les puissances de révolution et de renouvellement étaient issues des principes éclairés, scientifiques et progressistes, de l'époque glorieuse de la renaissance de la civilisation antique, et persistait dans cette profession de foi avec un bel élan de la parole et du geste. D'un ton froid et tranchant, Naphta se fit alors fort de montrer — et il le montra avec une évidence aveuglante — que l'Église, incarnation du principe de l'ascétisme religieux, est, en substance, très loin de vouloir être la défense et l'appui de ce qui veut demeurer, de la culture humaine par conséquent, des préceptes juridiques de l'État, qu'au contraire elle a constamment inscrit sur son drapeau le principe révolutionnaire le plus radical, le bouleversement le plus complet, et qu'en somme tout ce qu'on juge digne d'être conservé, tout ce que les faibles, les lâches, les conservateurs, les bourgeois essayent de maintenir — l'État et la Famille, l'art et la science profane — a toujours été en opposition consciente ou inconsciente avec l'idée religieuse, avec l'Église dont la tendance initiale et dont le but invariable est la dissolution de tous les ordres temporels et la réorganisation de la Société d'après le modèle du royaume idéal et communiste de Dieu.

M. Settembrini prit ensuite la parole, et, grand Dieu ! il en fit bon usage. Une telle confusion de l'idée révolutionnaire, luciférienne, avec la révolte générale de tous les mauvais instincts, dit-il, était déplorable. L'esprit novateur de l'Église avait pendant des siècles consisté à poursuivre par l'inquisition la pensée féconde, à l'étrangler, à l'étouffer dans la fumée de ses bûchers, et voici qu'aujourd'hui elle se faisait proclamer révolutionnaire par ses messagers, en prétendant que son but était de remplacer la Liberté, la Civilisation et la Démocratie par la dictature de la plèbe et par la barbarie. Eh ! en effet c'était là un exemple effarant de conséquence contradictoire, de contradiction conséquente…

Naphta objecta que son contradicteur ne laissait pas de commettre des contradictions analogues. Démocrate, à l'en croire, il s'exprimait d'une manière fort peu égalitaire et ne témoignait guère de sympathie pour le peuple ; il manifestait au contraire une prétention d'une outrecuidance aristocratique et blâmable en qualifiant de « plèbe » le prolétariat universel appelé à une dictature provisoire. Mais où il se montrait démocrate, c'est face à l'Église, qui, en effet, il fallait en convenir avec fierté, était la puissance la plus noble de l'histoire de l'humanité — noble au sens suprême et le plus élevé, au sens de l'esprit. Car l'esprit ascétique — si l'on pouvait se servir d'un tel pléonasme —, l'esprit de la négation et de l'anéantissement du monde était la noblesse par excellence, le principe aristocratique à l'état pur ; il ne pouvait devenir populaire, et de tout temps l'Église avait, au fond, été impopulaire. Pour peu qu'il se fût livré à quelques investigations d'ordre littéraire sur la civilisation du Moyen Âge, M. Settembrini eût découvert la violente antipathie que le peuple — le peuple au sens le plus large — éprouvait à l'égard de l'état ecclésiastique ; il y avait là, par exemple, certaines figures de moines, imaginées par des poètes populaires, qui avaient déjà opposé d'une manière très luthérienne le vin, la femme et la chanson à l'idée de l'ascétisme. Tous les instincts de l'héroïsme profane, tout l'esprit guerrier, et de plus la poésie galante avaient été en conflit plus ou moins avoué avec l'idée religieuse et, partant, avec la hiérarchie. Car tout cela était le « siècle » et l'esprit plébéien en comparaison de la noblesse spirituelle représentée par l'Église.

M. Settembrini remercia son contradicteur d'avoir bien voulu rafraîchir sa mémoire. Le personnage du moine Ilsan dans le « Jardin des Roses » était en effet savoureux à la face de l'aristocratisme du tombeau que l'on célébrait ici, et s'il n'était pas, lui, un partisan du réformateur allemand auquel il avait été tout à l'heure fait allusion, on le trouverait néanmoins prêt à défendre avec ardeur tout l'individualisme démocratique qui était à la base même de sa doctrine contre toute forme de féodalité spirituelle et d'accaparement de la personnalité.

« Eh bien ! » s'écria tout à coup Naphta. Son interlocuteur voulait-il insinuer que l'Église était trop peu démocratique, qu'elle n'avait pas le sens de la valeur de la personnalité humaine ? Et que faisait-il de la tant humaine absence de préjugés du droit canon qui n'avait — tandis que le droit romain avait fait dépendre l'exercice du droit de la possession de l'état de citoyen, tandis que le droit germanique l'avait lié à la nationalité et à la liberté personnelle — exigé que l'appartenance à la communauté de l'Église et la fidélité au dogme, qui s'était affranchi de toutes les considérations sociales et publiques et avait déclaré les esclaves, les prisonniers de guerre et les serfs capables de tester et d'hériter !

Cette assertion, fit observer Settembrini d'une voix mordante, aura sans doute été maintenue non sans l'arrière-pensée de la « dîme canonique » prélevée sur chaque testament. Au surplus, il parla de « démagogie cléricale » ; ramena à une volonté de puissance dénuée de scrupules le fait que l'Église soulevait l'Achéron quand les dieux se détournaient d'elle, et affirma, en outre, que ce qui importait à l'Église c'était apparemment la quantité des âmes plus que leur qualité, ce qui permettait de conclure à un profond manque de noblesse spirituelle.

L'Église, manquer de noblesse ? Naphta attira alors l'attention de M. Settembrini sur l'aristocratisme inflexible dont s'inspirait le principe de l'hérédité de la tare : la transmission d'une faute grave aux descendants qui, démocratiquement parlant, étaient pourtant innocents ; l'opprobre qui, pendant toute leur vie, pesait par exemple sur des enfants naturels privés de tout droit. Mais l'Italien le pria de ne pas insister parce que ses sentiments humains se révoltaient contre un tel état de choses, et de plus parce qu'il était las des détours et que, dans les artifices de l'apologétique de son adversaire, il reconnaissait le culte absolument infâme et diabolique du néant qui voulait être appelé esprit et qui prétendait faire de l'impopularité avouée du principe ascétique quelque chose de légitime et de sacré.

Ici Naphta demanda la permission d'éclater de rire. Parler du nihilisme de l'Église ! Du nihilisme du système de gouvernement le plus réaliste dans l'histoire du monde ! Le Souffle de l'ironie humaine avec laquelle l'Église faisait à la chair des concessions incessantes, cachant sous une condescendance avisée les dernières conséquences du principe et laissant régner l'esprit comme influence régulatrice sans heurter trop sévèrement la nature, n'avait donc jamais effleuré M. Settembrini ? Il n'avait donc pas davantage entendu parler de cette subtile conception de l'« indulgence » qui s'étendait même à un sacrement, celui du mariage, lequel n'était nullement un bien positif comme les autres sacrements, mais simplement une défense contre le péché, accordé pour modérer la convoitise des sens et l'intempérance, de sorte que le principe ascétique, l'idéal de la chasteté, y était maintenu sans que l'on eût heurté la chair avec une rigueur peu diplomatique ?

Comment M. Settembrini pouvait-il dès lors ne pas s'élever contre cette abominable conception du « politique », contre ce geste d'une indulgence et d'une prudence présomptueuses que l'esprit — ou ce qui se présentait comme tel — s'arrogeait d'accomplir à l'égard de son contraire, prétendu coupable, qu'il convenait de traiter « politiquement », alors qu'en réalité il n'avait nul besoin de cette indulgence empoisonnée ; contre la maudite duplicité d'une conception du monde qui peuplait l'univers de démons, tant la vie que son contraire présomptueux, l'esprit : car si l'une était le mal, l'autre aussi, en tant que négation pure, devait l'être. Il rompit une lance en faveur de l'innocence de la volupté — ce qui fit penser Hans Castorp à la petite mansarde d'humaniste avec son pupitre, ses chaises de paille et la carafe d'eau —, tandis que Naphta, affirmant qu'il n'y avait pas de volupté sans péché et que la nature avait tout lieu d'avoir la conscience inquiète devant l'esprit, définissait la politique de l'Église et l'indulgence de l'esprit comme de « l'amour », afin de réfuter le nihilisme du principe ascétique (et Hans Castorp jugea que ce mot « amour » s'accordait fort mal avec l'apparence du tranchant et maigre petit Naphta…).

Et cela se poursuivit à perte de vue : nous connaissons déjà le jeu, Hans Castorp le connaissait aussi ; comme lui, nous avons un instant prêté l'oreille pour observer l'aspect que prenait une de ces joutes péripatéticiennes dans l'ombre de la « personnalité » qui accompagnait les promeneurs et comment cette présence faisait baisser secrètement le débat. Il en était ainsi qu'une secrète nécessité de tenir compte de cette présence éteignait l'étincelle qui, de temps en temps, jaillissait — en produisant cette sensation de découragement qui nous saisit lorsqu'un courant électrique est coupé. Bon ! C'était ainsi ! Il n'y avait plus de crépitement entre les contraires, point d'éclair, point de courant ; cette présence que l'esprit comptait neutraliser, neutralisait au contraire l'esprit, Hans Castorp s'en apercevait avec surprise et curiosité.

Révolution et conservation ! Et on regardait Peeperkorn. On le voyait marcher, pas tellement majestueux, de son pas un peu fléchissant, et son chapeau sur le front ; on voyait ses lèvres larges, irrégulièrement déchirées, et on l'entendait dire en désignant plaisamment les interlocuteurs de la tête : « Oui, oui, oui ! *Cerebrum*, cérébral, vous comprenez ? C'est… Il apparaît d'autre part… » Et voici : il n'y avait plus de courant. Ils cherchèrent ailleurs, ils eurent recours à des charmes plus opérants, ils en vinrent au « problème aristocratique », à la popularité et à la noblesse. Pas d'étincelle ! Comme par magie, la conversation prenait un tour personnel. Hans Castorp voyait le compagnon de voyage de Clawdia étendu dans son lit sous la courtepointe de soie rouge, dans sa chemise de tricot sans col, mi-ouvrier âgé, mi-buste impérial, et après quelques faibles sursauts le ressort de la dispute se brisait. Tensions plus fortes ! Négation et culte du néant, d'une part, affirmation éternelle et amour de l'esprit pour la vie, de l'autre. Que devenaient le ressort, l'éclair et le courant lorsqu'on regardait Mynheer, ce qui se produisait immanquablement du fait d'une attraction secrète ? Bref, ils faisaient défaut, et Hans constatait que ce n'était là ni plus ni moins qu'un mystère. Pour son recueil d'aphorismes il pouvait retenir qu'un mystère ne s'explique que par les mots les plus simples, ou qu'il demeure inexprimé. Pour exprimer cependant celui dont il s'agit on pouvait tout au plus dire tout bonnement que Pieter Peeperkorn, avec son masque royal et ridé, avec sa bouche défigurée par une grimace amère, était le pour et le contre, que l'un et l'autre semblaient lui convenir et s'annuler en lui lorsqu'on le regardait : ceci et cela, l'un et l'autre. Oui, ce stupide vieillard, ce zéro souverain ! Il paralysait le nerf de la controverse, non pas en embrouillant les choses par des biais tortueux comme Naphta ; il n'était pas ambigu comme ce dernier, il l'était d'une manière toute différente, d'une manière positive, ce mystère chancelant qui, de toute évidence, était non seulement par-delà la bêtise et l'intelligence, qui était par-delà tant d'autres antithèses que Settembrini et Naphta évoquaient en vue d'obtenir la haute tension nécessaire à leur but pédagogique. La personnalité, semblait-il, n'était pas éducatrice, et pourtant quelle trouvaille elle était pour quelqu'un qui voyageait pour se former ! Comme c'était étrange d'observer cette duplicité d'un roi lorsque les querelleurs en vinrent à parler du mariage et du péché, du sacrement de l'indulgence, du péché et de l'innocence de la volupté ! Il penchait sa tête sur son épaule et sa poitrine, ses lèvres douloureuses s'ouvraient, la bouche lasse et plaintive béait, les narines se tendaient et se dilataient comme s'il souffrait, les plis du front montaient et les yeux s'écarquillaient en un pâle regard souffrant ; une image de l'amertume ! Et voici que, au même instant, cette mine de martyr devenait voluptueuse. L'inclinaison oblique de la tête se faisait malicieuse, les lèvres encore ouvertes souriaient impudiquement, la fossette de sybarite, que nous avions observée en d'autres circonstances apparaissait sur sa joue, le prêtre païen et dansant était là, et tandis que, de la tête, il désignait railleusement cette direction intellectuelle, on l'entendait dire : « Tiens, tiens, tiens, parfait ! C'est... ce sont... voilà bien de nouveau... Le sacrement de la volupté, comprenez-vous ? »

Néanmoins, comme nous l'avons dit, les amis et maîtres destitués de Hans Castorp étaient encore dans une situation relativement favorable lorsqu'ils pouvaient se chamailler. Ils étaient alors dans leur élément, tandis que l'« homme de grand format » n'y était pas, et encore on pouvait être indécis quant au rôle qu'il jouait dans ces cas. Mais la situation était nettement à leur désavantage lorsqu'il ne s'agissait pas plus longtemps d'esprit, de mots et de *spiritus*, mais de choses terrestres et pratiques, bref de questions et d'objets qui mettent à l'épreuve les natures de souverain. Alors c'en était fait d'eux, ils s'effaçaient dans l'ombre, devenaient insignifiants, et Peeperkorn tenait le sceptre, déterminait, décidait, commandait, déléguait et ordonnait... Quoi d'étonnant qu'il cherchât à ramener les choses à cet état et à sortir de la logomachie ? Il souffrait aussi longtemps qu'elle régnait, ou tout au moins lorsqu'elle régnait longtemps ; mais il n'en souffrait pas par vanité, Hans Castorp en était certain. La vanité n'a pas d'envergure et la grandeur n'est pas vaniteuse. Non, la soif des réalités palpables qu'avait Peeperkorn tenait à d'autres raisons, à sa « crainte » pour le dire très simplement et très grossièrement, à ce zèle et à ce point d'honneur que Hans Castorp avait invoqués à l'encontre de M. Settembrini et qu'il avait voulu présenter comme un trait en quelque sorte militaire.

« Messieurs, disait le Hollandais en levant sa main de capitaine aux ongles pointus d'un geste impérieux de conjuration. Bien, messieurs, parfait, remarquable. L'ascétisme, l'indulgence, la volupté… Je voudrais… Absolument ! Très important. Très discutable. Mais permettez-moi je crains que nous ne nous rendions coupables d'une grave… Nous nous dérobons, messieurs, nous nous dérobons d'une manière injustifiable aux plus sacrés… »

Il respira profondément.

« Cet air, messieurs, cet air annonciateur du föhn que nous respirons aujourd'hui, pénétré d'un délicat arôme printanier, tout chargé de pressentiments et de souvenirs, nous ne devrions pas l'aspirer pour l'expirer sous forme de… Je vous en prie instamment : nous ne devrions pas faire cela. C'est une offense. C'est à lui seul que nous devrions vouer notre entière et complète… Réglé, mesdames et messieurs. Et que ce ne soit que pour célébrer dignement ses vertus, nous devrions, de cette poitrine… Je m'interromps, mesdames et messieurs. Je m'interromps en l'honneur de ce… » Il était resté debout, resté en arrière, projetant l'ombre de son chapeau sur ses yeux, et tous suivirent son exemple. « J'attire, dit-il, votre attention vers cette altitude, vers cette grande altitude, sur ce point noir et tournoyant là-haut, au-dessus de ce bleu extraordinaire qui tourne au noir… C'est un oiseau de proie, un grand oiseau de proie. C'est, si tout ne me… Messieurs, et vous, mon enfant, c'est un aigle. J'attire décidément votre attention sur lui. Voyez-vous ! Ce n'est ni une buse ni un vautour. Si vous étiez aussi presbyte que je le deviens à mesure que j'avance en… Oui, certainement, mon enfant, à mesure que j'avance. Mes cheveux sont blancs, certainement. Vous verriez aussi nettement que moi la forme arrondie des ailes. Un aigle, mesdames et messieurs, un aigle impérial. Il tourne au-dessus de nous, dans le bleu, il plane sans un coup d'ailes à une altitude grandiose, et de ses yeux puissants et perçants, sous les orbites saillantes, il guette certainement… L'aigle, mesdames et messieurs, l'oiseau de Jupiter, le roi de son espèce, le lion des airs ! Il a un vêtement de plumes et un bec en acier qui n'est durement recourbé qu'à sa pointe ; il a des serres d'une force inouïe, des griffes repliées vers l'intérieur, celles de devant forment une ceinture de fer avec celles de derrière, plus longues. Regardez, comme ceci ! » Et de sa main de capitaine aux ongles pointus il tenta de représenter les serres de l'aigle. « Compère, que tournes-tu et guettes-tu là ? dit-il en se tournant vers l'oiseau. Fonce, crève-lui la tête et les yeux de ton bec d'acier, déchire-lui le ventre, à la créature que Dieu… Parfait ! Réglé. Il faut que tes serres s'embrouillent dans les intestins et que ton bec dégoutte de sang. »

Il était saisi d'enthousiasme — et c'en était fait de l'intérêt des promeneurs pour les antinomies de Naphta et de Settembrini. Du reste, l'apparition de l'aigle, sans que l'on eût besoin d'en parler, continua d'influencer les décisions et les initiatives qui suivirent, sous la direction de Mynheer. On rentra, on but et on mangea, à une heure tout à fait indue, mais avec un appétit qu'excitait secrètement le souvenir de l'aigle. On se régala et l'on fit ripaille, comme on faisait souvent même en dehors du Berghof, sur l'instigation de Mynheer partout où cela se trouvait, à Platz, à Dorf, dans une auberge de Glaris ou de Kloster, où l'on se rendait par le petit train, en excursion. On consommait les dons classiques de la vie sous les ordres de Peeperkorn, du café à la crème avec du pain de campagne ou du fromage succulent, accompagné d'un exquis beurre des Alpes, avec des marrons chauds et du vin rouge de la Valteline à volonté. Et Peeperkorn accompagnait ces repas improvisés de paroles incohérentes avec grandeur, on invitait Antoine Carlovitch Ferge à parler, ce brave martyr à qui tous les sujets élevés étaient étrangers, mais qui savait parler très pertinemment de la fabrication des caoutchoucs russes : on mélangeait à la masse de caoutchouc du soufre et d'autres matières, et les chaussures finies étaient « vulcanisées » à une température de plus de cent degrés. Il parla aussi du cercle polaire, car ses voyages d'affaires l'avaient conduit plusieurs fois jusque dans les régions arctiques ; du soleil de minuit et de l'hiver éternel au cap Nord. Là-bas, proférait-il de son gosier noueux et de dessous sa moustache tombante, le paquebot lui avait semblé minuscule en comparaison des rochers formidables et de la nappe gris d'acier de la mer. Et des zones de lumière jaune étaient apparues au ciel, cela avait été l'aurore boréale. Et tout lui avait semblé une fantasmagorie, à lui, Antoine Carlovitch, tout le paysage, et lui-même.

Voici pour M. Ferge, le seul dans cette petite compagnie qui fût tout à fait étranger aux rapports réciproques entre ses compagnons. Mais en ce qui touche précisément ces rapports il y a lieu de relater deux brefs entretiens, deux conversations bizarres, en tête à tête, qu'eut en ce temps notre peu héroïque héros avec Clawdia Chauchat et avec son compagnon de voyage. Avec chacun en particulier, l'une dans le hall, après dîner, tandis que le « gêneur » était en proie à la fièvre, l'autre un après-midi, au chevet de Mynheer.

Le hall, ce soir-là, était plongé dans la pénombre. La réunion ordinaire avait été brève et sans entrain, les pensionnaires s'étaient retirés de bonne heure dans leurs loges de balcon pour la cure du soir, pour autant qu'ils ne faisaient pas l'école buissonnière en dansant ou en jouant, là-bas, dans le monde extérieur. Une seule lampe brûlait quelque part, au plafond de la pièce morte, et les salons voisins n'étaient guère mieux éclairés. Mais Hans Castorp savait que Mme Chauchat, qui avait pris son dîner sans son maître, n'était pas encore remontée au premier, qu'elle était restée seule au salon de lecture et de correspondance, et c'est pourquoi lui aussi avait tardé à monter. Il était resté assis plus au fond du hall, pourtour surélevé par une marche plate et séparé de la partie centrale par quelques piliers blancs revêtus de bois. Il était assis devant la cheminée de faïence, dans un fauteuil à bascule semblable à celui où Maroussia s'était balancée le soir où Joachim avait eu avec elle son unique entretien, et fumait une cigarette comme c'était admis tout au moins à cette heure-là.

Elle vint, il entendit ses pas, le frou-frou de sa robe derrière lui, elle était à côté de lui, s'éventait avec une lettre qu'elle tenait par un coin de l'enveloppe, et dit de sa voix de Pribislav :

« Le concierge est parti. Donnez-moi donc un *timbre-poste.* »

Elle portait ce soir une robe de soie foncée et légère, une robe au décolleté rond et aux manches bouffantes qui se boutonnaient étroitement autour des poignets. Il aimait cela. Elle s'était parée de son collier de perles, qui scintillait d'un éclat pâle dans la pénombre. Il leva les yeux vers le visage de Kirghize. Il répéta :

« *Timbre ?* Je n'en ai pas.

— Comment, pas ? *Tant pis pour vous*. Vous n'êtes pas en mesure de rendre service à une femme ? »

Elle serra les lèvres et haussa les épaules.

« Cela me déçoit. Je vous croyais au moins soigneux et consciencieux. Je m'étais figurée que vous aviez dans un compartiment de votre portefeuille de petits assortiments de timbres rangés par espèces.

— Non. Pour quoi faire ? dit-il. Je n'écris jamais de lettres. À qui en écrirais-je ? Très rarement, une carte postale, que j'achète tout affranchie. À qui écrirais-je des lettres ? Je n'ai personne. Je n'ai plus du tout de rapports avec le pays plat, j'ai perdu le contact. Nous avons dans notre chansonnier populaire une chanson qui dit : "Je suis perdu dans le monde." C'est mon cas.

— Eh bien, alors, donnez-moi tout au moins une papyros, homme perdu », dit-elle en s'asseyant en face de lui, près de la cheminée, sur le banc recouvert d'un coussin de toile, en croisant les jambes et en étendant la main. « De cela, au moins, vous devez être pourvu. » Et, négligemment, sans le remercier, elle prit une cigarette dans l'étui d'argent qu'il lui tendait et l'alluma au briquet qu'il fit jouer devant sa figure penchée en avant. Ce paresseux « donnez donc ! » et le fait d'accepter sans remercier trahissaient la nonchalance de la femme gâtée ;

il prenait en outre le sens d'une communauté humaine, ou plus exactement « humai-ai-ne », d'une simplicité toute naturelle, à la fois sauvage et douce, à prendre et à donner. Il critiqua ce geste avec une amoureuse sollicitude, puis il dit :

« Oui, toujours ! En effet de cela tout au moins je suis toujours pourvu. Comment s'en passerait-on ici ? N'est-ce pas ? On appelle cela une passion si on dit des choses pareilles. Je dois vous avouer franchement que je ne suis pas du tout un homme passionné, mais j'ai des passions, des passions flegmatiques.

— Cela me rassure au plus haut degré, dit-elle, soufflant tout en parlant la fumée qu'elle avait aspirée, d'apprendre que vous n'êtes pas un homme passionné. Du reste, comment le seriez-vous ? Vous ne seriez plus vous-même. La passion, c'est vivre pour l'amour de la vie. Or, il est connu que vous autres vivez pour les sensations que la vie vous donne. La passion, c'est l'oubli de soi. Mais vous n'êtes préoccupé que de vous enrichir. *C'est ça.* Vous ne vous doutez pas que c'est un abominable égoïsme et que vous apparaîtrez un jour comme un ennemi de l'humanité.

— Allons, allons ! Tout de suite, ennemi de l'humanité ? Que dis-tu là, Clawdia, d'une manière aussi générale ? À quoi de précis et de personnel penses-tu en disant que nous ne nous soucions pas de la vie, mais de nous enrichir ? Vous autres les femmes, vous ne moralisez pas d'habitude dans le vide. Oh ! la morale, tu sais, voilà plutôt un sujet de discussion pour Naphta et Settembrini. Il relève du domaine de la grande confusion. Peut-on savoir si l'on vit pour soi-même ou pour l'amour de la vie ; quelqu'un peut-il le savoir de science certaine ? Je veux dire qu'il n'y a pas de limite précise entre l'un et l'autre. Il y a des sacrifices égoïstes et des égoïsmes dévoués… Je crois qu'il en est ici comme partout dans l'amour. Sans doute est-ce immoral que je ne puisse pas attacher d'importance à ce que tu me dis au sujet de la morale, et que je sois avant tout heureux que nous soyons réunis comme nous ne l'avions été qu'une seule fois jusqu'à présent, et plus jamais depuis que tu es de retour. Et que je puisse te dire combien te vont bien ces manchettes qui serrent tes poignets, et cette soie mince, qui flotte autour de tes bras — tes bras que je connais…

— Je m'en vais.

— Ne t'en va pas, je t'en prie. Je tiendrai compte des circonstances et des personnalités.

— C'est ce que l'on devrait tout au moins pouvoir attendre d'un homme sans passion.

— Oui, tu vois… Tu te moques et tu me grondes lorsque je… Et tu veux partir quand…

— Vous êtes prié de parler d'une manière moins décousue si vous désirez être compris.

— Tu ne me laisseras donc pas bénéficier d'un peu de ton habileté à compléter les phrases inachevées ? C'est injuste, dirais-je, si je ne comprenais pas qu'ici la justice n'a rien à voir.

— Oh ! non, la justice est une passion flegmatique, à la différence de la jalousie, par laquelle les gens flegmatiques se ridiculisent à coup sûr.

— Vois-tu ! Ridicule ! Accorde-moi donc mon flegme. Je te le répète : comment me tirerais-je d'affaire sans lui ? Comment aurais-je par exemple supporté d'attendre ?

— Comment ?

— De t'attendre.

— *Voyons, mon ami*. Je ne vais pas relever la forme sous laquelle avec un entêtement un peu fou vous vous adressez à moi. Vous finirez bien par vous en fatiguer. Et, en somme, je ne suis pas d'une pruderie de bourgeoise susceptible.

— Non, car tu es malade. La maladie te donne toute liberté. Elle te rend… halte ! il me vient à l'esprit un mot dont je ne me suis jamais servi. Elle te rend géniale.

— Nous parlerons une autre fois de génie. Ce n'est pas ce que je voulais dire. Je demande une chose. Vous n'essaierez pas de prétendre que je sois pour rien dans votre attente — si vraiment vous avez attendu —, que je vous y aie encouragé, que je vous y aie même autorisé… Vous allez me certifier immédiatement et expressément que c'est bien le contraire…

— Mais volontiers, Clawdia, certainement. Tu ne m'as pas engagé à attendre. J'ai attendu spontanément. Je comprends parfaitement que tu attaches de l'importance à cela...

— Même vos concessions ont quelque chose d'impertinent. D'ailleurs, vous êtes un homme impertinent, Dieu sait comment cela se fait. Non seulement dans vos rapports avec moi, mais aussi en d'autres circonstances. Même votre admiration, votre subordination a quelque chose d'impertinent. Croyez-vous que je ne le voie pas ? Je ne devrais même pas du tout vous parler à cause de cela, et aussi parce que vous avez la hardiesse de parler d'attente. Il est injustifiable que vous soyez encore ici. Depuis longtemps vous devriez de nouveau être à votre travail, *sur le chantier*, ou je ne sais où...

— À présent tu parles sans génie et selon les conventions, Clawdia. Du reste, ce n'est qu'une manière de parler. Pas plus que Settembrini, tu ne peux le penser. Vous dites cela, je ne peux pas le prendre au sérieux. Je ne partirai pas en coup de tête comme mon pauvre cousin qui, ainsi que tu l'avais prédit, est mort après avoir essayé de faire son service en pays plat, et qui le savait bien lui-même qu'il mourrait, mais qui a préféré mourir plutôt que continuer ici le service de la cure. Bon, il n'était pas soldat pour rien. Mais je ne suis pas soldat, moi. Je suis un civil, pour moi ce serait déserter que faire comme lui et vouloir à tout prix, malgré l'interdiction de Rhadamante, servir en pays plat le progrès et faire besogne utile. Ce serait la plus grande ingratitude et la plus grande infidélité envers la maladie et le génie, et envers mon amour pour toi, dont je porte les cicatrices anciennes et les blessures récentes, et envers tes bras que je connais, encore que je concède que je ne les ai connus qu'en rêve, au cours d'un rêve génial, de sorte qu'il n'en résulte bien entendu, pour toi aucune conséquence, aucune obligation, ni aucune limitation de ta liberté... »

Elle rit, la cigarette aux lèvres, ses yeux tartares se plissèrent, et appuyée contre la boiserie, les mains posées sur le banc, et une jambe croisée sur l'autre, elle balança son pied dans le soulier de vernis noir.

« *Quelle générosité ! Oh là là, vraiment.* C'est exactement comme ceci que je me suis toujours représenté un *homme de génie*, mon pauvre petit !

— Laisse donc, Clawdia. Naturellement, de par mon origine, je suis aussi peu *un homme de génie* qu'un homme de grand format ; bon Dieu, c'est bien clair. Mais c'est par le hasard — j'appelle cela : le hasard — que j'ai été transporté si haut, dans ces régions géniales... Bref, tu ignores, sans doute, qu'il existe quelque chose comme la pédagogie alchimico-hermétique, la transsubstantiation en une espèce supérieure, la sublimation par conséquent, si tu veux bien me comprendre. Mais naturellement un corps qui se montre capable d'un tel développement devait quand même avoir, pour commencer, quelques qualités propres. Et ce que j'avais en moi, c'est — je le sais exactement — que depuis longtemps j'étais familiarisé avec la maladie et avec la mort et que, tout enfant encore, j'ai eu la folie de t'emprunter un crayon, tout comme ici, la nuit de carnaval. Mais l'amour déraisonnable est génial, car la mort, tu sais, est le principe génial, la *res bina*, le *lapis philosophorum*, et c'est aussi le principe pédagogique, car l'amour pour ce principe conduit à l'amour de la vie et de l'homme. C'est ainsi ; je l'ai découvert dans ma loge de balcon et je suis enchanté de pouvoir te le dire. Il y a deux routes qui mènent à la vie. L'une est la route ordinaire, directe et honnête. L'autre est dangereuse, elle prend le chemin de la mort, et c'est la route géniale.

— Tu es un philosophe détraqué, dit-elle. Je ne veux pas prétendre que je comprenne tout dans tes drôles de pensées allemandes, mais cela semble humai-ain, ce que tu dis, et tu es certainement un bon garçon. D'ailleurs tu t'es réellement conduit *en philosophe*, il faut te laisser cela.

— Trop *en philosophe*, à ton goût, Clawdia, n'est-ce pas ?

— Laisse les impertinences ! Cela devient ennuyeux. C'était stupide d'attendre et je ne t'y avais pas autorisé. Mais tu ne m'en veux pas d'avoir attendu inutilement ?

— C'était un peu dur, tu sais, Clawdia, même pour un homme aux passions flegmatiques. Dur pour moi, et dur de ta part, d'être revenue avec lui, car naturellement tu savais par Behrens que j'étais ici et que je t'attendais. Mais ne t'ai-je pas dit que je considérais notre nuit comme une nuit de rêve, et que je te reconnaissais toute ta liberté ? Finalement, je n'ai pas attendu en vain, car tu es de nouveau ici, nous sommes assis l'un près de l'autre comme autrefois, j'entends ta voix merveilleusement aiguë et depuis si longtemps familière à mon oreille, et sous cette soie flottante sont tes bras que je connais, bien que ton compagnon de voyage repose là-haut, en proie à la fièvre, le grand Peeperkorn qui t'a donné ces perles…

— Et avec lequel tu t'entends si bien pour l'enrichissement de ta personnalité.

— Tu ne dois pas m'en vouloir, Clawdia. Settembrini m'a grondé pour la même raison, mais ce n'est qu'un préjugé mondain. Je gagne à fréquenter cet homme : c'est une personnalité. Il est vrai qu'il est âgé. Je comprendrais néanmoins que, comme femme, tu l'aimasses infiniment. Tu l'aimes donc beaucoup ?

— Tout hommage rendu à ta philosophie, mon petit Hans allemand, dit-elle en lui caressant les cheveux, je ne trouve pas humain de te parler de mon amour pour lui !

— Mais Clawdia, pourquoi pas ? Je crois que l'humanité commence là où les gens sans génie se figurent qu'elle s'arrête. Parlons donc tranquillement de lui. Tu l'aimes passionnément ? »

Elle se pencha en avant pour jeter le bout de sa cigarette de côté, dans la cheminée, et demeura assise, les bras croisés.

« Il m'aime, dit-elle, et son amour me rend fière et reconnaissante et dévouée à lui. Tu dois comprendre cela, ou bien tu ne serais pas digne de l'amitié qu'il t'accorde… Son sentiment m'a forcée à le suivre et à le servir. Comment en serait-il autrement ? Juge toi-même ! Crois-tu possible de résister à son sentiment ?

— C'est impossible, confirma Hans Castorp. Non, bien entendu, c'est absolument impossible. Comment une femme réussirait-elle à passer outre à son sentiment, à son angoisse de sentir, à l'abandonner en quelque sorte à Gethsémani ?...

— Tu n'es pas bête, dit-elle, et ses yeux bridés prirent un aspect fixe et songeur. Tu es intelligent. L'angoisse de sentir...

— Il ne faut pas beaucoup d'intelligence pour se rendre compte que tu dois le suivre, quoique son amour ait quelque chose d'angoissant, ou, plus exactement, parce qu'il doit avoir quelque chose d'angoissant.

— *C'est exact*... Angoissant. On a beaucoup de soucis avec lui, beaucoup de difficultés... »

Elle avait pris sa main et jouait inconsciemment avec ses phalanges, mais elle leva subitement les yeux en fronçant les sourcils, et demanda :

« Halte ! N'est-il pas vil de parler de lui comme nous le faisons ?

— Certes non, Clawdia. Non, loin de là ! Ce n'est bien certainement qu'humain. Tu aimes ce mot, tu le prononces avec un accent entraînant, je l'ai toujours entendu avec intérêt dans ta bouche. Mon cousin Joachim ne l'aimait pas pour des raisons militaires. Il disait que ce mot signifiait indolence, laisser-aller, et si on l'interprète ainsi, comme un *guazzabuglio* de tolérance sans bornes, j'aurais moi-même quelques objections à formuler, je le reconnais. Mais lorsqu'il a le sens de liberté, de génie et de bonté, c'est une grande chose, que nous pouvons tranquillement invoquer pour la défense de notre conversation sur Peeperkom et sur les soucis et difficultés qu'il te cause. Elles résultent naturellement de son point d'honneur, de sa peur de ne pas suffire au sentiment, qui lui fait aimer à ce point les soucis classiques de la vie et tout ce qui délecte, nous pouvons en parler en tout respect, car tout chez lui est de grand format, d'un format grandiose et royal ; et nous ne nous abaissons pas, ni ne l'abaissons, en parlant de cela humainement.

— Il ne s'agit pas de nous », dit-elle. Elle avait de nouveau croisé les bras. « Ce ne serait pas être femme, si, pour l'amour d'un homme, pour l'amour d'un homme de grand format, comme tu dis, et qui nous porte un sentiment allant jusqu'à l'angoisse, on n'acceptait même pas de s'abaisser.

— Absolument, Clawdia. Très juste. L'humiliation, elle aussi, finit par avoir du format, et la femme peut parler du haut de son humilité à ceux qui n'ont pas de format royal avec autant de dédain que tu l'as fait tout à l'heure à propos des timbres-poste, sur le ton sur lequel tu as dit : "Vous devriez tout au moins être soigneux et consciencieux."

— Tu es susceptible. Laissons cela. Nous allons envoyer au diable la susceptibilité. Es-tu d'accord ? Moi aussi, je me suis quelquefois montrée susceptible, je veux bien l'admettre puisque ce soir nous sommes assis ici, l'un près de l'autre. Je me suis irritée de ton flegme, et de ce que tu t'entendais si bien avec lui, pour l'amour de ton expérience égoïste de la vie. Et, pourtant, cela m'a fait plaisir, et je t'ai été reconnaissante de ce que tu lui aies témoigné du respect… Il y avait beaucoup de loyauté dans ta conduite, et bien qu'elle s'accompagnât d'un peu d'impertinence, j'ai dû, en définitive, le mettre à ton crédit.

— Voilà qui est très gentil de ta part. »

Elle le regarda.

« Il semble que tu sois incorrigible. Je vais te le dire : tu es un malin. Je ne sais pas si tu as de l'esprit. Mais tu es certainement plein de malice. Bon, du reste, on peut s'en accommoder. On peut même avoir de l'amitié pour toi. Veux-tu que nous soyons bons amis et que nous formions une alliance *pour* lui, comme on conclut parfois des alliances *contre* quelqu'un. Me donnes-tu la main là-dessus ? J'ai souvent peur… J'ai parfois peur d'être seule, de me sentir intérieurement seule, *tu sais*… Il est angoissant… J'ai parfois peur qu'il ne finisse mal… J'en frémis quelquefois… J'aimerais tant avoir un homme bon auprès de moi… *Enfin*, si tu veux le savoir, c'est peut-être pour cela que je suis revenue ici avec lui… »

Ils étaient assis, genou contre genou, lui dans le fauteuil à bascule et penché en avant, elle sur la banquette.

Elle avait serré la main de Hans Castorp en prononçant ces dernières paroles tout contre son visage. Il dit :

« Auprès de moi ? Oh ! comme cela est beau ! Oh ! Clawdia, c'est si inattendu. C'est chez moi que tu es venue avec lui ? Et tu prétends que j'ai été sot d'attendre, que je l'ai fait sans permission et inutilement ? Ce serait très maladroit de ma part de ne pas apprécier l'offre de ton amitié, de l'amitié pour lui avec toi… »

Alors elle l'embrassa sur la bouche. C'était un baiser russe, de l'espèce de ceux que l'on échange dans ce vaste pays plein d'âme, aux sublimes fêtes chrétiennes, comme une consécration de l'amour. Mais comme c'étaient un jeune homme notoirement « malin » et une jeune femme ravissante, au pas glissant, qui l'échangeaient, cela nous fait penser malgré nous à la manière si adroite, mais un tantinet équivoque, dont le docteur Krokovski parlait de l'amour, dans un esprit légèrement vacillant, de sorte que personne n'avait jamais su avec certitude si c'était un sentiment pieux, ou quelque chose de charnel et de passionné. L'imitons-nous, ou Hans Castorp et Clawdia Chauchat l'imitaient-ils dans leur baiser russe ? Mais que dirait le lecteur, si nous nous refusions tout bonnement à aller au fond de cette question ? À notre avis, il serait sans doute de bonne analyse, mais, pour reprendre l'expression de Hans Castorp, « très maladroit » (et ce serait vraiment témoigner peu de sympathie pour la vie), si on voulait distinguer nettement entre la piété et la passion. Que signifie ici « nettement » ? Que veut dire « incertitude » et « équivoque » ? Nous ne cacherons pas que nous nous moquons franchement de ces distinctions. N'est-ce pas bon et grand que la langue ne possède qu'un mot pour tout ce que l'on peut comprendre sous ce mot, depuis le sentiment le plus pieux jusqu'au désir de la chair ? Cette équivoque est donc parfaitement « univoque », car l'amour le plus pieux ne peut être immatériel, ni ne peut manquer de piété. Sous son aspect le plus charnel, il reste toujours lui-même, qu'il soit joie de vivre ou passion suprême, il est la sympathie pour l'organique, l'étreinte touchante et voluptueuse de ce qui est voué à la décomposition. Il y a de la charité jusque dans la passion la plus admirable ou la plus effrayante. Un sens vacillant ? Eh bien, qu'on laisse donc vaciller le sens du mot « amour ». Ce vacillement, c'est la vie et l'humanité, et ce serait faire preuve d'un manque assez désespérant de malice que de s'en inquiéter.

Tandis que les lèvres de Hans Castorp et de Mme Chauchat se rencontrent ainsi dans un baiser russe, nous obscurcissons notre petit théâtre pour passer à un nouveau tableau. Car il va être question de la seconde des deux entrevues dont nous avons promis de rendre compte, et après avoir donné de la lumière, la lumière trouble d'une journée de printemps qui touche à sa fin, à l'époque de la fonte des neiges, nous apercevons notre héros dans une situation devenue pour lui habituelle, assis au chevet du grand Peeperkorn en conversation respectueuse et amicale avec lui. Après le thé de quatre heures, servi dans la salle à manger où Mme Chauchat avait paru seule — comme aussi aux trois précédents repas —, pour entreprendre aussitôt après une course de *shopping* à Platz, Hans Castorp s'était fait annoncer chez le Hollandais pour une de ces visites au malade dont il avait pris l'habitude, autant pour lui témoigner son attention que pour jouir lui-même de la compagnie de sa personnalité, bref pour des raisons aussi incertaines que vivantes. Peeperkorn déposa le *Telegraaf*, jeta son lorgnon d'écaille sur le journal après qu'il l'eut enlevé de son nez en le tenant par l'étrier et tendit au visiteur sa main de capitaine, cependant que ses larges lèvres déchirées se mouvaient confusément avec une expression douloureuse. Comme d'habitude il y avait à sa portée du vin rouge et du café. Le service à café était posé sur la chaise, tachée de brun par l'usage qu'on en avait fait : Mynheer avait pris son café de l'après-midi, fort et chaud, avec du sucre et de la crème, et il transpirait. Sa figure, entourée de mèches blanches, avait rougi, et de petites gouttes perlaient à son front et au-dessus de la lèvre supérieure.

« Je transpire un peu, dit-il. Soyez le bienvenu, jeune homme ! Au contraire. Prenez place. C'est un signe de faiblesse, lorsque, aussitôt après avoir absorbé une boisson chaude… Voulez-vous me… ? Précisément. Le mouchoir. Merci beaucoup. »

D'ailleurs, la rougeur de son visage cédait peu à peu et faisait place à la pâleur jaunâtre qui couvrait d'ordinaire le visage de l'homme magnifique après un accès de fièvre. La fièvre quarte avait été forte cet après-midi, dans les trois phases, la phase froide, la phase brûlante et la phase humide, et les petits yeux pâles de Peeperkorn avaient un regard fatigué sous l'arabesque de son front d'idole. Il dit :

« C'est… absolument, jeune homme… Le mot “appréciable” me semble… Absolument. C'est très aimable à vous de ne pas oublier un vieillard malade et de lui…

— Rendre visite ? demanda Hans Castorp. En aucune façon, Mynheer Peeperkorn. C'est moi qui dois vous témoigner ma reconnaissance de pouvoir m'asseoir un instant auprès de vous, j'en tire infiniment plus de profit que vous, je viens pour des raisons purement égoïstes. Mais quelle qualification singulière et inexacte de votre personne : “Un vieillard malade.” Personne ne pourrait deviner qu'il s'agit de vous. N'est-ce pas une image tout à fait fausse ?

— Bien, bien », répondit Mynheer, et il ferma pour quelques instants les yeux, sa tête majestueuse reposant sur le coussin, le menton levé, ses doigts aux longs ongles joints sur sa large poitrine royale qui se dessinait sous la chemise de tricot. « C'est bien, jeune homme, ou plutôt, vous avez de bonnes intentions, j'en suis persuadé. C'était agréable hier après-midi. Oui, hier après-midi encore, en ce lieu hospitalier — j'ai oublié son nom — où nous avons mangé de cette délicieuse mortadelle avec des œufs brouillés et ce bon petit vin du pays…

— C'était magnifique, confirma Hans Castorp. Nous y avons pris un plaisir presque défendu, le chef du Berghof aurait été ulcéré s'il nous avait vus. Bref, nous étions sans exception tout à fait en train. C'était de la mortadelle authentique ; M. Settembrini en était touché, il l'a mangée, les yeux pour ainsi dire humides. Car c'est un patriote, comme vous devez le savoir, un patriote démocrate. Il a consacré sa hallebarde de citoyen sur l'autel de l'humanité, pour que la mortadelle ne paie pas de douane à l'avenir à la frontière du Brenner.

— C'est sans importance, déclara Peeperkorn. Il est un homme chevaleresque, gai et loquace, un cavalier, quoiqu'il n'ait pas souvent l'avantage de changer de costume.

— Il n'en change jamais, dit Hans Castorp. Il n'a jamais cet avantage. Je le connais depuis longtemps et nous sommes liés d'une vieille amitié, c'est-à-dire qu'il s'est intéressé à moi d'une manière dont je lui sais gré, parce qu'il a estimé que j'étais un "enfant difficile de la vie" — c'est une expression dont nous nous servons et dont le sens n'est pas très évident — et qu'il s'efforce d'exercer sur mes défauts une influence profitable. Mais jamais je ne l'ai vu dans d'autres atours, été comme hiver, que dans ces pantalons à carreaux et dans cette redingote râpée. D'ailleurs, il porte ses vieux habits avec une correction remarquable, tout à fait en homme distingué, je vous donne absolument raison sur ce point. C'est un triomphe sur la pauvreté que la manière dont il porte ses vêtements, et quant à moi, je préfère cette pauvreté à l'élégance du petit Naphta qui ne m'a jamais semblé très catholique. C'est même une élégance du diable, et ses ressources sont d'origine ténébreuse, je suis quelque peu renseigné sur sa situation.

— Un homme distingué, répéta Peeperkorn, sans s'arrêter à la remarque sur Naphta, quoiqu'il ne soit pas — permettez-moi cette réserve — tout à fait sans préjugés. Madame, ma compagne de voyage, ne l'apprécie pas particulièrement, comme vous avez dû, probablement, vous en apercevoir. Elle s'exprime sur son compte sans sympathie, vraisemblablement parce que l'attitude qu'il a envers elle suppose certains préjugés. Pas un mot, jeune homme. Je suis loin, en ce qui concerne M. Settembrini et vos sentiments d'amitié à son égard, de vouloir… Réglé ! Je ne songe pas à prétendre qu'il ait jamais sous le rapport de la courtoisie qu'un cavalier doit à une femme… Parfait, cher ami, absolument sans reproche. Mais il y a quand même une limite, une réserve, une certaine ré-cu-sa-tion, qui rend l'humeur de Madame, humainement parlant, très…

— Compréhensible. Qui la rend intelligible. Qui la justifie pleinement. Excusez-moi, Mynheer Peeperkorn, de terminer moi-même votre phrase. Je puis m'y risquer parce que j'ai conscience d'être parfaitement d'accord avec vous. Surtout si l'on considère combien les femmes — vous allez sourire de m'entendre parler à mon âge d'une manière aussi générale des femmes —, combien, dans l'attitude qu'elles ont à l'égard de l'homme, elles dépendent de l'attitude que l'homme a envers elles ; et il n'y a là rien d'étonnant. Les femmes, c'est ainsi que je voudrais formuler cette pensée, sont des créatures qui réagissent, sans initiative propre, nonchalantes, au sens de passivité… Laissez-moi, s'il vous plaît, vous développer ce point de vue d'une manière un peu plus complète. La femme, autant que j'aie pu m'en rendre compte, se considère dans les affaires amoureuses, en premier lieu comme un objet ; elle se laisse approcher, elle ne choisit pas librement, elle ne devient le sujet de l'amour, le sujet qui choisit qu'après que l'homme a fait son choix, et même à ce moment-là, permettez-moi d'ajouter cela, son libre arbitre — en admettant qu'il ne s'agisse pas d'un cœur par trop déshérité, mais ceci même ne peut passer pour une condition absolue —, son libre arbitre donc est très limité et diminué par le fait qu'elle-même a été choisie. Mon Dieu, ce doivent être des lieux communs que je débite là, mais lorsqu'on est jeune, tout vous paraît naturellement nouveau, très nouveau et étonnant. Vous demandez à une femme : "L'aimes-tu donc ?" "Il m'aime tant !" répond-elle en levant ou en baissant les yeux. Figurez-vous une réponse pareille dans la bouche de l'un de nous. (Excusez-moi de nous mettre ainsi sur le même plan.) Peut-être y a-t-il des hommes qui devraient répondre ainsi, mais ne sont-ils pas nettement ridicules, des jocrisses de l'amour, pour m'exprimer d'une manière épigrammatique. Je voudrais savoir quel cas la femme fait d'elle-même lorsqu'elle répond ainsi. Estime-t-elle qu'elle doit à l'homme un dévouement sans bornes, à l'homme qui accorde à une créature aussi inférieure la grâce de son amour, ou voit-elle, dans l'amour que l'homme a pour sa personne, un signe infaillible de sa perfection ? Je me suis parfois demandé cela en passant, durant mes heures de repos.

— Vérités éternelles, faits classiques ; vous touchez, jeune homme, par votre petite parole adroite, à des sentiments sacrés, répondit Peeperkorn. L'homme se grise de son désir, la femme demande et attend d'être grisée par le désir de l'homme. De là provient pour nous l'obligation au sentiment ; de là l'effroyable honte de l'insensibilité, de l'impuissance à éveiller le désir de la femme. Prenez-vous un verre de vin rouge avec moi. Je bois. J'ai soif. La dépense d'humidité a été considérable aujourd'hui.

— Je vous remercie beaucoup, Mynheer Peeperkorn. Il est vrai que ce n'est pas mon heure ; mais je boirai volontiers une gorgée à votre santé.

— Eh bien, prenez le verre, il n'y en a qu'un. Je me servirai du gobelet. Je pense que ce n'est pas offenser ce petit vin pétillant que de le boire dans un récipient aussi humble. »

Il versa, aidé par son visiteur, d'une main légèrement tremblante de capitaine, et, altéré, vida le vin rouge de son verre sans pied dans un gosier de statue, exactement comme si ç'avait été de l'eau claire.

« Voilà qui délecte, dit-il. Vous ne buvez plus ? Alors, permettez que je me serve encore une fois… » Il répandit un peu de vin en se servant pour la seconde fois. Le drap qui était rabattu sur sa couverture fut taché de rouge. « Je répète, dit-il, le doigt levé, tandis que le verre de vin tremblait dans son autre main, je répète : c'est pourquoi nous avons l'obligation religieuse de sentir. Notre sensibilité, comprenez-vous, est la force virile qui éveille la vie. La vie somnole. Elle veut être éveillée pour les noces ivres avec le sentiment divin. Car le sentiment, jeune homme, est divin. L'homme est divin dans la mesure où il est sensible. Il est la sensibilité de Dieu. Dieu l'a créé pour sentir à travers lui. L'homme n'est rien que l'organe par lequel Dieu accomplit ses noces avec la vie réveillée et enivrée. S'il manque à la sensibilité, il manque à Dieu, c'est la défaite de la force virile de Dieu, c'est une catastrophe cosmique, une terreur inimaginable… »

Il vida son verre.

« Permettez que je vous débarrasse de votre verre, Mynheer Peeperkorn, dit Hans Castorp. Je suis votre raisonnement pour mon plus grand profit. Vous développez là une théorie théologique par laquelle vous attribuez à l'homme une fonction religieuse très honorable, encore que peut-être quelque peu unilatérale. Il y a, si vous me permettez d'en faire la remarque, dans votre manière de voir un rigorisme qui est assez angoissant, pardonnez-moi ! Toute austérité religieuse est naturellement angoissante pour des gens d'un format plus modeste. Je ne songe pas à vous reprendre, mais je voudrais revenir sur ce que vous avez dit de certains "préjugés" que, d'après vos observations, M. Settembrini opposerait à madame votre compagne de voyage. Il y a longtemps que je connais M. Settembrini, il y a fort longtemps, depuis des jours et des années. Et je puis vous assurer que ses préjugés, pour autant qu'ils existent réellement, n'ont nullement un caractère mesquin et petit-bourgeois. Il serait ridicule de penser pareille chose. Il ne peut s'agir là que de préjugés de grand style, et par conséquent d'un caractère impersonnel, de principes pédagogiques généraux au sujet desquels M. Settembrini, pour vous l'avouer ouvertement, m'a, en ma qualité d'"enfant difficile de la vie"... Mais ceci nous entraînerait trop loin. C'est une question par trop vaste que je ne pourrais résumer en deux mots...

— Et vous aimez madame ? » demanda tout à coup Mynheer ; et il tourna vers son visiteur son visage royal, à la bouche plaintivement déchirée et aux petits yeux pâles, sous l'arabesque des plis du front... Hans Castorp eut peur. Il balbutia :

« Si je... C'est-à-dire... Je respecte naturellement Mme Chauchat déjà en sa qualité de...

— Je vous en prie, dit Peeperkorn en étendant sa main comme pour refouler, de son geste, la réponse de Castorp. Laissez-moi, poursuivit-il après avoir fait de la place pour ce qu'il avait à dire, laissez-moi répéter que je suis loin de reprocher à ce monsieur italien d'avoir jamais manqué aux règles de la courtoisie. Je n'élève ce reproche contre personne, contre personne. Mais une chose me frappe... En ce moment, je me réjouis plutôt...

Bien, jeune homme. C'est tout à fait bel et bien. Je m'en réjouis, cela ne fait aucun doute, cela m'est véritablement agréable. Et pourtant je me dis… Bref, je me dis : Vous connaissez madame depuis plus longtemps que moi. Vous avez déjà partagé son précédent séjour en ce lieu. De plus, c'est une femme pleine de charmes et je ne suis qu'un vieillard malade. Comment se fait-il… ? Comme je suis souffrant, elle est descendue cet après-midi seule et sans compagnon, pour faire des achats en bas, au village. Ce n'est pas un malheur. Non, certainement pas. Mais il n'est pas douteux que… Dois-je expliquer par l'influence — comment disiez-vous tout à l'heure ? — des principes pédagogiques de signore Settembrini que vous n'ayez pas suivi l'élan chevaleresque… Je vous prie de bien m'entendre. Littéralement…

— Littéralement, Mynheer Peeperkorn. Oh non ! mais pas du tout. J'agis absolument de mon propre chef. Au contraire, M. Settembrini, à l'occasion, s'est même… Je vois ici des taches de vin sur votre drap, Mynheer Peeperkorn. Ne devrait-on pas… ? Nous avions coutume de jeter du sel dessus lorsqu'elles étaient fraîches…

— C'est sans importance », dit Peeperkorn sans détourner les yeux de son visiteur.

Hans Castorp pâlit.

« Il en va, dit-il avec un sourire forcé, tout de même un peu autrement que d'habitude. L'esprit qui règne ici, voudrais-je dire, n'est pas un esprit conventionnel. C'est le malade, homme ou femme, qui a la priorité. Les préceptes de la galanterie s'effacent derrière cette règle. Vous êtes passagèrement indisposé, Mynheer Peeperkorn. C'est une indisposition aiguë, une indisposition qui importe. Votre compagne de voyage est relativement bien portante. Je crois donc agir tout à fait dans l'esprit de madame en la représentant quelque peu auprès de vous durant son absence — pour autant qu'il peut ici être question de représentation, ha ! ha ! — au lieu de vous représenter auprès d'elle et de lui offrir de l'accompagner au village. Et de quel droit imposerais-je à votre compagne de voyage mes offices de cavalier servant ? Je n'ai pour le faire ni titres ni mandat. Je dois dire que j'ai beaucoup de sens pour les situations de droit positives. Bref, je trouve ma situation correcte, elle répond à la situation générale, elle répond notamment aux sentiments sincères que j'éprouve pour votre personne, Mynheer Peeperkorn, et je crois donc avoir donné une réponse satisfaisante à votre question (car c'est sans doute une question que vous m'avez posée).

— Une réponse très agréable, répondit Peeperkorn. Je prête l'oreille avec un plaisir involontaire à vos petits mots agiles, jeune homme. Ils franchissent tous les obstacles et donnent aux choses une forme aimable. Mais satisfaisante ? Non. Votre réponse ne me satisfait pas complètement. Excusez-moi de vous causer par là une déception. "Rigoriste", cher ami, vous vous êtes tout à l'heure servi de ce mot en parlant de certaines conceptions que j'ai formulées. Mais dans vos paroles aussi il y a une certaine rigueur, quelque chose de sévère et de forcé qui ne me semble pas correspondre à votre nature, bien que j'aie déjà fait sur votre conduite des observations analogues. C'est le même air contraint que vous avez à l'égard de madame pendant nos entreprises et nos promenades communes — et vous ne les avez à l'égard de personne d'autre — et dont vous me devez l'explication ; c'est un devoir, c'est une obligation, jeune homme. Je ne me trompe pas. Mon observation s'est trop souvent confirmée, et il est improbable que d'autres ne l'aient pas faite, avec cette différence que ces autres observateurs possèdent vraisemblablement l'explication du phénomène. »

Bien qu'il fût épuisé par la fièvre, Mynheer parlait cet après-midi en un style exceptionnellement précis et serré. Pas la moindre incohérence. Assis sur son séant, les épaules formidables, sa magnifique tête tournée vers son visiteur, il tenait un bras étendu sur la couverture du lit, et sa main de capitaine, tachée de son, qui se dressait au bout de sa manche de laine, formait le cercle que dominaient ses doigts pointus, tandis que sa bouche articulait les mots avec une acuité aussi précise et aussi plastique que M. Settembrini eût pu le souhaiter, en roulant les *r*, des mots tels que « vraisemblablement » et « observation ».

« Vous souriez, poursuivit-il. Vous détournez la tête de côté et d'autre en clignant des yeux. Vous semblez vous creuser vainement la cervelle, et pourtant, il n'est pas douteux que vous sachiez ce que j'entends dire, et de quoi il s'agit. Je ne prétends pas que vous n'adressiez pas quelquefois la parole à madame, ou que vous omettiez de lui répondre, lorsque la conversation l'exige. Mais je répète que vous subissez une certaine contrainte, plus exactement que vous vous dérobez, que vous évitez, lorsqu'on y regarde de plus près, une certaine forme. Pour autant que vous entrez en ligne de compte, on a l'impression qu'il s'agit d'un pari, que vous avez partagé une philippine avec madame et qu'aux termes d'une convention, vous n'avez pas le droit de lui adresser directement la parole. Vous évitez régulièrement et sans exception de vous adresser à elle, vous ne lui dites jamais "vous".

— Mais Mynheer Peeperkorn... Quelle philippine serait-ce donc ?...

— Permettez-moi d'attirer votre attention sur ce fait dont vous-même avez sans doute pris conscience, à savoir que vous venez de pâlir jusqu'aux lèvres. »

Hans Castorp ne leva pas les yeux. Penché en avant, il considérait attentivement la tache rouge sur le drap.

« Il fallait en arriver là, pensait-il. C'est à cela qu'il voulait en venir. Je crois que j'ai moi-même fait tout ce qui dépendait de moi, pour que nous en arrivions là. Dans une certaine mesure, j'ai presque tendu à cela, je m'en rends compte maintenant. Ai-je vraiment pâli à ce point ? C'est bien possible, car à présent il faut que cela plie ou que cela casse. On ne sait pas ce qui va arriver. Puis-je encore mentir ? Ce serait bien possible, mais je ne veux pas. Je m'en tiens provisoirement à cette tache de sang, à cette tache de vin, sur le drap. »

Au-dessus de lui, l'autre se taisait également. Le silence dura deux ou trois minutes, il permit de se rendre compte quelle étendue ces minuscules unités pouvaient prendre en de telles circonstances.

Ce fut Pieter Peeperkorn qui reprit la conversation.

« C'est le soir où j'eus l'avantage de faire votre connaissance, commença-t-il d'une voix chantante, et sa voix tomba comme si ce n'était que la première phrase d'une longue histoire. Nous avions organisé une petite fête, nous avions bu et mangé, et dans un état d'âme réjoui, dans un état de hardiesse et d'abandon humains nous gagnions nos lits bras dessus, bras dessous, à une heure avancée de la nuit. Il arriva alors qu'ici, devant ma porte, en prenant congé, l'idée me vint de vous inviter à effleurer de vos lèvres le front de la femme qui vous avait présenté à moi comme un bon ami d'autrefois, et de lui laisser le soin de répondre sous mes yeux à cet acte, en signe de la festivité de l'heure. Vous repoussâtes sans plus ma suggestion, vous la repoussâtes en disant que vous trouviez absurde d'échanger avec ma compagne de voyage des baisers sur le front. Vous ne contesterez pas que ce fût là une explication qui appelle elle-même une explication, que vous me devez encore aujourd'hui. Êtes-vous disposé à vous acquitter de cette dette ? »

« Ah ! tu avais donc également remarqué cela ? » pensa Hans Castorp et il se consacra plus attentivement encore aux taches de vin en grattant l'une d'elles de la pointe recourbée du majeur. « Au fond, j'ai en effet désiré ce jour-là que tu t'en aperçusses, sinon je n'aurais pas dit cela. Mais à présent, qu'adviendra-t-il ? Mon cœur bat assez fort. Assisterons-nous à un royal accès de colère de premier ordre ? Sans doute ferais-je bien de m'inquiéter de son poing qui me menace peut-être déjà ? Décidément, je me trouve là dans une situation très singulière et des plus critiques. »

Tout à coup il sentit la main de Peeperkorn saisir son poignet droit.

« À présent il me prend le poignet droit, pensa-t-il. Allons, je suis ridicule, me voilà assis comme un chien mouillé. Me suis-je rendu coupable d'aucune faute envers lui ? Pas le moins du monde. Premièrement, c'est son mari qui a le droit de se plaindre. Et ensuite, tels autres. Et ensuite, moi. Et lui n'a, que je sache, aucun droit de se plaindre. Pourquoi, dès lors, mon cœur bat-il ? Il est grand temps que je me redresse et que je le regarde franchement, encore que respectueusement, dans sa figure souveraine. »

Ainsi fit-il. La face princière était jaune, les yeux jetaient un regard blafard sous les lignes tordues du front, l'expression des lèvres déchirées était amère. Ils lurent l'un dans les yeux de l'autre, le grand vieillard et l'insignifiant jeune homme, tandis que l'un continuait à tenir le poignet de l'autre. Enfin Peeperkorn dit doucement :

« Vous avez été l'amant de Clawdia lors de son précédent séjour ? »

Hans Castorp laissa encore une fois tomber la tête, mais la redressa aussitôt et dit après avoir respiré profondément :

« Mynheer Peeperkorn ! Il me déplaît au plus haut point de vous mentir et je m'efforce de l'éviter dans la mesure du possible. Ce n'est pas facile. Je me vanterais si je confirmais votre affirmation, et je mentirais si je la démentais. Voici ce qu'il en est : J'ai vécu longtemps, très longtemps dans cette maison avec Clawdia, pardonnez-moi, avec votre actuelle compagne de voyage, sans lui avoir été présenté. Nos rapports n'avaient rien de mondain, ou tout au moins mes rapports avec elle, dont je veux dire que l'origine est plongée dans l'obscurité. Dans ma pensée, je n'ai jamais appelé Clawdia autrement que tu, et il en a été de même, dans la réalité. Car le soir où je me suis affranchi de certains liens pédagogiques dont il a été brièvement question tout à l'heure et où je me suis approché d'elle — sous un prétexte de mascarade, un soir de carnaval, un soir sans responsabilité, un soir où le tutoiement était de mise, et au cours duquel le "tu" a pris tout son sens d'une manière à peine consciente et comme dans un songe. C'était en même temps la veille du départ de Clawdia.

— "Tout son sens", répéta Peeperkorn. Vous avez très gentiment… » Il lâcha Hans Castorp et commença à se masser des paumes de ses mains de capitaine aux longs ongles des deux côtés de la figure, des arcades sourcilières, les joues et le menton. Puis il joignit les mains sur le drap taché de vin et inclina la tête de côté, le côté gauche tourné vers son voisin, de sorte qu'on eût dit qu'il se détournait de lui.

« Je vous ai répondu aussi exactement que possible, Mynheer Peeperkorn, dit Hans Castorp, et je me suis efforcé consciencieusement de ne dire ni trop, ni trop peu. Il s'agissait avant tout pour moi de vous faire remarquer que vous êtes en quelque sorte libre de tenir compte ou non de cette soirée vouée au "tu" et au départ, que c'était une soirée située en dehors de tout ordre et presque du calendrier, un *hors d'œuvre* pour ainsi dire, une soirée supplémentaire, un soir d'année bissextile, le 29 février, et que je n'aurais fait par conséquent qu'un demi-mensonge si j'avais nié votre constatation. »

Peeperkorn ne répondit pas.

« J'ai préféré, reprit Hans Castorp après une pause, j'ai préféré vous dire la vérité, au risque de perdre votre bienveillance, ce qui, à parler tout à fait franchement, eût été pour moi une perte sensible, je puis bien dire : un coup, un rude coup, que l'on pourrait comparer au coup qu'a été pour moi l'arrivée de Mme Chauchat lorsqu'elle ne vint pas seule, mais comme votre compagne de voyage. J'ai couru ce risque parce que c'était depuis longtemps mon désir que tout fût clair entre nous — entre vous, pour qui j'éprouve des sentiments de respect si profond, et moi —, cela m'a semblé plus beau et plus humain — vous savez comment Clawdia prononce ce mot avec sa voix si merveilleusement voilée, en l'étirant si délicieusement — que le silence ou la feinte, et à ce point de vue j'ai éprouvé un grand soulagement lorsque, tout à l'heure, vous avez constaté cela. »

Pas de réponse.

« Encore une chose, Mynheer Peeperkorn, il y a encore une chose qui m'a fait désirer de pouvoir vous dire la vérité : c'est l'expérience personnelle que j'ai faite d'une incertitude irritante et de demi-suppositions dans ce sens. Vous savez à présent avec qui Clawdia a passé, vécu et accompli — disons accompli — un 29 février, avant que la situation de droit tout à fait positive se soit établie entre vous, la situation tout à fait positive devant laquelle ce serait pure folie de ne pas s'incliner. Pour ma part, je n'ai jamais pu acquérir une telle certitude, bien qu'il ne m'eût pas échappé que, pour peu que l'on soit amené à envisager de telles choses, on doit somme toute admettre que l'on a pu avoir des prédécesseurs et bien que je susse en outre que le conseiller Behrens qui, vous le savez peut-être, fait en amateur de la peinture à l'huile, ait peint d'elle en de nombreuses séances un portrait remarquable, qui rendait le grain de la peau avec une vérité qui, soit dit entre nous, m'a rendu assez perplexe. Cela m'avait donné beaucoup de tourment et d'ennui, et aujourd'hui encore je me creuse la cervelle à ce sujet.

— Vous l'aimez encore ? » demanda Peeperkorn, sans changer de position, c'est-à-dire en détournant la tête… La grande chambre plongeait de plus en plus dans la pénombre.

« Excusez-moi, Mynheer Peeperkorn, répondit Hans Castorp, les sentiments que j'éprouve à votre égard, des sentiments de profond respect et d'admiration, me feraient paraître peu séant de vous parler de mes sentiments à l'égard de votre compagne de voyage.

— Et les partage-t-elle ? demanda Peeperkorn à voix basse. Les partage-t-elle aujourd'hui encore ?

— Je ne dis pas, répondit Hans Castorp, je ne dis pas qu'elle les ait jamais partagés. Cela me semble peu probable. Nous avons effleuré tout à l'heure ce sujet de manière théorique, lorsque nous avons parlé des réactions de la nature féminine. Il n'y a naturellement pas grand-chose à aimer en moi. Quel format ai-je donc ? Jugez-en vous-même. S'il se produit par hasard un… un… vingt-neuf février, cela tient uniquement au fait que la femme peut se laisser séduire par le choix que l'homme fait d'elle… Encore voudrais-je ajouter que j'ai l'impression de me vanter et de manquer de goût en parlant de moi comme d'un "homme"… Par contre, Clawdia est certainement une femme.

— Elle a suivi son sentiment, murmura Peeperkorn de ses lèvres déchirées.

— Comme elle l'a fait dans votre cas avec beaucoup plus d'obéissance, dit Hans Castorp, et comme, selon toute vraisemblance, elle l'avait déjà fait dans nombre d'autres cas ; sur ce point il ne saurait y avoir de doute pour quiconque est placé dans cette situation...

— Halte, dit Peeperkorn, toujours encore détourné, mais avec un geste du plat de la main vers son interlocuteur. Ne serait-il pas vil de parler ainsi d'elle ?

— Je ne pense pas, Mynheer Peeperkorn. Non, je crois pouvoir vous rassurer complètement. Ne parlons-nous pas de choses humaines — en prenant le mot "humain" au sens de liberté et de "génialité" — excusez ce mot un peu recherché, mais je me le suis récemment approprié parce que j'en ai eu besoin.

— Bien, continuons », ordonna Peeperkorn avec douceur.

Hans Castorp, lui aussi, parla doucement, assis sur le bord de sa chaise, contre le lit, penché vers le royal vieillard ; les mains entre ses genoux.

« Car elle est une créature géniale, dit-il, et le mari par-delà le Caucase — vous savez sans doute qu'elle a un mari au-delà du Caucase — lui accorde cette liberté géniale, soit par stupidité, soit par intelligence, je ne connais pas ce garçon. De toute façon, il fait bien de lui accorder cette liberté, car c'est au principe génial de la maladie qu'elle doit d'être ainsi, et quiconque est dans la même situation, fera bien de suivre son exemple et de ne pas se plaindre, ni pour le passé ni à l'avenir...

— Vous ne vous plaignez pas ? » demanda Peeperkorn et il tourna son visage vers lui... Il semblait blême dans la pénombre ; les yeux étaient blafards et las sous les lignes de son front d'idole, la grande bouche déchirée était entrouverte, comme celle d'un masque tragique.

« Je ne pensais pas, répondit Hans Castorp modestement, qu'il pût s'agir de moi. Je m'efforce d'obtenir que vous ne vous plaigniez pas et qu'en raison d'événements passés, vous ne me retiriez pas votre bienveillance.

— Néanmoins, dit Peeperkorn, j'ai dû, sans le savoir, vous causer une peine profonde.

— Si c'est une question, répondit Hans Castorp, et si je réponds oui, cela ne signifie en tout cas en aucune façon que je n'apprécie pas l'immense avantage d'avoir fait votre connaissance, car cet avantage est inséparablement lié à cette déception.

— Je vous remercie, jeune homme, je vous remercie. J'apprécie la gentillesse de vos menus propos. Mais si nous faisons abstraction de nos relations personnelles…

— Il est difficile de le faire, dit Hans Castorp, et je ne saurais en faire abstraction en répondant sans prétention aucune oui à votre question. Car le fait que Clawdia soit revenue en compagnie d'une personnalité de votre envergure ne pouvait naturellement qu'augmenter et aggraver le mal qui résultait pour moi du fait qu'elle fût revenue en compagnie d'un autre homme. Cela m'a causé beaucoup de chagrin et cela m'en donne aujourd'hui encore, je ne le nie pas, et c'est à dessein que je m'en suis tenu autant que possible à l'aspect positif de l'aventure, à ma sincère vénération pour vous, Mynheer Peeperkorn, ce qui n'allait pas sans un peu de méchanceté pour votre compagne de voyage. Car les femmes n'aiment pas beaucoup que leurs amants s'entendent.

— En effet », dit Peeperkorn, et il dissimula un sourire, en passant sa main sur la bouche et le menton, comme s'il craignait que Mme Chauchat ne le vît sourire. Hans Castorp lui aussi sourit discrètement, puis l'un et l'autre hochèrent la tête, en plein accord.

« Cette petite vengeance, poursuivit Hans Castorp, me revenait en somme, car, pour autant que j'entre en ligne de compte, j'avais vraiment quelque droit de me plaindre, non pas de Clawdia, ni de vous, Mynheer Peeperkorn, mais de ma vie et de mon destin. Et puisque j'ai l'honneur de jouir de votre confiance et que cette heure de crépuscule est à tous égards si singulière, je veux, tout au moins par allusions, vous en parler quelque peu.

— Je vous en prie », dit Peeperkorn poliment, sur quoi Hans Castorp poursuivit :

« Je suis ici, depuis assez longtemps, depuis des jours et des années, je ne sais pas exactement depuis quand, mais depuis des années de vie, c'est pourquoi j'ai parlé de “vie” et je reviendrai tout à l'heure, le moment venu, sur le destin. Mon cousin, auquel je voulais rendre une petite visite, un militaire plein de braves et de loyales intentions, ce qui ne lui a servi de rien, est mort, m'a été enlevé, et moi, je suis toujours ici. Je n'étais pas militaire, j'avais une profession civile, comme vous le savez peut-être ; une profession solide et raisonnable qui contribue, paraît-il, à la solidarité internationale, mais je n'y ai jamais été particulièrement attaché, je vous le confie, et cela pour des raisons dont je ne peux rien dire, sauf qu'elles demeurent obscures. Elles touchent aux origines de mes sentiments à l'égard de votre compagne de voyage — c'est à dessein que je l'appelle ainsi pour marquer que je ne songe nullement à ébranler vos droits positifs —, de mes sentiments pour Clawdia Chauchat et de notre tutoiement que je n'ai jamais renié depuis que j'ai rencontré pour la première fois ses yeux et qu'ils ont eu raison de moi, qu'ils ont eu déraisonnablement raison de moi, comprenez-vous ? C'est pour l'amour d'elle et en défiant Settembrini, que je me suis soumis au principe de la déraison, au principe génial de la maladie auquel j'étais, il est vrai, assujetti depuis toujours, et je suis demeuré ici, je ne sais plus exactement depuis quand. Car j'ai tout oublié, et rompu avec tout, avec mes parents et ma profession en pays plat et avec toutes mes espérances. Et lorsque Clawdia est partie, je l'ai attendue, je n'ai cessé de l'attendre ici, de sorte que je suis définitivement perdu pour le pays plat et qu'aux yeux de ses habitants je suis autant dire mort. C'est à cela que je pensais en parlant du “destin” et c'est pourquoi je me suis permis d'insinuer que j'avais en somme le droit de me plaindre de ma situation et de mon droit lésé. Il m'est arrivé de lire une histoire — non, c'est au théâtre que je l'ai vue —, l'histoire d'un brave jeune homme (il était du reste militaire comme mon cousin) qui a affaire à une ravissante gitane, ravissante, avec une fleur derrière l'oreille, une femme fatale et sauvage ; et il en tomba amoureux au point de dérailler complètement, de tout lui sacrifier, de déserter, de devenir contrebandier et de se déshonorer à tout point de vue. Lorsqu'il en fut arrivé là, elle se fatigua de lui et s'en fut avec un matador, une personnalité écrasante avec une splendide voix de baryton. Cela finit ainsi : le petit soldat, blanc comme la craie, et la chemise ouverte, la poignarda devant le cirque, ce qu'elle avait du reste véritablement provoqué. Je raconte cette histoire tout à fait hors de propos. Mais, en fin de compte, pourquoi me revient-elle à l'esprit ? »

Lorsque Hans Castorp avait parlé de « poignard », Mynheer avait légèrement changé de position. Il avait reculé en tournant brusquement sa figure vers son visiteur et avait regardé ses yeux d'un air interrogateur. Il se redressa, s'appuya sur son coude et dit :

« Jeune homme, j'ai entendu, et je suis maintenant au fait. Permettez-moi, sur la foi de vos communications une loyale explication. Si mes cheveux n'étaient pas blancs et si je n'étais pas affligé d'une fièvre maligne, vous me verriez prêt à vous donner satisfaction, d'homme à homme, l'arme à la main, pour le tort que je vous ai inconsciemment causé et en même temps pour celui que ma compagne de voyage vous a fait et dont je vous dois également compte. Parfaitement, monsieur. Vous me verriez prêt. Mais vu l'état actuel des choses, vous me permettrez de vous soumettre une autre proposition. C'est la suivante. Je me souviens d'un instant d'exaltation, tout au début de nos relations — je m'en souviens, bien que j'eusse fait honneur à la bouteille —, d'un instant donc où, agréablement touché par votre caractère, j'ai été sur le point de vous proposer de nous tutoyer fraternellement, mais où j'ai senti aussitôt que c'eût été un peu prématuré. Bien, je m'en rapporte aujourd'hui à cet instant, j'y reviens, je déclare que le délai que nous avions envisagé est écoulé. Jeune homme, nous sommes frères, je déclare que nous le sommes. Vous avez parlé d'un tutoiement au sens complet de ce mot. Le nôtre aussi aura toute la plénitude de son sens, le sens d'une fraternité dans le sentiment. La satisfaction que l'âge et la maladie m'empêchent de vous donner par les armes, je vous l'offre sous cette forme, je vous l'offre au sens d'un traité fraternel d'alliance comme on les conclut parfois dans le monde contre un tiers, mais que nous voulons conclure dans le sens d'un sentiment commun pour quelqu'un. Prenez votre verre, jeune homme, tandis que je prendrai mon gobelet, sans vouloir porter pour cela la moindre atteinte au mérite de ce petit vin nouveau… »

Et de sa main légèrement tremblante de capitaine, il remplit les verres, aidé par Hans Castorp, respectueux et bouleversé.

« Servez-vous, répéta Peeperkorn. Croisez le bras avec moi et buvez ainsi. Videz votre verre. Parfait, jeune homme. Réglé. Voici ma main. Es-tu content ?

— Bien entendu, ce n'est là qu'une façon de parler, Mynheer Peeperkorn, dit Hans Castorp qui avait eu un peu de mal à vider le verre d'un seul trait et qui essuyait ses genoux avec son mouchoir parce qu'il avait répandu un peu de vin. Je dirais plutôt que je suis infiniment heureux et que je ne comprends pas encore comment j'ai pu être honoré d'une telle faveur. À parler franc, c'est comme un rêve. C'est un immense honneur pour moi, je ne sais pas comment je puis l'avoir mérité, d'une manière tout à fait passive en tout cas, pas autrement, et l'on ne peut pas s'étonner que, pour commencer, il me semble un peu aventuré de me servir de cette formule nouvelle, si je bute contre elle, surtout en présence de Clawdia qui, en sa qualité de femme, pourrait bien n'être pas tout à fait d'accord avec ces résolutions.

— Laisse-moi faire, ceci me regarde, répondit Peeperkorn, et le reste n'est qu'affaire d'exercice et d'habitude ! Et maintenant, jeune homme, va-t'en. Quitte-moi, mon fils. Il fait sombre, le soir est depuis longtemps tombé, notre amie peut revenir d'un instant à l'autre, et il vaudrait peut-être mieux que vous ne vous rencontriez pas à présent.

— Je te salue, Mynheer Peeperkorn, dit Hans Castorp, et il se leva. Vous voyez, je surmonte mon appréhension légitime et je m'exerce à cette forme d'une folle témérité. C'est vrai, il fait nuit. J'imagine que si M. Settembrini entrait en ce moment, il allumerait la lumière pour que la raison et les usages de la société entrent avec lui ; c'est son faible. À demain. Je m'en vais d'ici, joyeux et fier comme je ne l'aurais jamais rêvé ! Bonne guérison ! Tu vas avoir maintenant au moins trois jours sans fièvre pendant lesquels vous suffirez à toutes exigences. Cela me fait plaisir comme si j'étais Toi. Bonne nuit ! »

Mynheer Peeperkorn *(fin)*

Une cascade est toujours un but d'excursion attrayant et nous avons peine à expliquer que Hans Castorp qui avait un penchant particulier pour l'eau qui tombe, n'ait pas encore rendu visite à la pittoresque chute d'eau dans la forêt de la vallée de Flüela. Aux temps de Joachim, les scrupules de son cousin, qui n'avait pas vécu ici pour son plaisir et qui, sans jamais perdre de vue le but précis de son séjour, avait limité leur rayon visuel à l'entourage immédiat du Berghof, pouvaient lui servir d'excuse. Et après sa mort Hans Castorp avait observé dans ses rapports avec cette région, si l'on excepte ses promenades en ski, la même uniformité conservatrice, dont le contraste avec l'étendue de ses expériences intimes et de ses devoirs de « gouvernement » n'avait pas été sans charme pour le jeune homme. Il approuva cependant avec vivacité le projet envisagé par ce petit cercle d'amis de sept personnes (en le comptant lui-même), qui constituait son entourage le plus immédiat, d'une promenade en voiture jusqu'à ce site si réputé.

On était en mai, le mois du bonheur, si l'on se fiait aux niaises petites chansons du pays plat, un mois assez frais et sans douceur, ici, sur les sommets ; la fonte des neiges pouvait, du moins, être considérée comme terminée. Sans doute la neige était-elle plusieurs fois tombée ces jours-ci par gros flocons, mais il n'en restait rien, qu'un peu d'humidité. Les masses compactes de l'hiver avaient fondu et disparu à quelques vestiges près. Ce monde verdoyant, redevenu praticable, était comme une tentation pour tout esprit entreprenant.

Au surplus, les relations du groupe avaient souffert de la maladie de son chef, Peeperkorn le Magnifique, dont la fièvre maligne n'avait voulu céder ni aux effets du climat extraordinaire ni aux antidotes d'un médecin aussi remarquable que le conseiller Behrens. Il avait longtemps gardé le lit, non seulement les jours où la fièvre quarte exerçait cruellement ses droits. La rate et le foie lui donnaient du fil à retordre comme le conseiller l'avait confié en particulier aux proches du malade. Son estomac non plus n'était pas dans un état tout à fait classique, et Behrens ne manqua pas de faire allusion aux dangers d'un affaiblissement chronique que courait dans ces conditions même une nature aussi puissante.

Durant ces semaines, Mynheer Peeperkorn n'avait présidé qu'une seule ripaille nocturne et l'on avait également renoncé aux promenades, sauf à une seule, qui fut courte. D'ailleurs Hans Castorp éprouva, soit dit entre nous, ce relâchement de la communauté de leur clan, dans une certaine mesure, comme un soulagement, car il était gêné ! Cela le gênait d'avoir fraternisé avec le compagnon de voyage de Mme Chauchat. En fait, dans leurs conversations communes, il en résultait les mêmes contraintes, les mêmes dérobades, et, comme s'il s'était agi d'une philippine, il évitait certaines formes, ainsi que cela avait été le cas avec Clawdia. Il évitait par de bizarres circonlocutions de s'adresser directement à Peeperkorn toutes les fois qu'il n'y avait pas moyen d'avaler le « tu ». C'était le même dilemme, ou le dilemme opposé à celui qui pesait sur sa conversation avec Clawdia en présence d'autres personnes ou en la seule présence de son maître et qui, grâce à la satisfaction qu'il avait reçue de celui-ci, s'était amplifiée au point de l'embarrasser doublement.

Or donc, le projet d'une excursion à la cascade était à l'ordre du jour. Peeperkorn lui-même en avait fixé le but et il se sentait tout dispos en vue de cette entreprise. C'était le troisième jour après un accès de fièvre quarte ; Mynheer fit savoir qu'il comptait en profiter. Sans doute n'avait-il pas paru aux premiers repas dans la salle à manger et, comme il faisait très souvent depuis quelque temps, s'était fait servir seul avec Mme Chauchat dans son salon. Mais, dès le petit déjeuner, le concierge boiteux avait transmis à Hans Castorp l'ordre de se tenir prêt pour une promenade une heure après le déjeuner, de communiquer cet ordre à MM. Ferge et Wehsal, de prévenir en outre Settembrini et Naphta que l'on passerait les prendre, et de commander enfin deux voitures découvertes pour trois heures.

Vers cette heure on se retrouva devant le portail du Berghof. Hans Castorp, Ferge et Wehsal attendaient leurs seigneuries en s'amusant à caresser les chevaux qui, de leurs babines noires, humides et larges, prenaient des morceaux de sucre sur leurs paumes. Les compagnons de voyage ne parurent sur le perron qu'avec un léger retard. Peeperkorn, dont la tête royale était devenue plus étroite, salua, debout auprès de Clawdia, dans un raglan long et un peu usé, en soulevant son chapeau mou et rond, et ses lèvres articulèrent un bonjour général, mais imperceptible. Puis il échangea une poignée de main avec chacun des trois hommes qui s'avancèrent à la rencontre du couple jusqu'au bas de l'escalier.

« Jeune homme, dit-il à Hans Castorp en lui posant sa main gauche sur l'épaule, comment vas-tu, mon fils ?

— Merci infiniment ! J'espère que l'on va bien de part et d'autre », répondit le jeune homme…

Le soleil brillait, c'était une belle journée claire, mais l'on avait quand même bien fait de revêtir les pardessus de demi-saison. Il était probable que l'on sentirait la fraîcheur en voiture. Mme Chauchat, elle aussi, portait un manteau chaud à ceinture, en une étoffe pelucheuse à grands carreaux, et même une petite fourrure autour des épaules. Elle avait rabattu sur le côté le bord de son chapeau de feutre par une voilette olive nouée sous son menton, ce qui lui allait à ravir, de sorte que la plupart de ses compagnons éprouvèrent comme une souffrance, à l'exception de Ferge, le seul qui ne fût pas amoureux d'elle. Et son détachement eut pour conséquence que, dans la répartition provisoire des places jusqu'à ce que l'on eût cherché les invités du dehors, ce fut lui qui se vit attribuer la place du premier landau en face de Mynheer et de Madame, tandis que Hans Castorp, non sans avoir cueilli un sourire moqueur sur les lèvres de Clawdia, monta avec Ferdinand Wehsal dans le deuxième équipage. La personne fluette du valet de chambre malais prenait part à l'excursion. Avec un panier volumineux sous le couvercle duquel dépassaient deux cols de bouteilles et qu'il rangea sous le siège de derrière du premier landau, il était apparu à la suite de ses maîtres, et à l'instant où il croisa les bras à côté du cocher, le signe fut donné aux chevaux et, tous freins serrés, les voitures descendirent le chemin en lacets.

Wehsal avait, lui aussi, remarqué le sourire de Mme Chauchat, et, montrant ses dents gâtées, il en parla en ces termes à son compagnon de promenade :

« Avez-vous vu, dit-il, comme elle se moque de vous parce que vous êtes obligé de monter dans la même voiture que moi ? Oui, quand on a le mal, on a aussi la honte. Est-ce que cela vous irrite et vous dégoûte tant d'être assis à côté de moi ?

— Faites donc attention, Wehsal, et ne parlez pas d'une manière aussi basse, le réprimanda Hans Castorp. Les femmes sourient à la moindre occasion, pour le plaisir de sourire. Il ne sert à rien de se faire chaque fois des idées là-dessus. Pourquoi vous aplatissez-vous toujours ainsi ? Vous avez comme nous tous vos qualités et vos défauts. Par exemple, vous jouez très joliment le *Songe d'une nuit d'été*, ce qui n'est pas à la portée de tout le monde. Vous devriez de nouveau essayer un de ces jours.

— Oui, répondit le misérable, vous me parlez du haut de votre grandeur, et vous ne vous doutez pas de l'impertinence de vos paroles consolantes, ni que vous m'humiliez davantage encore en me parlant ainsi. Il vous est facile de parler et de consoler du haut de votre socle, car si aujourd'hui vous êtes dans une situation un peu ridicule, vous avez quand même eu votre tour, et vous avez été au septième ciel, grand Dieu ! vous avez senti ses bras et sa nuque, et tout cela, grand Dieu ! cela me brûle la gorge et le creux de l'estomac, lorsque j'y pense et vous considérez mes misérables tortures en pleine conscience des avantages dont vous avez bénéficié…

— Ce n'est pas très joli ce que vous dites là, Wehsal. C'est même repoussant au dernier degré, je n'ai pas besoin de vous le cacher puisque vous me reprochez d'être impertinent, et il est bien possible que vous fassiez exprès d'être repoussant ; vous vous efforcez véritablement de soulever le dégoût et vous ne cessez pas de vous tordre. Êtes-vous donc vraiment si follement amoureux d'elle ?

— Terriblement, répondit Wehsal en secouant la tête. Il n'est pas possible de dire quels tourments j'endure, dans la soif et le désir que j'ai d'elle, je voudrais pouvoir dire que ce sera ma mort, mais on ne peut ni vivre ni mourir avec cela ! Durant son absence, cela avait commencé d'aller mieux, je la perdais peu à peu de vue. Mais depuis qu'elle est de nouveau ici et que je l'ai chaque jour sous les yeux, cela me prend quelquefois, au point que je me mords le bras, que je gesticule dans le vide et que je ne sais plus que faire. Cela ne devrait pas exister, une chose pareille, mais on ne peut pas souhaiter que cela ne soit pas ; lorsque cela vous tient, on ne peut souhaiter que cela ne soit pas, ce serait abolir sa propre vie qui est amalgamée, et on ne le peut pas : à quoi servirait de mourir ? Après, oui, avec plaisir ! Dans ses bras, très volontiers ! Mais avant, c'est idiot, car la vie, c'est le désir, c'est le désir de vivre, qui ne peut pas se retourner contre lui-même, c'est ainsi, oh ! damnation, que nous sommes constamment pincés. Et quand je dis "damnation", ce n'est qu'une manière de parler, je le dis comme si j'étais un autre, moi-même je ne peux pas le penser. Il y a tant de tortures, et quiconque subit une torture veut en être délivré, veut absolument et à tout prix en être délivré, voilà son but. Mais on ne peut être délivré de la torture du désir charnel qu'à condition de l'assouvir, il n'y a pas d'autre moyen, on ne peut l'être à aucun autre prix. C'est ainsi, et quand cela ne vous tient pas, on n'y pense pas autrement, mais quand cela vous tient, on comprend Notre Seigneur Jésus-Christ et les larmes vous coulent des yeux. Dieu du Ciel ! quelle chose singulière que notre chair désire ainsi la chair, simplement parce que ce n'est pas la nôtre, et qu'elle appartient à une âme étrangère ! Comme c'est étrange, et lorsqu'on y regarde de plus près, comme c'est au fond peu de chose, en sa timide dilection ! On pourrait dire : si elle ne veut rien de plus, qu'on le lui accorde au nom de Dieu !

Qu'est-ce que je demande donc, Castorp ? Est-ce que je veux l'assassiner ? Est-ce que je veux verser son sang ? Je ne veux que la caresser ! Castorp, mon cher Castorp, excusez-moi de gémir ainsi, mais ne pourrait-elle pas se donner à moi ? Il y a tout de même là-dessous quelque chose de plus élevé, je ne suis pas une bête, après tout, à ma manière, je suis, malgré tout, un homme ! Le désir de la chair va en tout sens, il n'est pas lié, il n'est pas fixé, et c'est pourquoi nous l'appelons bestial. Mais lorsqu'il est fixé sur une personne humaine avec un visage, nos lèvres parlent d'amour. Ce n'est pas seulement son torse que je désire, ou la poupée de chair de son corps, car si son visage était d'une forme tant soit peu différente, je cesserais peut-être de la désirer tout entière, et, en vérité, il apparaît bien que c'est son âme que j'aime et que je l'aime avec mon âme. Car l'amour pour un visage, c'est l'amour de l'âme…

— Qu'est-ce qui vous prend donc, Wehsal ? Vous êtes tout à fait hors de vous et vous êtes parti là, Dieu sait sur quel ton…

— Mais d'un autre côté, c'est là justement le malheur, poursuivit le pauvre homme, le malheur c'est justement qu'elle ait une âme, qu'elle soit un être humain pourvu d'un corps et d'une âme. Car son âme ne veut rien savoir de la mienne, et son corps ne veut donc rien savoir du mien. Quelle tristesse et quelle misère ! et c'est pour cela que mon désir est condamné à la honte et que mon corps doit se tordre éternellement. Pourquoi ne veut-elle rien savoir de moi, ni par le corps ni par l'âme ? Ne suis-je donc pas un homme ? Un homme répugnant n'est-il pas un homme ? Je le suis au plus haut degré, je vous le jure, je serais capable de prouesses sans précédent, si elle m'ouvrait le royaume de délices de ses bras, qui sont si beaux parce qu'ils font partie du visage de son âme. Je lui donnerais toutes les voluptés du monde. Castorp, s'il ne s'agissait que des corps, et non des visages, s'il n'y avait pas son âme maudite, qui ne veut rien savoir de moi, mais sans laquelle je ne désirerais peut-être pas du tout son corps. C'est ça cet enfer breneux de tous les diables et c'est pourquoi je m'y tords éternellement…

— Wehsal, pst, plus bas, voyons ! Le cocher vous comprend. Il fait exprès de ne pas tourner la tête, mais je vois par son dos qu'il écoute.

— Il comprend et il écoute, Castorp ! La voilà de nouveau, cette sacrée histoire, avec son caractère et ses particularités ! Si je parlais de palingénésie ou… d'hydrostatique, il n'y comprendrait rien, il n'écouterait pas et ne s'y intéresserait pas du tout, car ce ne serait pas populaire. Mais l'affaire la plus haute, la plus importante et la plus effroyablement secrète de notre chair et de notre âme, vous le voyez, c'est en même temps la chose la plus populaire, tout le monde s'y entend et peut se moquer de celui que cela tient et pour qui le jour est une torture de volupté, la nuit un enfer de honte. Castorp, mon cher Castorp, laissez-moi gémir un peu, car songez un peu à mes nuits ! Chaque nuit je rêve d'elle, hélas ! que ne rêvé-je pas, la gorge et le creux de l'estomac m'en brûlent lorsque j'y pense. Et cela finit toujours par des gifles, elle me donne des gifles ou me crache en pleine figure, le visage de son âme convulsé par le dégoût, elle crache sur moi et à ce moment je m'éveille, baigné de sueur, de honte et de plaisir…

— Allons, Wehsal, vous allez tâcher de vous taire à présent, et de tenir votre langue jusqu'à ce que nous soyons arrivés chez l'épicier et que quelqu'un monte avec nous. Voilà ce que je propose et voilà ce que je vous ordonne. Je ne veux pas vous blesser et je vous accorde que vous êtes dans de vilains draps, mais on raconte dans notre pays l'histoire d'un quidam qui fut puni de la manière suivante : en parlant il lui sortait des serpents et des crapauds de la bouche, à chaque mot un serpent ou un crapaud. L'histoire ne dit pas comment il s'est tiré d'embarras, mais j'ai toujours supposé qu'il avait dû finir par la fermer.

— Mais c'est un besoin de l'homme, dit Wehsal d'un ton pitoyable, c'est un besoin de l'homme, mon cher Castorp, de parler et de soulager son cœur lorsqu'on est dans de tels draps.

— C'est même un *droit* de l'homme, Wehsal, si vous y tenez. Mais à mon avis il y a des droits dont on fait mieux de ne pas user. »

Ils se turent donc, ainsi que Hans Castorp en avait décidé, et d'ailleurs ils furent bientôt arrivés devant la maisonnette festonnée de vigne vierge de l'épicier. Naphta et Settembrini étaient déjà dans la rue, l'un dans son paletot fatigué et bordé de fourrure, l'autre dans un pardessus jaunâtre de demi-saison qui était piqué sur toutes les coutures et qui lui donnait des allures de gandin. On se fit des signes, on se salua tandis que les voitures tournaient, et ces messieurs montèrent : Naphta comme quatrième, dans le premier landau, à côté de Ferge ; Settembrini, de brillante humeur, pétillant de joyeuses plaisanteries, se joignit à Hans Castorp et à Wehsal. Celui-ci céda d'ailleurs sa place au fond de la voiture, et M. Settembrini l'occupa, dans l'attitude d'un promeneur du *corso*, avec une nonchalance distinguée.

Il célébra l'agrément de la promenade, de ce mouvement du corps qui goûte un repos confortable dans un décor changeant ; il témoigna à Hans Castorp des sentiments affectueusement paternels et tapota même la joue de Wehsal en l'invitant à oublier son propre Moi antipathique pour admirer ce monde lumineux qu'il désignait de sa main droite, gantée d'un cuir râpé.

Ils firent une excellente promenade. Les chevaux, tous quatre au chanfrein blanc, vifs, trapus, au poil lisse et bien nourris, trottaient d'un pas ferme sur une bonne route qui n'était pas encore poussiéreuse. Des fragments de rocher, dans les joints desquels poussaient de l'herbe et des fleurs, s'approchaient parfois d'eux, des poteaux télégraphiques reculaient, des forêts montaient les talus, des courbes gracieuses se dessinaient vers lesquelles on se dirigeait, que l'on gravissait. Elles tenaient la curiosité en haleine, et des chaînes de montagne, par endroits encore couvertes de neige, continuaient de poindre dans le lointain, en plein soleil. On eut bientôt perdu de vue le paysage familier de la vallée, le déplacement du décor quotidien produisant sur l'esprit un effet réconfortant. Bientôt on s'arrêta à la lisière de la forêt. On voulait poursuivre d'ici l'excursion à pied et gagner le but, un but que l'on percevait, depuis quelque temps déjà, encore que faiblement et sans en avoir tout de suite pris conscience. Tous distinguèrent un bruit lointain, un bruissement, un bourdonnement et un mugissement qui, par instants, se perdait de nouveau, mais auquel les promeneurs s'invitaient les uns les autres à prêter l'oreille, et que l'on réécoutait, immobile.

« Pour le moment, dit Settembrini qui était souvent venu jusqu'ici, le bruit a l'air assez timide. Mais sur place en cette saison il est brutal. Nous ne nous entendrons plus parler. »

Ils pénétrèrent donc dans la forêt par un sentier couvert d'aiguilles humides ; en avant, Pieter Peeperkorn, appuyé sur le bras de sa compagne, son feutre noir sur le front, et le pas un peu vacillant ; au milieu, Hans Castorp, sans chapeau, comme tous les autres messieurs, les mains dans ses poches, la tête inclinée, et regardant autour de lui tout en sifflotant légèrement ; ensuite Naphta et Settembrini, ensuite Ferge et Wehsal, et enfin le Malais seul, qui portait le panier du goûter. On parlait de la forêt.

Cette forêt n'était pas comme les autres. Elle offrait un aspect pittoresque, singulier, voire exotique, mais en tout cas lugubre. Elle regorgeait d'une sorte de lichen moussu, elle en était toute tapissée, tout enveloppée ; en longues barbes incolores, le tissu feutré de la plante parasite pendait de branches capitonnées et enserrées dans ce réseau, on ne voyait presque plus les aiguilles, on ne voyait que des guirlandes de mousse, et cela défigurait pesamment et bizarrement la forêt qui offrait un aspect maladif et enchanté. La forêt ne se portait pas bien, elle souffrait d'une rogne luxuriante, qui menaçait de l'étouffer, telle était l'opinion générale, tandis que la petite troupe avançait sur le sentier couvert d'aiguilles, ayant dans l'oreille le bruit de la cascade dont on s'approchait, ce vacarme et ce sifflement qui devenait peu à peu un véritable fracas et semblait devoir confirmer la prédiction de Settembrini.

Un tournant du chemin donna vue sur la gorge rocheuse et boisée qu'un pont enjambait, où tombait la cascade, et en même temps qu'on l'aperçut, le bruit parut augmenter : c'était un vacarme infernal. Les masses d'eau tombaient verticalement, en une seule cascade qui était haute d'au moins sept ou huit mètres et assez large, et elles dévalaient ensuite les rochers. Elles s'abattaient avec un bruit insensé où semblaient se mêler tous les sons et toutes les tonalités possibles, le fracas du tonnerre et le sifflement, le beuglement, le hurlement, la fanfare, le craquement, le crépitement, le grondement et le son de cloche, vraiment, on en était presque assourdi. Les visiteurs s'étaient approchés du rocher glissant et contemplaient, éclaboussés par un souffle humide, enveloppés par une buée d'eau, les oreilles emplies et comme capitonnées par le vacarme — tout en échangeant des regards et en hochant la tête avec un sourire intimidé —, ce spectacle, cette catastrophe continue, faite d'écume et de fracas, dont le grondement dément et excessif les étourdissait, leur faisait peur et leur causait des illusions de l'ouïe. On croyait entendre derrière soi et de toutes parts des cris d'alarme et des menaces, des trompettes et de rudes voix d'hommes.

Groupés derrière Mynheer Peeperkorn — Mme Chauchat se trouvait parmi les cinq messieurs —, ils plongeaient comme lui leur regard dans le flot. Ils ne distinguaient pas son visage, mais ils le virent découvrir sa tête blanche et dilater sa poitrine à l'air frais. Ils communiquaient les uns avec les autres par des regards et des signes, car les paroles, même si on les avait dites à l'oreille, auraient été assourdies par le tonnerre de la chute. Leurs lèvres formulaient des paroles d'étonnement et d'admiration qui n'étaient pas perçues. Hans Castorp, Settembrini et Ferge convinrent par des signes de tête d'escalader le haut de la gorge au fond de laquelle ils se trouvaient, de gagner la passerelle supérieure et de considérer l'eau de ce point de vue. Ce n'était pas malaisé. Une montée roide de marches étroites taillées dans le roc, conduisait en quelque sorte à un étage supérieur de la forêt ; ils l'escaladèrent, l'un derrière l'autre, mirent le pied sur la passerelle et, du milieu du pont suspendu au-dessus de la courbe de la cascade, appuyés à la rampe, ils firent signe à leurs amis d'en bas. Puis ils le traversèrent, descendirent avec effort de l'autre côté et reparurent aux yeux de ceux qui étaient demeurés en arrière, au-delà du torrent qu'un deuxième pont franchissait plus bas.

L'échange de signaux concernait à présent le goûter. De plusieurs parts on estimait qu'il convenait de s'éloigner de la zone bruyante afin que l'on pût jouir de ce repas en plein air, non pas en sourds et en muets, mais l'ouïe délivrée. On dut toutefois se rendre compte que Peeperkorn était d'un avis opposé. Il secoua la tête, désigna plusieurs fois de l'index le fond de la gorge, et ses lèvres déchirées, qui s'ouvraient avec effort, articulaient un « ici ! ». Dès lors, que faire ? Sur ces questions de gouvernement il était chef et maître. Le poids de sa personnalité aurait emporté la décision, même s'il n'avait pas été, comme toujours, l'organisateur et l'initiateur de l'entreprise. Ce « format » a toujours été tyrannique, autocratique, et le restera. Mynheer voulait goûter devant la cascade, dans le bruit de tonnerre, tel était son entêtement souverain, et quiconque ne voulait pas se priver de goûter, devait rester. La plupart étaient mécontents. M. Settembrini, qui vit s'évanouir toute possibilité d'un échange humain, d'un bavardage ou d'un débat démocratique et bien articulé, lança la main au-dessus de sa tête en un geste de désespoir et de résignation. Le Malais s'empressa d'exécuter les ordres de son maître. Il y avait là deux pliants qu'il dressa contre la paroi rocheuse pour Mynheer et Madame. Puis il étendit à leurs pieds, sur une nappe, le contenu du panier : des tasses à café et des verres, des thermos, de la pâtisserie et du vin. On se pressa pour la distribution des vivres. On prit ensuite place sur des rochers, sur la balustrade du pont, tenant à la main sa tasse de café chaud, l'assiette à gâteau sur ses genoux, et l'on goûta en silence dans le vacarme.

Peeperkorn, le col de son manteau relevé, le chapeau posé à terre à côté de lui, but du porto dans un gobelet d'argent à monogramme qu'il vida plusieurs fois. Et tout à coup il se mit à parler. Curieux homme ! Il était impossible qu'il entendît même sa propre voix, et, à plus forte raison, les autres ne pouvaient-ils comprendre une seule syllabe de ce qu'il faisait entendre sans qu'on l'entendît. Mais il levait l'index, allongeait le bras gauche en tenant le gobelet de la main droite, levait obliquement sa paume et l'on voyait son visage royal mû par des paroles, et sa bouche articuler des mots qui n'avaient point de son, comme s'ils avaient été prononcés dans un espace vide d'air. Tous pensèrent qu'il renoncerait bientôt à cet effort inutile, que l'on considérait avec un sourire gêné, mais il continuait de parler avec des gestes fascinants de sa main gauche, qui forçaient l'attention, malgré le vacarme assourdissant, en dirigeant ses petits yeux fatigués et pâles, mais écarquillés avec effort sous les plis froncés du front, tantôt vers l'un, tantôt vers l'autre de ses spectateurs, de sorte que celui auquel il s'adressait était chaque fois obligé d'approuver de la tête, les sourcils levés, la bouche ouverte, approchant la paume d'une de ses mains de l'oreille, comme s'il avait été possible de remédier en quelque manière à une situation aussi désespérée. Voici qu'il alla jusqu'à se lever ! le gobelet à la main, dans son manteau de voyage fripé, dont le col était relevé et qui tombait presque sur ses pieds, tête nue, son haut front plissé d'idole entouré des flammes de ses cheveux blancs, il était debout contre le rocher, et son visage s'animait cependant que, d'un geste doctoral, il dressait le cercle de ses doigts, accompagnant son toast muet et confus du signe impérieux de l'exactitude. On reconnaissait à ses gestes et on lisait sur ses lèvres certains mots qu'on avait l'habitude d'entendre dans sa bouche. « Parfait ! » et « réglé ! » — rien de plus. On voyait sa tête se pencher, une amertume déchirait ses lèvres, il était l'image même de l'Homme des douleurs. Puis on voyait fleurir sur ses joues sa fossette polissonne de sybarite, on avait l'illusion qu'il dansait en troussant sa robe, c'était de nouveau l'impudeur sacrée d'un prêtre païen. Il leva son gobelet, lui fit décrire un demi-cercle devant les yeux de ses invités, et le vida en deux ou trois gorgées, jusqu'au fond en le renversant entièrement. Puis, allongeant le bras, il tendit l'objet au Malais qui le prit, la main sur sa poitrine, et donna le signal du départ.

Tous s'inclinèrent devant lui pour le remercier, en s'apprêtant à se conformer à son ordre. Ceux qui étaient accroupis à terre se relevèrent d'un bond, ceux qui étaient adossés à la balustrade se redressèrent. Le frêle Javanais en chapeau raide et en manteau à col de fourrure ramassa les reliefs du repas et la vaisselle. Dans le même ordre de marche dans lequel ils étaient venus, ils rejoignirent par le sentier humide et couvert d'aiguilles, à travers la forêt méconnaissable par le lichen, l'endroit de la route où les voitures attendaient.

Hans Castorp prit place, cette fois-ci, avec le maître et sa compagne. Il était assis en face du couple, à côté de l'excellent Ferge à qui les choses élevées étaient complètement étrangères. On ne parla presque pas durant ce retour. Mynheer restait là, les mains posées à plat sur le plaid qui enveloppait ses genoux et ceux de Clawdia, et laissait tomber sa mâchoire inférieure. Settembrini et Naphta descendirent et prirent congé avant que la voiture eût traversé les rails et le cours d'eau. Wehsal resta seul dans la seconde voiture pour remonter la route en lacets, puis ils se séparèrent devant le portail du Berghof.

Le sommeil de Hans Castorp était-il resté pendant cette nuit d'une légèreté particulière, par suite d'une alarme intérieure dont son âme ne savait rien, mais grâce à quoi il avait perçu l'atteinte très légère à l'habituel silence nocturne du Berghof ? Et l'ébranlement à peine sensible de la maison par un pas lointain avait-il suffi à l'éveiller et à le faire se dresser, en pleine conscience, sur son coussin ? En effet, il s'était éveillé quelque temps avant que l'on frappât à sa porte, ce qui eut lieu un peu après deux heures du matin. Il répondit aussitôt, nullement somnolent, avec toute son énergie et sa présence d'esprit. C'était la voix haute et mal assurée d'une infirmière employée dans la maison qui le priait de la part de Mme Chauchat de descendre immédiatement au premier. Avec une énergie accrue il répondit qu'il venait, sauta de son lit, enfila ses vêtements, rejeta de la main les cheveux de son front et descendit sans hâte ni lenteur, incertain non point du « quoi », mais bien du « comment » de l'heure.

Il trouva grande ouverte la porte du salon de Peeperkorn, ainsi que celle de la chambre à coucher du Hollandais où brûlaient des lumières. Les deux médecins, la supérieure von Mylendonk, Mme Chauchat et le valet de chambre malais s'y trouvaient. Celui-ci n'était pas vêtu comme d'habitude, mais portait une sorte de costume national, une blouse à larges rayures, aux manches longues et amples, une robe bariolée au lieu de pantalons et un bonnet conique en étoffe jaune sur la tête ; il portait en outre sur sa poitrine des amulettes, se tenait immobile, les bras croisés, à gauche de la tête du lit où Pieter Peeperkorn était allongé, sur le dos, les mains étendues. Tout pâle, Hans Castorp en entrant parcourut la scène des yeux. Mme Chauchat lui tournait le dos. Elle était assise sur un fauteuil bas, au pied du lit, le coude appuyé sur la courtepointe, le menton dans sa main, les doigts creusant la lèvre inférieure, le regard fixé sur le visage de son compagnon de voyage.

« 'Soir, mon ami », dit Behrens qui s'était entretenu à mi-voix avec le docteur Krokovski et la supérieure, et il hocha la tête d'un air mélancolique, retroussant sa petite moustache. Il était en blouse de médecin, le stéthoscope sortait de sa poche, il portait des pantoufles brodées et un col bas. « Rien à faire ! » ajouta-t-il à mi-voix. « Travail soigné. Approchez-vous donc. Jetez-moi là-dessus un regard de connaisseur et vous m'accorderez que l'on a consciencieusement prévenu toute intervention médicale. »

Hans Castorp s'approcha du lit sur la pointe des pieds. Les yeux du Malais surveillaient chacun de ses mouvements, le suivaient sans que l'indigène tournât la tête, de sorte que le blanc apparaissait. Par un regard de côté, il constata que Mme Chauchat ne s'occupait pas de lui, et il resta debout, dans une attitude caractéristique, appuyé sur une jambe, les mains jointes sur le ventre, la tête penchée obliquement, dans une contemplation respectueuse et pensive. Peeperkorn était couché sous la couverture en soie rouge, dans sa chemise de tricot, comme Hans Castorp l'avait si souvent vu. Ses mains étaient enflées et d'un bleu qui tournait au noir ; il en était de même de certaines parties de sa figure. Cela le défigurait sensiblement, bien que ses traits royaux n'eussent pas changé par ailleurs. Le dessin de son haut front d'idole entouré de mèches blanches — quatre ou cinq rides horizontales qui descendaient en angle droit des deux côtés des tempes, creusées par la tension produite par le comportement de toute une vie — apparaissait fortement, même au repos, au-dessus des paupières baissées. Les lèvres à la déchirure amère étaient entrouvertes. Le bleuissement indiquait un arrêt brusque, un blocage violent et apoplectique des fonctions vitales.

Hans Castorp demeura un instant recueilli, s'interrogeant sur la situation. Il hésitait à changer d'attitude, attendant que la « veuve » lui adressât la parole. Comme elle ne le faisait pas, il préféra ne pas la déranger et se retourna vers le groupe des autres personnes qui étaient postées derrière son dos. Le conseiller fit un signe de tête dans la direction du salon. Hans Castorp l'y suivit.

« *Suicidium ?* demanda-t-il à mi-voix, avec un calme professionnel.

— Pardi ! » répondit Behrens avec un geste méprisant, et il ajouta : « Et comment ! Au superlatif. Avez-vous jamais vu ce genre d'article de luxe ? » demanda-t-il, en extrayant de la poche de sa blouse un petit étui de forme irrégulière d'où il tira un menu objet qu'il présenta au jeune homme. « Pas moi. Mais cela vaut d'être vu. On ne sait jamais tout. C'est d'une ingéniosité fantasque. Je le lui ai retiré de la main. Attention ! S'il vous en tombe une goutte sur la peau, vous risquez des cloques. »

Hans Castorp retourna dans ses doigts le mystérieux objet. Il était fait d'acier, d'ivoire, d'or, de caoutchouc, et présentait un aspect très bizarre. On voyait deux pointes de fourchette recourbées et très aiguës, en acier, une partie médiane légèrement ondulée, en ivoire serti d'or, sur laquelle les pointes étaient dans une certaine mesure articulées, et cela se terminait par une sorte de poire en caoutchouc rigide.

« Qu'est-ce que c'est ? demanda Hans Castorp.

— Ça, répondit le docteur Behrens, c'est une seringue à injections. Ou, d'un autre point de vue, c'est un mécanisme qui reproduit les dents du serpent à lunettes. Vous comprenez ? Vous ne semblez pas saisir, dit-il, comme Hans Castorp, abasourdi, ne quittait pas des yeux le bizarre instrument. Voilà les dents. Elles ne sont pas tout à fait massives, elles sont traversées par un tube capillaire, par un canal très fin dont vous pouvez voir nettement l'embouchure, ici, sur le devant, un peu au-dessus des pointes. Naturellement, ces petits tubes sont également ouverts à l'autre extrémité, ils communiquent avec l'ouverture de la poire en caoutchouc qui fait corps avec la partie médiane en ivoire. Au moment de la morsure les dents se rétractent légèrement, on s'en rend compte, et exercent sur le réservoir qui alimente les canaux une légère pression, de sorte qu'à l'instant précis où les pointes pénètrent dans la chair, la dose est précipitée dans la circulation du sang. Cela paraît très simple, quand on a l'objet sous les yeux. Mais il fallait y penser. Sans doute l'a-t-on fabriqué d'après ses propres indications.

— Certainement, dit Hans Castorp.

— La dose ne peut pas avoir été très considérable, poursuivit le conseiller. La quantité a dû être remplacée par…

— … le dynamisme, compléta Hans Castorp.

— Si vous voulez. Nous dénicherons bien ce que c'est. On peut attendre avec une certaine curiosité le résultat de l'analyse, cela nous donnera sans doute l'occasion d'apprendre du nouveau. Voulez-vous parier que notre exotique, le serviteur là derrière, qui s'est mis cette nuit sur son tralala, pourrait nous renseigner très exactement ? Je suppose que c'est un alliage de poisons animaux et végétaux, le fin du fin, de toute façon, car l'effet a dû être foudroyant. Tout indique que cela lui a immédiatement coupé le souffle : paralysie du centre respiratoire, comprenez-vous, asphyxie rapide, probablement sans efforts ni douleur.

— Dieu le veuille ! » dit Hans Castorp pieusement. Avec un soupir il rendit l'inquiétant petit instrument au conseiller et retourna dans la chambre à coucher.

Seuls, le Malais et Mme Chauchat s'y trouvaient encore. Cette fois Clawdia leva la tête vers le jeune homme lorsqu'il s'approcha de nouveau du lit.

« Vous aviez le droit d'être appelé, dit-elle.

— C'est très aimable à vous, dit-il, et vous avez raison. Nous nous tutoyions. J'ai honte jusqu'au fond de l'âme d'en avoir rougi devant les gens, et d'avoir eu recours à des circonlocutions. Vous avez été près de lui pendant ses derniers instants ?

— Le domestique m'a prévenue lorsque tout a été fini.

— Il était d'un si grand format, reprit Hans Castorp, qu'il éprouvait la défaillance du sentiment devant la vie comme une catastrophe cosmique, comme une honte devant Dieu. Car il se tenait pour l'organe nuptial de Dieu, savez-vous. C'était une royale folie… Lorsqu'on est ému, on a le courage de se servir d'expressions qui paraissent grossières et impies, mais qui sont plus solennelles que des paroles brevetées de recueillement.

— *C'est une abdication*, dit-elle. Était-il au courant de notre folie ?

— Je n'ai pas pu la dénier, Clawdia. Il l'avait devinée après que j'eus refusé de vous embrasser devant lui sur le front. Sa présence en ce moment est plus symbolique que réelle, mais voulez-vous me permettre de le faire, maintenant ? »

D'un mouvement bref elle leva le front vers lui, les yeux fermés, comme pour un hochement de tête. Il porta ses lèvres à son front. Les yeux bruns d'animal du Malais surveillaient la scène, tournés de leur côté, en montrant le blanc de leur cornée.

La grande hébétude

Une fois de plus nous entendons la voix du docteur Behrens. Écoutons bien ! C'est peut-être la dernière fois que nous l'entendrons. Cette histoire elle-même aura une fin ; son temps le plus long est passé, ou plutôt : la durée de son contenu a pris un tel élan qu'il n'y a plus moyen de l'arrêter et que sa durée musicale, elle aussi, touche à sa fin, de sorte que nous n'aurons peut-être plus l'occasion de prêter l'oreille à la voix allègre et aux locutions proverbiales de Rhadamante. Il disait à Hans Castorp :

« Castorp, vieille branche, vous vous ennuyez. Vous faites une gueule impossible, je lis chaque jour la mauvaise humeur sur votre front. Vous êtes un type blasé, Castorp. Vous êtes gâté par les sensations, et si on ne vous propose pas tous les jours une nouveauté de premier ordre, vous bougonnez et vous boudez pendant tout le temps des vaches maigres. Ai-je raison ou ai-je tort ? »

Hans Castorp garda le silence, et cette attitude témoignait qu'en effet il devait faire assez sombre en lui.

« J'ai raison comme toujours, se répondit Behrens à lui-même. Et avant que vous propagiez ici le poison du mécontentement, vous, citoyen frondeur, vous allez voir que vous n'êtes pas du tout abandonné de Dieu et des hommes, que les autorités ont l'œil sur vous, qu'elles ne vous ont pas perdu de vue, mon cher, et qu'elles cherchent sans trêve ni repos à vous divertir. Allons, blague à part, mon petit. Il m'est venu une idée, Dieu sait si j'ai passé des nuits d'insomnie avant de trouver quelque chose qui vous convienne ! On pourrait parler d'une illumination, et le fait est que j'attends beaucoup de mon idée, c'est-à-dire ni plus ni moins que votre désintoxication et votre départ triomphal à une date d'une proximité insoupçonnée. »

« Vous faites de grands yeux », poursuivit-il après une pause calculée, bien que Hans Castorp n'ouvrît pas du tout les yeux, mais le regardât d'un air assez somnolent et distrait, « et vous ne vous doutez pas de ce que le vieux Behrens veut dire. Voici comment je l'entends. Il y a quelque chose qui ne marche pas chez vous, c'est ce qui n'aura pas échappé à votre honorée aperception. Ça ne marche pas dans ce sens que vos phénomènes d'intoxication ne correspondent plus depuis longtemps à votre état local, incontestablement très amélioré. Ce n'est pas d'hier que j'y réfléchis. Nous avons là votre dernière photo. Approchons un peu de la lumière cet objet magique. Vous voyez, le pire chicaneur et broyeur de noir, comme dit notre souverain, ne trouverait plus grand-chose à relever ici. Plusieurs foyers sont complètement résorbés, le nid s'est rétréci et plus nettement délimité, ce qui — en savant que vous êtes, vous ne l'ignorez pas — est un indice de guérison. Cet état de choses n'explique pas très bien l'irrégularité de votre température, mon garçon. Et le médecin se voit obligé de chercher d'autres causes. »

Le mouvement de tête de Hans Castorp exprima une curiosité polie, sans plus.

« Vous allez naturellement penser, Castorp, que le vieux Behrens devra convenir que le traitement a été manqué. Mais vous auriez fait un pas de clerc, et vous ne vous seriez montré à la hauteur ni de la situation ni du vieux Behrens. Votre traitement n'a pas été manqué, mais il n'en est pas moins possible qu'il soit resté trop unilatéral. La possibilité m'est apparue que vos symptômes ne se ramènent pas exclusivement à la *tuberculosis*, et je déduis cette probabilité du fait qu'en effet il n'y a plus du tout lieu aujourd'hui de les expliquer ainsi. Il faut que vos troubles aient une autre origine. Selon moi, vous avez des "coques".

« D'après ma conviction profonde, répéta le conseiller en accentuant son affirmation, après avoir recueilli le hochement de tête qui s'imposait de la part de Hans Castorp, vous avez des *streptos*, ce dont vous n'avez nulle raison de vous effrayer. »

(Il ne pouvait pas être question d'épouvante. La physionomie de Hans Castorp exprimait plutôt une sorte de reconnaissance ironique, soit de la perspicacité qui se révélait à lui, soit de la nouvelle dignité dont le conseiller l'investissait par hypothèse.)

« Il n'y a pas là de quoi être pris de panique, reprit celui-ci, variant ses paroles d'encouragement. Des coques, tout le monde en a. Chaque imbécile a des streptos. Vous n'avez pas lieu d'en être fier. Depuis quelque temps, nous savons même que l'on peut parfaitement avoir des streptocoques dans le sang et ne montrer aucun symptôme visible d'infection. Nous sommes en présence de ce fait que beaucoup de nos confrères ignorent encore, à savoir que le sang peut contenir des tubercules sans qu'il en résulte rien. Nous ne sommes même pas loin de supposer que la tuberculose pourrait n'être qu'une maladie du sang. »

Hans Castorp trouva cela très remarquable.

« Par conséquent, lorsque je dis : des streptos, reprit Behrens, il ne faut pas, bien entendu, vous représenter l'image connue d'une maladie grave. L'analyse bactériologique du sang montrera si ces petits corps de mon ressort se sont vraiment installés chez vous. Mais ce n'est que le traitement par le streptovaccin — il y aurait lieu de l'envisager s'il en était ainsi — qui nous apprendra si telle est l'origine de votre état fébrile. Voilà la route qu'il conviendra de suivre, cher ami, et, comme je vous l'ai déjà dit, j'escompte un résultat tout à fait inattendu. La tuberculose a beau traîner parfois indéfiniment, il arrive également que l'on guérisse très vite des maladies de cette nature, et si vraiment vous réagissez à ces injections, dans six semaines vous vous sentirez comme un poisson dans l'eau. Que dites-vous de ça ? Le vieux Behrens veille-t-il au grain, hein ?

— Ce n'est pour le moment qu'une hypothèse, répondit Hans Castorp, sans entrain.

— Une hypothèse qui peut se confirmer, une hypothèse très féconde, répliqua le conseiller. Vous vous rendrez compte à quel point elle est féconde lorsque vous verrez pousser les coques sur nos cultures. Demain après-midi nous vous mettrons en perce, Castorp, nous vous saignerons d'après toutes les règles de l'art des barbiers de village. C'est déjà en soi un plaisir et cela ne peut qu'avoir sur le corps et l'âme les effets les plus heureux… »

Hans Castorp se déclara disposé à cette diversion et remercia le conseiller de l'attention qu'on lui avait accordée. La tête penchée sur l'épaule, il regarda s'éloigner Behrens. L'intervention du patron s'était produite exactement à l'instant critique. Rhadamante avait interprété avec assez de justesse le jeu de physionomie et l'état d'esprit du pensionnaire du Berghof, et sa nouvelle expérience était faite — elle était même expressément destinée à cela, il ne l'avait nullement caché — pour aider Hans Castorp à franchir le point mort où il était arrivé depuis quelque temps, ainsi qu'on pouvait le conclure de son expression qui rappelait très précisément celle qu'avait eue feu Joachim lorsque certaines décisions farouches et certains défis s'étaient préparés en lui.

Il faut dire plus. Non seulement lui, Hans Castorp, paraissait arrivé à un tel point mort, mais il lui semblait qu'il en allait de même du monde entier, de tout, de « l'ensemble », ou plutôt : il lui semblait particulièrement difficile de distinguer en l'occurrence le particulier du général. Depuis la fin excentrique de ses rapports avec certaine personnalité, depuis les troubles de toutes sortes que cette fin avait jetés dans la maison, depuis que Clawdia Chauchat avait à nouveau quitté la communauté de ceux d'en haut, depuis l'adieu qu'avaient échangé, dans l'ombre tragique d'un grand renoncement, par respect pour le défunt, la jeune femme et le frère de son maître et souverain, depuis ce tournant donc, il semblait au jeune homme que quelque chose clochait dans le monde et la vie ; comme si tout allait de plus en plus mal et qu'une anxiété croissante l'eût saisi ; comme si un démon s'était emparé du pouvoir, un démon dangereux et bouffon, qui depuis longtemps avait joué un rôle assez important, mais qui venait de proclamer son autorité sans réserves, inspirant une terreur mystérieuse et suggérant des pensées de fuite : un démon qui avait nom : « hébétude ».

On jugera que le conteur charge sa palette d'une manière par trop romantique en associant le mot d'hébétude avec le principe démoniaque et en affirmant qu'ils produisaient une terreur mystique. Et cependant ce n'est pas une fable, et nous nous en tenons très exactement à l'aventure personnelle de notre simple héros, aventure dont nous avons, il est vrai, connaissance d'une manière qui échappe à tout contrôle, et laquelle prouve que l'hébétude peut dans certaines circonstances prendre ce caractère et inspirer de tels sentiments. Hans Castorp regarda autour de lui… Il ne voyait que des choses lugubres, inquiétantes, et il savait ce qu'il voyait : la vie en dehors du temps, la vie insoucieuse et privée d'espoir, la vie, dévergondage d'une stagnation active, la vie morte.

Elle était active, cette vie, à sa manière. Des occupations de toutes sortes s'y côtoyaient ; mais de temps à autre l'une d'elles dégénérait en une mode furieuse à laquelle tout le monde sacrifiait avec fanatisme. C'est ainsi que les photographies d'amateurs avaient toujours tenu une place importante dans le monde du Berghof. Deux fois déjà — car lorsqu'on demeurait assez longtemps en haut, on pouvait voir se répéter de telles épidémies —, cette passion avait tourné pendant des semaines et des mois à la folie générale, de sorte qu'il n'y avait personne qui, la mine inquiète, la tête penchée sur un appareil appuyé au creux de l'estomac, ne fît pas ciller un objectif, et qu'on n'en finissait plus de faire circuler des épreuves à table. Depuis longtemps la chambre noire qui était à la disposition des pensionnaires ne suffisait plus aux besoins. On voilait les fenêtres et les portes des balcons des chambres avec des rideaux noirs ; et l'on manipulait à la lumière rouge, dans des bains chimiques, jusqu'à ce qu'un incendie faillît éclater et que l'étudiant bulgare de la table des Russes bien manquât d'être réduit en cendres, après quoi les autorités interdirent cet exercice dans les chambres. D'ailleurs on ne tarda pas à se désintéresser de la simple photographie. Les photographies au magnésium et les photographies en couleurs, d'après les procédés de Lumière, furent lancées. On se repassait des portraits de personnes qui, surprises par l'éclair du magnésium, les yeux fixes, les visages blêmes et convulsés, semblaient des cadavres de gens assassinés que l'on aurait dressés là, debout et les yeux ouverts. Et Hans Castorp conservait une plaque encadrée de carton qui, lorsqu'on la regardait par transparence, le montrait entre Mme Stöhr et Mlle Lévi au teint d'ivoire, dont la première portait un chandail bleu ciel, la seconde un chandail pourpre, avec un visage cuivré et parmi des renoncules jaunes dont l'une fleurissait sa boutonnière, sur un fond de prairie d'un vert vénéneux.

Il y avait encore la manie de collectionner les timbres qui, pratiquée en tout temps par certains pensionnaires, devenait par moments une folie générale. Tout le monde collait, échangeait, trafiquait. On était abonné à des revues de philatélie, on correspondait avec des maisons spécialisées de tous pays, avec des associations et des amateurs, on consacrait des sommes invraisemblables à l'achat de certains timbres rares, et c'était même le cas de pensionnaires à qui leur situation de fortune ne permettait que difficilement de séjourner pendant des mois et des années dans ce luxueux établissement.

Cette épidémie durait jusqu'à ce qu'un autre snobisme prît le dessus et que le bon ton voulût que l'on amassât et que l'on dévorât des quantités de chocolat, des marques les plus variées. Tout le monde avait les lèvres brunes, et les produits les plus appétissants de la cuisine du Berghof n'étaient plus appréciés par des estomacs qu'avaient bourrés et gâtés le Milka aux noix, le chocolat à la crème d'amandes, les napolitains Marquis et les langues de chat mouchetées d'or.

Les dessins de petits cochons exécutés les yeux fermés — divertissement inauguré un soir de carnaval par la plus haute autorité, et auquel on s'était souvent livré depuis lors — mirent à la mode des jeux de patience géométriques, auxquels était par instants voué l'effort mental de tous les pensionnaires du Berghof et dont relevaient jusqu'aux dernières pensées et aux suprêmes manifestations d'énergie des moribonds. Pendant des semaines la maison était sous le signe d'une figure compliquée qui se composait de pas moins de huit grands et petits cercles et de plusieurs triangles inscrits l'un dans l'autre. Il s'agissait de dessiner cette figure en un seul trait ; mais la plus haute maîtrise consistait à accomplir ce travail les yeux bandés pour de bon, ce que, en négligeant quelques insignifiantes fautes d'esthétique, le procureur Paravant fut seul à réussir, lui qui était particulièrement atteint de cette manie de précision.

Nous savons qu'il se consacrait aux mathématiques, nous l'avons appris de la bouche du conseiller lui-même, et nous connaissons la pudique origine de cette lubie, dont nous avons déjà entendu célébrer les effets calmants. Elle émoussait l'aiguillon de la chair, et si tout le monde avait imité l'exemple du procureur, certaines mesures de précaution que l'on avait dû prendre récemment auraient sans doute été superflues. Elles consistaient principalement dans la fermeture de tous les passages des balcons, entre la balustrade et les parois de verre opaque, par de petites portes dont le baigneur tirait la clef, pour la nuit, avec un jovial sourire. Depuis lors, les chambres du premier étage, qui donnaient sur la véranda, étaient très recherchées, parce que l'on pouvait, ayant franchi la balustrade, aller de loge en loge, en passant par le toit de verre. Mais s'il n'y avait eu que le procureur, on n'aurait sans doute aucunement eu besoin de recourir à cette nouvelle discipline. La périlleuse tentation à laquelle l'apparition de certaine Fatma égyptienne avait exposé Paravant était depuis longtemps surmontée, et ç'avait été la dernière qui avait agité ses sens. Avec une ferveur redoublée il s'était jeté dans les bras de la déesse aux yeux clairs dont le conseiller avait célébré la puissance calmante en termes si édifiants, et le problème qui, jour et nuit, occupait sa pensée, auquel il apportait cette persévérance, cette ténacité sportive qu'il avait dépensées autrefois — avant de prendre un congé qui menaçait de devenir une retraite définitive — à convaincre de leur crime de malheureux pécheurs, ce problème n'était autre que la quadrature du cercle.

Le fonctionnaire dépaysé avait acquis dans le cours de ses études la conviction que les épreuves par lesquelles la science prétendait avoir établi l'impossibilité de cette construction, n'étaient pas solides, et que la providence ne l'avait éloigné de l'humanité inférieure du monde des vivants, et ne l'avait transporté ici, que parce qu'elle l'avait élu pour transporter ce but transcendant dans le domaine des possibilités terrestres. C'est en quoi il voyait sa mission. Il traçait des cercles et calculait partout où il se trouvait, il couvrait des quantités incroyables de papier, de figures, de lettres, de chiffres, de symboles algébriques, et sa figure bronzée, la figure d'un homme en apparence tout à fait bien portant, avait l'expression absente et butée du maniaque. Sa conversation concernait exclusivement, et avec une effrayante monotonie, le seul nombre proportionnel *pi*, cette fraction désespérante que le génie inférieur d'un calculateur nommé Zacharias Dase avait un jour calculée jusqu'à la deux centième décimale, et cela par simple luxe, parce que deux mille décimales n'auraient pas davantage épuisé les chances d'obtenir une précision irréalisable. Tout le monde fuyait le penseur tourmenté, car tous ceux qu'il réussissait à empoigner devaient subir le flot de paroles passionnées destinées à les rendre sensibles à la honte et à la souillure que constituait pour l'esprit humain l'irrationalité irrémédiable de cette proportion mystique. L'inutilité des multiplications éternelles du diamètre par *pi* pour déterminer la périphérie du carré au-dessus du rayon, pour déterminer l'aire de la surface de ce cercle, faisait passer le procureur par des accès de doute. Il se demandait si, depuis le temps d'Archimède, l'humanité n'avait pas inutilement compliqué la solution du problème, et si cette solution n'était pas en réalité d'une simplicité puérile. Comment ? ne pouvait-on pas redresser la ligne circulaire ? On ne pouvait donc pas changer chaque ligne droite en un cercle ? Parfois Paravant croyait être tout près d'une révélation. On le voyait souvent, le soir sur le tard, assis à sa table, dans la salle à manger vide et mal éclairée. Il disposait soigneusement un morceau de fil en forme de cercle, puis, par surprise, l'étirait brusquement en une ligne droite ; ensuite, accoudé, il se perdait en une songerie amère. Le conseiller l'encourageait parfois dans sa marotte mélancolique, et l'y entretenait systématiquement. Le malheureux s'adressa aussi à Hans Castorp, une première fois, puis à nouveau, parce qu'il avait rencontré chez celui-ci une sympathie amicale pour le mystère du cercle. Il démontrait au jeune homme l'impasse *pi*, au moyen d'un dessin très précis sur lequel il avait, au prix d'un effort inouï, enfermé un cercle entre un polygone extérieur et un polygone intérieur aux côtés minuscules et innombrables, avec le maximum d'approximation auquel l'homme pouvait atteindre. Mais le reste, la courbe qui échappait d'une manière éthérée et spirituelle à la rationalisation et au calcul, cela, disait le procureur, la mâchoire inférieure tremblante, cela, c'était *pi*. Hans Castorp, malgré toute son affabilité, montrait moins d'intérêt pour *pi* que pour son interlocuteur. Il dit que c'était une duperie, conseilla à M. Paravant de ne pas se surexciter trop sérieusement à cette poursuite, et il lui parla des points d'inflexion sans étendue dont se composait le cercle, depuis son commencement qui n'existait pas jusqu'à la fin qui n'existait pas davantage, ainsi que de la mélancolie présomptueuse de l'éternité, qui, sans durée de direction, se poursuivait en elle-même; il parla de tout cela, avec une dévotion si calme qu'il exerça passagèrement une influence apaisante sur le procureur.

D'ailleurs, la nature de l'excellent Hans Castorp l'inclinait à accueillir les confidences de plus d'un de ses compagnons qui étaient en proie à quelque idée fixe et souffraient de ne pas trouver de compréhension auprès des autres pensionnaires qui prenaient la vie à la légère. Un ancien sculpteur originaire de la province autrichienne, un homme déjà âgé, à la moustache blanche, au nez crochu et aux yeux bleus, avait conçu un plan financier (et l'avait calligraphié en soulignant à l'encre de Chine les passages importants) qui se présentait de la manière suivante : chaque abonné à un journal devait être tenu de livrer le premier de chaque mois une quantité correspondant à quarante grammes de vieux papier par jour, ce qui ferait par an environ quatorze mille grammes, en vingt ans plus de deux cent quatre-vingts kilogrammes, et ce qui représentait, en évaluant le kilogramme à vingt pfennigs, une valeur de cinquante-sept marks et soixante pfennigs allemands. Cinq millions d'abonnés, ainsi continuait le mémoire, fourniraient donc en vingt ans la somme formidable de deux cent quatre-vingt-huit millions de marks, dont les deux tiers seraient déduits du prix de leur nouvel abonnement, tandis que le surplus, un tiers, soit environ cent millions de marks, serait consacré à des œuvres humanitaires, soit à financer des sanatoriums populaires pour malades du poumon, à encourager des talents indigents, et ainsi de suite. Le plan était élaboré d'une façon très complète. Son auteur avait même représenté par des graphiques le barème, d'après lequel l'organisme chargé de recueillir le papier devait en calculer tous les mois la valeur, et jusqu'aux formulaires perforés qui serviraient de quittance pour les sommes versées. Le projet était justifié et fondé à tous points de vue. Le gaspillage insensé et la destruction du papier de journal que les gens non avertis livraient aux égouts et au feu étaient une haute trahison à l'égard de nos forêts, une atteinte portée à notre économie nationale. Épargner le papier, économiser le papier, c'était épargner et économiser de la cellulose, les forêts, le matériel humain qu'exigeait la fabrication de la cellulose et du papier. Comme le vieux papier de journal pouvait, par la production de papier d'emballage et de carton, acquérir une valeur quadruple, il pourrait devenir l'objet de taxes fiscales avantageuses pour l'État et les municipalités et les lecteurs de journaux seraient dégrevés d'autant de leurs contributions. Bref, le projet était bon, il était en somme irréfutable, et s'il avait quelque chose de sinistre, et de gratuit, de chagrin, voire de bizarre, cela ne tenait qu'au fanatisme exorbitant avec lequel l'ancien artiste poursuivait et défendait, à l'exclusion de tout autre, un projet économique, qu'en réalité lui-même prenait si peu au sérieux qu'il ne faisait pas la moindre tentative de le réaliser. Hans Castorp écoutait notre homme, la tête penchée, approuvait, lorsque son interlocuteur défendait devant lui, en paroles fiévreuses et ailées, sa panacée, et analysait en même temps la nature du mépris et de la répugnance qui l'empêchaient de prendre le parti de l'inventeur contre un monde étourdi.

Quelques pensionnaires du Berghof étudiaient l'espéranto et se plaisaient à s'entretenir quelque peu à table dans ce charabia artificiel. Hans Castorp les regardait d'un air sombre, jugeant du reste dans son for intérieur qu'ils n'étaient pas les pires. Il y avait depuis quelque temps un groupe d'Anglais qui avaient introduit le jeu de société suivant : l'un de ceux qui y prenaient part posait à son voisin la question que voici : *Did you ever see the devil with a night-cap on ?* L'autre répondait : *No ! I never saw the devil with a night-cap on* ; après quoi il posait au suivant la même question et ainsi de suite, l'un après l'autre. C'était effrayant ! Mais le pauvre Hans Castorp se sentait encore plus mal à l'aise à la vue des faiseurs de réussites que l'on pouvait observer partout dans la maison, et à toute heure du jour. Car la passion de ce délassement s'était récemment manifestée à un point tel qu'elle avait littéralement envahi la maison, et Hans Castorp avait d'autant plus de raison d'en être péniblement touché que lui-même était parfois une victime, et peut-être la plus gravement atteinte, de cette épidémie. C'était la réussite des onze qui l'avait ensorcelé : ce jeu qui consiste à disposer trois rangées de trois cartes, et à couvrir deux cartes, qui ensemble font onze points, ainsi que les trois figures, lorsqu'elles se présentent, jusqu'à ce qu'une chance favorable dénoue la partie. On a peine à admettre que l'âme puisse être stimulée jusqu'à l'ensorcellement par des gestes aussi simples. Néanmoins, Hans Castorp, pareil à tant d'autres, tentait cette chance, et en éprouvait le contrecoup, les sourcils froncés, parce que les excès ne sont jamais joyeux. Livré aux caprices du démon des cartes, subjugué par cette faveur fantastique et changeante qui tantôt multipliait dans un vol léger et bienheureux les couples de onze points, les rencontres du valet, de la reine et du roi, de sorte que le jeu était déjà donné tout entier avant que la troisième série fût terminée (triomphe passager qui ne faisait qu'aiguillonner les nerfs à de nouvelles tentatives), tantôt refusait jusqu'à la neuvième et dernière carte toute possibilité de couverture ou contrariait au dernier moment par un arrêt brusque un succès presque assuré, il faisait des réussites, partout et à toute heure du jour, la nuit sous les étoiles, le matin en pyjama, à table et même en rêve. Il en frémissait, mais il continuait, de sorte que la visite de M. Settembrini qui survint un jour, le « dérangea » comme cela avait toujours été le rôle de l'Italien.

« *Accidente !* dit le visiteur, vous vous tirez les cartes, ingénieur ?

— Pas précisément, je tire les cartes tout court, je me débats avec le hasard abstrait. Son versatile caprice m'intrigue : tantôt c'est la plus aimable serviabilité, tantôt une incroyable résistance. Ce matin, en me levant, j'ai réussi trois fois coup sur coup, dont une fois en deux séries, ce qui est un record. M'en croirez-vous si je vous dis que je tire maintenant pour la trente-deuxième fois sans avoir réussi une seule fois, ne serait-ce que la moitié du jeu ? »

M. Settembrini le regarda, comme il avait fait si souvent déjà durant ces trois petites années, d'un œil noir et attristé.

« De toute façon vous me paraissez préoccupé, dit-il. Il ne semble pas que je doive trouver ici un réconfort dans mes soucis, et un baume pour le conflit intime qui me tourmente.

— Conflit ? répéta Hans Castorp, et il tira une carte.

— La situation mondiale me trouble, gémit le franc-maçon. L'entente balkanique se réalisera, ingénieur, toutes les informations l'indiquent. La Russie y travaille fiévreusement, et la pointe de la combinaison est dirigée contre la monarchie austro-hongroise, sans la destruction de laquelle aucun point du programme russe ne peut se réaliser. Comprenez-vous mes scrupules ? Je hais Vienne de tout mon cœur, vous le savez. Mais est-ce une raison pour accorder au despotisme sarmate l'appui de mon âme, lorsqu'il est sur le point de porter la torche incendiaire dans notre très noble continent ? D'un autre côté, une collaboration diplomatique, même occasionnelle, de mon pays avec l'Autriche m'atteindrait comme un déshonneur. Ce sont des scrupules de conscience que…

— Sept et quatre, dit Hans Castorp. Huit et trois. Valet, dame, roi. Mais tout va bien. Vous me portez bonheur, monsieur Settembrini. »

L'Italien se tut. Hans Castorp sentit ses yeux noirs, le regard profondément attristé de la raison et du sens moral, mais il continua encore un instant à couvrir des cartes, avant d'appuyer la joue sur sa main et de lever les yeux vers son mentor qui était debout devant lui, avec la mine impénitente et faussement innocente d'un petit polisson.

« Vos yeux, dit celui-ci, s'efforcent en vain de cacher que vous savez fort bien où vous en êtes arrivé.

— “*Placet experiri*” fut l'impertinente réponse de Hans Castorp, et M. Settembrini le quitta ; après quoi, resté seul, le jeune homme demeura quelque temps encore, la tête appuyée sur sa main, assis à sa table au milieu de la chambre blanche, sans se remettre à tirer les cartes et, au fond de lui-même, pris d'effroi devant cet état sinistre et incertain dans lequel il voyait le monde, devant le sourire grimaçant de ce démon et de ce lieu simiesque sous le pouvoir insensé et effréné duquel il se voyait placé et dont le nom était « la Grande Hébétude ».

Nom grave et apocalyptique, bien fait pour inspirer une anxiété secrète, Hans Castorp était assis, et de la paume des mains, il se frottait le front et la région du cœur. Il avait peur. Il lui semblait que « tout cela » ne pouvait pas bien finir, que cela finirait par une catastrophe, par une révolte de la nature patiente, par un orage, par une tempête qui nettoierait tout, qui romprait le charme pesant sur le monde, qui entraînerait la vie par-delà le « point mort », et que la période de cafard serait suivie d'un terrible jugement dernier. Il avait envie de fuir, nous l'avons déjà dit, et c'était donc une chance que les autorités eussent l'œil sur lui, comme on l'a appris, qu'elles eussent lu la vérité dans ses traits et qu'elles eussent pris soin de le distraire par de nouvelles et fécondes hypothèses.

Sur un ton de joviale roublardise, l'autorité suprême avait déclaré être sur la trace des causes véritables de la température irrégulière de Hans Castorp, de causes auxquelles, à en croire ce témoignage scientifique, il serait si facile de remédier que la guérison, le départ légitime pour le pays plat semblaient promis pour une date prochaine. Le cœur du jeune homme battait, assailli par des impressions multiples, lorsqu'il tendit son bras à la prise de sang. Clignant des yeux et pâlissant légèrement, il admira la merveilleuse couleur de rubis de son suc vital, qui monta et emplit le récipient transparent. Le conseiller lui-même, assisté du docteur Krokovski et d'une infirmière, accomplit cette petite opération dont la portée était si grande. Ensuite une série de journées passèrent, que domina pour Hans Castorp le désir de savoir si le sang donné, analysé en dehors de lui, tiendrait le coup aux yeux de la science.

Naturellement il n'avait pas encore eu le temps de germer, commença par dire le conseiller. Malheureusement, jusqu'à présent, on n'avait encore rien découvert, dit-il plus tard. Mais vint le matin où, à l'heure du petit déjeuner, il s'approcha de Hans Castorp qui avait maintenant sa place à la table des Russes bien, en haut de cette table où avait siégé autrefois certaine haute personnalité qu'il avait tutoyée, et lui annonça avec force félicitations que le streptocoque avait enfin été incontestablement découvert dans une des cultures préparées. C'était à présent un problème de calcul des probabilités d'établir si les phénomènes d'intoxication devaient être ramenés à la petite tuberculose qui existait incontestablement ou aux streptocoques que l'on avait trouvés, dans une proportion du reste également modeste. Lui, Behrens, se proposait d'examiner la chose de plus près. La culture n'avait pas encore pris tout son développement. Il la lui montra au « labo » : c'était une gelée rouge de sang, sur laquelle on distinguait de petits points gris. C'étaient les coques (mais le dernier imbécile venu a des coques, de même que des tubercules, et si l'on n'avait pas eu les symptômes, il n'y aurait pas eu lieu d'accorder la moindre importance à cette constatation).

Séparé de Hans Castorp, sous les yeux de la science, le sang coagulé du jeune homme continuait de faire ses preuves. Vint le matin où le conseiller rapporta en termes d'une émotion stéréotypée : les coques s'étaient développés non seulement sur une des cultures, mais sur toutes les autres et avaient fini par germer en grandes quantités. Il n'était pas certain que tous fussent des streptocoques ; mais il était plus que probable que les phénomènes d'intoxication provenaient d'eux, quoique l'on ne pût savoir exactement ce qu'il fallait mettre sur le compte de la tuberculose dont il avait été incontestablement atteint et dont il n'était pas encore complètement guéri. Quelle conclusion tirer de cela ? Un auto-vaccin de streptocoques ! Le pronostic ? Extraordinairement favorable. D'autant plus que la tentative ne comportait aucun risque, ne pourrait en aucune façon lui faire de mal. Car le sérum était tiré du propre sang de Hans Castorp, de sorte que l'injection n'introduirait dans son corps aucun élément de maladie qui ne s'y trouvait déjà. En mettant les choses au pire, le traitement serait sans effet. Effet zéro. Mais dès lors que le malade devait de toute façon rester ici, pouvait-on appeler cela un cas grave ?

Nullement, Hans Castorp ne voulait pas aller jusque-là. Il se soumit au traitement, bien qu'il le jugeât ridicule et déshonorant. Ces vaccinations avec son propre sang lui paraissaient une diversion affreusement déplaisante, une sorte d'inceste ignominieux avec lui-même, stérile et inutile. Ainsi jugeait-il dans son hypocondrie d'ignorant ; il n'eut raison que sous le rapport de l'inutilité (mais sous ce rapport, pleinement et sans réserves). La diversion dura des semaines. Elle semblait parfois lui faire du mal, ce qui ne pouvait être qu'une erreur, parfois elle semblait profitable, ce qui par la suite apparut également être une erreur. Le résultat fut zéro, sans qu'on l'eût du reste expressément qualifié et proclamé comme tel. L'entreprise se perdit dans le vague et Hans Castorp continua de faire des réussites, face à face avec le démon dont le règne absolu sur son esprit devait trouver une fin violente.

Flots d'harmonie

Quelle acquisition et quelle innovation du Berghof allait délivrer notre vieil ami de sa manie des cartes, pour le jeter dans les bras d'une autre passion plus noble, quoique en somme non moins étrange ? Nous sommes sur le point de le rapporter, tout animé des charmes secrets de notre sujet et sincèrement impatient de les dispenser au lecteur.

Il s'agissait d'un complément aux jeux de société du grand salon, imaginé et décidé par le comité de la maison, et acquis à grands frais dont nous n'allons pas faire le compte, mais dans un souci qu'il nous faut qualifier de généreux, par la direction de cette institution à coup sûr très recommandable. Serait-ce donc quelque jouet ingénieux de l'espèce de la boîte stéréoscopique, du kaléidoscope en forme de longue-vue et du tambour cinématographique ? Oui et non. Car, premièrement, ce n'est pas un appareil optique, mais un appareil acoustique, que l'on trouve un soir, à la surprise générale, au salon de musique. Et de plus on ne pouvait lui comparer, ni pour le genre, ni pour le rang, ni pour sa valeur, ces amusettes faciles. Ce n'était pas un puéril et monotone appareil de prestidigitation dont on se lasserait bientôt et que l'on ne toucherait plus pour peu que l'on eût trois semaines à son actif. C'était une corne d'abondance qui dispensait des jouissances artistiques bienheureuses ou mélancoliques. C'était un instrument de musique, c'était un phonographe.

Notre première crainte est que ce mot ne soit pris dans un sens indigne et périmé, et qu'il n'évoque une idée qui correspond à une forme surannée et dépassée de ce à quoi nous pensons, mais non à l'objet véritable que les essais inlassables d'une technique vouée aux muses ont amené au plus noble degré de perfection. Mes bons amis! Certes, ce n'était pas cette misérable boîte à manivelle qui, autrefois, surmontée du disque et de l'aiguille, prolongée par un difforme pavillon de trompette, emplissait, du haut d'une table d'auberge, des oreilles sans prétention d'un beuglement nasillard. Le coffret peint en noir mat qui, un peu plus profond que large, relié par un câble de soie au contact du courant électrique, reposait avec une sobre distinction sur un petit meuble à rayons, n'avait plus rien de commun avec cette machinerie grossière et antédiluvienne. On ouvrait le couvercle qui se relevait gracieusement et qu'un petit levier de cuivre maintenait automatiquement en une position oblique et protectrice, et l'on apercevait dans un renfoncement plat la plaque tournante tendue de drap vert et bordée de nickel, ainsi que l'axe, également nickelé, qui pénétrait dans le trou du disque d'ébonite. On remarquait en outre, à droite et en avant, sur le côté, un dispositif chiffré à la manière d'une montre, qui permettait de régler la vitesse, à gauche le levier par lequel on mettait en marche ou arrêtait le mouvement; enfin l'on voyait à gauche, en arrière, le coude tors et articulé, en nickel, avec l'amplificateur arrondi et plat, dont la vis était destinée à tenir l'aiguille. On ouvrait encore les battants de la porte située en avant de l'appareil, et l'on apercevait une sorte de persienne formée de petites lattes obliques en bois verni, rien de plus.

« C'est le dernier modèle, dit le conseiller qui était entré en même temps que les pensionnaires. Dernière acquisition, mes enfants. Première qualité extra, on ne fabrique rien de mieux dans le genre. »

Il prononça ces mots avec une drôlerie extrême, à la manière d'un camelot illettré vantant une marchandise.

« Ce n'est ni un appareil, ni une machine, poursuivit-il, en tirant une aiguille d'une petite boîte en fer-blanc bariolé et en la fixant. C'est un instrument, c'est un Stradivarius, un Guarneri ; il possède des qualités de résonance et de vibration du raffinement le plus choisi. La marque est Polyhymnia, ainsi que vous l'apprend l'inscription que vous trouvez à l'intérieur du couvercle. Produit allemand, ça va de soi. Dans le genre, nous sommes les meilleurs, et de loin. La vraie musique sous une forme moderne et mécanique. L'âme allemande *up to date*. Et voici la bibliothèque, ajouta-t-il en désignant une petite armoire ou s'entassaient les albums au dos épais. Je vous remets toute la sorcellerie pour votre bon plaisir, mais je la recommande à la protection du public. Voulez-vous qu'à titre d'essai nous donnions une audition ? »

Les malades l'en prièrent instamment, et Behrens prit un de ces livres magiques, muets, mais pleins de substance, tourna les lourdes pages, tira un disque d'une des chemises cartonnées dont les découpures rondes laissaient apparaître les titres en couleur, et l'ajusta. D'un geste de la main, il établit le courant, attendit deux secondes, jusqu'à ce que l'appareil eût pris une vitesse normale, et appliqua avec soin la petite pointe de l'aiguille d'acier sur le rebord du disque. On entendit un léger crissement. Il referma le couvercle, et au même instant, par la porte ouverte de l'instrument, entre les fentes de la jalousie, et même venant de tous les coins du coffret, éclata une folie instrumentale, une mélodie joyeuse, bruyante et pressante, les premières mesures sautillantes d'une ouverture d'Offenbach.

Bouches bées, tous écoutaient en souriant. On n'en croyait pas ses oreilles, tant étaient pures et naturelles les roulades des bois. Un violon, un solo de violon préluda d'une façon fantastique. On distinguait le coup d'archet, le trémolo des cordes, le suave passage d'un registre à l'autre. Il trouva sa mélodie, la valse, le « hélas, je l'ai perdue ». L'harmonie de l'orchestre appuyait discrètement l'air caressant, et c'était un délice de l'entendre se répéter, en un *tutti*, repris avec tous les honneurs par l'ensemble. Naturellement, ce n'était pas tout comme si un véritable orchestre avait joué ici même, dans la pièce. La perspective du son était rétrécie, bien que son corps, pour le reste, ne fût pas altéré. On eût cru — s'il est permis de hasarder pour un phénomène de l'ouïe une comparaison tirée du domaine de la vue —, on eût cru considérer un tableau à travers une jumelle retournée, de sorte qu'il paraissait éloigné et rapetissé, sans rien perdre de la netteté de son dessin, de la luminosité de ses couleurs. Le morceau de musique, pétillant et éclatant de talent, se déroula avec tout le brillant d'une invention pleine d'esprit. La fin était pure turbulence, un galop qui commençait avec des hésitations cocasses, un cancan impertinent qui évoquait la vision de hauts-de-forme agités en l'air, de genoux lancés en avant et de dessous moutonnants, et qui n'en finissait pas de finir dans son comique triomphal. Puis le mouvement s'arrêta de lui-même. C'était tout. On applaudit de bon cœur.

On réclama autre chose, et on l'obtint : une voix humaine s'échappa du coffret, à la fois mâle, douce et puissante, accompagnée par un orchestre. C'était un baryton italien au nom célèbre, et à présent il ne pouvait plus être question ni d'un voile ni d'un éloignement quelconques. Le magnifique organe résonnait en son étendue naturelle, avec toute sa force, et si l'on passait dans l'une des pièces voisines où l'on cessait de voir l'appareil, on eût dit que l'artiste en personne était présent dans le salon, sa musique à la main, et chantait. Il chantait dans sa langue un morceau de bravoure tiré d'un opéra : « *E il barbiere, Di qualità, di qualità! Figaro quà, Figaro là; Figaro, Figaro, Figaro!* » Les auditeurs manquèrent mourir de rire de son *parlando* en fausset, du contraste entre cette voix d'ours et cette volubilité à se fouler la langue. Les plus compétents pouvaient suivre et admirer son phrasé et sa technique respiratoire. Maestro de l'irrésistible, virtuose dans le goût italien du *da capo*, il filait l'avant-dernière note, celle qui précédait la tonique finale, en s'avançant, semblait-il, vers la rampe, la main levée, eût-on dit, de telle sorte que l'on éclatait en bravos prolongés avant qu'il eût fini. C'était parfait.

Et l'on entendit autre chose encore. Un cor de chasse exécuta avec un soin remarquable des variations sur une chanson populaire. Un soprano fit retentir le staccato et les trilles d'un air de *La Traviata*, avec la fraîcheur et la précision les plus séduisantes. Le fantôme d'un violoniste de renom mondial joua, comme derrière des voiles, avec un accompagnement de piano, sec comme une épinette, une romance de Rubinstein. Du coffret magique qui bouillonnait doucement, s'échappaient des sons de cloches, des *glissando* de harpes, des fanfares et des roulements de tambours. Enfin on joua des disques de danse. On possédait déjà quelques spécimens de cette importation des plus récentes, dans le goût exotique d'un cabaret de port : le tango, appelé à faire de la valse viennoise une danse d'aïeux. Deux couples, qui connaissaient le pas à la mode, le produisirent sur le tapis. Behrens s'était retiré après avoir recommandé de ne se servir qu'une fois de chaque aiguille et de traiter les disques « exactement comme des œufs frais ». Hans Castorp prit la charge de l'appareil.

Pourquoi lui, justement ? Cela s'était fait tout seul. Brièvement et à voix basse, il avait repoussé ceux qui, après le départ du conseiller, avaient voulu s'occuper de changer les aiguilles et les disques, d'établir et d'interrompre le courant. « Laissez-moi faire ! » avait-il dit en les écartant et, indifférents, ils lui avaient cédé la place, premièrement parce qu'il paraissait s'y entendre depuis longtemps, ensuite parce qu'ils se souciaient peu de se rendre utiles à la source du plaisir, au lieu de se laisser dispenser commodément et sans responsabilité aussi longtemps que cela ne les ennuierait pas.

Il n'en était pas de même de Hans Castorp. Lorsque le conseiller avait présenté la nouvelle acquisition, il s'était tranquillement tenu au fond de la pièce, sans rire, sans applaudir, mais suivant chaque morceau avec une attention soutenue, en tourmentant, selon son habitude, de deux doigts un de ses sourcils. En proie à une certaine agitation, il avait plusieurs fois changé de place, était allé dans la bibliothèque pour écouter de plus loin, et, les mains dans le dos, l'expression absorbée, avait fini par s'arrêter auprès de Behrens, l'œil sur le coffret, observant le maniement facile du phonographe. Quelque chose disait en lui : « Halte, halte, attention ! Quel événement ! Il m'est arrivé quelque chose. » Le pressentiment le plus précis d'une passion, d'un enchantement et d'un amour à venir l'animait. Le jeune homme du pays plat, que la flèche de l'Amour a touché en plein cœur, au premier regard qu'il a jeté sur une jeune fille, n'éprouve pas d'autres sentiments. La jalousie commanda aussitôt les actes de Hans Castorp. Propriété commune ? La curiosité nonchalante n'a ni le droit ni la force de posséder. « Laissez-moi faire ! » dit-il entre ses dents, et tous s'en accommodèrent. Ils dansèrent encore un peu sur des morceaux légers qu'il fit tourner, ils réclamèrent un morceau de chant, un duo d'opéra, la barcarolle des *Contes d'Hoffmann* qui charma leurs oreilles, et lorsqu'il rabattit le couvercle, ils s'en furent, superficiellement excités, et bavardant, à leur cure ou au lit. C'était bien à quoi il s'était attendu. Ils laissèrent tout traîner, les boîtes d'aiguilles ouvertes et les albums, les disques répandus. Cela leur ressemblait ! Il fit mine de les suivre, mais quitta en secret leur file dans l'escalier, retourna au salon, ferma toutes les portes et y demeura la moitié de la nuit, profondément absorbé.

Il se familiarisait avec la nouvelle acquisition. Il examinait, sans être dérangé, le trésor de disques, le contenu des lourds albums. Il y en avait douze, de deux formats, contenant chacun douze disques ; et comme beaucoup de ces plaques noires, gravées concentriquement, étaient à double face — non seulement parce que beaucoup de morceaux s'étendaient sur le disque tout entier, mais aussi parce qu'un grand nombre de plaques portaient deux morceaux différents — c'était là un domaine de belles possibilités que l'on avait peine à embrasser dès l'abord, et dont la richesse vous troublait. Il en joua bien le quart d'un cent, en se servant d'aiguilles en sourdine, pour ne pas déranger les autres et ne pas être entendu la nuit, mais c'était à peine la huitième partie de ce qui s'offrait de toutes parts et le conviait à des essais tentants. Pour le moment il se contenta de parcourir les titres, d'essayer de temps à autre un de ces graphiques circulaires et muets, en l'incorporant au meuble pour le faire résonner. À l'œil nu, ils ne se distinguaient, ces disques d'ébonite, que par leurs étiquettes colorées, et par rien de plus. L'un ressemblait à l'autre, était couvert partout ou presque partout, de cercles concentriques. Et pourtant le fin tracé de ces lignes contenait toute la musique imaginable, les inspirations les plus heureuses de tous les domaines de l'âme, dans une interprétation de premier ordre.

Il y avait là une quantité d'ouvertures et de mouvements appartenant à l'univers de la symphonie sublime, joués par des orchestres fameux, dont les chefs étaient désignés par leurs noms. Ensuite, une longue série d'airs, chantés avec accompagnement de piano par des chanteurs de grand opéra, dont les uns étaient les produits conscients et élevés d'un art personnel, les autres, de simples chansons populaires, d'autres encore tenaient en quelque sorte le milieu entre ces deux genres, en ce sens que tout en étant composés avec un art savant, ils avaient été sentis et inventés dans l'esprit et selon le cœur du peuple, avec une authentique et profonde piété. Ces dernières étaient donc des chansons populaires artificielles, si l'on peut ainsi dire, sans vouloir amoindrir leur ferveur par cette épithète « artificiel ». Il en était une en particulier, que Hans Castorp avait connue dès son enfance, et à laquelle l'attachait maintenant un amour plein de rapports mystérieux et dont il sera encore question.

Qu'y avait-il encore, ou, plus exactement, que n'avait-on pas ? Il y avait des opéras en nombre infini. Un chœur international de chanteurs et de cantatrices célèbres, accompagnés en sourdine par un orchestre discret, prêtait le don divin de ses voix exercées à l'exécution d'airs et de duos, de scènes entières d'ensemble qui représentaient les régions et les époques les plus différentes du théâtre lyrique : de la sphère de beauté méridionale, à la fois généreusement et frivolement passionnée, du monde populaire allemand, tantôt espiègle, tantôt satanique, du grand opéra français et de l'opéra-comique. Était-ce tout ? Oh, non ! car venait ensuite la série des musiques de chambre, des quatuors et des trios, des solos de violon, violoncelle, flûte, des airs de concert avec accompagnement de violon ou flûte, les numéros de piano seul, sans parler des simples divertissements, des couplets et des disques utilitaires où l'on avait enregistré les airs de petits orchestres de danse, et qui appelaient une aiguille plus rude.

Hans Castorp explorait, rangeait tous ces disques, en faisait passer certains, manipulant tout seul l'instrument qui les éveillait à une vie sonore. La tête brûlante, il alla se coucher à une heure aussi tardive qu'après le premier banquet organisé par Pieter Peeperkorn, de joyeuse et fraternelle mémoire, et, de deux à sept heures, il rêva du coffret magique. En rêve, il voyait le disque mobile tourner autour de son axe ; si rapidement qu'il en devenait invisible et silencieux, en un mouvement qui ne consistait pas seulement en un tournoiement vertigineux, mais encore en une sorte d'ondulation latérale très singulière, par laquelle le coude articulé qui portait l'aiguille subissait une vibration élastique, et comme respiratoire, bien faite, comme on pouvait le croire, pour rendre le *vibrato* et le *portamento* des archets et de la voix humaine. Mais il restait incompréhensible, dans le rêve comme en l'état de veille, comment, en suivant une ligne fine comme un cheveu, au-dessus d'une boîte de résonance, on pouvait, par la simple vibration d'une lamelle, reproduire la riche composition des corps sonores qui emplissaient en songe l'oreille du dormeur.

De bon matin il retourna au salon, encore avant l'heure du déjeuner, et, les mains jointes, assis sur une chaise, il fit chanter dans le coffret, par un magnifique baryton, avec accompagnement de harpe : « Si dans ce noble cercle je regarde autour de moi… » La harpe avait un son parfaitement naturel, c'était un jeu de harpe authentique et nullement amoindri que le coffret rendait, en même temps que la voix humaine qui s'enflait en respirant et en articulant, chose vraiment étonnante ! Et il n'y avait rien de plus tendre au monde que le duo d'un opéra italien que Hans Castorp exécuta ensuite — que cette intimité humble et fervente entre le ténor de renom mondial qui figurait si souvent dans les albums et un petit soprano suave et transparent comme du verre, que son « *Dammi il braccio, mia piccina* », et la petite phrase simple, douce, d'un jet mélodique continu, par laquelle elle lui répondait...

Hans Castorp sursauta lorsque la porte s'ouvrit derrière lui. C'était le conseiller qui venait voir : dans sa blouse de médecin, le stéthoscope débordant de sa poche, il resta un instant debout, la main sur la poignée de la porte, et salua d'un signe de tête l'alchimiste. Celui-ci répondit par-dessus l'épaule à ce hochement de tête, après quoi la figure du chef, avec ses joues bleues et sa petite moustache troussée d'un seul côté, disparut derrière la porte, qui se referma, et Hans Castorp se consacra de nouveau à son petit couple d'amoureux invisible et harmonieux.

Plus tard, dans le courant de la journée, après le déjeuner, après le dîner, il eut des auditeurs, un public qui se renouvelait, si on ne le considérait pas lui-même comme faisant partie du public, et si on le tenait pour le dispensateur du plaisir. Personnellement il inclinait à interpréter ainsi son rôle, et les pensionnaires le laissèrent faire, dans ce sens qu'ils admirèrent dès le début, en silence, qu'il se fût aussi résolument institué le gardien et l'administrateur de cette institution publique. Il n'en coûtait guère à ces gens ; car, malgré leur ravissement superficiel, lorsque cette idole ténorisante s'enivrait de mélodie et d'éclat, lorsque la voix bienheureuse s'épandait en cantilènes et dans les arts sublimes de la passion, malgré ce ravissement manifesté à voix haute, ils étaient sans amour, et par conséquent tout disposés à abandonner le souci à quiconque voulait l'assumer. C'était Hans Castorp qui veillait sur le trésor de disques, qui inscrivit le contenu des albums à l'intérieur du couvercle de chacun d'eux, de sorte que l'on avait aussitôt sous la main tout morceau demandé, et c'était lui qui maniait l'instrument. On le vit bientôt manipuler avec des gestes exercés, brefs et délicats. En effet, qu'auraient fait les autres ? Ils auraient abîmé les disques, en se servant d'aiguilles usées, ils les auraient laissés traîner sans enveloppe sur les chaises, ils se seraient livrés à des farces stupides avec l'appareil, en faisant jouer un morceau noble à la vitesse et sur le ton cent dix, ou en plaçant l'aiguille sur zéro, pour produire un tirili hystérique ou des gémissements étouffés. Ils avaient déjà fait tout cela. Ils étaient malades, mais grossiers. Et c'est pourquoi, au bout de quelque temps, Hans Castorp confisqua tout simplement la clef de l'armoire qui contenait les disques et les aiguilles, de sorte qu'il fallait l'appeler lorsqu'on voulait faire jouer le phonographe.

Tard dans la soirée, après la réunion du soir, après le départ de la cohue, était sa meilleure heure. Il restait alors au salon, ou y retournait en secret, et y faisait de la musique, seul, jusqu'au profond de la nuit. Il n'avait pas à craindre de troubler le sommeil de la maison, car la portée de sa musique de fantômes s'était révélée très réduite : autant les vibrations produisaient des effets étonnants dans la proximité de leur source, autant elles faiblissaient vite, frêles et d'une puissance tout apparente, comme ce qui tient du fantôme, lorsqu'on s'en éloignait. Hans Castorp était seul entre ses quatre murs, avec les merveilles du coffret, avec les productions florissantes de ce petit cercueil taillé dans un bois à violon, de ce petit temple noir et mat, devant la porte à deux battants duquel il était assis sur sa chaise, les mains jointes, la tête sur l'épaule, la bouche ouverte, et il se laissait inonder par l'harmonie.

Les chanteurs et les cantatrices qu'il entendait, il ne les voyait pas, leur forme humaine était en Amérique, à Milan, à Vienne, à Saint-Pétersbourg, elle pouvait bien y demeurer, car ce qu'il avait d'eux était le meilleur d'eux-mêmes, c'était leur voix, et il appréciait cette épuration, ou cette abstraction, qui restait assez perceptible aux sens pour lui permettre d'exercer un bon contrôle humain, en éliminant tous les inconvénients d'une trop grande proximité personnelle, surtout lorsqu'il s'agissait de compatriotes, d'Allemands. L'élocution, le dialecte, l'origine exacte de l'artiste, il les distinguait parfaitement, le caractère de la voix le renseignait sur la qualité d'âme de chacun, et le degré de leur intelligence se traduisait par la manière dont ils tiraient parti des possibilités d'un effet, ou au contraire les négligeaient. Hans Castorp se fâchait lorsqu'il les voyait faillir à leur rôle. Il souffrait aussi et se mordait les lèvres de dépit, lorsque la reproduction technique comportait des imperfections ; il était assis comme sur des charbons ardents lorsque, dans le cours d'un disque souvent joué, un chant devenait criard ou rauque, ce qui était facilement le cas pour les voix de femmes, si ingrates. Mais il supportait cela, car l'amour doit savoir souffrir. Parfois il se penchait sur son instrument qui tournait en respirant, comme sur une gerbe de lilas, la tête dans le nuage de sons ; ou il se tenait debout devant le coffre ouvert, goûtant le plaisir souverain du chef d'orchestre en indiquant à un cuivre d'un geste de la main l'instant où il devait attaquer. Il avait ses disques préférés dans la collection, quelques numéros de chant et d'instruments qu'il ne se lassait jamais d'entendre. Nous ne saurions négliger de les citer.

Un petit groupe de disques présentait les scènes finales de l'opéra pompeux, débordant de génie mélodique, qu'un grand compatriote de Settembrini, le vieux maître de la musique dramatique méridionale, avait composé sur la commande d'un souverain oriental dans la deuxième moitié du siècle précédent, pour une circonstance solennelle, à l'occasion de la remise à l'humanité d'une réalisation technique, bien propre à rapprocher les peuples. Hans Castorp savait à peu près de quoi il s'agissait, il connaissait dans ses grandes lignes le sort de Radamès, d'Amnéris et d'Aïda, qui chantaient pour lui en italien dans le coffret, et il comprenait donc assez bien ce qu'ils chantaient, l'incomparable ténor, le contralto princier, avec ce splendide changement de timbre dans le médium, et le soprano argentin. Il ne comprenait pas tout, mais un mot, de temps à autre, grâce à sa connaissance des situations et à sa sympathie pour ces situations, grâce à une sympathie affectueuse qui augmentait à mesure qu'il jouait ces quatre ou cinq disques, et qui était presque déjà devenu un sentiment amoureux.

D'abord, Radamès et Amnéris avaient une explication : la princesse faisait amener devant elle le prisonnier, lui qu'elle aimait et souhaitait ardemment sauver pour elle, quoiqu'il eût renié la patrie et l'honneur pour l'amour d'une esclave barbare, tandis que, comme il disait « au tréfonds du cœur l'honneur était resté intact ». Mais cette intégrité intérieure en dépit de sa lourde faute ne lui servait de rien, car son crime manifeste le livrait au tribunal sacré auquel tous les sentiments humains sont étrangers et qui n'aurait certainement aucun ménagement pour lui s'il ne se décidait pas en dernier lieu à abjurer son amour pour l'esclave et à se jeter dans les bras du contralto royal qui, du seul point de vue acoustique, le méritait pleinement. Amnéris luttait de toutes ses forces pour le ténor si harmonieux, mais tragiquement aveuglé et détourné de la vie, qui ne pouvait que répéter : « Je ne peux pas », et « En vain ! » lorsqu'elle le suppliait désespérément de renoncer à l'esclave, parce que sa vie était en jeu. « Je ne peux pas ! » « Écoute encore une fois, renonce à elle ! » « En vain. » Un mortel aveuglement et le plus brûlant chagrin d'amour s'alliaient en un duo qui était d'une extraordinaire beauté, mais qui ne laissait aucun espoir. Amnéris accompagnait de ses cris de douleur les formules effrayantes du tribunal sacré qui résonnaient sourdement dans les profondeurs et dont l'infortuné Radamès n'avait cure.

« Radamès, Radamès », chantait avec insistance le grand prêtre, et sous la forme la plus violente il lui représentait son crime de trahison.

« Justifie-toi », commandaient tous les prêtres en chœur.

Et comme le grand prêtre faisait observer que Radamès gardait le silence, tous, en une caverneuse unanimité, concluaient à la félonie.

« Radamès, Radamès, reprenait le président. Tu as quitté le camp avant la bataille.

— Justifie-toi », reprenait le chœur.

« Voyez, il se tait », constatait pour la seconde fois le dirigeant du débat, nettement prévenu contre le coupable, et dès lors toutes les voix des juges se réunissaient cette fois dans le verdict : « Félonie ! »

« Radamès, Radamès, entendait-on pour la troisième fois l'impitoyable accusateur. Tu as trahi ton serment à la patrie, à l'honneur et au roi. « Justifie-toi », résonnait à nouveau le chœur. Et « Félonie ! » reconnaissait définitivement et avec effroi le corps des prêtres après qu'on lui eut fait remarquer que Radamès restait complètement muet.

L'inéluctable allait donc s'accomplir; le chœur, dont les voix s'étaient, dès l'origine, accordées, allait annoncer au misérable que son sort était décidé, qu'il mourrait de la mort des maudits, qu'il entrerait vivant dans le tombeau, sous le temple de la divinité courroucée.

Il fallait tant bien que mal imaginer soi-même l'indignation d'Amnéris devant cette cruauté cléricale, car la suite faisait défaut; mais Hans Castorp dut changer de disque, ce qu'il fit avec des gestes silencieux et brefs, les yeux baissés, et lorsqu'il se fut rassis pour prêter l'oreille, ce fut déjà la dernière scène du drame qu'il entendit, le duo final de Radamès et d'Aïda, chanté au fond de leur tombe souterraine, tandis que, au-dessus de leurs têtes, des prêtres fanatiques et cruels célébraient leur culte, ouvraient les mains et faisaient entendre une litanie assourdie.

« *Tu in questa tomba ?* » éclatait la voix, d'une séduction indicible, à la fois douce et héroïque, de Radamès, effrayé et ravi… Oui, elle l'avait rejoint, la bien-aimée, pour l'amour de qui il avait perdu la vie et l'honneur, elle l'avait attendu ici pour se faire emmurer avec lui, pour mourir avec lui, et les chants qu'ils échangeaient à ce propos, parfois interrompu par la sourde rumeur de la cérémonie qui se déroulait au-dessus de leurs têtes, ou dans lesquels ils s'unissaient, c'étaient ces chants qui, en réalité, avaient ému jusqu'au fond de l'âme l'auditeur solitaire et nocturne, tant à cause de la situation que de l'expression musicale. Il était question du ciel dans ces chants, mais eux-mêmes étaient célestes, et ils étaient chantés divinement. La ligne mélodique que les voix de Radamès et d'Aïda, séparément et confondues, ne se lassaient pas de retracer, cette courbe simple et bienheureuse qui, se jouant autour de la tonique et de la dominante, montait de la tonique longtemps prolongée un demi-ton avant l'octave, et, après une rencontre fugitive avec celle-ci, se tournait vers la quinte, semblait à l'auditeur la plus merveilleuse des béatitudes qu'il eût jamais connues. Mais il aurait été moins enthousiasmé par les sons, s'il n'y avait eu la situation des héros qui achevait de rendre son âme sensible à la douceur qui s'en dégageait. C'était si beau qu'Aïda eût rejoint Radamès qui était perdu, pour partager en toute éternité avec lui son sépulcral destin ! Avec raison, le condamné protestait contre le sacrifice d'une vie aussi charmante, mais à travers son tendre et désespéré « *No, no troppo sei bella* », transparaissait l'enchantement qu'il éprouvait de cette union *in extremis* avec celle qu'il avait cru ne jamais revoir, et Hans Castorp n'avait besoin d'aucun effort d'imagination pour sentir nettement cet enchantement, cette reconnaissance. Mais ce qu'il éprouvait, ce qu'il comprenait, et ce dont il jouissait par-dessus tout, tandis que, les mains jointes, il considérait la petite jalousie noire entre les auvents de laquelle tout ceci fleurissait, c'était l'idéalité triomphante de la musique, de l'art, du cœur humain, la haute et irréfutable sublimation qu'ils faisaient subir à la vulgaire laideur de la réalité. Il suffisait de se représenter de sang-froid ce qui se passait là. Deux enterrés vivants, les poumons pleins d'air vicié, allaient périr ici, ensemble, ou, chose pire, l'un après l'autre, tenaillés par la faim, et ensuite la décomposition accomplirait sur leurs corps son œuvre innommable, jusqu'à ce que deux squelettes reposassent sous la voûte, dont chacun serait tout à fait indifférent et insensible au fait d'être étendu seul ou en compagnie d'un autre. Tel était l'aspect réel et objectif des choses, un côté de ces choses dont l'idéalisme du cœur ne tenait aucun compte, que l'esprit de la beauté et de la musique reléguait triomphalement dans l'ombre. Pour les cœurs d'opéra de Radamès et d'Aïda, le sort réel qui les menaçait n'existait pas. Avec félicité, leurs voix s'élançaient à l'unisson, assurant que le ciel s'ouvrait à présent devant eux, et que, devant eux, rayonnait la lumière de l'éternité. Le pouvoir consolant de cette sublimation faisait un bien infini à l'auditeur et contribuait beaucoup à l'attacher tout particulièrement à ce numéro de son programme habituel.

Il avait coutume de se reposer de ces effrois et de ces extases en écoutant une autre pièce, brève, mais d'une magie concentrée, d'un contenu beaucoup plus placide que le précédent ne l'était, une idylle, mais une idylle raffinée, peinte et formée par les moyens à la fois discrets et compliqués de l'art le plus moderne : un morceau d'orchestre, sans chant, un prélude symphonique d'origine française, réalisé avec un appareil orchestral relativement simple par rapport aux ressources de l'époque, mais baigné de tous les fluides d'une savante et moderne technique sonore, et subtilement fait pour capturer l'âme dans un réseau de rêverie.

Le rêve que faisait Hans Castorp en écoutant ce morceau était le suivant : il était couché sur le dos, dans un pré ensoleillé et parsemé de fleurs étoilées de toutes les couleurs. Il avait un petit tertre sous sa tête, tenait une jambe repliée, l'autre croisée sur elle, à quoi il faut ajouter que c'étaient des pieds de bouc qu'il croisait. Ses doigts jouaient, pour son propre plaisir (car la solitude du pré était complète), sur une petite flûte de bois, qu'il tenait dans sa bouche, une clarinette ou un chalumeau, dont il tirait des sons paisibles et nasillards, l'un après l'autre, au hasard, et pourtant dans une ronde parfaite, et ce nasillement insouciant montait vers le ciel bleu, sous lequel les feuillages fins et légèrement agités par le vent de quelques bouleaux et frênes scintillaient au soleil. Mais ce sifflotement monotone et contemplatif, nonchalant et à peine mélodique, ne restait pas longtemps la seule voix de la solitude. Le bourdonnement des insectes dans l'air chaud et estival, au-dessus de l'herbe, le soleil lui-même, le vent léger, le balancement des cimes, le scintillement des feuillages, toute la paix doucement agitée de l'été autour de lui devenait un mélange de sons qui donnait un sens harmonique et toujours surprenant à son naïf jeu de chalumeau. L'accompagnement symphonique s'effaçait quelquefois et se taisait ; mais Hans Castorp aux pieds de bouc continuait de souffler et réveillait de nouveau par la naïve uniformité de son jeu la magie sonore et coloriée de la nature, qui, après une nouvelle interruption, finissait par déployer pour un instant, en se dépassant elle-même, toute sa plénitude imaginable, tenue jusqu'alors en réserve, par l'intervention successive de voix instrumentales toujours nouvelles et toujours plus aiguës — pour un instant fugitif dont la délicieuse perfection portait en elle l'éternité. Le jeune faune était très heureux sur son pré ensoleillé. Il n'y avait pas ici de « Justifie-toi », point de responsabilité, pas de tribunal sacré ou militaire appelé à se prononcer sur un homme qui avait oublié l'honneur et s'était perdu. Ici, c'était l'oubli qui régnait, la bienheureuse immobilité, l'état innocent de l'absence de temps. C'était le dévergondage en toute tranquillité d'esprit, la négation, en un rêve d'apothéose, de tout impératif occidental de l'action, et l'apaisement qui s'en dégageait rendait ce disque précieux entre tous à notre musicien nocturne.

Il y avait encore là un troisième morceau… En réalité, c'étaient de nouveau plusieurs disques, formant une suite, un tout, car l'air de ténor qu'il comportait, occupait à lui seul une plage entière dont le dessin circulaire s'étendait jusqu'au centre. C'était de nouveau un morceau français, tiré d'un opéra que Hans Castorp connaissait bien, qu'il avait plusieurs fois entendu et vu au théâtre, et à l'action duquel il avait même fait un jour allusion dans le courant d'une conversation, et même d'une conversation très décisive… C'était le deuxième acte, dans la taverne espagnole, une auberge assez vaste, une sorte de bouge décoré de châles et d'une douteuse architecture mauresque. La voix chaude, un peu rude, mais racée et prenante, déclara vouloir danser devant le sergent, et déjà l'on entendait claquer les castagnettes. Mais au même instant, trompettes et clairons sonnaient à plusieurs reprises un signal militaire qui fit sursauter le gars. « Attends un peu ! » s'écriait-il, dressant les oreilles comme un cheval. Et comme Carmen demandait : « Et pourquoi, s'il te plaît », « N'entends-tu pas ? » s'écriait-il, tout étonné qu'elle n'en fût pas frappée autant que lui-même. C'étaient les clairons de la caserne qui sonnaient la retraite. « Il me semble, là-bas… », disait-il, en langage d'opéra. Mais la Tzigane ne pouvait comprendre cela, et surtout ne voulait pas le comprendre. Tant mieux, disait-elle, et c'était mi-sottise, mi-insolence ; ils n'avaient plus besoin de castagnettes, le ciel lui-même leur envoyait de la musique pour danser, et donc : Lalala ! Il était hors de lui. Sa propre et douloureuse déception s'effaçait complètement devant ses efforts pour lui faire entendre de quoi il s'agissait et qu'aucun amour au monde ne pouvait l'emporter sur ce signal. Comment était-il donc possible qu'elle ne comprît pas une chose aussi fondamentale et aussi absolue ? « Il faut que je rentre au quartier, pour l'appel », s'écria-t-il, désespéré de l'ignorance de la femme qui lui faisait le cœur plus gros qu'il n'était déjà. Mais il fallait entendre la réponse de Carmen ! Elle était furieuse, elle était indignée jusqu'au tréfonds de l'âme, sa voix n'était plus qu'amour déçu et irrité. Ou ne faisait-elle que semblant ? « Au quartier ? Pour l'appel ? » Et que faisait-il de son cœur ? Et son cœur si tendre, si bon, qui, dans sa faiblesse — oui, elle l'avouait : dans sa faiblesse — avait été prêt à amuser monsieur ! « Ta ra ta ta ! » et en un geste de farouche moquerie elle portait sa main devant sa bouche pour imiter le clairon. « Ta ra ta ta ! » Et cela suffisait ! Il sursautait, l'imbécile, et voulait s'en aller. À la bonne heure, va-t'en ! Elle lui tendait son shako, son sabre, sa giberne ! « Et va-t'en, mon garçon, retourne à ta caserne ! » Il implorait sa pitié. Mais elle continuait de le railler amèrement, en faisant semblant d'être lui, qui au son des clairons, avait perdu la tête. Ta ra ta ta, à l'appel ! Grand Dieu, il arriverait trop tard. Eh bien, va-t'en, puisqu'on sonne l'appel ; c'est tout naturel pour toi, espèce d'imbécile, de me laisser ainsi à l'instant où j'allais danser. « Eh voilà son amour ! »

Situation torturante ! Elle ne comprenait pas. La femme, la gitane ne pouvait et ne voulait pas comprendre ! Elle ne le voulait pas, car, sans aucun doute, dans sa fureur, dans ses sarcasmes il y avait quelque chose qui dépassait l'instant présent et l'élément personnel, une haine, une hostilité profonde contre le principe qui par la voix des clairons français — ou des cors espagnols — appelait le petit soldat amoureux, quelque chose dont son ambition naturelle, impersonnelle et son désir le plus fervent seraient de triompher. Elle possédait un moyen très simple : elle affirmait que s'il s'en allait, elle ne l'aimerait plus. Et c'était là justement ce que José, là-dedans, au fond du coffret, ne supportait pas d'entendre. Il la conjurait de le laisser parler. Elle ne voulait pas. Alors il la força à l'écouter : c'était un instant d'un satané sérieux, des sons tragiques s'élevaient de l'orchestre, un motif sombre et menaçant, qui, Hans Castorp le savait, se prolongerait à travers tout l'opéra, jusqu'à la catastrophe finale, et qui formait aussi l'introduction pour l'air du petit soldat, le nouveau disque qui allait suivre.

La fleur que tu m'avais jetée...

José chantait cela merveilleusement. Hans Castorp jouait parfois ce disque séparément, en dehors du contexte familier, et l'écoutait toujours avec la sympathie la plus attentive. Les paroles de cet air ne valaient pas grand-chose, mais l'expression suppliante des sentiments était émouvante au plus haut point. Le soldat chantait la fleur que Carmen lui avait jetée à leur première rencontre et qui avait été son bien le plus cher lorsqu'il fut mis aux arrêts à cause d'elle. Il avouait, profondément remué, qu'il avait à certains instants maudit son sort parce qu'il lui avait fait rencontrer Carmen. Mais aussitôt il avait amèrement regretté ce blasphème et il avait prié Dieu à genoux de lui accorder de la revoir. « Te revoir » — et ce « te revoir » était dans le même ton aigu par lequel il avait commencé tout à l'heure « Et dans la nuit je te voyais ». La revoir… — et à présent toute la magie instrumentale qui pouvait être propre à peindre la douleur, la nostalgie, la tendresse éperdue, le tendre désespoir du petit soldat, éclatait dans l'accompagnement —, alors elle avait surgi devant son regard, dans tout son charme fatal, de sorte qu'il avait clairement et nettement senti qu'« elle s'était emparée de tout son être » (« emparée » avec une appoggiature sanglotée d'un ton entier sur la première syllabe), que c'en était fait de lui pour toujours. « Toi, ma joie, mon bonheur », chantait-il désespérément, sur une mélodie qui se répétait et que l'orchestre reprenait encore une fois plaintivement, mélodie qui, partant du ton fondamental, montait de deux intervalles et retournait avec ferveur vers la quinte inférieure. « Car tu n'avais eu qu'à paraître », assurait-il d'une manière superflue et démodée, mais infiniment tendre, escaladait ensuite la gamme jusqu'au sixième degré pour ajouter : « qu'à jeter un regard sur moi », laissait retomber sa voix de dix tons, et prononçait, bouleversé, son « Et j'étais une chose à toi » dont la fin était douloureusement prolongée par un accord d'une harmonie variable, avant que le « toi » se fondît avec la précédente syllabe dans l'accord fondamental.

« Oui, oui ! » disait Hans Castorp avec une mélancolie reconnaissante, et il jouait encore la finale où tous félicitaient le jeune José de ce que sa rixe avec l'officier lui eût coupé toute possibilité de retour, de sorte qu'il devait déserter, comme Carmen, à son effroi, l'y avait naguère convié.

Ami, suis-nous dans la campagne,
Viens avec nous à la montagne

chantaient-ils en chœur (on les comprenait parfaitement).

Le ciel ouvert, la vie errante,
Pour pays tout l'univers, pour loi, sa volonté,
Et surtout la chose enivrante,
La liberté, la liberté !

« Oui, oui ! » dit-il encore une fois, et il passa à un quatrième morceau qui lui était non moins cher.

Nous sommes aussi peu responsable de ce que ce fût de nouveau un morceau français, que du reproche qu'on pourrait lui faire de ce qu'ici encore l'esprit militaire régnât. C'était un air intercalé, un *solo* de chant, une prière du *Faust* de Gounod. Quelqu'un paraissait, quelqu'un d'archisympathique, qui s'appelait Valentin, mais que Hans Castorp nommait autrement en son for intérieur, à qui il donnait un nom mélancolique et plus familier dont il identifiait très complètement le porteur avec la personne qu'il entendait dans la boîte, bien que celle-ci eût une voix infiniment plus belle. C'était un baryton puissant et chaud, et son chant se divisait en trois parties ; il se composait de deux strophes, très semblables l'une à l'autre, qui étaient d'un caractère pieux, tenues presque dans le style d'un choral protestant, et d'une strophe centrale d'une hardiesse chevaleresque, guerrière, frivole, mais néanmoins fervente, et c'était là ce qu'elle avait de proprement français et militaire. L'invisible chantait :

Avant de quitter ces lieux,
Sol natal de mes aïeux

et dans cette conjoncture il adressait sa prière au Seigneur des cieux pour que, durant cette absence, il protégeât sa sœur chérie. Il partait en guerre, le rythme changeait, devenait entreprenant, le chagrin et le souci pouvaient aller au diable, lui, l'invisible, voulait se jeter avec une hardiesse et une ferveur toutes françaises au plus chaud de la bataille et au plus épais de la mêlée. Mais si Dieu m'appelle au ciel, chantait-il, de là-haut, « je veillerai sur toi ». Ce « toi » désignait sa sœur; mais il touchait néanmoins Hans Castorp jusqu'au fond de l'âme, et cette émotion ne le quittait pas jusqu'à la fin du morceau où le brave accompagnait de son chant les puissants accords de choral.

À toi Seigneur et Roi des Cieux,
Ma sœur je confie.

Ce disque ne présentait pas d'autre intérêt. Nous croyons devoir en traiter brièvement parce que Hans Castorp avait pour lui une préférence si vive, mais aussi parce que, en une autre circonstance, assez étrange, il jouera encore un rôle. Pour le moment, nous en arrivons à un cinquième et dernier morceau de ce choix restreint des disques préférés, un morceau qui n'a, il est vrai, plus rien de français, qui est même particulièrement et spécifiquement allemand. Il s'agit non pas d'un trio d'opéra, mais d'un *lied*, d'un de ces *lieder*, chefs-d'œuvre tirés du fonds populaire qui doivent précisément leur spiritualité et leur humanité particulière à cette double origine… Pourquoi tant de détours ? C'était le *Tilleul* de Schubert, c'était tout simplement : « Près du puits, devant le portail », cette chanson à tous familière.

Un ténor la chantait, avec accompagnement de piano, un garçon plein de tact et de goût, qui savait traiter son sujet à la fois simple et sublime avec beaucoup d'intelligence, de sens musical et de justesse dans la déclamation. On n'ignore pas que l'admirable chanson est dans la bouche du peuple et des enfants un peu différente de sa forme artistique. Ils la simplifient le plus souvent, la chantent d'un bout à l'autre par strophes, sur la mélodie principale tandis que dans l'original cette ligne populaire est modulée en bémol dès la deuxième des strophes de huit lignes, pour revenir au dièse avec le cinquième vers, qu'elle est ensuite interrompue d'une façon très dramatique lors des « vents froids » et du chapeau qui s'envole, et qu'elle ne reparaît qu'aux quatre derniers vers de la troisième strophe qui sont répétés pour que la chanson s'achève. L'inflexion particulièrement prenante de la mélodie se reproduit trois fois, dans sa deuxième moitié modulée, la troisième fois par conséquent lors de la reprise de la dernière demi-strophe, « Voici bien des heures… ». Cette inflexion magique que nous ne saurions cerner d'assez près par les mots, accompagne les fragments de phrases : « Tant de chères paroles », « Comme s'ils me faisaient signe », « Loin de cet endroit », et la voix de ténor, claire et chaude, si experte à ménager le souffle, inclinant à un sanglot plein de mesure, la chantait chaque fois avec un sens si intelligent de la beauté de cette phrase qu'elle touchait le cœur de l'auditeur, d'autant plus que dans les lignes : « Vers lui toujours », « Tu *trouves* ici la paix », l'artiste savait renforcer son effet par des sons d'une extraordinaire ferveur. Mais au dernier vers répété, à ce « Tu trouverais ici la paix », il chantait le « trouverais », la première fois avec une plénitude nostalgique, la seconde fois dans un trémolo ténu.

Voilà pour la chanson et la manière dont elle était interprétée. Nous pouvons, à la rigueur, nous flatter d'avoir réussi à faire comprendre à peu près à nos lecteurs la sympathie intime que Hans Castorp éprouvait pour les numéros préférés des programmes de ses concerts nocturnes. Mais faire entendre ce que ce dernier numéro, ce que ce *lied*, ce vieux *Tilleul*, signifiait pour lui, c'est là en vérité une entreprise de l'espèce la plus délicate, et la plus grande prudence nous est commandée dans l'intonation si nous ne voulons pas compromettre notre dessein au lieu de le servir.

Nous présenterons les choses comme suit : un objet qui relève de l'esprit, c'est-à-dire un objet qui a une signification, est « significatif » par cela justement qu'il dépasse son sens immédiat, qu'il exprime et expose une chose d'une portée spirituelle plus générale, tout un monde de sentiments et de pensées qui ont trouvé en lui leur symbole plus ou moins parfait, ce qui donne précisément la mesure de sa signification. L'amour même qu'on éprouve pour un tel objet, est en lui-même « significatif ». Il nous renseigne sur celui qui éprouve ce sentiment, il caractérise ses rapports avec ces choses essentielles, avec ce monde que l'objet symbolise et qui, consciemment ou inconsciemment, est aimé à travers cet objet.

Croira-t-on que notre simple héros, après tant de petites années de développement hermétique et pédagogique, était entré assez profondément dans la vie de l'esprit pour prendre *conscience* de la « signification » de son penchant et de l'objet de ce penchant ? Nous affirmons et nous narrons que tel était bien le cas. Le *lied* en question signifiait beaucoup pour lui, tout un monde, un monde qu'il devait sans doute aimer, car, sinon, il n'aurait pas été aussi entiché de l'objet qui le symbolisait. Nous mesurons nos paroles, lorsque nous ajoutons — peut-être d'une façon un peu obscure — que sa destinée aurait été différente si son âme n'avait pas été tout particulièrement accessible aux charmes de la sphère sentimentale et, en général, de l'attitude spirituelle, que cette chanson résumait avec une ferveur si mystérieuse. Mais ce destin précisément avait entraîné des sensations, des aventures, des découvertes, avait posé en lui des problèmes de « gouvernement », qui l'avaient mûri pour une critique pleine de pressentiments exercée sur ce monde, sur le symbole de ce monde, cependant digne de toute son admiration, sur cet amour qui était le sien : des expériences qui étaient bien faites pour mettre toutes ces choses en question.

Mais il faudrait vraiment n'entendre absolument rien aux choses de l'amour pour supposer que de tels doutes puissent faire tort à l'amour. Au contraire, ils lui donnent son piment. Ce sont eux qui ajoutent à l'amour l'aiguillon de la passion, de sorte que l'on pourrait véritablement définir la passion comme un amour qui doute. En quoi consistaient donc les doutes de conscience et de gouvernement de Hans Castorp en ce qui touche la légitimité de son penchant pour cette chanson enchanteresse et pour son univers ? Quel était ce monde qui s'ouvrait derrière elle et qui, d'après le pressentiment de sa conscience, devait être le monde d'un amour interdit ?

C'était la Mort.

Mais n'était-ce pas pure folie ! Quoi, un *lied* aussi merveilleux ? Un pur chef-d'œuvre, né dans les profondeurs dernières et les plus sacrées de l'âme populaire, un trésor hors de prix, image de toute ferveur, le charme même ! Quelle vilaine calomnie !

Eh oui, cent fois oui, c'était fort joli, c'est ainsi sans doute que tout honnête homme devait parler. Et pourtant, derrière cette production adorable, se dressait la Mort. Elle entretenait des rapports avec cette chanson que l'on pouvait aimer, non sans se rendre compte obscurément qu'un tel amour était jusqu'à un certain point illicite. Dans sa nature propre et primitive, elle pouvait ne comporter nulle sympathie pour la Mort, au contraire quelque chose de très populaire et de vivant. Mais la sympathie que l'esprit éprouvait pour elle était de la sympathie pour la Mort. La pure piété, l'ingénuité de son début, il ne les contestait nullement. Mais à la suite venaient les produits des ténèbres.

Qu'est-ce qu'il nous contait là ? Vous ne l'en auriez pas dissuadé. Des produits des ténèbres. De ténébreux produits. Un esprit de tortionnaire et de misanthrope vêtu de noir espagnol, avec la collerette ronde et la luxure en guise d'amour, tout cela découlait de cette piété au regard si franc.

En vérité, le littérateur Settembrini n'était pas l'homme auquel Hans Castorp faisait une confiance absolue, mais il se rappelait tels enseignements que son mentor lucide lui avait naguère dispensés, il y avait longtemps, au début de sa carrière hermétique, sur la propension spirituelle au *recul* vers certains mondes, et il jugea bon d'appliquer avec précaution cette leçon à son objet. M. Settembrini avait qualifié cette tendance de « maladie ». La conception elle-même de ce monde et la période spirituelle qu'il représentait devaient sans doute sembler « maladives » à son sens pédagogique. Mais comment était-ce possible ? L'adorable *lied* nostalgique de Hans Castorp, la sphère sentimentale dont il relevait, et son penchant pour cette sphère seraient donc « maladifs » ? Pas le moins du monde ! Ils étaient ce qu'il y avait de plus paisible et de plus sain. Mais c'était un fruit qui, tout à l'heure, frais et éclatant de rêve, inclinait extraordinairement à la décomposition, à la pourriture, et, pur délice de l'âme lorsqu'on le goûtait au bon moment, répandait, l'instant après, la pourriture et la perdition au sein de l'humanité qui en jouissait. C'était un fruit de la Vie, conçu par la Mort et qui produisait la Mort. C'était un miracle de l'âme, le plus haut peut-être au point de vue d'une beauté dénuée de conscience, et béni par elle, mais qui pour de valables raisons était considéré avec méfiance par l'œil de quiconque aimait la vie organique, et avait conscience de sa responsabilité, c'était un objet auquel, à écouter le verdict de la conscience, il convenait de renoncer.

Oui, renoncement et maîtrise de soi, telle pouvait bien être la nature de la victoire sur cet amour, sur cette magie de l'âme aux conséquences ténébreuses ! Les pensées de Hans Castorp, ou ses demi-pensées chargées de pressentiments, prenaient leur vol, tandis que, dans la nuit et la solitude, il était assis devant son petit cercueil à musique — et ces pensées volaient toujours plus haut, au-delà de sa raison ; c'étaient des élucubrations d'alchimiste… Oh ! il était puissant, le charme de l'âme. Nous étions tous ses fils, et nous pouvions accomplir de grandes choses dans le monde en le servant. On n'avait pas besoin de plus de génie, mais de beaucoup plus de talent que l'auteur de la chanson du *Tilleul* pour donner, comme artiste de la magie de l'âme, des proportions gigantesques à cette chanson, et lui conquérir le monde entier. Sans doute pouvait-on fonder même sur elle des empires, des empires terrestres par trop terrestres, très rudes et aptes au progrès, nullement nostalgiques, où la chanson se corrompait en devenant de la musique de phonographe électrique. Mais son meilleur fils devait quand même être celui qui passait sa vie à se dominer lui-même et qui mourait en ayant sur les lèvres le nouveau mot d'amour qu'il ne savait pas encore prononcer. Elle valait qu'on mourût pour elle, la chanson magique ! Mais qui mourait pour elle, en réalité ne mourait déjà plus pour elle ; il n'était un héros que parce que, au fond, il mourait déjà pour une chose nouvelle, pour la nouvelle parole de l'amour, et de l'avenir que recelait son cœur…

Tels étaient donc les disques préférés de Hans Castorp.

Doutes suprêmes

Les conférences d'Edhin Krokovski avaient, dans le cours de ces courtes années, pris une orientation imprévue. Toujours, ses recherches, qui portaient sur l'analyse des sentiments et la vie des songes, avaient été empreintes d'un caractère souterrain et sombre. Mais depuis quelque temps, par une transition à peine sensible au public, elles s'étaient orientées dans le sens des mystères de la magie et ses conférences bimensuelles, dans la salle à manger — principale attraction de la maison, orgueil du prospectus — ces conférences, prononcées en redingote et en sandales, à une table couverte d'un tapis, avec un accent exotique entraînant, devant le public attentif du Berghof — elles ne traitaient plus de l'activité amoureuse larvée et de la retransformation de la maladie en sentiment rendu conscient, elles traitaient des occultes étrangetés de l'hypnotisme et du somnambulisme, des phénomènes de la télépathie, du songe révélateur et de la seconde vue, des miracles de l'hystérie, et ces commentaires élargissaient l'horizon philosophique au point qu'apparaissaient aux yeux des auditeurs des énigmes telles que les rapports de la matière et de l'esprit —

l'énigme même de la vie que l'on semblait avoir plus de chances de résoudre en prenant le chemin inquiétant de la maladie que celui de la santé.

Nous mentionnons ces faits parce que nous estimons qu'il est de notre devoir de confondre les esprits superficiels qui prétendaient que le docteur Krokovski ne s'était voué aux problèmes occultes qu'afin de préserver ses conférences de la monotonie, par conséquent — et sans plus — pour entretenir la curiosité. Ainsi opinaient ces détracteurs que l'on rencontre partout. Il est vrai qu'aux conférences du lundi les messieurs secouaient leurs oreilles avec plus d'entrain que d'habitude, pour mieux entendre, et que Mlle Lévi ressemblait peut-être encore plus qu'autrefois à la figure de cire qui cacherait un ressort dans son sein. Mais ces effets étaient aussi légitimes que le développement qu'avaient pris les idées du savant, et dont il pouvait défendre non seulement la rectitude logique, mais encore le caractère inéluctable. C'est vers ces contrées ténébreuses et étendues de l'âme humaine qu'il avait toujours orienté ses recherches, vers ces contrées que l'on désigne sommairement par le mot de *subconscient*, quoique l'on ferait peut-être mieux de parler d'une *supraconscience*, puisque, de ces sphères, provient parfois un savoir qui dépasse de beaucoup la conscience de l'individu et suggère la pensée qu'il pourrait y avoir des liens et des rapports entre les régions inférieures et obscures de l'âme individuelle et une âme universelle omnisciente. Le domaine du subconscient, « occulte » au sens propre de ce mot, serait donc également occulte au sens plus étroit de ce mot et serait une des sources d'où jaillissent les phénomènes que l'on appelle tant bien que mal ainsi. Ce n'était pas tout ! Quiconque considère le symptôme organique de la maladie comme le résultat de sentiments refoulés hors de la vie consciente de l'âme et ainsi hystérisés, reconnaît par là même le pouvoir créateur des forces psychiques dans le domaine de la matière, un pouvoir que l'on est obligé de considérer comme la deuxième source des phénomènes magiques. Idéaliste du pathologique, pour ne pas dire : idéaliste pathologique, il se verra parvenu au point de départ de raisonnements qui aboutissent infailliblement au problème de l'être en général, c'est-à-dire au problème des rapports entre l'esprit et la matière. Le matérialiste, fils d'une philosophie de la force pure, s'obstinera à expliquer l'esprit comme un produit phosphorescent de la matière. L'idéaliste au contraire, partant du principe de l'hystérie créatrice, inclinera et ne tardera pas à résoudre dans un sens exactement opposé le problème de la primauté. En somme, c'est la vieille querelle de savoir ce qui a existé d'abord : la poule ou l'œuf, cette querelle qui se trouve si extraordinairement embrouillée par ce double fait que l'on ne peut imaginer ni un œuf qu'une poule n'ait pondu, ni une poule qui ne soit sortie de l'œuf que son existence postule.

Ce sont donc ces questions que le docteur Krokovski commentait depuis quelque temps dans ses conférences. Il en était arrivé là par un développement organique, légitime et logique, nous ne saurions trop y insister, et nous ajouterons en outre qu'il s'était engagé dans de telles considérations longtemps avant que l'apparition d'Ellen Brand les fît passer dans le domaine empirique et expérimental.

Qui était Ellen Brand ? Nous avons failli oublier que nos auditeurs l'ignorent, tandis que son nom nous est naturellement familier. Qui elle était ? Au premier regard, presque personne ! Une aimable enfant de dix-neuf ans, nommée Elly, d'un blond de filasse, une Danoise, qui n'était même pas de Copenhague, mais originaire tout simplement d'Odense, en Fionie, où son père faisait le commerce du beurre. Elle-même était entrée dans la vie pratique ; depuis quelques années déjà elle était restée assise, employée de la succursale de province d'une banque de la capitale, sur un tabouret tournant, devant de gros livres, avec une manche de lustrine au bras droit — ce qui lui avait donné de la température. Le cas était sans gravité, tout au plus pouvait-on dire qu'il était suspect, quoique Elly fût effectivement délicate et apparemment anémique, de plus incontestablement sympathique de sorte que l'on passait volontiers la main sur ses cheveux blonds, et en effet, le conseiller n'y manquait jamais lorsqu'il parlait à la jeune fille dans la salle à manger. Une fraîcheur nordique l'enveloppait, une chasteté cristalline, une atmosphère enfantine et virginale, tout à fait charmante, de même que le regard grand et pur de ses yeux bleus d'enfant, et que son langage qui était aigu, clair et fin : un allemand quelque peu maladroit, avec de petites fautes typiques de prononciation. Ses traits n'avaient rien de particulier. Son menton un peu court. Elle était assise à la table d'Hermine Kleefeld qui la chaperonnait.

C'est donc cette petite jeune fille, cette Elly Brand, cette aimable petite cycliste et comptable danoise qui se trouvait dans des conditions que personne n'eût jamais rêvées à première ou deuxième vue de sa claire personne mais qui, quelques semaines après son arrivée ici, commencèrent d'apparaître et que la tâche du docteur Krokovski fut de découvrir dans toute leur étrangeté.

Des jeux de société, au cours de la réunion du soir, frappèrent en premier lieu l'attention du savant. On s'exerçait à des devinettes, puis on cherchait des objets cachés, en s'aidant du piano dont on jouait plus haut à mesure que l'on s'approchait de la cachette, plus bas, lorsqu'on se fourvoyait. Et on finit même par exiger de celui qui, durant la délibération, avait dû attendre devant la porte, d'exécuter avec exactitude certaines actions compliquées, par exemple de changer les bagues de deux personnes, d'inviter quelqu'un par trois révérences à danser, de prendre un livre déterminé dans la bibliothèque, pour le remettre à telle ou telle personne, et ainsi de suite. Il est à remarquer que des jeux de cette sorte n'avaient pas été jusqu'à présent dans les habitudes du Berghof. On ne put établir par la suite qui en avait donné la première idée. Ce n'avait certainement pas été Elly. Néanmoins, on n'en était arrivé là qu'en sa présence.

Ceux qui prenaient part aux jeux — ils étaient presque tous de vieilles connaissances, et parmi eux se trouvait Hans Castorp — se montraient plus ou moins adroits, ou tout à fait incapables. Mais l'aptitude d'Elly Brand apparut extraordinaire, surprenante, inconvenante. Son ingéniosité assurée dans la recherche des cachettes, saluée par des applaudissements et des rires admiratifs, avait paru plausible ; mais on commença à garder un silence surpris lorsqu'elle en vint aux actions compliquées. Aussitôt entrée, elle exécutait tout ce qu'on lui avait secrètement prescrit, avec un doux sourire, sans une hésitation, sans même avoir besoin de la musique. Elle cherchait dans la salle à manger une pincée de sel, la répandait sur la tête du procureur Paravant, le prenait ensuite par la main, et le conduisait au piano, où elle jouait avec son index le commencement de la chanson *Un oiseau s'envole*. Puis elle le ramenait à sa place, lui faisait une révérence, prenait un tabouret, et s'asseyait à ses pieds, exactement comme on l'avait imaginé, à grand renfort d'imagination.

Elle avait donc écouté !

Elle rougit. Avec un véritable soulagement, en la voyant confondue, on commença de la gronder en chœur, lorsqu'elle assura : Non, non, pas du tout, ce n'était pas ce que l'on pensait. Ce n'était pas dehors, ce n'était pas derrière la porte, qu'elle avait écouté, non, certes pas !

Pas dehors ? pas derrière la porte ?

« Oh ! non, excusez-moi ! »

Elle écoutait ici même, dans la salle ; à peine entrée, elle ne pouvait s'empêcher de le faire.

Elle ne pouvait s'empêcher ? Dans la salle ?

Quelque chose le lui soufflait, dit-elle. On lui soufflait ce qu'elle devait faire, doucement, mais très nettement et distinctement.

C'était un aveu apparemment. Elly avait dans un certain sens conscience d'avoir commis une faute, elle avait trompé. Elle aurait dû dire qu'elle n'était pas faite pour un tel jeu, parce qu'on lui soufflait tout. Un concours perd tout le sens commun, lorsque l'un des concurrents possède des avantages surnaturels. Au sens sportif du jeu, Ellen était, du coup, disqualifiée, isolée au point que plus d'un eut un frisson dans le dos en entendant son aveu. Plusieurs voix à la fois réclamèrent le docteur Krokovski. On courut le chercher et il vint : trapu, avec un sourire jovial, tout de suite à la page, invitant par toute son apparence à une confiance joyeuse. On lui avait annoncé, hors d'haleine, que des choses tout à fait anormales étaient arrivées, qu'une voyante avait surgi, une jeune fille qui entendait des voix. Tiens, tiens ! Et puis après ? Du calme, mes amis ! Nous allons voir. C'était son terrain et son domaine, mouvant et marécageux pour tous, mais sur lequel il s'avançait avec une sympathie assurée. Il questionna, se fit raconter la chose. « Tiens, tiens, voyez-moi ça ! C'est ainsi que vous êtes, mon enfant ? » Et comme tout le monde le faisait volontiers, il posa sa main sur la tête de la petite. Il y avait là beaucoup de raisons de se montrer curieux, mais pas la moindre raison de s'effrayer. Il plongea ses yeux bruns exotiques dans l'azur clair de ceux d'Ellen Brand, tout en la caressant doucement de sa main, par-dessus l'épaule et jusqu'au bras. La jeune fille répondait à son regard par un regard de plus en plus pieux, c'est-à-dire qui se levait de plus en plus vers lui parce que sa tête s'inclinait lentement vers la poitrine et l'épaule. Lorsque ses yeux commencèrent à tourner, le savant fit devant le visage de la jeune fille un mouvement de la main, après quoi il déclara que tout allait pour le mieux, et envoya toute la compagnie très excitée faire sa cure du soir, à l'exception d'Elly Brand avec qui il voulait encore « bavarder » un instant.

Bavarder ! On pouvait imaginer ce que cela donnerait. Personne ne se sentit à l'aise lorsque le joyeux camarade Krokovski prononça ce mot. Tous se sentirent parcourus jusqu'au tréfonds d'eux-mêmes d'un frisson, y compris Hans Castorp, lorsqu'il eut regagné avec un grand retard son excellente chaise longue, et se rappela comment le sol s'était dérobé sous ses pas lors des prouesses inconvenantes d'Elly et de l'explication embarrassée qu'elle en avait donnée, au point qu'un certain malaise, une anxiété physique, un léger mal de mer l'avaient gagné. Il n'avait jamais éprouvé un tremblement de terre, mais il se dit que des impressions analogues de frayeur devaient y être attachées, en mettant à part la curiosité que les aptitudes fatales d'Ellen Brand lui inspiraient en outre : une curiosité qui impliquait le sentiment de sa vanité — c'est-à-dire la conscience que le domaine vers quoi elle s'avançait en tâtonnant était inaccessible à la raison — et par conséquent la question de savoir si elle n'était qu'oiseuse ou si elle était aussi coupable, ce qui ne l'empêchait du reste pas de demeurer ce qu'elle était, à savoir de la curiosité. Hans Castorp avait, comme tout le monde, entendu pas mal de choses sur les phénomènes occultes ou surnaturels. Nous avons, du reste, fait allusion à certaine grand-tante, dont la légende mélancolique lui était parvenue. Mais jamais ce monde, dont il constatait l'existence avec un désintéressement théorique, ne s'était présenté à lui d'aussi près. Hans Castorp n'avait jamais fait d'expériences dans ces domaines, et son antipathie contre de telles expériences, révolte de son goût, révolte esthétique, révolte par orgueil humain — si nous pouvons nous servir d'expressions aussi prétentieuses en parlant de notre héros si complètement dépourvu de prétention — égalait presque la curiosité qu'elles éveillaient en lui. Il pressentait clairement et nettement que ces expériences, quel que soit le cours qu'elles allaient prendre, ne pourraient jamais être que de mauvais goût, inintelligibles, et indignes de l'homme. Néanmoins il brûlait de s'y livrer. Il comprenait que l'alternative « oiseux ou coupable », ce qui, en tant qu'alternative était déjà assez déplaisant, en réalité n'était pas du tout une alternative, parce que ces deux termes coïncidaient et que le scepticisme de la raison n'était qu'une forme extra-morale de cette interdiction. Mais le « *placet experiri* », qu'il avait emprunté à une personne, qui eût sans doute désapprouvé de telles tentatives dans les termes les plus plastiques, restait ancré dans l'esprit de Hans Castorp ; son sens moral coïncidait avec sa curiosité, avait sans doute toujours cadré avec elle : avec la curiosité illimitée de qui voyage pour former son esprit, laquelle, lorsqu'elle avait approché le mystère de la personnalité, n'avait pas été très éloignée, du domaine qui s'ouvrait à présent ; et cette curiosité prenait un aspect de valeur militaire, en n'évitant pas les choses défendues lorsqu'elles se présentaient. Hans Castorp résolut donc de rester à son poste et de ne pas s'éloigner si l'on allait s'engager dans de nouvelles aventures.

Le docteur Krokovski avait fait interdire sévèrement de se livrer désormais en dehors de sa présence à des expériences sur les dons secrets de Mlle Brand. Il avait réquisitionné l'enfant pour la science, il tenait avec elle des séances dans sa caverne analytique, il l'hypnotisait, paraît-il, il s'efforçait de développer ses aptitudes latentes, de les discipliner, d'explorer sa vie psychique antérieure. Hermine Kleefeld, l'amie maternelle et le chaperon de la jeune fille, en faisait du reste autant et elle apprenait sous le sceau du secret toutes sortes de choses qu'elle répandait sous le même sceau dans toute la maison, jusque dans la loge du concierge. Elle apprit, par exemple, que la personne ou la chose qui avait soufflé à la petite durant le jeu les gestes qu'elle devait faire s'appelait Holger. C'était l'adolescent Holger, un esprit, qui lui était familier, un être défunt et éthéré, quelque chose comme un ange gardien de la petite Ellen. C'était donc lui qui avait trahi l'idée de la pincée de sel et de l'index de Paravant ? — Oui, ses lèvres invisibles avaient caressé l'oreille d'Ellen, l'avaient doucement chatouillée, et, la faisant presque sourire, elles lui avaient soufflé le secret. — Sans doute lui avait-il été très agréable autrefois de se faire souffler ses leçons à l'école lorsqu'elle ne les avait pas préparées ? À cette question, Ellen n'avait pas répondu. Peut-être n'était-ce pas permis à Holger, dit-elle plus tard. Il lui était interdit de se mêler de choses aussi sérieuses, et sans doute n'avait-il lui-même pas su les leçons.

On apprit encore qu'Ellen avait eu depuis sa plus tendre enfance, à des intervalles plus ou moins longs, des apparitions visibles ou invisibles. — Que signifiait : apparitions invisibles ? — Par exemple ceci : jeune fille de seize ans, elle était, un jour, assise seule au salon de la maison de ses parents, devant une table ronde, avec un ouvrage manuel, en plein après-midi, et à côté d'elle, sur le tapis, était couché le dogue de son père, la chienne Freia. La table était couverte d'un tapis bariolé, d'un de ces châles turcs comme les vieilles femmes les portent, pliés en pointe. Diagonalement, les pans dépassant légèrement, il était étendu sur le plat de la table. Et tout à coup Ellen avait vu que le pan en face d'elle s'était lentement enroulé ; tranquillement, soigneusement et régulièrement, il avait été roulé, jusque vers le milieu de la table, de sorte que le rouleau avait fini par devenir assez long ; et pendant que ceci s'était passé, Freia, sursautant furieusement, les pattes de devant raides et le poil hérissé, s'était dressée sur ses cuisses, puis s'était précipitée en hurlant, dans la pièce voisine, s'était cachée sous le canapé et pendant une année entière on n'avait plus réussi à la faire entrer au salon.

« Était-ce Holger qui avait roulé ce châle ? » demanda Mlle Kleefeld. La petite Brand ne le savait pas.

« Et qu'aviez-vous pensé lorsque cela s'est produit ? » Mais comme il était absolument impossible de penser quoi que ce soit à ce sujet, Elly n'avait rien pensé de particulier. En avait-elle parlé à ses parents ? Non. C'était bizarre. Quoi qu'il n'y eût rien de particulier à penser à ce sujet, Elly avait quand même eu le sentiment que dans ce cas, comme en d'autres cas analogues, elle devait garder le silence et s'en faire un secret jaloux et pudique. Avait-il été lourd à porter, ce secret ? Non, pas particulièrement lourd. Que pouvait peser une couverture qui se roulait ? Mais une autre chose lui avait pesé davantage. La voici :

Un an plus tôt, toujours dans la maison de ses parents, à Odense, elle était sortie de bon matin de sa chambre, qui était située au rez-de-chaussée, et avait voulu traverser le vestibule et gravir l'escalier pour se rendre dans la salle à manger et préparer le café, comme elle en avait l'habitude avant l'arrivée de ses parents. Elle était déjà parvenue jusqu'au palier du tournant de l'escalier lorsque, sur ce palier, au bord de ce palier, tout contre les marches, elle avait vu sa sœur aînée, qui s'était mariée en Amérique, en chair et en os. Elle était apparue vêtue d'une robe blanche et, chose étrange, avait porté sur sa tête une couronne de nénuphars, de nympheas arundinacés, ses mains avaient été jointes sur son épaule et elle avait fait un signe de tête. « Comment, Sophie, c'est toi ? » s'était écriée Ellen, pétrifiée, mi-joyeuse, mi-effrayée. Sophie avait encore une fois hoché la tête, puis s'était évanouie. Elle était devenue transparente. Bientôt, elle échappa aux regards, on ne saisit plus d'elle qu'un courant d'air chaud, et enfin plus du tout, de sorte que la voie avait été libre pour Ellen. Mais ensuite on avait appris qu'à la même heure sa sœur Sophie était morte, à New Jersey, d'une cardite.

Allons, estima Hans Castorp lorsque la Kleefeld lui raconta l'aventure, voilà qui avait tout de même un certain sens, cela pouvait se justifier. L'apparition ici, la mort là-bas, on pouvait tout au moins distinguer un certain rapport entre les deux. Et il consentit à prendre part à une séance de spiritisme, à une partie de verres tournants que l'on avait décidé d'organiser, par impatience, en dépit des défenses jalouses du docteur Krokovski.

On n'avait admis que quelques personnes à la séance, dont le lieu était la chambre d'Hermine Kleefeld : outre l'hôtesse, Hans Castorp et la petite Brand, il n'y avait guère que les dames Stöhr et Lévi, ainsi que M. Albin, le Tchèque Wenzel et le docteur Ting-Fou. Le soir, quand dix heures sonnèrent, on se réunit discrètement, et l'on inspecta en chuchotant les préparatifs qu'Hermine avait faits. Sur une table ronde de taille moyenne, au milieu de la chambre, on avait posé un verre à pied, retourné. Au bord de la table, à intervalles convenables, on avait placé de petits jetons en os qui servaient d'habitude au jeu et sur lesquels on avait tracé à l'encre les vingt-cinq lettres de l'alphabet. Hermine Kleefeld commença par servir le thé que l'on accueillit avec reconnaissance parce que, malgré la puérilité inoffensive de l'entreprise, les dames Stöhr et Lévi se plaignaient d'avoir les extrémités froides et des palpitations. Après que l'on se fut réchauffé, on prit place autour de la petite table, et, dans un éclairage rose et tamisé (l'hôtesse, pour créer une atmosphère appropriée, avait éteint le plafonnier et n'avait laissé brûler que la petite lampe voilée de la table de nuit), chacun, d'un doigt de sa main droite, appuya légèrement sur le pied du verre. Ainsi le prescrivait la méthode. On attendit l'instant où le verre commençait à se déplacer.

Cela pouvait arriver facilement, car la table était lisse, le rebord du verre poli, et la pression qu'exerçaient les doigts tremblants, si léger que fût le contact, suffirait à la longue, en se produisant naturellement d'une manière inégale, plutôt verticale ici, plutôt latérale là-bas, à déplacer le verre. Sur la périphérie de son champ il rencontrerait des lettres, et si celles qu'il heurterait composaient des mots et donnaient un sens, ce serait là un phénomène d'une complexité assez trouble, un mélange d'éléments conscients, mi-conscients et tout à fait inconscients, déterminé par la volonté de certains participants — qu'ils s'avouassent ou non leur intervention —, et du concours obscur et de la connivence secrète d'une collaboration souterraine de tous en vue de résultats en apparence étrangers, résultats auxquels les velléités obscures de chaque individu prendraient une part plus ou moins large, et sans doute celles surtout de la charmante petite Elly. Cela, tous au fond le savaient d'avance, et Hans Castorp, selon sa manière, alla même jusqu'à le dire tandis que l'on attendait, assis en rond, les doigts tremblants. Et en effet, les extrémités froides et le battement de cœur de ces dames, de même que la gaieté oppressée des messieurs, ne provenaient que de ce qu'ils le savaient, de ce qu'ils s'étaient rassemblés dans le silence de la nuit en vue de se livrer à un jeu malpropre avec leur nature, de scruter avec une curiosité craintive des parties inconnues de leur Moi, et attendaient ces apparitions ou ces demi-réalités que l'on appelle magiques. Ce n'était guère que pour prêter à l'expérience une certaine forme que l'on admettait que les esprits de défunts s'adressaient à l'assemblée au moyen du verre. M. Albin s'offrit à prendre la parole et à négocier avec les esprits qui pourraient répondre à l'appel, parce que, autrefois déjà, il avait assisté à des séances de spiritisme.

Vingt minutes et plus passèrent. Les sujets de conversation s'épuisaient, la première tension se relâchait. On soutenait le coude droit de la main gauche. Le Tchèque Wenzel était sur le point de s'endormir. Ellen Brand, son petit doigt légèrement appuyé, tenait son grand et pur regard d'enfant fixé par-dessus les objets proches, sur la lueur de la petite table de nuit.

Tout à coup le verre oscilla et échappa aux mains des personnes assises autour de la table. Elles eurent peine à le suivre des doigts. Il glissa jusqu'au bord de la table, le suivit un bout de chemin, et revint ensuite en ligne droite, à peu près jusqu'au milieu. Ici il rebondit encore une fois, puis se tint tranquille.

La frayeur de tous avait été mi-joyeuse, mi-anxieuse — d'une voix plaintive, Mme Stöhr déclara qu'elle préférait s'en tenir là, mais on lui signifia qu'elle eût dû se décider plus tôt et qu'elle n'avait qu'à se tenir tranquille. Les choses semblaient aller de l'avant. On stipula que pour dire oui ou non, le verre n'aurait pas besoin de heurter les lettres, mais qu'il pourrait se contenter de frapper un ou deux coups.

« Un esprit est-il présent ? » s'informa M. Albin, la mine sévère, en regardant par-dessus les têtes dans le vide. Il y eut une hésitation. Puis le verre frappa un coup et répondit oui.

« Comment t'appelles-tu ? » demanda M. Albin d'un ton presque rude, en soulignant l'énergie de son exorde par un hochement de tête.

Le verre se déplaça. Il courut résolument et en zigzag d'un jeton à l'autre, en revenant toujours entre-temps vers le milieu de la table ; il rejoignit l'*h*, l'*o*, le *l*, il parut alors épuisé, mais se reprit, joignit encore le *g*, l'*e* et le *r*. On s'en doutait un peu. C'était Holger en personne, l'esprit Holger qui avait connu l'histoire de la pincée de sel, etc., mais qui s'était gardé de se mêler des devoirs scolaires. Il était là, il planait dans les airs, il entourait notre petit cercle. Qu'allait-on faire de lui ? Une certaine hébétude régnait. On délibéra doucement et en quelque sorte en sous-main pour savoir quelles questions il convenait de poser. M. Albin décida de demander quelle avait été la profession et l'occupation de Holger, de son vivant. Il posa la question comme tout à l'heure, sur le ton d'un interrogatoire, sévèrement, les sourcils froncés.

Le verre garda un instant le silence. Puis, en oscillant et en butant, il se dirigea vers le *p*, s'éloigna et désigna l'*o*. Qu'est-ce que cela allait donner ? L'impatience était grande. Le docteur Ting-Fou exprima avec un rire étouffé la crainte que Holger n'eût été un pompier. Mme Stöhr éclata d'un rire hystérique sans interrompre le travail du verre qui, cliquetant et claudicant, glissa vers le *t*, et toucha une seconde fois l'*e*. Il avait épelé le mot « *poète* ».

Comment, diable, Holger avait été un poète? Inutilement et comme par orgueil, le verre frappa un coup, confirma par un battement. « Un poète lyrique? » demanda la Kleefeld en prononçant l'*y* comme un *u*, ainsi que Hans Castorp le fit remarquer avec impatience... Mais Holger ne semblait pas disposé à donner de telles précisions. Il ne fit pas de nouvelles réponses. Il se borna à répéter la précédente, il l'épela encore une fois, rapidement, nettement et clairement.

Bien, bien, donc un poète. L'embarras s'accrut, un bizarre embarras, causé par le fait que ces manifestations troublantes émanant des régions obscures de la vie intérieure de chacun touchaient, bien que d'une fallacieuse façon, à la réalité extérieure. On voulut savoir si Holger se sentait heureux dans cet état! Le verre, songeur, frappa le mot « résigné ». Ah! oui, résigné. Naturellement, on n'y aurait pas pensé soi-même, mais puisque le verre épelait ce mot, on trouva cela vraisemblable et bien dit. Et depuis combien de temps Holger se trouvait-il dans cet état de résignation? De nouveau il arriva quelque chose à quoi personne n'eût pensé, quelque chose qui semblait être dit en rêve. « Durée rapide. » — Très bien! On eût pu dire aussi bien « rapidité durable », c'était un oracle de poète ventriloque venant du monde extérieur; Hans Castorp surtout le jugea excellent. Une durée rapide, c'était l'élément du temps où vivait Holger; naturellement il devait répondre par un oracle, sans doute avait-il désappris les paroles et les mesures d'une réunion terrestre. — Qu'allait-on encore lui demander? La Lévi avoua sa curiosité d'apprendre quel était, ou quel avait été, l'aspect de Holger. Était-ce un beau jeune homme? Questionnez-le vous-même ordonna M. Albin, qui jugeait une curiosité de ce genre au-dessous de sa dignité. Elle demanda donc en le tutoyant si l'esprit Holger avait des boucles blondes.

« De belles boucles, brunes, brunes », répondit le verre, en épelant expressément à deux reprises le mot « brunes ». Une animation joyeuse régnait dans le cercle. Les dames se montraient franchement amoureuses. Elles envoyaient des baisers obliquement vers le plafond. Le docteur Ting-Fou dit en riant sous cape que Mister Holger devait donc être assez fat.

Mais voici que le verre devint tout à coup fou de colère. Il parcourut la table en tous sens, comme enragé, frappa des coups furieux ; puis il se renversa et roula sur les genoux de Mme Stöhr qui, mortellement pâle, les bras ouverts, le considérait. Avec beaucoup de précautions et d'excuses, on le ramena à sa place. On gronda le Chinois. Comment avait-il pu se permettre de telles remarques ? Voilà à quoi vous exposait l'impertinence. Mais que faire si Holger était irrité, s'il était parti et s'il allait se refuser désormais à prononcer la moindre parole ? On insista en termes persuasifs auprès du verre. N'allait-il pas consentir à composer une poésie ? N'avait-il pas été un poète avant d'avoir plané dans la durée rapide ? Ah ! comme ils étaient tous désireux de connaître un poème qu'il eût composé ! Ils en jouiraient de tout cœur.

Et voici que le verre répondit : Oui. En effet, ce coup semblait bienveillant et conciliant. Et alors l'esprit Holger commença de composer, il composa sans réfléchir, au moyen de cet appareil compliqué, Dieu sait combien de temps ! Il semblait qu'il n'allait plus jamais se taire. C'était un poème tout à fait surprenant que faisait entendre l'esprit ventriloque, tandis que son entourage le répétait avec admiration, c'était une chose magique, sans bornes comme la mer dont il était surtout question : alluvions étendues le long de la grève étroite de la baie arrondie du pays des îles aux dunes escarpées. « Oh ! voyez comme l'immensité verte s'estompe et se perd dans l'éternel, là où, sous de larges bandes de brouillard, dans un carmin trouble et des lueurs laiteuses, le soleil de l'été tarde à se coucher. Nulle bouche ne saurait dire quand ni comment le reflet argenté et mobile de l'eau se change en un pur éclat de nacre, en un jeu ineffable de couleurs, l'éclat pâle, multicolore et opalin de la pierre de lune qui couvre tout… Hélas ! secrètement, comme elle a surgi, la magie paisible s'est évanouie. La mer sommeillait. Mais les traces légères du départ du soleil demeurent. Jusqu'au plus profond de la nuit il ne fera pas sombre. Un demi-jour spectral règne dans la forêt de pins sur les dunes et fait rayonner le sable blanc des profondeurs comme de la neige. Trompeuse forêt d'hiver dans le silence que traverse en craquant le vol pesant d'un hibou ! Sois notre séjour pour l'heure ! Le pas si doux, la nuit si haute et tendre ! Et lentement, là-bas, respire la mer, et chuchote, s'étirant dans le songe. Désires-tu la revoir ? Approche-toi donc des pentes blafardes des dunes et monte en t'enfonçant dans cette chose molle qui coule fraîchement dans tes chaussures. Dure et touffue, la terre descend en pente raide vers les galets de la grève et les vestiges du jour hantent encore le bord de l'étendue qui devient indistincte... Assieds-toi là-haut, dans le sable ! Quelle fraîcheur mortelle, quelle douceur de soie et de farine ! Cela coule dans ta main fermée en un jet mince et incolore, et forme un petit tas. Reconnais-tu cet écoulement ? C'est la fuite silencieuse à travers le passage étroit du sablier, de l'instrument grave et fragile qui orne la cellule de l'ermite. Un livre ouvert, un crâne, et dans son cadre légèrement charpenté, le mince et double verre soufflé, où un peu de sable, emprunté à l'éternité, va son train mystérieux et sacré, exprimant le temps... »

C'est ainsi que l'esprit Holger en était arrivé dans son improvisation « lurique », par d'étranges associations d'idées, de la mer de son pays natal à un ermite et à l'instrument de sa contemplation ; en des paroles d'une hardiesse rêveuse qui étonnèrent prodigieusement l'assistance, il parla encore de maintes choses humaines et divines, en les épelant lettre par lettre. À peine avait-on trouvé le temps de placer des applaudissements ravis, que déjà il avait effleuré en zigzag mille autres matières, et il ne s'arrêtait pas : au bout d'une heure on n'apercevait pas encore la fin de ces inépuisables effusions poétiques qui traitaient des douleurs de l'enfantement et du premier baiser des amants, de la couronne de la souffrance et de la bienveillance paternelle et grave de Dieu, qui plongeaient dans la vie secrète de la créature, qui se perdaient dans les temps, les pays et les espaces stellaires, qui firent même allusion aux Chaldéens et au Zodiaque, et qui auraient certainement duré toute la nuit si les évocateurs n'avaient pas fini par détacher leurs doigts du verre et n'avaient pas déclaré, avec les plus vifs remerciements à Holger, que c'était assez pour ce jour-là, que tout cela avait été d'une splendeur insoupçonnée, et que ce serait pour eux un éternel regret que personne n'ait transcrit le poème qui allait inéluctablement tomber dans l'oubli, qui même était déjà, pour la plus grande partie, tombé dans l'oubli, par suite d'un certain manque de consistance propre aux rêves. La prochaine fois on ne manquerait pas de convier à temps un secrétaire, et l'on se rendrait compte de l'effet que cela pourrait produire, conservé noir sur blanc, et récité d'une façon suivie. Mais pour l'instant, et avant que Holger se replongeât dans la résignation de sa durée rapide, il serait tout à fait aimable de bien vouloir répondre à telle question précise, on ne savait pas encore à laquelle. On le priait de dire tout d'abord si, le cas échéant, il serait en principe disposé à avoir l'extrême complaisance de répondre.

« Oui » fut la réponse. Mais voici que l'on était perplexe : que fallait-il demander ? C'était comme dans les contes, lorsque la fée ou le nain vous permettent de poser une question, et que l'on court le risque de gaspiller très inutilement cette précieuse possibilité. On désirait savoir beaucoup de choses, et c'était courir une responsabilité que de choisir. Comme personne n'arrivait à prendre une décision, Hans Castorp, un doigt contre le verre, la joue appuyée sur son poing, dit qu'il désirait savoir combien de temps durerait son séjour ici, séjour auquel il avait primitivement assigné une durée de trois semaines.

Bon, puisque l'on ne trouvait rien de mieux, on demanda à l'esprit de répondre à cette première et quelconque question en puisant dans le trop-plein de son savoir. Après quelque hésitation, le verre frappa sur la table. Il débitait quelque chose d'assez étrange qui semblait sans rapport avec la question, et qu'il ne paraissait pas possible d'interpréter. Il épela la syllabe « va » puis les mots « à travers », et on ne savait pas trop que conclure, lorsqu'il parla encore de la chambre de Hans Castorp, de sorte que l'on pouvait interpréter la réponse comme un ordre donné à celui qui avait posé la question de traverser sa chambre.

— Traverser sa chambre ? Traverser le numéro 34 ? Que signifiait cela ? Tandis que l'on restait là à délibérer en secouant la tête, un formidable coup de poing ébranla tout à coup la porte.

Tous restèrent pétrifiés. Était-ce une attaque brusquée ? Le docteur Krokovski était-il venu interrompre la séance interdite ? On se regardait, confondus, on s'attendait à voir paraître le médecin abusé. Mais au même instant un second coup fut frappé au milieu de la table, également un coup de poing, comme pour faire comprendre que le premier coup avait été de même frappé, non du dehors, mais de l'intérieur de la chambre.

Ç'avait été une mauvaise plaisanterie de M. Albin ! Il nia en donnant sa parole d'honneur, et tous étaient d'ailleurs à peu près certains, même sans cette parole d'honneur, que personne d'entre eux n'avait frappé ce coup. Ç'avait donc été Holger ? Ils regardèrent Elly dont l'attitude calme venait au même instant de frapper tout le monde. Elle était assise, appuyée contre le dossier de son siège, les poignets abandonnés, les bouts des doigts sur le bord de la table, la tête penchée sur l'épaule, les sourcils levés, mais sa petite bouche rétrécie, légèrement abaissée par un sourire qui avait quelque chose d'à la fois dissimulé et d'innocent, et de ses yeux bleus d'enfant qui ne voyaient rien, elle regardait obliquement dans le vide. On l'appela, sans qu'elle donnât signe de vie. Au même instant, la petite lampe de la table de nuit s'éteignit.

S'éteignit ? Mme Stöhr, que l'on ne pouvait plus retenir, poussa des hi et des hou, car elle avait entendu le déclic du commutateur. La lumière ne s'était pas éteinte, elle avait été éteinte par une main que l'on désignait avec beaucoup de ménagements, en disant que c'était une main étrangère. Était-ce la main de Holger ? Il s'était montré jusqu'à présent si doux, si discipliné et si poétique ! Mais voici que sa nature tournait à la polissonnerie et à la turbulence. Qui pourrait assurer qu'une main qui donnait des coups de poing dans la porte et les meubles et qui avait l'insolence d'éteindre la lumière ne saisirait pas aussi bien quelqu'un par la gorge ? Dans l'obscurité on réclama des allumettes, une lampe de poche. La Lévi hurla qu'on lui avait tiré les cheveux sur le front. Dans sa peur folle, Mme Stöhr n'eut pas honte de prier Dieu à haute voix. « Notre père, cette fois-ci encore… » cria-t-elle et, gémissant, implora le Seigneur de vouloir donner le pas à la grâce sur la justice, bien que l'on eût tenté l'enfer. Ce fut le docteur Ting-Fou qui eut la pensée raisonnable de tourner le commutateur, de sorte que la chambre se trouva aussitôt éclairée. Tandis que l'on constatait que la lampe de la table de nuit ne s'était en effet pas éteinte par hasard, qu'elle avait été éteinte, et qu'il n'était besoin, pour la rallumer, que de répéter humainement le geste qui avait été accompli par des moyens occultes, Hans Castorp éprouva personnellement une surprise qu'il pouvait considérer comme une attention à son égard des ténébreux enfantillages qui s'accomplissaient ici. Sur ses genoux il trouva un objet léger, « le souvenir » qui avait autrefois effrayé son oncle, lorsqu'il l'avait trouvé sur la commode de son neveu : le dispositif de verre qui montrait l'intérieur de Clawdia Chauchat, et que Hans Castorp, quant à lui, n'avait certainement pas introduit dans cette chambre. Il le serra dans son portefeuille sans faire le moindre bruit autour de ce phénomène. On était occupé d'Ellen Brand qui était toujours assise à sa place, dans l'attitude que nous avons décrite, le regard aveugle, avec une expression bizarrement affectée. M. Albin souffla dans sa figure et imita le petit geste de la main par lequel le docteur Krokovski l'avait éventée, sur quoi elle reprit ses sens, et — on pouvait se demander pourquoi — versa quelques larmes. On la caressa, on la consola, on l'embrassa sur le front et on l'envoya se coucher. Mlle Lévi se déclara prête à passer la nuit avec Mme Stöhr parce que la pauvre femme était effrayée au point de ne plus oser regagner son lit. Hans Castorp, sa plaque dans la poche de son veston, ne fit pas d'objections lorsque les autres hommes proposèrent de finir cette soirée interrompue en allant prendre une fine dans la chambre de M. Albin, car il trouvait que des incidents de ce genre exerçaient, non pas sur le cœur ou l'esprit, mais sur les nerfs de l'estomac, un effet aussi prolongé que ceux du mal de mer dont on ressent encore pendant des heures entières, sur la terre ferme, les vertiges et les nausées.

Pour le moment sa curiosité était assouvie. Le poème de Holger ne lui avait pas semblé mauvais, mais il avait pourtant eu le sentiment si net de la vanité et du manque de goût de tout cela, qu'il estima que mieux valait s'en tenir à ces quelques étincelles de la flamme infernale qui l'avaient effleuré. M. Settembrini, comme bien l'on pense, le conseilla dans le même sens, lorsque Hans Castorp l'entretint de ses expériences.

« Il ne manquait plus que cela, s'écria-t-il. Oh ! misère de misère ! » Et il déclara sans plus que la petite Elly était une fieffée friponne.

Son élève ne dit ni oui ni non. Il déclara en haussant les épaules que l'on n'avait pas fait le départ entre le réel et l'équivoque, et que par conséquent l'on ne pouvait pas non plus se prononcer sur l'imposture. Peut-être n'y avait-il pas entre les deux de limites certaines. Peut-être y avait-il des transitions entre l'un et l'autre, des degrés différents de réalité au sein d'une nature muette et neutre, degrés de réalité rebelles à toute appréciation qui comportait forcément un jugement moral. Que pensait M. Settembrini du mot « fantasmagorie », de cet état où des éléments du rêve et des éléments de la réalité formaient un mélange qui était moins étranger à la nature qu'à nos rudes pensées quotidiennes ? Le mystère de la vie était réellement insondable : quoi d'étonnant, dès lors, qu'il en surgît parfois des fantasmagories qui… Et ainsi de suite, dans la manière aimablement conciliante et assez molle de notre héros.

M. Settembrini lui lava la tête comme il convenait, réussit en effet à fortifier momentanément la conscience de Hans Castorp, et obtint quelque chose comme une promesse de ne plus participer à de telles ignominies. « Respectez, demanda-t-il, l'homme qui est en vous, ingénieur ! Fiez-vous à la pensée claire et humaine, abhorrez ces convulsions du cerveau, ce bourbier de l'esprit. Fantasmagorie ? Mystère de la vie ? *Caro mio !* Là où le courage moral d'opter et de distinguer entre l'imposture et la vérité faiblit, c'en est fini de la vie en général, du jugement, de la valeur, de l'action qui redresse, et le processus de décomposition du scepticisme moral a commencé son œuvre effroyable. L'homme est la mesure des choses, dit-il encore. Son droit est imprescriptible de se prononcer sur le bien et le mal, sur la vérité et sur l'apparence mensongère et malheur à celui qui aurait l'audace de vouloir le détourner de la foi en ce droit créateur ! » Mieux valait être noyé, une meule au cou dans le puits le plus profond !

Hans Castorp approuva de la tête et commença en effet par se tenir à l'écart de ces expériences. Il apprit que le docteur Krokovski organisait dans son souterrain des séances d'analyse avec Ellen Brand auxquelles étaient admis quelques pensionnaires privilégiés. Mais il déclina avec indifférence l'invitation qui lui fut faite, ce qui naturellement ne l'empêcha pas d'apprendre certaines choses, de la bouche des spectateurs et du docteur Krokovski, relativement au succès obtenu. Des manifestations de force de l'espèce de celles qui s'étaient produites involontairement et brutalement, dans la chambre d'Hermine Kleefeld — coups frappés contre la table et contre le mur, extinction de lampes, et autres manifestations plus significatives —, furent tentées et exercées au cours de ces réunions, de manière systématique et avec toutes les garanties possibles d'authenticité, après que le camarade Krokovski eut hypnotisé la petite Elly selon toutes les règles de l'art, et l'eut transportée dans un état de rêve éveillé. Il s'était montré qu'un accompagnement musical facilitait ces exercices, et le phonographe était donc déplacé ces soirs-là, réquisitionné par le cercle magique. Mais comme le Tchèque Wenzel, qui assurait en ces circonstances le service de l'instrument, était un bon musicien qui ne le maltraiterait pas ni ne l'abîmerait, Hans Castorp pouvait sans inquiétude lui confier le phonographe. Il mettait à la disposition des spirites pour cet usage particulier un album spécial de disques dans lequel il avait réuni toutes sortes d'airs légers, danses, petites ouvertures et autres flonflons qui faisaient parfaitement l'affaire puisque Elly n'exigeait nullement des tons plus élevés.

C'est avec cet accompagnement, rapporta-t-on à Hans Castorp qu'un mouchoir s'était envolé de lui-même, ou plutôt avait été soulevé par une « griffe » dissimulée dans ses plis, que le panier à papier du docteur était monté au plafond, que le pendule d'une horloge avait été arrêté et remis en marche « par personne », qu'une clochette avait été agitée — et autres niaiseries troubles du même genre. Le savant directeur des expériences avait l'avantage de pouvoir leur donner des noms grecs d'un tour scientifique et très imposant. C'étaient là, expliqua-t-il dans ses conférences et ses conversations personnelles, des phénomènes « télécinétiques » et le docteur les rangeait dans une catégorie de phénomènes que la science avait baptisés du nom de matérialisations et auxquels tendaient ses efforts dans les tentatives auxquelles il se livrait sur Ellen Brand.

Dans son langage, il s'agissait là de projections biopsychiques des complexes subconscients dans l'objectif, de processus dont il fallait chercher la source dans la constitution médiale, dans l'état de somnambulisme, et que l'on pouvait considérer comme des images de rêve objectivées, car une faculté idéoplastique de la nature s'y manifestait, une aptitude de la pensée à attirer dans certaines conditions la matière et à s'y revêtir d'une réalité éphémère. Cette matière se dégageait du corps du médium, pour prendre en dehors de lui, et passagèrement, des formes biologiques et vivantes d'extrémités, de mains, qui accomplissaient justement ces actes insignifiants et étonnants dont on était le témoin dans le laboratoire du docteur Krokovski. Dans certaines circonstances ils étaient même visibles et palpables, ces membres ! Leurs formes se conservaient dans la paraffine et le plâtre. Mais dans d'autres conditions on allait encore plus loin. Des têtes, des visages individualisés d'homme, des fantômes complets se réalisaient devant les yeux de ceux qui se livraient aux expériences, ils entraient même en certains rapports avec eux — et ici la doctrine du docteur Krokovski paraissait se dédoubler, elle commençait à loucher et à prendre un caractère instable et équivoque, analogue à celui qu'avaient eu ses expectorations sur « l'amour ». Car, désormais, il n'y avait plus moyen d'éviter des malentendus, et d'observer plus longtemps un détachement scientifique envers les sensations subjectives du médium et de ses aides passifs, réfléchies dans le réel. Désormais, tout au moins pour une part, des entités provenant du dehors et de l'au-delà se mêlaient aux jeux. Il s'agissait peut-être — mais on ne l'avouait pas tout à fait — d'êtres non viables, de créatures qui mettaient à profit la faveur douteuse et secrète de l'instant pour retourner dans la matière et se manifester à ceux qui les appelaient, bref il s'agissait de l'évocation des esprits des morts.

Tels étaient donc les résultats auxquels tendait le camarade Krokovski dans le travail qu'il accomplissait avec son groupe. Trapu et souriant cordialement, invitant à une confiance joyeuse, il s'y appliquait ; toute sa personne ramassée était très à l'aise dans le visqueux, dans le suspect, dans l'infra-humain, et il était par conséquent un bon guide dans ces régions, même pour des gens timides et pleins de doute. Aussi le succès semblait-il lui sourire, grâce aux dons extraordinaires d'Ellen Brand qu'il s'appliquait à développer et à éduquer. Des contacts s'étaient produits entre participants isolés — des mains matérialisées y avaient pourvu. Le procureur Paravant avait reçu de la transcendance une rude claque, en avait pris acte avec une sérénité scientifique, il avait même poussé la curiosité jusqu'à tendre l'autre joue, sans égard pour ses qualités d'homme du monde, de juriste et de vieux monsieur qui l'auraient obligé à prendre une attitude tout autre si le coup avait eu une origine vivante. A. C. Ferge, ce simple martyr, à qui toutes les choses élevées étaient étrangères, avait tenu un jour dans sa propre main la main d'un de ces esprits et avait pu s'assurer de l'exactitude et de la plénitude de sa forme, après quoi ce membre lui avait échappé d'une manière qu'il n'est pas possible de décrire exactement, bien qu'il eût tenu bon dans les limites du respect. Il fallut un temps assez long — presque deux mois et demi, à raison de deux séances par semaine — avant qu'une main originaire de cet au-delà, éclairée d'une lueur rougeâtre par une petite lampe voilée de papier rouge — la main d'un jeune homme, avait-il semblé —, fût apparue à tous les regards, tâtonnant sur la table, et eût laissé sa trace dans un pot de grès plein de farine. Mais il advint que huit jours après, un groupe de collaborateurs du docteur Krokovski, M. Albin, Mme Stöhr, les Magnus parurent vers minuit avec tous les signes d'un enthousiasme grimaçant et d'une extase fiévreuse, dans la loge de balcon de Hans Castorp, et, à lui qui somnolait dans le froid mordant, firent part à bâtons rompus que le Holger d'Elly s'était montré, que sa tête était apparue au-dessus de l'épaule de la somnambule, qu'en effet il avait de « belles boucles brunes, brunes » et qu'il avait souri avec une douceur et une mélancolie inoubliables avant de disparaître.

« Comment, pensa Hans Castorp, cette noble douleur s'accordait-elle avec la conduite de ce Holger, avec ses enfantillages banals et ses frivoles polissonneries, par exemple avec cette gifle dénuée de mélancolie que le procureur avait encaissée ? Il ne fallait pas apparemment exiger ici une logique parfaite dans le caractère. Peut-être était-on en présence d'un état d'âme analogue à celui du petit bossu de la chanson, de sa méchanceté chagrine et pitoyable. Les admirateurs de Holger ne semblaient pas réfléchir à tout cela. Ce qui leur tenait à cœur, c'était de décider Hans Castorp à renoncer à son abstention. Il fallait absolument qu'il assistât à la séance suivante, à présent que tout allait si bien. Car Elly avait promis dans son sommeil de faire paraître la prochaine fois n'importe quel défunt que l'on réclamerait dans le cercle.

N'importe lequel ? Hans Castorp se tenait quand même sur la réserve. Mais le fait que ce pût être « n'importe quel mort » le préoccupa cependant au point que, dans les trois jours suivants, il en vint à changer de résolution. À dire vrai, il ne lui fallut pas trois jours mais quelques minutes. Le changement dans son esprit s'accomplit à l'heure solitaire où il faisait une fois de plus tourner au salon de musique certain disque où se trouvait imprimée la personnalité archisympathique de Valentin, tandis que, sur sa chaise, il prêtait l'oreille à cette prière du brave qui prenait congé, qui avait hâte de partir pour le champ d'honneur et qui chantait :

Et si vers lui Dieu me rappelle,
Je veillerai sur toi, fidèle,
Ô Marguerite...

Alors, comme il en était chaque fois qu'il entendait ce chant, une émotion, que certaines possibilités rendaient aujourd'hui plus fortes et condensaient en désir, souleva la poitrine de Hans Castorp, et il pensa : « Que ce soit coupable et oiseux, ou non, ce serait d'une étrangeté touchante, et une aventure bien désirable. Et, tel que je le connais, il ne m'en voudra pas s'il n'y est pour rien. » Et il se rappela l'indifférent et libéral « Je t'en prie, je t'en prie ! » qu'il avait jadis reçu pour réponse, dans le laboratoire de radioscopie, lorsqu'il avait cru devoir demander la permission de certaines indiscrétions optiques.

Le lendemain matin, il annonça qu'il prendrait part à la séance prévue pour le soir, et, une demi-heure après le dîner, il rejoignit les autres qui, bavardant sans anxiété, en habitués du surnaturel, descendaient au sous-sol. Ce n'étaient que des vétérans établis depuis longtemps dans la maison, comme le docteur Ting-Fou, et le Tchèque Wenzel, qu'il rencontra dans l'escalier et ensuite dans le cabinet du docteur Krokovski : à savoir MM. Ferge, Wehsal et le procureur, ces dames Lévi et Kleefeld, sans parler de celles qui lui avaient annoncé l'apparition de la tête de Holger, et du médium Elly Brand.

L'enfant nordique se trouvait déjà sous la garde du docteur lorsque Hans Castorp franchit la porte ornée d'une carte de visite. À côté de Krokovski qui, vêtu de sa blouse de travail noire, la tenait paternellement enlacée, elle attendait les visiteurs, en bas des marches qui descendaient du plan du souterrain dans l'appartement de l'assistant, et les saluait en sa compagnie. De toutes parts ces échanges de salut étaient d'une cordialité gaie et insoucieuse. On semblait vouloir à dessein écarter toute gêne et toute solennité. On parlait à tort et à travers, à haute voix et en plaisantant, on échangeait des bourrades, et de toute manière on manifestait son insouciance. Dans la barbe de Krokovski, ses dents jaunes apparaissaient à tout moment, avec certaines expressions cordiales et rassurantes, tandis qu'il répétait son « Je vous salue » et elles apparurent surtout lorsqu'il souhaita la bienvenue à Hans Castorp qui était silencieux et dont l'expression semblait hésitante. « Courage, mon ami ! » semblait dire le hochement de tête du docteur tandis qu'il serrait la main du jeune homme, presque avec rudesse. « Pourquoi nous faire grise mine ? Il n'y a ici ni sournoiserie, ni bigoterie ; il n'y a ici que la bonne humeur virile d'une recherche scientifique sans préventions. » Abordé par cette pantomime, l'autre ne s'en sentit pas plus à l'aise. Lorsqu'il avait pris sa résolution nous l'avions vu évoquer le souvenir du cabinet de radioscopie. Mais cette association d'idées ne suffit pas à caractériser son état d'âme. Ce dernier faisait penser bien plus à l'étrange, et inoubliable mélange de hardiesse et de nervosité, de curiosité, de mépris et de ferveur, auquel il avait été en proie voici bien des années, lorsque, un peu gris, il s'était rendu pour la première fois avec des camarades dans une maison close du quartier Saint-Paul.

Comme on était au complet, le docteur Krokovski se retira avec deux assistants — qui étaient cette fois Mme Magnus et Mlle Lévi au teint d'ivoire — dans la pièce voisine, pour fouiller le médium, tandis que Hans Castorp attendait, avec les neuf autres invités la fin de cette procédure qui se répétait régulièrement et toujours sans résultat, avec une rigueur scientifique, dans le cabinet de travail et de consultations du docteur. L'endroit lui était familier, depuis les heures de bavardage qu'il avait pendant quelque temps passées ici avec l'analyste, à l'insu de Joachim. C'était un cabinet médical de consultations comme beaucoup d'autres, avec son bureau, son fauteuil au dossier cintré, et le fauteuil destiné au malade, sur la gauche, derrière la fenêtre, avec sa bibliothèque de part et d'autre de la porte latérale, avec sa chaise longue en toile cirée, placée obliquement dans l'angle droit de la pièce, et séparée du bureau par un paravent à plusieurs feuilles, avec sa vitrine à instruments dans le même angle, le buste d'Hippocrate dans un autre coin, et l'eau-forte d'après *La Leçon d'anatomie* de Rembrandt au-dessus du poêle au gaz, dans le mur de droite. Mais on pouvait constater certaines modifications opérées dans un but particulier. La table ronde en acajou qui, d'habitude, entourée de sièges, avait sa place au centre de la pièce, sous le lustre électrique, au milieu du tapis rouge qui couvrait presque entièrement le plancher, avait été reculée vers l'angle gauche, là où se trouvait le buste de plâtre, et à un point excentrique, tout près du poêle qui était allumé et dégageait une chaleur sèche, se trouvait un petit guéridon couvert d'un tapis léger, qui supportait une petite lampe voilée de rouge, et en outre une seconde ampoule, également enveloppée de tissu rouge et blanc. Sur le guéridon et à côté de lui se trouvaient encore quelques objets bien connus : la clochette, ou plus exactement deux cloches de construction différente : une cloche à battant et un timbre sur lequel il fallait frapper ; de plus, l'assiette de farine, le panier à papier. Une douzaine environ de chaises et de fauteuils de types différents entouraient la table en un demi-cercle, dont une extrémité se trouvait au pied de la chaise longue, et dont l'autre était située assez exactement au milieu de la chambre, sous le lustre. C'est ici, à proximité du dernier siège, à peu près à mi-chemin de la porte de communication, que l'on avait placé le meuble du phonographe. L'album, avec ses musiquettes, était posé sur une chaise. Tel était l'ordre prévu. On n'avait pas encore allumé les lampes rouges. Le lustre dispensait une lumière blanche et éclatante. La fenêtre, vers laquelle était tourné le côté étroit du bureau, était cachée par un rideau sombre devant lequel était encore tiré un store crème, orné de dentelles.

Au bout de dix minutes, le docteur sortit du cabinet, avec les trois dames. L'apparence de la petite Elly s'était modifiée. Elle ne se montrait plus dans ses vêtements, mais dans une sorte de costume de séance, une espèce de peignoir en crêpe blanc qui était maintenu autour de la taille par une cordelière, et qui dégageait ses bras minces. Comme sa poitrine de jeune fille se dessinait sous ce vêtement, mollement et sans soutien, il paraissait qu'elle n'était que très peu vêtue sous cette robe.

On la salua avec vivacité. « Allô, Elly ! Comme elle est charmante ! Une vraie fée ! Travaille bien, mon ange. » Elle sourit de ces exclamations et de son costume, dont elle savait qu'il lui seyait. « Contrôle préalable négatif », annonça le docteur Krokovski. « À l'œuvre donc, camarades ! » ajouta-t-il avec son *r* exotique qu'il produisait en ne touchant son palais qu'une fois, et Hans Castorp, désagréablement affecté par ce dernier mot, était sur le point de prendre, comme les autres qui, avec des « allô », des bavardages et des tapes sur les épaules, commençaient d'occuper les chaises en demi-cercle, n'importe quelle place, lorsque le docteur s'adressa personnellement à lui.

« C'est à vous, mon ami, dit-il, à vous qui séjournez en quelque sorte en invité ou en novice au milieu de nous, que je voudrais ce soir accorder des droits particuliers. Je vous charge de contrôler notre médium. Nous pratiquons ce contrôle comme suit. »

Et il pria le jeune homme de s'approcher d'une des extrémités du demi-cercle, du côté voisin de la chaise longue et du paravent, où Elly, la tête tournée davantage vers la porte d'entrée aux marches que vers le milieu de la chambre, avait pris place sur un fauteuil de rotin ordinaire, s'assit sur un autre fauteuil semblable, en face d'elle, et saisit ses mains, en serrant les deux genoux de la jeune fille entre les siens.

« Imitez-moi », ordonna-t-il, et il fit asseoir Hans Castorp à sa place. « Vous conviendrez que l'isolement est parfait. Par surcroît de précaution, on vous aidera. Mademoiselle Kleefeld, puis-je vous p*r*-*r*ier ? » Et la jeune femme, mobilisée avec une politesse si exotique, se joignit au groupe, en maintenant de ses deux mains les poignets fragiles d'Elly.

Il n'était pas toujours possible pour Hans Castorp d'éviter de regarder dans le visage, si proche du sien, de la jeune enfant prodige qu'il tenait si étroitement emprisonnée. Leurs yeux se rencontraient, mais ceux d'Elly déviaient et s'abaissaient de temps à autre, exprimant une pudeur que la situation expliquait parfaitement — et, en même temps, elle souriait d'une manière un peu affectée, la tête oblique et les lèvres légèrement pointues, comme cela avait été le cas lors de la séance du verre. Du reste cette minauderie évoqua chez son surveillant un autre souvenir plus lointain. C'est ainsi à peu près, lui revint-il à l'esprit, que Karen Karstedt avait souri lorsque, avec Joachim, ils étaient restés debout auprès du tombeau encore intact du cimetière de Dorf…

On s'était assis en demi-cercle. Il y avait treize personnes, sans compter le Tchèque Wenzel qui avait l'habitude de se consacrer à l'instrument Polyhymnia, et qui, après avoir préparé l'appareil, dans le dos des spectateurs assis au milieu de la chambre, prit place sur un tabouret. Il avait aussi sa guitare à côté de lui. Sous le lustre, là où la rangée de fauteuils s'arrêtait, le docteur Krokovski s'établit après avoir allumé les deux lampes rouges et éteint le plafonnier. Une obscurité doucement rougeoyante régnait à présent dans la pièce, dont les régions et les recoins plus lointains n'étaient plus du tout accessibles aux regards. En somme, seul le dessus de la table et son entourage immédiat étaient éclairés faiblement d'une lueur rougeâtre. Durant les minutes suivantes on vit à peine ses voisins. Très lentement, les yeux s'habituaient à l'obscurité et apprenaient à tirer parti de la lumière qui leur était accordée, et que le flamboiement de la cheminée renforçait dans une certaine mesure.

Le docteur consacra quelques paroles à cet éclairage, déplora son insuffisance du point de vue scientifique. Il fallait se garder de les interpréter comme un moyen de créer une atmosphère, comme une mystification. Malheureusement, pour le moment, en dépit de sa bonne volonté, on n'avait pu organiser un meilleur éclairage. La nature des forces qui entraient ici en ligne de compte et qu'il s'agissait d'étudier, était telle qu'elles ne pouvaient se développer ni exercer une action efficace à la lumière blanche. C'était une condition dont il fallait provisoirement tenir compte. Hans Castorp se déclara satisfait. L'obscurité faisait du bien. Elle atténuait l'étrangeté de la situation dans son ensemble. Au surplus, pour justifier l'obscurité, il se rappela celle où l'on s'était pieusement concentré dans la salle de radioscopie, et dans laquelle on avait baigné ses yeux de jour, avant de « voir ».

Le médium, continua le docteur Krokovski, poursuivant son introduction qui, de toute évidence, s'adressait particulièrement à Hans Castorp, n'avait plus besoin que lui, le médecin, l'endormît. Ainsi que Castorp s'en apercevrait, elle tombait d'elle-même en transe et ceci fait, son esprit gardien, le fameux Holger, parlait à travers elle ; et c'était à lui aussi, non pas à elle, qu'il fallait adresser ses vœux. Du reste, c'était une erreur, qui pouvait provoquer des échecs, de croire qu'il fallait concentrer par la volonté et de force ses pensées sur le phénomène que l'on attendait. Au contraire, une attention à moitié distraite et un bavardage insouciant étaient indiqués. Il recommanda surtout à Hans Castorp de veiller infailliblement sur les extrémités du médium.

« Que l'on forme la chaîne ! » conclut le docteur Krokovski, ce que l'on fit, en riant, lorsque dans l'obscurité on ne trouvait pas tout de suite les mains de ses voisins. Le docteur Ting-Fou, voisin d'Hermine Kleefeld, posa sa main droite sur l'épaule de la jeune femme, et tendit la gauche à M. Wehsal qui venait après lui. À côté du docteur étaient assis M. et Mme Magnus, auxquels se joignit A. C. Ferge qui, si Hans Castorp ne se trompait pas, tenait dans sa droite la main de Mlle Lévi au teint d'ivoire, et ainsi de suite. « Musique », ordonna le docteur Krokovski. Et le Tchèque, dans le dos du docteur et de ses voisins, mit ce mécanisme en mouvement et posa l'aiguille. « Causons ! » commanda de nouveau Krokovski, tandis que retentissaient les premières mesures d'une ouverture de Millöcker. Et, docilement, on s'efforça de mettre une conversation en train qui ne traitait de rien de notable, de l'état de la neige, cet hiver, du menu du dernier repas, d'une arrivée, d'un départ normal ou en coup de tête, conversation qui, à moitié couverte par la musique s'arrêtait et se renouait, ne se prolongeant qu'artificiellement. Ainsi passèrent quelques minutes.

Le disque n'était pas encore terminé lorsque Elly eut un violent sursaut. Un tremblement la parcourut, elle soupira, le haut de son corps se pencha en avant, de sorte que son front toucha celui de Hans Castorp, et en même temps ses bras commencèrent d'exécuter, avec ceux du surveillant, de bizarres mouvements de pompe, en avant et en arrière.

« Transe », annonça l'experte Hermine Kleefeld. La musique se tut. La conversation s'interrompit. Dans le silence brusquement tombé on entendit le baryton mou et traînant du docteur poser cette question :

« Holger est-il présent ? »

Elly trembla de nouveau. Elle vacilla sur sa chaise. Puis Hans Castorp sentit que, des deux mains, elle serrait fortement et rapidement les siennes.

« Elle me serre les mains, annonça-t-il.

— Il, rectifia le docteur. C'est lui qui vous les a serrées. Il est donc présent. Nous te saluons, Holger, poursuivit-il avec onction. Sois le bienvenu de tout cœur, compagnon ! Et laisse-moi te le rappeler. La dernière fois que tu as séjourné parmi nous, tu nous as promis d'évoquer n'importe quel défunt que nous te nommerions, que ce soit un frère ou une sœur, et de le faire apparaître à nos yeux mortels. Es-tu disposé à remplir aujourd'hui ta promesse et t'en sens-tu capable ? »

De nouveau Elly frissonna. Elle gémit et hésita à répondre. Lentement elle porta ses mains à son front, ainsi que celles de son voisin, et les y laissa un instant reposer. Puis elle chuchota tout contre l'oreille de Hans Castorp un : « Oui » brûlant.

Le souffle de ce mot dans son oreille causa à notre ami ce chatouillement de l'épidémie que l'on appelle ordinairement « chair de poule », et dont le conseiller lui avait un jour expliqué l'origine. Nous parlons d'un chatouillement pour distinguer l'impression purement physique de la réaction de l'âme. Car il ne pouvait être question chez lui d'une frayeur. Ce qu'il pensait c'était à peu près ceci : « Allons, en voilà une qui va fort ! » Mais en même temps il se sentait ému, voire bouleversé : c'était un sentiment qui provenait d'un trouble causé par ce fait trompeur qu'une jeune fille dont il tenait les mains venait de souffler un « oui » à son oreille.

« Il a dit "oui", rapporta-t-il, et il avait honte.

— À la bonne heure, Holger, dit le docteur Krokovski. Nous te prenons au mot. Nous tous avons confiance que tu feras loyalement ce qui est en ton pouvoir. On va tout de suite te nommer le cher mort que nous souhaitons voir se manifester. Camarades, s'adressa-t-il à la compagnie, prononcez-vous ! Qui de vous a un désir à remplir ? Qui l'ami Holger doit-il vous montrer ? »

Un silence suivit. Chacun attendait que le voisin parlât. Tels d'entre eux s'étaient sans doute demandé ces jours derniers où et à qui allaient leurs pensées. Mais c'est toujours une chose compliquée et délicate que de faire revenir des morts, c'est-à-dire de souhaiter leur retour. Au fond, pour le dire franchement, on ne peut pas du tout le souhaiter. C'est une erreur de le faire. Le désir en est aussi impossible que la chose elle-même ; et on s'en apercevrait si la nature abolissait pour une fois cette impossibilité. Et ce que nous appelons la douleur n'est peut-être pas tant le regret que nous éprouvons de cette impossibilité de voir les morts revenir à la vie que de notre impuissance à le souhaiter.

C'est là ce qu'ils éprouvaient tous, confusément, et bien qu'il ne s'agît pas ici d'un retour sérieux et pratique dans la vie, mais d'un agencement purement sentimental et théâtral, au cours duquel on ne devait que voir le défunt, et que le cas fût par conséquent anodin, ils avaient pourtant peur du visage de celui auquel ils pensaient, et chacun eût volontiers laissé à son voisin le droit de formuler un souhait. Hans Castorp, lui aussi, bien qu'il crût entendre le complaisant et libéral : « Je t'en prie, je t'en prie », de certaine heure obscure, se contint et, au dernier moment, il était assez disposé à laisser le pas à un autre. Mais comme cela durait trop longtemps, il dit, la tête tournée vers le président de la séance, d'une voix voilée :

« Je voudrais voir feu mon cousin Joachim Ziemssen. »

Ce fut une délivrance pour tous. De tous les présents, seuls le docteur Ting-Fou, le Tchèque Wenzel et le médium n'avaient pas connu personnellement celui que l'on voulait évoquer. Les autres, Ferge, Wehsal, M. Albin, le procureur, M. et Mme Magnus, Mme Stöhr, Mlle Lévi et Hermine Kleefeld manifestèrent à voix haute et joyeuse leur approbation, et même le docteur Krokovski fit un signe de tête satisfait, bien que ses rapports avec Joachim eussent toujours été froids, celui-ci s'étant montré peu docile à l'analyse.

« Très bien, dit le docteur. Tu entends, Holger? Dans la vie celui que nous avons nommé t'était inconnu. Le reconnais-tu dans l'au-delà des choses et es-tu prêt à le ramener vers nous ? »

Grande attente. La somnambule chancela, gémit et frémit. Elle semblait chercher et lutter ; retombant d'un côté, puis de l'autre, elle chuchotait des paroles inintelligibles, tantôt à l'oreille de Hans Castorp, tantôt à celle de la Kleefeld. Enfin, Hans Castorp sentit la pression des deux mains qui signifiait « oui », il en rendit compte, et…

« Fort bien, s'écria le docteur Krokovski. Au travail, Holger. Musique ! s'écria-t-il. Conversation ! » Et il rappela encore une fois que l'on servait les besoins de la cause, non pas en concentrant sa pensée et en se représentant de force ce que l'on attendait, mais par une attention vague et sans contrainte.

Et maintenant suivirent les heures les plus étranges que notre héros eût vécues jusqu'ici ; et bien que la suite de ses destinées ne soit pas tout à fait connue, bien que nous devions le perdre de vue à un point donné de notre histoire, nous sommes tenté d'admettre que ce furent les plus étranges qu'il ait jamais vécues.

Ce furent des heures, plus de deux, nous le disons tout de suite, en y comprenant une brève interruption du travail de Holger, ou plus exactement de la jeune Elly, qui allait commencer maintenant, de ce travail qui traîna effroyablement en longueur, de sorte que l'on fut sur le point de douter que l'on obtiendrait un résultat et qu'en outre, par pure pitié, on se sentit assez souvent tenté de l'abréger, en renonçant à aboutir, car il semblait qu'il surpassât, à faire pitié, les forces frêles auxquelles il était imposé. Nous autres hommes, lorsque nous ne fuyons pas la vie, avons tous éprouvé dans certaine circonstance cette pitié intolérable que — chose dérisoire ! — personne n'admet, et qui est probablement tout à fait déplacée, cet « assez » indigné qui nous échappe, quoi qu'il soit indispensable d'en finir malgré tout. On a déjà compris que nous parlons de notre situation d'époux et de père, de l'acte d'enfanter auquel la lutte d'Elly ressemblait en effet d'une manière si frappante et si indiscutable que même ceux qui ne le connaissaient pas encore, devaient le reconnaître. C'était le cas du jeune Hans Castorp qui, puisque lui non plus ne s'était pas dérobé à la vie, apprit à connaître sous cet aspect cet acte plein d'un mysticisme organique. Sous quel aspect ? Et dans quel dessein ? Et dans quelles conditions ? Il n'est pas possible de qualifier autrement que de scandaleux les caractères et les détails de cette chambre d'accouchée sous la lumière rouge, autant en ce qui concerne la juvénile personne de l'accouchée dans son peignoir flottant et avec ses bras nus, que quant aux autres circonstances, à cette continuelle musique légère de phonographe, à ce bavardage artificiel que le demi-cercle s'efforçait d'entretenir sur ordre, aux encouragements joyeux qui en partaient sans cesse pour la lutteuse. « Allons, Holger ! Du courage ! Ça va marcher. Ne lâche pas le coup. Holger, vas-y ! Un petit effort, tu y arriveras ! » Et nous n'exceptons nullement ici la personne de « l'époux » — si nous pouvons considérer Hans Castorp qui avait formulé le souhait, comme l'époux —, l'époux donc qui tenait les genoux de la « mère » entre les siens, qui tenait aussi dans les siennes les mains, ces mains aussi humides qu'avaient été autrefois celles de la petite Leila, de sorte qu'il devait sans cesse renouveler son étreinte pour qu'elles ne lui échappassent pas.

Car la cheminée au gaz, dans le dos de la jeune fille, dégageait de la chaleur.

Sacre mystique ? Oh ! non, on se comportait bruyamment et sans délicatesse dans la pénombre rouge à laquelle les yeux s'étaient peu à peu habitués suffisamment pour embrasser à peu près la chambre. La musique, les cris faisaient penser aux méthodes qu'emploie l'Armée du Salut pour galvaniser ses auditoires, y faisaient penser même ceux qui, comme Hans Castorp, n'avaient jamais assisté à une fête religieuse de ces fanatiques joyeux. La scène paraissait mystique, mystérieuse, pieuse non pas dans un sens de fantasmagorie, mais uniquement dans un sens naturel, organique, et nous avons déjà dit grâce à la parenté intime avec quelle autre image. Pareillement aux douleurs de l'enfantement, les efforts d'Elly se produisaient après des périodes de répit pendant lesquelles elle était affaissée sur l'appui de son siège, dans un état d'inconscience que le docteur Krokovski qualifiait de « transe profonde ». Puis elle sursautait de nouveau, gémissait, se jetait de côté et d'autre, repoussait ses surveillants, luttait avec eux, chuchotait des paroles ardentes et dépourvues de sens à leurs oreilles, semblait vouloir expulser quelque chose d'elle-même, en se jetant de côté, grinçait des dents et allait jusqu'à mordre la manche de Hans Castorp.

Cela dura une heure et plus. Puis le directeur de la séance estima qu'il était dans l'intérêt général de faire un entracte. Le Tchèque Wenzel qui, pour changer, avait en dernier lieu ménagé le phonographe et avait très adroitement fait chevroter et vibrer la guitare, déposa son instrument. En soupirant, on dénoua ses mains. Le docteur Krokovski se dirigea vers le mur pour allumer le lustre. La clarté blanche jaillit, aveuglante, et tous ces yeux habitués à la nuit clignotèrent stupidement. Elly somnolait, penchée en avant, le visage presque sur ses genoux. On la voyait singulièrement active, faisant des gestes qui semblaient familiers aux autres, mais que Hans Castorp observa avec attention et surprise : pendant quelques minutes, sa paume alla et vint dans la région de la hanche, elle l'éloignait et la ramenait à elle, comme pour puiser ou ratisser quelque chose. Puis, en plusieurs sursauts, elle reprit conscience, clignota elle aussi au jour, avec des yeux stupides et endormis, et sourit.

Elle sourit, avec une coquetterie un peu lointaine. La pitié que l'on avait éprouvée pour ses peines semblait en effet gaspillée. Il ne paraissait pas qu'elle en fût particulièrement épuisée. Peut-être ne s'en souvenait-elle pas du tout. Elle était assise dans le fauteuil des malades, derrière le bureau voisin de la fenêtre, entre lui et le paravent qui entourait la chaise longue ; elle avait placé son siège de façon à pouvoir appuyer son bras sur la table, et regardait devant elle dans la chambre. Elle resta ainsi, effleurée par des regards émus, saluée de temps à autre par un signe de tête encourageant, silencieuse pendant toute la récréation qui dura quinze minutes.

C'était une véritable récréation — apaisée et pleine d'une douce satisfaction du travail accompli. Les étuis de cigarettes de ces messieurs claquèrent. On fumait à l'aise, par groupes, on discutait ici et là du caractère de la séance. Il s'en fallait de beaucoup que l'on eût désespéré d'obtenir un résultat. Il y avait des indices faits pour écarter un tel découragement. Ceux qui s'étaient trouvés à l'autre extrémité du demi-cercle, près du docteur, s'accordaient à dire qu'ils avaient plusieurs fois et distinctement senti ce souffle frais qui, lorsque des phénomènes se préparaient, partait de la personne du médium dans une certaine direction. D'autres prétendaient avoir remarqué des phénomènes lumineux, des taches blanches, des agglomérations mobiles de forces qui étaient apparues à plusieurs reprises devant le paravent. Bref, il ne fallait pas laisser l'effort se relâcher. Pas de pusillanimité ! Holger avait donné sa parole et l'on n'avait aucune raison de douter de lui.

Le docteur Krokovski donna le signal de la reprise de la séance. Lui-même ramena Elly à son siège de torture, en lui caressant les cheveux, cependant que les autres regagnaient leurs places. Tout se passa comme auparavant ; Hans Castorp demanda, il est vrai, à être remplacé dans son rôle de surveillant, mais le président s'y opposa. Il importait, dit le docteur Krokovski, d'accorder à celui qui avait formulé le désir, la garantie matérielle immédiate que toute manipulation frauduleuse du médium était pratiquement impossible. Hans Castorp reprit donc son étrange position face à Elly, la lumière se fit rouge sombre. La musique reprit. Après quelques minutes, Elly sursauta de nouveau, fit les mêmes gestes de traction et cette fois ce fut Hans Castorp qui annonça la « transe ». Le scandaleux accouchement se poursuivait.

Avec quelle peine effrayante il s'accomplissait ! Il ne semblait pas qu'il voulût s'accomplir, et le pouvait-il ? Quelle folie ! Où trouver la maternité ? La délivrance... comment et de quoi ? « Au secours, au secours ! » gémissait l'enfant, tandis que ses douleurs menaçaient de dégénérer en cette crise dangereuse que de savants accoucheurs appellent l'éclampsie. Entre-temps, elle appelait le docteur, le priait de lui apposer ses mains. Il le fit en l'encourageant jovialement. Magnétisée, si toutefois elle l'était, elle se trouva fortifiée pour de nouvelles luttes.

Ainsi s'écoula la deuxième heure, tandis que, tour à tour, la guitare chevrotait et le gramophone jetait les airs de l'album léger dans l'espace à l'éclairage duquel les yeux déshabitués du jour s'étaient de nouveau à peu près accoutumés. C'est alors qu'il y eut un incident ; ce fut Hans Castorp qui le provoqua. Il émit une suggestion, exprima un désir et une pensée qu'il avait eus dès le début et qu'il eût dû, à vrai dire, formuler plus tôt. Le visage dans ses mains que l'on maintenait, Elly était en « transe profonde » et M. Wenzel était sur le point de changer de disque ou de le retourner, lorsque notre ami dit d'un air résolu qu'il avait une proposition à faire, sans importance d'ailleurs. Néanmoins il pensait que son adoption pourrait être de quelque utilité. Il y avait là… ou plus exactement : la collection de disques de la maison contenait un numéro du *Faust* de Gounod, la prière de Valentin, un baryton avec orchestre ; c'était très suggestif. Il estimait que l'on devrait essayer de jouer ce morceau.

« Et pourquoi cela ? demanda le docteur, dans la pénombre rouge.

— Affaire d'atmosphère, affaire de sensibilité, répondit le jeune homme. L'esprit dudit morceau est très particulier. » Il s'en était rendu compte à l'essai. À son avis il n'était pas impossible que cet esprit et ce caractère abrégeassent le processus qu'il s'agissait de mener à bien ici.

« Le disque est-il là ? » s'informa le docteur.

Non, il n'était pas là. Hans Castorp pourrait facilement le chercher.

« À quoi songez-vous ? »

Krokovski déclina aussitôt cette proposition : comment ? Hans Castorp voulait aller et venir, et puis reprendre le travail interrompu ? C'était l'inexpérience qui parlait par sa bouche. Non, c'était tout simplement impossible. Tout serait détruit, tout serait à recommencer. Son souci d'exactitude scientifique lui interdisait d'admettre des allées et venues. La porte était fermée. Lui, le docteur, en portait la clef dans sa poche. Bref, si ce disque n'était pas sous la main, il fallait… Il parlait encore lorsque le Tchèque, debout près du phonographe, intervint :

« Le disque est ici.

— Ici ? demanda Hans Castorp.

— Oui, ici. *Marguerite. Prière de Valentin.* S'il vous plaît. » Il s'était trouvé par hasard dans l'album des morceaux légers, et non dans l'album vert numéro II, où était sa place normale. Par hasard, par extraordinaire, par une négligence heureuse, il se trouvait parmi les « morceaux divers », et il n'y avait qu'à le jouer.

Que dit Hans Castorp de cela ? Rien. Ce fut le docteur qui dit : « Tant mieux ! » et quelques voix répétèrent cette parole. L'aiguille grinça, le couvercle s'abaissa. Et une voix virile commença, parmi des accords de choral : « *Avant de quitter ces lieux.* »

Personne ne parlait. On prêtait l'oreille. À peine le chant eut-il commencé, que les efforts d'Elly changèrent de caractère. Elle avait sursauté, elle tremblait, gémissait, ahanait, pompait et portait de nouveau ses mains humides et glissantes à son front. Le disque tournait. Vint la strophe intermédiaire, au rythme changé, le passage de la bataille et du danger, hardi, pieux et français. La fin suivit, la reprise appuyée par l'orchestre, d'une sonorité puissante : « *À toi Seigneur et Roi des Cieux.* »

Hans Castorp avait fort à faire avec Elly. Elle se cabrait, aspirait l'air de son gosier contracté, s'affaissait sur elle-même avec de longs soupirs ; puis elle resta immobile. Inquiet, il se pencha sur elle lorsqu'il entendit Mme Stöhr piailler d'une voix gémissante :

« Ziemssen ! »

Il ne se redressa pas. Il eut dans la bouche un goût amer. Il entendit une autre voix, basse et froide, répondre :

« Je le vois depuis longtemps. »

On était arrivé au bout du disque, le dernier accord des cuivres avait résonné. Mais personne n'arrêtait l'appareil. Grattant à vide, l'aiguille continuait à tourner au milieu du disque. Alors Hans Castorp leva la tête, et sans chercher, ses yeux prirent la bonne direction.

Il y avait dans la chambre quelqu'un de plus que tout à l'heure. Là-bas, à l'écart de la compagnie, à l'arrière-plan, où les vestiges de la lumière rouge se perdaient presque dans la nuit, de sorte que les yeux avaient peine à la percer si avant, entre le côté large du bureau et le paravent, sur le fauteuil tourné vers la chambre où Elly s'était reposée pendant la récréation, Joachim était assis. C'était Joachim, avec les cavités pleines d'ombre de ses pommettes, avec la barbe de guerrier de ses derniers jours, où ses lèvres ondulaient, si pleines et si fières. Il était adossé et tenait une jambe croisée sur l'autre. Sur son visage émacié on distinguait, bien qu'un couvre-chef y jetât son ombre, l'empreinte de la souffrance, et aussi l'expression de gravité et d'austérité qui l'avait si virilement embelli. Deux plis barraient son front, entre les yeux qui étaient profondément enfoncés dans les orbites osseuses, mais cela ne portait pas atteinte à la douceur du regard de ces grands et beaux yeux sombres, qui était dirigé, calme et avec une interrogation amicale, sur Hans Castorp, sur lui seul. Son petit défaut d'autrefois, les oreilles décollées, était reconnaissable sous son couvre-chef, sous l'étrange couvre-chef que l'on ne connaissait pas. Le cousin Joachim n'était pas en civil ; son sabre semblait appuyé à sa jambe croisée, il tenait la poignée à la main et l'on croyait distinguer quelque chose comme un étui de revolver à sa ceinture. Mais ce n'était pas un véritable uniforme qu'il portait. On n'y remarquait rien de clair, ni de bariolé, il avait un col rabattu et des poches sur les côtés, et quelque part, assez bas, on distinguait une croix. Les pieds de Joachim semblaient grands et ses jambes très minces, elles étaient enroulées dans des molletières, d'une manière plus sportive que militaire. Et qu'en était-il du couvre-chef? On eût dit que Joachim s'était retourné une gamelle, une casserole sur la tête et l'avait fixée sous son menton par une jugulaire. Mais cette coiffure produisait un effet antique et martial, elle était seyante et étrange : on eût dit d'un lansquenet.

Hans Castorp sentit le souffle d'Ellen Brand sur ses mains. À côté de lui, il entendait la respiration de Hermine Kleefeld qui s'accélérait. On ne percevait rien d'autre que le frottement incessant de l'aiguille grattant le disque qui continuait à tourner, que personne n'arrêtait. Il ne se retourna vers aucun de ses compagnons, il ne voulut rien voir ni savoir d'eux. Penché en avant, par-dessus ses mains, la tête sur ses genoux, il regardait fixement à travers la pénombre rouge le visiteur, sur le fauteuil. Un instant, son estomac parut vouloir se révulser. Sa gorge se contracta et poussa quatre ou cinq sanglots convulsifs et fervents. « Pardonne-moi ! » murmura-t-il en lui-même, puis ses yeux débordèrent, de sorte qu'il ne vit plus rien.

Il entendit chuchoter : « Adressez-lui la parole ! » Il entendit le baryton du docteur Krokovski l'appeler solennellement et gaiement par son nom et réitérer son invitation. Mais au lieu d'y répondre, il retira ses mains de dessous le visage d'Elly et se leva.

De nouveau le docteur Krokovski prononça son nom, cette fois, sur un ton de sévère admonestation. Mais Hans Castorp, en quelques pas, avait gagné la porte d'entrée et, d'un geste bref, il tourna le commutateur et donna de la lumière blanche.

Elly Brand sursauta sous un choc violent. Elle se débattit dans les bras d'Hermine Kleefeld. Le fauteuil, là-bas, était vide.

Hans Castorp marcha vers Krokovski qui protestait, debout. Il voulut parler, mais aucune parole ne s'échappa de ses lèvres. Avec un brusque mouvement de tête, il tendit la main. Lorsqu'il eut reçu la clef, il adressa au docteur plusieurs signes de tête menaçants, fit demi-tour et sortit de la pièce.

La grande irritation

À mesure que les petites années passaient, un nouvel esprit commença à régner dans la maison du Berghof ; Hans Castorp n'était pas sans se rendre compte qu'il était l'œuvre du démon malfaisant que nous avons nommé plus haut. Avec la curiosité et le détachement du voyageur, qui n'a souci que de s'instruire, il avait étudié ce démon ; il avait même trouvé en soi des aptitudes inquiétantes à prendre une large part au culte monstrueux que son entourage lui consacrait. Son tempérament ne l'incitait guère à sacrifier à l'esprit qui régnait désormais, après avoir du reste existé toujours, çà et là, en germe ou en symptômes. Néanmoins, il remarqua avec effroi, que lui aussi cédait, dès qu'il se laissait un peu aller, dans ses airs de tête, ses propos et sa tenue, à une infection à laquelle personne autour de lui ne pouvait se soustraire.

Que se passait-il donc ? Qu'y avait-il dans l'air ? Un esprit de querelle. Une crise d'irritation. Une impatience sans nom. Une tendance générale à des discussions envenimées, à des explosions de rage, voire à des bagarres. Des contestations acharnées, des criailleries sans objet ni mesure éclataient chaque jour entre des individus ou des groupes entiers, et la caractéristique de ces accès était que ceux qui n'y avaient pas de part, au lieu de se sentir repoussés par l'état des coléreux ou d'apaiser les querelles, y prenaient au contraire une part active et sympathique, et s'abandonnaient au même vertige. Les gens pâlissaient et se mettaient à trembler. Les yeux brillaient de colère, les bouches se tordaient passionnément. On enviait à ceux qui étaient justement en action le droit et le prétexte qu'ils avaient de crier. Un désir lancinant de faire comme eux torturait l'âme et le corps, et quiconque n'avait pas la force de se réfugier dans la solitude était irrémédiablement entraîné dans le tourbillon. Les conflits oiseux, les accusations réciproques, en présence des conciliateurs qui, eux-mêmes, se laissaient aller avec une effrayante facilité à une grossièreté hurlante, se multipliaient au Berghof, et ceux qui sortaient de la maison, l'esprit à peu près calme, ne pouvaient pas savoir dans quel état ils rentreraient. Une habituée de la table des Russes bien, une jeune femme originaire de la province de Minsk, très élégante et assez légèrement atteinte — on ne lui avait prescrit que trois mois —, descendit un jour au village pour faire des emplettes à la chemiserie française. Mais elle s'y prit d'une colère si violente contre la vendeuse qu'elle rentra, en proie à la plus grande agitation, eut une hémorragie foudroyante, et fut désormais inguérissable. On fit appeler son mari, à qui l'on annonça qu'elle était condamnée à demeurer ici pour toujours.

Voilà un exemple de ce qui se passait. C'est à contrecœur que nous en citerons d'autres. Peut-être certains d'entre nos lecteurs se souviennent-ils encore de ce collégien ou de cet ancien collégien aux lunettes rondes de la table de Mme Salomon, de ce chétif jeune homme qui avait l'habitude de transformer les mets sur son assiette en une sorte de hachis et de l'engloutir, appuyé sur la table, en essuyant quelquefois avec sa serviette les verres épais de ses lunettes. Il avait agi de la sorte, pendant tout ce temps, toujours collégien ou ancien collégien, avait dévoré et s'était essuyé les yeux, sans qu'il y ait eu lieu d'accorder une attention autre que toute passagère à sa personne. Mais nouvellement, un beau matin, au premier déjeuner, il fut pris d'un accès imprévu de colère, qui attira l'attention générale et fit se lever toute la salle à manger. On entendit du bruit à la table à laquelle il était assis. Tout pâle, il criait, en s'adressant à la naine qui était debout près de lui. « Vous mentez, cria-t-il, d'une voix glapissante. Le thé est froid. Le thé que vous m'avez apporté est glacé, je n'en veux pas, goûtez-le donc vous-même avant de mentir, vous me direz si ce n'est pas de la lavasse tiède et si un homme convenable peut boire cela. Comment osez-vous me servir du thé glacé, comment la pensée a-t-elle pu vous venir que vous pourriez me présenter cette bibine tiède avec la moindre chance de me la voir absorber? Je n'en veux pas, je ne la boirai pas », hurla-t-il, et il commença à frapper des deux poings sur sa table, en faisant cliqueter et danser toute la vaisselle qui s'y trouvait. « Je veux du thé chaud, du thé bouillant, c'est mon droit devant Dieu et devant les hommes. Je n'en veux pas, je veux du thé brûlant, que je crève sur-le-champ si j'en avale une seule gorgée… Maudit avorton ! » hurla-t-il tout à coup, d'une voix stridente, en rejetant en quelque sorte d'un geste le mors qui l'avait encore contenu et en se laissant entraîner avec enthousiasme jusqu'à la liberté extrême de la folie furieuse. Il leva les poings contre Émerentia et lui montra littéralement les dents ; il écumait ! Puis il continua de marteler la table, de frapper du pied et de hurler « Je veux », « Je ne veux pas », tandis que la salle offrait le spectacle habituel. Une sympathie terrible, tendue, allait au collégien en proie au délire. Plusieurs personnes avaient sursauté et le considéraient, en serrant eux aussi les poings, grinçant des dents, le regard flamboyant. D'autres restaient assis, pâles, les yeux baissés, et tremblaient. Ils restèrent encore dans cet état, longtemps après qu'on eut remplacé le thé du collégien qui, épuisé, ne songeait plus à le boire.

Qu'était-ce que cela ?

Un homme entrait dans la communauté du Berghof, un ancien négociant, âgé de trente ans, fiévreux depuis un temps assez long et qui, des années entières, avait erré d'établissement en établissement. Cet homme était un ennemi des Juifs, un antisémite, il l'était par principe et en faisait un sport, avec un entêtement joyeux. Cette attitude d'opposition qu'il avait empruntée par hasard, était l'orgueil et le contenu de sa vie. Il avait été négociant, il ne l'était plus, il n'était plus rien au monde, mais il était resté un ennemi des Juifs. Il était très sérieusement malade, il avait une toux très grasse, et, entre deux accès, il semblait que son poumon éternuât avec un son aigu, court, isolé, inquiétant. Mais il n'était pas juif, et c'était là ce qu'il avait de positif. Son nom était Wiedemann, c'était un nom chrétien, ce n'était pas un nom impur. Il était abonné à une revue intitulée : *Le Flambeau aryen*, et il tenait des propos comme celui-ci :

« J'arrive au sanatorium de X. à B… Je suis sur le point de m'installer dans la salle de cure. Qui aperçois-je à ma gauche sur une chaise longue ? M. Hirsch. Qui est couché à ma droite ? M. Wolff ! Naturellement je suis aussitôt reparti », etc.

« Il ne te manque vraiment que cela », se dit Hans Castorp avec antipathie.

Wiedemann avait un regard myope et soupçonneux. On eût dit véritablement, et sans que ce soit là une image, qu'il avait sur le nez un pompon vers lequel il louchait méchamment, et par-delà lequel il ne voyait plus rien. La fausse idée qui le chevauchait était devenue une méfiance chatouilleuse, une incessante manie de persécution qui le poussait à tirer au clair toute impureté cachée ou masquée qui pouvait se tenir dans son voisinage et la vouer à l'opprobre. Il taquinait, suspectait et bavait sans cesse. Bref, il passait ses journées à clouer au pilori tout être vivant qui ne possédait pas le seul avantage dont lui-même pût s'enorgueillir.

Or l'état d'esprit en ce lieu que nous venons de décrire aggrava extraordinairement la maladie de cet homme. Et comme il ne pouvait manquer de rencontrer, ici même, des êtres affligés de cette tare, dont lui, Wiedemann, était quitte, cet état général conduisit à une scène lamentable à laquelle Hans Castorp dut assister, et qui nous servira de nouvel exemple de ce qu'il nous incombe de décrire.

Car il y avait là un autre homme : il n'y avait rien à démasquer chez lui, son cas était clair. Cet homme s'appelait Sonnenschein, et comme on ne pouvait avoir un nom plus répugnant, la personne de Sonnenschein, dès le premier jour, fut le pompon suspendu devant le nez de Wiedemann vers lequel il louchait avec une myopie méchante et vers lequel il étendait la main, moins pour le chasser que pour le balancer, afin d'en être irrité davantage.

Sonnenschein, négociant comme l'autre, était lui aussi sérieusement malade et maladivement susceptible. Un homme aimable, pas sot, et même gai de nature ; il haïssait, lui aussi, Wiedemann à cause de ses taquineries et de ses allusions, jusqu'à en tomber malade, et un après-midi, tout le monde accourut dans le hall, parce que Wiedemann et Sonnenschein s'y étaient pris par les cheveux avec une violence bestiale et déchaînée.

C'était un spectacle attristant et abominable. Ils se colletaient comme des gamins, mais avec un désespoir d'adultes qui en sont réduits à une telle extrémité. Ils se griffaient la figure, se prenaient le nez et la gorge, tout en tapant l'un sur l'autre, ils s'étreignaient, se roulaient, en proie à une colère noire, crachaient l'un sur l'autre, se donnaient des coups de pied, poussaient, tiraillaient, frappaient et écumaient. Des employés du bureau qui étaient accourus séparèrent à grand-peine les deux combattants agrippés l'un à l'autre. Wiedemann bavant et saignant, le visage stupide de colère, présentait le phénomène curieux des cheveux hérissés. Hans Castorp n'avait jamais vu cela et n'avait pas cru que ce fût possible. Les cheveux de M. Wiedemann se dressaient sur sa tête, raides et droits, et c'est dans cet état qu'il s'éloigna en courant, tandis que l'on conduisait M. Sonnenschein, dont un œil disparaissait sous un bleu et qui avait un trou sanglant dans la couronne des cheveux noirs et bouclés qui entouraient sa tête, au bureau où il s'écroula et pleura amèrement dans ses mains.

Voilà ce qui s'était passé entre Wiedemann et Sonnenschein. Tous ceux qui les avaient vus en tremblèrent pendant des heures. En face d'une telle misère, c'est pour nous un bienfait de pouvoir narrer une véritable affaire d'honneur qui se déroula également pendant cette période et qui méritait il est vrai ce titre jusqu'au ridicule, grâce à la solennité formaliste avec laquelle elle fut traitée. Hans Castorp n'assista pas aux différentes phases de cette affaire, mais fut renseigné, sur son cours embrouillé et dramatique, par des documents, des déclarations et des procès-verbaux qui furent répandus en copies, non seulement au Berghof, au village, dans le canton et dans le pays, mais encore à l'étranger et jusqu'en Amérique, et qui furent communiqués même à des personnes manifestement incapables d'éprouver pour elle l'ombre d'un intérêt. C'était une affaire polonaise, une affaire de point d'honneur, qui avait éclaté au sein du groupe polonais qui s'était récemment formé au Berghof, d'une toute petite colonie qui occupait la table des Russes bien (Hans Castorp, notons-le au passage, n'était plus assis à cette table. À mesure que le temps passait, il avait été tour à tour à la table d'Hermine Kleefeld, puis à celle de Mme Salomon, et enfin à celle de Mlle Lévi). Cette compagnie avait un vernis si élégant et si mondain qu'il suffisait de froncer. les sourcils pour que l'on pût s'attendre à tout : il y avait là un couple, une demoiselle qui entretenait avec un des messieurs d'étroites relations d'amitié, et d'autres hommes du monde. Ils s'appelaient : de Zutavski, Cieszynski, de Rosinski, Michel Lodygovski, Léon d'Asarapétian, et d'autres noms encore. Au restaurant du Berghof, au champagne, un certain Japoll avait donc, en présence de deux autres gentlemen, émis au sujet de l'épouse de M. Zutavski ainsi que de l'amie de M. Lodygovski, nommée Mlle Krylof, des allégations qu'il n'est pas possible de répéter ici. Il s'ensuivit des démarches, des actes et des formalités que relataient les textes qu'on avait distribués et expédiés au loin. Hans Castorp lut :

« Déclaration, traduite de l'original polonais.

« Le 27 mars 19… M. Stanislas de Zutavski s'est adressé à MM. le docteur Antoni Cieszynski et Stefan de Rosinski, pour les prier de se rendre en son nom chez M. Casimir Japoll, et de lui demander une réparation conforme au code d'honneur pour "les graves offenses dont M. Casimir Japoll s'est rendu coupable à l'égard de Mme Jadwiga de Zutavska, au cours d'une conversation avec MM. Janusz Teofil Lénart et Léon d'Asarapétian".

« Lorsque M. de Zutavski a eu indirectement connaissance de l'entretien mentionné ci-dessus, et ayant eu lieu à la fin de novembre, il a aussitôt fait le nécessaire pour obtenir une certitude complète sur l'état de faits et sur la nature de l'offense dont il a été l'objet. Hier, 27 mars 19…, la diffamation et l'offense ont été établies par la bouche de M. Léon d'Asarapétian, témoin immédiat de la conversation au cours de laquelle les paroles offensantes et les insinuations ont été prononcées. M. Stanislas de Zutavski a dès lors jugé opportun de s'adresser aux soussignés pour leur donner mandat d'engager sans délai contre M. Casimir Japoll la procédure conforme aux lois de l'honneur.

« Les soussignés font la déclaration suivante :

1. — En vertu d'un procès-verbal établi par l'une des parties le 9 avril 19…, lequel procès-verbal a été établi à Lemberg par MM. Zdzislaw Zygulski et Tadeusz Kadyi, dans l'affaire de M. Ladislas Goduleczny contre M. Casimir Japoll ; de plus, en raison de la déclaration du jury d'honneur du 18 juin 19…, rédigée à Lemberg au sujet de ladite affaire, lesquels documents s'accordent pleinement à constater que : "à la suite de ses manquements réitérés aux exigences de l'honneur, M. Casimir Japoll ne peut plus être considéré comme un gentleman" ;

2. — Les soussignés tirent des faits articulés ci-dessus les conclusions qui s'imposent, et constatent que M. Casimir Japoll ne saurait plus en aucune façon accorder une réparation pour ses actes ;

3. — Les soussignés estiment pour leur part qu'il est inadmissible d'engager une procédure d'honneur contre un homme qui a failli à l'honneur, ni d'intervenir dans une telle procédure.

« En raison de cet état de choses les soussignés attirent l'attention de M. Stanislas de Zutavski sur le fait qu'il est vain d'engager contre M. Casimir Japoll une procédure d'honneur, et lui conseillent d'assigner ce dernier en justice, afin d'empêcher qu'une personnalité qui n'est plus en mesure d'accorder une réparation, ainsi que c'est le cas de M. Casimir Japoll, lui cause de nouveaux préjudices. (Daté et signé : Dr Antoni Cieszynski, Stefan de Rosinski.) »

Hans Castorp lut encore :

« Procès-verbal

« des témoins de l'incident entre MM. Stanislas de Zutavski et Michel Lodygovski, d'une part ;

« et de MM. Casimir Japoll et Janusz Teofil Lénart d'autre part, incident s'étant produit au bar du Kurhaus

« et, le 2 avril 19… entre 7 h 1/2 et 7 h 3/4 du soir,

« Attendu que M. Stanislas de Zutavski, en vertu de la déclaration de ses représentants MM. le docteur Antoni Cieszynski et Stefan de Rosinski dans l'affaire de M. Casimir Japoll du 28 mars 19… est arrivé après mûre réflexion à la conviction que les poursuites judiciaires contre M. Casimir Japoll qui lui avaient été recommandées ne pourraient constituer une réparation suffisante "des graves offense et diffamation" de son épouse Jadwiga,

« attendu que l'on était en droit de redouter que, le moment venu, M. Casimir Japoll ne comparût pas en justice et que les poursuites ultérieures contre lui, en sa qualité de sujet autrichien, fussent rendues non seulement difficiles, mais, en fait, impossibles,

« attendu, en outre, qu'une condamnation en justice de M. Casimir Japoll ne saurait effacer l'offense par laquelle

M. Casimir Japoll a essayé de déshonorer calomnieusement le nom et la maison de M. Stanislas de Zutavski et de son épouse Jadwiga,

« M. Stanislas de Zutavski a choisi la voie la plus directe et, d'après sa conviction et en raison des circonstances données, la plus opportune, après avoir appris indirectement que M. Casimir Japoll se proposait de se rendre ce jour en l'endroit susnommé,

« et, le 2 avril 19..., entre 7 h 1/2 et 7 h 3/4 du soir, en présence de son épouse Jadwiga et de MM. Michel Lodygovski et Ignace de Mellin, il a plusieurs fois giflé M. Casimir Japoll qui, en compagnie de M. Janusz Teofil Lénart et de deux femmes inconnues, consommait des boissons alcooliques au bar américain du Kurhaus susdit.

« Aussitôt après, M. Michel Lodygovski a giflé M. Casimir Japoll en ajoutant que c'était en raison des graves offenses qu'il avait faites à Mlle Krylof et à lui-même.

« Aussitôt après, M. Michel Lodygovski a giflé M. Janusz Teofil Lénart pour le tort causé à M. et Mme de Zutavski, après quoi :

« sans perdre un instant, M. Stanislas de Zutavski a giflé à plusieurs reprises M. Janusz Teofil Lénart pour avoir calomnieusement souillé son épouse ainsi que Mlle Krylof,

« MM. Casimir Japoll et Janusz Teofil Lénart sont demeurés complètement passifs pendant tous ces incidents.

« Daté et signé : Michel Lodygovski. Ign. de Mellin. »

L'état d'esprit commun ne permit pas à Hans Castorp de rire de ce feu roulant de gifles officielles, comme il eût sans doute fait en d'autres temps. Il trembla en lisant, et la correction inattaquable des uns, le déshonneur crapuleux et veule des autres, tels qu'ils apparaissaient aux yeux du lecteur de ces documents, l'émurent profondément, par leur contraste, assez peu vivant, mais impressionnant. Il en allait ainsi de tout le monde. De toutes parts on étudiait passionnément l'affaire d'honneur polonaise, et on la commentait en serrant les dents. Une réplique de M. Casimir Japoll, sous la forme d'un factum, refroidit un peu les esprits. Japoll arguait que de Zutavski avait parfaitement su que lui, Japoll, avait été autrefois disqualifié par un quelconque et prétentieux freluquet, et que toutes les démarches que de Zutavski avait entreprises n'avaient été qu'une comédie, parce qu'il avait su d'avance qu'il n'aurait pas besoin de se battre. D'autre part, de Zutavski n'avait renoncé à le poursuivre que pour la bonne raison, que tout le monde et lui-même connaissaient parfaitement, que sa femme Jadwiga l'avait gratifié de toute une collection de cornes, ce que Japoll se flattait d'établir aisément en justice, où la déposition de Mlle Krylof ne serait pas moins édifiante. Au surplus, il n'était établi qu'en ce qui le concernait, lui Japoll, qu'une réparation ne pouvait être accordée, mais ce n'était pas le cas de l'autre partenaire de l'entretien incriminé, et Zutavski ne s'en était pris à lui que pour ne courir aucun risque. Quant au rôle que M. Asarapétian avait joué dans toute cette affaire, mieux valait n'en point parler. Mais en ce qui concernait la scène au bar du Kurhaus, il convenait de signaler que lui, Japoll, était un homme de constitution plutôt faible, quoiqu'il eût la réplique assez vive et parfois spirituelle. Or, de Zutavski, accompagné de ses amis et de la Zutavska, qui était une femme extraordinairement vigoureuse, avait joui d'une supériorité d'autant plus grande, que les deux petites dames qui se trouvaient en sa compagnie à lui, Japoll, et en la compagnie de Lénart, étaient des créatures sans doute gaies, mais aussi craintives que des poules. Et dès lors, pour éviter une épouvantable bagarre et un scandale public, il avait engagé Lénart, qui avait voulu se défendre, à se tenir tranquille et à supporter ces passagers contacts mondains avec MM. de Zutavski et de Lodygovski, d'autant plus qu'ils n'avaient pas été douloureux et que leurs voisins les avaient pris pour d'amicales taquineries.

Ainsi se défendait Japoll qui, naturellement, n'avait pas grand-chose à sauver. Ses rectifications ne réussissaient à ébranler que superficiellement le beau contraste entre l'honneur et la lâcheté, tel qu'il résultait, des constatations de la contrepartie, d'autant plus qu'il ne sut distribuer que quelques copies à la machine de sa réplique.

Par contre, les procès-verbaux que nous avons cités parvinrent à tout le monde, et, comme il a été dit, des gens même complètement étrangers à cette affaire les reçurent. Par exemple, ils étaient également parvenus à Naphta et à Settembrini, Hans Castorp vit ces documents entre les mains de ses amis, et il remarqua à sa surprise qu'eux aussi les étudiaient avec des mines concentrées et étrangement absorbées. Il avait espéré que M. Settembrini tout au moins formulerait à leur propos les gaies plaisanteries dont, par suite de l'état d'esprit général intérieur, il ne trouvait pas lui-même la force. Mais l'épidémie qui sévissait avait atteint jusqu'à l'esprit clair du franc-maçon avec une force qui lui enlevait toute envie de rire et le rendait sérieusement accessible aux excitations et aux coups de fouet de cette affaire de gifles. De plus, son état de santé qui empirait, lentement mais régulièrement, avec des mieux passagers et décevants, l'assombrissait, lui, l'homme de la vie; et il maudissait son état, il en avait honte et se méprisait furieusement, mais n'en devait pas moins, à cette époque, garder le lit de temps en temps.

Naphta, le voisin et l'adversaire de Settembrini, n'allait guère mieux. Dans son organisme cette maladie progressait, qui avait été la cause physique — ou faut-il dire : le prétexte? — de l'interruption de sa carrière dans les ordres, et l'altitude ni la rareté de l'air où il vivait, ne pouvaient enrayer le développement du mal. Lui aussi restait souvent au lit; la fêlure de sa voix se faisait plus sensible lorsqu'il parlait, et, à mesure que sa fièvre montait, il se montrait plus tranchant et plus mordant. Ces résistances idéologiques contre la maladie et la mort, dont l'écrasement par ces sournoises puissances de la nature était si douloureux au cœur de M. Settembrini, devaient être étrangères au petit Naphta, et il accueillait donc l'aggravation de son état physique non pas dans la tristesse, mais avec une gaieté sarcastique, une combativité sans pareille, un besoin de critique, de négation et de perturbation spirituelles, qui irritaient dangereusement la mélancolie de l'autre et aiguisaient chaque jour leurs querelles intellectuelles. Naturellement, Hans Castorp ne pouvait parler que de celles auxquelles il assistait. Mais il était à peu près sûr de n'en manquer aucune, et il avait le sentiment que sa présence à lui, objet de leur zèle pédagogique, était nécessaire pour amorcer des controverses importantes. Et, s'il n'épargnait pas à M. Settembrini le chagrin que l'Italien éprouvait à l'entendre déclarer intéressantes les méchancetés de Naphta, il devait néanmoins accorder que ces dernières finissaient par dépasser toute mesure, et souvent les limites d'un esprit sain.

Ce malade n'avait pas la force ou la bonne volonté de s'élever au-dessus de la maladie, et il voyait le monde entier sous le signe du mal. À la grande colère de M. Settembrini, qui eût très volontiers engagé son élève à quitter la chambre, ou qui lui eût bouché les oreilles, il déclarait que la matière était une étoffe beaucoup trop grossière pour que l'esprit pût s'y incarner. C'était une folie d'y prétendre. À quoi aboutissait-on ? À une grimace ! Le résultat pratique de la Révolution française tant vantée était l'État bourgeois capitaliste. C'était du propre ! On espérait l'amender en généralisant cette abomination. La République universelle, ce serait le bonheur, sûrement ! Le progrès ? Mon Dieu, c'était ce fameux malade qui changeait sans cesse de position, parce qu'il espérait ainsi trouver un soulagement. Le désir inavoué, mais au fond partout répandu, de voir éclater une guerre, était l'expression de cet état. Elle viendrait, cette guerre, et c'était heureux, bien qu'elle dût apporter tout autre chose que ce que prévoyaient ses auteurs. Nahpta méprisait l'État bourgeois préoccupé de sa sécurité. Il saisit l'occasion d'exprimer son point de vue à ce sujet, un jour d'automne que l'on se promenait sur la grande route et que, la pluie s'étant mise à tomber, tout le monde, comme sur commandement, ouvrit des parapluies. C'était là, à ses yeux, un symbole de lâcheté et de la mollesse triviale qui était le résultat de la civilisation. Un accident et un « *même tékel* » comme le naufrage du paquebot *Titanic* ramenait l'homme à ses origines ; mais c'était en même temps un véritable réconfort. Là-dessus, à grands cris, on avait réclamé plus de sécurité dans les moyens de transports. D'une façon générale, on manifestait la plus grande indignation dès que la sécurité paraissait menacée ; c'était lamentable, et cette faiblesse humanitaire s'accordait tout à fait bien avec la sauvagerie bestiale et l'infamie du champ de bataille économique que constituait l'État bourgeois. Guerre, guerre ! Il y consentait, et cette impatience générale de la faire lui paraissait presque honorable.

Mais à peine M. Settembrini introduisait-il dans la conversation le mot de « justice » et recommandait-il ce principe élevé comme un moyen préventif contre des catastrophes intérieures et extérieures, il apparaissait que Naphta, qui, récemment encore, avait jugé que l'esprit était trop pur pour que l'on dût jamais réussir à lui donner une forme terrestre, mettait en doute cet esprit même, et s'efforçait de le dénigrer. Justice ! Était-ce là une idée si digne d'admiration ? Était-ce un principe divin, un principe supérieur ? Dieu et la nature étaient injustes, ils avaient leurs favoris, ils procédaient par sélection, ils accordaient à l'un des avantages dangereux et préparaient à l'autre un sort facile et banal. Et l'homme doué de volonté ? À ses yeux, la justice était, d'une part, une faiblesse qui le paralysait, elle était le doute lui-même, et, d'autre part, c'était une fanfare qui appelait l'homme à des actions irréfléchies. Puisque l'homme, pour rester dans le domaine moral, devait sans cesse corriger la « justice » dans ce sens-ci, par la « justice » dans ce sens-là, que restait-il du caractère absolu de ce principe ? D'ailleurs on était « juste » contre un point de vue ou contre un autre. Le reste n'était que libéralisme et il n'y avait plus personne qui donnât dans ce panneau. La justice n'était, bien entendu, qu'un mot creux de rhétorique bourgeoise, et avant de passer à l'action il fallait avant tout savoir de *quelle* justice on entendait parler : de celle qui voulait accorder à chacun ce qui lui appartenait, ou de celle qui voulait donner la même chose à tous ?

Nous avons choisi à tout hasard un exemple de ces débats sans issue, pour montrer comment Naphta essayait de troubler toute raison. Mais c'était pire encore lorsqu'on en venait à parler de la science, à laquelle il ne croyait pas. Il n'y croyait pas, disait-il, parce que l'homme était absolument libre d'y croire ou de ne pas y croire. Elle était une foi, comme toutes les autres, mais plus stupide et plus malfaisante que toute autre, et le mot « science » lui-même était l'expression du réalisme le plus stupide qui n'avait pas honte d'accepter ou de faire circuler, comme de l'argent comptant, les reflets infiniment douteux des objets dans l'intellect humain, et d'en tirer le dogmatisme le plus désolant et le plus dépourvu d'esprit que l'on eût jamais inculqué au genre humain. L'idée d'un monde matériel, existant en soi, n'était-elle pas la plus ridicule de toutes les contradictions? Or, la science naturelle moderne, en tant que dogme, reposait uniquement sur cette hypothèse métaphysique que les formes de la connaissance qui nous sont propres, l'espace, le temps et la causalité, formes dans lesquelles se déroulait le monde phénoménal, étaient des conditions réelles qui existaient indépendamment de notre connaissance. Cette affirmation moniste était l'impertinence la plus audacieuse que l'on eût jamais commise avec l'esprit. L'espace, le temps et la causalité, en langage moniste, cela s'appelait : évolution et c'était là le dogme central de la pseudo-religion des libres penseurs et des athées, par quoi l'on pensait détrôner le premier livre de Moïse et opposer un savoir éclairé à une fable abêtissante, comme si Haeckel avait assisté à la Genèse. Empirisme! Voulait-on dire que la théorie de l'atmosphère cosmique était exacte? Prétendait-on que l'atome, cette jolie plaisanterie mathématique de la « plus petite parcelle indivisible », était prouvé? La doctrine de l'infinité de l'espace et du temps reposerait sur l'expérience? En effet, pour peu que l'on montrât un peu de logique, ces dogmes de l'infinité et de la réalité de l'espace et du temps vous mèneraient à des expériences et à des résultats tout à fait réjouissants, à savoir : au néant. On serait forcé de convenir que le réalisme était le véritable nihilisme. Pourquoi? Pour cette simple raison que le rapport de n'importe quelle mesure avec l'infini était égal à zéro. Il n'y a pas de mesure dans l'infini, il n'y a ni durée ni changement dans l'éternité. Dans l'infini spatial, dès lors que toute distance est mathématiquement égale à zéro, on ne saurait même pas concevoir deux points situés l'un à côté de l'autre, encore moins un corps, encore moins un mouvement. Cela, Naphta le constatait, pour répondre à l'effronterie avec laquelle la science matérialiste présentait ses calembredaines astronomiques, son bavardage inconsistant sur l'« univers », comme une connaissance absolue. Infortunée humanité qui, par un mélange présomptueux de chiffres nuls, s'était laissé suggérer le sentiment de sa propre nullité, s'était laissé priver du sens pathétique de sa propre importance ! Car on ne pouvait encore admettre que la raison et la connaissance humaines s'en tinssent au domaine terrestre et que, dans cette sphère, elles traitassent comme réelles leurs expériences avec l'objectif et le subjectif. Mais lorsqu'elles passaient outre et s'engageaient dans les énigmes éternelles, en se livrant à de la prétendue cosmologie, à de la cosmologie, la plaisanterie allait trop loin et la présomption devenait sinistre. Quelle stupidité blasphématoire, au fond, que de vouloir mesurer la « distance » de la terre à une étoile quelconque en trillions de kilomètres ou en années-lumière, et de s'imaginer que par de telles fanfaronnades de chiffres, on pouvait donner à l'esprit humain une vue sur la nature de l'infini et de l'éternité, alors que l'infini n'avait absolument rien de commun avec la distance, et que l'éternité était sans rapport aucun avec la durée et les étendues de temps, alors que, loin d'être des conceptions relevant des sciences naturelles, elles signifiaient au contraire l'abolition de ce que nous appelons la nature. En vérité, il préférait encore mille fois la naïveté d'un enfant qui croyait que les étoiles étaient des trous dans la voûte céleste, à travers lesquels transparaissait la lumière éternelle, au bavardage creux, insensé et présomptueux que commettait la science moniste en traitant de l'« univers cosmique ».

Settembrini lui demanda si, pour sa part, il expliquait de la sorte l'existence des étoiles. À quoi Naphta répondit qu'il réservait à son scepticisme toute humilité et toute liberté. On pouvait de nouveau déduire de cette affirmation quelle idée il se faisait de la « liberté » et où une telle conception pouvait mener. Et M. Settembrini avait, hélas ! tout lieu de craindre que Hans Castorp trouvât de telles billevesées dignes de considération !

Naphta guettait méchamment les occasions qui s'offraient de dévoiler les faiblesses du progrès vainqueur de la nature, et de déceler à ses représentants et à ses pionniers les rechutes humaines dans l'irrationnel. Les aviateurs, disait-il, étaient le plus souvent des individus assez louches et déplaisants, surtout très superstitieux. Ils emportaient à leur bord des mascottes, un corbeau, ils crachaient trois fois de côté et d'autre, ils mettaient les gants de prédécesseurs heureux. Comment une déraison aussi primitive se conciliait-elle avec les conceptions philosophiques sur lesquelles s'appuyait leur profession ? Il s'amusait de cette contradiction, elle lui donnait satisfaction ; il s'y attardait… Mais nous cueillons dans le réservoir inépuisable des exemples de l'humeur agressive de Naphta, alors que nous n'avons qu'à nous en tenir aux choses les plus réelles.

Un après-midi de février, ces messieurs tombèrent d'accord de prendre leur vol pour Monstein, à une heure et demie de traîneau du lieu de leur vie quotidienne. Il y avait là Naphta et Settembrini, Hans Castorp, Ferge et Wehsal. Ils partirent dans deux traîneaux à deux chevaux, Hans Castorp avec l'humaniste, Naphta avec Ferge et Wehsal (le dernier sur le siège à côté du cocher), à quatre heures, bien emmitouflés, du domicile des externes, et accompagnés du son de grelots qui parcourt si agréablement le silencieux paysage de neige ; ils suivirent la route qui longe le versant de droite, en passant devant Frauenkirch et Glaris, vers le sud. La neige venait rapidement à leur rencontre, de sorte qu'il ne resta bientôt plus au-dessus de la chaîne du Rätikon qu'une bande d'azur pâle. Le froid était vif, la montagne embrumée. La route qu'ils suivaient, étroite corniche, entre le mur et l'abîme, montait, raide, dans la forêt de sapins. On avançait au pas. Des lugeurs, qui dévalaient la pente, venaient souvent à leur rencontre et étaient forcés de descendre en les approchant. Derrière les tournants on entendait l'avertissement grêle de grelots étrangers, des traîneaux attelés de deux chevaux l'un derrière l'autre, passaient, et il fallait se montrer prudent en doublant. Près du but, une belle vue s'ouvrit sur une partie rocheuse de la route de Zugen.

Les promeneurs sortirent des couvertures devant la petite auberge de Monstein appelée pompeusement « Kurhaus » et, laissant les traîneaux en arrière, firent encore quelques pas pour avoir vue vers le sud-est sur le Stulsergrat. Le mur immense, de trois mille mètres de hauteur, était voilé de brouillard. Çà et là surgissait un pic haut comme le ciel ; supraterrestre, d'un éloignement qui faisait penser à un Walhalla, saintement inaccessible, il émergeait du brouillard. Hans Castorp admira vivement ce spectacle et exigea que les autres fissent de même. Ce fut lui qui, avec des sentiments d'humilité, prononça le mot « inaccessible », et donna ainsi l'occasion à M. Settembrini de faire observer que, naturellement, on avait déjà réussi l'ascension de ce pic. D'ailleurs, cela n'existait pour ainsi dire plus, « l'inaccessible », il n'y avait aucun point de la nature où l'homme n'eût pas déjà posé le pied. C'était là une petite exagération et une vantardise, répliqua Naptha et il cita le mont Everest qui avait opposé jusqu'à présent un refus glacial à la témérité des hommes, et qui semblait vouloir demeurer longtemps encore dans cette attitude de réserve. L'humaniste se fâcha. Ces messieurs retournèrent au Kurhaus devant lequel se trouvaient quelques traîneaux étrangers dételés, rangés à côté des leurs.

On pouvait se loger ici. Au premier étage, il y avait des chambres d'hôtel, avec des numéros. C'était là aussi qu'était située la salle à manger, d'aspect rustique et bien chauffée. Les excursionnistes commandèrent un goûter à l'aubergiste empressé : du café, du miel, du pain blanc et du pain de poires, la spécialité de l'endroit. On envoya du vin rouge aux cochers. Des visiteurs suisses et hollandais étaient assis aux autres tables.

Nous étions tenté de dire qu'à celle de nos cinq amis la chaleur du café bouillant et excellent avait donné naissance à une conversation plus élevée, mais ce serait se montrer inexact, car cette conversation consistait en réalité en un monologue de Naphta qui, après quelques mots prononcés par les autres, en fit tous les frais, un monologue conduit d'une manière très étrange, et choquant du point de vue des convenances, parce que l'ancien jésuite se tournait uniquement vers Hans Castorp, l'instruisant amicalement, mais tournait le dos à M. Settembrini qui était assis de l'autre côté, et négligeait également les deux autres voisins.

Il eût été difficile de formuler le sujet de son improvisation, que Hans Castorp accompagnait de hochements de tête à demi approbateurs. Sans doute ne portait-elle pas sur un objet unique, mais se mouvait arbitrairement dans le domaine de l'esprit, effleurant une foule de problèmes et tendant somme toute à établir d'une manière décourageante l'ambiguïté des phénomènes spirituels de la vie, la nature incertaine et l'agressive inutilité des grands principes que l'on en déduisait, tout en montrant sous quels habits chatoyants l'absolu apparaissait ici-bas.

Tout au plus aurait-on pu ramener sa conférence au problème de la liberté, qu'il traitait comme dans l'intention de l'embrouiller davantage. Il parla entre autres du romantisme et du double sens fascinant de ce mouvement européen du début du dix-neuvième siècle, devant lequel les concepts de réaction et de révolution s'évanouissaient, pour autant qu'ils ne se réunissaient pas en un nouveau concept plus haut. Car c'était bien entendu très ridicule de vouloir lier l'idée révolutionnaire exclusivement à celles de progrès et de civilisation victorieuse. Le romantisme européen avait été avant tout un mouvement de libération, anticlassique, anti-académique, dirigé contre l'ancien goût français, contre l'ancienne école de la raison, dont elle avait raillé les défenseurs comme de vieilles perruques poudrées.

Et Naphta s'en prit aux guerres de libération, aux enthousiasmes de Fichte, à ce mouvement de révolte enivrée et lyrique contre une tyrannie insupportable, laquelle malheureusement, eh ! eh ! était précisément représentée par la liberté, c'est-à-dire par les idées de la révolution. Très drôle ! En chantant à tue-tête on avait pris son élan pour abattre la tyrannie révolutionnaire en faveur de la férule réactionnaire des princes ; et c'était là ce qu'on avait fait pour la liberté.

Il engageait le juvénile auditeur à se rendre compte de la différence, ou plus exactement du contraste entre la liberté extérieure et intérieure, et en même temps à examiner la question délicate de savoir quelle servitude était la plus (eh ! eh !) et laquelle la moins compatible avec l'honneur d'une nation.

La liberté était en réalité une conception plus romantique que progressiste, car elle avait en commun avec le romantisme l'inextricable entrelacement de besoins humains d'extension et d'une accentuation passionnément restrictive du Moi. La tendance individualiste à l'affranchissement avait préparé le culte historique et romantique du national, qui était d'essence guerrière et que qualifiait d'obscurantisme le libéralisme humanitaire, bien que lui-même préconisât également l'individualisme, mais pour des raisons bien différentes. L'individualisme était romantique, il relevait du Moyen Âge dans sa conception de l'importance infinie et cosmique de l'individu, d'où l'on pouvait déduire la doctrine de l'immortalité de l'âme, la doctrine géocentriste et l'astrologie. D'autre part, l'individualisme était l'affaire de l'humanisme libéralisant qui inclinait à l'anarchie et voulait de toute façon empêcher que le cher individu fût sacrifié à la collectivité. Cela aussi, c'était de l'individualisme, l'individualisme c'était l'un ou l'autre, le même mot exprimait bien des choses.

Mais il fallait convenir que l'exaltation de la liberté avait suscité les plus brillants adversaires de la liberté, les champions les plus spirituels du passé, dans la lutte contre le progrès destructeur et impie. Et Naphta cita Arndt qui avait maudit l'individualisme et porté aux nues la noblesse, il cita Görres, l'auteur de la *Mystique chrétienne*. Et la mystique n'avait-elle rien de commun avec la liberté ? N'avait-elle pas été antiscolastique, antidogmatique, anticléricale ? On était obligé, il est vrai, de considérer la hiérarchie comme une puissance libérale, car elle avait opposé un rempart à la monarchie absolue. Mais le mysticisme à la fin du Moyen Âge avait affirmé sa nature libérale, en se faisant le précurseur de la Réforme — de la Réforme, eh ! eh ! — qui, de son côté, était un tissu indissoluble de liberté et de réaction moyenâgeuse…

Le geste de Luther… eh ! oui, il avait l'avantage de démontrer à l'évidence et avec rudesse la nature problématique de l'action elle-même, de l'action en général. L'auditeur de Naphta savait-il ce que c'était qu'un acte ? Un acte, ç'avait été, par exemple, l'assassinat du conseiller d'État Kotzebue par l'étudiant Sand. Qu'était-ce qui avait, pour s'exprimer en criminaliste, « armé la main » de Sand ? L'enthousiasme pour la liberté, bien entendu. Mais si l'on y regardait de plus près, ce n'était plus en réalité cet enthousiasme, ç'avaient été bien plutôt un fanatisme de la morale et la haine contre une frivolité contraire à l'esprit national. Il est vrai que, d'autre part, Kotzebue avait été au service de la Russie, c'est-à-dire au service de la Sainte-Alliance ; et Sand l'avait donc quand même poignardé pour l'amour de la liberté, ce qui, d'autre part, semblait toutefois invraisemblable, étant donné qu'il avait compté des jésuites au nombre de ses meilleurs amis. Bref, quel que pût être l'acte, il était de toute façon un mauvais moyen de rendre sensible sa pensée, et il ne contribuait guère à mettre au clair des problèmes spirituels.

« Puis-je m'informer si vous serez bientôt au bout de vos équivoques ? »

M. Settembrini avait posé cette question sur un ton tranchant. Il était resté assis, il avait tambouriné des doigts sur la table, il avait tourmenté sa moustache. À présent, c'en était assez. Il était à bout de patience. Il se redressait, bien qu'assis : très pâle, il s'était en quelque sorte dressé sur la pointe des pieds, de façon que ses cuisses seules touchaient encore le siège et c'est ainsi que de son œil brillant et noir il affronta l'ennemi qui s'était retourné vers lui avec une surprise feinte.

« Comment vous a-t-il plu de vous exprimer ? fut la question par laquelle Naphta lui répondit…

— Il m'a plu, dit l'Italien, et il avala de la salive, il m'a plu de vous faire savoir que je suis résolu à vous empêcher d'importuner une jeunesse sans défense par vos équivoques !

— Monsieur, je vous invite à prendre garde à vos paroles.

— Monsieur, il n'est pas besoin d'une telle invitation. J'ai l'habitude de surveiller mes paroles, et celles que je prononce répondent exactement aux circonstances lorsque je dis que votre manière de dérouter une jeunesse naturellement hésitante, de la séduire et de la débiliter moralement est une *infamie*, et ne saurait être assez sévèrement châtiée en paroles… »

En prononçant le mot « infamie », Settembrini frappa du plat de la main sur la table et, ayant repoussé sa chaise, acheva de se dresser, ce qui engagea aussitôt tous les autres à faire de même. Aux autres tables on dressait l'oreille : à l'une d'elles seulement, car les promeneurs suisses étaient déjà repartis, et seuls les Hollandais écoutaient, la mine perplexe, la discussion qui éclatait.

Tout le monde s'était donc dressé à notre table : Hans Castorp, les deux adversaires, et en face d'eux Ferge et Wehsal. Tous les cinq, ils étaient pâles, leurs yeux étaient dilatés et leur bouche tressaillait. Les trois compagnons désintéressés n'auraient-ils pas dû tenter d'intervenir dans un sens conciliant, de détendre la situation par une plaisanterie, de tout arranger par une exhortation bienveillante ? Cette tentative, ils ne la faisaient pas. Leur état d'esprit les en empêchait. Ils restaient debout et ils tremblaient et, malgré eux, leurs mains faisaient le poing. Même A. C. Ferge, à qui — il l'avait expliqué — toutes les choses élevées étaient absolument étrangères et qui, par avance, renonçait complètement à mesurer la portée de la querelle, lui aussi était convaincu qu'il s'agissait de plier ou de rompre et que, entraîné soi-même dans le débat, on ne pourrait que laisser les choses suivre leur cours. Sa moustache touffue et joviale montait et descendait violemment.

Tout était silencieux, et l'on entendit donc Naphta grincer des dents. Ce fut pour Hans Castorp une expérience analogue à celle des cheveux hérissés de Wiedemann. Il avait cru que ce n'était qu'une manière de parler et que, dans la réalité, cela ne se produisait jamais. Mais voici que Naphta grinçait vraiment des dents dans le silence. C'était un bruit terriblement désagréable, sauvage et aventureux, mais qui n'était pas moins le signe d'une certaine et effrayante maîtrise de soi, car loin de crier, il dit doucement avec une sorte de demi-rire haletant :

« Infamie ? Châtier ? Les ânes vertueux deviennent-ils méchants ? La police pédagogique de la civilisation va-t-elle tirer l'épée ? Voilà qui est un succès, pour commencer — facilement obtenu, comme j'ajoute avec dédain, car une raillerie, combien légère, a dressé sur ses ergots le sens moral vigilant ! Le reste se fera tout seul, monsieur. Et le "châtiment", lui aussi. J'espère que vos principes de civil ne vous empêchent pas de savoir ce que vous me devez, car, s'il en était ainsi, je me verrais forcé de mettre ces principes à l'épreuve par des moyens qui… »

En voyant M. Settembrini se raidir, il reprit :

« Ah ! je vois, ce ne sera pas nécessaire. Je vous gêne, vous me gênez. Bien, nous réglerons donc ce petit différend à l'endroit qui convient. Pour l'instant, une chose encore. Dans votre crainte dévotieuse pour l'État scolastique de la révolution jacobine, vous considérez ma manière de faire douter la jeunesse, de bousculer les catégories et de dépouiller les idées de leur dignité académique et de leur apparence de vertu, comme un crime contre la pédagogie. Cette crainte n'est que trop justifiée, car c'en est fait de votre humanité, je vous en donne l'assurance, c'en est fait et bien fini. Elle n'est déjà plus aujourd'hui qu'une vieille perruque, un objet classique et démodé, un ennui de l'esprit qui fait bâiller et que la nouvelle révolution, *la nôtre*, monsieur, s'apprête à jeter au rebut. Lorsque, éducateurs, nous suscitons le doute, un doute plus profond que votre modeste civilisation l'avait jamais rêvé, nous savons bien ce que nous faisons. Ce n'est que du scepticisme extrême, du chaos moral que se dégage l'absolu, la terreur sacrée dont l'époque a besoin. Cela dit pour ma justification et pour votre gouverne, le reste se décidera ailleurs. Vous recevrez de mes nouvelles.

— Et vous trouverez à qui parler, monsieur, cria Settembrini derrière Naphta qui quitta la table et courut au portemanteau, pour s'emparer de sa pelisse. Puis le franc-maçon se laissa durement retomber sur sa chaise et comprima son cœur sous ses mains.

— *Distruttore ! cane arrabbiato ! bisogna ammazzarlo !* » s'écria-t-il, à bout de souffle.

Les autres restaient toujours dressés autour de la table. La moustache de Ferge continuait à monter et à descendre. Wehsal avait tordu sa mâchoire inférieure. Hans Castorp appuya son menton à la manière de son grand-père, car sa nuque tremblait. Tous réfléchissaient combien peu l'on s'était attendu en partant à de telles choses. Tous, sans excepter M. Settembrini, songeaient en même temps que c'était une chance que l'on fût arrivé dans deux traîneaux et non pas dans un seul, commun à tous. Cela facilitait, en attendant, le retour. Mais quoi ensuite ?

« Il vous a provoqué en duel, dit Hans Castorp, le cœur oppressé.

— En effet, répondit Settembrini, et il jeta un regard vers celui qui était debout à côté de lui, pour se détourner aussitôt et appuyer sa tête sur sa main.

— Vous acceptez ? voulut savoir Wehsal.

— Vous me le demandez ? » répondit Settembrini, et il le considéra, lui aussi, un instant… « Messieurs, poursuivit-il, s'étant entièrement ressaisi, je déplore l'issue de notre partie de plaisir, mais tout homme doit s'attendre dans la vie à de tels incidents. Je désapprouve théoriquement le duel, je tiens à me conformer à la loi. Mais dans la pratique, c'est autre chose ; et il y a des situations où… des contrastes qui… Bref, je suis à la disposition de ce monsieur. Il est heureux que j'aie fait un peu d'escrime dans ma jeunesse, quelques heures d'exercice m'assoupliront le poignet. Partons ! Il faudra s'entendre pour le reste. Je suppose que ce monsieur a déjà donné l'ordre d'atteler. »

Pendant le retour et plus tard encore, Hans Castorp avait des instants où il se sentait pris de vertige devant l'étrangeté inquiétante de ce qui s'annonçait, surtout lorsqu'il apparut que Naphta ne voulait rien savoir ni de fleuret, ni de l'épée, qu'il persistait à demander un duel aux pistolets, et que, en effet, il avait le choix de l'arme, puisque, aux termes du code d'honneur, il était l'offensé. Le jeune homme, disons-nous, passait par des moments où il réussissait à affranchir dans une certaine mesure son esprit des rets où tous étaient pris et de l'obnubilation par le malaise général, et où il se disait que c'était de la folie et qu'il fallait l'éviter.

« S'il y avait une véritable offense ! s'écria-t-il dans la conversation avec Settembrini, Ferge et Wehsal que Naphta avait pris pour témoin dès son retour et qui menait les négociations entre les parties. Une injure de caractère bourgeois et mondain ! Si l'un avait traîné l'honorable nom de l'autre dans la boue, s'il s'agissait d'une femme ou de n'importe quelle fatalité analogue et palpable de la vie, au sujet desquelles il n'est pas possible de trouver un compromis. Bon, dans de tels cas le duel est la dernière ressource indiquée, et lorsqu'on a satisfait à l'honneur, et que la chose s'est passée avec quelques ménagements et que l'on peut dire : « les adversaires se sont quittés réconciliés », on peut même dire que c'est là une bonne institution, salutaire et efficace dans certains cas compliqués. Mais qu'a-t-il fait ? Je ne veux pas le moins du monde prendre sa défense, je demande seulement en quoi il vous a offensé ? Il a bousculé les catégories. Il a, ainsi qu'il s'exprime, dépouillé certaines notions de leur dignité académique. C'est par là que vous vous êtes trouvé offensé… Admettons, que ce soit avec raison…

— Admettons ? répéta M. Settembrini, et il le dévisagea…

— Avec raison, avec raison ! Il vous a offensé par là. Mais il ne vous a pas insulté. Il y a une différence, permettez-moi ! Il s'agit de choses abstraites, de choses de l'esprit. On peut offenser par des choses de l'esprit, mais on ne saurait guère insulter ainsi qui que ce soit. C'est un axiome que tout jury d'honneur admettrait, je puis vous l'assurer, Dieu me soit témoin. Et c'est pourquoi ce que vous lui avez répondu en parlant d'"infamie" et de "châtiment sévère" n'est pas davantage une insulte, car c'est dans un sens symbolique que vous avez entendu vous exprimer, cela est resté dans le domaine de l'esprit et n'a rien de commun avec le domaine personnel qui peut seul comporter quelque chose comme une insulte. L'esprit ne peut jamais être personnel, c'est le complément et l'interprétation de l'axiome, et c'est pourquoi…

— Vous vous trompez, mon ami, répondit M. Settembrini, les yeux fermés. Vous vous trompez, premièrement en admettant que les choses de l'esprit ne puissent pas prendre un caractère personnel. Vous ne devriez pas penser cela, dit-il, et il sourit bizarrement, finement et douloureusement. Mais vous faites surtout erreur dans votre appréciation de l'esprit en général, que vous croyez apparemment trop faible pour donner naissance à des conflits et à des passions de l'âpreté de ceux que suscite la vie réelle, et qui ne laissent pas d'autre issue que celle d'une passe d'armes. *All'incontro !* L'élément abstrait, purifié, idéal est parfois aussi l'absolu, c'est par conséquent l'élément de la plus extrême rigueur et qui comporte des possibilités beaucoup plus immédiates et plus radicales de haine, d'opposition absolue et irréductible, que le commerce social. Pouvez-vous vous étonner de ce qu'il conduise même plus directement et plus impitoyablement que ce dernier à l'opposition entre le Moi et le Toi, à une situation véritablement extrême, à celle du duel, de la lutte physique ? Le duel, mon ami, n'est pas une "institution" comme une autre. C'est la dernière ressource, le retour à l'état de nature primitif, à peine légèrement atténué par certaines règles d'un caractère chevaleresque qui sont très superficielles. L'essentiel de cette situation c'est son élément nettement primitif, le corps à corps, et il appartient à chacun de se tenir prêt pour cette situation, si éloigné qu'il se sente de la nature. On peut y être exposé chaque jour. Quiconque n'est pas capable de défendre l'idée en payant de sa personne, par son bras, par son sang, n'en est pas digne, et il s'agit de rester un homme, tout spiritualiste que l'on soit. »

Voici que Hans Castorp avait reçu sa leçon. Que pouvait-on répondre ? Il se tut, en proie à une songerie accablée. Les paroles de M. Settembrini semblaient calmes et logiques, et pourtant elles paraissaient déplacées et peu naturelles dans sa bouche. Ses pensées n'étaient pas ses pensées, comme d'ailleurs ce n'était pas lui qui avait eu l'idée du combat singulier, qu'il avait empruntée au terroriste, au petit Naphta. Elles étaient l'expression du trouble causé par le malaise général et dont la belle intelligence de M. Settembrini était devenue l'esclave et l'instrument. Comment, l'esprit, parce qu'il était rigoureux, devait impitoyablement conduire au dénouement bestial par le combat singulier ? Hans Castorp s'élevait contre une telle conception, ou s'efforçait de le faire, pour découvrir à son effroi que lui non plus ne le pouvait pas. En lui aussi il agissait, le malaise moral ; il n'était pas homme davantage à s'en dégager. Un souffle effrayant et décisif lui venait de cette région de son souvenir où Wiedemann et Sonnenschein se roulaient dans une lutte bestiale et désespérée, et il comprenait en frissonnant qu'à la fin de toutes choses il ne restait que le corps, les ongles, les dents. Mais oui, mais oui, il fallait bien se battre, car ainsi on pouvait du moins préserver cette atténuation de l'état de nature par un code chevaleresque… Hans Castorp offrit à Settembrini ses offices de témoin.

Son offre fut déclinée. Non, cela n'allait pas, cela ne pouvait aller, lui répondirent M. Settembrini d'abord, avec un sourire qui était fin et douloureux, puis, après une brève réflexion, Ferge et Wehsal, qui trouvèrent, eux aussi, sans justifier leur manière de voir par des raisons définies, qu'il n'était pas possible que Hans Castorp prît parti dans ce combat. Peut-être pourrait-il y assister comme arbitre, car la présence d'un témoin impartial faisait partie, elle aussi, selon l'usage, des atténuations chevaleresques à la bestialité. Même Naphta se prononça dans ce sens, par la bouche de son mandataire Wehsal, et Hans Castorp se déclara satisfait. Témoin ou arbitre, quoi qu'il fût, il avait la possibilité d'influer sur les modalités du combat, ce qui se montra être une nécessité cruelle.

Car Naphta était hors de lui, et ses propositions dépassaient toute mesure. Il réclama cinq pas de distance et l'échange de trois balles en cas de besoin. Le soir même de la brouille, il fit transmettre cette folie par Wehsal, qui s'était fait entièrement le porte-parole et le représentant de ses intérêts farouches, et persistait avec la plus grande ténacité à exiger de telles conditions, moitié par ordre, moitié par goût personnel. Naturellement, Settembrini ne trouva rien à objecter, mais Ferge comme second, et l'impartial Hans Castorp en furent outrés, et celui-ci se montra même grossier à l'endroit du misérable Wehsal. N'avait-il pas honte, demanda Hans Castorp, de déballer de telles insanités, alors qu'il s'agissait d'un duel purement abstrait, qui ne reposait sur aucune injure réelle? Des pistolets, c'était déjà assez vilain, mais ces détails meurtriers par-dessus le marché? C'était vraiment la fin de tout point d'honneur, et il eût été encore plus simple de tirer par-dessus son mouchoir. Ce n'était pas sur lui, Wehsal, que l'on allait tirer à cette distance, c'est sans doute pourquoi il prononçait si aisément des paroles sanguinaires; et ainsi de suite… Wehsal haussa les épaules, indiquant sans une parole que l'on était dans une situation extrême, et par là il désarma en quelque sorte la partie adverse qui était tentée de l'oublier. Cependant, au cours des allées et venues du lendemain, on réussit avant tout à réduire le nombre des balles à une seule, puis à régler la question de la distance de telle façon que les combattants seraient placés à quinze pas l'un de l'autre et qu'ils auraient le droit d'avancer de cinq pas avant de tirer. Mais cela aussi, on ne l'obtint qu'en échange de l'assurance qu'aucune tentative de réconciliation ne serait plus faite. Par ailleurs, on n'avait pas de pistolets.

M. Albin en avait. En dehors du petit revolver étincelant par lequel il se plaisait à effrayer les dames, il possédait encore une paire de pistolets d'ordonnance d'origine belge, qui reposaient dans un étui commun : des brownings automatiques à poignées en bois brun, qui contenaient les chargeurs, des mécanismes de tir en acier bleuté et des canons luisants sur les embouchures desquels saillaient, petits et fins, les crans de mire. Hans Castorp les avait vus un jour, quelque part, chez le jeune farceur et contre sa propre conviction, en toute candeur, il s'offrit à les lui emprunter. Ainsi fit-il, sans dissimuler le but de cette démarche, mais en invoquant la discrétion sur l'honneur et en faisant appel avec un succès facile à la foi de gentilhomme du jeune farceur. M. Albin lui apprit même à charger et tira avec les deux armes quelques coups à blanc.

Tout cela exigea du temps, et il s'écoula deux jours et trois nuits avant la rencontre. Le lieu de rendez-vous avait été proposé par Hans Castorp. C'était l'endroit pittoresque, fleuri de bleu en été, où il se retirait pour « gouverner » ses songeries, qu'il avait suggéré de choisir. C'est ici que, le troisième matin qui suivit la querelle, dès qu'il ferait assez clair, l'affaire trouverait son dénouement. Ce n'est que la veille, assez tard, que Hans Castorp, qui était très agité, s'avisa qu'il était nécessaire d'emmener un médecin sur le terrain.

Il délibéra aussitôt avec Ferge sur ce point, qui se révéla extrêmement difficile à résoudre. Rhadamante avait sans doute été membre d'une corporation d'étudiants, mais il était impossible de solliciter le concours du chef de l'établissement, en vue d'une pareille illégalité, d'autant plus qu'il s'agissait de malades. D'une façon générale, on avait peu de chances de trouver ici un médecin qui serait prêt à assister deux malades gravement atteints dans un duel au pistolet. Quant à Krokovski, il n'était même pas certain que ce cerveau exalté fût très capable de panser une blessure.

Wehsal, qui fut consulté, annonça que Naphta s'était déjà prononcé : il ne voulait pas de médecin. Il n'allait pas sur le terrain pour se faire oindre et panser, mais pour se battre, et cela très sérieusement. Ce qui viendrait ensuite lui était indifférent et s'arrangerait tout seul. Cela semblait une déclaration de mauvais augure, mais Hans Castorp s'efforça de l'interpréter comme si Naphta estimait à part soi que l'on n'aurait pas besoin d'un médecin. Settembrini n'avait-il pas, lui aussi, fait dire par Ferge qu'on avait délégué chez lui, que la question ne l'intéressait pas ? Il n'était pas tout à fait déraisonnable d'espérer que les adversaires pouvaient être secrètement d'accord dans leur intention de ne pas verser de sang. On avait dormi deux nuits sur cette querelle et l'on dormirait encore une troisième. Cela refroidit, cela clarifie, un certain état d'esprit ne laisse pas d'être transformé par le cours des heures. De grand matin, le pistolet à la main, aucun des combattants ne serait plus l'homme qu'il avait été le soir de la querelle. Ils agiraient tout au plus mécaniquement et contraints par le sentiment de l'honneur, non pas d'après leur volonté libre et agissante, par plaisir et conviction, comme ils en auraient agi sur-le-champ; et il devait être possible de prévenir en quelque manière un tel reniement de leur moi actuel, au profit de ce qu'ils avaient été un jour.

Hans Castorp n'avait pas tort dans ses réflexions, il avait raison, mais d'une manière qu'il n'eût jamais imaginée, même en songe. Il avait parfaitement raison, pour autant que M. Settembrini était en cause. Mais s'il avait soupçonné dans quel sens Léon Naphta aurait modifié ses desseins avant l'instant décisif, ou à cet instant décisif, même les conditions intimes d'où tout ceci résultait ne l'auraient pas empêché de s'opposer à ce qui allait se passer.

À sept heures, le soleil était encore loin de poindre au-dessus de la montagne, mais le jour perçait péniblement la brume lorsque Hans Castorp quitta le Berghof après une nuit agitée, pour se rendre sur le pré. Des servantes qui nettoyaient le hall le regardèrent, étonnées. Le portail était déjà ouvert; sans doute Ferge et Wehsal, ensemble ou séparément, étaient-ils déjà sortis, l'un pour aller chercher Settembrini, l'autre pour accompagner Naphta sur le terrain. Lui, Hans, allait seul, parce que sa qualité d'arbitre ne lui permettait pas de se joindre aux parties.

Il marchait machinalement et sous le faix des circonstances. C'était bien entendu une nécessité pour lui d'assister à la rencontre. Il était impossible de se tenir à l'écart et d'attendre le résultat au lit: premièrement parce que… (mais ce premier point il ne le développa pas), en second lieu parce qu'on ne pouvait pas laisser les choses suivre leur cours. Dieu merci, il n'était encore rien arrivé de grave et il n'était pas besoin qu'il arrivât rien de grave, c'était même improbable. On avait dû se lever à la lumière artificielle et il fallait se réunir à présent, sans avoir déjeuné, par un froid glacial, en plein air, c'était là ce dont on était convenus. Mais ensuite, sous son influence à lui, Hans Castorp, les choses prendraient sans aucun doute une tournure heureuse et favorable, d'une manière que l'on ne prévoyait pas encore et que mieux valait ne pas essayer de deviner, puisque l'expérience enseignait que même les événements les plus insignifiants se déroulent autrement que l'on s'était appliqué à se le représenter par avance.

Néanmoins, c'était le matin le plus désagréable dont il pût se souvenir. Sans vigueur et fatigué par l'insomnie, Hans Castorp ne pouvait se retenir de claquer des dents nerveusement, et même à une faible profondeur de son être il était fort tenté de se méfier des apaisements qu'il se donnait à lui-même. C'étaient des temps si bizarres... La dame de Minsk que sa colère avait détruite, le potache furibond, Wiedemann et Sonnenschein, l'affaire des gifles polonaises s'agitaient tumultueusement dans son cerveau. Il ne pouvait pas imaginer que sous ses yeux, en sa présence, deux hommes pussent tirer l'un sur l'autre, s'ensanglanter. Mais lorsqu'il songeait à ce qui s'était produit sous ses propres yeux entre Wiedemann et Sonnenschein, il se méfiait de lui-même et de son univers, et il frissonnait dans son pardessus doublé de fourrure, tandis que, malgré tout, une certaine conscience du caractère extraordinaire et du pathétique de la situation, en même temps que les éléments fortifiants de l'air matinal, l'exaltaient et l'animaient.

C'est en proie à des sentiments et à des pensées aussi mélangés qu'il gravit la pente dans le demi-jour qui s'éclaircissait peu à peu, en passant par Dorf et par la plateforme de la piste de bobsleigh, et que, suivant le sentier étroit, il atteignit la forêt toute couverte de neige, traversa les pontons de bois sous lesquels passait la piste, et marcha sur un chemin que les empreintes de pieds plutôt que la pelle avaient frayé, entre les troncs d'arbres. Comme il marchait vite, il rejoignit bientôt Settembrini et Ferge. Ce dernier portait d'une main la cassette aux pistolets sous sa pèlerine. Hans Castorp n'hésita pas à se joindre à eux, et, à peine était-il à leur côté, qu'il aperçut également Naphta et Wehsal qui n'avaient qu'une faible avance.

« Matinée froide, au moins dix-huit degrés », dit-il avec la meilleure intention, mais lui-même s'effraya de la frivolité de ses paroles, et il ajouta : « Messieurs, je suis persuadé... »

Les autres gardèrent le silence. Ferge laissait sa moustache sympathique monter et s'abaisser. Au bout d'un moment, Settembrini s'arrêta, prit la main de Hans Castorp, y posa encore l'autre main et dit :

« Mon ami, je ne tuerai pas. Je ne le ferai pas. Je m'exposerai à sa balle, c'est tout ce que l'honneur peut me commander. Mais je ne tuerai pas, fiez-vous à moi. »

Il lâcha la main et continua de marcher. Hans Castorp était profondément ému, mais dit après quelques pas :

« Quel geste admirable, monsieur Settembrini, mais d'autre part… Si, de son côté… »

M. Settembrini se borna à hocher la tête. Et comme Hans Castorp se disait que, si l'un ne tirait pas, l'autre se déciderait difficilement à ne pas faire de même, il estima que tout s'annonçait bien et que ses suppositions commençaient à se confirmer. Il sentit son cœur devenir plus léger.

Ils traversèrent la passerelle qui franchissait la gorge, où descendait en été le torrent qui était maintenant gelé et silencieux, et qui contribuait si vivement au pittoresque de l'endroit. Naphta et Wehsal allaient et venaient dans la neige, devant le banc capitonné d'épais coussins blancs sur lequel Hans Castorp avait dû naguère, entouré de souvenirs si extraordinairement vivants, attendre la fin d'un saignement de nez. Naphta fumait une cigarette, et Hans Castorp se demanda s'il avait envie d'en faire autant, mais il n'en éprouva pas le moindre désir, et en conclut qu'à plus forte raison ce devait être de l'affectation chez l'autre. Avec la satisfaction qu'il éprouvait toujours en ce lieu, il regardait autour de lui, dans l'intimité hardie de sa vallée qui, sous la neige et la glace, n'était pas moins belle qu'au temps de sa floraison bleue. Le tronc et les branches du pin qui se dressait en travers du paysage étaient également chargés de neige.

« Bonjour, messieurs », prononça-t-il d'une voix claire, avec le désir d'introduire dès l'abord un ton naturel dans la réunion, lequel contribuerait à dissiper les nuages. Mais il n'eut pas de succès, car personne ne lui répondit. Les saluts échangés consistaient en révérences muettes qui étaient raides jusqu'à devenir presque invisibles. Néanmoins, il resta résolu à faire servir sans retard à un résultat favorable le mouvement de son arrivée, la rapidité cordiale de son souffle, la chaleur que lui avait communiquée la marche rapide à travers la matinée d'hiver, et il commença :

« Messieurs, je suis convaincu…

— Vous développerez une autre fois vos convictions, l'interrompit froidement Naphta. Les armes, s'il vous plaît », ajouta-t-il avec la même attitude hautaine. Et Hans Castorp, interdit, dut regarder Ferge tirer l'étui fatal de dessous son manteau, Wehsal s'approcher et prendre un des pistolets pour le transmettre à Naphta. Settembrini reçut l'autre de la main de Ferge. Puis il fallut s'écarter, Ferge à voix basse les en pria et commença de mesurer les distances et de les marquer : la limite extérieure, en traçant du talon de courtes lignes dans la neige, les barrières intérieures par deux cannes, la sienne et celle de Settembrini.

Le débonnaire martyr, à quoi s'employait-il là ? Hans Castorp n'en croyait pas ses yeux. Ferge avait de longues jambes et faisait de grandes enjambées, de sorte que quinze pas firent une bonne distance, encore qu'il y eût là les sacrées barrières qui vraiment n'étaient pas loin l'une de l'autre. Certainement, il était plein de bonnes intentions. Mais pourtant, quel trouble mental subissait-il pour faire des préparatifs aussi sinistres ?

Naphta, qui avait jeté son manteau de fourrure dans la neige, de sorte qu'on en voyait la doublure en loutre, prit pied, le pistolet à la main, sur une des limites extérieures, à peine fut-elle tracée, et tandis que Ferge était encore occupé à tracer d'autres lignes de démarcation. Lorsqu'il eut terminé, Settembrini se mit, à son tour, en position, laissant ouvert son paletot garni de fourrure et râpé. Hans Castorp s'arracha à sa léthargie et s'avança encore une fois rapidement :

« Messieurs, dit-il, anxieux, pas d'excès de hâte ! C'est, malgré tout, mon devoir…

— Taisez-vous, s'écria Naphta, sur un ton tranchant. Je demande le signal. »

Mais personne ne donnait de signal. On s'était mal concerté sur ce point. Sans doute fallait-il dire « allez-y ! » mais on n'avait pas réfléchi que c'était l'affaire de l'arbitre de formuler cette effrayante invitation, ou tout au moins il n'en avait pas été question. Hans Castorp demeura muet et personne ne se substitua à lui.

« Nous commençons, déclara Naphta. Avancez, monsieur, et tirez ! » cria-t-il à son adversaire et il commença d'avancer lui-même, le bras tendu, le pistolet dirigé vers Settembrini à hauteur de la poitrine, spectacle incroyable ! Settembrini fit de même. Au troisième pas — l'autre, sans tirer, était déjà arrivé à la barrière — il leva son pistolet très haut et pressa sur la détente. La détonation sèche éveilla un écho multiple. Les montagnes se lançaient et se relançaient le son, la vallée en retentissait et Hans Castorp se dit que l'on allait ameuter les gens.

« Vous avez tiré en l'air », dit Naphta en se maîtrisant et en abaissant son arme.

Settembrini répondit :

« Je tire où il me plaît.

— Vous allez tirer une deuxième fois.

— Je n'y songe pas. C'est votre tour. »

M. Settembrini, la tête levée, regardant vers le ciel, s'était placé légèrement de profil et sur le côté, ce qui était touchant à voir. On remarquait nettement qu'il avait entendu qu'il ne fallait pas se présenter à son adversaire sur toute sa largeur, et qu'il s'inspirait de ce conseil.

« Lâche ! » cria Naphta en faisant par ce cri cette concession au sentiment humain qu'il faut plus de courage pour tirer que pour laisser tirer sur soi. Il leva son pistolet d'une manière qui n'avait plus rien à voir avec un combat et il se tira une balle dans la tête.

Spectacle lamentable et inoubliable ! Il tituba et s'effondra, tandis que les montagnes jouaient à la pelote avec ce bruit sec, il roula quelques pas en arrière, en lançant les pieds en avant, il décrivit de tout son corps un mouvement tournant à droite, et tomba, la figure dans la neige. Tous restèrent un instant immobiles. Settembrini, après qu'il eut jeté loin de lui son arme, fut le premier penché sur son adversaire.

« *Infelice,* s'écria-t-il. *Che cosa fai, per l'amor di Dio ?* » Hans Castorp l'aida à retourner le corps. Ils virent le trou noir et rouge à côté de la tempe. Ils virent un visage que le mieux était de couvrir du mouchoir de soie dont un bout débordait de la poche du veston de Naphta.

Le coup de tonnerre

Pendant sept ans, Hans Castorp demeura chez ceux d'en haut. Ce n'est pas un chiffre rond pour adeptes du système décimal, mais un bon chiffre, maniable à sa manière, une étendue de temps mythique et pittoresque, peut-on dire, plus satisfaisant pour l'âme que par exemple une sèche demi-douzaine. Il avait pris ses repas à toutes les sept tables de la salle à manger, à chacune pendant une année environ. En dernier lieu il se trouva assis à la table des Russes ordinaires, avec deux Arméniens, deux Finnois, un Boucharien et un Kurde. Il était assis là, avec une barbiche qu'il s'était laissé pousser, une petite barbiche d'un blond de paille, de forme assez indéterminée, que nous sommes obligé de considérer comme un témoignage d'une certaine indifférence philosophique à l'égard de son apparence extérieure. Même nous devons aller plus loin, et rattacher cette tendance à négliger sa personne à une tendance analogue que le monde extérieur manifestait à son égard. Les autorités avaient cessé de s'ingénier à trouver des diversions pour lui. En dehors de la question matinale touchant son sommeil — question de pure rhétorique et qui était d'ailleurs posée sous une forme collective — le conseiller ne lui adressait plus très souvent la parole, et Adriatica von Mylendonk (elle avait un orgelet très mûr à l'époque dont il est question) ne le faisait que de temps à autre. À considérer les choses de plus près, cela n'arrivait même que très rarement, ou jamais. On le laissait en paix, un peu comme un écolier qui jouit de ce privilège particulièrement amusant de n'être plus interrogé, de n'avoir plus rien à faire, parce qu'il est entendu qu'il doublera sa classe, et parce qu'on ne s'occupe plus de lui. Forme orgiaque de liberté, ajoutons-nous, en nous demandant à part nous-même s'il peut y avoir une liberté d'une autre forme et d'une autre espèce. Quoi qu'il en soit, il y avait ici quelqu'un sur qui les autorités n'avaient désormais plus besoin de veiller, parce qu'il était certain qu'aucun défi, aucune résolution subversive ne mûriraient plus dans sa poitrine, un homme sûr et définitivement acclimaté, qui depuis longtemps n'aurait plus su où aller, qui n'était même plus capable de concevoir l'idée d'un retour en pays plat… Une certaine insouciance à l'égard de sa personne n'apparaissait-elle pas déjà dans le fait qu'on l'avait placé à la table des Russes ordinaires ? Et ce disant nous n'entendons d'ailleurs pas faire la moindre critique à l'égard de la table ainsi dénommée ! Il n'y avait entre les sept tables aucune différence tangible. C'était une démocratie de tables d'honneur, pour nous exprimer hardiment. Les mêmes repas formidables étaient servis à toutes ; Rhadamante lui-même y joignait parfois ses mains énormes sur son assiette, lorsque le tour de cette table venait ; et les représentants des diverses races qui y mangeaient étaient d'honorables membres de l'humanité, encore qu'ils n'entendissent pas le latin et qu'ils ne mangeassent pas avec des manières exagérément gracieuses.

Le temps qui n'était pas de l'espèce de celui que mesurent les horloges des gares dont les aiguilles avancent par secousses, de cinq minutes en cinq minutes, mais plutôt de celle du temps des très petites montres dont le mouvement d'aiguilles demeure invisible, ou de l'herbe qu'aucun œil ne voit pousser, quoiqu'elle pousse incontestablement, le temps — une ligne composée de points sans étendue (et sans doute Naphta, qui avait trouvé une mort si tragique, aurait-il demandé comment des points sans étendue peuvent former une ligne) —, le temps donc avait continué, à sa manière rampante, invisible, secrète et pourtant active, d'entraîner des changements. Le jeune Teddy, pour ne citer qu'un exemple, un beau jour — mais naturellement il n'est pas possible de dire quel jour —, un beau jour ne fut ainsi plus tout jeune. Les dames ne pouvaient plus le prendre sur leurs genoux, lorsqu'il se levait parfois, échangeait le pyjama contre un costume de sport, et descendait. Insensiblement, la situation s'était retournée, c'était maintenant lui-même qui les prenait sur ses genoux en de telles circonstances, ce qui faisait à l'un et aux autres autant de plaisir, peut-être même davantage. Il était devenu un adolescent, Hans Castorp ne s'en était pas rendu compte, mais il le voyait à présent. D'ailleurs ni le temps ni la croissance ne profitèrent à l'adolescent Teddy, il n'était pas fait pour cela. Ses jours étaient comptés ; dans sa vingt et unième année Teddy mourut de la maladie à laquelle il s'était montré accueillant et l'on désinfecta sa chambre. Nous rapportons cela d'une voix calme puisqu'il n'y avait pas grande différence entre son nouvel état et son état antérieur.

Mais il y eut des cas de mort plus importants, des cas de mort en pays plat qui regardaient notre héros de plus près, ou qui tout au moins l'auraient autrefois regardé de plus près. Nous voulons parler du récent décès du vieux consul Tienappel, grand-oncle et tuteur de Hans, dont le souvenir s'était déjà fait vague. Il avait évité avec soin des conditions de pression atmosphérique contraires à son tempérament, et il avait laissé à l'oncle James le soin de s'y couvrir de ridicule ; mais il n'avait pu à la longue échapper à l'apoplexie, et la nouvelle de son départ, d'une brièveté télégraphique, mais conçue en termes discrets — plus encore par égard pour le défunt que pour le destinataire du message —, était un jour parvenue jusqu'à l'excellente chaise longue de Hans Castorp, après quoi il avait acheté du papier à lettres bordé de noir et avait écrit aux oncles-cousins, que lui, l'orphelin de père et mère, qui devait se considérer comme orphelin pour la troisième fois, était d'autant plus désolé qu'il lui était défendu et interdit d'interrompre son séjour ici, pour accompagner le grand-oncle à sa dernière demeure.

Ce serait enjoliver les choses que de parler de deuil, et pourtant les yeux de Hans Castorp eurent ces jours-là une expression plus pensive que d'habitude. Ce décès qui ne l'aurait en aucun cas ému profondément et dont d'aventureuses petites années avaient réduit à presque rien la portée sentimentale, signifiait la rupture d'un nouveau lien avec la sphère inférieure ; il achevait de rendre complète ce que Hans Castorp appelait à juste titre la liberté. En effet, en ce temps dont nous parlons, tout rapport avait cessé entre lui et le pays plat. Il n'écrivait plus de lettres et n'en recevait plus. Il ne faisait plus venir de Maria Mancini. Il avait trouvé ici une marque qu'il appréciait et à laquelle il se montrait aussi fidèle qu'à son ancienne amie : un produit qui eût aidé même les explorateurs du pôle à franchir dans la glace les étapes les plus pénibles, et en possession duquel il pouvait rester étendu comme au bord de la mer, et tenir indéfiniment le coup. C'était un cigare fabriqué avec un soin particulier, nommé « Serment du Rütli », un peu plus compact que le Maria, d'un gris de souris, entouré d'une bague bleutée, très docile et doux de caractère, et qui se consumait si régulièrement, en une cendre compacte d'un blanc de neige où apparaissaient les veines de la cape, qu'il eût pu tenir lieu de sablier à celui qui le fumait, et qu'il rendait en effet ce service à Hans Castorp, qui ne portait plus de montre. La sienne, un jour, était tombée de sa table de nuit, et il avait négligé de la faire remettre en marche, obéissant aux mêmes raisons que celles pour lesquelles il avait depuis longtemps renoncé à l'usage de calendriers, que ce fût pour en arracher chaque jour le feuillet échu, ou pour se renseigner sur la succession des jours et des fêtes : dans l'intérêt de sa « liberté », par conséquent, pour favoriser sa promenade sur la grève, cette immobilité « pour toujours et à jamais », ce charme hermétique auquel il s'était montré accessible et qui avait été l'aventure fondamentale de son âme, au courant de laquelle s'étaient déroulées toutes les aventures alchimiques de ce simple sujet.

C'est ainsi qu'il restait étendu, et c'est ainsi qu'une fois de plus, au plein de l'été, de la saison de son arrivée, pour la septième fois — il ne le savait pas — l'année accomplissait sa révolution, lorsque... lorsque retentit...

Mais la réserve et la pudeur nous interdisent de renchérir en narrateur zélé sur ce qui retentit et arriva alors. Surtout pas de vantardises, ici, pas d'histoires de chasseur ! Modérons notre voix pour annoncer que retentit alors le coup de tonnerre que nous connaissons tous, cette explosion étourdissante d'un mélange funeste d'hébétude et d'irritation accumulées, un coup de tonnerre historique qui, disons-le à voix basse et avec respect, ébranla les fondements de la terre — et qui est pour nous le coup de tonnerre qui fait sauter la montagne magique et qui met brutalement à la porte notre dormeur éveillé. Ahuri, il est assis sur l'herbe, et se frotte les yeux comme un homme qui, en dépit de maintes admonestations, a négligé de lire les journaux.

Son ami et mentor méditerranéen s'était efforcé de lui en tenir lieu dans une faible mesure et avait eu à cœur de renseigner son enfant terrible sur les événements d'en bas. Il n'avait toutefois rencontré que peu d'attention chez un élève qui, tout en se plaisant à rêver et à gouverner les ombres spirituelles des choses, n'avait jamais accordé d'attention aux choses elles-mêmes, dans sa propension orgueilleuse à tenir les ombres pour les choses et à voir en ces dernières des ombres, ce dont nous ne saurions le blâmer sévèrement puisque les rapports entre les deux ne sont pas définitivement éclaircis.

Il n'en était plus comme le jour lointain où M. Settembrini, après avoir soudain allumé la lumière, s'était assis au bord du lit de Hans Castorp, étendu horizontalement, et s'était efforcé de l'influencer favorablement quant aux problèmes de la vie et de la mort. C'était lui, à présent, qui était assis, les mains entre les genoux, au chevet de l'humaniste, dans le petit cabinet, ou qui, près de sa chaise longue, dans le studio intime et mansardé, avec les chaises du *carbonaro* et la carafe d'eau, tenait compagnie à l'Italien, et écoutait poliment ses considérations sur la situation mondiale, car M. Lodovico n'était plus que rarement sur pied. La fin pénible de Naphta, l'acte terroriste de son adversaire tranchant et désespéré, avait porté un rude coup à la nature sensible de l'Italien ; il ne pouvait pas s'en remettre, il souffrait depuis lors d'une grande faiblesse. Il avait interrompu sa collaboration à la *Sociologie de la souffrance*, ce lexique de toutes les œuvres des belles-lettres qui avaient pour objet la souffrance humaine n'avançait plus, la ligue attendait en vain ce volume de son encyclopédie. M. Settembrini se vit contraint de borner à une propagande orale sa collaboration au progrès du genre humain, et les visites amicales de Hans Castorp lui en offraient précisément l'occasion qui, sans elles, ne se serait pas présentée.

Il parlait d'une voix faible, mais longuement, agréablement et du fond du cœur, de l'autoperfectionnement de l'humanité par la voie sociale. Son verbe était porté par des ailes de colombes, mais dès qu'il parlait de la réunion des peuples affranchis en vue du bonheur commun, sans qu'il le voulût ou le sût probablement lui-même, il s'y mêlait quelque chose comme un bruissement de vol d'aigles, et cela tenait incontestablement à la politique, à ce legs de son grand-père qui, joint à l'héritage humaniste du père, avait pris en lui, Lodovico, la forme des belles-lettres, de même que l'humanité et la politique s'unissaient dans le toast à la civilisation, dans cette haute pensée qui alliait la douceur de la colombe à la témérité de l'aigle, pensée qui attendait son jour, l'aube des peuples où la réaction serait battue et où la sainte alliance de la démocratie civique serait fondée… Bref, il y avait là des contradictions. M. Settembrini était humanitaire d'une manière plus ou moins consciente, mais en même temps et par là même il était militariste. Il s'était conduit avec humanité à l'occasion d'un duel avec l'affreux Naphta, mais, dans les grandes choses, là où le sentiment humain s'alliait avec enthousiasme à la politique, pour proclamer la victoire et le règne de civilisation, et où l'on consacrait la hallebarde du citoyen sur l'autel de l'humanité, il devenait douteux qu'il restât, du moins théoriquement, disposé à épargner le sang. Même, l'état d'esprit général était tel que, dans les belles dispositions d'esprit de M. Settembrini, la hardiesse d'aigle l'emportait de plus en plus sur la douceur de la colombe.

Souvent ses rapports avec les grandes constellations du monde étaient contradictoires, troublés et embarrassés par maints scrupules. Récemment, voici deux ans ou un an et demi, la collaboration diplomatique de son pays avec l'Autriche, contre l'Albanie, avait troublé le cours de ses idées — cette collaboration qui le satisfaisait parce qu'elle était dirigée contre un pays à demi asiatique, contre le knout et les bastilles tsaristes, et qui en même temps le tourmentait comme une mésalliance avec l'ennemi héréditaire, avec le principe de la réaction et de l'asservissement des peuples. L'automne dernier le grand emprunt russe émis en France en vue de la construction d'un réseau de voies ferrées en Pologne avait éveillé en lui des sentiments également mêlés. Car M. Settembrini appartenait au parti francophile de son pays, ce qui ne peut pas surprendre si l'on considère que son grand-père avait accordé aux journées de la révolution de Juillet la même importance qu'à la création du monde ; mais cette entente de la République éclairée avec la Byzance scythe suscitait chez lui malgré tout une gêne morale, une oppression qui se changeait malgré tout en une espérance joyeuse lorsqu'il pensait à la portée stratégique de ce réseau de voies ferrées. C'est alors qu'eut lieu l'assassinat de l'archiduc, qui fut pour tous, hormis pour certains dormeurs allemands, l'annonce d'une tempête, un signe pour ceux qui savaient et au nombre desquels nous sommes fondés à compter M. Settembrini. Sans doute, Hans Castorp le voyait-il frémir en tant qu'individu, devant un tel acte de terrorisme, mais il voyait aussi sa poitrine se soulever à la pensée que c'était là un acte qui délivrait un peuple et qui était dirigé contre l'objet de sa haine, encore qu'il fallût y voir le résultat d'intrigues moscovites, ce qui causait à Settembrini un certain malaise, mais ne l'empêcha pas de qualifier d'offense faite à l'humanité et de crime effroyable l'ultimatum que la monarchie adressa trois semaines plus tard à la Serbie, en raison des conséquences à venir qu'il distinguait, lui, l'initié, et qu'il saluait, le souffle haletant.

Bref, les impressions de M. Settembrini étaient très composites, comme la fatalité qu'il voyait se précipiter et sur laquelle il essaya à mots couverts d'éclairer son élève, quoiqu'une sorte de politesse nationale et de pitié l'empêchassent d'exprimer toute sa pensée. Les jours des premières mobilisations, de la première déclaration de guerre, il avait pris l'habitude de tendre les deux mains à son visiteur et de serrer les mains de l'autre d'une manière qui allait au cœur du nigaud, sinon à son cerveau. « Mon ami, disait l'Italien. La poudre, l'imprimerie, il est incontestable que vous avez inventé cela, autrefois. Mais, si vous vous figurez que nous marcherons contre la Révolution… *Caro*… »

Durant les jours de l'attente la plus accablante, pendant lesquels les nerfs de l'Europe restèrent tendus par une véritable torture, Hans Castorp ne vit pas M. Settembrini. Les atroces nouvelles montaient à présent directement des profondeurs du pays plat jusque dans sa loge de balcon, elles ébranlaient la maison, emplissaient la salle à manger de leur odeur de soufre qui oppressait la poitrine, et même les chambres des grands malades et des moribonds. C'étaient ces instants où le dormeur allongé dans l'herbe, ne sachant pas ce qui lui arrivait, se redressait lentement avant de se mettre sur son séant et de se frotter les yeux… Nous allons développer cette image pour rendre compte de son état d'âme. Il ramena ses jambes, se leva et regarda autour de lui. Il se vit exorcisé, sauvé, délivré — non par ses propres forces, ainsi qu'il dut le constater à sa confusion, mais expulsé par des forces élémentaires et extérieures pour qui sa délivrance était tout accessoire. Mais encore que son petit destin se perdît dans le destin général, une certaine bonté qui le visait personnellement, une certaine justice divine par conséquent, ne s'y exprimaient-elles pas malgré tout ? La vie prenait-elle encore une fois soin de son enfant gâté, non pas d'une manière légère, mais de cette manière grave et sévère, au sens d'une épreuve qui, dans ce cas particulier, ne signifiait peut-être justement pas la vie, mais trois salves d'honneur pour lui, le pécheur. Et il tomba donc à genoux, le visage et les mains levés au ciel, qui était sombre et chargé de vapeurs de soufre, mais qui du moins n'était plus la voûte caverneuse de la montagne des péchés.

C'est dans cette position que M. Settembrini le trouva. Nous parlons, cela s'entend, par parabole, car en réalité, nous le savons, la réserve de notre héros excluait des attitudes aussi théâtrales. Dans la froide réalité, le mentor le trouva occupé à faire ses malles, car, depuis l'instant de son réveil, Hans Castorp s'était vu entraîné dans le tourbillon des départs précipités dont le coup de tonnerre avait donné le signal dans la vallée. Le pays d'en haut ressemblait à une fourmilière prise de panique. Le petit peuple de ces hommes glissait à une profondeur de cinq mille pieds, sens dessus dessous, vers le pays plat éprouvé, surchargeant les marchepieds du petit train pris d'assaut, en laissant derrière lui, s'il le fallait, les bagages qui encombraient les quais de la gare — de la gare grouillante et qui sentait le brûlé comme si la foudre y avait éclaté d'en bas —, et Hans Castorp se précipitait à leur suite. Lodovico l'étreignit dans ce tumulte — à la lettre, il le serra dans ses bras et l'embrassa comme un Méridional (ou comme un Russe), sur les deux joues —, ce qui ne laissa pas, malgré toute son émotion, de gêner notre voyageur. Mais il faillit perdre contenance lorsque M. Settembrini, au dernier moment, l'appela par son prénom, l'appela « Giovanni », en négligeant la forme usitée dans l'Occident civilisé, c'est-à-dire en le tutoyant.

« *E cosi in giù*, dit-il, *in giù finalmente. Addio, Giovanni mio !* J'aurais préféré te voir partir en d'autres circonstances ; mais soit ! Les dieux en ont disposé ainsi, et pas autrement. C'est au travail que je pensais te voir retourner, mais voici que tu vas combattre parmi les tiens. Mon Dieu, c'était ton lot, et non pas celui de notre lieutenant. C'est la vie… Bats-toi bravement, là où ton sang t'y oblige. Personne ne peut faire davantage, à présent. Mais pardonne-moi si j'emploie le reste de mes forces à entraîner mon pays dans la lutte, du côté où l'esprit et des intérêts sacrés lui commandent de se porter. *Addio !* »

Hans Castorp glissa sa tête entre dix autres têtes qui comblaient le cadre de la portière. Par-dessus elles, il fit un signe d'adieu. M. Settembrini, lui aussi, agita sa main droite, tandis que, de la pointe de l'annulaire de la gauche, il effleurait délicatement le coin de l'œil.

*

* *

Où sommes-nous ? Qu'est-ce que cela ? Où nous a transportés le songe ? Crépuscule, pluie et boue, rougeur trouble du ciel incendié. Un sourd tonnerre résonne sans arrêt, emplit l'air humide, déchiré par des sifflements aigus, par des hurlements rageurs et infernaux, dont le cheminement s'achève en un fracas d'éclaboussements, de craquements et de flamboiements, de gémissements et de cris, de cymbales entrechoquées et qui menacent de se briser, en un crépitement qui pousse à la hâte, plus vite, de plus en plus vite… Il y a là-bas une forêt hors de laquelle se déversent des essaims gris qui courent, tombent et bondissent. Une ligne de coteaux s'étire devant l'incendie lointain, dont la rougeur se condense parfois en flammes mouvantes. Autour de nous, des champs onduleux, bouleversés, détrempés. Une route boueuse est couverte de branchages, semblable à une forêt ; un chemin de campagne, sillonné et défoncé, s'élance en courbe vers la colline, des troncs d'arbres se dressent dans la pluie froide, nus et ébranchés… Voici un poteau indicateur ; inutile de l'interroger ! La pénombre nous en voilerait l'inscription, quand même l'écriteau ne serait pas déchiqueté par un éclat qui l'a transpercé. Est ou ouest ? C'est le pays plat, c'est la guerre. Et nous sommes des ombres timides au bord du chemin, confus de jouir de la sécurité des ombres, peu disposés à nous répandre en vantardises et en histoires de chasseur, amenés ici par l'esprit de notre récit, pour regarder dans le visage simple de l'un de ces camarades en gris, qui courent, qui se précipitent, que talonne le crépitement saccadé, qui s'essaiment hors de la forêt, du compagnon de tant de petites années, du brave pécheur dont nous avons si souvent entendu la voix, pour regarder une dernière fois ce visage avant de le perdre de vue.

On les a amenés, les camarades, pour donner sa vigueur dernière à la bataille qui a duré toute la journée, et dont l'objet est la reprise de ces positions sur la colline, et des deux villages qui brûlent là-bas, enlevés avant-hier par l'ennemi. C'est un régiment de volontaires, du sang jeune, des étudiants pour la plupart qui ne sont pas depuis longtemps sur le front. Ils ont été alertés la nuit, ils ont voyagé jusqu'au matin et ont marché sous la pluie jusqu'à la fin de l'après-midi, par de méchants chemins… Ce n'étaient pas des chemins du tout : les routes étaient encombrées, on a passé par champs et par marécages, pendant sept heures, sous les capotes trempées, en tenue d'attaque, et ce n'était pas une partie de plaisir ; car si l'on ne voulait pas perdre ses bottes, il fallait presque à chaque pas se pencher et, le doigt dans l'oreille de la chaussure, tirer son pied de la terre qui clapotait. Il leur a donc fallu une heure pour traverser le petit pré. Les voici, leur sang jeune a tenu bon, leurs corps excités et déjà épuisés, mais tendus par leurs plus profondes réserves vitales, ne s'inquiètent ni du sommeil ni de la nourriture dont on les a privés. Leurs visages mouillés, éclaboussés de boue, encadrés par la jugulaire, brûlent sous les casques tendus de gris et qui ont glissé en arrière. Ils sont enflammés par l'effort et la vue des pertes qu'ils ont éprouvées en traversant la forêt marécageuse. Car l'ennemi, averti de leur approche, a dirigé un feu de barrage de shrapnells et d'obus à gros calibre sur leur route, un feu qui a déjà éclaté dans leurs groupes en pleine forêt et qui fouette en piaillant, en éclaboussant et flamboyant, le vaste champ raviné.

Il faut qu'ils passent, les trois mille garçons enfiévrés venus en renfort, il faut qu'ils décident, par leurs baïonnettes, de l'issue de cet assaut contre les tranchées et les villages en flammes, derrière la ligne de collines, et qu'ils poussent l'attaque jusqu'à un point fixé par l'ordre que leur chef porte dans sa poche. Ils sont trois mille, pour qu'ils soient encore deux mille lorsqu'ils déboucheront devant les collines et les villages ; tel est le sens de leur nombre. Ils forment un corps composé de telle façon que même après de graves pertes, ils puissent encore agir et vaincre, saluer la victoire par un « hourra » échappé de mille gosiers, sans souci de ceux qui se seront isolés en tombant. Plus d'un s'est perdu, est tombé durant cette marche forcée pour laquelle il était trop jeune et trop frêle. Il a pâli et chancelé ; serrant les dents, il a exigé de soi une résistance virile, mais il a cependant fini par rester en arrière. Il s'est encore traîné un instant le long de la colonne de marche, mais une compagnie après l'autre l'a dépassé et il a disparu, il est resté étendu là où il n'était pas bon de rester. Et puis était venue la forêt qui les avait tronçonnés. Mais ceux qui débouchent sont encore nombreux ; une troupe de trois mille peut supporter une prise de sang sans être réduite au néant… Déjà ils inondent le terrain détrempé, fouetté par les éclats, la route, le chemin, les champs spongieux ; nous, les ombres-spectateurs, au bord du chemin, nous sommes au milieu d'eux. À la lisière de la forêt, on met baïonnette au canon, avec des gestes exercés, le clairon clame avec insistance, le tambour roule et frappe de son tonnerre plus sourd, et ils s'élancent en avant, tant bien que mal, avec des cris rauques, les pieds comme alourdis par un cauchemar, parce que les mottes de terre collent comme du plomb à leurs bottes grossières.

Ils se jettent à plat ventre sous les projectiles sifflants, pour bondir et reprendre leur course en avant, avec les cris brefs de leur jeune courage, parce qu'ils n'ont pas été atteints. Ils sont touchés, ils tombent, battant des bras, touchés au front, au cœur, aux entrailles. Ils sont couchés, le visage dans la boue, et ne bougent plus. Ils sont couchés, le dos soulevé par le sac, l'occiput enfoncé dans la terre, et griffent l'air de leurs mains. Mais la forêt en envoie d'autres qui se jettent à terre, et bondissent et avancent en trébuchant, hurlants ou muets, entre ceux qui sont demeurés en arrière.

Ah, toute cette belle jeunesse avec ses sacs et ses baïonnettes, ses manteaux boueux et ses bottes ! On pourrait avec une imagination humaniste et enivrée de beauté rêver d'autres images. On pourrait se représenter cette jeunesse : menant et baignant des chevaux dans une baie, se promenant sur la grève avec la bien-aimée, les lèvres à l'oreille de la douce fiancée, ou s'enseignant dans une aimable félicité l'art de tirer à l'arc. Au lieu de cela, elle est couchée, le nez dans cette boue de feu. C'est une chose sublime et dont on reste confondu qu'elle s'y prête joyeusement, encore qu'en proie à des terreurs inouïes et à une inexprimable nostalgie de ses mères, mais ce ne devrait pas être une raison de la mettre dans cette situation.

Voici notre ami, voici Hans Castorp ! De très loin déjà nous l'avons reconnu à la barbiche qu'il s'est laissé pousser à la table des Russes ordinaires. Il brûle, transpercé par la pluie, comme les autres. Il court, les pieds alourdis par les mottes, le fusil au poing. Voyez, il marche sur la main d'un camarade tombé, sa botte cloutée enfonce cette main dans le sol marécageux criblé d'éclats de fer. C'est pourtant lui. Comment ? Il chante ? Comme on fredonne, sans le savoir, dans une excitation hébétée et sans pensée, ainsi il tire parti de son haleine entrecoupée et se chante à soi-même :

Ich schnitt in seine Rinde
So manches liebe Wort...

Il tombe. Non, il s'est jeté à plat ventre, parce qu'un chien infernal accourt, un grand obus brisant, un atroce pain de sucre des ténèbres. Il est étendu, le visage dans la boue fraîche, les jambes ouvertes, les pieds écartés, les talons rabattus vers la terre. Le produit d'une science devenue barbare, chargé de ce qu'il y a de pire, pénètre à trente pas de lui obliquement dans le sol comme le diable en personne, y explose avec un effroyable excès de force, et soulève à la hauteur d'une maison un jet de terre, de feu, de fer, de plomb et d'humanité morcelée. Car deux hommes étaient étendus là, c'étaient deux amis, ils s'étaient réunis dans leur détresse : à présent ils sont confondus et anéantis.

Oh ! honte de notre sécurité d'ombres ! Partons ! Nous n'allons pas raconter cela ! Notre ami a-t-il été touché ? Un instant il a cru l'être. Une grosse motte de terre a frappé son tibia, sans doute a-t-il eu mal, mais c'est ridicule. Il se redresse, il titube, avance en boitant, les pieds alourdis par la terre, chantant sans même s'en rendre compte :

Und sei — ne Zweige rauschten
Als rie — fen sie mir zu...

Et c'est ainsi que, dans la mêlée, dans la pluie, dans le crépuscule, nous le perdons de vue.

Adieu, Hans Castorp, brave enfant gâté de la vie ! Ton histoire est finie. Nous avons achevé de la conter. Elle n'a été ni brève ni longue, c'est une histoire hermétique.

Nous l'avons narrée pour elle-même, non pour l'amour de toi, car tu étais simple. Mais en somme, c'était ton histoire, à toi. Puisque tu l'as vécue, tu devais sans doute avoir l'étoffe nécessaire, et nous ne renions pas la sympathie de pédagogue qu'au cours de cette histoire nous avons conçue pour toi et qui pourrait nous porter à toucher délicatement de la pointe du doigt le coin de l'œil, à la pensée que nous ne te verrons ni ne t'entendrons plus désormais.

Adieu ! Que tu vives ou que tu tombes ! Tes chances sont faibles. Cette vilaine danse où tu as été entraîné durera encore quelques petites années criminelles et nous ne voudrions pas parier trop haut que tu en réchapperas. À l'avouer franchement, nous laissons assez insoucieusement cette question sans réponse. Des aventures de la chair et de l'esprit qui ont élevé ta simplicité t'ont permis de surmonter dans l'esprit ce à quoi tu ne survivras sans doute pas dans la chair. Des instants sont venus où dans les rêves que tu gouvernais un songe d'amour a surgi pour toi, de la mort et de la luxure du corps. De cette fête de la mort, elle aussi, de cette mauvaise fièvre qui incendie à l'entour le ciel de ce soir pluvieux, l'amour s'élèvera-t-il un jour ?

FINIS OPERIS

Table

Note du traducteur 7
Dessein 9

CHAPITRE PREMIER

Arrivée 11
Numéro 34 20
Au restaurant 25

CHAPITRE II

L'aiguière baptismale et les deux aspects du grand-père 32
Chez les Tienappel, et de l'état moral de Hans Castorp 45

CHAPITRE III

Assombrissement pudibond 56
Petit déjeuner 60
Gaieté interrompue 69
Satana 81
Lucidité 93
Un mot de trop 100
Une femme naturellement ! 106
Monsieur Albin 112
Satan fait des propositions déshonorantes 116

CHAPITRE IV

Emplette nécessaire 131
Digression sur le temps 143
Essai de conversation française 148
Politiquement suspect ! 154
Hippe 160
Analyse 173
Doutes et réflexions 181
Propos de table 186
Inquiétude naissante. Les deux grands-pères
et la promenade en barque au crépuscule 195
Le thermomètre 222

CHAPITRE V

Potage éternel et clarté soudaine 253
« Seigneur, je vois ! » 280
Liberté 302
Caprices du mercure 310
Encyclopédie 324
Humaniora 345
Recherches 367
Danse macabre 392
Nuit de Walpurgis 441

CHAPITRE VI

Changements 471
Encore quelqu'un 503
Du royaume de Dieu et de la délivrance perverse ... 528
Colère bleue et surprise pénible 561
Assaut repoussé 578
Operationes spirituales 598
Neige 636
En soldat et en brave 677

CHAPITRE VII

Promenade sur la grève 736
Mynheer Peeperkorn 746

Vingt et un 757
Mynheer Peeperkorn *(suite)* 782
Mynheer Peeperkorn *(fin)* 836
La grande hébétude 852
Flots d'harmonie 867
Doutes suprêmes 891
La grande irritation 929
Le coup de tonnerre 962

Thomas Mann
dans Le Livre de Poche

Les Buddenbrook n° 3192

Les Buddenbrook, premier roman de Thomas Mann, devenu l'un des classiques de la littérature allemande, retrace l'effondrement progressif d'une grande famille de la Hanse au XIXe siècle, de Johann, le solide fondateur de la dynastie, à Hanno, le frêle musicien qui s'éteint, quarante ans plus tard, dans un pavillon de la banlieue de Lübeck.

Le Docteur Faustus n° 3021

L'intrigue traite sur le mode romanesque de la crise spirituelle qui secoue l'Europe au sortir de la guerre. Thomas Mann compose la biographie imaginaire d'un artiste qui, comme Nietzsche, braverait la folie pour porter la souffrance d'une époque dans son orgueil de créateur et, comme Schönberg, serait l'inventeur de la musique sérielle.

L'Élu n° 3257

Grégoire est le fils de jumeaux princiers et incestueux qui l'ont abandonné. Recueilli par des pêcheurs, élevé dans un monastère, il part à la recherche de ses parents et arrive aux portes d'un royaume gouverné par une reine qu'il finit par épouser. Lorsqu'il découvre qu'elle est aussi sa mère, il part et se fait enchaîner sur un rocher, sans autre nourriture que le suc de la pierre.

Dix-sept ans plus tard, des messagers de Rome, à la recherche du nouveau pape, désigné par l'Agneau de Dieu, le trouvent.

La Mort à Venise n° 1513

La Mort à Venise est le récit de la passion folle et fatale qui saisit un écrivain d'âge mûr à l'apparition d'un gracieux adolescent d'une extraordinaire beauté.

Romans et nouvelles (1896-1903) La Pochothèque

Ce volume de La Pochothèque comprend : *Déception / Paillasse / Tobias Mindernickel / Louisette / L'Armoire à vêtements / Les Affamés / Gladius Dei / Tristan / Tonio Kröger / Les Buddenbrook.*

Romans et nouvelles (1904-1924) La Pochothèque

Ce volume de La Pochothèque comprend : *Chez le prophète / Les Enfants de Wotan / L'Accident de chemin de fer / Comment Jappe et Do Escobar se battirent / La Mort à Venise / Les Confessions du chevalier d'industrie Félix Krull / La Montagne magique.*

Romans et nouvelles (1918-1951) La Pochothèque

Ce volume de La Pochothèque comprend : *Maître et chien / Désordre / Mario et le magicien / Les Têtes interverties / Le Docteur Faustus / L'Élu.*

Sang réservé suivi de *Désordre* n° 3408

L'histoire de la passion sensuelle qui conduit un frère et une sœur à outrepasser le tabou de l'inceste et celle d'un chagrin d'amour enfantin, dans l'Allemagne chaotique et déboussolée des années 1920.

Tonio Kröger n° 4032

Jeune écrivain prisonnier de l'introspection et de la réflexion sur son art, Tonio Kröger est fasciné par son contraire : ceux qui vivent sans réfléchir, abandonnés à leurs instincts vitaux, comme son camarade Hans et la belle Ingeborge. La vraie vie résiderait-elle dans la sérénité heureuse et terre à terre des gens « normaux » ?

Composition réalisée par Datagrafix

Achevé d'imprimer en mars 2012 en France par
CPI BRODARD ET TAUPIN
La Flèche (Sarthe)
N° d'impression : 68183
Dépôt légal 1re publication : août 1991
Édition 17 – mars 2012
LIBRAIRIE GÉNÉRALE FRANÇAISE
31, rue de Fleurus – 75278 Paris Cedex 06

30/6994/5